第3版

インテリア
コーディネーター
合格テキスト

町田ひろ子
インテリアコーディネーターアカデミー

X-Knowledge

インテリアコーディネーター資格試験について

インテリアコーディネーター資格試験は、公益社団法人インテリア産業協会が主催し認定する資格で、年に一度実施されています。試験には一次試験と二次試験があります。

インテリアコーディネーター(IC)一次試験実施方法の変更について

これまで、IC資格の一次試験は、「マークシート方式」で実施されていましたが、2023年度に実施する一次試験から、「CBT（Computer Based Testing）方式」で実施されます。

CBT方式は、試験会場での全国一斉実施ではなく、受験期間中に全国各地に設置されたテストセンターにあるパソコンで一次試験を受験します。受験期間は9月中旬から10月中旬の約1か月間を予定。期間中に1回、受験することができます。

CBT方式への移行に伴い、一次試験の試験時間を従来の160分から120分に短縮。時間短縮に合わせて出題数を従来の50問から36問に削減されます。試験出題範囲や審査基準に変更はありません。

試験に関する最新情報は、主催元のホームページや受験ガイドにてご確認ください。
https://www.interior.or.jp/cbt/

ホームページアドレス

公益社団法人インテリア産業協会　https://www.interior.or.jp/

試験に関する問合せ先

インテリアコーディネーター資格試験運営事務局

TEL：03-6380-8929（10：00 ～ 17：00　祝日を除く）※試験当日は9：00 ～ 16：00

※本書の内容は、原則として、2022年12月現在の法令・データ等に基づいています(なお、表などの資料の数値は、試験の関係上、最新のものとは限りません)。
※著者および出版社は、本書の使用によるインテリアコーディネーター資格試験の合格を保証するものではありません。

はじめに

はじめに

“好奇心と行動力”。どんな人がインテリアコーディネーターに向いていますか、と聞かれたら、即座に答えているのがこの言葉です。そして何より“インテリアが好き”という人が向いています。

インテリアコーディネーターは、広範囲にわたる仕事ですが、住宅にたとえるとわかりやすいと思います。住み心地の良い家は、家族の会話が弾み、友人、知人との交際も活発になります。特に少子高齢社会といわれる今日では、生き生きとした暮らしを実現するには、インテリアコーディネーター自身もみずからのライフスタイルを通して提案することが求められます。

それが新築以上にリフォームやリノベーションに注目が集まっている理由です。

そのため、社会に積極的に関わり、意欲的に活動するプロフェッショナルが未来の姿です。インテリアコーディネーターが資格化されて 40 年になりました。仕事の専門性が確立され、インテリア業界において、私たちへの期待が高まっているのもそのためです。

イメージからは想像しにくのですが、インテリア業界で活躍するためには資格取得が不可欠になっています。本書の特徴は何と言っても、日々実務に携わっている専門家のインテリアコーディネーター講師が、仕事の流れを実務に沿って作成したということです。そのため試験対策はもちろんのこと、資格取得後もバイブルとして役に立つように出来上がっているのが特徴です。

やりがいから生きがいに、長く続けられる仕事を目指したい人は、この機会を生かし、是非資格取得を目指してみてください。その資格取得を“自信とプロへの自覚”に置き換え、社会で長く活躍でき尊敬されるインテリアコーディネーターになってほしいと願っています。

町田ひろ子インテリアコーディネーターアカデミー
校長　町田ひろ子

本書の見方と使い方

本書は、インテリアコーディネーター資格試験一次試験出題範囲に対応した内容で構成しています。本文は、インテリアコーディネーターの実務に沿った順番で掲載しています。一次試験の勉強はもちろん、インテリアコーディネーターになってからの確認にも、本書を役立ててください。

試験頻出度。❗1～3つで表示。3つが最も頻度が高い。❗が少ないからといって油断は禁物です

この項目でチェックしておくべきポイント。本文を読む前や読んだあとに確認して、きちんと内容を把握できているか確認をしましょう

重要語句。試験に頻出する用語や内容。赤字は赤フィルターを重ねると見えなくなります。この用語は覚えておきましょう

徹底分析問題集の見方と使い方

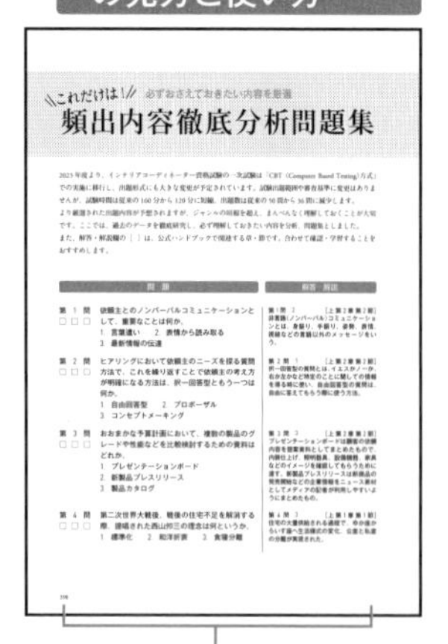
\\これだけは!// 必ずおさえておきたい内容を厳選

頻出内容徹底分析問題集

一次試験でよく問われているテーマを一問一答形式にしています。反復学習に役立ててください

16-3　重要度 ❗❗❗

テーブル・机（デスク）

Point

- ☑ テーブルや机の形状と呼び名を覚える
- ☑ テーブルの大きさは座席数をもとにして決める
- ☑ 甲板には無垢材のほか、合板による5つの構造がある

テーブル・机の種類

食事・応接・家事などに用いられるテーブルや筆記作業などのときに使用する机（デスク）は、機能性はもちろん、インテリアエレメントとして重要な要素であり、種類もさまざまである（図1）。

■ 図1　テーブル・机の主な種類

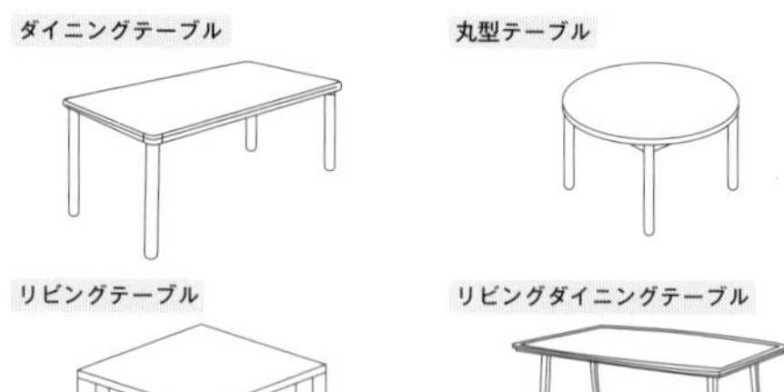

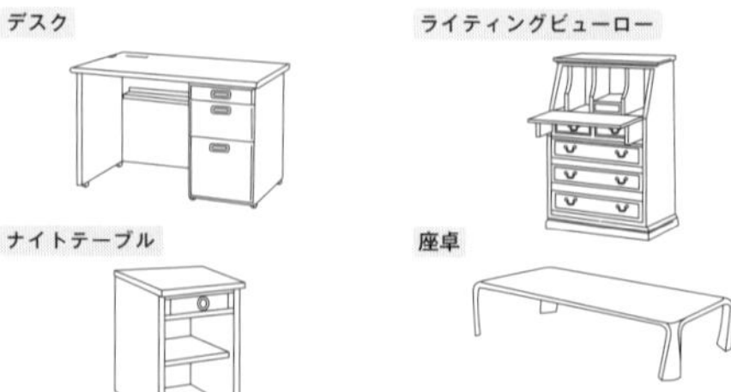

ダイニングテーブルとリビングテーブル

ダイニングテーブルは高さが食事に適した70cm前後で、大きさは人数によって変わる。リビングテーブルはソファなどに組み合わせて使用し、高さは40～45cmと低めである。

ライティングビューロー

小型のデスクと書物を収める本棚、引出しなどの収納機能をコンパクトに一体化したもの。

ナイトテーブル

ベッド脇に置く小型のサイドテーブル。スタンド照明や時計、小物などを置く。

テーブルは脚モノ、デスクは箱モノと分類されるよ！

公式ハンドブック［上］P.84～85、P.163～164

インテリアコーディネーター資格のための公式テキスト『インテリアコーディネーターハンドブック　統合版 上・下編』（インテリア産業協会）該当頁。ハンドブックの該当頁と本書を併せて読むと、より理解が深まります

テーブル・机の機能寸法

テーブルや机の機能寸法の原点は、イスと同様に座位基準点にあると考える。机とイスが人体に適合しているかどうかを判断するには、まず人体に合うイスを考え、次に人体とイスが適合する机の寸法を設計する。机の寸法は最後に決まる。

1. テーブル・机とイスの高さ

イスの座面とテーブルや机の甲板面との高さの差を差尺という(図2)。差尺は甲板面での作業や食事の際、疲れにくい姿勢を保つための重要な要素である。適切な差尺の寸法は、人の座高と作業内容により以下の式で求める。

■ 図2 差尺

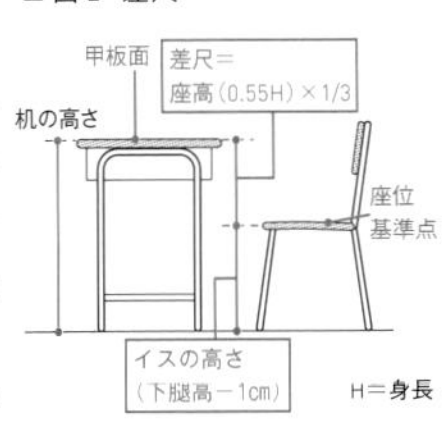

①筆記作業が主で、能率に重点を置いた場合

差尺＝座高× 1/3

②読書および緩慢な作業が主で、長時間の使用に重点を置いた場合

差尺＝座高× 1/3 －(2～3cm)

なお、テーブルや机の標準的な高さは、67～70cmである。

2. テーブルの高さと大きさ

テーブルの高さは使用する目的によって異なる(表)。また、ダイニングテーブルは、座席数が甲板の大きさの目安となる(図3)。この場合、1人が占めるスペースは、約60 × 40cmである。

■ 表 テーブルと高さの目安

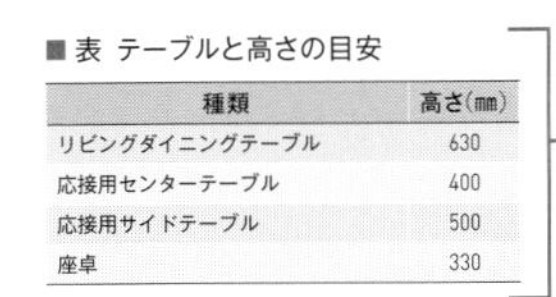

種類	高さ(mm)
リビングダイニングテーブル	630
応接用センターテーブル	400
応接用サイドテーブル	500
座卓	330

■ 図3 座席数と甲板寸法

4人
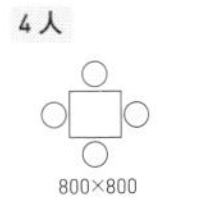
800×800

4人
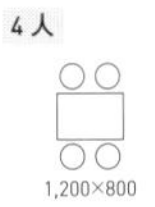
1,200×800

6人
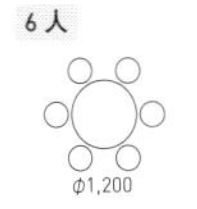
φ1,200

6人
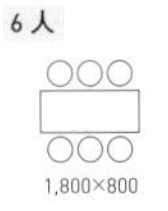
1,800×800

6人
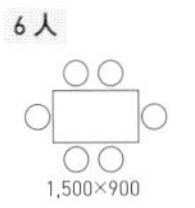
1,500×900

8人
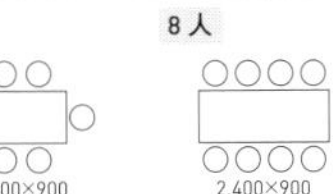
2,400×900

イス・机の寸法

イスや机の高さは、身長を基準として寸法を決める。
イスの高さ≒下腿高－ 1cm
≒ 1/4 身長
机の高さ≒イスの高さ + 差尺
≒ 1/4 身長 +1/3 座高
≒ 2/5 身長

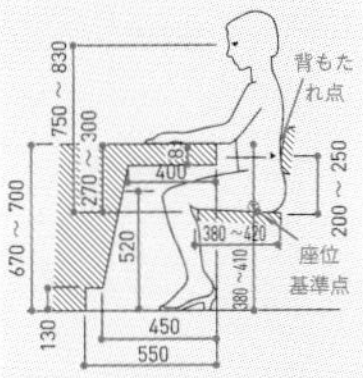

甲板

テーブル・デスクの最も主要な部分。平滑さと耐久性が要求される。木材、ガラスなどが用いられる。天板、テーブルトップとも呼ばれる。→ P.326「テーブル・机の構成部材」

差尺の違い

筆記は腕が動かしやすいなど、作業性の高い姿勢が求められるが、読書は比較的軽い作業であるため、筆記作業と読書とでは差尺に2～3cmの違いが出る。

共用するテーブルの高さ

応接テーブルとダイニングテーブルを兼用する場合には、テーブルの高さを低めにし、イスはややゆったりとした物を選ぶとよい。

16 家具

関連情報。本文に関連して、覚えておきたい内容を解説しています

キーワード。本文に出てくる重要な用語をわかりやすく解説しています

図・表・写真の解説で本文をより理解しやすくしています

補足コメント。本文を理解したり覚えるのに必要な情報やヒントを掲載しています。イヌたちと一緒に登場するデザイナーズチェアも要チェック！

CONTENTS

装幀・扉デザイン：渡邉民人(TYPE FACE)　本文デザイン：vivid(高橋千夏)　DTP：TK クリエイト　イラスト：MADE IN(高橋哲史)

0-1 インテリアコーディネーターの仕事

豊かで快適な生活をデザインする専門家

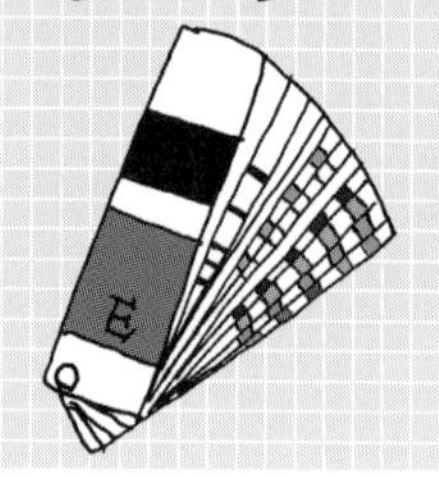

インテリアコーディネーターの役割

インテリアコーディネーターとは、家づくりやリフォーム、リノベーションを検討しているお客様に対して、美しく、安全・快適・機能的な住空間を提案する専門家です。

インテリアを美しくまとめるセンスに加えて、住まい手の視点に立った生活デザインの提案力が求められます。たとえば「仕事は忙しいが、子供ときちんと向き合って生活したい」など、多種多様な要望もインテリアを通じて解決していきます。

家具やカーテンなどのインテリアエレメント（構成部材）を中心に、照明や水廻りなどの設備機器、仕上材などの建築に関わる知識も備えて、お客様の要望に応える提案をします（図）。

このほか、ハウスメーカーが販売する住宅のモデル（モデルハウス）や、マンションディベロッパーが販売するマンションのモデルルームのインテリアコーディネートも主な仕事のひとつです。

■図　コーディネートの対象となるインテリアエレメントの例

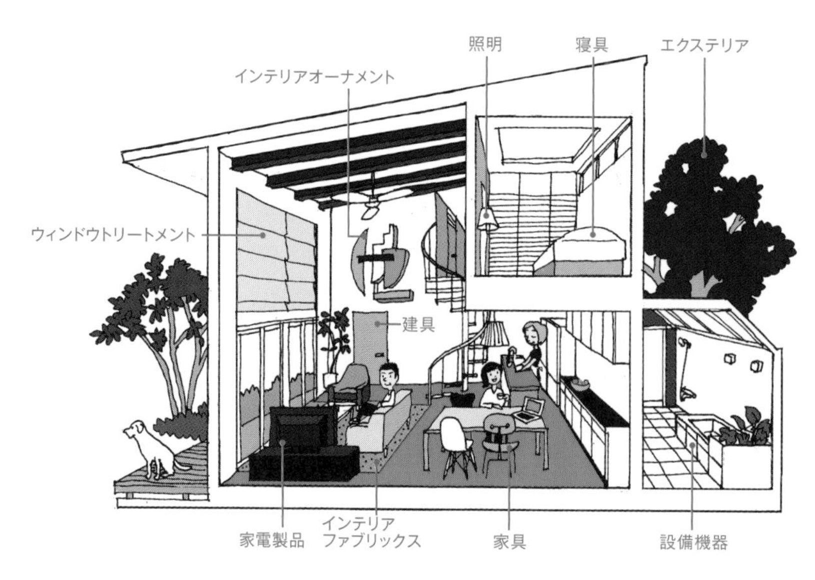

住宅を構成する部材には床や壁、天井の仕上材も含まれる。また、リフォームでは、間取り（部屋の構成や配置）の提案などもインテリアコーディネーターの仕事となる場合がある

インテリアコーディネートの流れ

生活する上で、人と空間、人ともの、空間とものの最良な環境を整えることをインテリアコーディネーションといいます。ここでは、個人住宅のインテリアコーディネートの流れを紹介します。大まかに下記のようになっています。

お仕事START!

初打合せ（クライアントインタビュー）

お客様（住まい手）の家族構成や好み、要望、予算などの基本的な情報を収集する。

プレゼンテーション

プランニングボードや素材のサンプル（サンプルボード）を用いて、具体的に内装材や家具、色彩計画などを提案する。

提案への承認を得る

お客様の要望に沿うようにプレゼンテーションを数回行ない、お客様に了承してもらう。この際に、工事費などの見積金額も提示して、具体的な仕様を決定する。

施工開始・納品チェック

家具などの施工、納品時の資材や家具等の搬入経路への養生の確認、手配も重要。

引渡し

施工やスタイリングが完了した住宅をお客様へと引き渡す。

アフターフォロー

住み始めてからの不具合や新たな要望もあるので、引渡し後もお客様との関係は続いていく。

0-2

インテリアコーディネーターの人物像

お客様に信頼感を与える立ち居振る舞い

インテリアコーディネーターの資質

前頁で述べたように、インテリアコーディネーターは、お客様の住まいへの要望や夢を聞き取り、それを具現化することが仕事です。

お客様の住まいやライフスタイルという、プライベートな領域に立ち入るため「この人なら大丈夫」と安心してもらうことがとても大切です。良好なコミュニケーションをとり、早い段階で信頼関係を築くことができると、仕事が進めやすくなります。

話を聞き出す対話力や理解力だけでなく、ちょっとした言葉遣いや所作、身だしなみも、お客様にとっては重要なチェックポイントとなります。初めて顔を合わせる打合せから、好ましい印象を与えるような立ち居振る舞いが望まれます。

好ましい印象を与えるポイント

インテリアコーディネーターとして、お客様に信頼されるには、以下の要素に気を配り、徹底することが重要です。どれも特別なことではなく、社会人として、当たり前のマナーでもあります。

1. 丁寧な言葉遣いで話す

社会人として常識のある言葉遣いで、必要な情報をわかりやすく伝える。

2. 身だしなみを整える

清潔感のある服装やメイクに配慮する。個人的なセンスの良さを表現できる要素でもある。

3. 事前準備の徹底

お客様の要望を聞き入れたプレゼンテーションツールや、見積書などの準備をしっかりと行う。

4. 時間管理の徹底

お客様の要望にはスピーディに対応する。工事が始まれば、スケジュールの管理が最重要となる。

インテリアコーディネーターの仕事ツール

実際に活躍しているインテリアコーディネーターの一例を紹介します。前頁で述べた身だしなみのポイントに加え、プレゼンテーションや現場チェックの際に必要となるツールもお見せします。

知っておきたいトレンド&ニュース ①

インテリアコーディネーターの誕生

インテリアコーディネーターの誕生と背景

1. 変化し続ける生活空間

日本の伝統的な住まいは、建築とインテリアといった区別はなく、障子や襖によって緩やかに区切られ、自在に使える部屋のなかでゆか座式の生活を基本としてきた。明治以後、欧米の生活文化の流入により洋風住宅が導入され、用いる家具によって部屋の機能が決まるような新たな生活空間が生まれた。

第二次大戦後、不足していた住宅が大量に供給される近代化への過程で生活様式は、イスやベッドなどの家具を用いる欧米式のいす座式の生活様式に急速に変化した。こうして、日本の住宅は"インテリア"という新しい概念が芽生え住意識の大きな転換が始まった。

2. インテリアコーディネーターの登場

インテリアという言葉が日本で初めて使われたのは1970年頃のことである。1973年に当時の通商産業省(現：経済産業省)生活産業局下にインテリア産業振興対策委員会が設置された。

生活者のライフスタイルが時代とともに多様化し、1980年代にはインテリア産業は住宅供給の新しいしくみのなかで急成長を見せた。こうして、多種多様なインテリアエレメントをつくり出し、供給する産業として確立したのである。

一方で、さまざまなインテリアエレメントのなかから、住まい手が必要とするものを適切に選んで住宅という生活空間にまとめ、満足度を高めることも求められるようになった。そこで誕生したのがインテリアコーディネーターである。今日ではその職域は広がり、ハウスメーカーに所属し、依頼主のインテリア相談を受ける。また、インテリアエレメントの流通過程で商品説明や販売に携わったり、フリーな立場で直接依頼主の住まいを請け負う独立型のインテリアコーディネーターも活躍している。

公式ハンドブック[上] P.2～7

戦後1945年以降の法律

危機的な住宅不足に対応すべく、国が1950年に住宅金融公庫法を制定。また1955年には、公営住宅法を制定し公営住宅に加え、日本住宅公団(現在のUR都市機構の前身)による住宅分譲業者向けの融資が進められた。

D・K(ダイニング・キッチン)は、公団がつくった造語だよ。1957年には、食寝分離の考え方が盛り込まれた代表定期な公営住宅の型「公営51C」や、それを進化させた「2DK55」が確立されたんだ！

■公営住宅51C型

知っておきたいトレンド&ニュース②

ライフスタイルの変化

ウィズコロナ時代の住環境

2020年に世界で感染が拡大した新型コロナウイルスは、日本でも私たちの生活に大きな影響を与えている。感染防止を目的にさまざまな制限が行われ、同年5月には感染対策専門家会議で「新しい生活様式」が提唱された。今後は感染収縮を見込んだ経済活動の正常化にともない、行動制限の緩和も進められるだろう。

またコロナ渦をきっかけに、働き方や消費のスタイル、住まいのありかたなどに大きな変化が生まれた。インテリアコーディネーターは、こうした社会情勢やライフスタイルの変化を注視し、専門的な情報を収集、提案する力が期待される。特に暮らしやすい住まいの間取りや、建材・素材の特徴、設備の工夫などは実践の場で大いに役立つ。

■表　コロナウイルスによる生活意識の変化

①在宅時間の変化	3密(密集・密接・密閉)を避けるため、多くの会社がリモートワークや時差通勤、オンライン会議を推進。学校もオンライン授業を積極的に取り入れ始め、WEBツールを活用した新たなコミュニケーションスタイルが広がった。家族が家で過ごす時間が長くなり、在宅時間やその使い方にも変化が生じている。
②居室の数の変化	リモートワークの実施、オンライン授業の受講など、家は生活だけでなく、「仕事」や「学び」も行う場へと変化している。それに伴い、ダイニングスペースを食事も仕事も行えるようなオープンな空間に計画したり、小さくても独立した書斎(ワークスペース)が求められている。
③居室の用途の変化	複数のパソコンやスマートフォン、タブレットなどを同時に使用する機会が増え、LANやWi-Fi(無線LAN)の環境整備も急がれる。特にWi-Fiは、使用する各部屋で安定した電波状況が必要だ。電波が届きにくい場合は、中継機器(ルーター)でつなぐなど工夫が求められる。 リモートワーク中に家庭での生活音が漏れ伝わるなど音に関わる懸念もあり、簡易なリフォーム需要が増えている。
④洗面所やトイレに対する意識の変化	手洗いやうがいを行う洗面空間や感染に留意すべきトイレ空間などは、今後はさらに下記のような工夫が必要となる。 ・レバーに触れずに済む自動水栓の活用 ・自動フタ開閉や自動洗浄の機能をもつ便器の選択 ・清掃性・抗菌性・耐薬品性などの機能を持つ仕上げ材 抗ウイルス仕様のトイレ  非接触式の金物 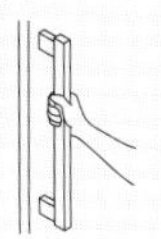

日常生活を営む上での基本的生活様式

厚生労働省は、「新しい生活様式」の実践例として
(1)一人ひとりの基本的感染対策
(2)日常生活を営む上での基本的な生活様式
(3)日常生活の各場面別の生活様式
(4)働き方の新しいスタイル
を発表した。特に(2)に関しては以下のようなロゴマークを呈し、啓発を促している。

外出控え

密集回避

密接回避

密閉回避

換気

咳エチケット

手洗い

1.SDGs（Sustainable Development Goals）

持続可能な開発目標のこと。2015年9月に国連の「持続可能な開発サミット」で採決され、2030年までの国際開発目標としている。17のゴールと169のターゲット達成により、「誰一人取り残さない」社会の実現に向け、途上国及び先進国で取り組む。17のゴールのうち、13ゴールが環境に直接的に関連する。残り4ゴールも間接的だが、環境に関連する。住まいづくりにおいては、特に6,7,11,13,15をおさえておきたい。

■表　SDGsの17のゴール

No.	ゴール
1	貧困をなくそう
2	飢餓をゼロに
3	すべての人に健康と福祉を
4	質の高い教育をみんなに
5	ジェンダー平等を実現しよう
6	安全な水とトイレを世界中に
7	エネルギーをみんなに。そしてクリーンに
8	働きがいも経済成長も
9	産業と技術確認の基盤を作ろう
10	人や国の不平等をなくそう
11	住み続けられるまちづくりを
12	つくる責任、つかう責任
13	気候変動に具体的な対策を
14	海の豊かさを守ろう
15	陸の豊かさも守ろう
16	平和と公正をすべての人に
17	パートナーシップで目標を達成しよう

2. 脱炭素社会

地球温暖化の原因となる二酸化炭素をはじめとする温室効果ガス排出量を、2050年を目途に実質ゼロにする社会のこと。温室効果ガスの排出をゼロにするのではなく、排出量と吸収量を均衡にさせて、結果的にゼロにするという考え。

3. カーボンニュートラル

英語の「カーボン＝炭素」と「ニュートラル＝中立・中間」を組み合わせた言葉。二酸化炭素をはじめ温室効果ガスの排出量から、植林や森林管理などによる吸収量を差し引いて、実質的ゼロにすること。

温室効果ガス

大気中に含まれる二酸化炭素やメタン・フロンなどのガスの総称。温室効果ガスには、太陽から放出される熱を地球に閉じ込めて、地表を温める働きがある（地球温暖化）。

牛のゲップ

温室効果ガスには、メタンの放出源のひとつ「はんすう動物の牛（他に羊、山羊、鹿など）のゲップ」も影響している。他に化石燃料の採掘やゴミの埋め立て処分場からの発生もある。

地球温暖化

地球の気温が上がることを地球温暖化という。温室効果ガスが増えすぎると、地球から逃げていくはずの熱が放出されずに地表に溜まりすぎてしまい、気温が上昇。その結果、異常気象が発生しやすくなるなど気候変動につながり、生態系にも影響を及ぼす。

注目が高まる設備・建材

日々多くの建材や設備が製品化されているが、SDGsの頭のS（サスティナブル）と、住環境の快適志向の視点から注目するとよいだろう。

1. サスティナブルの視点

木材の適正な利用は、CO_2排出量への配慮や森林維持の視点からサスティナブルにふさわしい。自然素材で肌触りがよく、時に耐える材(古材)でもあるなど利点が多く、今後のインテリア業界においても建材の中心になるだろう。また、中高層木造建築物の構造材としてだけでなく、一般木造建築物の構造・意匠材としても利用できるCLTは魅力的な建材だ。建物の構造材が主たる用途だが、ある程度の防火性や断熱性も期待できる。

省エネ住宅が一般化してきたことで、冷暖房設備も変化している。たとえば、エアコン一台で住宅全体の冷暖房を賄うシステムや、風に頼らない放射冷暖房の利用、蓄熱による暖房などがある。外付けブラインドや屋上緑化、壁面緑化なども、室内環境をより良くする点で注目が高まっていくだろう。

2. 住環境の快適化

コロナ禍により自宅での時間が増えたことで、住環境の快適性はより関心が高まっている。素材の安全性や安心感に加え、換気にも注目だ。たとえば高気密高断熱住宅で一般的だった熱交換型換気扇が、一般の木造住宅やオフィス、店舗などでも安定した室内環境のためにより注目されている。

また、抗菌・抗ウイルス関連の塗料やクロス、コーティング材、情報機器関連のホームネットワークカメラ、マルチメディアコンセント、センサースイッチなども需要が急増。設備ではないが、DIYで自分なりの室内を楽しむことや、玄関まわりの手洗いや宅配用ボックス、ワークスペースの適正配置なども住環境の快適性につながっている。

CLT

Cross Laminated Timber（直交集成板）。厚みのある大きな板で、断熱性、遮炎性、遮熱性がある程度期待できる。中高層建築の構造材のほか、一般木造建築物の構造・意匠材や家具などにも使われる。

放射冷暖房

冷温水等を流すパネルの放射による冷暖房。風に頼らないので、自然で快適な室内環境が得やすい。

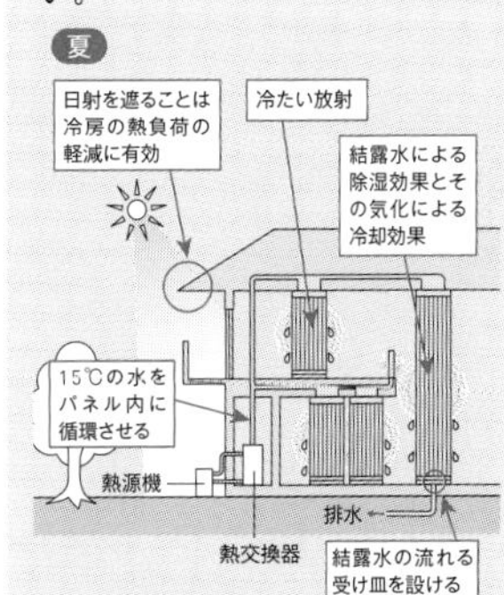

出典：『建築設備パーフェクトマニュアル 2020 － 2021』

蓄熱型暖房

深夜電力で耐熱煉瓦を熱して日射に放射するもの、床下に水の蓄熱層を設けるものなどがある。蓄熱は環境にやさしい技術なので、これからも工夫して利用されるだろう。

屋上・壁面緑化

維持には気をつかうが、建物の省エネ効果、空気の浄化、精神的安らぎなどが期待される。都市のヒートアイランド緩和対策としても注目。

マルチメディアコンセント

インターネットやテレビ、電話等接続できるコンセント。コードやケーブルの露出が少なくなり、部屋の美観にもよい。

知っておきたいトレンド&ニュース③

インテリアコーディネーター業務への影響

提案内容の変化

コロナウイルスによる生活様式の変化や環境意識の世界的高まりにより、インテリアコーディネーターに求められる知識もドラスティックに変化している。

テレワークスペースの提案は代表的だ。リモートワークに対応した家具や収納、間取りのアイデアなどは、豊富なほど歓迎される。またコロナウイルスに限らず、感染症一般についての対策や予防も知っておきたい。抗菌、抗ウイルス仕様の商材や、用語の意味をおさえておくとよいだろう。

インテリアコーディネーター業務を行う環境そのものも変化している。Zoom や Microsoft Teams を使ったウェブ上での打ち合わせや、YouTube や LINE を活用した情報発信は今や日常になった。こうしたオンラインツールをうまく利用することで、従来通り実地で行う業務も効率よく進めていくことが必要だ。

■写真　リモートワークに対応した家具

ハーマンミラー「アーロンチェア」

オカムラ　昇降デスク「スイフト」

■表　ウイルスや細菌対策に関する用語の定義

用語	定義
抗ウイルス	「ウイルスを不活性化させる」という意味。法律による規定はなく、業界団体が独自の基準を設けていることが多い。
抗菌	「細菌の繁殖を防止する」という意味。経済産業省は景品表示法のなかで、抗菌の対象を細菌のみとしている。
滅菌	「すべての細菌やウイルスを完全に死滅させる」という意味。日本薬局方では、微生物の存在する確率が 100 万分の一以下になることと定義されている。
殺菌	「細菌やウイルスなどの微生物を死滅させる」という意味。薬機法の対象である医薬品、医薬部外品のみに使用できる表現。
除菌	「対象物または限られた空間に含まれる微生物の数を減らす」という意味。食品衛生法のなかで「ろ過等により、原水等に由来して当該食品中に存在し、かつ、発育し得る微生物を除去することをいう」と規定されている。
消毒	「物体や生体に、付着または含まれている病原性微生物の毒性を無力化させる」という意味。「殺菌」と同じく薬機法により規定されている。

SIAA マーク

抗菌製品技術協議会（SIAA）が独自に定める「抗ウイルス性」（特定ウイルスが 24 時間後に 99% 以上減少）と「安全性」および「適切な表示」の 3 基準を満たした抗ウイルス加工製品に表示される。

IC業務と情報の扱い方

インテリアコーディネーターの業務には個人情報が含まれることも多く、情報の取り扱いには高いリテラシーが求められる。たとえば打合せ画面を了解なくスクリーンショットしたり、資料をＳＮＳに掲載したりするのは問題だ。事前に配慮、確認し、トラブルを防ぐ必要がある。

非住宅のデザイン業務が拡大

住宅を中心に業務を行ってきたインテリアコーディネーターだが、昨今その範囲が拡大している。共同住宅に設けられるラウンジやパーティルーム、ライブラリーなどに関わる業務はその一例だ。与条件に合わせて安全性や防炎性、耐久性や清掃性などに配慮した仕上げ材や家具を選び、そのレイアウトや座席数の計画、移動のしやすさなど、コントラクト商品の知識も必要になってきた。

また、シェアオフィスや企業建物内のフリーアドレスルームなど新しい働き方に対応する業務も増えている。個人の住まいとは異なり、これらには建築基準法や消防法など専門的な知識が求められることを覚えておこう。たとえば個室型ブースの壁を天井まで上げ扉で密閉した場合、排煙や換気、防火区画、防煙区画、スプリンクラー、自動火災報知設備（自火報）などの法律に対応しなければならない。階段や廊下に家具などを設置する提案も、違法性がないかどうか必ず確認が必要だ。また、階段室や吹抜けだった空間をオープンなオフィスにつくり変えるケースもある。撤去する壁や柱の必要性を、構造および防火区画（竪穴区画等）や防煙区画に関する観点から確かめる必要があるだろう。

生活の快適さを基本としてきたインテリアコーディネーターにとって、こうした社会の変化は業務のチャンスが広がることを意味している。扱う空間が住宅でなくても、居心地のよい空間をつくることには変わらない。法律的な対処は増えるが、今後も拡大するであろう動向として注目したい。

排煙
窓や設備によって火災時の煙を外部に排出すること。小規模な建物や適切に対応したもの以外は基本的に必要。排煙用窓は天井より80㎝以内が有効。

防火区画
建物内の火災延焼等を抑えるために防火の壁や扉で区画すること。→P.38

竪穴区画
火災時の炎や煙が階をまたいで拡がらないようにする防火区画のひとつ。規模や形態にもよるが階段や吹抜けなどが対象。

スプリンクラー
火災を感知し天井より水を散布し初期消火を行う設備。避難時間が確保されることから、防火上の緩和規定もある。

自動火災報知設備（自火報）
火災の熱や煙を感知し建物内の人に知らせる設備。避難の安全性が高まるので、防火上の緩和規定もある。→P.52「火災報知器」

知っておきたいトレンド&ニュース④

CADを取り巻く動向

インテリアコーディネーションとCAD

CADはcomputer-aided designの略で、designというより製図(drafting)の便利さによって普及した。しかし近年は、デジタルおよびインターネット環境の発展でデザインの枠を超え、さまざまなことができるようになってきた。

たとえば3DやCGによるプレゼンテーションは、今や一般的である。さらにヴァーチャル空間でのカラーシミュレーション、照明シミュレーションやHMD（ヘッドマウントディスプレイ）による体験など、複雑な構造の解析や複雑な形態の設計も可能となり、3Dプリンターや制作機器と連携すれば、立体模型や部品サンプル制作なども容易につくることができる。デジタル環境の高度化によって、「造る場」の可能性が大きく広がっていると言えよう。

CAM（computer-aided manufacturing）やCAE（computer-aided engineering）といった言葉も覚えておきたい。特に近年注目すべきは、3Dで建物を作成し実際の建物の企画・設計・施工・維持などと連携して進めるBIM（Building Information Modeling）と呼ばれるシステムだ。コンピューター上のヴァーチャルな建物で設備の配管などを含め検討・調整ができれば、実際の設計・施工はよりスムーズに進められる(図)。さらには将来、現実の町がヴァーチャルで造られ、街づくりや災害などにも役立つときが来るだろう。その入口ともいえるメタバースといった言葉も一般的に知られてきている。今後はインテリア業界でも、そういったデジタル環境をより意識し利用することが大切だ。

コロナウィスルによる世界的な影響によって、デジタル環境の変化は劇的に加速した。インテリアや建築業界でも、インターネット上での共同作業が容易となったり、遠方のクライアントとの打ち合わせが日常的にオンライン化したりしている。また、スマートフォンでも気軽にインテリアの確認・購入ができ、販売形態も変化している。人と人の直接のつながりは最も大切であるが、デジタルやインターネットの進化には常に関心をもっておこう。

■図「GLOOBE 2019」で作成したBIMモデル（提供：福井コンピュータアーキテクト）

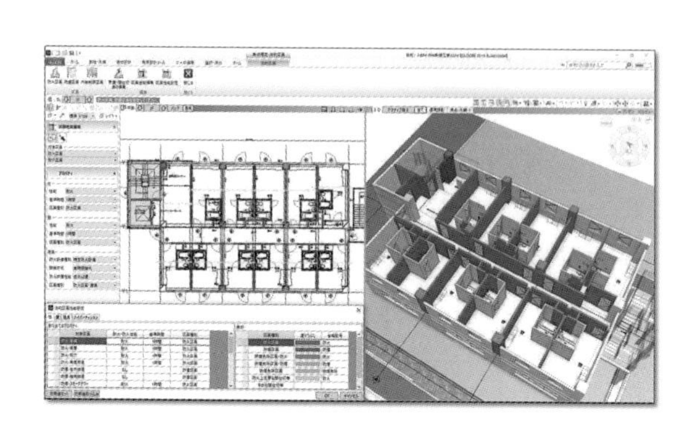

知ってておきたいトレンド＆ニュース ⑤

民法や建築基準法の改正

インテリア業務に関わる近年の民法や建築基準法の主要な改定内容を紹介する。

1. 民法の改正

2020年の改正施行で、「瑕疵担保責任」が「契約不適合責任」になり、内容も「契約の内容に合致しない」場合の責任とより明確になった。契約内容と異なるものを売った場合は責任を負うという内容で、旧法に比べると売る側の責任範囲が広くなったのがポイント。ただし、住宅の主要な瑕疵を対象とする「住宅瑕疵担保履行法」では「瑕疵」が残っている。

2. 建築基準法の改正

近年の改正は、既存建築物の利用、木材の利用、柔軟で合理的な防火など性能が軸となっている。内装材の扱いや住宅の店舗利用などに関わる内容だ。

3. 戸建て住宅の他用途への転用の規制緩和

3階建て住宅を他の用途へリフォームしやすくするため、耐火建築物にすべき3階建ての商業・宿泊・福祉施設などでも、200㎡未満で「必要な措置」を講じれば、耐火建築物等とすることが不要となった。これにより住宅リフォームの幅が広がった。

4. 住宅ストックを利用しやすくする

用途変更時の確認申請不要条件が100㎡以下から200㎡以下になり、対象となる住宅が格段に増加。ただし、申請に関係なく建築基準法順守は必要。

5. 木材の利用促進

国は近年、木材利用に力を入れている。耐火構造としなくてもよい木造建築の範囲拡大や、中高層木造建築物の推進、防火・準防火地域での塀や門の木材利用などが主な改定だ。

6. 防火・準防火地域の緩和

防火地域等での延焼防止性能の高い建築物（延焼防止建築物）の規準が制定された。外壁の延焼力を上げることで、内装の自由度が上がり、延焼防止建築物はデザインの幅が広がる。

知ってておきたいトレンド&ニュース ⑥

住宅の性能向上の動向

住宅性能に関する制度や基準

インテリアコーディネーターの業務において、住宅性能に関わる知識は必須である。しかし省エネ関連については特に、基準や技術用語が多く、全体把握が難しい。大枠を把握するには「建築物省エネ法」(P.53)を基本にとらえるとよい。

住宅の性能に関する基準を定めた法律はP.44、省エネに関してはP.34ででチェックしてね！

1. 建築物省エネ法の現在

(1)対象とする住宅

300㎡未満の住宅に対して、設計段階で省エネ基準関連の説明を建築士が建築主にする義務がある。2025年までには、新築住宅すべてが省エネ基準の適合義務の対象となる。

(2)地域区分

全国を8地域に分け、外皮の性能基準(外皮平均貫流率)、平均日射熱取得率、一次エネルギー消費量の基準を示し、住宅の性能を評価している。

- 外皮平均熱貫流率(U_A値):建物から逃げる熱の総量を外皮面積で割った値。
- 冷房期の平均日射熱取得率(η AC値):建物内部に侵入する日射量の総量を外皮面積で割った値。
- 一次エネルギー消費量:住宅設備等のエネルギー消費を一次エネルギーの消費量として換算したもの。効率の良い設備機器の推奨のためにトップランナー制度(P.37)がある。

(3)建物(住宅)の一次エネルギー水準を表す指標

BEI (Building Energy Index)を使う。これは、建物の設計一次エネルギー消費量を、基準一次エネルギー消費量(地域・建物用途等による)で割った値。省エネ基準の新築住宅では、BEI ≦ 1.0が求められる。BEIの数値が小さいほど省エネ性能は高く、ZEHではBEI ≦ 0.8などの基準が示されている。

外皮とは

暖冷房する空間と外気の境界にあたる部位。基礎、床、4面の外壁、開口部(窓)、天井、屋根、など。

U_A値:外皮平均熱貫流率

$$U_A値 = \frac{建物から逃げる総熱量}{外皮表面積}$$

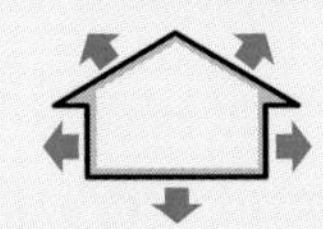

ZEH(ゼッチ)

ネット・ゼロ・エネルギー・ハウスのこと。断熱性能向上に加え、太陽光発電等でエネルギーを生み出し、住宅内の一次エネルギー消費量の収支がゼロとなることを目指す。

(4)建物(非住宅建築物)の省エネ基準に関わる指標

PAL*(パルスター)を使う。これはペリメーターゾーン(窓際空間)の年間熱負荷係数で、オフィスなどのインテリアにも関わるので知っておきたい。

■図　エネルギーの区分

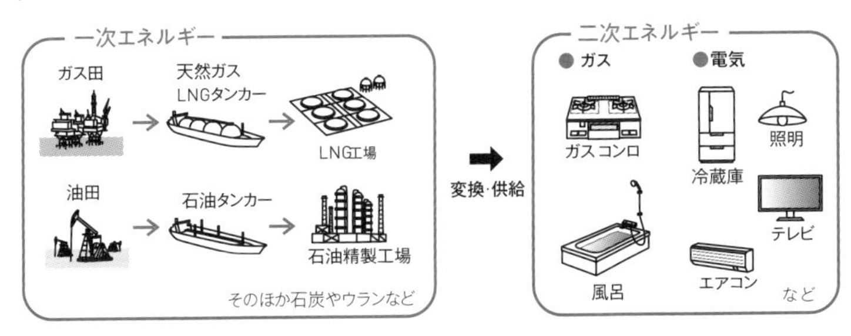

2.その他の省エネ関連制度など

(1)ヒートポンプエアコンの能力表示

住宅用ヒートポンプエアコンの性能比較では、従来の「COP」から、実際の通年使用における性能をよりよく示す「APF」が主に移り変わっている。数値が大きいほどエネルギー消費効率が良く、省エネ性が高い。トップランナー制度のラベルにも記されている。

(2)断熱性能の上位等級

住宅性能表示制度では、住宅の断熱等性能等級が既存の等級4からZEH相当の等級5へと、一次エネルギー消費量等級も等級5から等級6が、最上位規準として新設された。住宅の断熱等性能等級は、さらに上級の6、7の等級の規準が新設される。より高性能の住宅の断熱基準として今後一般化していくだろう。

(3)高性能住宅の推進

性能向上を目指す住宅には「長期優良住宅」、「低炭素住宅」、「ZEH」などがある。また高性能住宅のための基準を提案している「HEAT20」や、性能を評価する制度「BELS」、環境性能評価の「CASBEE」も合わせて覚えておきたい。それぞれに目的や基準等が異なるが、「建築物省エネ法」の省エネ基準を軸に進められていると考えてよいだろう。

COP
一定の温度条件のもとでのエネルギー消費効率。機器の性能を知るうえで大事な指標。冷房COPは、冷房能力(kw)/冷房消費電力(kw)。

APF
一年を通してある一定条件のもとでの通年エネルギー消費効率。

低炭素住宅
CO_2排出を抑えた住宅で、「都市の低炭素化の促進に関する法律」(エコまち法)に基づいた「低炭素建築物認定制度」による住宅。

HEAT20(ヒート20)
一般社団法人20年先を見据えた日本の高断熱住宅研究会で、低環境負荷・安心安全・高品質な住宅等を目指す設計・技術の普及を目的に設定された基準。G1、G2、G3(数字が大きいほど高性能)がよく知られている。

BELS(ベルス)
建物のエネルギー性能を評価・表示する制度。「建築物省エネ法」による第三者認証制度で、信頼性のある評価制度のひとつ。

CASBEE(キャスビー)
建築物の環境性能で評価する手法。省エネルギー、環境配慮、快適性や景観への配慮なども含めた建物の品質を総合的に評価するシステム。

建築物省エネ法
→P.53

Part1

市場調査・建築とデザインの基礎

Market research & Basis of Architecture and Design

このPartでは、
インテリアコーディネーターが
仕事をするうえで必須となる、
情報の読み取り方や顧客との正しい接し方を学ぶ。
そして、住まいの安全・安心を守るための法規や
建築構造も基本的なことを解説する。
また、インテリアコーディネーターにとって
大切な知識である、
インテリアを美しくまとめるためのデザインの教養も
ポイントを絞って覚えるとよい。

Part 1

1. クライアントインタビュー
2. 環境への取組み
3. インテリア関連の法規
4. インテリアと造形
5. 建築とインテリアの歴史
6. 建築構造の基礎知識
7. リフォーム

Part 2 住宅の基本とコーディネーション

8. 平面計画
9. 室内環境計画
10. 住宅設備
11. 内装材とその他の建材
12. 造作
13. エクステリア

Part 3 インテリア商材の基本とコーディネーション

14. 色彩
15. 照明
16. 家具
17. 寝装・寝具
18. ファブリックス
19. ウィンドウトリートメント
20. インテリアアクセサリー

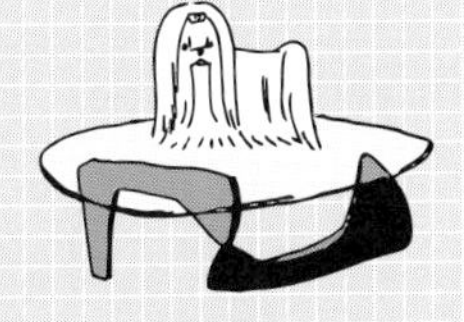

Part 4 表現技法と仕事の流れ

21. 表現技法
22. 業務

1-1 コンサルティングの手法

重要度 !

Point

☑ 顧客とのコミュニケーションは、フェーストゥフェースが基本
☑ コンサルティングでは、顧客志向、ビジネスマインド、情報の受発信能力、幅広い見識が求められる

コミュニケーション

近年では、情報技術の進歩にともない、通信手段も高度化し簡便になっている。しかし、顧客との打合せの基本となるのは、やはり面と向かって対話するフェーストゥフェースのコミュニケーションである。相手と直接向かい合い、お互いの表情も交えながら会話をすることで、より相手の真の意向を確かめることができる。

1. コミュニケーションとは

コミュニケーションとは、お互いが同時に、無数の情報の受け取り、伝え合うことをいう。

実際にコミュニケーションをとる際に、送り手側は自分が伝えたいと思っている内容の80%しか表現できないといわれている。さらに、受け手側が解読できるのはそのうちの50%程度、そして、その50%を受けて、相手が実際に行動に移す割合は15%程度であるという。つまり、80%×50%×15%＝6%という計算になり、情報を受けて相手が行動するのは、伝えたかったうちのわずかに6%だけということになる。それでもなるべく相手にわかりやすく情報を伝えるには、正確（せいかく）、簡潔（かんけつ）、平易（へいい）の3点を念頭に話をする必要がある。

2. 上手なコミュニケーションのコツ

(1)聞き上手の姿勢

顧客との信頼関係を築くためにはまず、相手の話をきちんと聞くことが重要である。聞き上手になるためには、次の4点が基本となる。

クライアントインタビューとは
顧客と面談をしてインテリア計画に必要な情報を収集すること。つまり、コンサルティングにより、顧客情報やニーズの調査を行うことをいう。

顧客
製品やサービスの提供を受け取る人や組織のこと。

インテリアコーディネーターは、顧客だけではなく、設計担当者や施工業者、建材メーカーの担当者などとのコミュニケーションも大切だよ

公式ハンドブック［上］P.8～20

①評価的にならない…自分の枠に嵌めて相手の話を判断しない。
②共感的な態度を示す…相槌を打ったり、うなずいたりする。
③話の全体をとらえる…話の背後にある心理状態なども考える。
④反応を返す…聞くだけでなく、自分の言葉に置き換えて確認をする。

(2)非言語(ノンバーバル)コミュニケーション

非言語コミュニケーションとは、身振り手振り(ジェスチャー)や姿勢、表情、視線、距離感、身だしなみや服装、そして声のトーンや声質などのことをいう。

コミュニケーションにおいて相手に影響を与える割合は、言語が7%、音声の特徴(声の強弱や調子など)が38%、顔の表情が55%といわれている。つまり、非言語コミュニケーションが相手に与える影響は93%を占めていることになる。

コンサルティング

1. ニーズを探る・ヒヤリング

顧客の要望の概略を把握する事前調査のことをヒヤリングという。ニーズを探る作業をクライアントインタビューという。

2. 顧客の要望をつくり上げていく・カウンセリング

顧客が思い描いているイメージや空間を作り上げることをカウンセリングという。質問形式を用いて要望を探るとよい。いずれも、質問はわかりやすく、簡潔を心がける。写真やサンプルなどを準備して、イメージ共有することが大切である。

①自由回答型　質問に自由に回答してもらう。理由を聞き出すことが重要である。
②択一回答型　「はい」「いいえ」を選択して回答してもらう。

3. 計画を提案する・プレゼンテーション

プレゼンテーションとは、カウンセリングをもとに企画をまとめ、顧客に提案することである。言葉では表現しにくい内容をビジュアル化して伝える。完成イメージを確認できる３ＤＣＧやスケッチ・パース、サンプルなどのマテリアルを貼ったプレゼンテーションボードを提示することも有効である。

実際に現場に立ったとき、信頼関係を早く築くために、初回の打合せの際に、自己紹介シートを活用して自分自身のプレゼンテーションをするといいよ

個人情報の取扱い

2005年より施行されている個人情報保護法の規定に従い、顧客のプライバシー保護や情報の漏えい防止には、十分注意する必要がある。

ニーズ

要望のこと。顧客のニーズを明瞭化(クラリファイ)するには、質問形式のアンケートが有効である。

プラン

インテリア計画全般のこと。平面計画、家具計画、色彩計画などを含む。

プレゼンテーションボードのつくり方や、CG、パースについては、P.374「プレゼンテーションの手法」を参照してね

1-2 重要度 !!!

顧客情報の収集と管理

Point

- ☑ コーディネートをするうえで、基礎情報、実務情報、個別情報は必須
- ☑ 顧客管理シートに記載すべき情報を把握する
- ☑ 情報を有効活用するには、いくつかの事前準備が必要

情報の種類と分類

収集した情報は、整理・分析することによって活用価値が高まる。収集し保存した状態の情報をデータといい、データをある程度、整理したものをインフォメーションという。そして、さらに高度に分析し、判断を加えたものをインテリジェンスという。

インテリアコーディネートをするうえで、以下の情報は最低限おさえておきたい。

①基礎情報…社会経済や市場、生活文化など、一般に知られた情報。
②実務情報…商品や業界、技術に関する実務的な情報。
③個別情報…顧客や契約、工程などの情報。

1. 商品情報

建築やインテリアの商品についての知識をもつことは、インテリアコーディネーターの存在価値に関わる。そのため、常に多くの情報を収集し、整理・管理し、顧客に適切な情報を提供する必要がある。

商品情報には、商品名、メーカー名、販売ルート、販売価格・掛(か)け率(りつ)、商品の特性、在庫の状況・納期、デリバリーのルールなどがある。

商品に対するメーカー希望価格を上代(じょうだい)、メーカーが販売店に卸す価格を下代(げだい)という。また、上代価格に対する下代価格の割合を掛け率という。たとえば、上代10万円の商品が、下代8万円の場合、掛け率は8割となる。

また、顧客に商品の情報を提供するためには、以下の準備が必要

インテリアコーディネーターは、市場情報や商品情報を収集することが大切。展示会やショールームへ足を運んで、最新の情報を入手しよう！

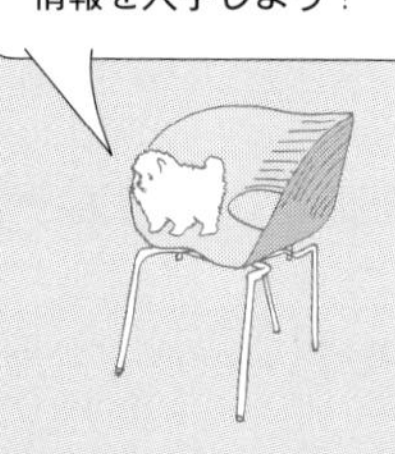

デリバリー

工場からの出荷、搬送、物件への搬入までの過程のこと。業者ごとに取決めがある。

異なる販売価格や掛け率

掛け率はメーカーによって違いがあり、同じメーカー内でも商品のシリーズによって設定掛け率が違うことがある。また、取引実績が多くなると、仕入れ値が下がることもある。

公式ハンドブック［上］P.11～25

である。

①市場動向…話題や人気の商品などを調べる。

②デザイン情報…常に最新の動向に注意を払う。

③技術情報…メーカーなどからの情報収集を怠らない。

④実例集(ポートフォリオ)や体験談…情報を整理し、ファイルしておく。

2. 顧客情報

単に顧客の要望を聞くだけでは、十分な顧客情報は得られない。相手の潜在的な意識や要求をも探るつもりで情報収集しなければならない。早期に以下のような内容で顧客の管理シート(カルテ)を作成し、打合せ後には追記するよう心がける。

(1)顧客の基本的な属性情報

①氏名、住所、電話番号、連絡先

②家族構成、性別、年齢(誕生日など)

③職業、学年、推定年収

④参加している社会活動、趣味

⑤現住居の居住年数、築年数、平面図

■ 写真 顧客の部屋の例

北欧が好みで、多くの小物をコレクションしている部屋

(2)生活意識と価値観の把握

過去や現在の生活環境、家具などの保有情報を収集する。それにより、大まかな生活意識や価値観などを把握する。インテリアなどからも顧客の好みを把握できる(写真)。

(3)予算や購買力などの経済的情報

企画(プランニング)は、予算を踏まえて行う。打合せをしていく中で、専門的な情報提供や魅力的な提案を受け、顧客が予算を変更する場合もあるため、初期の段階では絶対的な金額とはせず、目安としておく(概算予算配分書)とよい。

3. 情報収集の事前準備

打合せにおいて相手の情報を収集するには、以下のような準備が必要である。

①あらかじめ内容と手順、時間配分を考えておく。

②メモや計算機などを準備する。

③イメージを伝えるために、カタログや雑誌などのビジュアル資料を準備する。

写真:『Interior de Diet』(町田ひろ子アカデミー)

顧客の管理シート(カルテ)
顧客の基本情報や、ライフスタイルなどを分析し、情報をまとめておく書類。

情報収集の重要性

現在住んでいる家についての情報は、住む人のライフスタイルなどを正確に知る材料になる。早い段階で来訪するなど、住まいの状況をリサーチすると情報の幅が広がる。

顧客の嗜好性をリサーチするには、雑誌や実例集などの具体的な資料を活用すると、相互に理解が深まるよ

安全なインテリア計画のために

人が安全に生活するために、さまざまな建築関連法規が定められている。常に最新情報収集を心がけ、顧客に安心で安全なインテリア計画を提案していく必要がある。→ P.52「インテリア関連の法規」

実例集の制作

手がけた仕事が完成したときには、写真を撮り、必要に応じて資料も残す。これらの記録は、今後のコンサルティング業務に役立てることができる。

1-3 重要度 !

マーケティングと流通

Point

- ☑ マーケティングで重要なのは顧客志向と顧客満足度である
- ☑ 流通の流れを理解する
- ☑ システムのしくみやメリットを理解する

マーケティングの構造

1.マーケティングとは

マーケティングとは商品を販売するための活動で、生産者から消費者に商品やサービスを提供する際の企業活動をいう。

マーケティングで最も重要なのは、消費者志向(顧客志向)である。また、消費者の必要と欲求を発見して深く掘り下げ、その欲求をできる限り満たす手立てを考えて実行することで顧客満足度(CS)を高めることに重点が置かれている。

マーケティングの起こり

マーケティングの基本的な考え方は、1930年代に起きた世界大恐慌の時代にアメリカ合衆国で生まれた。日本には昭和30年代前半に導入された。

2. 家具・インテリアの購買の変化

家具やインテリアを購入する際、実際に店舗へ出向き、専門知識をもつ店員の説明を聞き、自分の目で見たり手に触れたりして購入するのがこれまでは一般的だった。しかし現在は、ウェブルーミングを行う人が増えている。これは事前に商品情報をウェブで調べてから店舗を訪問し、商品を実際に確かめてから購入することで、購入の失敗リスクを下げるメリットがある。また、それとは逆のショールーミングという購買行動も増えている。これは、店舗を訪れて色やサイズ感などの商品情報を確認した後に、店頭では買わず、オンラインストアなどで購入する行動をいう。

マーケティングとは

マーケティングとは、企業および他の組織(※1)がグローバルな視野(※2)に立ち、顧客(※3)との相互理解を得ながら、公正な競争を通じて行う市場創造のための総合的活動(※4)である。(日本マーケティング協会1990年)

(※1)教育・医療・行政などの機関、団体などを含む。
(※2)国内外の社会、文化、自然環境の重視。
(※3)一般消費者、取引先、関係する機関・個人、および地域住民を含む。
(※4)組織の内外に向けて統合・調整されたリサーチ・製品・価格・プロモーション・流通、および顧客・環境関係などに係わる諸活動をいう。

3.ECサイト

E-Commerce= イーコマース(電子商取引)を行うことのできる

ウェブサイトのことをいう。消費者はパソコンやスマートフォン、タブレットなどからECサイトにアクセスし、商品を閲覧しながら購入する。購入契約や決済もウェブ上で完了する。いつでもどこでも購入行動ができるため、消費者だけでなく事業者にとっても大きなメリットがある。

4. オフライン広告・オンライン広告

オフライン広告とは、インターネットを介さず、テレビやラジオ、新聞、雑誌などの従来型のメディアを用いる広告をいう。幅広い年代の消費者が理解しやすいよう、限られたスペースや時間内に情報をまとめているのが特徴だ。ただ、購買はオンラインで行われることも多い。そのためQRコードやURLも掲載・紹介し、該当のホームページにアクセスできるよう工夫していることもある。

一方オンライン広告とは、インターネットを介して配信する広告をいう。SNS広告などがそれにあたり、拡散性の高いSNSを利用することで、スピーディーかつ多くのユーザーに注目をされる可能性がある。また、オフライン広告より購買決定までの道程が短いため、購入や資料請求につながる確率も高いとされる。

5.O2O(オーツーオー)の多様化

O2Oとは「Online to Offline」の略で、インターネットやSNSなどのオンライン(ウェブ行動)から、実店舗のオフライン(実行動)へ消費者を導き、購買行動を促すマーケティング手法をいう。例として、オンライン上に実店舗で使える期間限定の割引クーポンやポイントクーポンなどを提供し、来店を促して購買につなげるマーケティング活動などがあげられる。

逆に、オフラインからオンラインへの誘導もO2Oの一環だ。たとえばショールーミングで店舗に足を運んだ際にアプリや企業のウェブサイトなどの登録を促進、それによって顧客情報を収集するのもO2Oに含まれる。

しかし最近では実店舗が再評価されている。試着やテクスチャーの確認など、技術が進歩してもオンライン上では実現できないこともあるからだ。ウェブ上での購買が一般化しても、実店舗の価値はまた別のところにあると言えそうだ。

オフライン広告
新聞広告や折り込みチラシ、パンフレットなど紙媒体や、街頭に設置される看板、テレビやラジオCMなど、インターネットの台頭以前からある宣伝方法。

SNS(エスエヌエス)
ソーシャルネットワーキングサービスのこと。Facebook、Instagram、Twitter、TikTokなどがある。

OMO(オーエムオー)
「Online Merges with Offline」の略で、オンラインとオフラインが垣根を超えて併合したマーケティング概念を指す。オンラインを活用したタクシー配車サービス、デリバリーフードビジネス、無人店舗などがある。

業務形態

1. 小売業

小売業（こうりぎょう）とは生産者や卸売業者から仕入れた物品を、消費者に販売する業種である。経済産業省の商業統計によると、小売業の業態は、以下のように大きく7つに分類される。

①百貨店（ひゃっかてん）（デパートメントストア）…大きな面積の売場をもち、多種類の商品を取り扱う大規模小売店。

②ゼネラル・マーチャンダイジング・ストア…食品以外の商品も総合的に品揃えした小売業。セルフサービス方式を中心とする販売形態で、比較的低価格で大量販売を行う。

③スーパーマーケット…消費頻度が高いとされる食料品や日用品などを幅広く取り揃える小売業態。セルフサービス形態で短時間に商品を買えるようにしている。

④専門店（スペシャリティ・ストア）…特定の品目を豊富に揃えた小売店。

⑤コンビニエンスストア…食品、日用雑貨など、多数の品種を扱うセルフサービス形態の小売店。年中無休で長時間の営業を行う。

⑥ドラッグストア…一般用医薬品を中心に、健康・美容に関する商品や、日用品、食品（飲料など）を揃える小売業態。セルフサービス形態で短時間に商品を買えるようにしている。

⑦ショッピングセンター（SC）…複数の小売店舗が集まった商業施設。郊外を中心に、スポーツやレジャー、文化設備も備えた大型複合ショピングセンターが増えている。

2. チェーンストア

単一資本で、11以上の店舗を直接経営管理する小売業や、国際チェーンストア協会により規定された飲食業をチェーンストアという。レギュラーチェーン（直営店）とも呼ぶ。

チェーンストアの形態には、フランチャイズチェーンやボランタリーチェーンがある。フランチャイズチェーンは、本部（フランチャイザー）が、経営的に独立した加盟店（フランチャイジー）に、商品や経営などのノウハウを統一的に指導する経営形態である。ボランタリーチェーンは、同一業種の独立した小売店が共同で営業活動や仕入れなどの業務の効率化を行うチェーン形態である。

業種と業態の違い

業種は、取扱商品で分類する区分。たとえば、八百屋、魚屋などがある。一方、業態は、販売方法や経営方針による区分であり、コンビニエンスストアやスーパーマーケットなどである。

ゼネラル・マーチャンダイジング・ストア

日本では大型スーパーマーケットのイオン、イトーヨーカ堂、西友などが代表的な企業。

セルフサービス

顧客が直接商品を手に取って選び、短時間で買い物ができる販売方法。

フランチャイズチェーン

本部が加盟店に経営指導などを行う代わりに、加盟店は本部に料金（ロイヤリティ）を支払うしくみ。日本では、コンビニエンスストアやファストフード店などに見られる。FCと略す。

ボランタリーチェーン

小売業者主体をコーポラティブチェーン、卸売業者主体をボランタリーチェーンと区分される。VCと略す。

流通の流れ

1. 流通とは

流通とは、生産者がつくった製品が、最終的に消費者へ渡るまでの一連の流れをいう。具体的には、図3の①～④のような経路をたどる。

■図3　商品が流通するしくみ

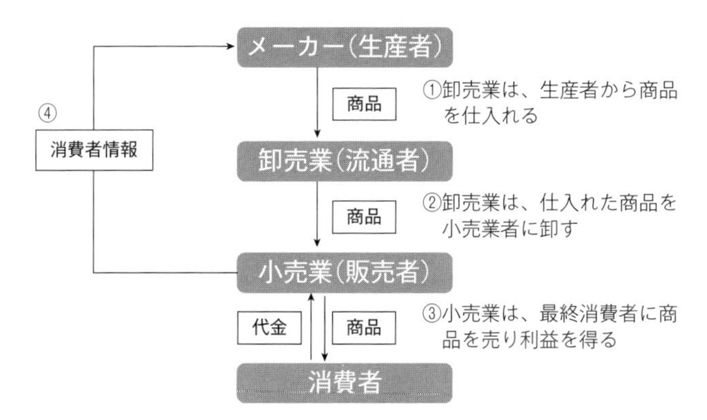

図3は、一般的な流通の流れだが、ほかに顧客のニーズに合った商品を自社で企画開発する製造小売業や製造販売業などもある。規模の大きな企業では、国内外を問わずコストの安い地域で大量生産し、その商品の輸入や運搬までを行う独自の流通システムをもつため、中間マージンもなく大幅なコストダウンができるというメリットがある。

2.POS システム

POS（ポス）システムとは、販売時点情報管理システムのことをいう。Point of Sales System の略称で、商品に付いているバーコードやOCR（オーシーアール）タグの情報を端末機が読み取り、商品の販売情報を瞬時に記録する。端末機がシステムとオンラインで通じていれば、リアルタイムで商品の売上げ情報を把握したり、在庫や商品管理、仕入れや発注などの業務も処理することができる。管理者は、単品ごとの売行きデータをもとに、発注・商品の入替えなどを行う。

さらに、販売時点で購入者の性別、大まかな年齢などの情報をレジで入力し、どのような客が何を購入しているのかなどの統計をだし、商品企画や経営に生かすことができる。

製造小売業
商品を製造し、個人に販売する事業所。ケーキ屋、肉屋などがそれにあたる。

製造販売業
物品を製造し、販売、賃貸、授与する業態のこと。元売業ともいう。

マージン
余白のことをマージンというが、一般的には利ザヤ・手数料をいう。ここでは、販売手数料のこと。

OCR タグ
光学式文字読取装置。文字を光学的に読み取り、事前に記憶させたパターンに認識させ、文字データを入力する装置。郵便番号や納税通知書などの読取りにも使われている。

2-1 重要度 !!!

環境への取組み

Point

- ☑ 新エネルギーや省エネ製品は二酸化炭素(CO_2)削減率も評価の対象
- ☑ 環境関連用語は普段からまめにチェックしておく
- ☑ インテリアの評価も省エネを無視できなくなってきている

環境問題とその対策

1. 環境問題

生活が快適で便利になる一方で、近年、地球規模で深刻な環境問題が発生している。たとえば地球温暖化問題では、化石燃料などの大量消費により二酸化炭素(CO_2)などの温室効果ガスが放出され、地球全体の気温の上昇や異常気象の原因となっている。また、フロンガスなどによるオゾン層の破壊といった問題もある。

こうした状況を踏まえ、1997年12月に地球温暖化防止のための京都議定書が採択された。また、2015年にパリ協定、さらに2021年10月の国連気候変動サミットにおいて、さらなる目標が掲げられた。

2. 環境問題への対策

さまざまな分野で進められている環境対策を以下に挙げる。

(1)持続可能な循環型社会(サスティナビリティ社会)への移行

経済産業省が出した資源有効利用促進法では、再利用などによる資源の有効活用で廃棄物の削減を規定した。リデュース(廃棄物の発生抑制)、リユース(再利用)、リサイクル(再生利用)に取り組む3R(スリーアール)政策(せいさく)が掲げられた(図)。

■図 3Rの取組みイメージ

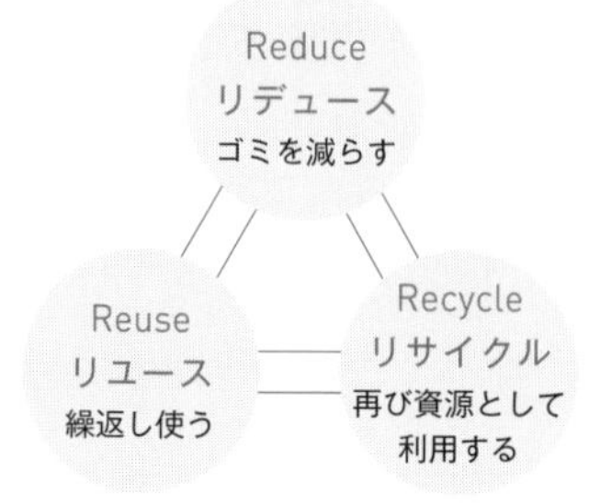

化石燃料
燃料として使われる石炭、石油、天然ガスなどのこと。

国連気候変動サミット(COP26)
2021年10月に開催。日本の目標は2050年カーボンニュートラルの実現。2030年における温室効果ガスを2013年比で46%削減すること。

ゼロ・エミッションとは
生産活動から排出される廃棄物などを資源として活用する構想。3Rにも貢献する。国連大学により提唱された。

エコロジーの語源
エコロジーとは生態学の意味だが、現在では「環境にやさしい」、「環境に配慮」という意味で用いられている。略してエコと呼ぶことも多い。

公式ハンドブック[上]P.119～121、[下]P.96～98、P.158～161、P.189、P.255

(2) グリーン購入

「国等による環境物品等の調達の推進等に関する法律（グリーン購入法）」が2000年に制定され、国等の公的機関が率先して環境物品等の調達を推進するようになった。

(3) 省エネルギー対策

自動車での移動やオフィスや家庭などで使われる、あらゆるエネルギーを管理し削減することが求められている。CO_2排出量削減のための「都市の低炭素化の促進に関する法律（エコまち法）」や「建築物省エネ法」が重要な法律である。

(4) 新エネルギー開発

石油や原子力に頼ってきた従来のエネルギーを新しいエネルギーに代替えしていく必要がある。石油の代替としては、バイオマスや太陽光発電、地熱発電、風力発電、雪氷熱（せつひょうねつ）の利用など、半永久的に利用できる再生可能エネルギーの開発が進められている。

3. 企業の環境対策

企業も積極的に環境問題に関わることが求められている（表1）。

■表1　企業による環境対策の代表例

対策	内容
環境ビジネス	環境にやさしい商品やリサイクルしやすい商品の開発をする
環境マネジメントシステム（EMS）	企業ごとに環境方針などを設定し、その達成に向けた取組みを行う（ISO14001など）
情報開示	環境に問題のある成分を含んでいないかなど生産製品の情報を開示する

4. インテリアと建築における環境対策

インテリアや建築の分野においても、環境対策が求められている（表2）。なるべく省エネルギーで生産し、建物を長期的に利用することで、廃棄物を削減することが大切である。

■表2　インテリアと建築における環境対策の代表例

対策	内容	備考
LCCを考える（Life Cycle Cost）	製品や建物がつくられて廃棄されるまでの間に要する総コストをあらかじめ検討する	建物であれば、設計・建築～維持管理～解体・廃棄までの総費用を指す
サスティナビリティを示す（Sustainability）	家を建てるなどの活動が、将来にわたって持続可能かどうかを示す	建物を短期間で壊したり、環境に問題を与える廃棄物を出さないようにすることが重要
コンバージョンを考える（Conversion）	リフォームの中でも、用途の変換がある場合をいう。新築よりも改築で再利用を目指す	日本では、まだ一般化していないが、オフィスビルを都心型住居にするなどの取組みが進められている

環境基本法環境基準

人の健康を保護したり、生活環境を保全したりするために設けられた基準。大気や水質、土壌汚染や騒音などの改善を目指す。→ P.180

グリーン購入

環境への負荷などができるだけ少ない物を選んで購入すること。製品やサービスを購入する前に必要性を熟考することも大事な環境対策である。

バイオマス

バイオは生物という意味で、生物由来で化石以外のエネルギーや資源を一般的に呼ぶ。種類としては、木材、海草、生ゴミ、糞尿などを利用してエネルギーを生み出している。

ISO14001

ISO（国際標準化機構）の環境マネジメントシステムに関する国際規格。ISO14001を取得するには、企業の自主的な環境活動の基本となる環境マネジメントシステムが必要。

塗料などの情報開示

対象となる化学物質を含有する製品には、特性や取扱いに関する情報の提供を義務付けるMSDS（化学物質等安全データシート）表示制度がある。

ロハス（Lifestyles Of Health And Sustainability）という健康と持続可能型のライフスタイルを重視する考え方が広まっているね！

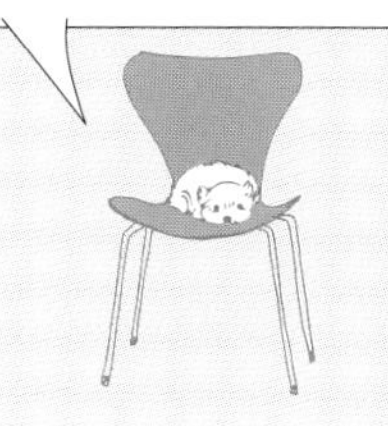

住宅における省エネ対策

Point

- ☑ 自然エネルギーは日進月歩なので新しい情報を常にチェックする
- ☑ ソーラーシステム、太陽電池、オール電化の特徴を知る
- ☑ 住まいのさまざまな発電への対応を知る

省エネ対策の現状

地球環境の保護や化石燃料の消費を削減することは世界的な課題である。日本でも省エネルギー（以下、省エネ）や自然エネルギーの利用といった対策が進み、住宅や設備機器の省エネ化も進んでいる。

省エネ対策としては建築物省エネ法(→ P.53)、自然エネルギーの利用に関しては非化石エネルギーの開発および導入の促進に関する法律(代エネ法)、新エネルギー利用等の促進に関する特別措置法などの法律が掲げられ、これに基づいて、さまざまな対策が講じられている。

スマートグリッドとは

Smart grid は、デジタル情報や通信、PC などを利用して電力需給を適切に調整する、省エネとコスト削減などの向上を目指したシステムで、現在注目されている。

廃棄物などからの有毒物質

有毒な物質を含んだ建材はともかく、石膏ボードのように建材としては安全だが、廃棄後の変質などによって、有毒な物資になる物もある。リサイクルの研究は今後の課題である。

住宅でできる省エネ対策とは

1. 基本的な考え方

住宅では、建築物省エネ法の基準が国より提案されている。住宅においては、まず、断熱をより高性能化し、気密性を上げることで、エネルギーの損失などを最小限に抑えることが望まれる。そのうえで、効率の良い家電製品を選んでエネルギーの消費を抑えることも考える。

さらに、自然エネルギーなどを利用し、化石燃料の消費を抑えるシステムも開発されてきている。

建築物省エネ法 → P.53

住宅の省エネの基準は、旧省エネ基準(S55 年)、新省エネ基準(H4 年)、次世代省エネ基準(H11 年)、H25 省エネ基準と進化してきた。現在は「建築物省エネ法」に移行。2022 年には、2025 年までに大幅に改正することが決定。

公式ハンドブック［下］P.102 ～ 103、P.139 ～ 141、P.158 ～ 161、P.255

2. ソーラーシステム

ソーラーシステムとは、太陽の熱を利用するしくみをいう。アクティブソーラーシステムとパッシブソーラーシステムに大別される。

アクティブソーラーシステムとは、機械を積極的(アクティブ)に利用して太陽熱を集め利用する方法である。循環させるためのポンプや天候の変化を補助するボイラーをもつのが特徴で、電気も必要とする(図1)。

パッシブソーラーシステムとは、基本的に機械などを利用せず、建築的な工夫で太陽熱を集めて利用する方法である。床に石やレンガなどを敷いて蓄熱するダイレクトゲイン(図2上)や、温室などを南側に取り付けることで熱を制御する付設温室(図2下)などがある。

また、パッシブソーラーシステムを基本として、熱を移動させるために換気扇やポンプを使うという中間的なシステムもある。

■ 図1 アクティブソーラーシステムの例

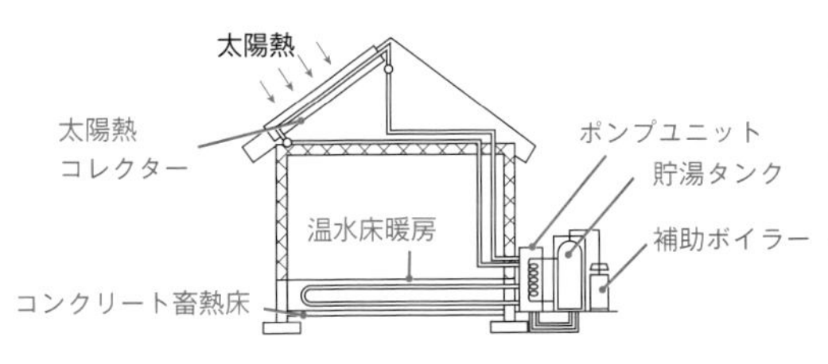

屋根の太陽熱集熱器で温められた温水を、ポンプによって機械的に運ぶアクティブソーラーシステム。動力を使わないパッシブソーラーと区別される

■ 図2 パッシブソーラーシステムの例

ダイレクトゲイン

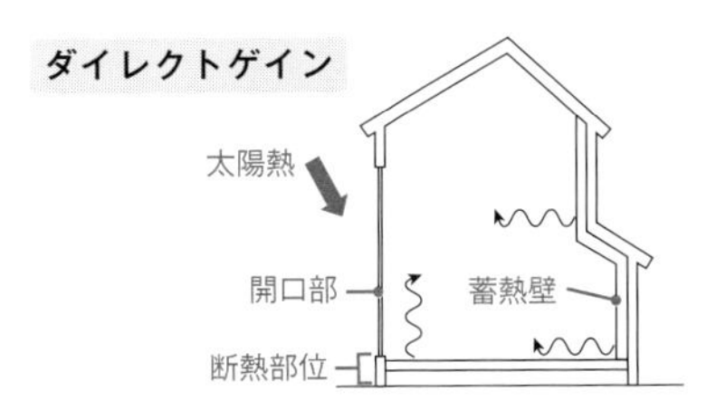

南向き窓から入射する太陽熱を室内の石やコンクリートなど蓄熱性のある床や壁に蓄えさせるシステム

付設温室

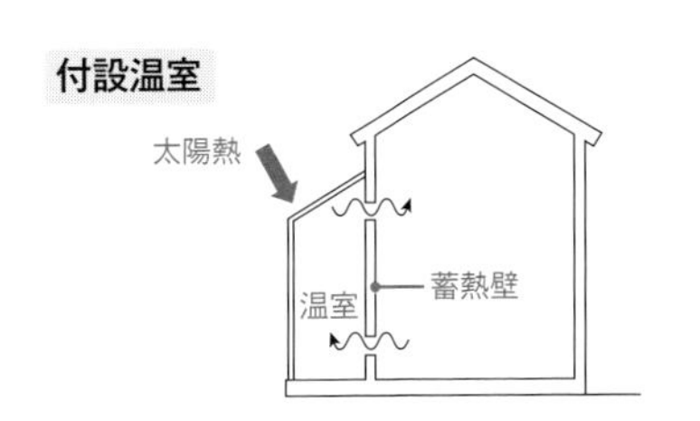

家の南に温室をつくって太陽熱を利用する。園芸も楽しめる。グリーンハウス型とも呼ばれる

ソーラーシステム
太陽エネルギーを利用して、電気や給湯などのエネルギーを生み出すシステム。太陽熱集熱器や太陽電池を利用するシステムが多く商品化されている。

ダイレクトゲイン
パッシブソーラーは蓄熱が基本。このように、日光を室内に直接入れて、床などに蓄熱して利用することをいう。

太陽熱コレクター
太陽熱温水器、太陽熱集熱器とほぼ同義で使われているが、黒い板状の集熱部分をコレクター､集熱器と呼ぶこともある。水を温める方式と、空気を暖める方式がある。

屋根に載せる黒い板状の太陽熱コレクター(太陽熱温水器)と太陽光ソーラーパネルは別物だよ

3. 再生可能エネルギー

住宅における省エネ対策のひとつとして、以下のような太陽や風などの自然エネルギーを利用した再生可能エネルギーも利用していくことを考えなくてはならない。

(1)太陽光発電

太陽電池とは、屋根などに太陽光ソーラーパネル(ソーラーモジュール)を設置して、太陽エネルギーを電力に変換するシステムをいう。太陽光ソーラーパネル(ソーラーモジュール)、パワーコンディショナー、分電盤、電力量計、モニターなどからなる(図3)。天候によって発電量に違いがあり、晴天時は発電が多いので電力会社に売電もできるが、発電が少ない雨の日や夜間は、従来通り電気を買う。

一般家庭の平均的な消費電力は年間5,000kwhという。4kWのシステムを使えば、年間4,000〜4,500kwh程度の発電が行えるので、その大部分を賄うことができる。ソーラーパネルの性能は、モジュール変換効率という指標で表す。これは、1㎡のモジュールでどれだけの電力に変換できるかを数値化したものである。

30°傾斜した屋根を真南に向けた場合が最も効率が良く、北側なら60%、東西側なら85%、南東および南西側なら95%程度を有効とされる。

■図3 太陽光発電のしくみ

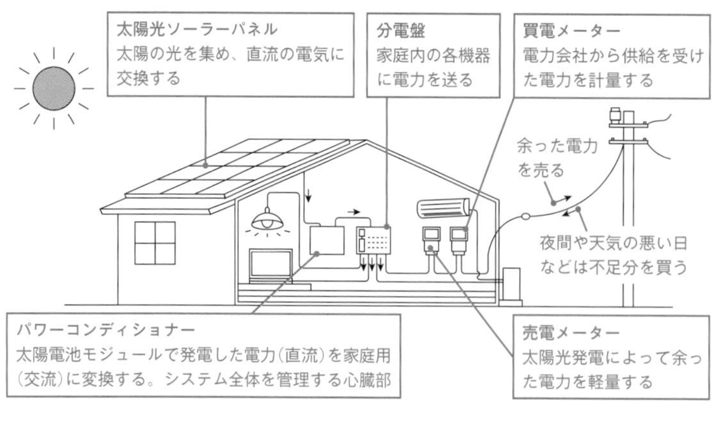

(2)風力発電

風力発電とは、風を利用した発電方式をいう。天候に左右されるところもあり供給が不安定だが、風況調査など設置に向けた取組みが進んでいる。

再生可能エネルギー
太陽や風など、基本的に枯渇しないエネルギーを利用したものをいう。

住宅の省エネ化
建物の断熱性の性能を上げる、設備の性能を高める、自然エネルギーを活用するなどの対策が挙げられる。

ソーラーモジュール
セルという太陽光をつくる最小単位を並べて、大きな板状にした物。表面に強化ガラスなどが取り付けられている。屋根に並べたものはアレイともいわれる。

売電
太陽光発電で余った電力を蓄電する技術が一般的ではないので、余った電力は電力会社に売る。専用のモニターなどで換算できるようになっている。売電価格は太陽光発電の普及に大きく影響する。また、今までの電気代は買電と呼ぶ。

電気の単位
kw(キロワット)、kwh(キロワットアワー)ともに電気の単位。白熱灯の電球は60w(ワット)などと表示されるが、その電球を約17個分灯す電力が1kw。時間当たりの電力量はkwhで表す。

(3) 地熱発電

地熱発電とは、火山などの地中の熱を用いて行う発電方式をいう。気候などに左右されないが、温泉地と重なることも多く、地元住民との調整も不可欠となる。

(4) バイオマス発電

バイオマス発電とは、建材などの廃材や家畜の排せつ物などを利用した発電方式をいう。カーボンニュートラルなため、循環型社会に合った発電方法である。

(5) 雨水（中水）利用

雨水（あまみず）などをタンクに溜めた水（中水（ちゅうすい））を利用することで、給水（水道水）の無駄な利用を避けることができる。都市部では下水に流れ込む雨水を減らすことも利点である。

4. 家庭で使う省エネ機器

家電機器などのエネルギーの消費効率の良さを推奨する制度や、効率の良いエネルギーシステム機器を取り入れるなど、家庭においても省エネ対策が推進されている。

(1) トップランナー制度

トップランナー制度とは、各部門で最も効率の良い機器を省エネ基準とする方法である。基準をクリアした製品には、省エネラベルを付けることができる。対象商品は、乗用車、エアコン、レンジ、電気便座、コンピュータ関連機器、テレビ、冷蔵庫、照明機器、DVD デッキ、複写機、自動販売機などである。

(2) 主な住宅用省エネシステム機器

省エネや二酸化炭素（CO_2）排出量削減を売りにした給湯システム製品も多数ある（表）。ただし、いずれも停電時には使用できない。

■ 表 主な家庭用エコ給湯システム（→ P.189）

名称	エネルギー源	特徴	タンク
エコキュート	電気	ヒートポンプ給湯器。空気の熱でお湯を沸かす。オール電化の主力製品	あり
エコジョーズ	ガス	給湯器使用時の燃焼によって生じた熱を利用する高効率のガス給湯器。光熱費を削減	なし
エネファーム	ガス、灯油	燃料電池＋コージェネレーションシステム。都市ガス、LP ガス、灯油などから燃料となる水素を取り出し、空気中の酸素と反応させて発電する	あり

クールチューブ
夏季に、外気を地中に埋設したチューブを通し冷気を得る方法。

カーボンニュートラル
二酸化炭素（カーボン）の吸収量と排出量が同じである状態のこと。化石燃料を燃やすときに二酸化炭素（CO_2）を出すことから、脱化石燃料のキーワードとして使われている。→ P.14

省エネラベル
→ P.53「省エネラベリング制度」。

ヒートポンプ
大気の熱を電気で効率よくエアコンなどの空調に利用する技術。電力会社や電気設備業者は、オール電化住宅の主力設備商品として導入している。

燃料電池
「電池」というより小さな発電装置。水素と酸素があれば連続して電気をつくれる。

コージェネレーションシステム
エネルギーを再利用するシステムのこと。湯沸器使用時の燃焼による排熱を利用するなど、効率を高めることができる。

屋根に載せる太陽熱温水器もあるよ。優秀な省エネの湯沸器といえるね！

3-1 法規①建築基準法

重要度 ! ! !

Point

- ☑ 建築基準法は建築物の敷地、構造、設備、用途の最低基準を定めたもの
- ☑ 住宅関連の条文は、健康で安全な住宅に必須
- ☑ 内装制限、採光、換気、階段などインテリアに関わる規定も多い

建築基準法

建築基準法とは、建築の活動を規定する最も基本的な法律である。基本的に単体の建物の基準を決めた単体規定と、建物同士や街の中での建物のルールを決めた集団規定から成り立っている。

1. 都市計画に関する用語

(1)都市計画区域

都市計画区域とは、用途地域、防火地域、準防火地域など、都市計画法で定められた建築などが、規制の対象になる地域をいう。建築基準法に細かな規制が定められている。

(2)用途地域

用途地域とは、土地の利用目的によって、住居系、商業系、工業系に分け、さらに13に区分される地域をいう。建築物の用途や建蔽率、容積率、構造などに一定の制限を加えている。

2. 火災・防火に関する用語

(1)防火地域、準防火地域

防火地域、準防火地域とは、一定規模の建物について耐火建築物や準耐火建築物にするよう定めている地域をいう。都市の密集地での災害などの被害が拡大することを防ぐことを目的としている。

(2)延焼のおそれのある部分

隣地で火災が発生した際に、自らの建物に延焼するかもしれない部分を延焼のおそれのある部分と規定している(次頁図1)。隣地境

基準法

憲法のもとで基準法という法律が決められ、それに基づいて、施行令という政令、省による告示、各都道府県、市町村の条例が定められる。

単体規定、集団規定

単体規定とは、建築物の安全や衛生について定めたもので、構造や防火、居室の採光などについて規定している。集団規定とは、用途地域や容積率、建蔽率などを規定するもの。

※用途地域に田園住居地域がH29に13番目として制定された。

22条区域とは

基準法22条と23条に規定されている区域。準防火地域よりややゆるい防火基準を指定。

防火区画とは

大きな建物で火災が発生した場合、被害を局所的に抑えられるように防火性の高い床や壁などで区画すること。耐火、準耐火建築物などに適応され、共同住宅などでは各住戸が区画されている場合がある。

公式ハンドブック[下] P.243～252

界線または道路の中心線から、1階は3m、2階以上は5mの範囲では、防火性の高い材料を使用し、延焼を最小限にするよう定めている。

■図1 延焼のおそれのある部分

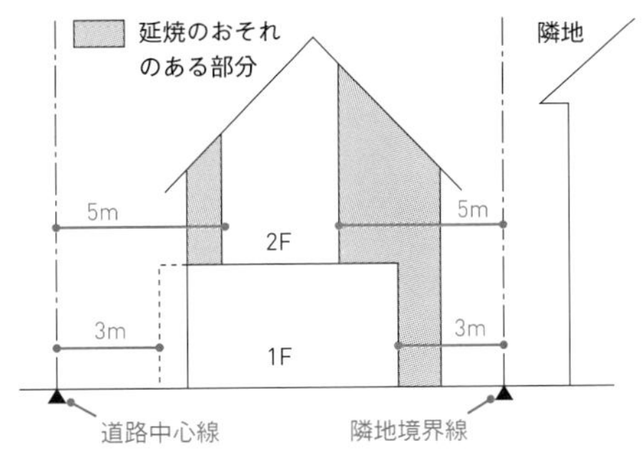

(3)防火構造

防火構造とは、隣地の火事などが延焼しないように外壁や軒裏を防火対策した構造をいう。都市部や都市近郊に建つ木造住宅の多くはこの構造である。

(4)耐火構造、耐火建築物

耐火構造とは、内部あるいは外部で出火した際に一定時間燃えない構造をいう。鉄筋コンクリート造や耐火被覆した鉄骨造などがこれにあたる。この耐火構造の建物を耐火建築物といい、公共性の高い建築物の多くが採用している。

(5)準耐火構造、準耐火建築物

準耐火構造、準耐火建築物とは、耐火構造、耐火建築物よりも耐火の基準がゆるい構造をいう。耐火被覆のない鉄骨造や、柱、梁などの主要構造部を不燃材などで被覆した木造などが含まれる。

(6)防火材料

内装材などは、不燃材料、準不燃材料、難燃材料と防火性能が区別されている(表)。火災に対する安全を守るために、必要な部分には防火材料を使うことを規定している。

■表 防火材料の区分と燃焼時間

防火材料	不燃性継続時間	主な材料
不燃材料	20分間	コンクリート、レンガ、瓦、陶磁器タイル、アルミニウム、ガラス、石膏ボード(厚さ12mm以上)
準不燃材料	10分間	石膏ボード(厚さ9mm以上)、木毛セメント板(厚さ15mm以上)
難燃材料	5分間	石膏ボード(厚さ7mm以上)、難燃合板(厚さ5.5mm以上)

※不燃性継続時間は、通常の火災時に加熱されても燃焼しない時間である。

(7)内装制限

内装制限とは、火災が発生した際に、火が拡大するのを抑えるために定められた。燃えにくい内装材(不燃材料)の使用を規定したものである。

■図2 ダイニングキッチンの内装制限

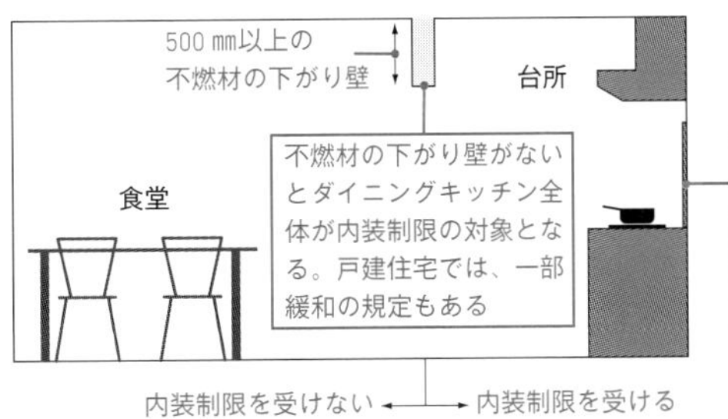

コンロ周辺の壁にタイルを張る場合は、下地に珪酸カルシウム板を使う

建築基準法では、戸建ての住宅以外は一般的に「特殊建築物」とされているよ。ただし事務所用の建物は、なぜか入らないんだ

2019年から建築基準法の対象に、耐火建築物と同等の延焼防止建築物、準耐火建築物と同等の準延焼防止建築物も追加されたり、延焼のおそれのある部分が一部緩和されたりしているよ

主要構造部
壁、柱、梁、床、屋根、階段など、それがないと建物として成り立たない部分のこと。

壁の下地によく用いられる石膏ボードは、準不燃材です！

戸建住宅ではキッチンなどの火気使用室(かきしようしつ)が対象となる(前頁図2)。マンションは条件により居室や通路、階段も対象となる。

住宅関連で内装制限の適用を受ける主な場所は、住宅の火気使用室廻りや、共同住宅の廊下や階段などである。共同住宅の居室も対象だが、住戸ごとにしっかりと防火の区画がなされていれば、内装制限がかからない場合もある。回り縁(まわりぶち)や幅木(はばき)、額縁(がくぶち)などは対象外で、腰壁も1.2mまでは免除される(火気使用室、地下は制限有)。

3. 建物の規模や手続きに関する用語

(1)建築面積

建築面積とは、建物の外壁、または柱で囲まれた部分の水平投影面積をいう(図3)。ただし、柱のない庇(ひさし)やバルコニーなどではね出しが1mを超える場合は、先端から1m後退した線までの面積が含まれる。また、地階がある場合は、地盤から1m以下の部分は除く。

■図3 建築面積の考え方

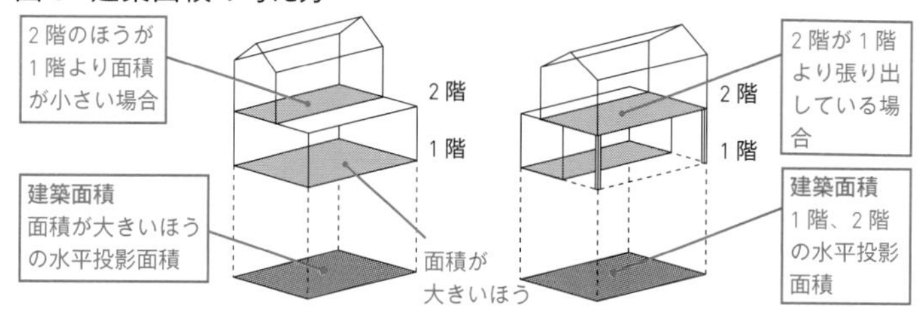

(2)床面積

床面積とは、各階の壁芯などで囲まれた部分の水平投影面積をいう。ただし、屋内の階段は1階と2階両方の床面積に算入されるが、吹抜けは含まれない。屋外では、通常のバルコニーや玄関ポーチなどは含まれないが、屋根のある駐車場や閉鎖性の高いバルコニーなどは、条件によって床面積に含まれる。

(3)延べ面積

延べ面積とは、建物の各階床面積の合計をいう。なお、車庫は面積が各階の床面積の合計の1/5以下であれば、延べ面積に含まれない。

(4)建蔽率

建蔽率とは、敷地面積に対する建築面積の割合をいう。住宅地などは40〜60%程度が多い。

(5)容積率

容積率とは、敷地面積に対する延べ面積の割合をいう。敷地内にどれほどの延べ面積の建物が建てられるかを算定する。用途地域に

内装制限の考え方

戸建て住宅の火気使用室の内装制限は、上階に部屋があれば、下の階の火気使用室は内装制限がかかる、と考える。最上階は除外。

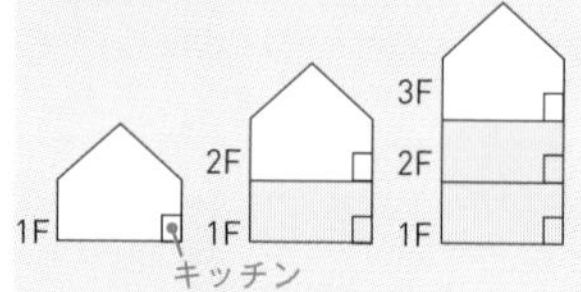

水平投影面積

真上から建物を見下ろしたとき、外壁のラインを結んでできた面の面積。壁や柱の芯(中心線)から面積を算定する。

地階

→P.43「地下室の環境」

床面積から除外されるもの

小屋裏収納などは、直下階の床面積の1/2未満、天井は高い所で1.4m以下にしないと床面積や階数に算入されるので、リフォームでも注意が必要である。

前面道路の幅が狭いと、容積率の限度が引き下げられることがあるんだよ

よって制限が定められている。住宅地では50〜500％である。

(6)斜線制限と高さ制限

斜線制限には、道路斜線制限、隣地斜線制限、北側斜線制限、日影規制などがある（図4）。これにより建物の高さが制限されることが多い。

■図4　高さ制限の例（住居系の用途地域の場合）

道路斜線制限

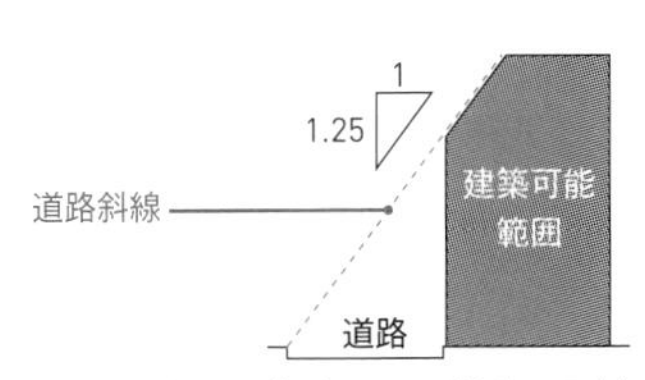

住居系の地域の多くでは、道路の反対側から建物の位置までの距離の1.25倍の高さまで建物を建てることが可能。商業系では1.5倍となり、より高い建物が建てられる

北側斜線制限

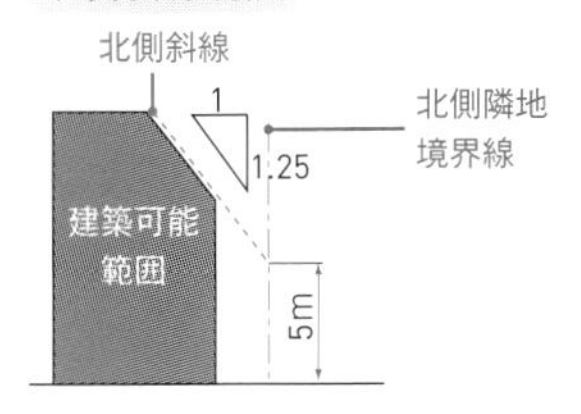

住居が特に多い地域では、北側の隣地に日照をある程度確保させるために、斜線の制限が設けられている

(7)建築確認申請

一定規模の建物や都市計画区域内で建物を建てるとき、建築主は着工前に建築主事か民間の指定確認検査機関へ申請書と設計図書を提出し、建築基準法および関連法規に適合しているかの確認を受ける（図5）。これを建築確認申請という。ただし、防火地域、準防火地域以外で10㎡以下の増改築では申請が不要である。

■図5　建築確認申請手続きの流れ

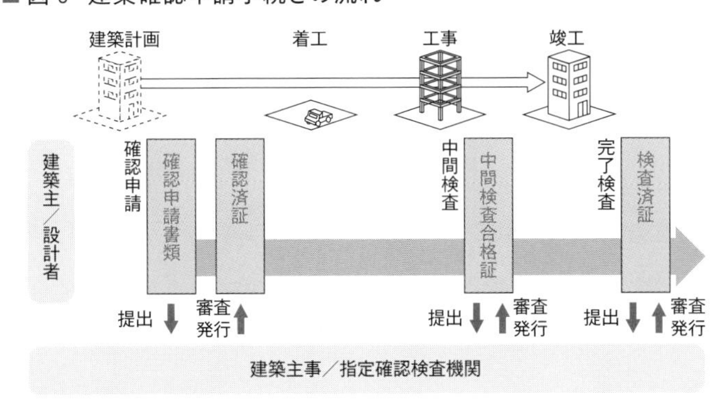

4. 室内の環境に関する用語

(1)居室とは

居室とは、人が生活や作業をしたり、集まったりするために継続的に使用される部屋をいう。台所・食堂・居間は居室とみなされるが、浴室・便所・玄関などは居室に含まれない。

後退すると緩和？

道路境界線から建築物を敷地内に後退した部分を後退距離（セットバック）という。道路周辺の環境の向上とみなされ、道路斜線制限の緩和規定を受けることができる。

確認申請

増築や、法で規定される大規模なリフォームなども申請の範囲に入るので、注意が必要。たいがい建築士が代行するが、建築士はあくまでも代理。違法建築は建て主も責任を問われる。

設計図書

建築などの工事を行うのに必要な図面や、工事の内容を指示する仕様書などのこと。

(2)居室の採光窓の計算

住宅の居室には、採光のための窓(開口部)が必要である。大きさは、部屋の床面積の1/7以上と定められている(図6)。窓は隣地から離れていて屋根に近いほど光を採り込みやすい。それぞれの窓の実際の面積に採光補正係数を掛けて有効採光面積を出し、部屋ごとに計算する。ただし、2部屋が襖(ふすま)や障子の引違い戸などで仕切られている場合は、1部屋とみなして算出してよい。また、天窓(トップライト)は、実際の面積の3倍を有効採光面積とみなす。

■図6 有効採光面積の算出(住居系地域)

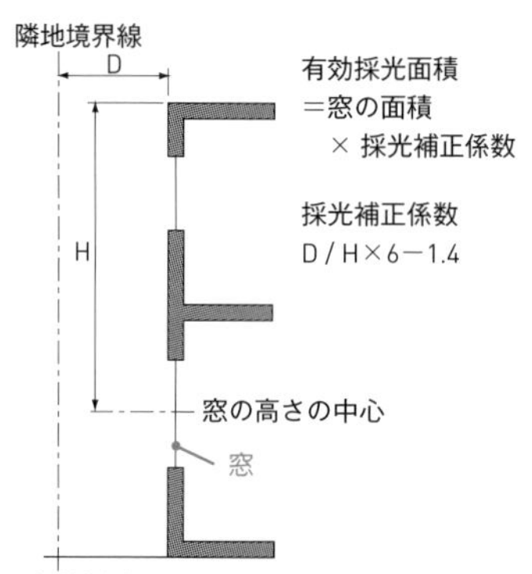

有効採光面積は、実際の窓の大きさに、窓の中心から建物上部までの距離Hと窓から隣地までの距離Dで決まる採光補正係数を掛けて割り出す

(3)居室の天井高

住宅の居室の天井の高さは床面から測定して2.1m以上と決められている。1室で天井高が異なる場合は、平均の高さとなる(図7)。

■図7 平均天井高の測り方

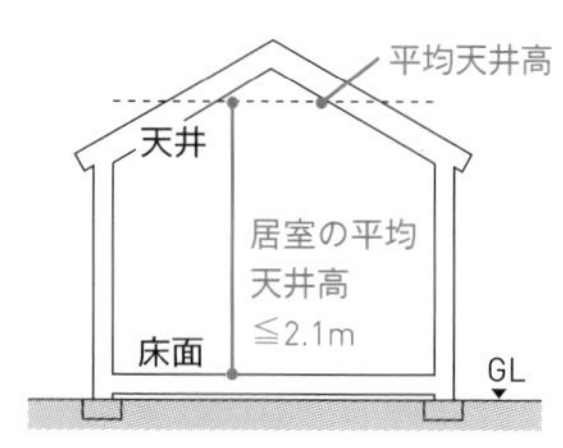

(4)居室の床高

木造では、地面から床仕上げの上面までは45cm以上と決められている。床下の通気などのためであり、防湿処理をした土間コンクリートや、その上に直接床仕上げを施す場合は制限が免除される。

(5)居室の換気

住宅の居室の環境を守るために、有効な換気ができる窓か換気設備を設けるように決められている。換気窓は、居室の床面積の1/20以上の大きさが必要である。半分しか開放できない引違い窓などは、換気に有効な面積は約1/2になるので注意する。また、はめ殺し窓は、採光に有効だが、換気には有効とならない。

(6)シックハウス対策

部屋の高気密化が進むにつれ、内装仕上材に使用されている接着剤などから発生するホルムアルデヒドなどが問題となった。こうした原因で起こる症状をシックハウス症候群と呼ぶ。2003年には建築基準法でも、内装仕上げや24時間換気システムなどの換気設備、天井裏の措置などの対策が規定された。

採光補正係数(住宅地の場合)

Dは開口部の直上の庇などの先端から隣地境界線までの水平距離。Hは開口部の直上の庇などの先端から開口部の中心までの垂直距離。住宅では、採光関係比率(D/H)に6を乗じて1.4を引く。値は0~3の範囲で決められる。

キッチンの採光

→P.148「キッチンの採光と照明」

縁側の採光は?

居室に縁側が付いているときの有効採光は、縁側幅90cmまでなら縁側の窓全部が有効だが、90cm以上あるときは70%しか有効採光にならない。

天井高の重要性

アパートや建売住宅の住環境の悪化などを防ぐために天井の高さが決められている。居室への採光や換気と共に重要な要素。

居室の床高は、床の下が土などの場合に、床材や居室に影響する湿気を防ぐための規定だから、床の直下の地面からが積算基準になっているんだね!

換気設備

→P.194「換気設備」

はめ殺し窓

開閉できない窓のこと。FIX窓ともいう。

シックハウス症候群

→P.139「室内の空気環境」

(7)地下室の環境

地下室とは、床面が地盤面の高さより、天井高の3分の1以上地中に埋まっている部屋である。建築基準法ではこれを地階という。

地下では換気や湿気などの環境が危惧されるので、地下に居室がある場合は、ドライエリアや空き地に面する開口部の設置、換気、防湿の処理が必要になる(図8)。

地上部分の建物の大きさにあまり影響を与えないので、住宅の場合地下室の天井面が地盤から1m以下であれば、容積率の算定から免除される(図9)。

■図8 地下室とドライエリア　■図9 地下階の容積緩和の例

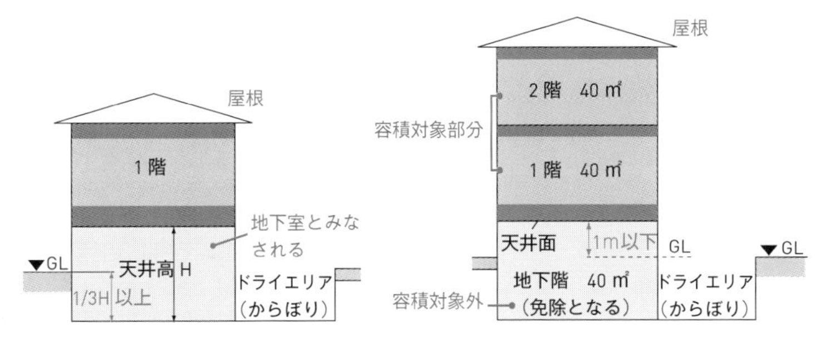

ドライエリア

地下室のある建物の周りを地面よりも一段掘り下げた空間。からぼりともいう。

基準の階段は、かなり急

住宅の階段の基準となっている、蹴上げ23cm、踏面15cmはかなり急な階段。これは昔の側桁階段の名残。少なくとも、蹴上げ20cm以下、踏面20cm以上にするのが望ましい。

5. 安全性に関する用語

(1)階段

住宅の階段の寸法は、蹴上げ幅23cm以下、踏面幅15cm以上、階段・踊場の幅75cm以上と決められている(図10)。螺旋階段や回り階段のような場合は内側と外側で踏面の幅が変わるので、狭いほう(内側)から30cmの位置で測る。

■図10 住宅の階段の寸法

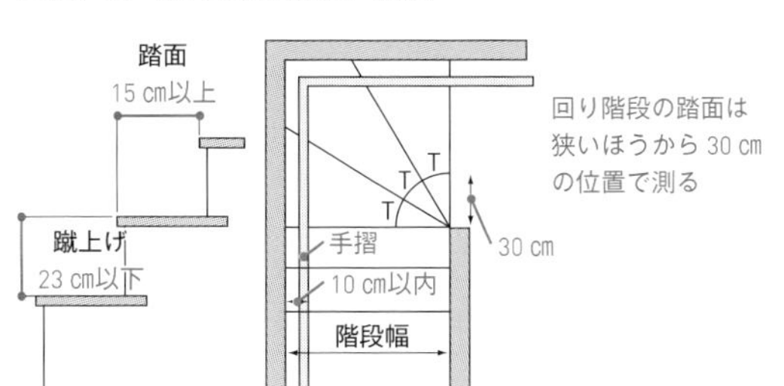

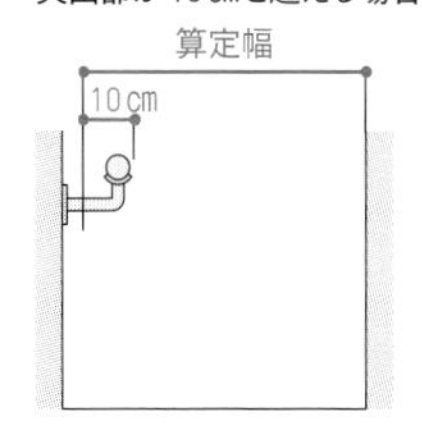

手摺の設置は必須である。突出が10cm以下の場合は、そのまま階段の幅を算定できる。10cm超の場合は、10cmを超えた部分を差し引いて算定する。階段の高さが4mを超える場合は、踊り場も設けなければならない。階段に代わる傾斜路(スロープ)の勾配は1/8を超えないよう規制されている。

(2)手摺

屋上やバルコニー、吹抜けなどの手摺は、床から110cm以上の高さに設置する(図11)。基準法の規定ではないが、高齢者などの歩行を補助するための手摺は、高さ90cm以下、70cm程度が望ましい。

■図11 手摺の高さ

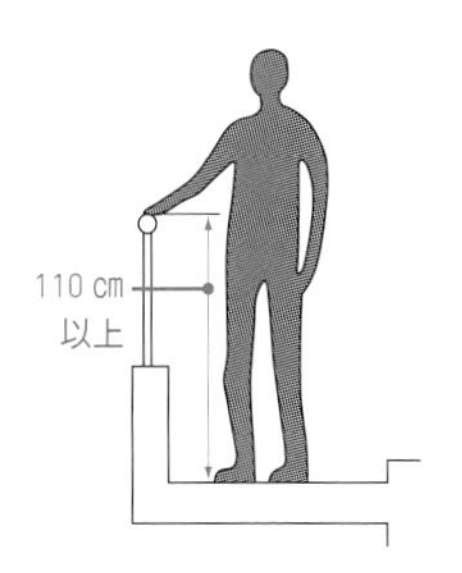

3-2 重要度 !!!

法規②建築関連

Point

☑ 住宅の質向上のためにつくられた長期優良住宅促進法はこれからも注目

☑ 住宅の基準は、品確法、長期優良住宅促進法、バリアフリー新法などのさまざまな法律によって定められている

建築士法

建築士法とは、建物の設計・工事監理業務を行なう技術者の資格を定めた法律である。免許には、一級建築士、二級建築士、木造建築士がある。試験に合格したのち、一級建築士は国土交通大臣、二級建築士と木造建築士は都道府県知事から免許を受けて業務を行う。

建物の規模や構造によって、各建築士が業務できる範囲が決まっている。ただし、木造2階建て以下で延べ面積が100㎡以下、木造以外で2階建て以下で延べ面積が30㎡以下の建物は、建築士の資格者でなくても自分が住む家のみ設計・工事監理してよい。

また、耐震偽装問題をきっかけとして、2008年の建築士法改正において、一級建築士の中に構造設計一級建築士、設備設計一級建築士といった専門能力を有する資格ができた。

建築主への情報開示

建築士法の改正で、設計・監理の依頼を受けるときは、契約の前に委託内容について説明をし、依頼者から捺印を受ける「重要事項説明責任」が義務付けられた。

「品確法」については、P.138「性能の計画」も参照してね

品確法

品確法とは、「住宅の品質確保の促進等に関する法律」の略称で、住宅の性能に関する基準関連法規の中でも重要な法律のひとつである。住宅の性能・品質を高めて住宅購入者などの利益を保護することと、欠陥住宅などのトラブルを円滑に解決するために制定された。以下の3つがその柱となっている。

(1)10年の契約不適合責任の義務付け(次頁図1)。主要な構造と雨水の浸入が対象なので水道の水漏れや室内建具などの不具合は対象外。

(2)住宅の性能に関する表示基準・評価の制度(次頁図2)。住宅の

瑕疵

必要とされる品質、性能が欠如していること。住宅においては、欠陥とほぼ同じ意味。契約不適合責任とは、引渡し時に発見できなかった欠陥がのちに判明したとき、請負業者がその欠陥の責任などを負うこと。2020年、民法改正により瑕疵担保責任から契約不適合責任に変わり、買主の権利が広がった。

公式ハンドブック[下] P.254～258

性能を10項目に分け、さらに細分化して規定されている。

(3)住宅紛争の処理体制を整備する。現在、住宅紛争処理審査会や住宅・リフォーム紛争処理センターなどを設置して対応している。

■図1 10年の契約不適合責任の義務対象部分

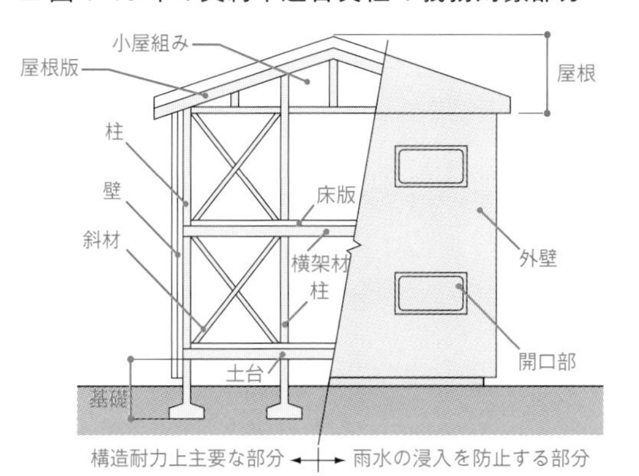

■図2 住宅性能表示制度

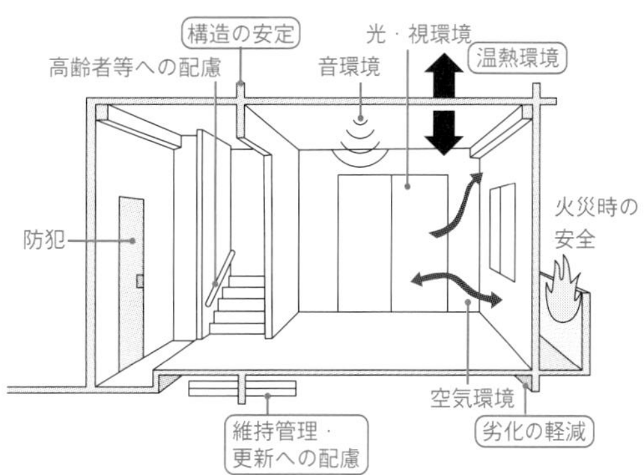

10分野の性能項目について等級や数値で表示。ただし必須項目は2015年に大幅に緩和され、囲みの4項目となった

住宅瑕疵担保履行法(じゅうたくかしたんぽりこうほう)

住宅瑕疵担保履行法とは、「特定住宅瑕疵担保責任の履行の確保等に関する法律」の略称で、品確法における10年の瑕疵担保(重要な欠陥などへの対応)を具体的に履行(実行)するよう定めた法律である(図3)。売主業者や建設業者の資力(出資能力)確保を義務付けており、それらの業者は瑕疵担保を履行するために、保険に入るか、保証金の管理を国家機関(供託所)に委ねている(図3)。

■図3 住宅瑕疵担保履行法のしくみ

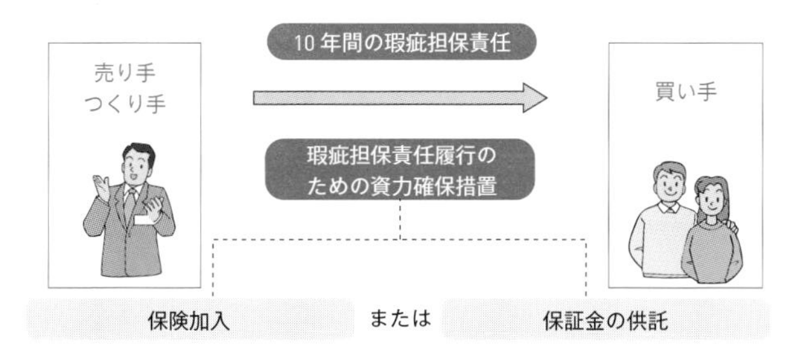

長期優良住宅促進法

長期優良住宅促進法とは、2009年6月に施行された「長期優良住宅の普及の促進に関する法律」の略称である。品確法における住宅性能表示制度をより具体的に実施するための法律で、住宅の構造躯体の劣化対策や耐震性、バリアフリー性、省エネルギー性などについての認定基準を定めている。将来的に質の高い住宅の普及を目

瑕疵

欠陥のこと。2020年の民法改正で契約不適合となったが、「住宅瑕疵担保履行法」では瑕疵は残った。

品確法における耐震等級

建築基準法と同等を耐震等級1として、その1.25倍の強さを耐震等級2、1.5倍を耐震等級3とする。品確法の住宅性能表示制度や長期優良住宅促進法などで頻繁に使われる用語。保険に加入する際も参考とされる。

長期優良住宅

良好な状態で使用し続けるための措置が講じられた、長寿命な住宅のこと。

竣工前に工務店が倒産!?

住宅の完成前に工務店などが倒産した場合、工事の中断や引継ぎにともなう前払い金の損失や工事費の増額分を一定の限度額内で保障し、代替業者などを紹介する完成保証制度もある。

指すもので、認定長期優良住宅はいくつかの税の優遇措置を受けられる。2022年の改正で、省エネルギー対策の強化が図られている。

バリアフリー新法

バリアフリー新法とは、「高齢者、障害者等の移動等の円滑化の促進に関する法律」の略称である。従来のハートビル法と交通バリアフリー法が統合され、新しくバリアフリー法となったので、このように呼ばれる。

各施設などや地域のバリアフリー化によって、高齢者や障害者などの自立生活の促進を目指す法律である(図4)。これは、ユニバーサルデザインの考え方も踏まえている。一定規模の建築物には、出入口幅や車イス用のトイレ、傾斜路の滑りにくい仕上げ、エレベーターかごの大きさなどのバリアフリー化が規定されている。

■ 図4 バリアフリー新法のしくみ

特別特定建築物の建築主等の義務など	特定建築物の建築主等の努力義務
誰もが日常利用する建築物や老人ホームをつくる際は、バリアフリー化する。既存の建物についてもバリアフリー化に努める	多くの人が利用する建築物をつくる際はバリアフリー化に努める
↓	↓
望ましいレベル（建築物移動等円滑化誘導基準）	最低限のレベル（建築物移動等円滑化基準）

バリアフリー新法の適用

バリアフリー新法は、一定規模以上の共同住宅にも適用される。各自治体の条例などで適用が具体的に規定されている。

ユニバーサルデザイン

障害者や高齢者にとっての使いやすさという枠を越え、多くの人々が利用可能なデザインのこと。

スロープ勾配は、建築基準法では1/8以下とされていますが、バリアフリー法ではよりゆるやかな1/12以下とされているよ！

改修法の適用例

大きな道路に面した古い建物は、地震などで主要な道路側に倒壊すると緊急輸送の妨げになるので、改修などに補助がある。

住生活基本法

住生活基本法とは、住宅政策の指針となる法律のひとつである。良質な住宅の供給や居住環境の保護、住宅購入の利益、居住の安定、耐震、省エネ、中古住宅の流通など多岐にわたって規定している。

耐震改修促進法

耐震改修促進法とは、耐震基準を満たさない建物の耐震診断や、耐震補強を進めるために制定された法律である。「建築物の耐震改修の促進に関する法律」の略称。1995年に施行されたが、耐震化がなかなか進まなかったため、より積極的な耐震化の促進を目的とした改正耐震改修促進法が2006年に施行、2013年にさらに改定された。

3-3 重要度 ！！！

法規③消費生活関連

Point

☑ 販売形式によりクーリングオフの有無、期間は違う
☑ 消費関係の法律は、マークと一緒に覚えるとよい
☑ PL法、家庭用品品質表示法、特定商取引に関する法律は必須

消費者基本法

消費者基本法とは、国民の消費生活の安定や向上を確保するための法律である。消費関連の法律の中で最も重要なものといえる。消費者の権利の尊重や自立支援を柱として、国や地方公共団体、事業者、消費者などの責務・努力義務などを定めている（表1）。1969年に施行された消費者保護基本法が2004年に大幅に改正され、消費者基本法となった。

■表1　消費者基本法（抜粋）

消費者の権利として（第2条）
□消費者の安全が確保されること
□消費者の自主的かつ合理的な選択の機会が確保されること
□消費者に対し必要な情報が提供されること
□消費者に被害が生じた場合には適切に救済されること
事業者の責務（第5条）
□消費者の安全および取引における公正を確保すること
□消費者に対し必要な情報を提供すること
□消費者との間に生じた苦情を適切かつ迅速に処理すること
□国または地方公共団体が実施する消費者政策に協力すること

消費者庁

消費者、生活者が主役となる社会の実現に向けて、2009年9月に発足。消費者関連の多くの情報はここで管理されている。

消費者契約法の適用には、消費者がさまざまな書類で違法性を証明する必要があるので、契約に関わるメモや資料は残しておこう！

消費者契約法

消費者契約法とは、一般に情報量や交渉力のある事業者に対して、消費者の利益などを守る法律。消費者と事業者の間で結ばれたすべての契約が対象となる。たとえば契約の際、事業者の発言に嘘があったり、不確かなことを断定的に言ったり、居座り・監禁などの不適切な行為があった場合には、契約を取り消すことができる。また、法外なキャンセル料を要求するなどの不当な条項が契約書にあった

公式ハンドブック［上］P.200、P.210～211、［下］P.258～264

場合も契約無効となる。ただし、国や公共団体が事業者を罰する行政ルールではなく民事ルールなため、消費者が取消しなどを要求しなければならない。

消費生活用製品安全法

消費生活用製品安全法とは、消費者の生命または身体に危害が及ぶ可能性が高い製品(特定製品)の製造および販売を規制し、消費者の利益を保護することを目的とした法律である。所定の安全基準に適合したものにはPSCマークが表示される(図1)。特定製品(丸形マーク)と特別特定製品(菱形マーク)の2つに分けられる。特定製品は家庭用の圧力鍋など、特別特定製品は乳幼児用ベッド、ライターなどが代表的である。

特別特定製品マーク

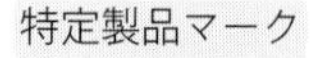

PSCマーク
PはProduct(製品)、SはSafety(安全性)、CはConsumer(消費者)を意味する。

SGマーク
Safety Goodsマークは、乳幼児用製品、福祉用具製品、家具、台所用品などが対象。一般財団法人製品安全協会によって認証される。

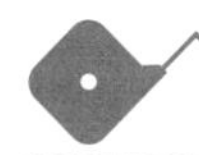

PL法(製造物責任法)

PL法(製造物責任法)とは、製造物の欠陥によって、生命、身体または財産に損害を被った場合、製造会社などに対して損害賠償を求めることができるとした法律である。

製造業者などがその製品を製造、加工、輸入した場合に加え、表示の不備による損害も対象となる。損害を請求できる期間は、損害および賠償義務者を知った時点から3年間(人身傷害問題は5年)、または製造物の引渡しから10年間としている。ただし、具体的な危害がなく欠陥だけの損害賠償はこの法律の対象外である。

PL法
製品の安全性に対する製造業者等の責任について定めた法律。Product Liability(製造物責任)の頭文字から名付けられた。

製造物
製造または加工された財産(動産)。不動産、未加工農林畜水産物、電気、ソフトウェアサービスは該当しない。

家庭用品品質表示法

家庭用品品質表示法とは、一般消費者が、製品の品質を正しく認識し、購入に際して損失を被ることのないよう、取扱いの絵表示やマークを添付し、事業者に家庭用品の品質に関する表示を適正に行うよう要請した法律である。インテリア関連の用品も多数該当する(次頁表2)。

■表2　家庭用品品質表示法で定められたインテリア関連品目

製品	品目
繊維製品	カーテン、床敷物(パイルのあるものに限る)、テーブル掛け、布団、ベッドスプレッドなど
合成樹脂加工品	食事用・食卓用・台所用の器具、便所用の器具など
電気機械・器具	換気扇(プロペラ形の羽を有するもの)、エアコン、ほか家電品全般
雑貨工業品	ウレタンフォームマットレス、机、テーブル、イス、腰掛け、座イス、タンス、塗料、接着剤など

洗濯方法を示す基本記号

2016年、家庭用品品質表示法に基づく繊維製品品質表示規程の改正により、新JISの洗濯表示記号に変更された。

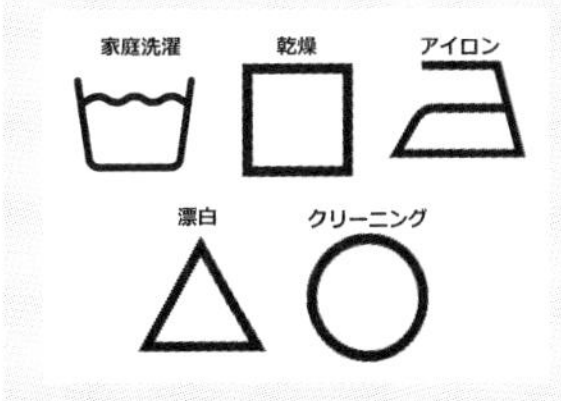

特定商取引法

特定商取引法とは、「特定商取引に関する法律」の略称である。訪問販売や通信販売などトラブルを生じやすい商取引を対象に、事業者が守るべきルールと、クーリングオフ制度などのように消費者を守るルールが定められている。表3に挙げた販売方法が対象となる。

クーリングオフ制度

申込みや契約後、消費者が無条件で解約できるとする制度。Cooling offと書き、冷静になって考えることを意味する。

■表3　販売形態と特定商取引法

販売形態	内容	クーリング・オフ	備考
訪問販売	消費者の自宅などに販売員が訪問し、法律で指定する商品などを販売する。キャッチセールスやホームパーティ方式の販売も含む	代金3,000円以上で8日まで可能	ホームパーティ方式とは、ホスト役の顧客に友人などを自宅に集めてもらい、コンサルタントが実演販売を行なうこと。「アンケートに協力お願いします」と言って呼び止め、営業所などに連れて行き、商品の勧誘を行ったり、契約させたりするようなキャッチセールスも訪問販売にあたる
通信販売	新聞、雑誌、インターネットなどで宣伝し、郵便や電話などで申込みを受け付ける方法	返品の特約がなければ8日	インターネット・オークションに関しても対象となることがある
電話勧誘販売	電話で勧誘し、申込みを受け付ける方法。電話ののちに、郵便などで申し込む場合も含む	代金3,000円以上で8日まで可能	
連鎖販売取引(マルチ商法)	販売員が次の販売員を勧誘するという形式で、販売組織を連鎖的に拡大する	20日	「入会すると商品が安く買えるので、それを人に売れば儲かる」などと言って勧誘し(特定利益)、取引をするためにお金を負担させる方法(特定負担)
ネガティブ・オプション(送りつけ商法)	注文もしないのに業者が一方的に商品を送り、その代金を請求する商法		代金を支払う義務はない

法律の条文にはクーリングオフという言葉はなく、「○○販売における契約の申込みの撤回等」などと書かれている場合が多いよ

割賦販売法

割賦販売法とは、商品の購入に対し、あとで代金を支払う割賦販売、ローン提携販売、クレジットカードなどを使った割賦購入あっせんなどのルールを定めた法律である。購入者などの利益を保護すること、割賦販売などに係る取引を公正にすること、商品などの流通や役務の提供を円滑にすることを目的としている。営業所以外の場所で契約した場合は、8日間のクーリングオフ期間が認められている。

個人情報保護法

個人情報保護法とは、主に個人情報を取り扱う事業者が守るべきルールを定めた法律である。個人情報の有効利用と個人の権利利益を保護することを目的としている。

インテリアコーディネーターの業務においては、個人情報件数はこれ以下の場合が多いが、プライバシー権の保障、守秘義務も負う職業である。個人情報を適切かつ慎重に扱う必要がある。

特定電子メール法

特定電子メール法とは、「特定電子メールの送信の適正化等に関する法律」の略称である。営利団体や個人事業者が、自己または他人の営業のために、広告や宣伝を行う手段として送信するメールを特定電子メールと定義している。受信者の同意がなく送られた特定電子メールはすべて迷惑メールとみなされ、配信した事業者には罰則がある。

割賦販売

売買代金を、2カ月以上の期間にわたり3回以上に分割して支払うことを約束した売買をいう。

クレジット

利用者の信用に基づき、お金を貸し付けたり、立替え払いをしたりすること。クレジットカードを利用して購入をすすめることを総合割賦購入あっせんと呼ぶ。

リボルビング払いって？

支払い回数を指定しないで、毎月の返済金額を一定にして、計画的な返済を行う方式。

個人情報

生存する個人に関する情報で、その情報に含まれる氏名、生年月日その他の記述などにより、特定の個人を識別することができるもの。他の情報と照合することで、特定の個人が識別できるものも含む。

電子メールも少しずつ法律の整備が進んでいるよ。間接的に得たメールアドレスに送った情報が、迷惑な広告メールにならないようにするなどの注意が必要だよ

関連制度、関連マーク

建築やインテリアの材料などは、より良い製品を提供するために、さまざまな制度や基準が設けられている。以下、代表的なものを挙げる（表4）。

■表4　消費生活に関連する制度・マーク

制度名・マーク名	マーク	内容
グッドデザイン商品選定制度 （Gマーク） 〈主催：公益財団法人日本デザイン振興会〉		「デザインの優れた商品を選定、推奨することにより、国民生活の質的向上と産業の振興を図ること」を目的としてつくられた制度。商品を生産、販売する企業から対象となる商品の申請を受けて審査し、選定する。この審査によってグッドデザイン賞を受賞した対象のみがGマークを使用することができる。商品だけでなく、建築・環境デザイン部門、コミュニケーションデザイン部門、新領域デザイン部門がある
優良住宅部品認定制度 （BLマーク） 〈主催：一般財団法人ベターリビング〉		品質、性能、アフターサービスなどに優れた住宅部品を優良住宅部品（BL部品）として認定する制度。BLは、Better Livingの頭文字。認定を受けた住宅部品には、BLマークが貼付される。この表示のある部品には、瑕疵保証と損害賠償の両面からのBL保険が付いている。BL保険では、施工瑕疵による賠償もカバーされるので、PL法に対応した製造物責任保険より幅広い保証が得られる
優良断熱建材認証制度 （EIマーク） 〈主催：一般社団法人日本建材・住宅設備産業協会〉	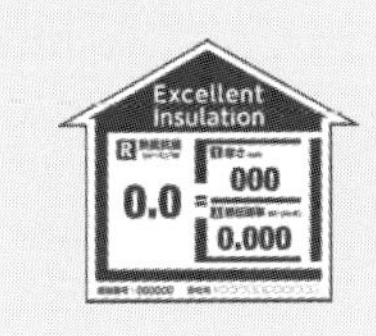	優良な断熱性能を有する建築材料に対して公正な認証を行ない、併せて適切な使用法を例示することで優良な断熱建材の普及を図り、建築物の省エネルギー化に貢献することを目的として創設された制度。登録認証されたメーカーの該当製品の梱包やカタログなどにはEIマークが付けられる
室内環境配慮マーク 〈主催：一般社団法人日本家具産業振興会〉		シックハウス対策のため、ホルムアルデヒドなどVOC（揮発性有機化合物）の発散を抑えた家具に付けられるマーク。合板、繊維板、パーティクルボードと、それらに使う接着剤がF☆☆☆以上のものと、塗料にホルムアルデヒドを含まない家具が対象となる
ISMマーク 〈主催：一般社団法人日本壁装協会〉		日本壁装協会は、「健康と安全に配慮したインテリア材料の供給」を目的として設立された機関。ISMは、インテリア・セーフティ・マテリアルの略で、インテリア材料の安全性を意味する。健康や安全を脅かさない高品質な壁装材が対象で、適合商品にはISMマークが表示される
防ダニ加工マーク 〈主催：インテリアファブリックス性能評価協議会〉	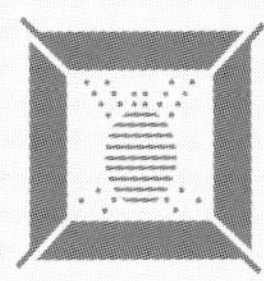	インテリアファブリックス性能評価協議会の自主基準をクリアした布団や毛布、カーペットに付けられるマーク。ダニを寄せ付けず、また、増やさない効果があり、かつ身体にやさしい加工薬剤を使用していることを証明している
CPマーク 〈主催：公益財団法人全国防犯協会連合会〉		警察庁、国土交通省、経済産業省および日本ロック工業会をはじめとする建物部品関連の民間団体によって「防犯性能の高い建物部品の開発・普及に関する官民合同会議」が設置され、防犯性能の高い建物部品の目録が公表された。これらの製品には、CPマークが付けられる。CPは防犯を意味するCrime Preventionの頭文字

3-4 法規④インテリア関連

重要度 ！！！

Point

- ☑ JIS・JAS法は、製品や建材の品質の基本
- ☑ 省エネ関連の法律は、今後インテリアとも深くつながるので注目
- ☑ リフォームなどで出る廃棄物も法律で定められている

消防法

消防法とは、火災を予防、警戒、鎮圧し、国民の生命や身体、財産を保護するための法律である。火災や地震などの災害による被害を軽減することを目的としている。建築やインテリアの業務に関連するものとして、以下の4つが特に重要である。

(1)消防同意

建築確認申請を受けた建築主事(または指定確認検査機関)は、敷地を管轄する消防長、消防署長または消防本部を置かない市町村の長に防火面のチェックを受け、同意を得なければならない。これを消防同意という。一般住宅の施工やリフォームの場合は地域と規模によるが、共同住宅は必須である。

(2)防炎規制

消防法でいう特定の防火対象物内で使う防炎対象物品(カーテン、じゅうたんなど)は、基準以上の防炎性能とする。防炎物品に対する防炎表示(防炎ラベル・図1)の交付は、主に公益財団法人日本防炎協会が行っている。

(3)火を使用する設備廻りの規制

キッチン廻りの設備や仕上げ、構造についても防火上の規制がある。市町村の火災予防条例やガス会社の規定などで詳細が規定されている(図2)。

(4)住宅用火災警報器等の設置義務

すべての住宅に火災警報器の設置が義務付けられている。設置する部屋は、市町村の火災予防条例などによって規定されている。寝室、

IHコンロ

IHクッキングヒーターを設置した場合、住宅の火気使用室の内装制限は受けないが、自治体によっては火災予防条例の対象になる。

消防法による規定

消防法では、消火器や避難はしご、緑色の誘導灯などの基準も定めている。

■図1 防炎ラベル

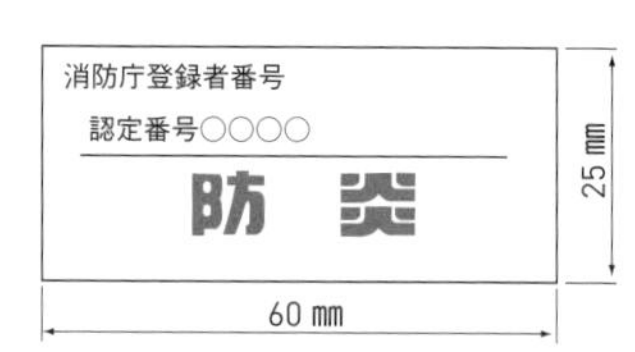

■図2 キッチン廻りの規制

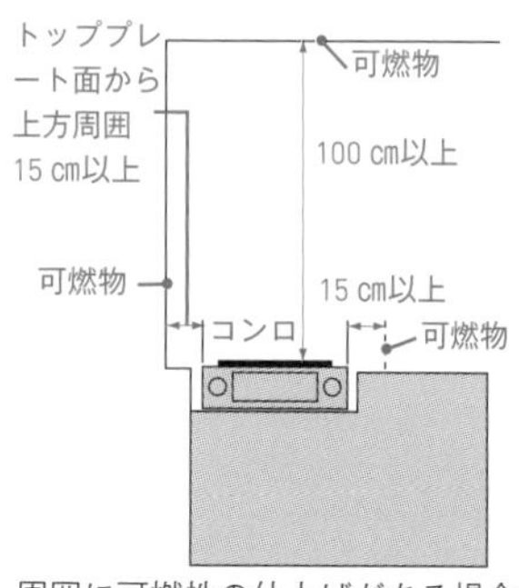

周囲に可燃性の仕上げがある場合、コンロからの距離の規定がある

公式ハンドブック［上］P.200～202、［下］P.252～255、P.260～261

階段は必ず設けるが、地域によっては、台所や居間なども対象になる。火災報知器は、火災を感知すると警報システムに信号を流すが、火災警報器は、それ自体が警報を発して設置場所近辺にいる人に火災を知らせる。

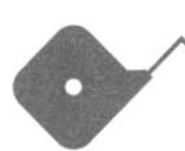

省エネ関連の法律と制度

1. 建築物省エネ法

旧省エネ基準（S55）、新省エネ基準（H4）、次世代省エネ基準（H11）、改正省エネ基準（H25）と進化してきた「エネルギーの使用の合理化等に関する法律」が、建築物省エネ法（建築物のエネルギー消費性能の向上に関する法律・H28）として建築部分を移行制定。住宅や建築物のエネルギー消費性能の向上を図るための法律として定められた。

2. トップランナー制度

トップランナー制度とは、自動車やエアコンなど、エネルギーを相当量消費する機器（特定機器）に対して、エネルギー消費効率の向上を促す制度である。エネルギー消費効率が最も優れている機器の性能などを基準（トップランナー基準）とする。これにより、家庭などで使用される機器の効率向上と普及を図る。運輸部門のエネルギー消費量も抑制し、世界最高水準のエネルギー効率を実現することを目指す。住宅トップランナー制度もある。

3. 省エネラベリング制度

省エネラベリング制度とは、トップランナー基準の対象となった機器に製造事業者などが表示するラベルを規定する制度である。家庭用機器を中心に、主にJIS規格において規定している。

その1つである省エネラベルは、緑色とオレンジ色の2種類がある（図3）。省エネ基準の達成比率（％）が示され、目標年度やエネルギー消費効率も記載される。

また、年間電気料金の目安や、5段階評価による省エネ性能などを組み合わせたものを統一省エネラベルという（図4）。消費者が購入時に比較しやすいように、製造業者の情報を示すものである。

エコまち法

都市の低炭素化の促進に関する法律の略称で、低炭素化と省エネは切っても切れない関係にある。

建築物省エネ法の対象

2,000㎡以上の建築物は、省エネ措置の届出が必要だったが、改正後は300㎡以上の建築物も対象となっている。2022年の改正ですべての新築住宅・非住宅に省エネ基準適合が義務付けられ、住宅レベルでも無視できない法律である。

省エネラベルは、メーカーの製品カタログや、家電販売店の展示製品に表示されています

■ 図3 省エネラベル

グリーン：国の目標値を達成している製品
省エネ基準達成率 100%　通年エネルギー消費効率 6.6　目標年度 2010年度

オレンジ色：国の目標値を達成していない製品
省エネ基準達成率 90%　通年エネルギー消費効率 6.0　目標年度 2010年度

■ 図4 統一省エネラベル

省エネ性能を5つ★から1つ★で表示する

省エネ性能が優れているということは、光熱費が安くなるということでもある

JIS法

JIS法とは、「産業標準化法」の略称で、日本の鉱工業製品の種類や規格を全国的に統一するJIS規格を制定している。品質の改善や生産性の向上を図り、生産、流通、消費を合理化することを目的としている。指定認定機関の認証を受けた商品にはJISマークが表示される（図5）。

■図5 JISマーク

JAS法

JAS法とは、「日本農林規格等に関する法律」（2017年改称）の略称である。日本農林規格が農産物や林産物、水産物、畜産物、ならびにこれらを原材料として製造・加工された製品や飲食料品を対象とした規格を設置している。規格を満たす製品には、JASマークが表示される（図6）。

■図6 JASマーク

廃棄物処理法

廃棄物処理法とは、「廃棄物の処理及び清掃に関する法律」の略称で、廃棄物の処理責任の所在や処理方法、処理施設、処理業の基準などを定めた法律である。廃棄物は、産業廃棄物と一般廃棄物とに分けられる。産業廃棄物は事業活動から生じた廃棄物で、事業者の責任で適正に処理する。一般廃棄物は、市町村が処理の責任をもつ。また、産業廃棄物管理票（マニフェスト伝票）を用いて廃棄物処理の流れを確認できるようにし、不法投棄などを未然に防いでいる。

家電リサイクル法

家電リサイクル法とは、「特定家庭用機器再商品化法」の略称で、一般家庭や事務所から排出された家電製品から、有用な部分や材料を再利用することを推進する法律である。エアコン、テレビ、冷蔵庫、冷凍庫、洗濯機、衣類乾燥機などが対象となっている。廃棄物の減量と、資源の有効利用を目的とする。

JIS規格（日本産業規格）

JISは、Japanese Industrial Standardsの略。JIS法に基づいて、日本の工業製品に統一の決まりを定めた国家規格。この規格に適合した製品にJISマークが付けられる。

旧JISマーク

2004年の法改正の前には、下記のマークが使用されていた。

JAS規格（日本農林規格）

JASは、Japanese Agricultural Standardの略。JAS法に基づいて、農・林・水・畜産物とその加工品の品質保証を定めた国家規格。

JAS規格の製品

合板、集成材、フローリングなどの建築材料も、木材と同じようにJASで規格が決められている。

マニフェスト伝票

産業廃棄物の排出事業者は、廃棄物の種類、数量、処理方法と場所を明記した伝票を、関係するすべての業者（収集・運搬・中間処理・最終処分・再生）に交付し、処理後回収する。

マニフェスト伝票のマニフェストは、manifest（積荷目録）のことで、政治で使うmanifesto（公約）とは違うよ

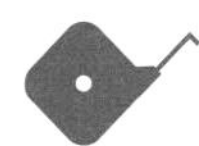

電気工事士法

電気工事士法とは、電気工事に従事する者の資格や義務、電気工事の欠陥による災害の発生の防止について定めた法律である。原則として電気工事士の免状を受けている者でない限り、住宅などの低圧電気設備(一般用電気工作物)などの工事を行うことができない。

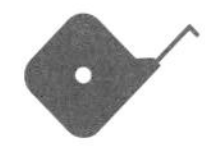

借地借家法

借地借家法とは、1992年に改正された、土地と建物に関する賃貸借契約を定めた法律である。旧借地借家法では借りる側の権利が強く、地主が土地を貸すと、その土地を取り戻すのが困難で不利益になることが多かった。新しい法律では定期借地権制度などにより、一定の期間を決めて貸すことが可能になった(表)。

■表 借地借家法の改正箇所比較

主な項目	旧法	新法
借地権の存続期間	木構造20年以上、鉄筋コンクリート構造30年以上	既存の契約には適用しない。 木構造、鉄筋コンクリート構造一律30年。更新後は1回目が20年、2回目からは10年
解約の正当事由	貸主自ら使用する必要性およびその自由	双方の使用の必要性、土地の利用状況、従前の経過、財産的給付(立退き料、立替建物の提供など)条件
造作物買取請求権	貸主側の義務(強行法規)	特約で排除することができる
定期借地権制度	なし	存続期間50年以上の長期型 存続期間30年以上の建物の買取型 存続期間10年以上20年以内の事業型 (既存の契約をこれらの定期借地権に変更することはできない)

住宅の税金、保証、保険、融資

住宅取得にまつわる税には不動産取得税、不動産登録免許税(登記をするときにかかる税)、固定資産税などがある。また、住宅建設にまつわる保証制度として、住宅完成保証制度、地盤保証制度などがある。

保険には、業者が必ず加入する住宅瑕疵担保責任保険、施主が任意で入る火災保険や地震保険などがある。そのほか中古住宅のための検査と保証がセットとなった保険もある。

融資には、民間銀行の住宅ローンや住宅金融支援機構と民間金融機関が提携した長期固定金利住宅ローン「フラット35」などがある。

電気工作物
発電や電気使用のために設置する機械や工作物。

借地権
建物の所有が目的で、建物を建てるために土地を借りる権利。

フラット35
変動型ローンの金利は、社会や経済の動向に応じて見直される。固定型ローンの金利は一定期間固定されるもの、固定のもの、2段階になったものなどがある。フラット35は、基本的に全期間で同じ金利なのでフラット(平坦)と名付けられた。

4-1 重要度 ! ! !

視覚と恒常視・錯視

Point

- ☑ 視軸を中心とした視野が収める範囲を覚える
- ☑ 人間の目は、明暗視、色彩視、形態視、運動視の性能をもつ
- ☑ 対象の情報を変換する恒常視と、実際と異なる認識をする錯視がある

視覚の機能と性能

1. 視野とアイレベル

人間は自然な状態では、視野を水平視軸からやや下方10～15°程度に向ける傾向がある。頭を動かさない状態のときは、水平視軸から上方へ46～55°、下方へ67～80°、左右は両眼で約200°を視野に収めている(図1)。

また、立位と座位では、視点の高さ(アイレベル)が違うため、物の見え方も違う。建築やインテリアの形や見せ方も、こういった人間の視野を踏まえて考えられることが多い。たとえば、伝統的な和室にある床の間は、座位の視点の高さに合わせて、美しく見えるように考慮して設計されている。

アイレベル
視線高ともいう。立位の場合は、身長に0.9を掛けた値が目安。たとえば、身長が160cmの人のアイレベルは、160×0.9＝144cmとなる。→P.148「アイレベルの調整」

■図1 人間の視野

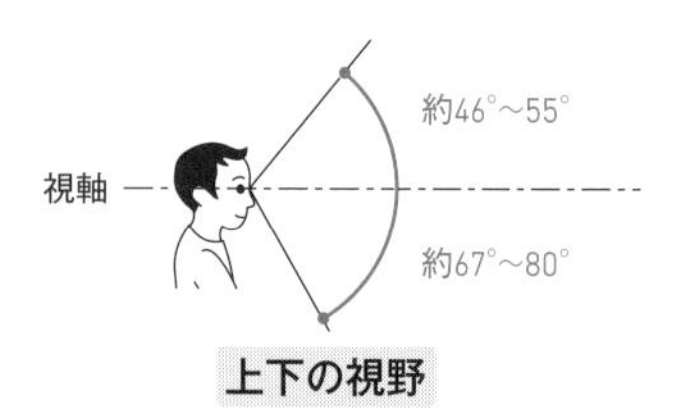

加齢にともない視野が狭まったり、夜間視力の低下など変化が現われるよ

2. 視覚がもつ4つの性能

視覚が物の色や形を認識するためには見る目、見られる対象、光という3つの要素が必要である。そして、人間の目は、対象を認識するための、以下の4つの性能をもつ。

公式ハンドブック[上] P.73～75、P.96～100

①明暗視(めいあんし)…明るさや暗さを判断する
②色彩視(しきさいし)…色を識別する
③形態視(けいたいし)…形の違いを認識する
④運動視(うんどうし)…動きを認識する

3. 恒常視

人間は、視覚としてとらえた物の形を、これまでの経験に合わせて、必要な情報に変換して認識する。この特性を恒常視(こうじょうし)という。

たとえば、丸いテーブルを斜め上から見おろすと楕円形に見えるが、経験を生かしてこれを円形として認識することができる(図2)。

恒常視
人の目に映るそのままの形ではなく、知覚が経験によって正しく修正して判別する物の見方をいう。

■図2 視覚情報の変換

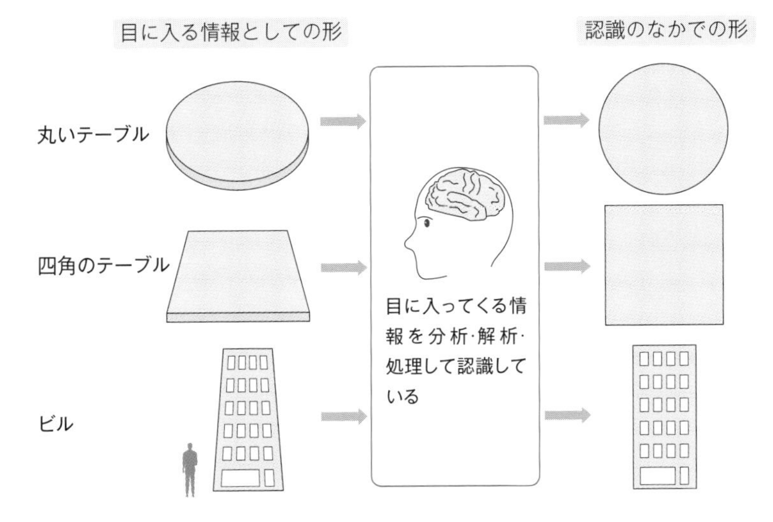

4. インテリア計画と造形の関係

形をつくる作業を造形といい、インテリア計画も一種の造形としてとらえることができる。面で囲まれた室空間(インテリアスペース)に家具や照明器具、カーテンなどのエレメント(構成要素)を配置していくことがインテリア計画である。これらの構成要素をポジティブな立体、それを配置する空間をネガティブな立体ということができる。また、前者はソリッド(固形)な立体、後者はヴォイド(空洞)な空間とも呼ばれている。

視覚的には、ソリッドな立体はその外観をとらえ、ヴォイドな空間はその内観をとらえることになる。人間の目では、ヴォイドな空間は意識されにくいが、インテリア計画に際しては、空間の形状やボリュームを把握することが大切である。

造形
さまざまな素材を使って、形ある美しいものをつくり出すこと。

エレメント
室内の構成要素。床、壁、天井の仕上材、建具、家具、照明器具、カーテンやブラインド、そして設備機器など。

ソリッド
固体。

ヴォイド
空洞。

5. 錯視図形

人間の目は、対象を本来の形とは違う誤った形としてとらえることもある。この恒常視とは逆の視覚に関する知覚を錯視といい、錯視を起こさせやすい図形を錯視図形という（図3）。

錯視を利用した図形には、矛盾図形と多義図形がある。矛盾図形は、実際にはあり得ない形を表現するものである（図4）。多義図形は、見方によりさまざまな異る形に見える絵や図である（次頁図5）。以下、代表的な錯視図形を解説する。

■図3 錯視図形

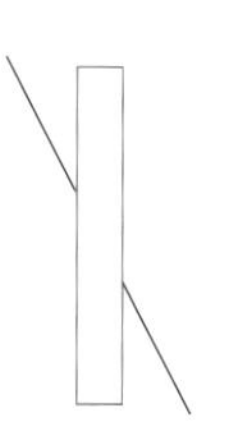

ポッゲンドルフの図形

白い縦帯の影響で斜線が一直線に見えない

ツェルナーの図形

方向が異なる斜線の影響で、平行線が平行でなく見える

ミュラー・リヤーの図形

矢印の向きにより、同じ長さの線が異なる長さに見える

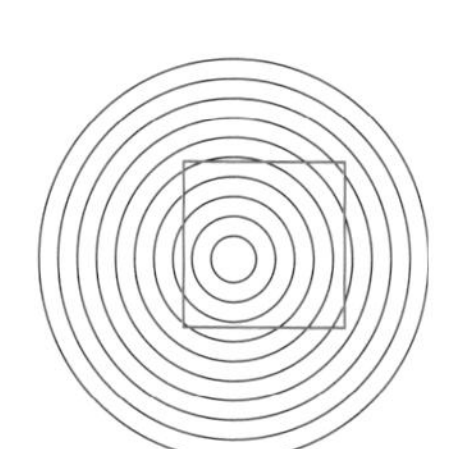

オービンソンの図形

円の影響を受けて正方形が湾曲して見える

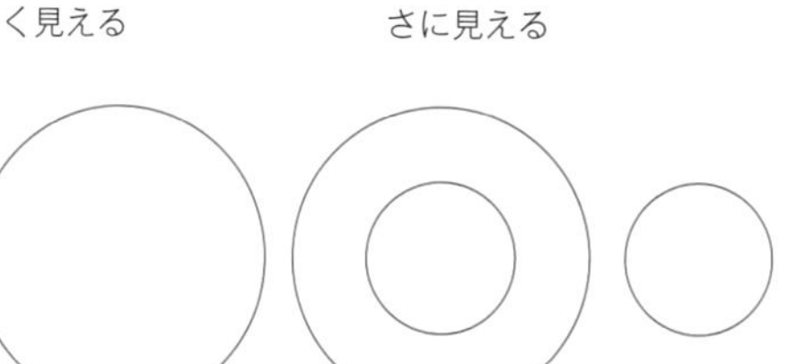

デルブックの図形

対比により、同じ大きさの円が異なった大きさに見える。大きな円はより大きく、小さな円はより小さく見える

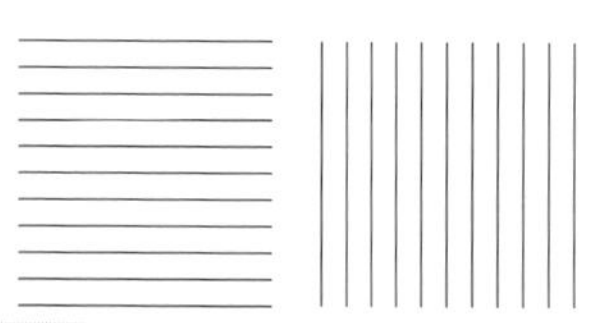

ヘルムホルツの図形

正方形を横線で分割すると縦長に、縦線で分割すると横長に見える

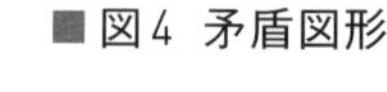

■図4 矛盾図形

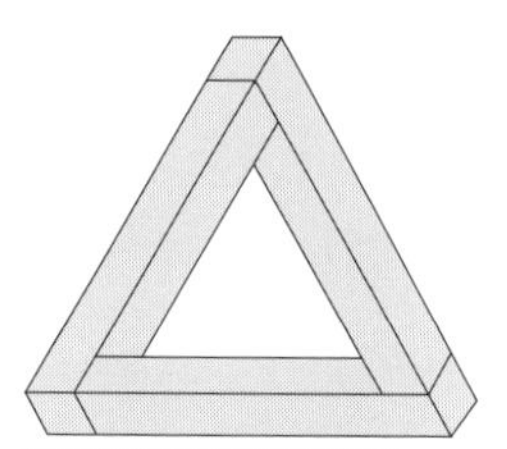

ペンローズの三角形

角材で組んであるように見えるが、実際にはあり得ない組み方をしている

インテリア計画に生かせる錯視効果

内装材の柄も横線や縦線の強調によって、同じ大きさの部屋が広く見えたり狭く見えたりする。それらも、錯覚の効果を利用したインテリアデザインである。

錯視

視覚に関する錯覚のこと。目の錯覚。

知覚

熱い、重い、固いなどという自覚的な体験の感覚。視覚、聴覚、嗅覚、味覚、体性感覚、平衡感覚などがある。

矛盾図形

現実には存在しない形を表現している図形。

多義図形

1つの図形が、見る人の心理や見方によって、いくつもの解釈ができること。

どちらが上りか下りかわからない階段を無限に昇り降りし続ける、エッシャーの「上昇と下降」も有名な図形だよ。本やネットで見ておこう！

■図5 多義図形

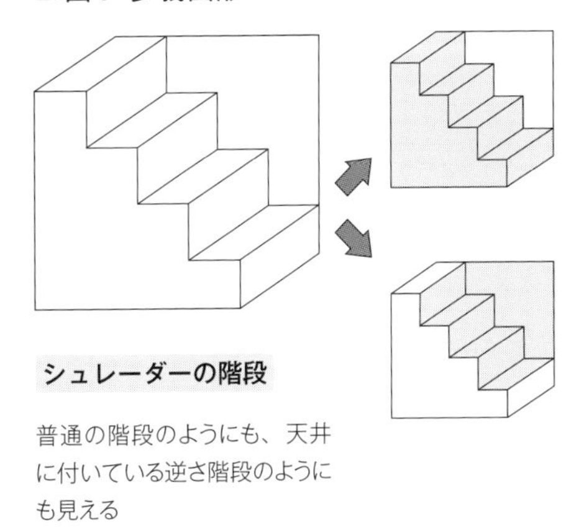

シュレーダーの階段

普通の階段のようにも、天井に付いている逆さ階段のようにも見える

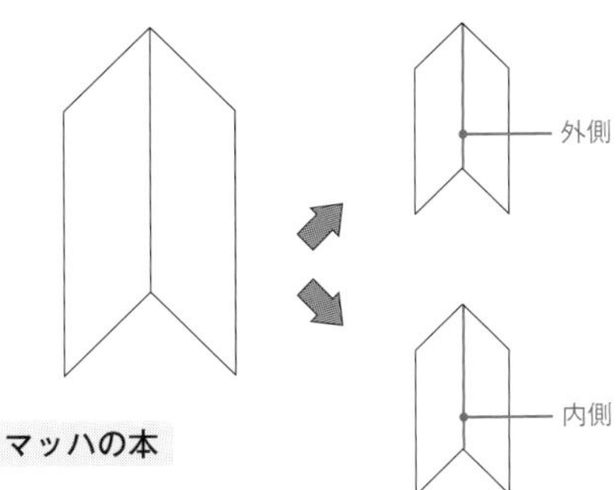

マッハの本

本が、こちら側に開いているようにも、向こう側に開いているようにも見える

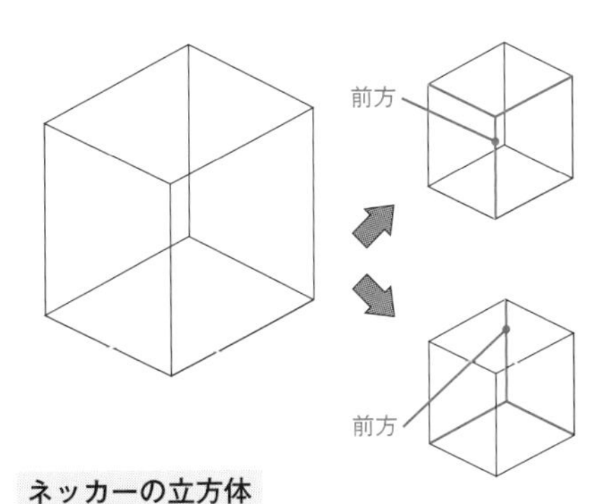

ネッカーの立方体

交わっている 2 本の線のどちらが手前か奥かの判断により、立方体の向きが 2 通りに解釈できる

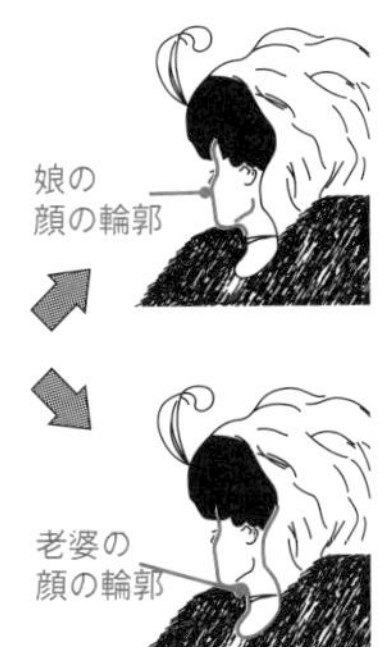

娘と老婆

若い娘が向こうに向いているようにも、老婆がうつむいているようにも見える

6. 反転図形

形や色を知覚する際に、見る人の性格やそのときの気分によってとらえ方が異なる場合がある。

視覚心理を研究したゲシュタルト心理学で有名なルビンの壺と呼ばれる図形はその代表である(図6)。見方によって「壺」に見えたり、「向かい合う顔」に見えたりする。

白い部分を「地」(=背景)とし、黒い部分を「図」とすると、壺の形が浮かび上がる。逆に、黒い部分を背景とすると、人の顔が浮かび上がる。このように、地と図が反転して見える図形を反転図形という。反転図形になりやすい地と図の関係は、いくつかのパターンがある。

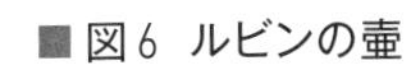

■図6 ルビンの壺

人間の感覚は、性格やそのときの気分など、周囲との関係で決まるというのが、ゲシュタルト心理学の考えだよ！

反転図形の条件

「図」になりやすい部分の条件には、以下のものがある。

①明度の高いもの
②面積の小さいもの
③対称形のもの
④囲まれているもの
⑤下部で連続するもの

4-2 造形美のしくみ

重要度 ！！！

Point

- ☑ 形のバランスやリズムによる造形美は、デザインに不可欠である
- ☑ 空間や物を美しく見せる、5つの形や動きの法則を覚える
- ☑ 黄金比や$\sqrt{2}$長方形などの安定した美のプロポーション（比例）を覚える

造形美の原理

美しさに対する感性は主観的なものであるが、美術や建築などの造形を美しく見せるテクニックを理解することで、昔から美しいとされている造形美に近づく表現をすることができる。以下、代表的な造形美の原理について解説する。

1. 統一（ユニティ）と変化（バラエティ）

造形美の基本となるのが、統一（ユニティ）の原理である。統一とは、全体として一定の秩序を感じさせる調和のことをいう。いっぽう、統一の中において、部分的に一定の変化をつけることを変化（バラエティ）という。これは、単なる無秩序とは異なる。統一感が強すぎると見え方が単調になるが、変化の要素を加えると、雰囲気を和らげる効果がある（図1）。

統一（ユニティ）
一貫性の意。造形美の基本を成すもので、1つのまとまった形に調和させること。

変化（バラエティ）
統一に対し、多様性の意。統一と変化をどのように取り入れるかによって造形美が決まる。

■ 図1 統一と変化の例

統一（ユニティ）

変化（バラエティ）

インテリア計画では、統一と変化をバランスよく組み合わせて、適度な落ち着きと気楽さを演出することが大切だよ

公式ハンドブック［上］P.100 ～ 102

2. 調和（ハーモニー）

物の全体と部分、部分と部分などの間に矛盾や対立がなく成立していることを調和（ハーモニー）といい、類似調和（シミラリティ）と対比調和（コントラスト）がある。

類似調和は、同じ要素を組み合わせて調和をとるので、安定感とやさしさをもたらす。

一方、対比調和は、正反対の要素を組み合わせるので、力強く刺激的な雰囲気をつくる効果がある。

3. 均衡（バランス）

造形では、形や色の釣合いがとれている状態を均衡（バランス）といい、釣合いがとれていないことを不均衡（アンバランス）という（図2）。

対称（シンメトリー）が均衡の考え方として代表的である。左右対称の形状にすることで、静止感や安定感を生む。また、対称になっていない状態を非対称（アシンメトリー）という。

西洋の建築やインテリアにおいて、ギリシャやローマ、ゴシック、ルネサンスなどの時代は対称の表現が主であり、バロックやロココの時代には非対称の表現が多く見られた。

■図2 対称と非対称の例

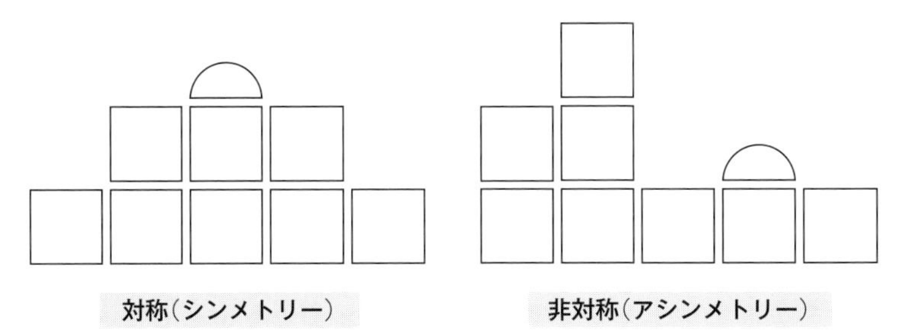

4. 比例（プロポーション）

全体と部分、部分と部分の美しく感じる数量関係を比例（プロポーション）という。代表的な例として、黄金比（おうごんひ）、白銀比（はくぎんひ）（$\sqrt{2}$（ルート）長方形）、木割（きわり）などが挙げられる。

以下、それぞれの特徴を解説する。

調和（ハーモニー）
全体的な統一美や統一感をいう。形、色、テクスチュアなど、類似と対比により互いに融合し合うこと。

類似調和（シミラリティ）
個々の要素を組み合わせたとき、互いに似通ったことで起こる調和のこと。

対比調和（コントラスト）
大小、明暗など反対の要素を組み合わせて調和を図ること。

均衡（バランス）
形、大きさ、色彩、質感などが視覚的に釣合いのとれていること。

均衡の考え方が、どの時代の建築やインテリアに用いられていたかを確認しましょう！

(1)黄金比(黄金分割=ゴールデンセクション)

黄金比は最も美しい比率といわれている。人間が潜在的に美しいと感じる安定した比率「1：≒1.618(約5：8)」である(図3)。これを用いた例として有名な建築物は、ギリシャのパルテノン神殿やパリの凱旋門、日本の桂離宮などである。美術品においてはミロのヴィーナスなどが代表的である。

■図3 黄金比の形

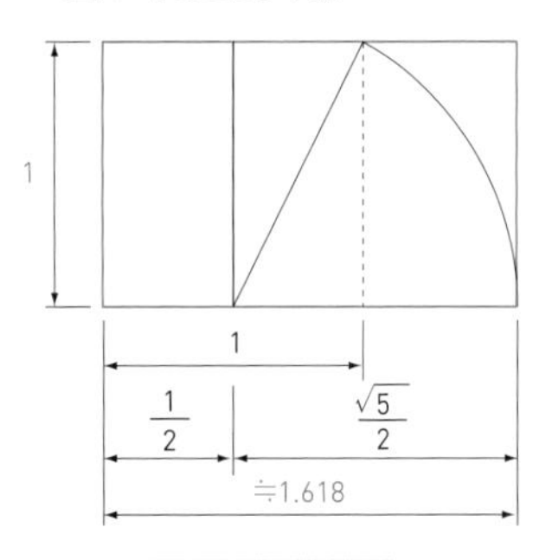

黄金比長方形

桂離宮の黄金比

(2)白銀比=√2(ルート)長方形

白銀比は、黄金比と同様に美しいといわれている比率である。長方形の短辺を1、長辺を√2とした長方形で、比率は「1:≒1.414(約5：7)」となる。

これは、私たちが普段使用している紙の規格(JIS規格A判・B判)にも用いられている。紙の短辺を合わせるように折っても、縦横の比率が変わらない点が特徴である(図4)。

また、法隆寺五重塔の平面図においても、白銀比が用いられている。次に解説する木割のもとになるもので、別名大和比(やまとひ)といい、日本の伝統的な建築において今日も用いられている。

■図4白銀比(√2長方形)

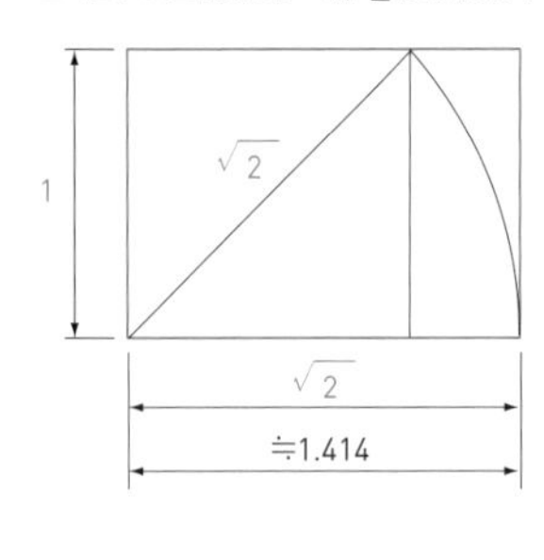

√2長方形

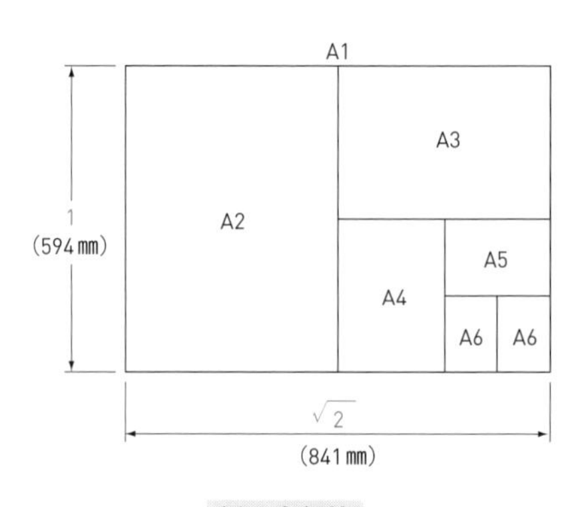

紙の白銀比

名刺やパスポート、コミック本、クレジットカードなど身近な物にも黄金比が採用されているよ

黄金比
物の形において、最も美しいといわれる比率。縦と横の比率が最も均斉のとれた長方形の短辺と長辺の比。

白銀比
1：1+√2の比。日本では古くから美しい比とされ、紙の寸法などにも用いられている。

その他の比例

比例には、以下のものもある。

①整数比
1：2：3などの整数による比。実用的で規格化に用いられる。

②級数比
1：2：3：5：8：13…のように、それぞれの項が前の2項の和に等しくなる級数。2項の比が限りなく黄金比(1：1.618)に近い。これをフィボナッチ級数(数列)という。→P.132「基本的なモデュール」

木割
単位寸法。多くは、柱の断面を基にした建築各部の木材の大きさの割合をいう。統一的な比例関係が用いられ、日本建築における設計技法の美的規範となった。

(3)木割り

日本建築の設計技法のひとつに、各部材の寸法を比例によって決める木割りがある。書院造では床柱(とこばしら)の見付(みつ)け(柱の横幅)を基準として、長押(なげし)や落掛(おとしがけ)など、部材の寸法を決めるものである。各寸法は、床柱の見付けの何割という計算で決まる(図5)。

■図5 書院造の木割の例

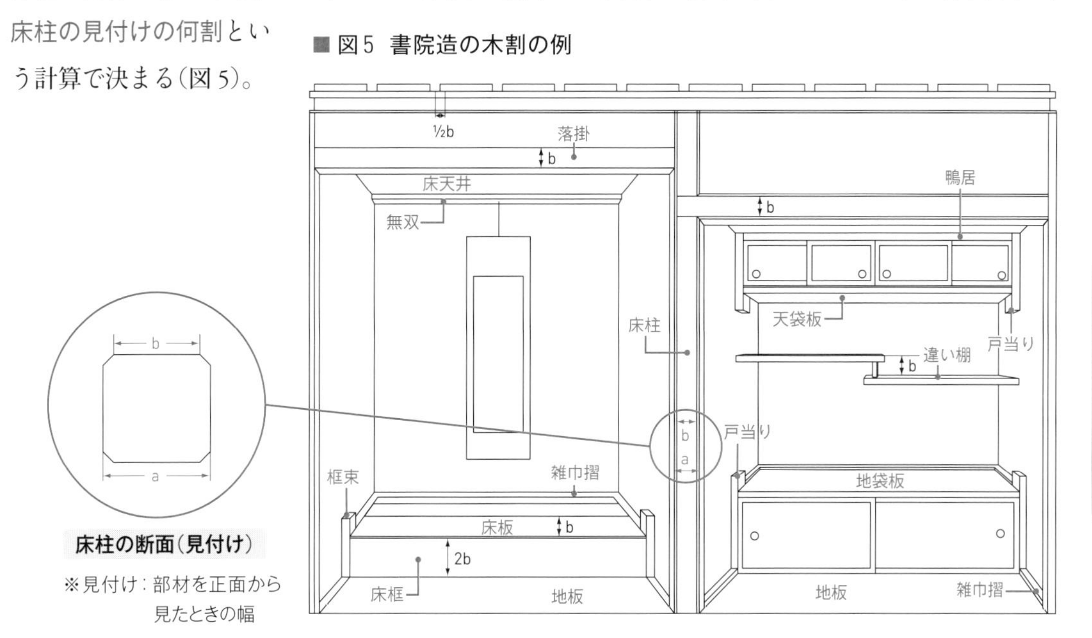

5. 律動(リズム)

連続した形や色の変化を律動(リズム)という。代表的なものに、リペティション(反復(はんぷく))とグラデーション(階調(かいちょう))がある(図6)。

反復とは、同じ形や色などの繰り返しで、秩序感、連続感、躍動感がある。階調とは、段階的な変化をつけるもので、反復よりさらに動的で流動感がある。

■図6 リペティション(反復)とグラデーション(階調)の例

ヒルハウス(マッキントッシュ)

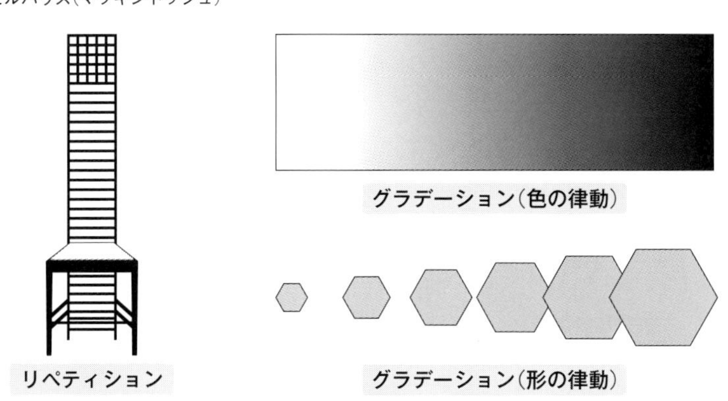

反復

同じスタイルのものを、全体を通して繰り返す法則。整然としている印象を与えることができる。

色の階調

色の濃淡の変化のこと。一般的には256階調(8ビット)で、RGBの場合は256階調×256階調×256階調で1,677万7,216色(フルカラー)になる。白と黒では2階調になる。

このほか、オポジッション、トランジション、ラディエーションなどのリズムも確認しておこう！

4-3 さまざまな装飾と文様

重要度 !!!

Point

- ☑ 日本の伝統的な図柄は、円や菱形を基本としたものが多い
- ☑ 西洋の伝統的な図柄は、アカンサスやアラベスクのモチーフが代表的
- ☑ 主な文様とその意味、使われ方を覚える

生活に根づく文様

1. 日本の文様

日本では、古くから動物や植物の形などをもとに、さまざまな図柄が考案されてきた。それらは現代においても着物の柄などとして、生活の中に根づいている。以下、代表的な文様を解説する（図1）。

■ 図1 日本の代表的な文様

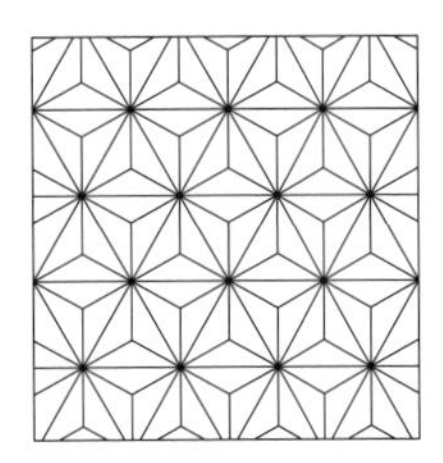

麻の葉
正六角形を組み合わせた幾何学文様。麻の葉を連想することから名付けられた

七宝（しっぽう）
日本の伝統的有職文様のひとつ。工芸品や服飾に用いられる。刺し子の図案として知られている

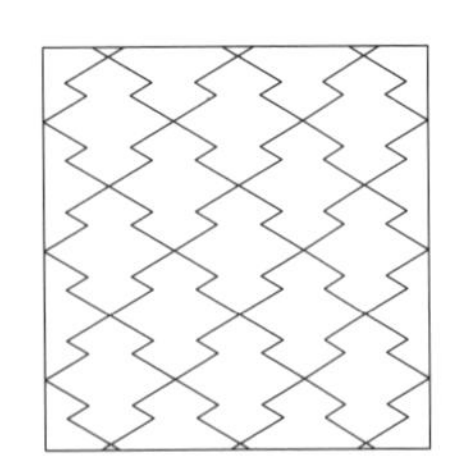

松皮びし（まつかわ）
松の皮が剥がれた様子を図案化した文様。辻が花染めや織部焼など、染色や焼物の図案に用いられている

まんじつなぎ
梵語の卍の字を斜めに崩して四方に連続させた文様。永遠に連続する様から、慶事礼装の地紋として使われる

公式ハンドブック［上］P.103

麻はすくすくと真っすぐ伸びることから、赤ちゃんの成長を願って産着の柄に使われることも多いよ

有職文様
平安時代以来、公家が調度品や装束に用いた文様で、格調ある伝統的な文様。

青海波（せいがいは）

半円形を三重に重ね、波文のように反復させた図案。雅楽の衣装に使われる

市松（いちまつ）

格子模様のひとつ。2色の正方形または長方形を交互に配した文様

鱗文（うろこもん）

重なる三角形の図案。世界中で昔から見られる文様で魔除けなどの呪術性がある

雷文（らいもん）

中国の伝統的な幾何文様。日本では縁飾りや地文として用いられている

江戸時代に、歌舞伎役者が舞台で白と紺の正方形の図柄の袴を履いたことから、市松は着物の柄として流行したんだ

2. 西洋とイスラムの文様と装飾

西洋やイスラムの建築やインテリアに使われてきた文様は、宗教的な考えや、王族・貴族の生活を表す意味合いを含んでいるものが多い。以下、代表的な文様を解説する（図2）。

■図2 西洋の代表的な文様

バロックのアカンサス

南欧原産のハアザミをモチーフにした文様で、古代ギリシャのコリント式オーダーの柱頭などに見られる

アラベスク

モスクなどのイスラム建築には欠かせない装飾。植物をモチーフにした幾何学模様を反復してつくられる

ゴシックのトレーサリー

幾何学模様

フランボワイヤン

バラ窓

ゴシック建築の特徴をなす尖頭アーチやアーチ形の窓の上部を飾るトレーサリーには、幾何学模様、フランボワイヤン（火炎模様）、バラ窓がある

近代の図案

「モダンデザインの父」と呼ばれたウィリアム・モリス（→ P.94）が製作した文様は現代でも根強い人気があり、壁紙などにも用いられている。

「ひなぎく」（19世紀発表）

トレーサリー

狭間飾り。ゴシック建築で尖頭アーチやアーチ形の窓の上部にはめ込む装飾用の石の組子。

バラ窓

トレーサリーがバラの花状になっている丸窓のことで、ステンドグラスをはめ込んだものもある。

5-1 重要度 ！！！

日本①古代〜平安時代

Point

- ☑ 古代から奈良時代までの建築の流れを理解する
- ☑ 寝殿造は大きなワンルームで、使用目的に合わせて調度を配置する
- ☑ 平安時代の調度品は現在のインテリアエレメントにも通じる

竪穴式住居

縄文時代の住居は、掘り下げた地面の上に木の枝を差し掛け、草を葺(ふ)いて屋根にした竪穴式住居(たてあなしきじゅうきょ)だった。弥生時代も竪穴式住居を多く用いたが、その一方で竪穴のない平地住居(へいちじゅうきょ)がつくられた。これにより、初めて屋根と壁のある建物が登場した。弥生時代は、稲作が盛んになり、収穫した穀物を貯蔵する高床の倉庫がつくられた。その後、古墳時代(4世紀半ば)に高床式住居(たかゆかしきじゅうきょ)が現れ、現在の住宅にも見られる屋根・壁・床の基本要素が確立された。

世界最古の木造建築

7世紀初め(飛鳥(あすか)時代)に造営された法隆寺は、現存する世界最古の木造建築。大陸から伝えられた最先端の建築技術を用いてつくられた。玉虫厨子(たまむしのずし)など貴重な工芸品も残る。ユネスコの世界文化遺産。

妻入り、平入り

妻側に入口があるのが妻入り、平側に入口があるのが平入り。

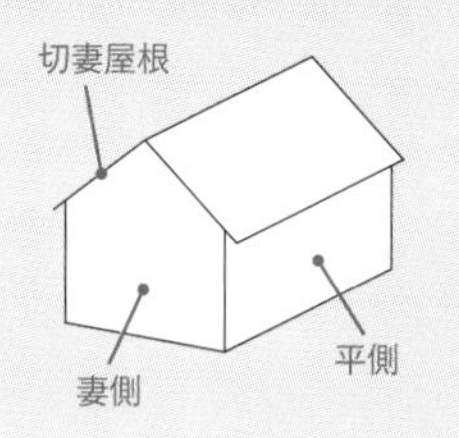

大社造と神明造

高床式住居は主に貴族など高貴な人たちの住居として使われたが、奈良時代に神社建築として発展した。なかでも、出雲大社(いずもたいしゃ)の大社造(たいしゃづくり)(図1)、伊勢神宮内宮正宮(いせじんぐうないくうしょうぐう)の神明造(しんめいづくり)(図2)は、日本で完成した建築様式として、今日に伝わっている。

■図1 大社造

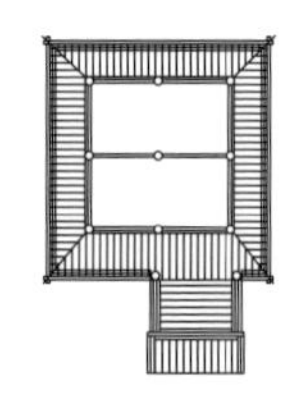

妻入り(つまいり)で、本殿の中央に柱があるため、入口は非対称

■図2 神明造

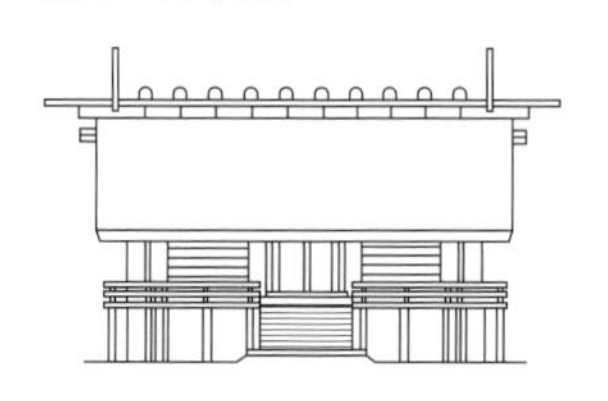
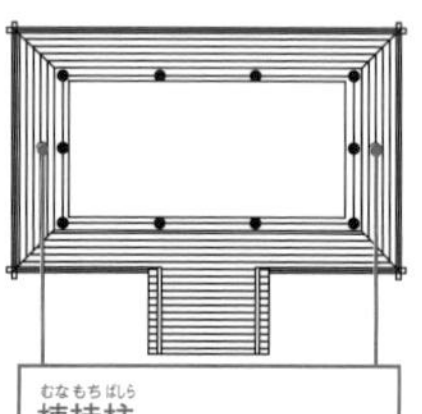

平入り(ひらいり)で、基本的に左右対称

棟持柱(むなもちばしら)
側面中央の壁面より外側に飛び出し棟へ達する柱

公式ハンドブック［上］P.30〜33

寝殿造

平安時代、京都では貴族の住宅として寝殿造が成立した。建物の中心は主寝殿と呼ばれる大きな部屋で、それより南側を公的な場、北側を私的な場として使い分けた。東西には子供たち、北には妻が住む対屋が建ち、それぞれの建物は渡殿という廊下で繋がっていた。初期の頃は、屋根のみで天井はなく、丸柱が使われた。また、床は板敷で、人が座る場所にだけ置き畳を置いた。

主寝殿は、今でいう大きなワンルームであった。その中で唯一、寝室や、のちに納戸として利用した塗籠と呼ばれる場所だけが板壁で囲われた。儀式や行事の際には、決まりに基づいて主寝殿に調度を配置して部屋を整えた。これを「しつらえ」、「しつらい」という。漢字では、「室礼」、「舗設」と書いた。しつらえには、現在のインテリアエレメントに通じる調度もあり、たとえば、壁代はカーテン、御簾はブラインド、御帳台は天蓋付きベッドにあたる(図3)。

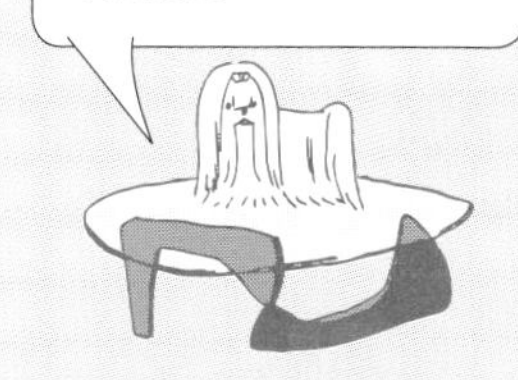

置き畳

畳の厚さや縁は、身分によって分けられていた。天皇、皇后、上皇など最高位の人が用いる畳には、下記の繧繝縁が使われた。

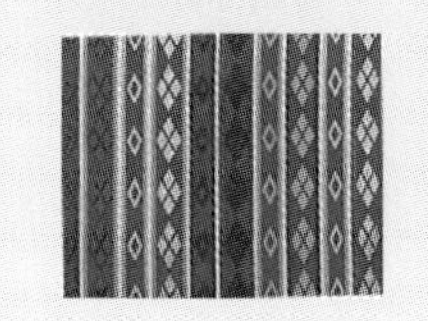

■ 図3 しつらえに用いられた主な調度

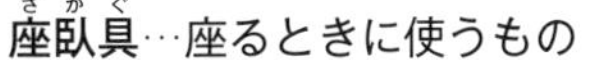

座臥具…座るときに使うもの

食卓の類

置き畳

円座

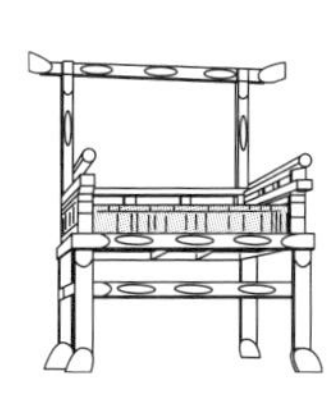

倚子

高坏

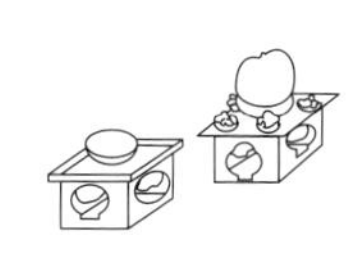

衝重

障屏具…室内を仕切り、人の視線を遮るもの

屏風

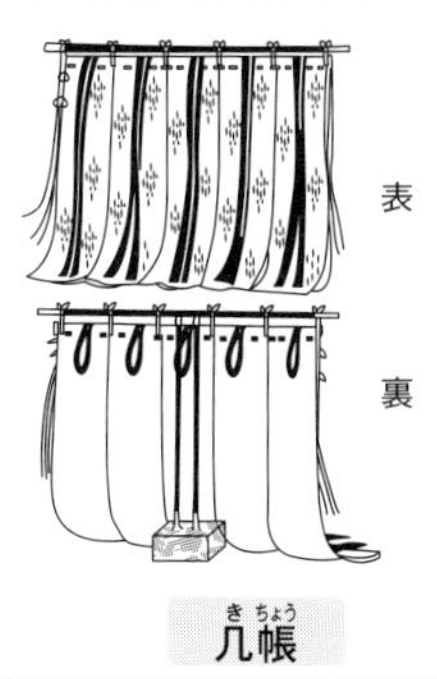

几帳

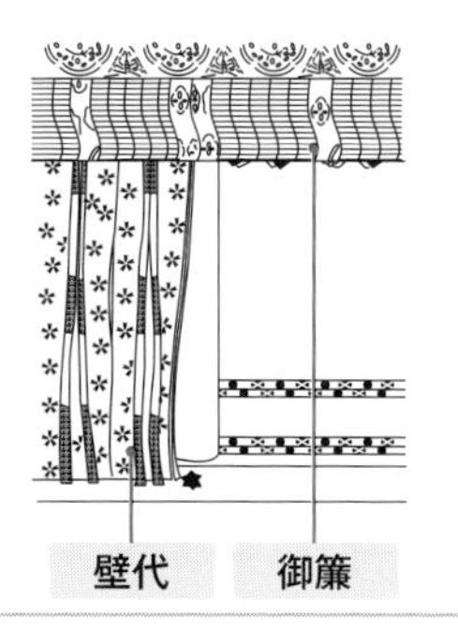

壁代　御簾

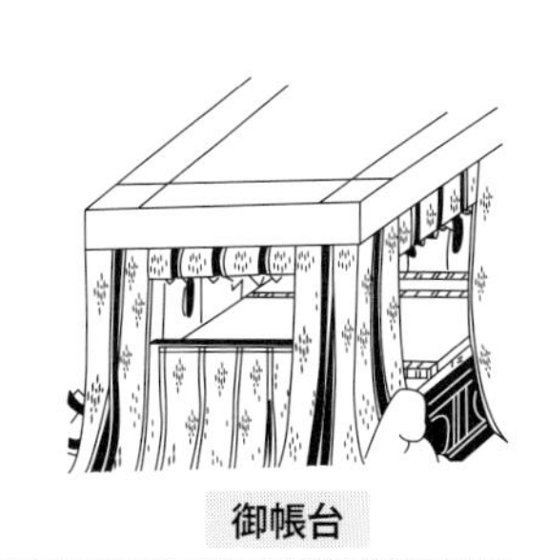

御帳台

収納具…物を入れておく箱または棚

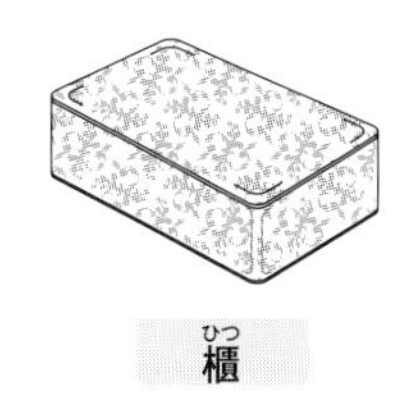

櫃

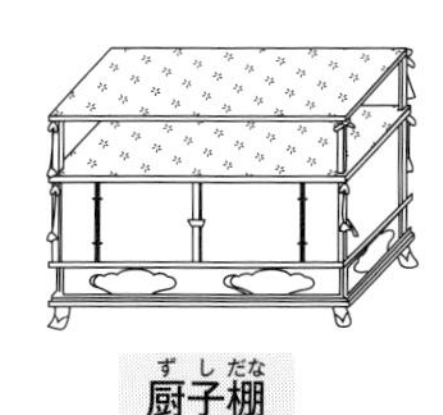

厨子棚

二階厨子

5-2 日本②室町時代

重要度 ！！！

Point

- ☑ 書院造では、いくつもの小部屋ができ、畳も敷かれるようになった
- ☑ 建具、天井、床など、書院造特有の様式を理解する
- ☑ 世界文化遺産「金閣」「銀閣」の特徴を知る

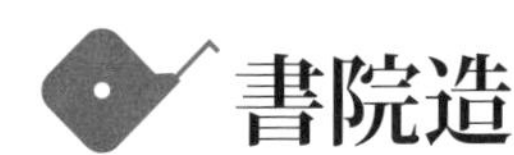

書院造

鎌倉時代に入り、接客用の空間を専用に設けるため空間を仕切ったことから部屋というものが生まれた。部屋には畳を敷き詰め、天井も張り、柱は角柱となった。また、外部との仕切りだけでなく、部屋の出入口にも建具（たてぐ）が付けられた（図1）。これにより、以前は調度だったものが建築化され、室町時代には、現在の和室の原点となる書院造（しょいんづくり）（図2）が確立した。書院造は、主に以下のもので構成される。

平安時代の調度品の厨子棚や棚が建築化して、床の脇に違い棚ができたんだ

（1）畳

初期の頃は、小さい部屋には畳を全面に敷き詰め、大きい部屋の場合は周りにのみ敷かれた。やがて、大きい部屋にも部屋全体に畳を敷くようになった。座敷という名称は、ここから生まれた。

■図1 建具の変遷

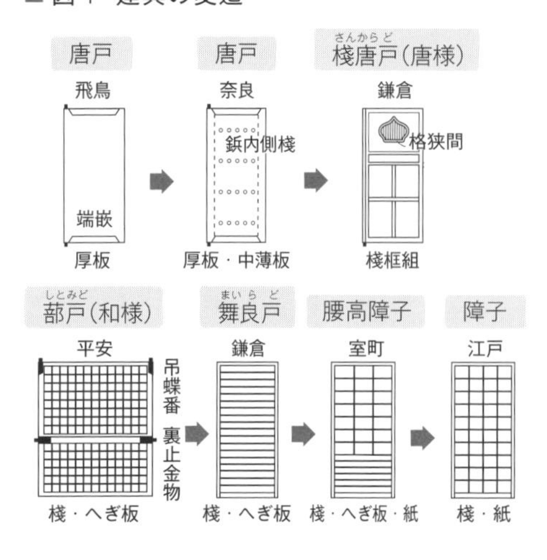

■図2 書院造の内部（西本願寺白書院）

公式ハンドブック［上］P.33～36

(2) 建具

障子、襖、杉戸、舞良戸、遣戸などの引き戸式の建具が部屋の柱間(柱と柱の間)に設けられ、部屋が仕切られた。

(3) 天井

寝殿造には見られなかった趣向を凝らした天井がつくられた。基本的な竿縁天井、格式の高い格天井、さらに豪華な折上格天井などが設けられた。

(4) 床

床の間の原型。壁には仏画を掛け、その前に卓子と呼ばれる台(のちの押板)を置いた。卓子には、三具足(仏前に飾る花瓶・香炉・燭台)を飾った。このような装飾を座敷飾りという。

(5) 棚

寝殿造の調度品であった棚や厨子が建築化され、天袋、違い棚、地袋などで構成される床脇となった。床脇は床を挟んで付書院の反対側に設けられる。また、数枚の棚板を段違いに配したものを違い棚と呼ぶ。

(6) 書院

広縁(縁側)に張り出すように造付けた机を出文机という。これが次第に建築化して部屋に造付けられるようになり、付書院が完成した。こうした経緯から、付書院は庭側に設えるようになった。

鎌倉時代の仏教建築

①大仏様(天竺様)
中国南部から伝えられた建築様式。構造体を隠さず見せる構造美が魅力。東大寺南大門が代表例(下の写真)。

②禅宗様(唐様)
禅宗とともに宋から伝わった。屋根の反りなど全体的に曲線が多い。鎌倉の円覚寺舎利殿が有名。

金閣と銀閣

室町文化を代表する金閣寺は、15 世紀初め、室町幕府 3 代将軍・足利義満によって建てられた。当時は、公的な行事の場と将軍の邸宅とを兼ねた建物で、北山殿と呼ばれた。そして、義満の死後は、鹿苑寺となった。寺の中心となる 3 層の舎利殿は、2 層以上の内外に金箔が押されているため金閣と呼ばれ、寺も「金閣寺」と呼ばれるようになった(写真 1)。

一方、足利義政が建立した東山殿は、義政の死後に禅寺となり、慈照寺と称された。現存するのは、東求堂と呼ばれる山荘と、銀閣の名で知られる観音殿のみである(写真 2)。東求堂は 4 室からなり、同仁斎と呼ばれる四畳半の 1 室が義政の書斎であった(写真 3)。4 畳半の部屋の北面には、書院と棚が設けられているが、座敷飾りを備えた部屋としては日本最古のものといわれている。

■ 写真 1　金閣

■ 写真 2　銀閣

■ 写真 3　東求堂同仁斎

5-3 重要度 ! ! !

日本③安土・桃山時代

Point

- ☑ 安土桃山時代を象徴する城郭建築を知る
- ☑ 草庵風茶室の成り立ちや、著名な茶室を把握する
- ☑ 茶室のしつらえ、デザインの特徴を理解する

城郭建築

安土・桃山時代は、城郭建築(じょうかくけんちく)の時代である。また、ポルトガルやスペインとの南蛮貿易(なんばんぼうえき)が始まり、ルネサンス後期のヨーロッパ文化から影響を受けた時代でもある。

当時の城郭建築は天守閣(てんしゅかく)をシンボルとしており、大阪城(おおさかじょう)、姫路城(ひめじじょう)(白鷺城(しらさぎじょう)・写真1)、伏見城(ふしみじょう)、安土城(あづちじょう)などが建設された。

居館(きょかん)として書院造の建物が建てられることも多く、内部は狩野派(かのうは)の障壁画などの豪華な装飾が施された。江戸時代初期のものだが、二条城二の丸御殿(にじょうじょうにのまるごてん)もこうした特徴をもつ(写真2)。

なお、姫路城は、関ケ原の戦いののちに徳川家康(とくがわいえやす)が西国(さいごく)を牽制するためにつくられたものであり、愛媛の松山城(まつやまじょう)と並び、城壁をつくる西洋の築城技術が取り入れられている。世界文化遺産である。

■写真1 姫路城

■写真2 二条城二の丸御殿

城郭建築
城郭において天主、櫓、土蔵、住居、塀などからなる建造物の総称。敵の攻撃を防御するためさまざまな仕掛けがなされていた。また、城主の居城でもある。

居館
領主が普段から住む、または拠点とする館。

二条城二の丸御殿
桃山時代の武家風書院造の代表的なもの。将軍に対し、大名が用件や献上品の取次ぎをした所が二の丸殿である。

草庵風茶室

喫茶(きっさ)の風習は、鎌倉時代に中国から伝わった。その後、室町時代に、茶を飲み比べて産地を当てる闘茶(とうちゃ)というゲームとして茶が広まっ

公式ハンドブック[上] P.36～37

た。そして、桃山時代には素朴さを追求した草庵風の茶が成立した。創始は村田珠光とされ、茶の湯として完成させたのが千利休である。

また、大阪・堺の商人、武野紹鴎は、茶の湯に素朴さを求め、丸太、竹、土壁などの材料を使い、4畳半を基本とした草庵風の茶室をつくった(図)。紹鴎の茶の湯は弟子の千利休に受け継がれ、のちに利休は2畳という小さな茶室を生み出した。草庵風の茶室では、千利休がつくったとされる極小(2畳)の待庵(国宝・写真3)、織田信長の弟・織田有楽によってつくられた如庵(国宝・写真4)、古田織部が手掛けた燕庵が有名である。

■図 基本的な茶室の設計と各部の名称(平面図)

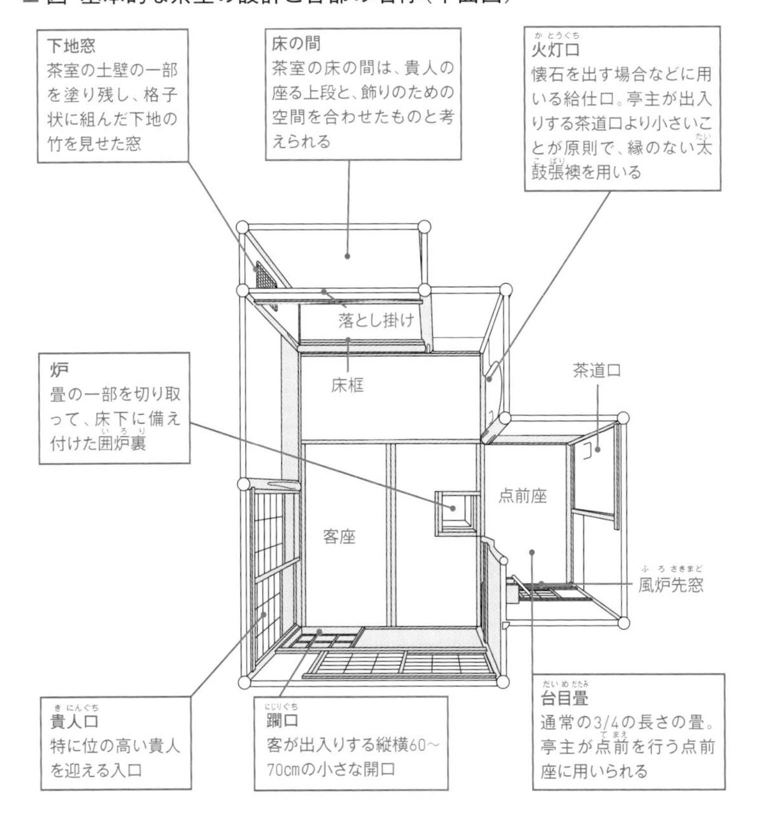

■写真3 待庵

■写真4 如庵

草庵風

草庵とは、藁や茅などで屋根を葺いた粗末で小さい家のこと。丸太や丸みを残した面皮柱、土壁、下地窓などの質素な自然素材でつくられる茶室を草庵風の茶室という。

茶の湯とは

千利休は、簡素静寂を重んじる侘茶を、建築、庭、道具、茶花から立ち振る舞いまでを含めて完成させた。

点前

茶道で茶を点てる際の一連の所作。茶席に道具を運び出し、茶を点てて客に出し、使った道具を清めて持ち帰るまでをいう。手前とも書き、建て前ともいう。

待庵

現存する日本最古の草庵風茶室(写真3)。2畳の茶室、1畳の次の間、1畳の勝手からなる。床の間は、柱を見せない室床。角をぼかすことで、狭い奥行を広く見せている。

如庵

1618年に、京都の建仁寺塔頭正伝院に設けられた茶室(写真4)。特異な形態が多く見られ、点前座側に設けられた有楽窓もそのひとつ。外部に竹を詰め打ちして光を抑制し、障子に映る影を楽しむ趣向である。

茶の湯の考えでは、「一期一会」「もてなし」が重視されているよ

5-4 日本④江戸時代

重要度 ! ! !

Point

- ☑ 桂離宮と修学院離宮を通して数寄屋造の構造を知る
- ☑ 日光東照宮に代表される権現造と数寄屋造を対比させ違いを比べる
- ☑ 江戸の民家と地方の民家、それぞれの風土と特徴を把握する

数寄屋造

数寄屋造(すきやづくり)は書院造に草庵風茶室の手法を取り入れた建築様式で、侘び寂(わびさび)、きれいさびと呼ばれる2つのスタイルがある。

侘び寂では、床柱に丸柱か面皮柱(めんかわばしら)が使われ、欄間や建具は単純でしゃれた意匠のものが多い。一方、きれいさびでは、床柱に角柱が使われる。建具は狩野派による美しく豪華な絵で彩られ、欄間には一枚板の両面に異なる彫刻が施される。

侘び寂の代表的な例として桂離宮(かつらりきゅう)や修学院離宮(しゅうがくいんりきゅう)、きれいさびの例として西本願寺飛雲閣(ひうんかく)などがある。書院造の形式にとらわれない数寄屋造では、新しい自由な発想を取り入れた意匠が床や違い棚などに見られる。なかでも、桂離宮の桂棚(かつらだな)、修学院離宮の霞棚(かすみだな)、醍醐寺三宝院奥宸殿(だいごじさんぽういんおくしんでん)の醍醐棚(だいごだな)が天下(てんか)の三名棚(さんめいだな)といわれている(写真1)。

■写真1 天下の三名棚

桂棚

霞棚

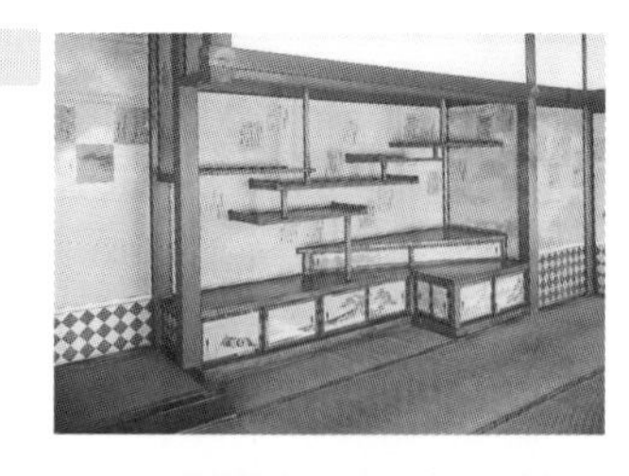

醍醐棚

侘び寂

日本の美意識のひとつで、質素で静かなものを指す。「侘び」とは物質的な享楽を捨て、簡素で深みがあること。「寂」とは古びて閑雅で趣があること。

きれいさび

二条城や江戸城を手掛けた建築家・作庭家の小堀遠州(こぼりえんしゅう)は、古田織部に茶を学んだ茶人でもあった。遠州がつくった華麗な建築や茶道具は、「きれいさび」と評された。

「数寄」は「好き」の当て字で、茶の湯などの風流を好むことをいうよ

公式ハンドブック[上] P.37～40

桂棚 撮影：松村芳治、霞棚・醍醐棚 撮影：多比良敏雄

権現造

徳川家康を祀った霊廟建築・日光東照宮は、本殿と拝殿との間を石の間(石敷き)で繋いでいるのが特徴である。家康が権現様と尊称されたことから、このような様式を権現造と呼ぶようになった。権現造は、一般的に豪華で華美な造りで、日光東照宮も建物の本体が見えないほどの彫刻や装飾が施されている(写真2)。ほぼ同時期につくられたもので、簡素な桂離宮と対比して述べられることが多い。

■ 写真2 日光東照宮

町家と地方の民家

江戸時代の中期には町民文化が栄え、商店と住居が一緒になった町屋が発展した。また、経済力をもつ地方の名主などの住まいを中心に、風土に合ったさまざまな形の民家が生まれた(図)。

町屋

商業や工業を営む町人の住宅。間口が狭く奥行が長いのが特徴。中庭を挟んで表に店があり、奥が住居部分となっている。

田の字型の間取り

民家の間取りの基本で、障子や襖によって台所、寝間、出の間、座敷に4分割し、田の字型を形成する。間仕切を取り払って、広い空間にすることもできる。

土間	台所	寝間
	出の間	座敷

■ 図 江戸時代の発達した民家の形式

合掌造

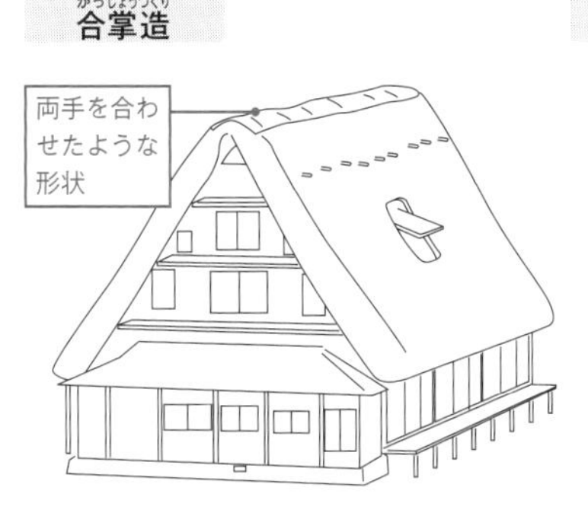

岐阜県の飛騨白川郷など豪雪地域に分布

かぶと造

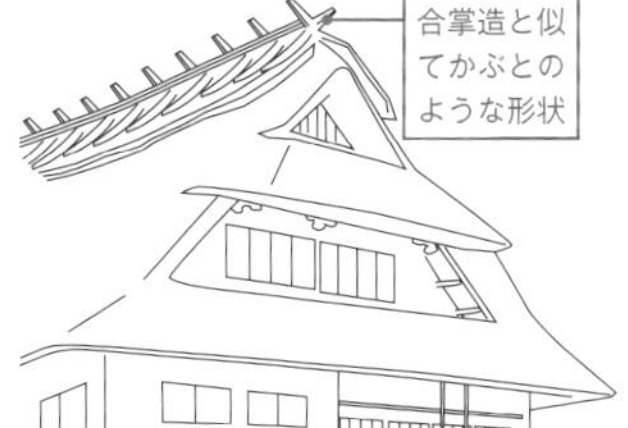

山梨県など北関東などに分布

曲り家

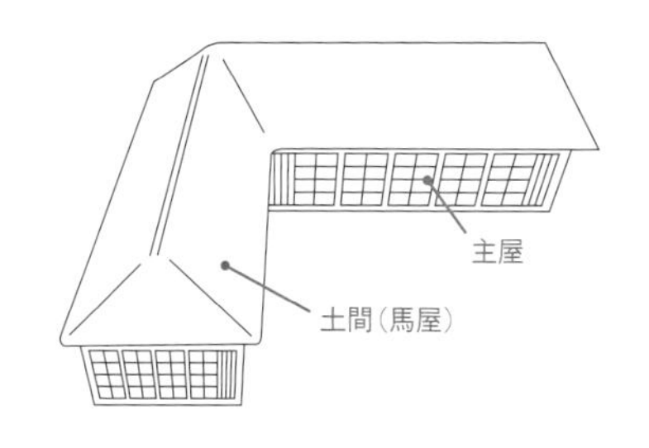

岩手県の中北部に分布

本棟造

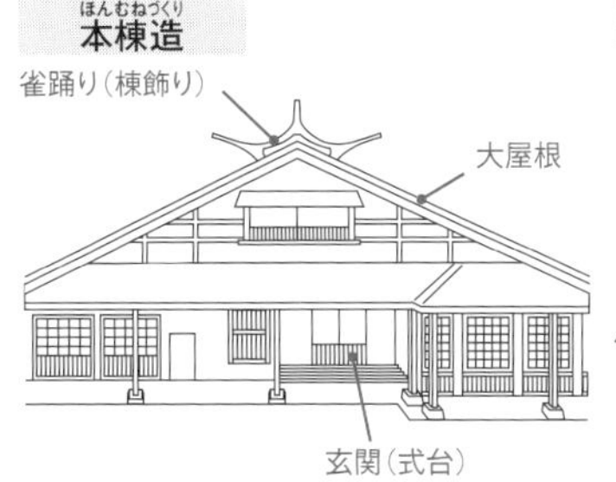

長野県の松本盆地から伊那谷に分布

中門造

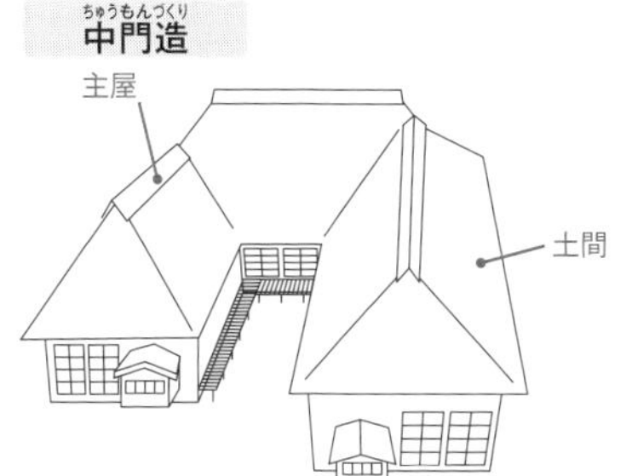

北陸から東北地方の日本海沿岸に分布

大和棟

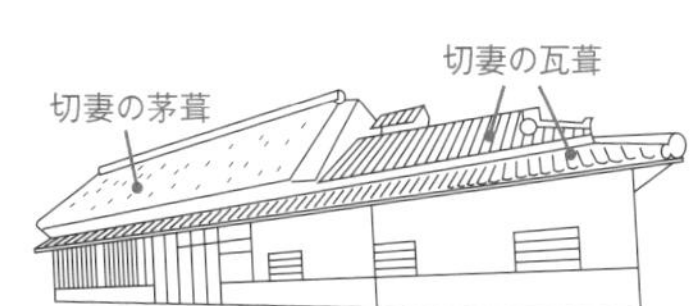

奈良県に分布

5-5　重要度 ! ! !

日本⑤明治時代

Point

- ☑ 洋風建築が導入され大きく変化した日本の建築史を知る
- ☑ 日本の建築界の基礎を築いたジョサイア・コンドルと、その弟子たちの代表的な作品を覚える

本格的な洋風建築の導入

明治政府は、本格的な洋風建築技術の導入のため、多くの外国人を招聘(しょうへい)した。なかでもイギリス人のジョサイア・コンドルは、日本初の建築教育機関、工部大学校造家学科(現在の東京大学建築学科)に招かれ、数々の建築を手掛け、建築家の教育にも大きく貢献した(写真1)。コンドルの教え子で、第1回卒業生の辰野金吾(たつのきんご)、片山東熊(かたやまとうくま)、曾禰達蔵(そねたつぞう)らも著名な建築物を手掛けるとともに、指導者としても建築界に寄与した(次頁写真2・3・4)。

政府が官庁、学校、兵舎などの建築に西洋式を採用したことから、大工の棟梁(とうりょう)や職人たちも各地で洋風建築を取り入れるようになるが、本格的な様式と異なるため擬洋風建築(ぎようふうけんちく)と呼ばれた。現在も長野県に残る旧開智学校(きゅうかいちがっこう)に、その特徴を見ることができる(次頁写真5)。また、江戸時代の後期に建てられた長崎の旧グラバー邸は、日本の洋風建築の先駆けとして有名である(次頁写真6)。

ジョサイア・コンドル

イギリスのロンドン大学などで建築を学び、RIBA(王立英国建築家協会)の大賞を受賞。日本では、鹿鳴館、ニコライ堂、三菱一号館、岩崎邸など多くを手掛けた。

■写真1　ジョサイア・コンドルが設計した建物

東京復活大聖堂(ニコライ堂)

ドームをもつビザンチン様式の寺院建築

旧岩崎邸 洋館

ジャコビアン様式をベースに世界中のデザインを取り入れた

明治の住宅様式

客間は洋風、生活の場は和風という和洋折衷のスタイルが登場した。また、ちゃぶ台の普及により、ひとつのテーブルを囲んで食事をとるスタイルが定着した。

公式ハンドブック[上] P.40～41

■ 写真2　辰野金吾が設計した建物

日本銀行本店

ベルギーの中央銀行を模して設計されたといわれる

東京駅駅舎

鉄筋レンガ造で3階建て。南北のドーム状の屋根が特徴

■ 写真3　片山東熊が設計した建物

迎賓館赤坂離宮(げいひんかん)

ネオ・バロック様式の外観や内装は、華やかで美しい

京都国立博物館特別展示館

17世紀フランスのバロック様式で、レンガ造が特徴

■ 写真4　曾禰達蔵が設計した建物

慶應義塾図書館(けいおうぎじゅく)

ゴシック様式の洋風建築。赤レンガと花崗岩の外観が特徴

旧鹿児島県庁舎

鉄筋コンクリート3階建て。大正期のネオ・ルネッサンス様式

■ 写真5　旧開智学校

1873(明治6)年、文明開化政策の一端として、長野県松本市に建てられた小学校。独特の混合様式が見られる

■ 写真6　旧グラバー邸

イギリスの貿易商人、T. B. グラバーが自ら設計した日本最古の木造西洋建築。明治の中頃に現在のような姿になった

東京駅駅舎 写真提供：鉄道博物館

辰野金吾

工部大学校造家学科卒業後、イギリスに渡り、ヨーロッパの建築を学ぶ。帰国後、日本銀行、東京駅などさまざまな建築を手掛けた。

片山東熊

欧州視察で学んだネオ・バロック様式を得意とした。宮廷建築家として活躍。代表作品に東宮御所(現在の迎賓館赤坂離宮、写真3左)がある。

曾禰達蔵

大学卒業後、母校で教鞭を執る。その後、三菱社に入社し、丸の内三菱オフィス街の基礎を築いた。のちに中條精一郎(ちゅうじょうせいいちろう)と共に事務所を開設し、数多くのオフィスビルを設計した。

グラバー邸は、正面玄関を設けないクローバー型が特徴だよ

5-6 重要度 ! ! !

日本⑥大正時代

Point

- ☑ 生活改善運動によって生まれた中廊下式住宅の特徴を覚える
- ☑ 旧帝国ホテルなど、フランク・ロイド・ライトの建築物を知る
- ☑ 鉄筋コンクリート造は、関東大震災後に普及した建物である

中廊下式住宅

大正時代に入ると、生活の近代化を目指す生活改善運動が起こり、都市では電気・ガス・水道設備の整備が進んだ。この当時、住宅では、中廊下式住宅（なかろうかしきじゅうたく）が普及していった（図）。

中廊下式住宅の特徴は、中廊下を挟んで日当たりの良い南側に家族の生活空間、北側に水廻りと使用人の生活空間を配置し、プライバシーを重視した間取りになっている点にある。なかには、和風住宅の中に、洋風の応接室を取り入れる様式も流行した。

■ 図 中廊下式住宅の間取りの例

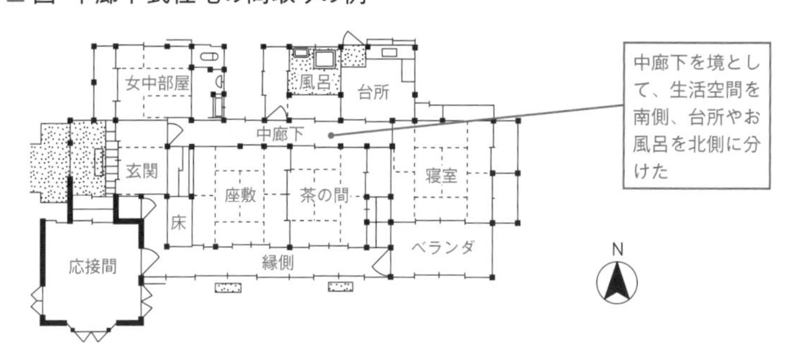

フランク・ロイド・ライトの建築

大正時代の洋風建築で特に有名なのは、アメリカの建築家、フランク・ロイド・ライトが設計した旧帝国（きゅうていこく）ホテル（次頁写真1）と自由学園明日館（じゆうがくえんみょうにちかん）（次頁写真2）である。ライトは、室内インテリアのデザイン設計でも注目され、のちの世に大きな影響を与えている。

フランク・ロイド・ライト
ル・コルビュジェ、ミース・ファン・デル・ローエと共に、近代建築の三大巨匠と呼ばれている。カウフマン邸（落水荘（らくすいそう））や自邸のタリアセンも名高い。
→ P.99

ライトの代表作　タリアセン
フランク・ロイド・ライトの自邸・スタジオ。そして、建築学校も兼ねていた。タリアセンとタリアセン・ウエストの2か所あり、どちらもアメリカの歴史的建造物に指定されている。

ライトは、タリアセンで照明や家具も自分でデザインしたものを使って、注目を集めたよ

公式ハンドブック［上］P.41～42

鉄筋コンクリート造の普及

1923（大正 12）年に起こった関東大震災によって多くの組積造建築が倒壊した。火災による被害も大きかったことから、以降、耐震・耐火構造である鉄筋コンクリート造建築の普及が進んだ。

当時の代表的な建築物に、鳩山会館（写真 3）や、同潤会アパート（写真 4）などがある。同潤会アパートは、今の東京 23 区内や横浜に 10 数か所ほど建てられたが、アパートを運営する同潤会の解散や建物の老朽化にともない、次第にその姿を消していった。最後に残った東京都台東区の上野下アパートメントも 2014 年建て替えられた。

■ 写真 1 旧帝国ホテル

茶色のレンガとグレーの大谷石を配した外壁が特徴的。大谷石には幾何学模様の装飾が施されている。テーブル、イス、照明など、インテリアもフランク・ロイド・ライトが手掛けた。中央玄関部分は、愛知県犬山市の明治村に移築されている

■ 写真 2 自由学園明日館

1921（大正 10）年に、自由学園の校舎として設立。木造で壁は漆喰塗。中央棟を中心に、左右に伸びた東棟と西棟を左右対称（シンメトリー）に配したスタイルが特徴的

■ 写真 3 鳩山会館

内閣総理大臣を務めた鳩山一郎の邸宅として建てられた鉄筋コンクリート造の洋館。イギリス風の外観、アダムスタイルの応接室、ステンドグラスなど、見どころが多い

■ 写真 4 同潤会青山アパート（※ 2003 年に取り壊し）

関東大震災後に東京や横浜に建設された鉄筋コンクリート造のアパートメントハウス。建て替えられた上野下アパートメントや、表参道ヒルズに当時の面影を見ることができる

5-7 日本⑦昭和時代～現代

重要度 ! ! !

Point

- ☑ 昭和期に活躍した建築家と代表的な作品を覚える
- ☑ 戦後の住まいの変遷を理解し、新たな住宅への取組みを読み取る
- ☑ 戦後から現代までに建てられた有名建築を知っておく

昭和前期の建築とデザイン

1930年代にル・コルビュジェの指導を受けた前川國男（まえかわくにお）、坂倉準三（さかくらじゅんぞう）らは、その影響をうかがわせる作品をつくっている。1937(昭和12)年のパリ万国博覧会では、坂倉準三が、コルビュジェが編み出したピロティという建築形式を用いて日本館を設計した。日本の伝統的な木造住宅を鉄骨造で表現し、調和のとれた建築として高い評価を得た。

住宅では、日本庭園研究者の堀口捨己（ほりぐちすてみ）、帝国劇場(写真1)を設計した谷口吉郎（たにぐちよしろう）、和風建築の名手・山口文象（やまぐちぶんぞう）、フランク・ロイド・ライトの事務所タリアセンで学んだ土浦亀城（つちうらかめき）(写真2)、数寄屋の手法を生かした作風で名を成した吉田五十八（よしだいそや）などが活躍した。

■ 写真1 帝国劇場

1966 (昭和41)年に落成。谷口吉郎による設計で、鉄骨鉄筋コンクリート造の建物

■ 写真2 土浦亀城邸

1935(昭和10)年に竣工。日本最初のモダニズム住宅といわれている

家具の分野においては、1928(昭和3)年、蔵田周忠（くらたちかただ）を中心に、豊口克平（とよぐちかつへい）らが参加して型而工房（けいじこうぼう）が結成された。この工房では、家具などの生活工芸品を標準規格化して量産することを目的とし、製品の調査や研究を行なった。さらに、実際にイスの設計から製造・販売までをも手掛けた。

前川國男

東京帝国大学(現・東京大学)工学部建築学科卒業後、パリに渡りル・コルビュジエの事務所に入所する。代表作品に神奈川県立図書館・音楽堂、京都会館、東京文化会館などがある。

旧帝国劇場

1911(明治44)年に竣工した日本初の西洋式演劇劇場。横河民輔（よこがわたみすけ）の設計によるルネサンス建築様式。関東大震災後など何度か改修を繰り返し、1964(昭和39)年まで現存した。

公式ハンドブック[上] P.42～44

帝国劇場 写真提供：東宝不動産株式会社、旧帝国劇場 写真提供：東宝株式会社

1933(昭和 8)年には、ドイツの建築家、ブルーノ・タウトが来日した。デザイン界で活躍するとともに、著書『日本美の再発見』などで、桂離宮や伊勢神宮などに見られる日本建築の美しさを紹介した。

1940(昭和 15)年には、コルビュジエの弟子の女性デザイナー、シャルロット・ペリアンも来日し、日本の工業デザインに大きな影響を与えている。この頃、柳宗悦を中心として、伝統的民族工芸の保護・育成を目的とした民芸運動「民衆の芸術」が起こった。そして、のちに日本民芸協会が設立され、運動は全国的に広がっていった。

戦後の住宅

第二次世界大戦中、空襲で多くの住宅が焼失し、日本は深刻な住宅不足に陥った。その対策として、1950(昭和 25)年に住宅金融公庫を発足し、1951(昭和 26)年に公営住宅法を制定、1955(昭和 30)年に日本住宅公団(現・都市再生機構)が設立された。団地の設計には、西山夘三が提唱した食寝分離(寝食分離)を基本とした 2DK プランが採用された。コンクリート造を導入し、ダイニングキッチン、ステンレス流し台、蛍光灯などが DK型住宅に取り入れられた。これにより台所が合理化し、家事労働が軽減された。

昭和後期以降の建築

日本の高度成長期において、建築家の活躍は目覚ましいものがあった。海外の建築家が来日し、日本でさまざまな建築物を設計する一方で、海外で活躍し、世界的な評価を得る日本人建築家も増えた。

「世界のタンゲ」と呼ばれた丹下健三は、国立屋内総合競技場(国立代々木競技場(次頁写真 4)や新旧の東京都庁(新東京都庁は次々頁写真 10)など、多くの国家プロジェクトを手掛けている。また、ル・コルビュジエの弟子で、昭和を代表するモダニズムの建築家・前川國男は、東京文化会館(次頁写真 3)を設計した。

その後も、中銀カプセルタワー (次頁写真 6)を設計した黒川紀章、スカイハウス(次頁図)や銀座テアトルビル(次々頁写真 9)を設計した菊竹清訓、国立京都国際会館(次頁写真 5)の大谷幸夫、つくばセンタービル(次頁写真8)の磯崎新、住吉の長屋(次頁写真7)の安藤忠雄、せんだいメディアテーク(次々頁写真 11)の伊東豊雄、サントリー美術館(次々頁写真 14)の隈研吾、金沢 21 世紀美術館(次々頁写真 12)の妹島和世と西沢立衛(SANAA を共同主宰)などが活躍している。

ブルーノ・タウト
ドイツの建築家・都市計画家。ドイツ工作連盟に参加。代表作は、鉄の記念塔、ガラス・パヴィリオン(グラスハウス)など。

シャルロット・ペリアン
フランスの建築家・デザイナー。前川國男、坂倉準三と同時期にル・コルビュジエのアトリエに在籍。日本には装飾美術顧問として来日した。

柳宗悦
民芸運動を起こした思想家・宗教哲学者・美学者。インダストリアルデザイナーの柳宗理は長男。

西山夘三
建築家・都市計画家。住宅問題を研究し、食寝分離を唱えた。

DK 型住宅
DK = ダイニングキッチンは、食堂(dining room)と台所(kitchen)の機能を 1 室に併存させた部屋のこと。DK 型住宅とは、その機能をもつ住宅のことをいう。

有名な建築家の名前と次の頁に載っている建築の写真などは、セットで覚えよう!

■図 スカイハウス

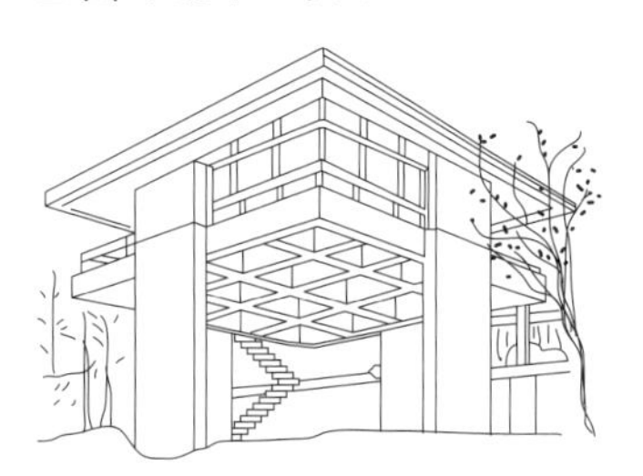

設計者：菊竹清訓。1958（昭和 33）年竣工。1 辺が約 10m の正方形のワンルームが 4 本の柱で空中に浮いている

■写真 3 東京文化会館

設計者：前川國男。1961（昭和 36）年竣工。コンクリート打放しの代表的な建築物

■写真 4 国立代々木競技場

設計者：丹下健三。1964（昭和 39）年竣工。東京オリンピックに向けて建設された。独創的な吊下げ屋根が特徴

■写真 5 国立京都国際会館

設計者：大谷幸夫。1966（昭和 41）年竣工。日本で最初の国立の会議施設として開設

■写真 6 中銀カプセルタワー

設計者：黒川紀章。1972（昭和 47）年竣工。幅 2.3m、奥行 3.8m、高さ 2.1m のカプセル型宿泊施設。2022 年解体

■写真 7 住吉の長屋

設計者：安藤忠雄。1976（昭和 51）年竣工。中央の 1/3 を中庭とした鉄筋コンクリート造の狭小住宅

■写真 8 つくばセンタービル

設計者：磯崎新。1983（昭和 58）年竣工。日本のポストモダン建築の代表作

菊竹清訓

早稲田大学理工学部建築学科卒業。竹中工務店、村野・森建築設計事務所を経て、1953（昭和 28）年に菊竹清訓建築設計事務所を開設。

丹下健三

東京帝国大学（現・東京大学）工学部建築科卒業後、前川國男事務所に入所。その後、丹下健三・都市・建築設計研究所を設立。世界的に活躍すると共に、磯崎新、黒川紀章、槇文彦、谷口吉生などの優れた建築家を育成した。

大谷幸夫

建築家・都市計画家。東京大学工学部建築学科卒業。丹下健三の片腕として活躍。広島平和記念資料館の設計に参加。「住宅は中庭のあるのが基本」と提唱。

黒川紀章

世界的に活躍した建築家。美術館や博物館を中心に、多くの建築を手掛けた。東大大学院時代から若き天才建築家と呼ばれた。

安藤忠雄

建築家・都市計画家である水谷穎介などの建築設計事務所でアルバイトをしながら独学で建築士に合格した。

磯崎新

ポストモダンの代表的な建築家。建築だけではなく、芸術や文化においても、世界的に知名度の高い日本人建築家のひとり。

■ 写真 9　銀座テアトルビル

設計者：菊竹清訓。1987(昭和 62)年竣工。映像関連事業を中心とする複合商業施設。小規模の高級ホテルを併設。2014 年解体

■ 写真 11　せんだいメディアテーク

設計者：伊東豊雄。2000(平成 12)年竣工。外壁の総面積の 75% がガラスカーテンウォールでできている

■ 写真 13　表参道ヒルズ

設計者：安藤忠雄。2006(平成 18)年竣工。旧同潤会青山アパートの建替事業として安藤忠雄が設計を担当。地下 3 階～地上 3 階に巨大な吹抜けと、これを囲む全長 700m のスパイラルスロープがある。スロープに沿って店舗が並ぶ

■ 写真 10　新東京都庁

設計者：丹下健三。1991(平成 3)年竣工。パリのノートルダム寺院からヒントを得たといわれるツインタワーが特徴

■ 写真 12　金沢 21 世紀美術館

設計者：妹島和世、西沢立衛。2004(平成 16)年竣工。総ガラス張りの外壁と、円形の平面計画が特徴

■ 写真 14　サントリー美術館

設計者：隈研吾。2007(平成 19)年竣工。日本の伝統と現代を融合させた「和のモダン」を基調とした設計

近代建築巡りをすると楽しく覚えられるよ

モダニズムとポストモダン

モダニズム建築は、機能性や合理性を求めた建築様式。ポストモダンは、「モダニズムの次」という意味で、装飾性や象徴性を重視した建築。

伊東豊雄

東京大学工学部卒業後、菊竹清訓設計事務所に勤める。

妹島和世

建築家。日本女子大学家政学部住居学科卒業。伊東豊雄建築設計事務所に入所。その後、独立。2010年女性2人目のプリツカー賞を受賞。

西沢立衛

建築家。横浜国立大学工学部建築学科卒業。妹島和世と共に SANAA を設立・共同主宰。2010 年プリツカー賞受賞。

隈研吾

東京大学大学院建築意匠専攻修士課程修了。日本設計、戸田建設、コロンビア大学建築・都市計画学科客員研究員を経て、1990(平成 2)年に隈研吾建築都市設計事務所を設立。

5-8 西洋①ギリシャ・ローマ時代

重要度 ! ! !

Point

- ☑ 石像建築の技術が発達したギリシャ様式を理解する
- ☑ ギリシャ建築は、柱の太さを基準としてつくられた
- ☑ パンテオンに代表されるローマ建築の素材や工法を学ぶ

ギリシャ時代

紀元前7世紀頃から石造建築の技術が進み、紀元前5世紀にギリシャ文化は最盛期を迎えた。この時代の代表的な建築物、パルテノン神殿は、大理石による石造建築である(写真1)。

この時代の神殿の柱には、ドリス式、イオニア式、コリント式の3種類のオーダー(円柱部分の構成方式)が使われた。柱身の太さや柱頭の装飾などに、それぞれの特徴が見られる(図1)。神殿の各部分の寸法は、オーダーの基部の直径を基準として決められた。

■ 写真1 パルテノン神殿

■ 図1 オーダーの種類

ドリス式

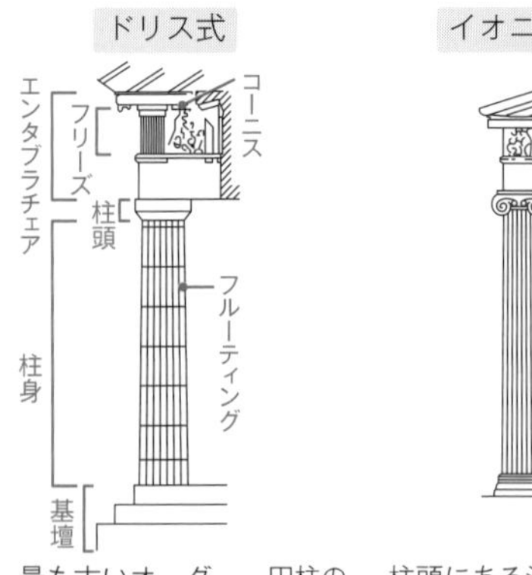

最も古いオーダー。円柱の中央部がふくらむエンタシスとフルーティングが特徴

イオニア式

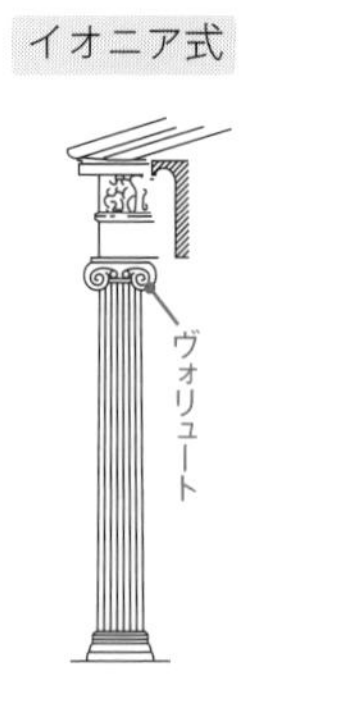

柱頭にある渦巻状の装飾が特徴。ドリス式の柱身より細く女性的

コリント式

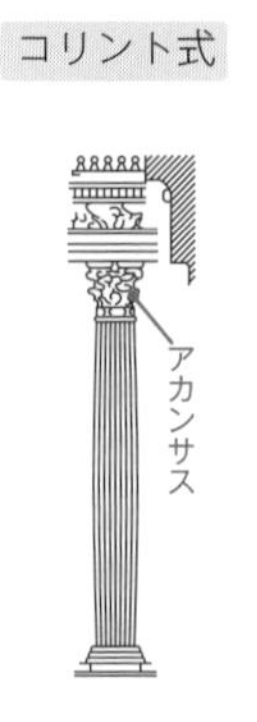

柱頭にアカンサスの葉の装飾がある。3つのスタイルの中で柱身が最も細い

歴史上のクラシックとは

クラシック家具というと、西洋の伝統的な様式の家具を広範囲に指すことが多いが、歴史上でクラシックというと、古代ローマやギリシャの古典様式を意味する。

パルテノン神殿

紀元前5世紀(447～432年)に、ギリシャ古代都市国家アテナイのアクロポリスに建てられた神殿。アテネの守護神・アテナを祀る。3段の基壇の上にドリス式の柱が並ぶ。ユネスコの世界遺産。

オーダーの名称と特徴を覚えよう！

公式ハンドブック[上] P.45～47

この時代の家具には、「婦人のイス」といわれたクリスモス(図2)や、寝イスのクリーネ(図3)がある。クリスモスは、のちのイスの形に影響を与え、クリーネはカウチやソファの原型とされる。

■図2 クリスモス

■図3 クリーネ

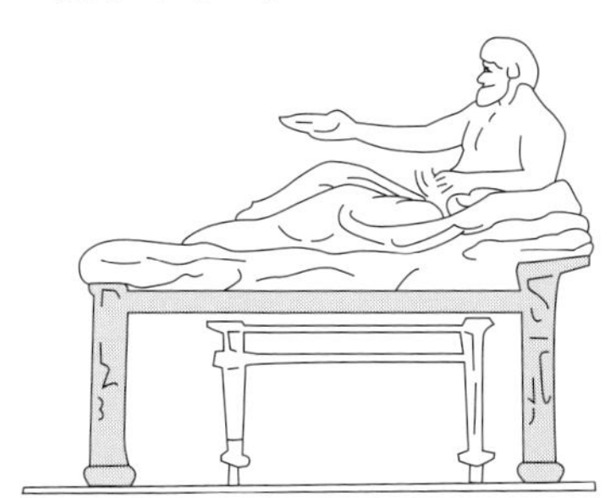

ローマ時代

ローマ時代には大理石やレンガに加えてコンクリートが使われるようになり、アーチ工法など高度な建築技術が発達した。こうした技術によって、巨大な内部空間を有する建築物がつくられるようになった。代表的な建築物に、ローマのパンテオン(写真2)、コロセウム(円形劇場・写真3)、カラカラ浴場などがある。

上流階級の人々が住んだドムスという住宅では、天窓の開いた大ホールのアトリウムと、ペリスチリウムと呼ばれる中庭を囲むようにして部屋が配置された。床には大理石のモザイクが、壁にはフレスコ画が施された。

また、家具には木製、大理石、青銅が用いられ、装飾性の高いものがつくられた。

■写真2 パンテオン

内径約43mのドームをもつ、古代ローマ時代の神殿。さまざまなローマ神が祀られた

■写真3 コロセウム

古代ローマ時代の円形闘技場。周囲527m、4階建てで50m弱の高さがある。ローマ時代は、剣闘士同士の闘いや、剣闘士と野獣の闘いなども繰り広げられた

パンテオン

紀元前25年頃に建築され、2世紀(118～128年)に再建された神殿。ドームの天井には、唯一の光源となる「偉大な目」と呼ばれる円頂窓がある。ユネスコの世界遺産。

コロセウム

1世紀(78～82年)に建築。古代ローマの技術を駆使しつくられた闘牛場。闘牛は当時の市民のレクリエイションだった。観客収容人員4万5,000人。ユネスコの世界遺産。

カラカラ浴場

3世紀(212～216年)、カラカラ帝の時代に造営された公衆浴場。長さ225m、幅185m、高さ約38.5m。2,000～3,000の浴槽があった。

フレスコ画

壁に塗った漆喰が生乾きのうちに顔料で絵を描く技法。フレスコとは、「新鮮」を意味する。

ローマ時代の庶民の住宅は、上流階級とは大きく異なり、最小経費で建設された集合住宅でした。この住宅は、インスラと呼ばれたよ

5-9 西洋②中世

重要度 ! ! !

Point

- ☑ 4世紀末、東ローマ帝国で発達した文化をビザンチン文化という
- ☑ イスラム文化では、幾何学模様や文字装飾が発達した
- ☑ キリスト教を中心に、ロマネスク様式やゴシック様式が誕生した

ビザンチン様式

4世紀末、ローマ帝国は東西に分裂し、東ローマ帝国(ビザンチン帝国)と西ローマ帝国が誕生した。東ローマ帝国は、ヨーロッパとアジアの交差点であるコンスタンティノープル(現・イスタンブール)に首都を置き、東西の文化を融合させた独自の文化を形成した。こうした東ローマ帝国独自の文化をビザンチン様式と呼ぶ。代表的な建築として、トルコのイスタンブールにあるハギア・ソフィア寺院(写真1)、イタリアのヴェネツィアに建つサンマルコ寺院がある(写真2)。

ビザンチン美術では、優れたモザイクが生まれたんだ。世界遺産に登録されているラベンナのサン・ヴィターレ教会のモザイクは、特に華麗で美しいよ

■写真1 ハギア・ソフィア寺院

ペンデンティブの技術で四角い平面に丸いドームを架け、美しい内部空間をつくっている

■写真2 サンマルコ寺院

ギリシャ十字形の平面をもち、天井には5つのドームが架かる

教会建築様式では、バシリカ式(次頁図1)と集中式が登場した。前者はサン・ピエトロ教会、後者はサン・ヴィターレ聖堂が代表的である(次頁図2)。この時代の家具は、東洋的な装飾と直線的なデザインを特徴とし、代表的なものとして象牙彫刻を施したマクシミニアヌスの司教座がある(次頁図3)。

バシリカ式

教会建築の基本となる形式。中央の身廊(しんろう)の左右に側廊(そくろう)があり、身廊と側廊の間は列柱によって分けられている。

集中式

平面が円形や正方形、多角形などで構成され、中央の天井はドーム状となっている。

公式ハンドブック[上] P.47～49

■ 図1 バシリカ式の教会建築

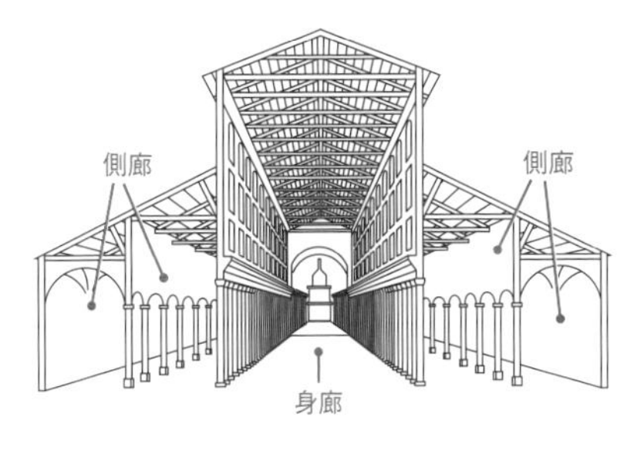

ローマ建築では、バシリカは裁判所や取引所に用いられた集会施設、またはそのような機能そのものを指す

■ 図2 サン・ヴィターレ聖堂

平面は正八角形。美しいモザイク、透かし彫りのような柱頭が特徴

■ 図3 マクシミニアヌスの司教座

儀式用に使われた大司教の玉座。材はすべて象牙でつくられた

イスラム様式

7世紀初めにアラビア半島で始まったイスラム教は、アジア、北アフリカ、スペイン南部、オリエントに広まった。それに従い各地では、共同の礼拝堂としてモスクが建設された。イスラム教では偶像崇拝が禁止されているため、幾何学模様やつる草模様、文字装飾など、独特の装飾が発達した。これらの模様は、アラベスク模様と呼ばれている。また、特徴ある形状のイスラム建築のアーチも欠かせない要素となっている（図4）。代表的な建築物に、エルサレムの岩のドーム（写真3）、グラナダのアルハンブラ宮殿（写真4）がある。

■ 写真3 岩のドーム

ユダヤ教、キリスト教、イスラム教にとって重要な関わりをもつ聖なる岩を祀る

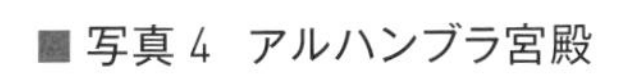

■ 写真4 アルハンブラ宮殿

実際は城塞都市で、住宅、官庁、軍隊、厩舎、モスク、学校、浴場、墓地、庭園といった施設を有していた

■ 図4 イスラム建築のアーチ

尖頭アーチ

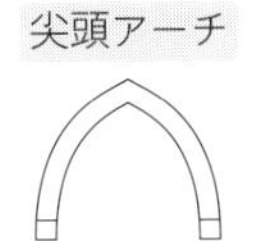

先端が尖っている

オジーアーチ

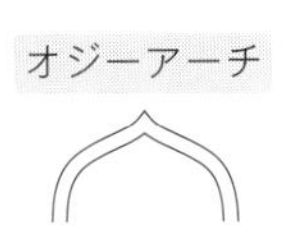

タマネギのような形状

馬蹄型アーチ

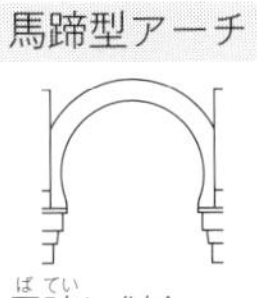

馬蹄に似た形状

多葉アーチ

花弁を連ねたような形状

アラベスク模様の例

アラベスクについては、P.65「西洋とイスラムの文様と装飾」も参照してね

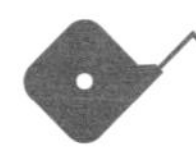

ロマネスク様式

ロマネスク様式は、11〜12世紀に、西ヨーロッパでキリスト教を中心として広まった。地域によって建物にそれぞれの土地の特性を反映させているため、建築様式に共通する部分は少ない。全体を通して共通するのは、厚い壁でできた堅牢な石造の建物であること、内部に石造のヴォールトや半円アーチが使われたことである(図5)。アーチを連続させたアーケードも、特有の仕様である(図6)。

■図5 ヴォールト

半円や尖頭アーチの断面の形状を水平に押し出し、長さを出したもの。上記は最も単純な形状

■図6 アーケード

柱で支えられる半円アーチを連続させたもの

斜塔で知られるピサの大聖堂は、ロマネスク様式を代表する美しい建築物である(写真5)。ヴォールト天井を支えるための厚い壁構造と外壁のアーケードに、ロマネスク様式特有の特徴が見られる。

一方、この当時の領主の城館は簡素なつくりで、室内に家具が置かれることは少なかった。その中で重要な役割を果たしたのはチェストである(図7)。チェストにはアーチを連続させた装飾が施されることが多く、家具にも当時の建築様式の特徴が色濃く反映されていることがわかる。また、壁には、装飾と防寒・防湿の目的を兼ねて、東方から入ってきたタペストリーなどの織物が飾られた。

■写真5 ピサの大聖堂

11〜14世紀に建てられた大聖堂、洗礼堂、鐘楼の建築群の中心に建つ。建築群の中でも、「ピサの斜塔」と呼ばれる鐘楼が特に有名(右側の建物)

■図7 ロマネスク様式のチェスト

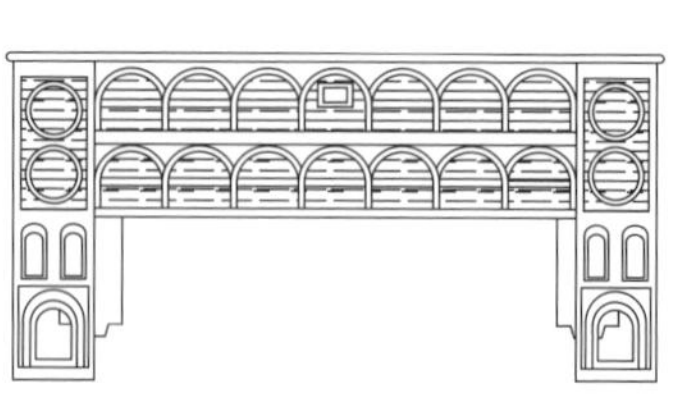

建築にも多用されたアーケードをモチーフにした装飾が特徴的

ヴォールト

アーチ断面を水平に押し出した形状のもの。広い空間を少ない柱の数で支えることができる。

交差ヴォールト

同一形状の筒型ヴォールトを2つ直交させた形状。荷重を四隅で支えることができるため、天井下の空間を広くとることができる。

ピサの大聖堂

11〜14世紀に建てられた建築群。イタリアの代表的なロマネスク様式の大聖堂。鐘塔は斜塔として有名。

チェストは収納のほか、テーブルやイスとして利用されることもあったよ

ゴシック様式

ゴシック様式とは、12世紀後半～15世紀にかけて、フランスを中心に西ヨーロッパで栄えた様式をいう。建築構造の特徴としては、尖頭（せんとう）アーチ（ポインテッドアーチ）、リブ・ヴォールト、フライングバットレス、ピナクルなどが挙げられる（図8）。この時代、構造技術の発達により、壁面に円形の大きな窓をとることができるようになった。これにより、教会などの窓には、ステンドグラスが多く用いられるようになった。代表的な建築として、パリのノートルダム大聖堂（写真6）、シャルトル大聖堂（写真7）などがある。

■ 図8 ゴシック大聖堂の構造

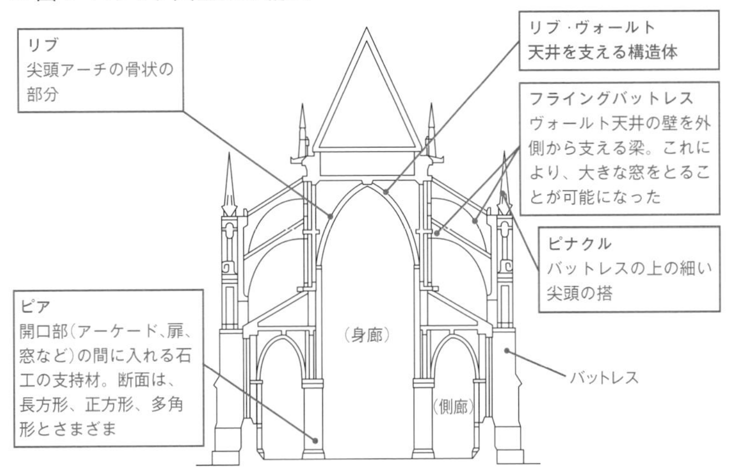

■ 写真6 ノートルダム大聖堂

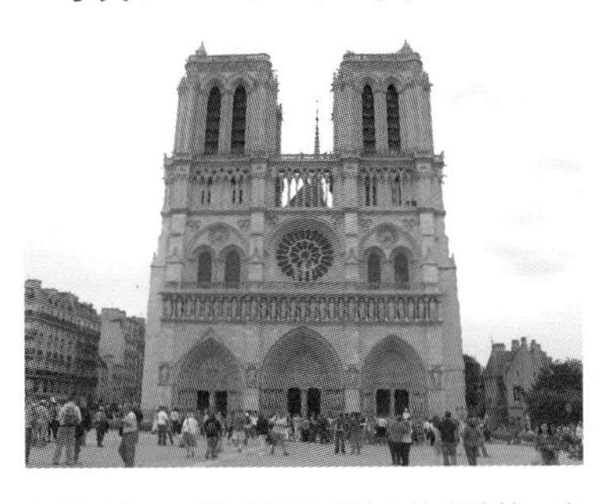

初期ゴシック様式の代表的な教会建築。高さと垂直線が強調された構成

■ 写真7 シャルトル大聖堂

ゴシック建築の中でも古典的な様式。フライングバットレスを駆使し、ステンドグラスのある高窓を実現した

また、ゴシック様式の家具は、品質も良く装飾性に優れており、西洋のクラシック家具とされる。特徴としては框組工法（かまちぐみこうほう）が多く、チェスト、ハイバックチェアの背、長イス、カップボードなどに使われている。モチーフとしては、ひだ折り模様のリネンホールドなどがある。

ゴシック様式は、キリスト教の教会建築を中心に発達し、次第に公共建築や住宅にも及んでいったんだ

リブ・ヴォールト

ロマネスクで登場した「交差ヴォールト」に、リブと呼ばれる筋を付けたもの。

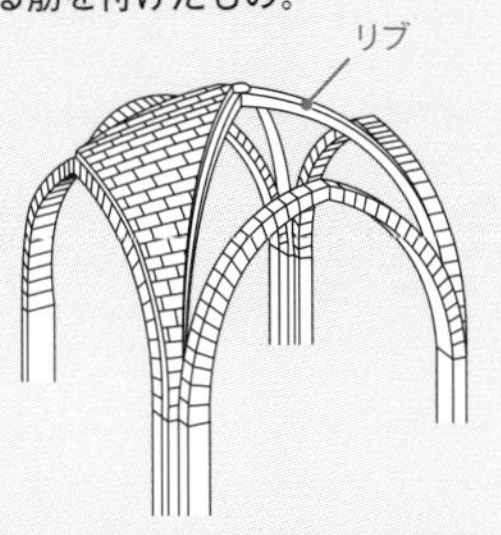

バットレス

壁の安定性を高めるため、適当な間隔で壁面から突出させた柱状や袖壁（そでかべ）状の部分。扶壁（ふへき）ともいう。

木造のゴシック様式

樹木の多いイギリスやドイツでは、ハーフティンバーと呼ばれる木造のゴシック様式が流行した。柱や梁などの躯体を露出させるのが特徴で、主に一般住宅に用いられた。

ハーフティンバーの例（イギリス、15世紀）

5-10 西洋③近世

重要度 ！！！

Point

- ☑ ルネサンス・バロック・ロココ様式の代表的な建築と家具を覚える
- ☑ 古典様式を取り入れた15世紀以降の建築・家具の流れを知る
- ☑ 初期アメリカの建築や家具は、ヨーロッパスタイルから発展したもの

ルネサンス様式

15〜16世紀、イタリアのフィレンツェを中心に、ギリシャ・ローマにおける古典文化の再生・復興を唱える運動が発展し、ヨーロッパ全土でルネサンス様式が開化した。代表的な建築物に、ルネサンス最初の建築家ともいわれるブルネレスキが設計したサンタ・マリア・デル・フィオーレ大聖堂（花の聖母教会）がある。そのほか、バチカン市国のサン・ピエトロ寺院、フランスのフォンテーヌブロー宮殿もその筆頭に挙げられる。これらの建築に共通しているのは、古代建築に使われたオーダーの使用、左右対称（シンメトリー）の構成、水平線を強調したつくりなどである。

ルネサンス様式では、調和を大切にしていたんだ

タペストリー

綴織りによる厚手の壁掛けで、タピスリとも呼ばれる。15世紀にフランスでデザインされ、ベルギーで織られた「貴婦人と一角獣」が有名。→ P.371

家具では、ダンテが愛用したというダンテスカや、イタリアの高僧の名に由来するサヴォナローラなどのイス、カッサパンカと呼ばれる長イス、カッソーネというチェストのなどが使われた（図1左の3つ）。フランスでは、当時流行した裾の広いスカートを傷めないよう、座面の前を広くし、背板が細長くなった形のカクトワール（おしゃべりの意）が知られている（図1中右）。また、イギリスでは、エリザベス様式にルネサンスの特色が見られる（図1右）。

■図1 ルネサンス様式の家具

ダンテスカ

カッサパンカ

カッソーネ

カクトワール

エリザベス様式のベッド

公式ハンドブック［上］P.49〜56

バロック様式

バロック様式は、16〜18世紀初頭、ローマ、ヴェネツィア、フィレンツェなど、イタリアの都市部で生まれ、その後、フランスを中心にヨーロッパ全土に広がっていった。この様式の建築は、内部空間が複雑な構成で、各所に重厚かつ華麗な装飾が施されている。また、各部の形状に、円形より楕円形が多く見られるのが特徴である。代表的な建築物として、バチカン市国のサン・ピエトロ大聖堂中央広場（写真1）、フランスのベルサイユ宮殿（写真2）がある。

■ 写真1　サン・ピエトロ大聖堂中央広場

↑長径200m、短径165mの楕円形広場。ジャン・ロレンツォ・ベルニーニの設計で、4列の円柱による列柱廊と140体の聖人像に囲まれた広場の中央にオベリスクが立つ

■ 写真2　ベルサイユ宮殿王室礼拝堂

→ゴシックとバロックの様式を合せもつ独特な礼拝堂

イタリア・バロックの影響を受けたフランスでは、その後、ルイ14世様式の時代に移り、象嵌（ぞうがん）や金銀が使われ華麗な装飾が好まれた。引出し付き小型タンスのコモード（図2）や、燭台（しょくだい）や置き時計などを置くための壁付けの飾り台であるコンソールなどが使われるようになった。また、イギリスでは、スパイラル（螺旋）状の脚に特徴のあるジャコビアン様式（図3）や、透かし彫りや寄せ木、象嵌などを取り入れたウィリアム・アンド・マリー様式がバロックの時期にあたる。

■ 図2　ルイ14世様式のコモード（フランス）

■ 図3　ジャコビアン様式のライティング・キャビネット（イギリス）

ベルサイユ宮殿

フランス王ルイ14世が建てた宮殿。ルイ14世の第一画家であったシャルル・ル・ブランが内装を手掛けた「鏡の間」が有名。

シャルル・ル・ブラン

フランスの宮廷画家、室内装飾家。ルイ14世様式の生みの親で、ベルサイユ宮殿やルーヴル宮殿などの内装を手掛けた。ゴブラン王立工場設立の中心人物でもあった。

バロックとは、「いびつな真珠」という意味。バロック様式は、躍動感や不規則性が特徴だよ！

象嵌

象嵌とは、1つの素材に異質の素材を嵌め込むという意味。工芸技術のひとつで、金工象嵌、木工象嵌、陶象嵌などがある。

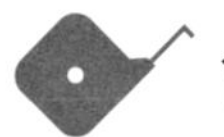

ロココ様式

ロココ様式は、18世紀にフランスで始まり、ヨーロッパの各国に広がった。ロココ様式は、フランスではルイ15世様式、イギリスではクイーン・アン様式とも呼ばれる。

曲線を多用した優雅な装飾を特色とし、主に宮廷建築で用いられた。建築構造的な特徴には乏しいが、この時代のインテリアにロココ様式特有の特色が多く見られる。

ロココ様式では、シンメトリーの原則は破られ、色調は淡いソフトなものが好まれた。代表的なインテリアとして、ジェルマン・ボフランが設計したパリのオテル・ド・スービーズ(現・国立古文書館)がある。この建物のいちばんの特徴は、植物の葉のようなロココ特有の曲線でつくられた装飾を天井廻りに複雑に配しているところにある。これにより、壁と天井の境目をなくし、室内全体を一体化して見せている。

家具では、コンソール、ビューロー(蓋付きの机)などにロココの特色が見られる(図4・5)。また、動物の脚をかたどったカブリオール・レッグもこの時代の特徴である。この頃、トーマス・チッペンデールは、クイーン・アン様式(図6)を基礎として、チッペンデール様式と呼ばれる独自のスタイルを確立した。それらの家具には、カブリオール・レッグ、リボンバックチェア(図7)、シノワズリー(中国風)モチーフなどが用いられた。

■図4 ロココ様式のコンソール(フランス)

■図5 ロココ様式のイス(フランス)

■図6 クイーン・アン様式のイス(イギリス)

■図7 チッペンデールのリボンバックチェア(イギリス)

ロココの語源

フランス語で小石や砂利を意味するロカイユ(rocaille)に由来。ベルサイユ宮殿の庭につくられた貝殻模様の人造石「ロカイユ」に基づいている。

カブリオール・レッグ

しなやかなS字形の曲線を描く脚部。猫脚とも呼ばれる。ロココ様式の家具における最大の特徴。

トーマス・チッペンデール

イギリスの家具職人・デザイナー。イングランド北西部ヨーク地方出身。シノワズリーとロココ様式を調和させたデザインで活躍。

18世紀になると、ヨーロッパと東洋との交易が盛んになり、中国や日本などの影響を受けた織物や家具、陶磁器などが生まれたよ

18世紀の陶磁器

オランダのデルフトで栄え、フランスのルーアン、セーブル、リモージュ、ドイツのマイセンなどが主要な生産地になった。イギリスのボーン・チャイナもこの頃に生まれた。

ネオクラシシズム（新古典主義）

18世紀中期以降、古代ローマ遺跡の発掘などの影響を受け、古典様式への関心が高まった。古典的なモチーフに目が向けられることによって、ロココ様式の特徴であった曲線は使われなくなり、再び直線的な構成が主流となった。さらに、シンメトリーをはじめ、古典的なプロポーションが重視された。このような様式をネオクラシシズムと呼ぶ。その代表的なものとして、イギリスのロバート・アダムが設計したオスタレー邸が挙げられる。

また、ロバートを含むアダム4兄弟は、マホガニーなどの木材を使って古典的なモチーフの家具を製作し、アダム様式を広めていった。同時期に、ハート形や楕形の背をもつイスをデザインしたジョージ・ヘップルホワイト（図8）、直線的な構成の家具をデザインしたトーマス・シェラトン（図9）、チッペンデールらが活躍した。イギリスのこの時代の様式をジョージアン様式という。

同時期、フランスではルイ16世の治世下にあったため、この時代の様式をルイ16世様式と呼ぶ。フランスでも、ロココの華麗な曲線に代わり、直線的な簡素なものが好まれるようになった。それまでテーブルやイスに用いられていたカブリオール・レッグは廃れ、直線の脚にフルーティング（縦溝）を施したものが好まれた。マリー・アントワネットが愛用した家具をデザインしたジャン・アンリ・リーズネルの作品はその典型である（図10）。

ロバート・アダム
18世紀後半に活躍したスコットランド出身の建築家兼インテリアデザイナー。新古典様式の建築家の第一人者。

ジョージ・ヘップルホワイト
イギリスの家具作家。ネオクラシシズムの代表的な家具様式「ヘップルホワイト様式」を広めた。

トーマス・シェラトン
18世紀末～19世紀初期にかけて大きな影響力をもったイギリスの家具作家。古典様式を受け継ぎ、直線的で簡潔、優美なデザインが特徴。

フルーティングとは、古代建築ギリシャのオーダーの柱を連想させる縦溝のことをいうよ

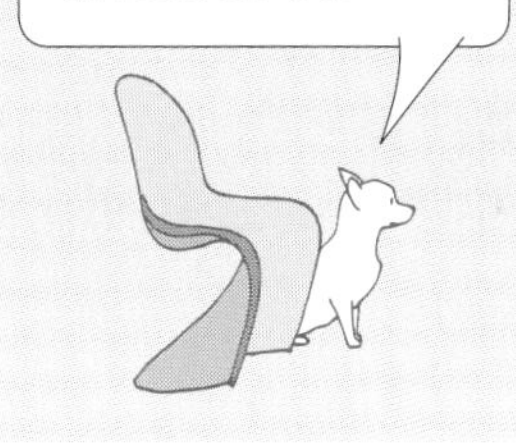

■図8　ヘップルホワイトのイス（イギリス）

新古典主義に基づいた独特なスタイルのイス

■図9　シェラトンのイス（イギリス）

直線的ではあるが、優美なデザインに繊細さがあるイス

■図10　リーズネルのテーブル（フランス）

ネオクラシシズム様式の典型的な形のテーブル

19世紀ヨーロッパの建築と家具

19世紀前半は引き続き、ネオクラシシズムの傾向が見られた。ナポレオンの支配下にあったフランスでは、その栄光を讃えた豪華で古典的なモチーフや力強い直線、シンメトリーを特徴としたアンピール様式が主流となった（図11）。代表的な建築に、パリのエトワール広場の凱旋門（がいせんもん）（写真3）、マドレーヌ寺院がある。室内装飾および家具では、フォンテーヌブロー宮殿、マルメゾン宮殿にその特徴を見ることができる。ナポレオンの頭文字「N」を入れたイスも、当時の流行であった。

■図11 アンピール様式のビューロー（フランス）

■写真3 エトワール広場の凱旋門

ナポレオン・ボナパルトの命によりパリにつくられた凱旋門。古代ローマの凱旋門を基につくられた新古典主義の代表作のひとつ

同じ頃、イギリスではアンピール様式に古典様式を取り入れたリージェンシー様式が、ドイツとオーストリアではアンピール様式の流れを汲んだビーダーマイヤー様式が現われた（図12）。ビーダーマイヤー様式の家具は実用性が高く、現代にも通じる要素が多い。また、ギリシャ時代のクリスモスを意識したイスも見られる。

19世紀後半になると、イギリスではビクトリア女王の時代になり、ビクトリア様式が生まれた。デザイン的に新しさは見られないが、イスの座にコイルスプリングが用いられるようになった。

■図12 ビーダーマイヤー様式のイス（ドイツ）

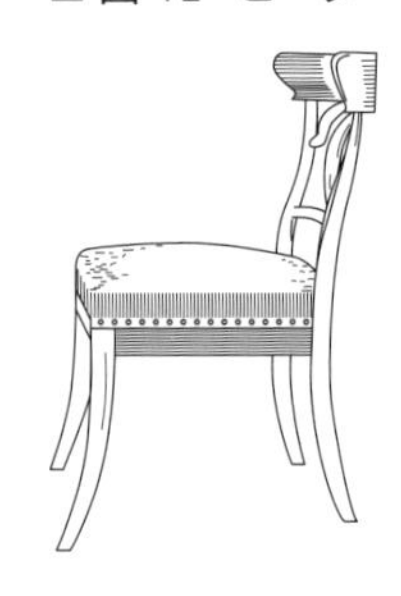

シンプルな形状で機能性を重視したもの

凱旋門
勝利をもたらした将軍や国家元首や軍隊が凱旋式を行う記念のためにつくられた門。発祥の歴史は古代ローマ時代まで遡る。

エトワール広場の凱旋門が完成したのはナポレオンの死後のことで、彼がこの門をくぐったのは1840年にパリに改葬されたときだったんだ

マドレーヌ寺院
古代ギリシャ、古代ローマの神殿を模した寺院。

フォンテーヌブロー宮殿
現在見ることができる宮殿は、19世紀初めナポレオンが大幅に改築した姿が中心。

マルメゾン宮殿
1800～1802年に、フランス政府機能が置かれた宮殿。18世紀終わりにナポレオンの妻が購入した。

初期アメリカの家具

アメリカでは、17世紀初頭から組織的な移民が始まり、ヨーロッパから建築や家具の様式も移入された。そして、ヨーロッパから入った新古典主義などのさまざまな様式が、アメリカ化していった。17世紀から19世紀初め頃までの植民地時代の様式をコロニアル様式という。この様式を中心に、初期アメリカの様式を称して、アーリーアメリカンと呼ぶ。

移民はイギリス、オランダ、ドイツなどのヨーロッパの国々から来た人々だったが、その中で次第にイギリス人が力をもつようになった。家具も、クイーン・アン様式のハイボーイ（図13）やローボーイと呼ばれるタンスや、ウィンザーチェア（図14）など、イギリスのスタイルをもとにしてつくられたものが流行した。

18世紀末から19世紀にかけて、シェーカー教徒がつくったシンプルで独特なデザインのシェーカー様式が表れた。代表的なものとして、背がはしご状になったラダーバックと呼ばれるイスがある。

19世紀末から20世紀前半には、キリスト教徒によってスペイン本土の建築様式がアメリカ大陸にもたらされた。スペインの伝統的な様式と植民地独自のスタイルが融合したスパニッシュ・コロニアル、スパニッシュ・ミッション、アメリカン・スパニッシュなどの呼称をもつ様式が普及した。

アーリーアメリカン
植民地時代を中心にアメリカ初期の建築装飾様式。

ハイボーイ
トールボーイともいい、背の高い引出し付きの整理箪笥。18世紀アメリカで流行。

ローボーイ
背の低い足付きの整理箪笥。18世紀アメリカで流行。

シェーカー教徒
18世紀後半に英国からアメリカに移住したキリスト教徒の一派。規則性、調和、簡素などを理念としており、シンプルなデザインの建物や家具を製作した。

■図13　ハイボーイ

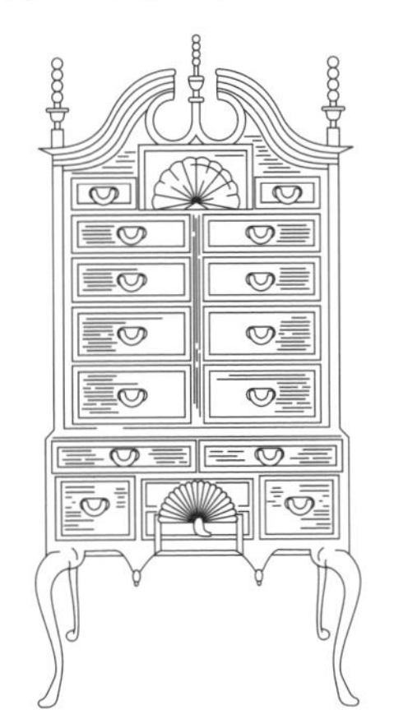

クイーン・アン様式のひとつ。脚付で背の高い衣装箪笥

■図14　ウィンザーチェア

17世紀後半、イギリスのウィンザー地方においてつくられたイスがアメリカに渡り、改良されたもの。18世紀末にはやった実用的なイス

5-11 西洋④近代

重要度 ！！！

Point

- ☑ 近代に起こったいくつかの造形運動を学ぶ
- ☑ アール・ヌーボー、アール・デコの特徴と作品を知る
- ☑ ル・コルビュジエ、フランク・ロイド・ライトの作品を覚える

アーツ・アンド・クラフツ

18世紀から19世紀にかけて産業革命が起こり、大量生産による安価で粗悪な製品が多く普及した。この動きに反して、19世紀後半にイギリスでは、アーツ・アンド・クラフツ運動が起こった。この運動は、ウィリアム・モリスがジョン・ラスキンの思想に共鳴して実行されたものである。モリスは、生活と芸術を一致させ、手工業による品質の高い製品を制作・販売することを試みた（写真1）。これらの活動は、その後の20世紀のデザインに大きな影響を与えた。

■写真1 モリスの壁紙「イチゴ泥棒」（1883年）

草花や樹木をモチーフとしたファブリックスや壁紙は、今も新鮮なデザインである

ウィリアム・モリス
19世紀、イギリス生まれの詩人、思想家、デザイナー。「アーツ・アンド・クラフツ運動」の中心人物として活躍し、「モダンデザインの父」と呼ばれた。特に、植物模様の壁紙が有名。

ジョン・ラスキン
19世紀のイギリスの評論家・美術評論家。オックスフォード大学の教授を務め、中世のゴシック美術を賛美する『建築の七燈』『ヴェニスの石』などを執筆した。

ウィリアム・モリスがデザインした壁紙は、現在でも人気があり、復刻版などがインテリア装飾に使われているよ

アール・ヌーボー

モリスの影響を受けたベルギーやフランスでは、19世紀末から20世紀初めにかけて、造形に対する新たな価値観が生まれた。歴史に捕らわれないこれらの芸術活動は、アール・ヌーボー（新しい芸術）と名付けられ、ヨーロッパ全土に広まっていった。アール・ヌーボーのデザイン的特徴は、有機的な植物が絡み合い、流れるような曲線を描くモチーフが多く使われたことである。

公式ハンドブック［上］P.56～64

この頃、ドイツやオーストリアでは、ユーゲント・シュティール（若い様式）と呼ばれる同様の運動が展開された。オーストリアでは、この運動に先んじて、1830年代にミハエル・トーネットがブナ材を蒸気で加工する曲木（まげき）技術を完成させ、曲木イスの量産を始めた（図）。また、ノックダウン（分解）方式で出荷することで、効率的な大量輸送を可能にした。

■ 図 トーネットの曲木イス

1859年、第1号の曲木イス「No.14」が完成。フォルムの単純さと生産性の良さで、その後70年間に5,000万脚を売上げた

イギリスでは、20世紀初めに、チャールズ・レニー・マッキントッシュが、はしご状の背をもつ直線的なデザインのイス、ヒルハウス（別名ラダーバックチェア）をつくった。このデザインは、日本の建築の影響を受けており、格子などがモチーフとされている。

スペインではアントニ・ガウディが活躍し、現在も建築中のサグラダ・ファミリア教会（写真2）や、集合住宅のカサ・ミラなどを設計した。

そのほか、ベルギーでは建築家のビクトル・オルタやアンリ・ヴァン・デ・ベルデが、フランスではパリのメトロ入口（写真3）を設計したエクトル・ギマール、工芸家のエミール・ガレ、チェコ出身の画家アルフォンス・ミュシャなどが有名である。

■ 写真2 サグラダ・ファミリア教会

建築家アントニ・ガウディの未完作品。現在も建設中。綿密に構成された象徴的で大胆な建築様式。スペインで最も観光客を集める。ユネスコの世界遺産

■ 写真3 パリ メトロの入口

植物や甲殻類を思わせる大胆なデザイン。鋳鉄の構造物にガラス屋根が架けられている（撮影：丸山真史）

ミハエル・トーネット
ドイツの家具デザイナー、実業家。曲木技術の発明をして、これを工場で大量生産した。

ヒルハウス
→ P.63「図6 リペティション（反復）とグラデーション（階調）の例」

アントニ・ガウディ
バルセロナを中心に活動した。サグラダ・ファミリアをはじめ、グエル公園、カサ・ミラなどの作品は、「アントニ・ガウディの作品群」としてユネスコの世界遺産に登録されている。

エクトル・ギマール
フランスの建築家。同国におけるアール・ヌーボーの代表者。鉄骨造の有機的で独創的な意匠は、住宅建築にも用いられ、優れた作品が多い。

エミール・ガレ
フランスのガラス工芸家、陶芸家、家具デザイナー。動植物や風景をモチーフにしたガラス工芸作品が有名。1889年のパリ万国博覧会で、グランプリを獲得し、その功績によりレジオン・ドヌール勲章を与えられた。

アルフォンス・ミュシャ
1860年に現在のチェコに生まれ、28歳のときにパリに移住。女優サラ・ベルナールの芝居用ポスターで一躍有名になった。

シカゴ派

1871年、大火災に見舞われたアメリカのシカゴでは、都市の再開発を背景に、鉄骨造の高層ビルの建築が盛んになった。この時代に、従来の建築とは違う新しい建築様式を推進した建築家の一派をシカゴ派という。中心となったルイス・サリヴァンは、「形態は機能に従う」という機能主義を提唱した。現代の超高層ビルの建造技術の基礎となるラーメン構造(→ P.112)による効用を最初に理解した建築家として評価されている。シカゴ派には、大正時代に日本で活躍したフランク・ロイド・ライトも属していた。

ルイス・サリヴァバン
シカゴ派を代表するアメリカの建築家。フランク・ロイド・ライトの師でもある。

フランク・ロイド・ライトの活躍については、P.76およびP.99も確認しよう

ゼツェッション(ウィーン分離派)

19世紀末から20世紀初頭にかけて、オーストリアのウイーンでは、ゼツェッション(ウィーン分離派)と呼ばれる芸術運動が起こった。オットー・ワグナーを中心に、画家のグスタフ・クリムトをはじめとする芸術家が集まり、用と美の調和を目指した活動を行なった。代表的な建築に、ヨーゼフ・ホフマンがブリュッセルに建てたストックレー邸(写真4)がある。ゼツェッションの活動は、大正初期の日本にも影響を与え、近代建築運動のきっかけをつくった。

■写真4 ストックレー邸

分離派運動を最も象徴する建築物。アール・ヌーボー様式の主体である曲線を抑え、直線的なフォルムで構成されている。代表的なモダニズム建築のひとつ

オットー・ワグナー
オーストリアの建築家、都市計画家。新しい造形を目指したウィーン分離派に参加。

グスタフ・クリムト
オーストリアの画家。ウィーン分離派初代会長。

ヨーゼフ・ホフマン
オーストリアの建築家。ワグナーの門下生。四角い幾何学的な建築が特徴。

ヘルマン・ムテジウス
ドイツの建築家。ドイツ工作連盟の中心人物。

ドイツ工作連盟

20世紀初頭、ドイツのミュンヘンでは、ヘルマン・ムテジウスが中心となって、ドイツ工作連盟(DWB)が結成された。アーツ・アンド・クラフツの影響を受けたムテジウスは、機械による芸術の実用性を追求した。メンバーには、建築家で工業デザインの先駆者であった

ペーター・ベーレンスや、ドイツ工作連盟ケルン展で建てたガラス・パヴィリオン（グラスハウス）で評価を受けたブルーノ・タウトがいた。タウトはのちに来日し、竹や和紙など日本の素材を生かした作品を発表、工芸品の指導も行なった。また、桂離宮の造形美をたたえた『日本美再発見』を著し、日本の建築界に大きく貢献した。

デ・スティル

第一次世界大戦後のオランダで、テオ・ファン・ドゥースブルフを中心として雑誌「デ・スティル」が創刊されると、それにともなう造形運動がロッテルダムを中心に展開された。この芸術活動をデ・スティルと呼ぶ。主要メンバーに、画家のピエト・モンドリアン、建築家・デザイナーのヘリット・トーマス・リートフェルトなどがいる。モンドリアンは、直線的な構成と原色に限定した色彩を使い、単純で抽象的な形を建築や家具にも取り入れた。こうした活動のなかで生まれたリートフェルトのレッド・アンド・ブルーチェア（赤と青のイス→ P.100）は特に有名である。同じくリートフェルトが設計したジグザグチェアやシュレーダー邸にもその特色が表れている。

バウハウス

第一次世界大戦直後の1919年、ドイツのワイマールでは、ヴァルター・グロピウスによって国立の造形学校、バウハウスが創設された（写真5）。バウハウスとは、ドイツ語で「建築の家」を意味する。グロピウスを中心に建築家や画家、デザイナーが講師として集まり、「芸術と技術の新しい統一」という理念をもって指導していたが、1925年に政治情勢の変化により移転を余儀なくされた。移転先のデッサウでは、グロピウスが校舎の設計を担当し、再出発を図った。しかし、その後、ナチスにデッサウを追われベルリンに移るが、1933年には閉校を強いられることになった。のちに、バウハウス出身のミース・ファン・デル・ローエ、マルセル・ブロイヤーはアメリカに渡り活躍した。

■ 写真5　バウハウス校舎

ブルーノ・タウト
→ P.79

シュレーダー邸
デ・スティルの基本コンセプトに忠実に、モンドリアンの絵をそのまま建築にしたような邸宅。世界遺産になっている。

ミース・ファン・デル・ローエ
1929年に行なわれたバルセロナ万国博のパビリオンを設計。同館のために設計したバルセロナチェアも傑作として知られる。バウハウスの最後（3代目）の校長を勤めたあと、アメリカへ亡命。

マルセル・ブロイヤー
バウハウスの教授ワシリー・カンディンスキーのためにデザインしたといわれる鋼鉄製のワシリーチェア、カンティレバー構造で鋼鉄製のチェスカ・チェアが有名。

カンティレバー構造
カンティレバーとは、片持ち梁のこと。梁の一端が固定され、他端は動かせる構造体を指す。水泳プールにある飛び込み板は片持ち梁の代表的な形。

アール・デコ

ヨーロッパおよびアメリカのニューヨークを中心に、1910年代半ばから1930年代にかけてアール・デコという装飾様式が流行・発展した。1925年にパリで開かれた「現代装飾美術・産業美術国際博覧会」に由来するため、1925年様式とも呼ばれる。曲線のアール・ヌーボーに対し、直線や幾何学模様のモチーフを特色とし、原色による対比表現なども見られる。

代表的な建築としては、1930年代に建てられたクライスラービル(写真6)、エンパイアステートビル(写真7)、ロックフェラーセンタービル(写真8)などが挙げられる。これらの超高層ビルは、ニューヨークの摩天楼とも呼ばれている。

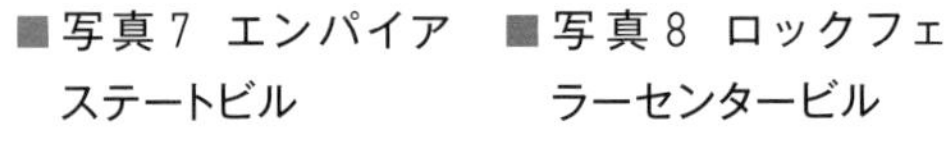

■写真6 クライスラービル

■写真7 エンパイアステートビル

■写真8 ロックフェラーセンタービル

1930年竣工。ニューヨークで最もエレガントな摩天楼といわれる

1931年竣工。多くの映画に登場し、世界中に知れ渡ったビル

1940年竣工。大恐慌時代に建てられた唯一の大型商業ビル

アール・デコは、1910〜1930年頃にアメリカ・ヨーロッパで流行した装飾です。幾何学的なデザインが特徴で、モダンデザインのもととなった様式だよ

ニューヨークの摩天楼

摩天楼は、英語でSkyscraperといい、「空を擦る」を意味する。つまり、超高層ビルを指す。摩天楼では、ミースの設計によるシーグラムビルも有名。

近代の有名建築家

1. ル・コルビュジエ

「住宅は住むための機械である」と唱えたフランスのル・コルビュジエは、近代の建築や住宅のデザインに大きな影響を与えた。20世紀に建てられた住宅の最高傑作のひとつといわれるサヴォア邸は近代建築5原則をもとに設計され、洗練された形で完成した(次頁写真9)。

そのほか代表的な建築物に、集合住宅のユニテ・ダビタシオン(次頁写真10)、ロンシャン礼拝堂(次頁写真11)、スイス学生会館などがある。家具では、シェーズロングが有名である。

近代建築5原則

①ピロティ
②屋上庭園
③自由な平面
④独立骨組みによる水平連続窓
⑤自由な立面

ピロティ

2階以上の建物で、地上部分(通常は1階部分)の全体または一部を柱だけとして外部空間を設けた建築様式。

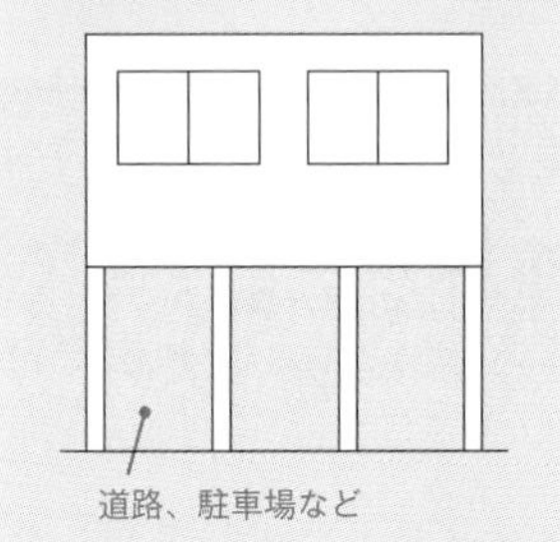

また、建築物の機能向上のため、人体寸法と黄金比を組み合わせてつくった寸法体系モデュロール(→ P.133)の理論を提案し、これをもとに数々の設計をした。

フランク・ロイド・ライトおよびミース・ファン・デル・ローエと共に近代建築の三大巨匠、または、ヴァルター・グロピウスを加えて四大巨匠と位置づけられる。

ミース・ファン・デル・ローエ
→ P.97

ヴァルター・グロピウス
ドイツの建築家。ドイツ工作連盟のベーレンスの弟子。バウハウス初代校長。

■ 写真 9 サヴォア邸

緑の中に立つ白亜の邸宅。1931 年、パリ郊外に建てられたモダニズム建築の建築物。近代建築の 5 原則を見ることができる

■ 写真 10 ユニテ・ダビタシオン

1952 年、マルセイユに建てられた集合住宅。ピロティを用いた代表例

■ 写真 11 ロンシャン礼拝堂

1955 年、ロンシャンに建築。建物というより彫刻を思わせる礼拝堂

2. フランク・ロイド・ライト

20 世紀を代表するアメリカの建築家、フランク・ロイド・ライトは、「有機的建築」の考え方を唱えた。大正時代に来日し、旧帝国ホテル(→ P. 77)を設計したことでも知られる。のちにアメリカではカウフマン邸(落水荘・写真 12)を設計し、建築家・デザイナーに大きな影響を与えた。

有機的建築
自然と調和した形と精神を表した建築、自然と共存する建築のこと。

フランク・ロイド・ライトと同時代に活躍した家具デザイナーとしては、フィンランドのアルバ・アアルトが有名だよ

■ 写真 12 カウフマン邸「落水荘」

1936 年、ピッツバーグ郊外に立てられた邸宅。2 層の床スラブが、滝のある渓流の上に張り出している。自然の中に入って生活するという構想をもとに設計された

5-12 デザイナーズチェア

重要度 ！！！

有名なデザイナーズチェアの紹介。作品名、製作年、デザイナー名、材質、特徴を覚える

No.14 1859年	ウィーンチェア 1872年	アーガイル 1897年	レッドアンドブルーチェア 1918年
ミハエル・トーネット(独)	ゲブルーダー・トーネット(オーストリア)	マッキントッシュ(英)	リートフェルト(オランダ)
曲木(ブナ木)	曲木(ブナ木)	アッシュ材	ビーチ材
パーツ生産(量産化)	パーツ生産(量産化)	アール・ヌーボー、ハイバックチェア	デ・スティル運動の代表作品

ワシリーチェア 1926年	MR チェア 1927年	シェーズ・ロング 1928年	チェスカチェア 1928年
マルセル・ブロイヤー(米)	ミース・ファン・デル・ローエ(独)	ル・コルビュジエ(仏)	マルセル・ブロイヤー(米)
皮革＋スチールパイプ	スチールパイプ	レザー＋ステンレスパイプ	スチールパイプ
鋼管イス	カンティレバー構造	リクライニング	カンティレバー構造

バルセロナチェア 1929年	Eva 1934年	パイミオチェア 1929年	ランディ 1939年
ミース・ファン・デル・ローエ(独)	ブルーノ・マットソン(スウェーデン)	アルバー・アアルト(フィンランド)	ハンス・コレー（スイス）
フラットバー	曲げ木(積層成型技術)、麻ベルト	成形合板	アルミプレス加工
X形に組み合わされた脚部が特徴的	麻ベルト編を座面に使用	モダンデザインを木で表現	スタッキング＋屋外使用

ラウンジアーム 1962年	Y チェア 1950年	スーパーレジェーラ 1957年	ダイヤモンドチェア 1952年
ジョージ・ナカシマ(米)	ハンス・ウェグナー（デンマーク）	ジオ・ポンティ(伊)	ハリー・ベルトイア(米)
木材	ビーチ材	トネリコ＋籐	スチールメッシュ
ハンドクラフト的	ペーパーコード張り	超軽量	シェル構造

公式ハンドブック［上］P.58 ～ 64

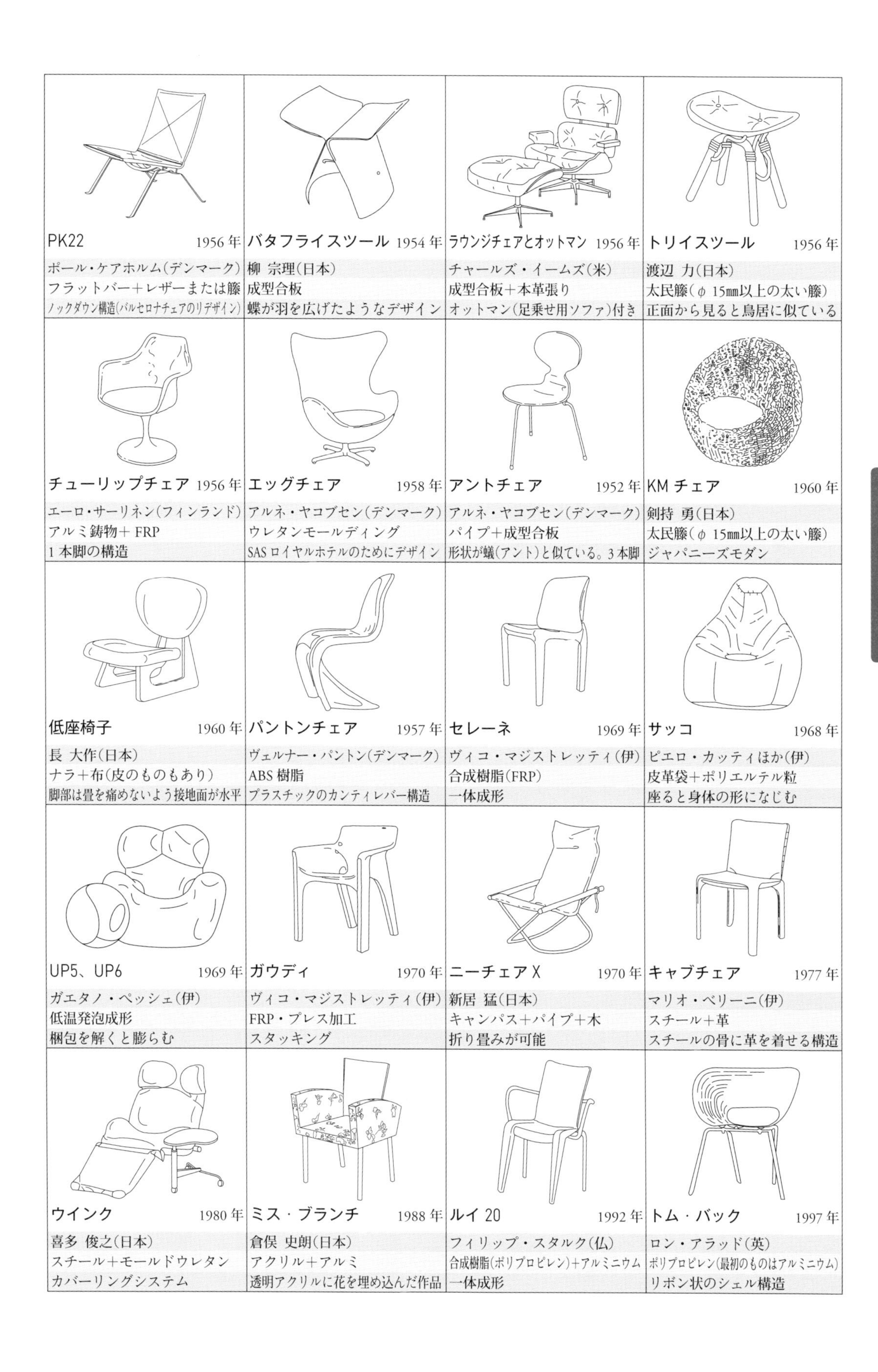

PK22 1956年	バタフライスツール 1954年	ラウンジチェアとオットマン 1956年	トリイスツール 1956年
ポール・ケアホルム(デンマーク)	柳 宗理(日本)	チャールズ・イームズ(米)	渡辺 力(日本)
フラットバー+レザーまたは籐	成型合板	成型合板+本革張り	太民籐(φ 15mm以上の太い籐)
ノックダウン構造(バルセロナチェアのリデザイン)	蝶が羽を広げたようなデザイン	オットマン(足乗せ用ソファ)付き	正面から見ると鳥居に似ている
チューリップチェア 1956年	**エッグチェア** 1958年	**アントチェア** 1952年	**KMチェア** 1960年
エーロ・サーリネン(フィンランド)	アルネ・ヤコブセン(デンマーク)	アルネ・ヤコブセン(デンマーク)	剣持 勇(日本)
アルミ鋳物+FRP	ウレタンモールディング	パイプ+成型合板	太民籐(φ 15mm以上の太い籐)
1本脚の構造	SASロイヤルホテルのためにデザイン	形状が蟻(アント)と似ている。3本脚	ジャパニーズモダン
低座椅子 1960年	**パントンチェア** 1957年	**セレーネ** 1969年	**サッコ** 1968年
長 大作(日本)	ヴェルナー・パントン(デンマーク)	ヴィコ・マジストレッティ(伊)	ピエロ・カッティほか(伊)
ナラ+布(皮のものもあり)	ABS樹脂	合成樹脂(FRP)	皮革袋+ポリエルテル粒
脚部は畳を痛めないよう接地面が水平	プラスチックのカンティレバー構造	一体成形	座ると身体の形になじむ
UP5、UP6 1969年	**ガウディ** 1970年	**ニーチェアX** 1970年	**キャブチェア** 1977年
ガエタノ・ペッシェ(伊)	ヴィコ・マジストレッティ(伊)	新居 猛(日本)	マリオ・ベリーニ(伊)
低温発泡成形	FRP・プレス加工	キャンパス+パイプ+木	スチール+革
梱包を解くと膨らむ	スタッキング	折り畳みが可能	スチールの骨に革を着せる構造
ウインク 1980年	**ミス・ブランチ** 1988年	**ルイ20** 1992年	**トム・バック** 1997年
喜多 俊之(日本)	倉俣 史朗(日本)	フィリップ・スタルク(仏)	ロン・アラッド(英)
スチール+モールドウレタン	アクリル+アルミ	合成樹脂(ポリプロピレン)+アルミニウム	ポリプロピレン(最初のものはアルミニウム)
カバーリングシステム	透明アクリルに花を埋め込んだ作品	一体成形	リボン状のシェル構造

6-1 重要度 !!!

木材の知識

Point

- ☑ 日本の住宅建材で最も使われている木材の基本をおさえる
- ☑ 国産材と北米材を中心に、主な樹種の特徴を覚える
- ☑ 現在では、木は加工されて建材となることが主流である

木材の基礎知識

1. 針葉樹と広葉樹

木は針葉樹と広葉樹に大別される(表1)。

スギ、ヒノキ、マツなどが針葉樹(しんようじゅ)の代表である。しなやかで軽いので軟木(なんぼく)とも呼ばれ、構造材にも多用される。年輪が明瞭という特徴をもつ。

広葉樹の環孔材(かんこうざい)と散孔材(さんこうざい)

広葉樹は、木目の見え方により、2つに分類される。環孔材は木目が明瞭なケヤキ、ナラ、キリなど。散孔材は木目が均質なブナ、サクラ、シナなどがある。

■表1 主な建築用材の特徴

分類		樹種	見分け方	備考
国産材	針葉樹	スギ	心材は赤味を帯び、早・晩材の差が著しい。特有のにおいがある	国産針葉樹の代表的樹種である。吉野スギ、北山スギ、秋田スギが有名
		ヒノキ	強い芳香がある	建築用材として最も優れた木材のひとつである。強度・保存性が優れ、耐水・耐湿度がある。表面に特有の光沢がある
		ヒバ	特有のにおいがある	アスナロのことで、アテとも呼ばれる。保存性大で、風呂桶、漆器、土台や根太に使用される
		カラマツ	早・晩材の差が著しい。樹脂導をもつがマツ属に比べて小さい	乾燥にともなって割れや狂いが出やすく、髄心から半径10cmくらいはこの傾向が強い。ヤニが出やすい
		ツガ		ツガでつくった家は鼠害を受けないといわれている
		アカマツ	樹脂導をもつ縦断面で、樹脂導がヤニ状に見られる	未乾燥材はヤニがしみ出ることが多い。青変菌の害、白蟻の害を受けやすい。水中にある場合は保存性が高く杭材として用いられる
	広葉樹	ナラ	環孔材で年輪は明らか	柾目面には虎斑と呼ばれる模様が現れ、化粧的な価値が高い
		ブナ	散孔材で放射組織が大きい	柾目面には虎斑と呼ばれる模様が現れ、化粧的な価値が高い。生材は虫害・腐朽を受けやすい
		ケヤキ	環孔材で年輪は極めて明らか。如輪杢・玉杢・鶉杢・牡丹杢等を呈する	保存性・強度が優れているため構造材として、また材面の美しさから造作材として使用される
外国産材	針葉樹	ベイヒ	強い芳香がある	材質はヒノキより劣るが長大径材が得られ、ヒノキの代替材とされる
		ベイマツ	晩材幅が広く、樹脂導をもつ	日本における米材の代表的なもので、大材が得られる
		ベイツガ	材色は淡色であるが特徴的である	比較的狂いが少ないが、クギ打ちの際割れやすい。入皮が多く、あて材の出現が多い
		スプルース	縦断面で樹脂導がヤニ状に見られる	アラスカヒノキと称されているが、ヒノキ属ではなく"ベイトウヒ"と称する
	広葉樹	レッドラワン類	材質はやや重硬で、木理は交錯する	一般には、ラワン類の中で濃色系のものを指す場合が多い。一般に淡色のものより高く評価されている
		チーク	材面上に蝋状の感触があり、特有のにおいがある	産地によって差はあるが、材は金褐色～濃褐色を示し、しばしば縞をもつ。寸法に狂いがなく、加工・仕上げが良好

公式ハンドブック[上]P.166～168、[下]P.12～18

北米材の多くも針葉樹にあたる。

広葉樹には、ブナ、クリなど雑木林を構成する落葉樹が多い。キリ以外は堅い木が多いので堅木(硬木)と呼ばれる。家具や床材などに多用される。ケヤキは、神社仏閣などによく利用されている。

2. 木材の各部名称

(1)年輪

木の断面(木口)に見られる輪のような模様を年輪と呼ぶ。白く軟らかい部分は成長の早い春先にできた部分で、早材(春材)、また、色が濃く堅い線状の部分は、ゆっくり成長した部分で、晩材(夏材、秋材)という(図1)。

(2)元口と末口

丸太は、根のほうを元(元口)、枝のほうを末(末口)という。丸太の太さは、細い部分の直径を測って「末口 120 φ」というように表現する。

(3)柾目と板目

丸太を四角く切断したときに見える線を木目という。切る部分によって柾目と板目と呼ばれる(図2)。

■ 図1 年輪の構成

随 木部 樹皮 心材 辺材 外樹皮 内樹皮 年輪 成長輪 早材 晩材

■ 図2 柾目と板目

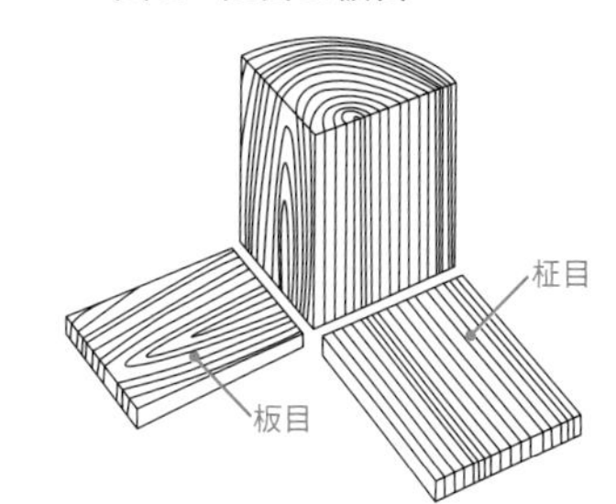

(4)木表と木裏

木の外側を木表、中心側を木裏という(図3)。板材や角材にすると、水分が抜けて木表側に反る。乾燥した場合の歪み方などを見極めるのに役立つ。

(5)心材と辺材

スギなどの丸太の横断面において、赤い中心部分を心材(赤身)、外側の白い部分を辺材(白太)という(図3)。心材の方が水分が少ないため狂いが少なく、耐久性も良い。

(6)生節と死節

枝の根元部分が木材に現れたものを節という。節のない木材を無節、木材の強度等に影響ないものは生節、丸く抜けてしまうものは死節と呼ぶ(図4)。

■ 図3 木表と木裏、心材と辺材

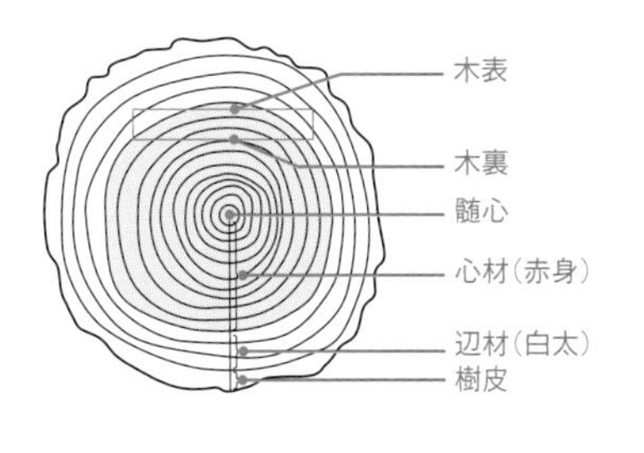

■ 図4 生節と死節

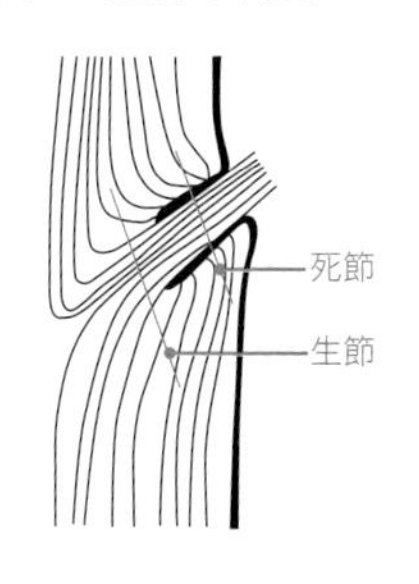

6 建築構造の基礎知識

3. 木材の収縮

木に含まれる水分量を含水率という。これにより木材の収縮による歪みの度合いが異なるため、重要な指標である。

木に含まれる水分は、細胞内の結合水と、細胞間の自由水に分けられる。木材を乾燥させると、自由水が蒸発してから、次に結合水が減少する。それ以上乾燥が進まなくなる状態のときを平衡含水率という。一般的に15％程度といわれ、これを気乾状態という（図5）。収縮による歪みが比較的小さいので、建築材として利用できる基準とされている。

■図5 木材の水分状態

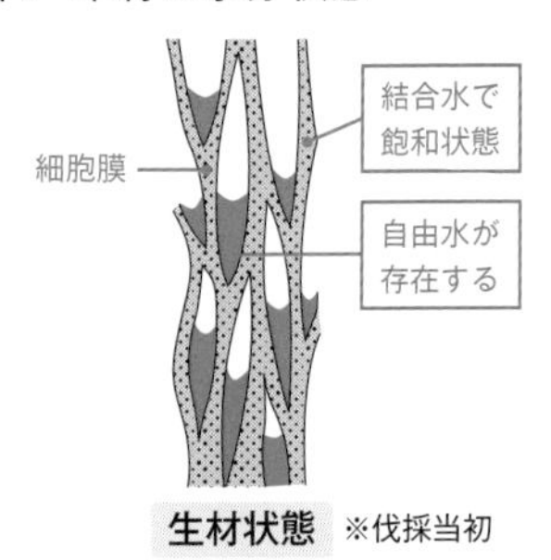

生材状態 ※伐採当初

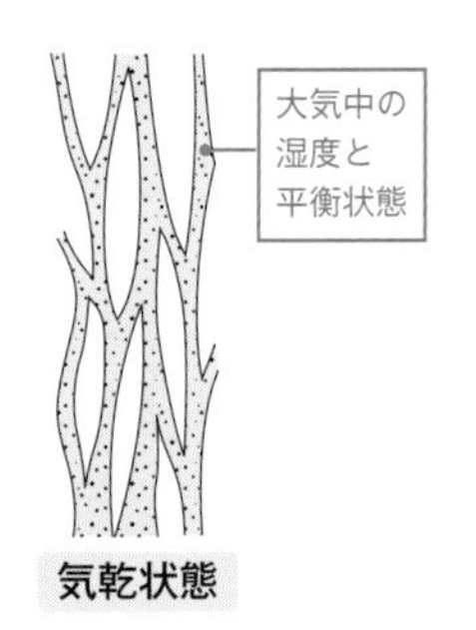

気乾状態

4. 木材の変形や腐朽

乾燥後も、木材はある程度水分によって変形する。特に、年輪に沿った方向への収縮が大きい（図6）。

無垢材の柱を和室などに使う際は、収縮による割れが生じないように、背割りを入れる（図7）。

また、じめじめした日本の気候では、腐朽と蟻害などの対策が必要である（表2）。

■図6 乾燥による木材の変形

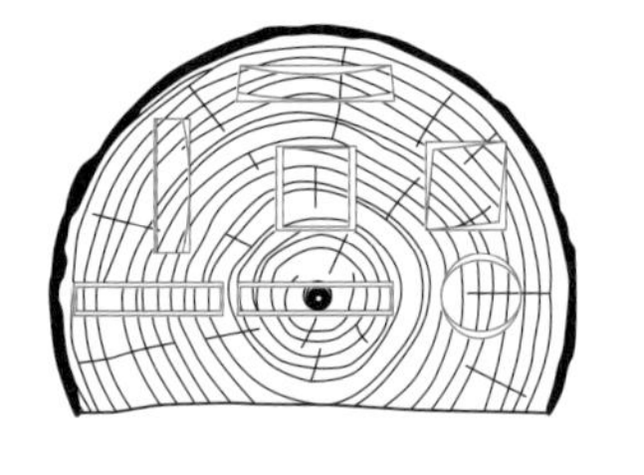

■図7 背割り

背割り部分に収縮割れが集中し、ほかの部分には割れが生じなくなる

■表2 耐朽性・耐蟻性のレベル（心材）

	レベル	主な樹種名
耐朽性	極大	チーク
	大	ヒノキ、ヒバ、ケヤキ、クリ、ベイヒ
	中	スギ、カラマツ、ベイマツ
	小	アカマツ、ブナ、ベイツガ、レッドラワン
	極小	トドマツ、スプルース、アガチス
耐蟻性	大	ヒバ
	中	ヒノキ、スギ、ツガ、ベイヒ、クリ、ケヤキ
	小	熱帯産材を除くすべての辺材

すいつき桟

無垢のテーブルやイスでは、乾燥による収縮で変形するのを極力避けるため、乾燥に加え、物理的に変形を止める「すいつき桟」といった部材が使われる。

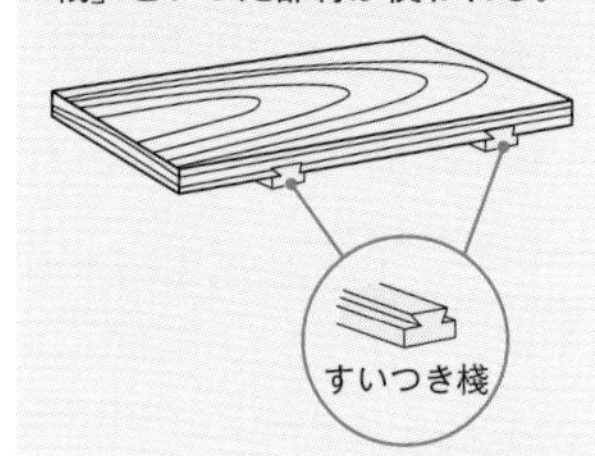

木は重さの割には強度があるんだ。重さに対する強度を比強度といって、引っ張りでは、鉄の2～4倍程度の強度があるよ

防菌・防蟻に効く成分

抗菌や防蟻などに役立つヒノキチオールは、日本のヒノキにはあまり含まれていない。ヒバのほうが多く含んでおり、ヒノキより耐蟻性が高い。

木質系パネルの種類

1. 合板

■ 図 8　合板

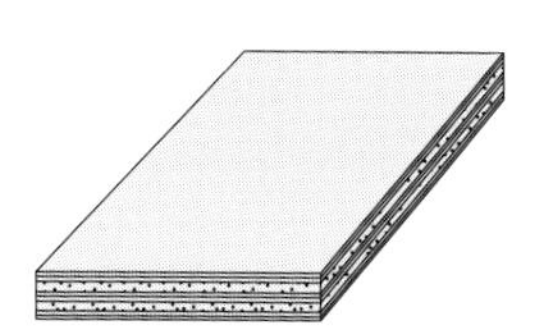

丸太を薄く剥いだ単板（ベニヤ）の奇数枚を木目が直交するように重ねて接着した板材を合板という（図 8）。

幅の広い板材がつくれるので、活用範囲は広く、現代の木造建築においては、最も重要な建材である。

2. 集成材

集成材とは、挽き板（ラミナ）や小角材を接着した木質材のことをいう（図 9）。建築の構造材や、美観を目的に表面に美しい突き板を貼った化粧用集成材が代表的である（図 10）。このほか、木の風合いを楽しむ目的で表面を加工せずに繋ぎ目そのままで使われるものもあり、家具やカウンターさまざまな用途の材料となっている。

■ 図 9　表面加工なしの化粧用集成材

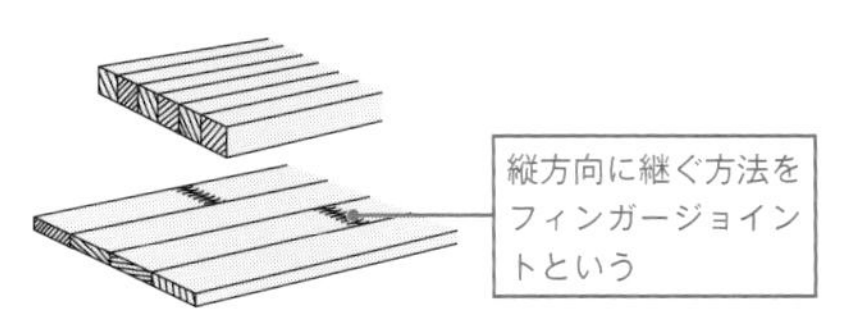

■ 図 10　表面加工した化粧用集成材

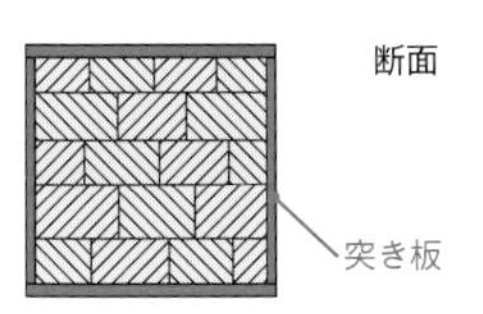

なお、一般的に木材は火に弱いといわれているが、大きな木材は表面が燃えて炭状になるとそれ以上は燃えないので、大きな断面の集成材は防火性能が高いといえる。そこで、構造計算で割り出された部材の大きさに、火災時に燃えて炭化する分を加えておくと、木材を防火材で覆わなくても火災に安全が保たれる。これにより、木材の梁などを見せた内装も可能となる（図 11）。

■ 図 11　集成材 30 分燃焼後の炭化厚

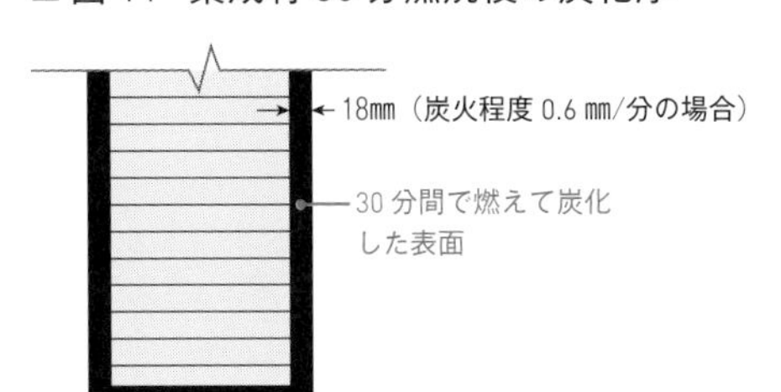

火災時に炭化する速度が 0.6mm / 分の場合、30 分燃焼すると表面が 18mm炭化する。そこで、構造計算で割り出された部材の大きさに 18mmを加えておくと、火災のときの安全性が高くなる

ベニヤ板

合板を構成する厚さ 2mm程度までの単板が主である。合板はプライウッド（Plywood）と呼ばれる。

突き板

単板とほぼ同じ言葉で使われるが、特に表面の美しい木をいうことが多い。

挽き板（ラミナ）

鋸の歯で切った状態の板で、単板よりも厚めの板。

フィンガージョイント

集成材などをつくるときの接合方法。指を組み合わせるように木を継ぐので接着力が強い。家具も含めよく使われる。

美しい柱も、内部は集成材ということもあるよ。集成材表面に突き板という美しい木材を接着して使うことが多いよ

3. その他の木質系パネル

木材は、集成材のほかにも、さまざまな加工を施して建材として利用されている。以下、代表的なものを解説する。

(1)パーティクルボード

木を製材するときに出る小片(チップ)を接着剤と合わせて加工した板材をパーティクルボードという。家具などの表面材の芯となる材(基材)として使われることが多い。接着剤を使っているので、合板などと同様にシックハウスの対象となる。

(2)ファイバーボード

木を繊維状(ファイバー)にして成形熱圧した板材をファイバーボードという。断熱性のあるインシュレーションボードや硬く成形したハードボード、家具の基材としてよく使われるMDFなどがある。

(3) LVL、OSB、PSL、WB

LVL、OSB、PSL、WBは、2×4住宅の普及とともに日本でも使われるようになってきた木質建材である。LVLは、単板を同じ繊維方向に重ねたもので、梁などに使われている(図12)。OSBは合板の代わりとなる板材で、ストランドと呼ばれる細長い木片を重ねて板状にしたものである。PSLは、ストランドを繊維方向を同じにして、角片を接着剤で固めた強度の高い建材である(図13)。WBは、薄い板片を不規則に重ねて板状にしたもので、壁下地、床下地などに使われている。

■図12 LVLと合板の複合梁

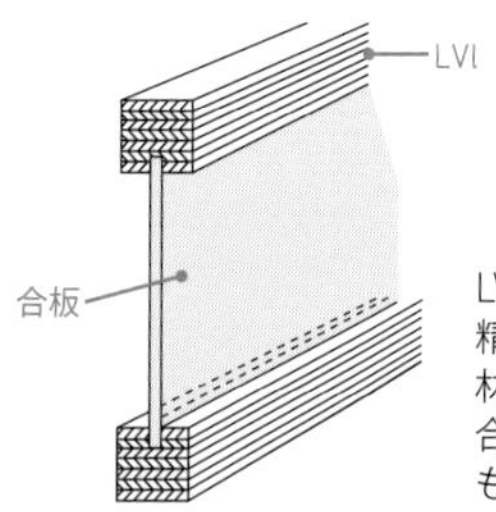

LVLは強度が高く、寸法精度に優れるため、構造材に適している。この複合梁を、木質系I型梁ともいう

■図13 PSL

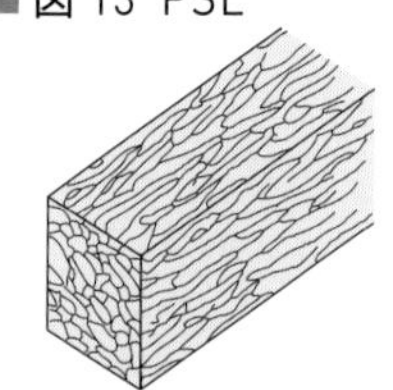

PSLは強度的に安定しており、構造材として柱や梁に使われている

(4)木毛セメント板、木片セメント板

木材を長さ100～300㎜のリボン状に切削してセメントと混ぜ、板状に圧縮成型した板を木毛セメント板という。同様に短い木片をセメントと混ぜ、圧縮成型したボードを木片セメント板という。厚みにより、建築基準法で準不燃材料に指定されている。木毛セメント板は断熱や吸音性もある。

木材の規格

無垢材、合板、集成材など木の原形をとどめている建材の規格はJAS、パーティクルボード、ファイバーボードなどのように木の原形をとどめない加工を施した物の規格はJISによって定められている。

MDF

medium-density fiberboard。

中密度繊維板ともいい、木質繊維を原料とする成型板のひとつ。

LVL

Laminated Veneer Lumber

単板積層材ともいい、単板を原料とする成型版のひとつ。

OSB

Oriented Strand Board

配向性ボードともいい、細長い削り片を原料とする成型版のひとつ。

PSL

Parallel Strand Lumber

パララムともいい、ひも状の木片を原料とする成型版のひとつ。

WB

Waferboard

ウェハーボードともいい、削り片を原料とする成型版のひとつ。

さまざまな木質系パネルはP.332の「家具の材料」でも解説してるよ。併せて学ぶといいね

6-2 重要度 ！！！

木造住宅のつくり

Point

- ☑ 日本の戸建住宅の多くは在来軸組構法と、2×4工法でつくられている
- ☑ 耐震には筋かいや金物が役立っている
- ☑ 2×4工法は使われる木材のサイズからきた名称

建築構造とは

建物の骨組みを建築構造という。柱、梁を骨組みとするものを架構式構造といい、木造や鉄骨造がこれにあたる。また、鉄筋コンクリート構造(RC造)のようにコンクリートなどで建物を一体化する一体型構造という。そのほか、石やレンガを積み上げる組積式構造、特有の板で組み立てるパネル式構造などもある。

なお日本における木造は、在来軸組構法と2×4工法が主流であり、工場でつくる壁パネルを現場で組み立てるパネル工法、山小屋のような丸太工法、集成材を使った工法などもある。以下より、主な構造のつくり方(工法)や性能の特徴を解説する。

構造の4つの力

建築の構造には、圧縮、引っ張り、曲げ、せん断という4つの力が作用する。曲げは木の枝を折るときの力、せん断は紙などを裁断する力をイメージするとよい。

在来軸組構法

1. 在来軸組構法の特徴

在来軸組構法とは、日本の伝統的な構法で、木材の柱や梁などを軸として組み上げるつくり方である。また、柱と梁の継ぎ目が剛節点にはならないため、柱と柱の間に斜めに入れる筋交いで建物を補強する。これは、構造上に三角形をつくり、地震や風などの横からの力に強い建物とする方法である。そのほか、主な部位・部材の解説は次頁図1の通りである。

部材と部材の接合

軸を組む節点は、人の関節のような形式のピン接合と、接合部分を動かないようにしっかりと固めた剛接合がある。

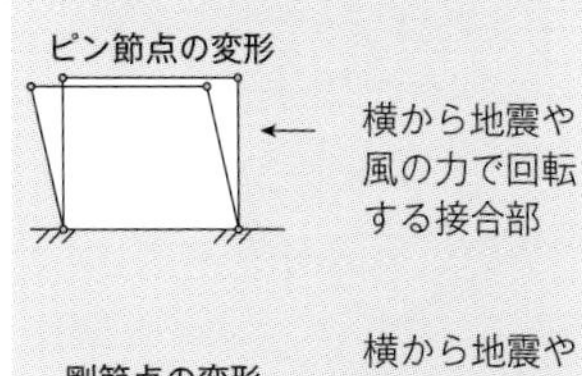

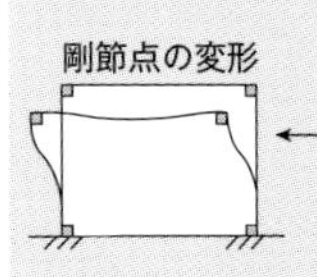

横から地震や風の力が加わっても接合部の形は変化しない

公式ハンドブック［下］P.2～12

■図1 日本の木造軸組構法の構成

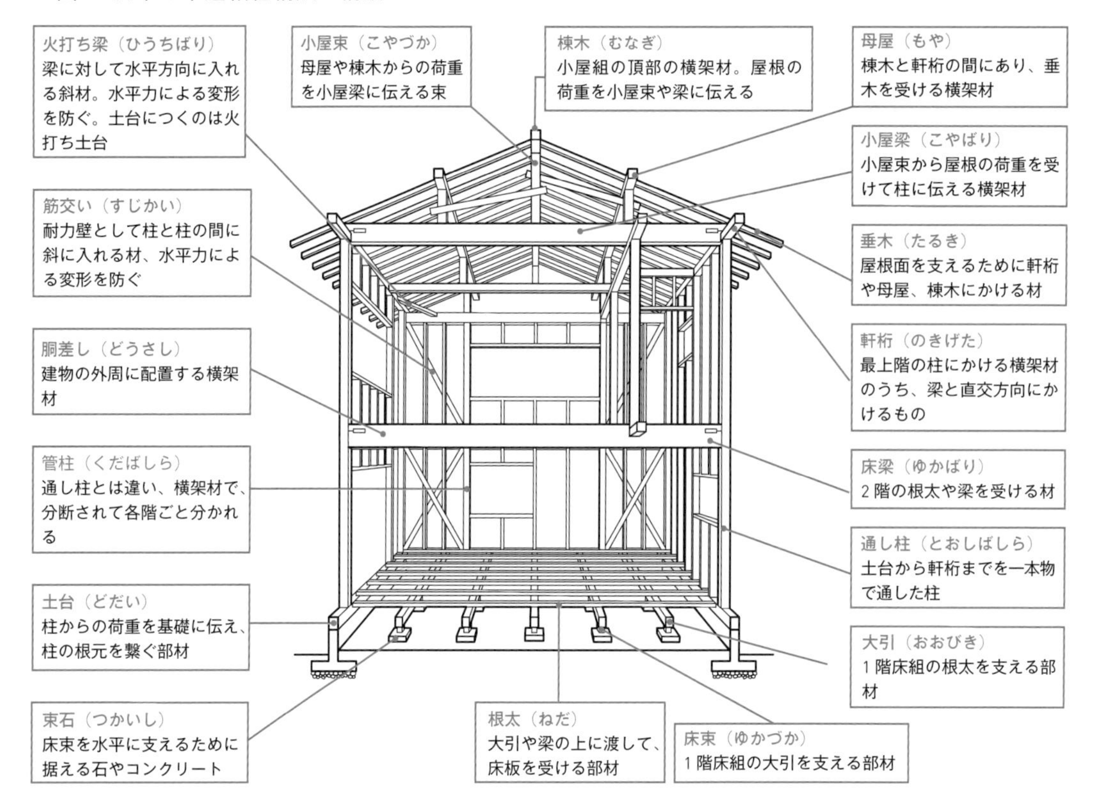

2. 基礎と地業

木造の基礎としては、壁の下を連続して支える布基礎が一般的である。底面に逆T字型の基礎部分（フーチング）を組み込むことで、地面に伝わる荷重を分散させている（図2）。また、建物全体を鉄筋コンクリート床板で支えるベタ基礎もある。

■図2 布基礎のしくみ

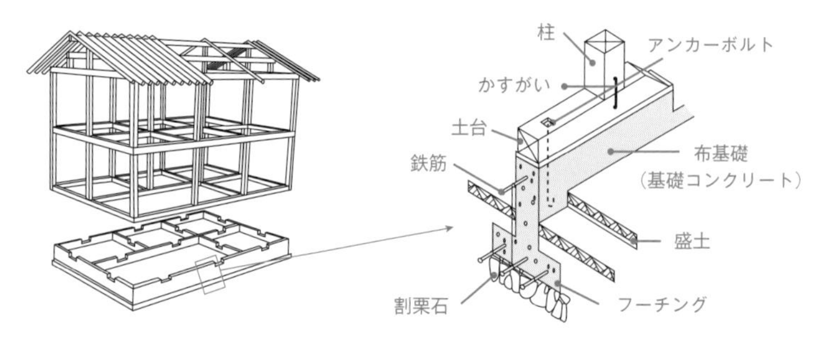

基礎を支えるために、石などを突き固める補強工事を地業という。割ぐり石を縦方向に立てて突き固める割ぐり地業や、砂利を突き固める砂利地業がある。液状化などの危険がある所や、軟らかい地盤

水平力
地震力や風圧力のように、水平方向に作用する荷重。水平荷重ともいう。

基礎
建築物の荷重を地盤に伝える下部構造の総称。

地業
基礎が接する地盤を整備する工事の総称。

では、地盤自体をさらに補強する必要がある。

湿気の多い日本では、布基礎などで建物周りを囲むとき、腐朽対策や防虫のために、基礎部分(床下)に換気口を設けることになっている。

3. 軸組の部材

(1)土台、柱、梁

基礎に土台をアンカーボルトで固定した上に柱を立て、梁を取り付ける。これら屋根や床を支える骨組みを軸組みという。柱は、1階から2階まで通じる通し柱(とおしばしら)と、各階ごとに胴差(どうさ)しや梁で区切られる管柱(くだばしら)がある。管柱は主に105mm角(3.5寸角)、通し柱は120mm角(4寸角)の最小径が必要である。梁は支える柱と柱の距離(スパン)が長いとたわみが出るため、梁の高さ寸法(梁せい)を大きくして強度を増す必要がある。

(2)筋交い

筋交いとは、土台、柱、梁による四角い構造に設ける斜材である。横から加わる力で壊れないよう補強する役割を担っている(図3)。木造住宅の耐震に大切な部材である。

■図3 筋交いの引張りと圧縮

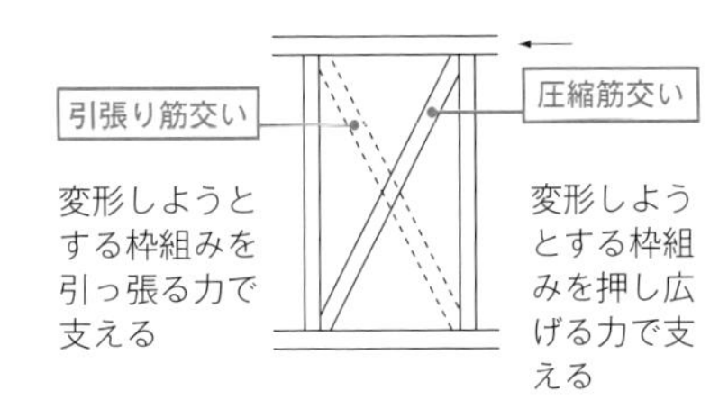

4. 軸組に支持される部材

(1)床組

木造の1階の床では、地面に置いた束石(つかいし)に床束(ゆかづか)を立て、その上に大引(おおびき)や根太(ねだ)をかけ、さらにフローリングなどを張って仕上げる束立て床が基本である(図4)。2階以上の場合は、梁の上にかけた根太の上に床材を張る。

マンションなどではコンクリート床板の上に木材で床を設ける場合が多く、床束を設けない転ばし床として床組みの高さを抑える(図5)。

■図4 束立て床

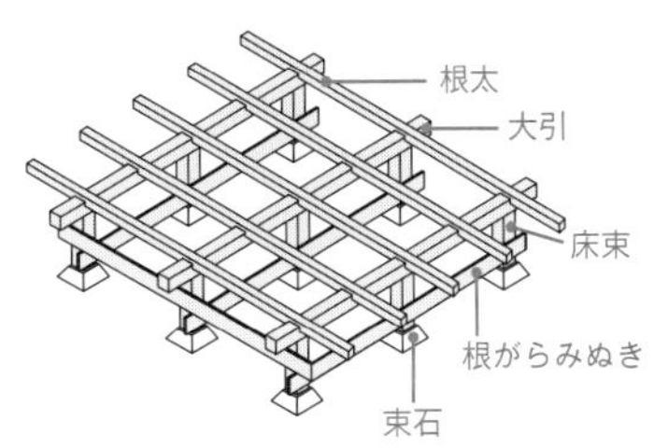

■図5 転ばし床

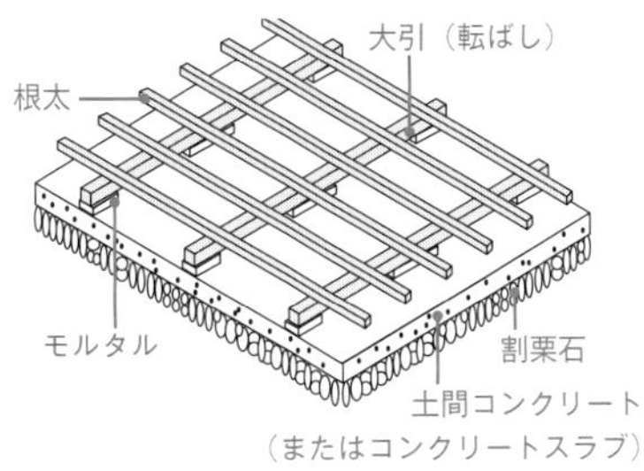

構造と柱

2階建て以上の木造建築の柱で上下階を通して用いる柱は通し柱、途中で桁や胴差しなどで中断されている柱を管柱という。柱と柱の中間に立てて壁下地材の取付けに用いる小柱は間柱という。

開口不要の基礎

基礎と土台の間に樹脂などを挟んで2～3cm浮かせ、床下の湿気を防ぐ工法、「ネコ土台」もある。

スパン

梁などの支点と支点の間の距離。

たわみ

たとえば棒状の物に人が乗ると、下に下がる。これを、たわみという。床などが人の荷重でたわむと危険なので、構造基準で限度が決められている。

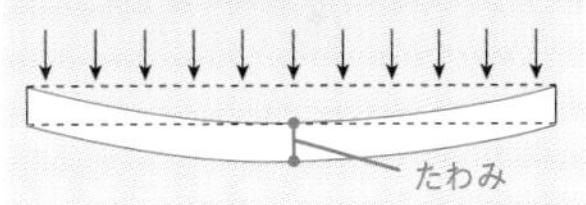

コンクリートスラブなどの上に直接床板などを張った床を直床、根太の上に床板などを張った床を根太床というよ

(2)屋根

軸組みの屋根の構造を小屋組みという。また、梁の上に束を立て屋根を乗せるようにした和小屋と、三角形で構成される洋小屋がある。木造の屋根は勾配をつけることを基本とし、形状はさまざまである(図6)。屋根は、小屋組みの頂部にある棟木と下方にある軒桁、母屋を、垂木で結ぶ構造となっている(前々頁 図1)。

■ 図6 屋根の形状

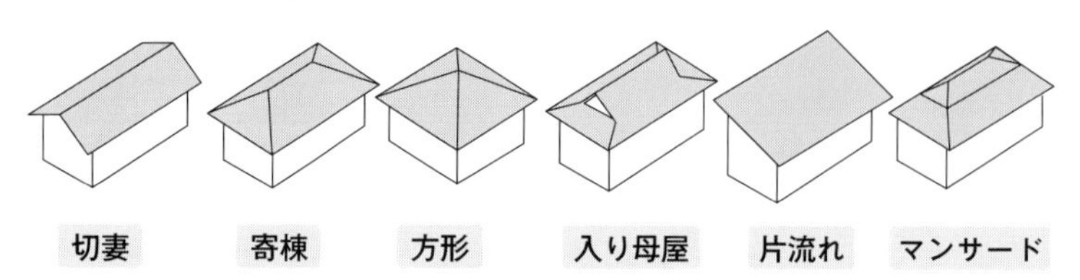

5. 接合の種類と接合金物

木造において、接合部は構造上の強度を決定づける重要な要素である。多くの場合、接合金物が用いられている(図7)。日本の伝統的な繋ぎ方は現代の建築にはあまり用いられなくなってきているが、構造上よく考えられているので利用価値は高い。木造の接合で、部材同士を長手方向に接合するものを継手、角度をもたせて接合するものを仕口という(図8)。

■ 図7 接合金物の種類

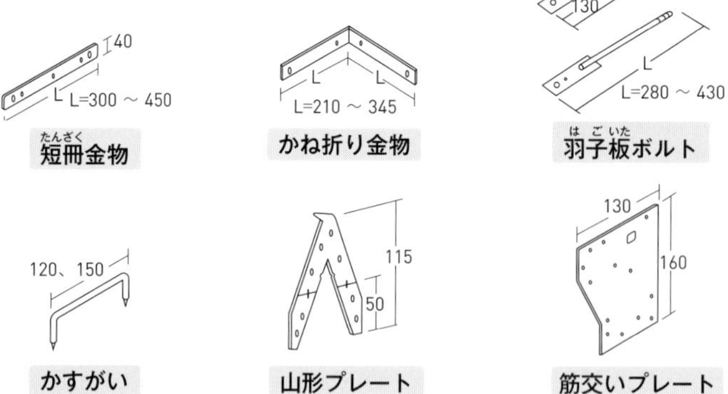

■ 図8 伝統的な接合の種類

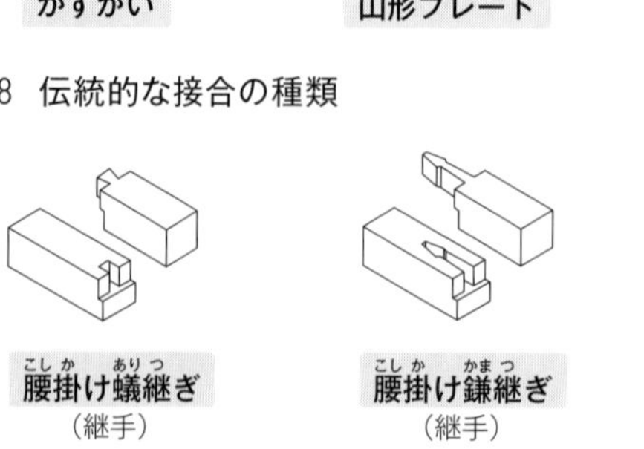

渡り腮
(仕口)

かすがいからホールダウン金物へ

「子はかすがい」ということわざの「かすがい」とは、もともと木と木を繋ぎ留める金物をいう。大きな地震では破損することがわかり、現在ではホールダウン金物などが使われている。

短冊金物
管柱の緊結などに使用する補強金物。

かね折り金物
通し柱と梁など、構造耐力上重要な部分の接合に使用する接合金物。

羽子板ボルト
仕口が抜けないように木材を連結する羽子板の形をしたボルト。

かすがい
柱と横架材などの緊結に使用するコの字形などの接合金物。

山形プレート
柱と横架材などの接合部に用いるV字形の構造金物。

筋交いプレート
木製筋交いと柱、横架材の取付けに使用する接合金物。

2×4工法

1. 2×4工法の特徴

2×4(ツーバイフォー)工法とは、柱や梁による軸組とは異なり、壁でもたせるしくみである(図9)。木材切り出し断面が2×4インチの部材でつくった枠に合板を張って壁パネルをつくり、それを組み立てる(図10)。正式には枠組壁工法という。

アメリカやカナダの伝統工法であったが、明治以降に日本に導入されて以来、一般的に用いられている。

■図9　2×4工法

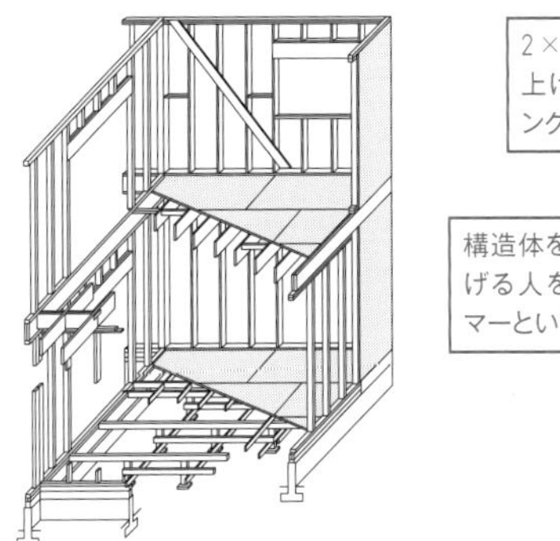

■図10　2×4工法の組立て方

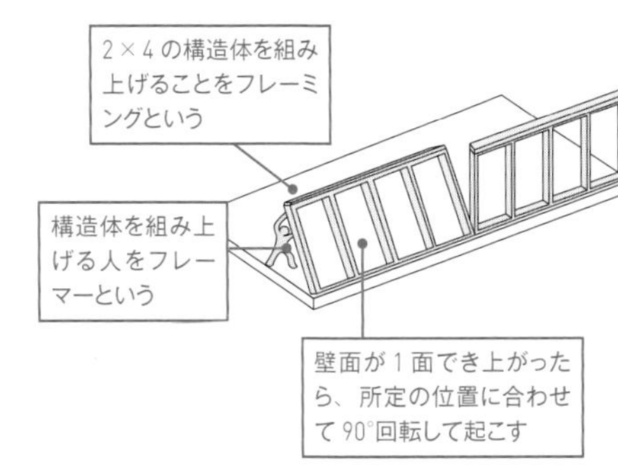

2×4工法では、バルーン工法という土台から2階にまで通した柱に、床、壁を取り付けていく工法があったが、大きな部材の運搬や工事の手間などの合理化のため、現在では各階ごとに区切り、1階の床の上に壁を立て、その上に2階の床(プラットフォーム)を置くというプラットフォーム工法になっている。

2×4工法の由来

2×4工法は、使用する木の断面寸法が2×4インチ(50.8㎜×101.6㎜)であることから名付けられた。しかし、部材は収縮するので、実際の寸法は38㎜×89㎜程度である。

2×4工法で使用する金物

2×4工法では垂木を緊結するハリケーンタイやクギなどの専用金物を多く使用する。特にクギが重要なポイントとなり、取付け位置・用途、種類に厳密なルールがある。

2. 2×4工法の部材

2×4工法は、枠材と合板とクギが命であり、すべてに基準が定められている。

合板は、構造の部位や耐力によって、打つクギやその間隔も指定がある(図11)。また、梁にあたる枠材などには、2×10などの大寸法の部材やLVLを使った専用の部材が使われる。

■図11　2×4工法の壁枠組、合板の張り方

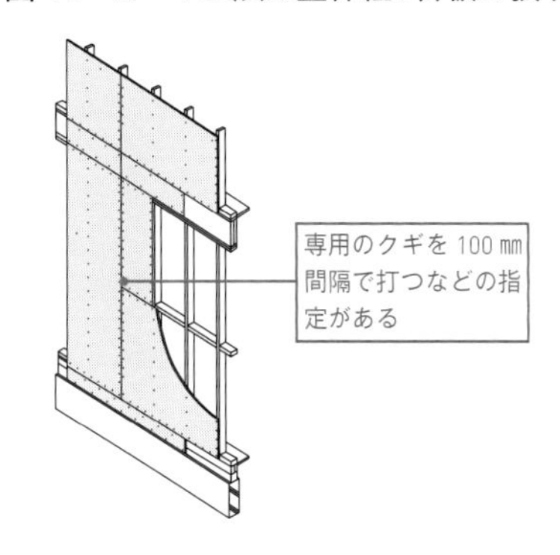

6-3 鉄筋コンクリート造（RC造）

重要度 ! ! !

Point

- ☑ マンションなどの中高層建築は鉄筋コンクリート造で建てられている
- ☑ 鉄筋コンクリート造は、大きな柱と梁が室内に現れる
- ☑ 仕上げに関わるコンクリートの基本的な知識をおさえる

鉄筋コンクリート造のしくみ

1. 鉄筋コンクリート造の特徴

鉄筋コンクリート造（以下RC造）は、骨組みとなる鉄筋の周りをコンクリートで固めて柱、壁、梁の躯体をつくる（表1）。引張力に強い鉄筋と圧縮力に強いコンクリートの各性質を生かしたものである。アルカリ性のコンクリートで鉄筋を覆うことで、鉄筋の酸化による錆びを防ぐ。また、施工前のコンクリートはジェル状なので、曲面など自由な形をつくれるという長所もある。一方で、建物の重量が大きい点や、コンクリートの硬化に時間がかかるため工事期間が長くなる点が短所。双方は熱膨張率に差がないため固めても剥離しないが、現場でコンクリートを固めるため、仕上がりが一定になりにくい。

■表1　RC造の工事の手順

①鉄筋工事	配筋工事（鉄筋を組み立てる）
②型枠工事	コンクリート型枠用合板を組み立てる
③コンクリート工事	コンクリートを打設する（型枠に流し込む）
④養生	コンクリートが固まる時間をおく

2. ラーメン構造

RC造は中高層の建物に適している。なかでも、大きな柱と梁で構成するラーメン構造が主流である（次頁図1）。柱と梁は、コンクリートで一体化させる剛接合という接合方法でつくられる。耐力壁でさらに補強することもある。

RC造
Reinforced Concrete。「補強されたコンクリート」の略。鉄筋による補強が一般的。RC造はそのほか、柱の代わりに壁で構成する壁式構造（次頁図2）、大きな空間に使われるシェル構造などがある。耐火性、耐久性、遮音性に優れている。

木材に比べて、コンクリートは熱容量が大きいよ。つまり温まりにくく冷めにくい。蓄熱量が大きいということだね！

耐力壁・耐震性
地震に耐えるよう丈夫にした壁。柱と梁で成り立つラーメン構造でも壁を付加することでより丈夫になる。

公式ハンドブック［下］P.21～27

■ 図 1　ラーメン構造

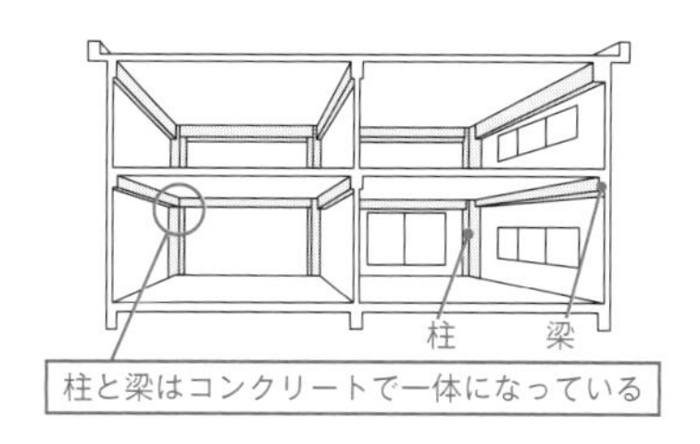

■ 図 2　壁式構造

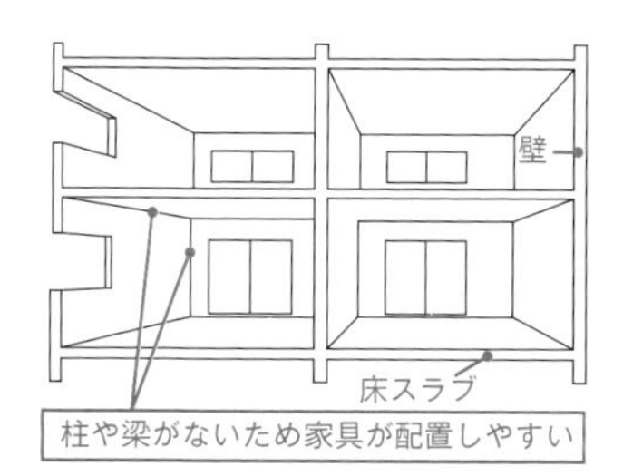

ラーメン構造

柱と梁がしっかり固定され一体型になった門型の軸組で建物を支える構造。柱と梁の断面がほかの構造より大きいのが特徴。ラーメンとはドイツ語で「額縁」のこと。

3. コンクリート

一般的なRC造では、ポルトランドセメントが用いられる。これは、石灰石などを主成分とする粉末である。水や砂、砂利といった骨材（こつざい）を混ぜてコンクリートとする（表 2）。

コンクリートは、水とセメントの配合率によって強度が決まる。これを水セメント比といい、水分が少なくセメントが多いほうが強度は高い。少ない水で打設しやすいコンクリートにするためには、AE減水剤などの混和（こんわ）材料を入れる。

■ 表 2　セメントと骨材の関係

セメントペースト	セメント＋水
モルタル	セメント＋水＋砂（細骨材）
コンクリート	セメント＋水＋砂（細骨材）＋砂利（粗骨材）

骨材

コンクリート、モルタルの材料として用いる砂・砂利の総称。コンクリート体積の7割を占める。

型枠

コンクリートを流し込むための雌型。合板（コンパネ）に木枠で補強したもの。

4. 鉄筋と配筋

コンクリートの打設前に、鉄筋を雌型となる型枠内に組み上げることを配筋（はいきん）といい、いくつか大切なルールがある。鉄筋をコンクリートで守るためのかぶり厚さ、打設時に鉄筋の間をコンクリートが満遍なく廻るようにするためのあき、鉄筋の端部をコンクリートに接合（埋込む）するための定着長さの確保である（図 3）。また、RC造で用いられる鉄筋は、表面にコンクリートが定着しやすい突起がある異形鉄筋（いけいてっきん）が主である（図 4）。

■ 図 3　かぶり厚さとあき（柱）

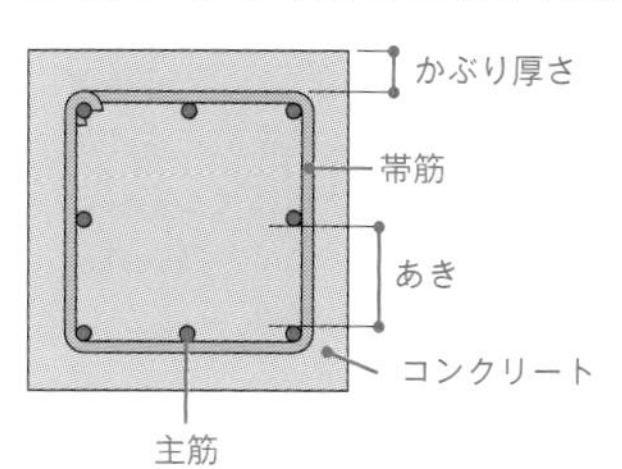

■ 図 4　異形鉄筋

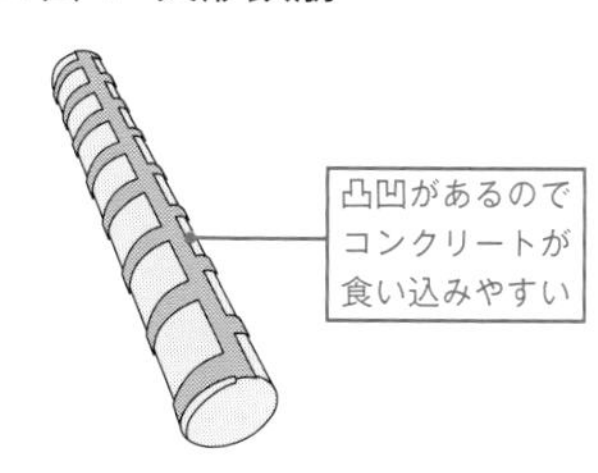

施工不良に注意

ジャンカ

締固め不足やセメントと砂利の分離などにより、表面に巣を食ったようになること。大きなものは構造に影響する。鉄筋のあきや打設の良し悪しが重要。

コールドジョイント

コンクリートの打継ぎ時間を空けすぎて打設した結果、打ち継いだ部分に不連続な面が生じること。

6-4 重要度 ! ! !

鉄骨造（S造）

Point

- ☑ 鉄骨構造は低層から超高層建築まで広く用いられている
- ☑ 多くは耐火被覆や仕上げが施される
- ☑ 鉄骨は火には弱いので注意が必要

鉄骨造のしくみ

1. 鉄骨造の特徴

鉄骨造は正式には鋼構造（以下S造）という（図1）。RC造に比べて軽量だが、強度と靭性（粘り強さ）に優れているので、超高層ビルや橋などの大きな建造物にも対応できる。主な部材であるH形鋼などは、工場で生産されるので信頼度が高い。またリサイクルもできるといった利点がある。

■図1 S造の構造

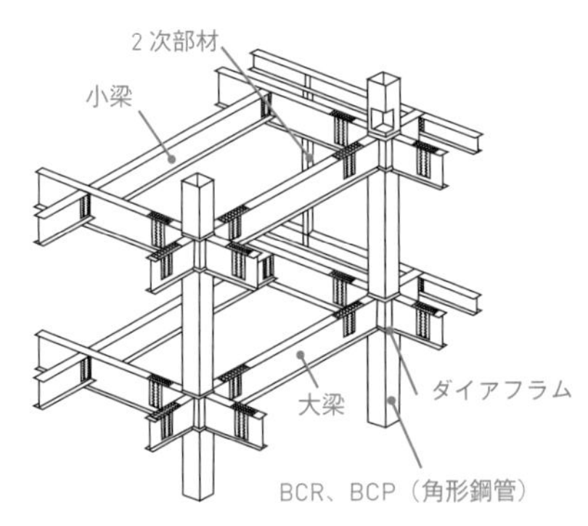

一方、鉄は不燃材だが、500℃以上になると強度が常温のときの半分になるため、耐火対策が必要である。また、防錆処理も必要である。

構造形式は主にラーメン構造やトラス構造がある。鉄骨構造も基本的には軸組構造なので、木造で使う筋かいにあたるブレースを使うことが多い。

2. 鉄骨造に使われる鋼材

S造の主な構造材である鋼材は、強度が高く靭性に優れているため、加工がしやすく品質が安定している。一方、錆の発生を抑えるために防錆塗装を施す必要がある。

公式ハンドブック［下］P.18～21

S造

鉄骨造は主要構造部に鋼材を用いるので、steel（鋼鉄）を略してS造と呼ばれる。

トラス構造

部材を三角形に組むことで安定性を出す構造。軽くて丈夫な形をつくることができる。繋ぎ目は剛でなくてもよい。大空間の屋根や橋の構造としてよく用いられる。

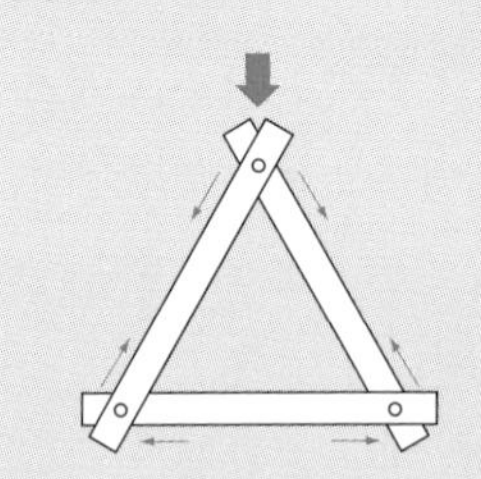

鉄と鋼

鉄は炭素を加えて鋼にすることで、構造体や鉄製品として用いられる。一般的には、鋼も鉄と呼ばれることが多い。

構造に使われる肉厚の部材は形鋼という（図2）。厚さ3㎜程度の板材を曲げたものは軽量形鋼（軽量鉄骨）といい、簡易的な構造や下地などに使われる。

そのほか、階段の床板に使われる縞鋼板などの鋼板、鋼板を折り曲げて床の下地などに使うデッキプレートやチェッカープレート、柱や手摺などに使う丸い鋼管などがある。

また、屋根材や建具に使われる表面処理鋼板、左官下地などに使われるワイヤラスなども鋼材の一種である。

■ 図2 主な形鋼の種類

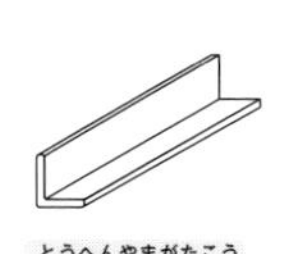

等辺山形鋼（アングル）

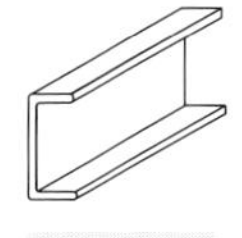

みぞ形鋼（チャンネル）

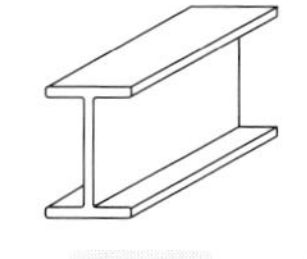

H形鋼

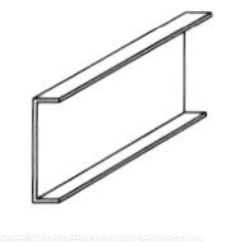

軽みぞ形鋼

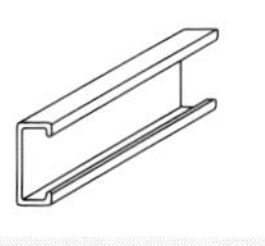

リップみぞ形鋼（Cチャン）

3. 接合方法と耐火被覆

鋼材の強度を生かすためには、接合が重要である。接合には、主にボルトや溶接が使われる。なかでも高力ボルト（ハイテンションボルト）は接合する鋼板を両側から強くボルトで挟み、その鋼板の摩擦力で接合する（図3）。溶接は、2枚の鋼板の間にアークという高熱の放電を飛ばし、溶接棒を溶かして部材を結合する（図4）。

耐火被覆とは、500℃以上になって耐力の低下した鋼材を補うもののことをいう。燃えにくく、断熱性能がある材料が良く、ロックウールの吹付けやケイ酸カルシウム板などがある（図5）。

■ 図3 高力ボルトによる接合

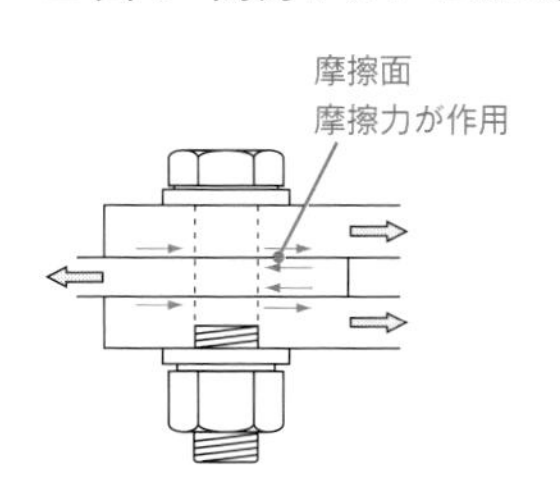

■ 図4 T継手（突き合わせた溶接の例）

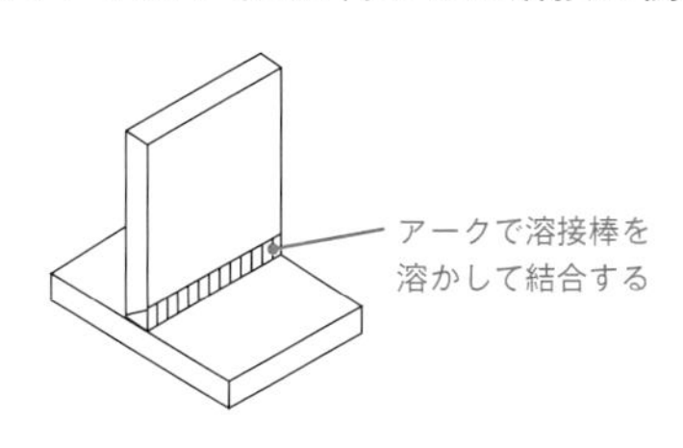

■ 図5 耐火被覆例

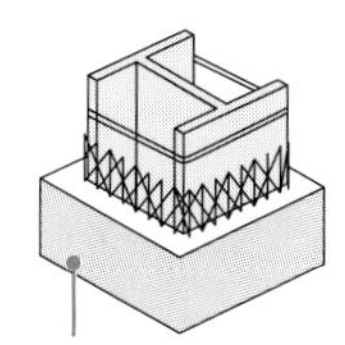
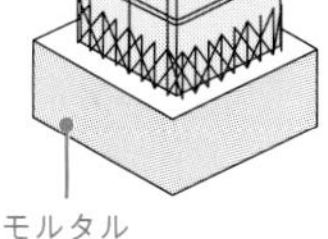

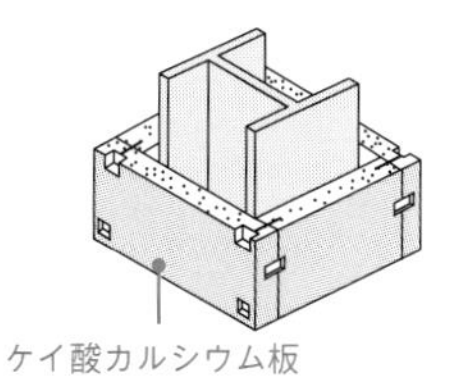

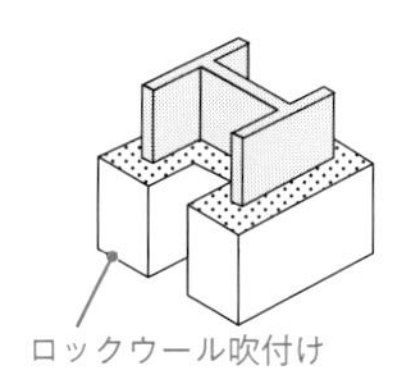

デッキプレート

鋼板を凹凸に折り曲げた面材。上にコンクリートを施すことで丈夫な床（スラブ）ができる。

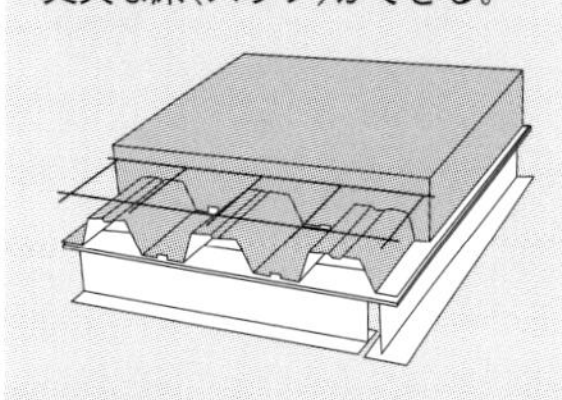

縞鋼板

チェッカープレートともいう。互い違いにある小さな突起が滑止めになる。床板として使われる。アルミ製品もある。

6-5 その他の構造

重要度 !

Point

- ☑ 鉄骨鉄筋コンクリート造はS造とRC造を合わせた構造である
- ☑ 補強コンクリートブロック造は塀や共同住宅などの帳壁にも利用される
- ☑ 組積造はブロック状の塊を積む壁式造である

さまざまな構造のしくみ

1. 鉄骨鉄筋コンクリート造

鉄骨鉄筋(てっこつてっきん)コンクリート造(ぞう)とは、鉄骨に鉄筋を巻き型枠を組んで、コンクリートで固める構造をいう。S造とRC造の合成構造なので、SRC造と呼ばれる。RC造は、高層になるほど部材が大きくなるため、比較的小さな断面で強度のあるS造の利点を加えた構造といえる。また、コンクリートを被覆するため、耐火性や遮音性に優れる。高層マンションなどの下層部に用いられることが多い。

2. 補強コンクリートブロック造

補強コンクリートブロック造とは、中空(空洞)コンクリートブロック(CB)を、鉄筋で補強して壁状に積み上げる構造であり、補強CB造ともいう(図1)。壁式構造の一種である。小規模な建物の壁やRC造の帳壁(ちょうへき)(仕切壁)などに用いられる。

また、中空コンクリートブロック(図2)を建物に使う場合は、上下を臥梁(がりょう)や基礎で緊結する必要がある。

■図1 補強コンクリートブロック構造

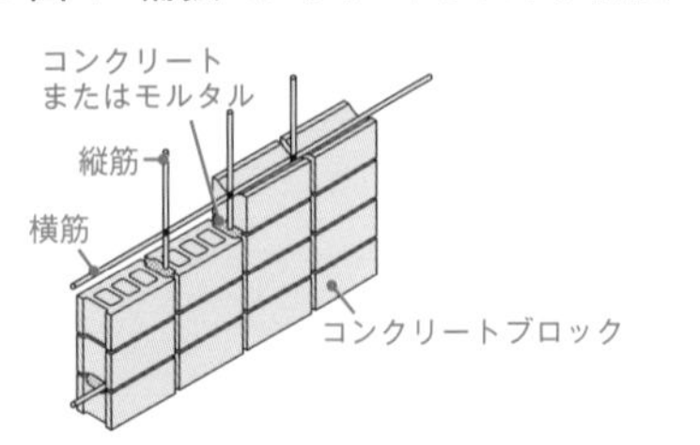

■図2 中空コンクリートブロック

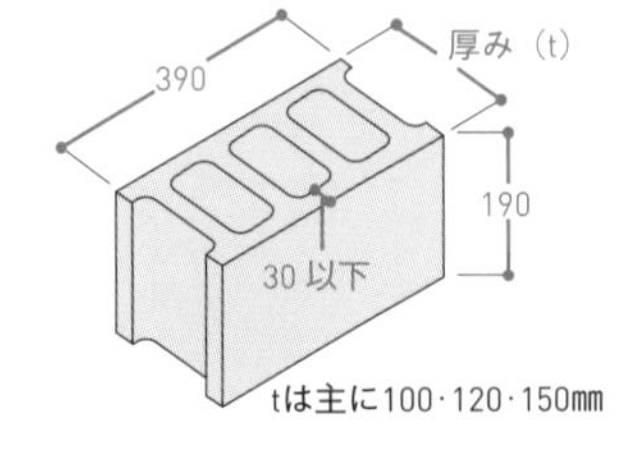

公式ハンドブック[下] P.27～29

SRC造

Steel framed Reinforced Concrete の略称。鉄骨鉄筋コンクリート造を一般的にこう呼ぶ。

帳壁

マンションリフォームの際にCB造の壁(帳壁)だった場合、撤去が可能か防火区画を調べることが大切。

塀の法律

補強コンクリートブロック塀を1,200㎜以上に高くするときは、倒壊防止に主壁を補強する控え壁を設けるよう定められている。

中空コンクリートブロックの実寸は、高さ190×幅390㎜、目地（めじ）を入れて高さ200×幅400㎜と考えるとよい（図2）。厚みは、100㎜、120㎜、150㎜、190㎜がある。強度の低いものからA種、B種、C種と区別される。

3. 組積造

組積造（そせきぞう）とは、レンガや石などブロック状の塊を積む壁式造である。

地震の多い日本では、組積造はほとんど使われていない。これが日本と西欧の街並みの違いとなっている。

また、組積造では壁の強度を保つため、石やレンガを芋目地（いもめじ）にならないよう上下ずらした積み方が基本である（図3）。

■図3 代表的な目地

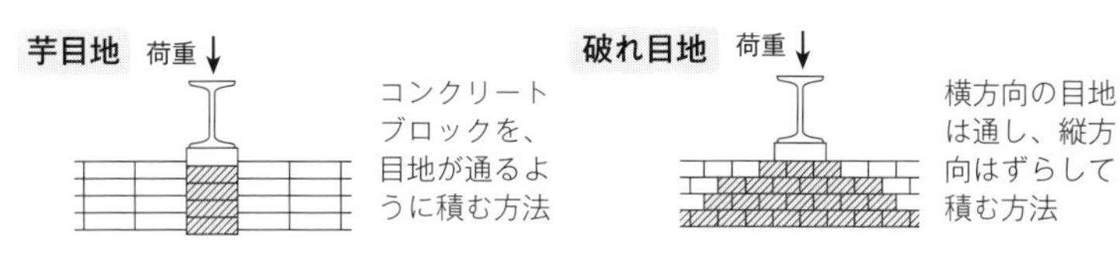

石材は、花崗岩（かこうがん）が多く用いられる。花崗岩は熱に弱いこと以外の欠点が少ない。仕上材としては、そのほかに大理石や鉄平石（てっぺいせき）、大谷石（おおやいし）、人造石（テラゾ）などがある（表）。

臥梁
壁を固める水平の梁のこと。CB造や組積造では耐震のためにRC造の梁を設けることが多い。

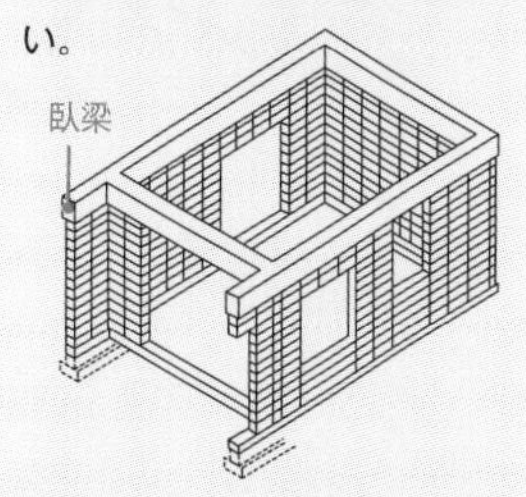

目地
コンクリートブロック、石、レンガ、タイルなどを積んだり張ったりするときの、継ぎ目のこと。

■表 石材の産地と特徴

成因	岩石名	石材と産地	特徴
火成岩	花崗岩	稲田みかげ（茨城） 筑波みかげ（茨城） 甲州みかげ（山梨）	堅硬。みかげは光沢をもつ。光熱に弱い。耐磨耗性が大。色調によりさくら、さび、くろなどと呼ぶ
	安山岩	江持石（宮城） 玄武岩（京都） 鉄平石（山形、長野）	国内各地に産出。暗灰・灰白色で光沢に乏しく、耐火性あり。鉄平石は薄板状に工作できる
水成岩	砂岩	高畑岩（山形） 富田石（和歌山） 房州石（千葉）	砂つぶの空げきにけい酸質分、石炭質分、酸化鉄などを充填し、堅く凝固したもの。膠着物質の性質により硬・軟種々の幅がある
	凝灰岩	大谷石（栃木）	火山岩、砂岩が水中または陸上で堆積凝固したもの。 砂質を20%以上含むものを砂質凝灰岩という。一般に軟らかく吸水性あり。加工しやすい
	粘板岩	登米スレート（宮城）	薄く層状に剥がれ、吸水性小。天然スレートともいう
変成岩	蛇紋岩	蛇紋（長野、群馬）	輝緑岩や閃緑岩の割れ目にそって成分の一部が変化し、また新しい鉱物が混ざって模様をつくる。石目なし
	大理石	白大理石（山口、岩手） 縞大理石（岐阜）	結晶質と層状の二者がある。サラハは斑状模様の結晶、オニックス、トラバーチンは層状。酸と水に弱い

4. 現代的な膜構造

膜構造（まく）には、東京ドームのように内部の空気圧を上げて屋根膜の形状を保つ空気膜構造やワイヤーなどで膜を吊るテンション構造などがある。軽くて大きな空間をつくることができるので、現代建築の構造の一端を担っている。

6-6 プレハブ工法

重要度 !!!

Point

- ☑ プレハブ工法は工場でつくった部材を現場で組み立てるシステム
- ☑ 住宅メーカーの多くがプレハブ工法を採用している
- ☑ 工期の短縮や品質管理がしやすいというメリットがある

プレハブ工法とは

1. プレハブ工法の利点

プレハブ工法とは、工場であらかじめ部材を組み上げ、現場で簡単な組立てだけで完成させるつくり方である。

日本に導入された頃(昭和30年代)は、施工のスピードアップを図るためのものであったが、現在では、工場製作することで品質を管理できるという利点も注目されている。また、現場職人の技術の良し悪しによる影響を受けることも少なく、クレームも起こりにくいといえる。

2. 組立て方による分類

プレハブ工法は、現場での組立て方によって以下の3つに分類される(次頁表)。

軸組(じくぐみ)方式は、柱や梁を現場で簡単に組み上げるものであり、プレカット加工もその一種である。プレハブ化率は低いといえる。

壁方式は、壁パネル方式ともいわれ、2×4(ツーバイフォー)工法から発展した組立て方である。枠に断熱材や合板を取り付けた壁パネルを現場で組み立てる。現在多くのハウスメーカーに採用されている。

ユニット型(ボックスユニット式)は、工場でひと部屋丸ごと組み上げ、現場でクレーンを使って積み上げる方法である。現場での工期が極めて短い点が特徴である。

プレハブ
Prefabricate(あらかじめ組み上げること)が語源。初めは仮設住宅のイメージがあったが、住宅メーカーによる高性能化などによって、プレハブ=安いというイメージはなくなってきている。

ユニットバスや洗面化粧台、システムキッチンもプレハブのユニットにあたるよ。デザインの幅は狭いけど、品質は安定しているね

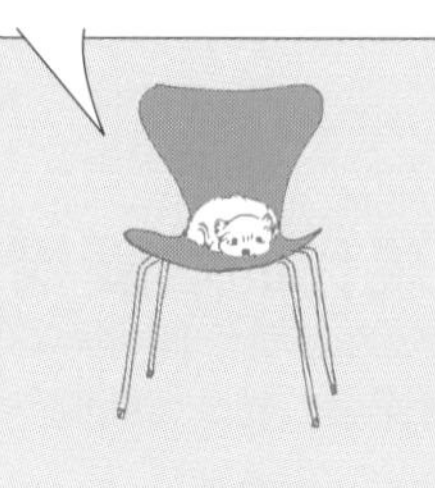

公式ハンドブック[下] P.30～31

3. 素材による分類

プレハブ工法は、用いる建材によっても、以下の3つに分類される（表）。

木質系プレハブは、2×4工法の壁パネルや床パネルを中心にプレハブ化したものが主流で、多くのメーカーが利用している。前述の軸組方式や壁パネル式が使われることが多い（図）。

鉄骨系プレハブは、軽量鉄骨を用いてつくられることが多い。軸組を先に組み上げてから先述の壁パネルを取り付ける方法や、壁パネルを鉄骨フレームで組み上げる方法、部屋自体のボックスをユニット化して現地に運ぶ方法などがある。鉄骨系はプレハブの歴史としては最も古い。

コンクリート系プレハブは、木質系プレハブの壁や床パネルをコンクリート材でパネル化したものと考えてよい。こういったコンクリートパネルはプレキャストコンクリートパネルとも呼ばれる。中層住宅にも利用されている。

プレキャストコンクリートパネル
工場であらかじめつくられたコンクリートのパネル。現地で組み上げて構造となるものやビルの外壁になるものなどがある。安定した環境でコンクリートを打つため性能がばらつかない。

■表 プレハブ工法の比較

構造＼材質	木質系	鉄骨系	コンクリート系
軸組方式	加工した柱と梁を現場で組み上げる。商品化されているものは少ない	軽量鉄骨のものが多い	日本では用いられていない
壁方式	2×4方式のものが多い	鉄骨枠組の耐力壁を主な構造とする	ほとんどのコンクリート系プレハブが壁式。大型、中型、小型パネルがある
ユニット型	木造のユニットを水平方向に並べたり積み重ねる	鉄骨でフレームを組み、ユニットを形づくる	日本ではあまり用いられていない

■図 戸建住宅用木質系プレハブの例

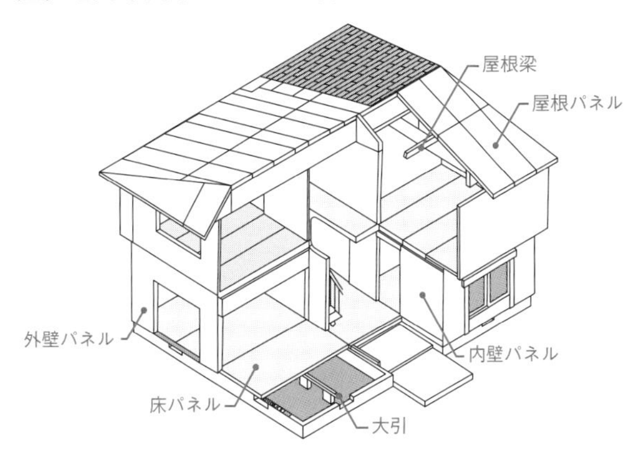

7-1 リフォームの計画

重要度 ! ! !

Point

☑住宅の構造・工法を踏まえてリフォームの注意点をおさえる
☑分譲マンションに特有の区分所有法や管理規約を覚える
☑リフォーム計画の進め方を知る

リフォームの注意点

1. リフォームの目的

二酸化炭素の温室効果ガスの放出による地球温暖化、海面上昇、凍土融解などの問題に直面している今、地球環境を守り、今ある資源を大切にしながら生活をする持続可能型社会を目指すことが、今後の重要課題である。建築やインテリアにおいても、今までのスクラップ＆ビルドの考え方を改め、建物や設備を長く使い続けることが見直されている。

長期間使用できる強度のある構造体をつくり、ライフスタイルの変化や家の老朽化に合わせて内装や設備などをリフォームしながら使い続けていくことが大切である。そうすることで、住宅の一生にかかる費用＝住宅のライフサイクルコスト（LCC）も少なくなり、エコロジー社会にもつながる。

2. 戸建てのリフォームの注意点

戸建住宅の場合、10㎡以上の増築や、住宅から店舗への変更などの用途変更をともなうリフォームでは、建築確認申請の提出が必要になる。また、このほかの法的制約や、構造や工法によるリフォームの制約がないかを確認する（次頁図 1）。

2 × 4 工法の建物には、壁自体が構造上必要なため、取り除くことができない場合もある。建物全体のバランスを確認し、場合によっては柱や梁の補強も必要になる。

リフォームは、日本での造語で、英語ではリモデルという。リフォームには、増築や改築、改装工事のほか、ちょっとした修繕や修理、模様替えなども含まれるよ

持続可能型
1987 年に、国連環境と開発に関する世界委員会が打ち出した「将来世代のニーズを損なうことなく現在の世代のニーズを満たすこと」という概念。

スクラップ&ビルド
住宅の場合、古くなった家を解体して新しく建築すること。日本の住宅の寿命は、欧米に比べて短い。

住宅のライフサイクルコスト（LCC）
住宅の一生（計画→建築→運営管理→解体）にかかる費用。構造体を長期使用し、ライフスタイルの変化や設備の老朽化にリフォームで対応すると、LCC が安くなる。

公式ハンドブック［上］P.137 ～ 140 ［下］P.91 ～ 95

■図1　主な構造・工法とリフォームの自由度

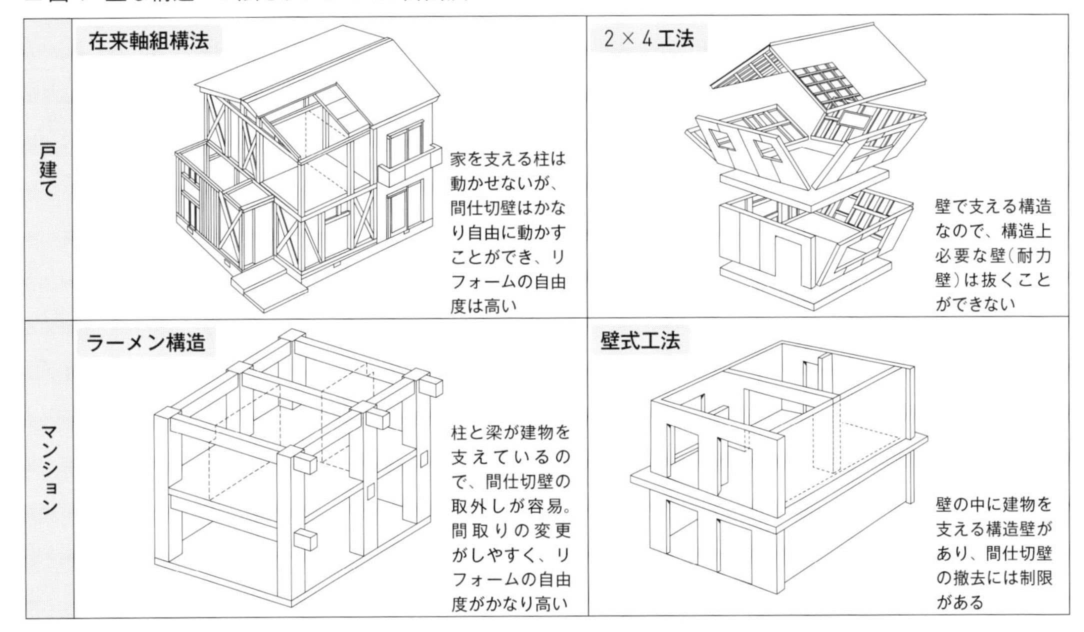

3. 分譲マンションのリフォームの注意点

分譲マンションでは、区分所有法や管理規約が適用されるため、リフォームをするときに規則上の制約が出る。区分所有法では、建物を共用部分（専用使用部分を含む）と専有部分に区別している（図2）。なお、リフォームの対象となる専有部分とは、以下のことをいう。

①住戸内の床、壁、天井の躯体（くたい）部分を除く部分
②玄関扉の鍵および室内側の塗装
③ガス、給排水、電気などの配管・配線で専有部分にある枝管・枝線部分（図3）

つまり、玄関扉の外側や外部開口部のサッシとガラスは共用部分という区分けに入るため、リフォームの対象にならない。また、住戸に設けられているバルコニーやルーフテラスは、専用使用部分にあたるため、リフォームすることはできない。

■図2　共用部分と専有部分

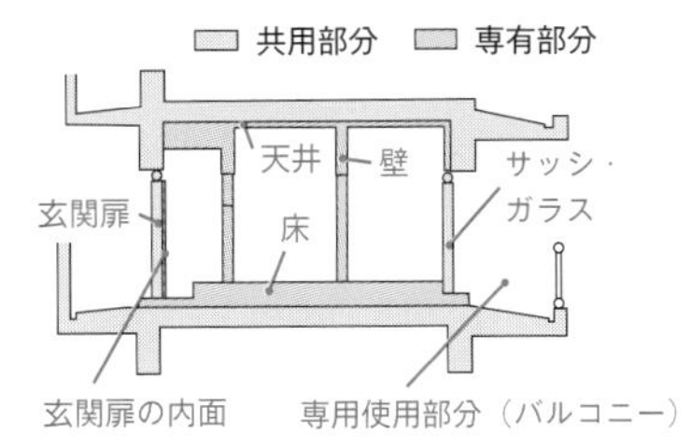

■図3　共用部配管と専有部枝管

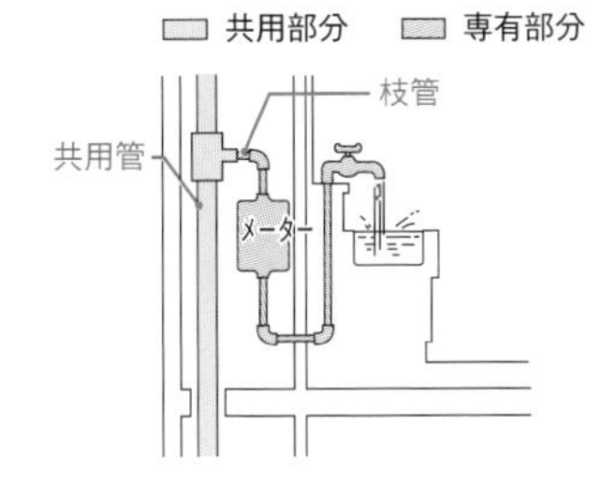

区分所有法
正式名称は、建物の区分所有等に関する法律。マンション法とも呼ばれる。1つの建物をいくつかの部分に分けて所有するときの建物の所有関係、管理の考え方と方法、大規模修繕や建替え決定の手続きと方法が定められている。

リフォーム時は管理規約に注意
マンションには管理規約があり、リフォームをする際は内容を十分に把握して計画をたてる。管理規約に従ってリフォーム企画を提出し、管理組合に工事の許可を受ける必要がある。

専用使用部分
共用部分のうち、特定の区分所有者だけが専ら使うことができる部分をいう。マンションによって異なるが、駐車場や駐輪場、バルコニー、トランクルーム、ポーチなどがこれにあたる。また不動産登記法では、内法面積が登記上の面積になる。

また、分譲マンションのリフォームでは、戸建てにはない以下のような注意点がある。

(1) 水廻りの位置を変更する場合

床下のスペースが限られているため、排水管の勾配が取れないことがある。その場合、床を上げることができなければ水廻りの位置変更は難しいと考えた方がよい。適切な勾配が確保できないと、汚物などが詰まる原因になる。また、排水管は床スラブの上に設置することが望ましく、パイプスペース(PS)の移動撤去や床スラブを貫通させて配管することもできない。

(2)フローリングを使用する場合

マンションではリフォームに際して床材をフローリングに変更する場合は、階下への騒音の配慮から管理規約で規制を受けるので、管理組合への事前確認が必要である。

床衝撃音には、床表面仕上げ材が起因する軽量床衝撃音(Δ LL等級)と、床躯体構造(コンクリートスラブ)が起因する重量床衝撃音(Δ LH 等級)がある。2008 年 4 月にそれまで使われてきた推定L等級に代わり、軽量床衝撃音はΔ LL-1 ～ 5 の 5 段階、重量床衝撃音はΔ LH-1 ～ 4 の 4 段階の等級が設定されて、両等級とも等級の数字が大きいほど床衝撃音に対する遮音性能が高いことを表す。

■表 1 新基準によるΔ(デルタ) L 等級表示

新しい表記等級(Δ L 等級)		Δ LL-5	Δ LL-4	Δ LL-3	Δ LL-2	Δ LL-1		
軽量床衝撃音	Δ LL-35	Δ LL-40	Δ LL-45	Δ LL-50	Δ LL-55	Δ LL-60	Δ LL-65	Δ LL-70
椅子の移動音・物の落下音等	通常ではまず聞こえない	ほとんど聞こえない	小さく聞こえる	聞こえる	発生音が気になる程度	よく聞こえる	発生音がかなり気になる	うるさく感じる
生活実音	上階の気配を感じることがある	上階の音がかすかにする	上階の生活状況が意識される	上階の生活状況が意識される	上階の生活行為がある程度わかる	上階の生活行為がわかる	上階の生活行為がよくわかる	たいていの落下音がはっきり聞こえる
適応等級(※)	特級		1 級	2 級		3 級	—	

※界床の床衝撃音の遮音等級(集合住宅における日本建築学会推奨基準)

(3)和室から洋室へ変更する場合

和室から洋室へ変更する場合、和室の畳の厚さ分だけ、床に段差が生じる。そのため、畳を撤去したあとに根太で床の高さを調整し、洋室の床と高さを同じにする必要がある。また、和室の建具の高さ基準は約 1,800㎜であり、洋室の建具より低くなる。それぞれの部屋に設けた建具を洋室のものに合わせるとよい。

配水管の勾配

排水をPSのたて管に流すには、床下に横引きの配水管を設置し、自然に排水が流れるように勾配を付けなければならない。よって、この方法では、床下に十分な高さが必要。

PS

集合住宅を縦に通る空間で、各住戸から流された排水を集める共用たて管を通す。

遮音に関する適用等級

①特級(特別仕様) Δ LL-5
②1級(推奨) Δ LL-4
③2級(標準) Δ LL-3・2
④3級(許容) Δ LL-1

軽量床衝撃音(Δ LL 等級)

イスを引いたときやスプーンを落としたときの音など比較的軽い高音域の音。

重量床衝撃音(Δ LH 等級)

重い物を落としたときの音や人の足音など重くて鈍い音。

遮音については、P.180「音の制御」も確認!

リフォームの流れ

リフォーム計画では、新築と比べて制約条件や不確実要素が多く、予想外の問題が起こることもある。誤った判断やトラブルを防ぐために、計画にあたって、正しいプロセスに沿った事前調査と依頼主との細かなやり取りを十分に行うようにする。

表2の一般的な住宅リフォームのプロセスにおいて、インテリアコーディネーターの業務は、企画から設計および工事監理、引渡しまですべてを行う場合だけでなく、フリーランスの立場、または所属する会社や部署、リフォーム工事の規模などにより、企画(概略プラン)のみ行い、設計や工事は設計・施工会社に委ねて、節目でチェックする場合などさまざまである。

戸建ての場合は確認申請書や住宅性能評価書を、マンションの場合は管理規約や該当箇所の竣工図のコピーを事前に用意してもらい、リフォームの可能な範囲を明確にするとよい。

■表2　住宅リフォームのプロセス

段階	プロセス	内容
企画段階	①問い合わせと相談	依頼主の要望・ライフスタイルの確認・予算・工期
	②依頼主のニーズの把握	現状の生活と将来の生活像・不満、不備、要望の確認・要望の必要度の優先順位と代案の提案
	③現場調査	建物や設備の状態・現場の実測・各種法規や管理規約などの制約の確認
	④基本計画作成とプレゼンテーション	概略プラン・ＣＧおよびパース・模型・カタログや仕上げサンプル収集・概略の見積とスケジュール
基本設計段階	⑤詳細現場調査	各部詳細寸法の確認・各部下地などの確認・配管や配線と設備機器の実態などの再調査・工事中の諸問題の検討
	⑥プラン(基本設計)の決定	設計、監理業務の報酬と委託契約決定
実施設計段階	⑦実施設計	設計図書(平面図、展開図、断面図、詳細図、設備図、仕様書、仕上げ表など)の作成
	⑧見積書作成	工事内容の確認・施工業者への見積依頼・見積比較
工事段階	⑨工事契約内容の決定と工事請負契約	
	⑩着工準備	施工計画承認と工程表の作成・近隣への挨拶・施工図や製作図の作成
	⑪着工	
	⑫施工監理	色彩や材料の決定・設備機器の決定・工程検査・追加や変更内容の処理
	⑬竣工引渡し	工程写真や竣工図の作成・設備機器等の保証書と使用方法の説明

Basis of Housing theory, Facility and Material

Part2

住宅の基本とコーディネーション

このPartでは、
実際に住宅の企画や
コーディネート業務を行うにあたって、
必要となる内装設計の基本を解説する。
間取りの考え方や、室内の快適性を高める要素、
用いる内装・建築材料もポイントを絞って学ぶとよい。
また、近年、住宅の満足度を高める要素として
注目されているエクステリアについても要チェック。

Part 1 市場調査・建築とデザインの基礎

1. クライアントインタビュー
2. 環境への取組み
3. インテリア関連の法規
4. インテリアと造形
5. 建築とインテリアの歴史
6. 建築構造の基礎知識
7. リフォーム

Part 2

8. 平面計画
9. 室内環境計画
10. 住宅設備
11. 内装材とその他の建材
12. 造作
13. エクステリア

Part 3 インテリア商材の基本とコーディネーション

14. 色彩
15. 照明
16. 家具
17. 寝装・寝具
18. ファブリックス
19. ウィンドウトリートメント
20. インテリアアクセサリー

Part 4 表現技法と仕事の流れ

21. 表現技法
22. 業務

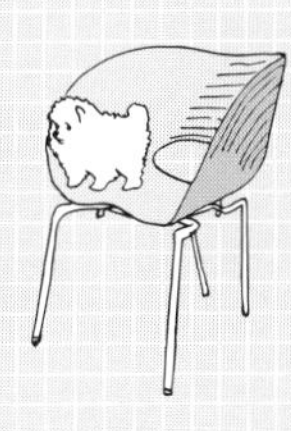

8-1 人間工学

重要度 ！！！

Point

- ☑ 人間工学はインテリア計画の基礎およびチェックの手段となる
- ☑ 人体各部の寸法や質量の配分（質量比）は、設計するうえで重要である
- ☑ 静的な人体寸法と動的な人体寸法を理解する

インテリアにおける人間工学の役割

1. 人間工学とは

長時間座っていても疲れないイスや寝心地の良いベッドを選ぶとき、人と物との関係性を見直すことは不可欠である。こうした視点から生まれたのが、人間工学（にんげんこうがく）という学問である。人間工学を用いて、人体の寸法や重量、人間の動作などを数量的に表したデータを活用することで、物や空間などの使いやすさを考察できる。そのため、使い勝手の科学（つかいがってのかがく）ともいわれている。

人間工学は、身長、座高、体重などを基本に考えられている。人体各部の寸法や質量の配分（質量比）は、空間や製品を設計するうえで重要となる。人間の体型は、年齢によって変化する（図1）。

■図1 年齢における体型の変化

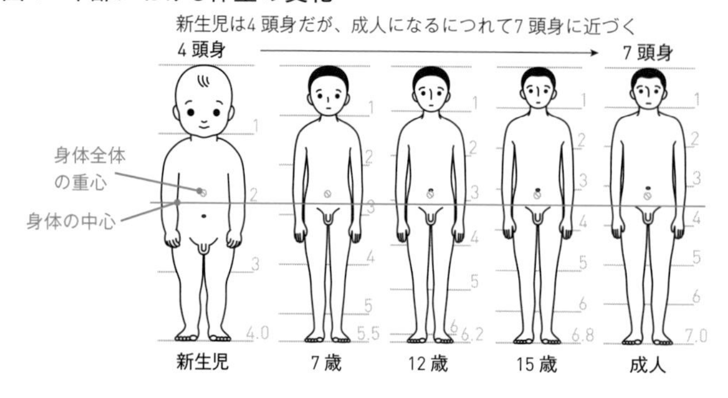

2. 人体各部の質量

成人の場合、身体全体の重心は、中心よりやや上でへその少し下

人間工学
第二次世界大戦時に起きた、アメリカ軍の飛行機事故がきっかけで生まれた学問。アメリカではHuman engineering、ヨーロッパではErgonomicsと呼ぶ。

設計の目安（身長）
- 成人男子…165cm
- 成人女子…155cm

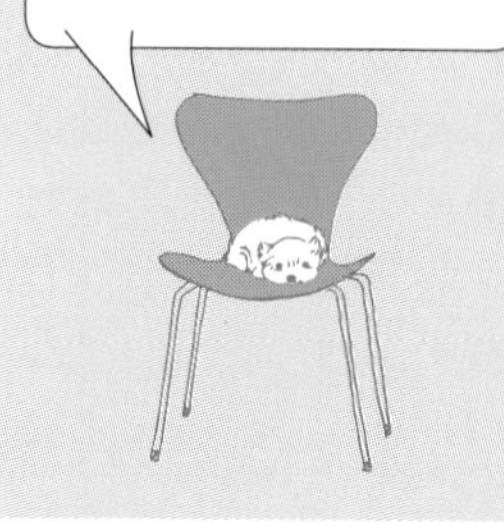

公式ハンドブック［上］P.67～92

にある。身長160㎝の人であれば、90㎝のあたりが重心となる。このことからベランダの手摺は、転落の危険を防ぐために、重心の高さより上(1.1m以上)で計画されている。人体の質量比では、頭部の質量は全体重の8%、座ったときにイスの座面にかかる質量は全体重の約85%となる(図2)。

■ 図2 人体各部の質量比(単位%)

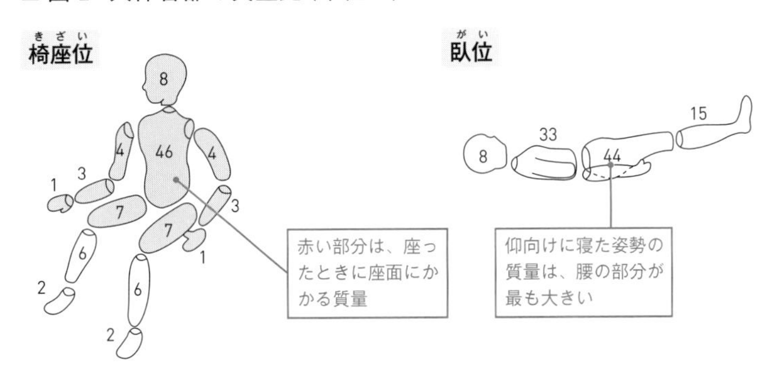

3. 人体寸法の目安

人体の各部位の寸法は、身長とほぼ比例的な関係にある。そこで身長を基準に、人体の主要な部位のおおよその寸法を求めることができる。これを略算値といい、インテリア計画をするうえで便利な数値として活用されている(図3)。たとえば、下腿高(かたいこう)や座高はイスの高さを決めるために必要であり、肩幅はベッドサイズを決めるときや食事に必要な幅を計画するときの目安となる。

ベランダなどの手摺の高さ

建築基準法施行令126条で、安全上必要な高さは1.1m以上としており、それ以上の高さの手摺壁、柵または金網を設けなければならないと定められている。

座骨結節点と座位基準点

座ったときに左右の座骨とイスの座面とが接する部分を座骨結節点(ざこつけっせつてん)といい、座面にかかる体重を支える支点となる。この2か所ある座骨結節点を結んだ中央の点を座位基準点(ざいきじゅんてん)という。

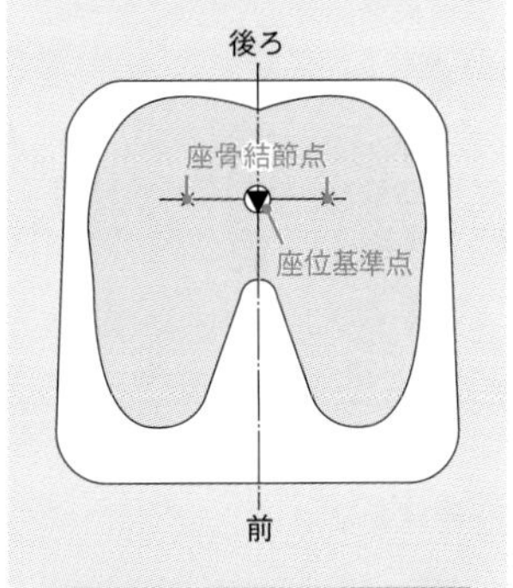

自分に合うイスの高さ

イスの座面の高さとは、床から座位基準点までの垂直距離のことをいう。下腿高−10㎜の寸法が適当とされている。

■ 図3 人体寸法の略算値

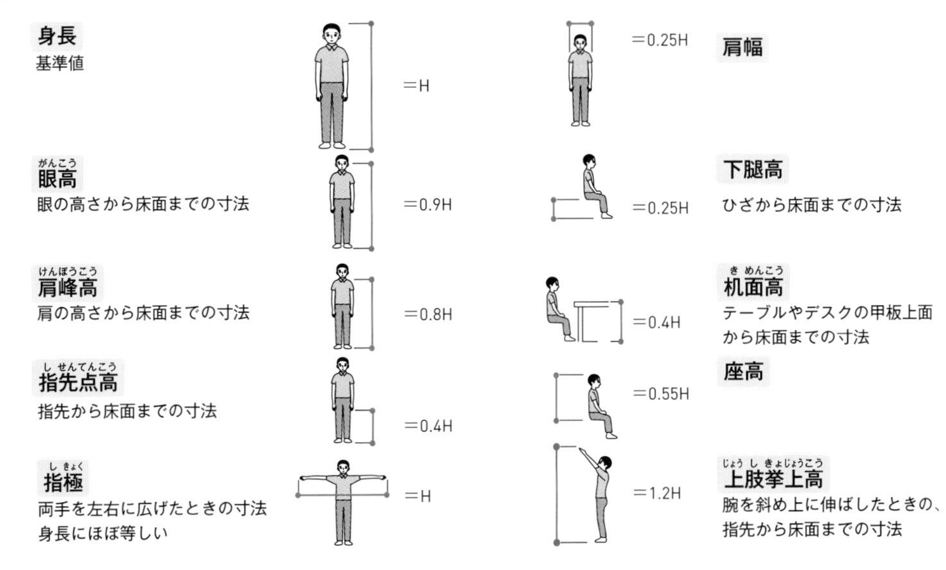

4. 人間の4つの基本姿勢

生活の中で人間がつくる姿勢は、立位姿勢、椅座位姿勢、平座位姿勢、臥位姿勢の4つに大別される(図4)。立位姿勢とは、足で上体を支持している状態のことをいい、直立や歩行時などの姿勢のことをいう。椅座位姿勢とはイスに腰掛けたり壁に寄り掛った姿勢、平座位姿勢とは下肢を折り曲げた姿勢のことをいう。臥位姿勢とは寝た状態の姿勢をいい、うつ伏せ、仰向けの状態のことを指す。

姿勢は家具などのインテリアと密接な関係にある。たとえば、差尺の合わない机とイスで作業をすると姿勢が悪くなり、肩や腰を痛める原因にもなる。一方、身体に合った家具を使い正しい姿勢をとれば、身体的負担は軽減できる。

■図4 人間の基本姿勢

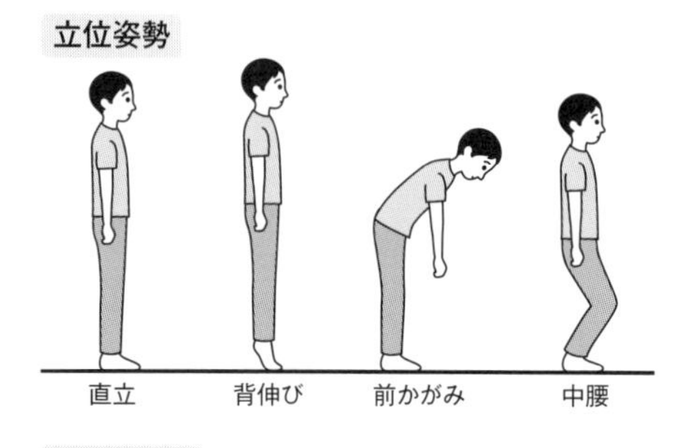

椅座位姿勢

寄り掛かり　スツール　作業姿勢　休息姿勢

臥位姿勢

5. 動的な人体寸法

インテリア計画では、空間の大きさや人体寸法が基本となる。これらに加えて、人の動きにともなう動的な人体寸法も考慮に入れる必要がある。人間がある1点に立ち、身体の各部位を動かしたときにできる空間領域を作業域または動作域という。作業をともなう場面では、動的な人体寸法のほうがより重要になる。

作業域には、水平作業域(次頁図5)、垂直作業域、立体作業域(次頁図6)がある。水平作業域とは水平の作業面で手の届く範囲、垂直作業域とは腕が上下に動く範囲である。また、立体作業域は、水平作業域と垂直作業域を組み合わせたもので、作業領域を3次元的に表したものである。いずれも、通常作業域と最大作業域とがある。

差尺

イスの座位基準点から机の甲板までの垂直距離。

通常作業域と最大作業域

通常作業域は、肘を曲げた状態で手が楽に動かせる範囲。最大作業域は、手を最大限に伸ばして届く範囲。日常使いの物は、通常作業域内にあると便利。

■図5　水平作業域

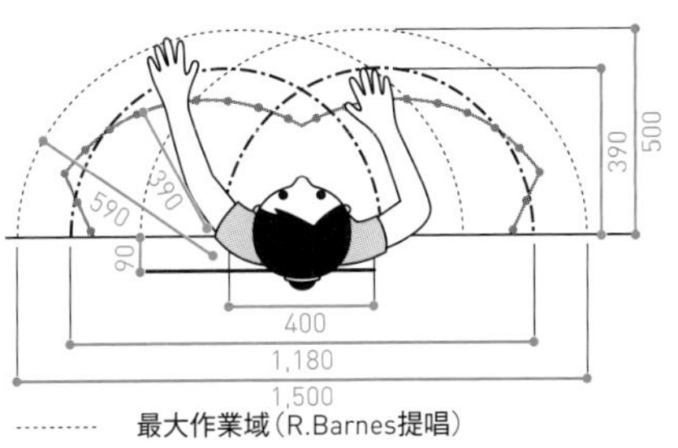

最大作業域（R.Barnes提唱）
通常作業域（R.Barnes提唱）
通常作業域（P.C.Squires提唱）

■図6　立体作業域

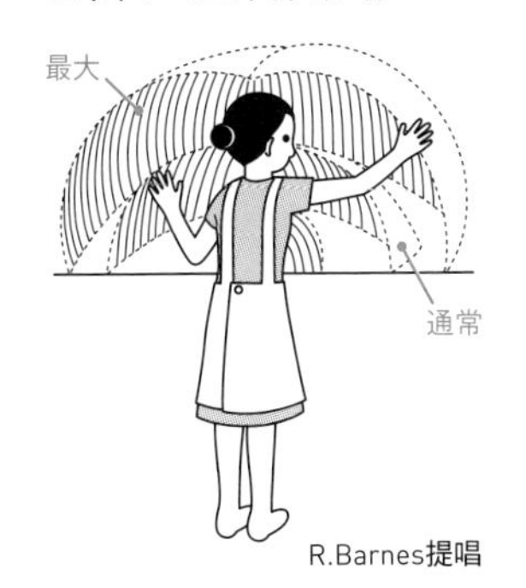

R.Barnes提唱

6. 動作空間と単位空間

人の動作域（動作寸法）と家具などの物を合わせた寸法に、作業に必要なあきやゆとりを加えた空間のことを動作空間という（図7・8）。動作空間に余裕をもたせると、作業性の良さや疲労の軽減につながるため、インテリア計画において重要な要素となる。

また、机で学習をする、遊ぶなど、一連の生活行為に必要な、複数の動作空間をまとめた空間領域を単位空間という。

動作空間
動作空間＝動作寸法＋使用する物＋あき・ゆとり

単位空間
空間構成の基本単位となる空間。トイレなどは単位空間がそのまま室空間になる。ダイニングキッチンは、2つの単位空間が1つの室空間になる場合もある。

■図7　動作空間の考え方

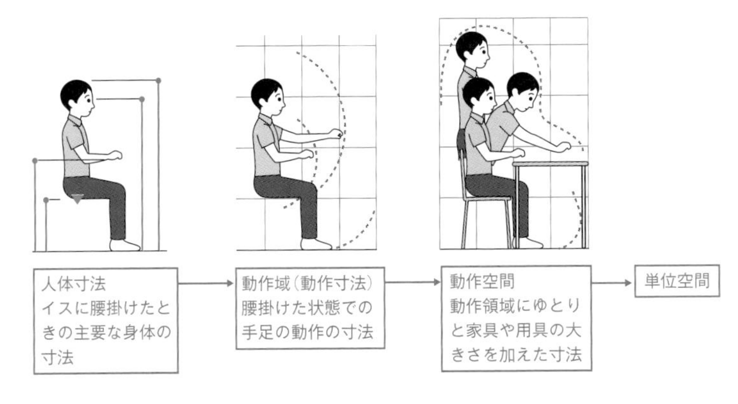

■図8　動作空間の例

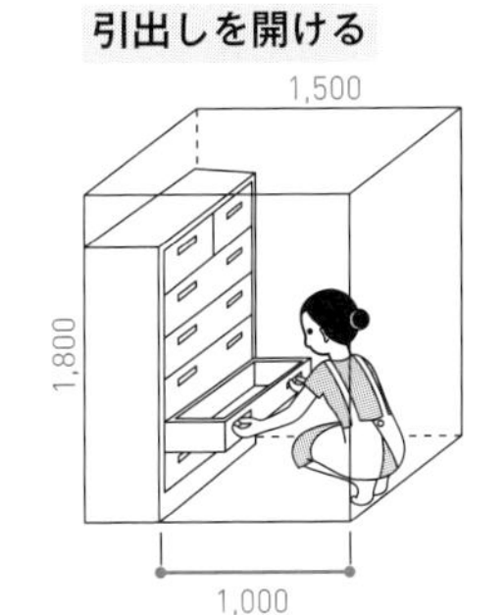

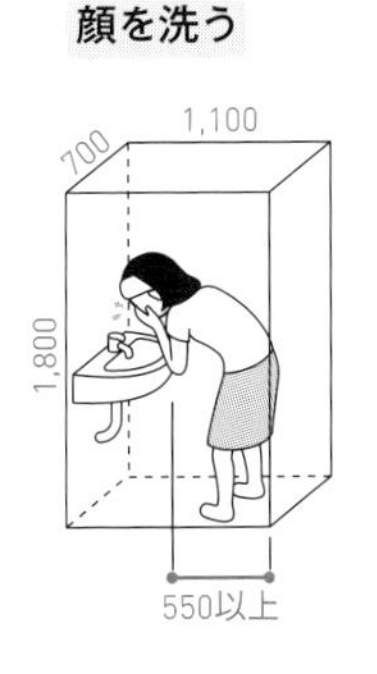

最小空間

ある動作ができる最低限度の空間を「最小空間」という。無理な姿勢や、操作に余分な労力を要するようになる。

7. 人間の行動や癖

人間の動作や行動は、一見共通性がないように見える。しかし集団として観察すると、共通性が見られる。このように人間の行動に共通した癖や行動特性のことをポピュレーション・ステレオタイプという(図9)。たとえば右利きの人は、ドアノブを無意識に右手で握って右に回す。このような癖は、道具の設計や機器を設置する際に考慮する必要がある。特に安全に関するものについては、その配慮が不可欠となる。

■図9　ポピュレーション・ステレオタイプの例

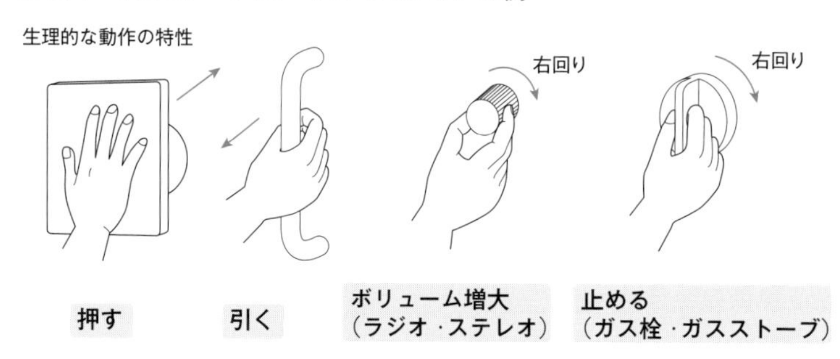

左回りの法則

多くのコンビニエンスストアでは、左回りに商品をレイアウトし、見やすさと購買意識に働きかけている。左回りの法則という。ポピュレーション・ステレオタイプの一例である。

習慣や伝統による癖

人間は、習慣や伝統によってもポピュレーション・ステレオタイプが現れる。

①日本では、机を窓に向かって置くことが多い。

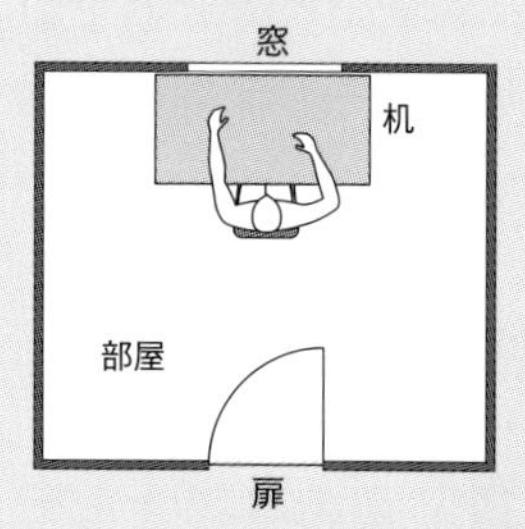

②欧米では、机を入口に向かって置くことが多い。

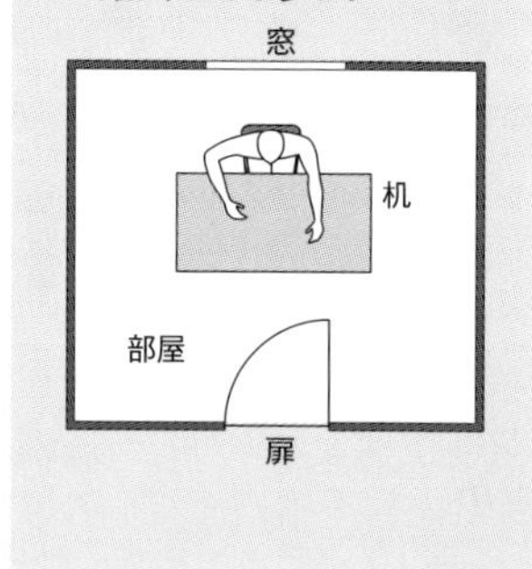

8. インテリア計画の心理的要素

(1)人と人との距離

人間は意識、無意識を問わず、距離や視線などを調整して社会生活を営んでいる。人間同士の間には物理的、心理的な距離があり、日常生活では目に見えない心理的なものに、かなり影響を受けている。文化人類学者のエドワード・T・ホールは、人間のコミュニケーションにおける距離を4つに分類した(図10)。インテリア計画では、これらに配慮することが大切である。

■図10　人間のコミュニケーションにおける距離

密接距離

身体を密接させるか、手で触れ合える距離
近い距離 0cm
遠い距離 15〜45cm

個体距離

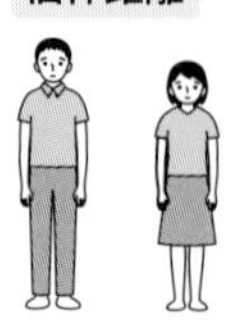

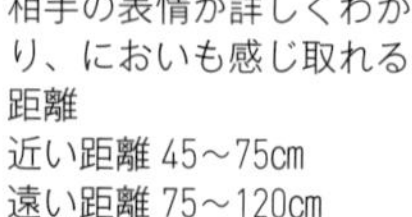

相手の表情が詳しくわかり、においも感じ取れる距離
近い距離 45〜75cm
遠い距離 75〜120cm

社会距離

普通の声で話し合える距離。個人的な関係のない者同士でとられる
近い距離 120〜215cm
遠い距離 215〜370cm

公衆距離

関わり合いの範囲外でとられる距離。一方的な伝達に用いられる
近い距離 370〜760cm
遠い距離 760cm以上

(2)個人の領域

人には他人に侵入されたくない領域(なわばり)があり、それが侵されると、不安やストレスを感じる。環境心理学者のR·ソマーは、「人間には他人が容易に入り込めない、身体を取り巻く気泡のような、目に見えない領域がある」と言い、これをパーソナル・スペースと名付けた。この領域は各方向に不整形に広がっている(図11)。

■図11 パーソナル・スペース

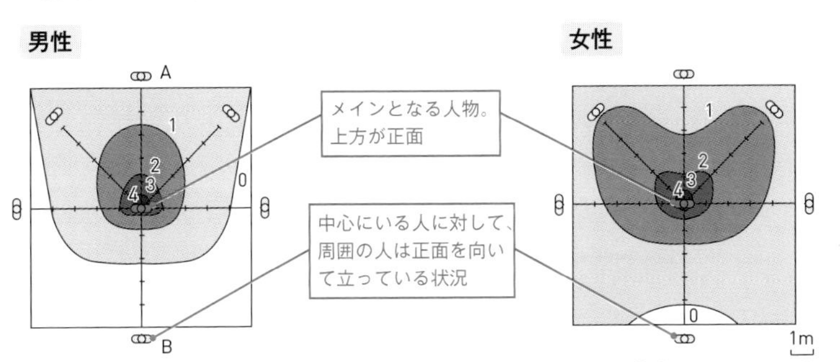

男性は、前方に他人がいるのを嫌うため、前方に多くのパーソナル・スペースが必要

女性は、周囲から他人に見られるのを嫌うため、周囲全体、特に斜め前方に多くのパーソナル・スペースが必要

他人が気になるレベル
- 4:すぐに離れたい距離
- 3:できれば早く離れたい距離
- 2:しばらくはこのままでよい距離
- 1:少し気になるがこのままでよい距離
- 0:このままでよい距離

(3)集合の形

人間が集団で行動する場合、コミュニケーションしやすいように、目的に応じた集合の形をつくる。

図12のように、人と人とがコミュニケーションをとりやすい対面の状態をソシオペタル(求心的)という。一般的に、会議やだんらんでとられる形式である。一方、図13のようにプライバシーを守り、集中しやすい離反状態をソシオフーガル(遠心的)という。図書館やホテルのロビーなどで見られる。

多くの人が集まる場所では、このように集合の形を想定する必要がある。視線の向きや高さも大切である。

■図12 ソシオペタル

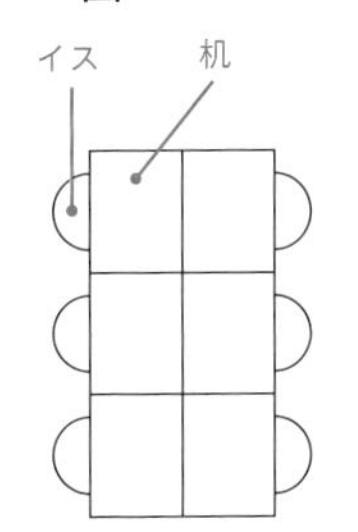

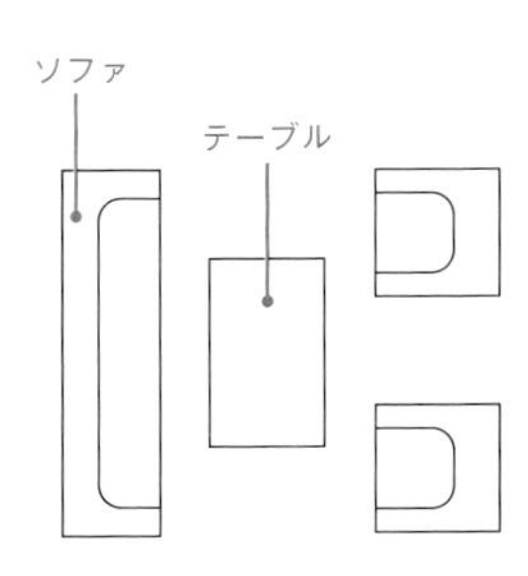

■図13 ソシオフーガル

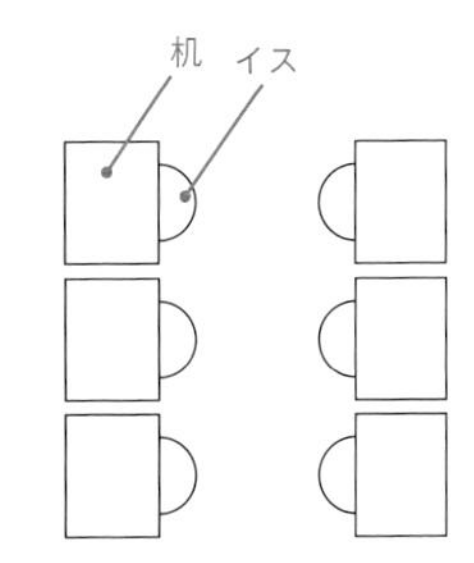

パーソナル・スペースの例

満員電車では、どこか緊張感をともない、駅に降りた瞬間にほっとすることがある。これはパーソナル・スペースが確保できないことで、不安を感じるためである。

友人とは近寄って話し、上司とは少し距離をおくよね。この適度な距離がコミュニケーションの上手な秘訣なんだよ

視線の調整

スムーズなコミュニケーションを計画する際、視線の方向だけでなく、互いの視線の高さを揃えるよう配慮する。

目的に合わせた集合の形

ソシオペタルはコミュニケーション優先、ソシオフーガルはプライバシー優先の形である。

企業での取組み

企業では、業務効率化のため、机の配置をソシオペタルとソシオフーガルで使い分けることが多い。

8-2 寸法の計画

重要度 ！！！

Point

- ☑ 日本の伝統的な住宅は、尺貫法を基準につくられている
- ☑ 設計図の基本となるモデュール、モデュロールを理解する
- ☑ シングルグリッド、ダブルグリッドの特徴を理解する

モデュール

1. モデュールとは

モデュール（モジュール）とは、もともと「比率」や「単位」を意味する言葉である。現在では、建築空間や構成材の寸法を決める単位として活用されるため、「建築空間や構成材の寸法を決めるための単位寸法」と定義付けされている。

建築、住宅やインテリアなどの設計の際に、日本で古くから使われてきた尺貫法も、モデュールのひとつである。1尺（303mm）が基準寸法だが、住宅設計においては、実用的に1モデュールを3尺（910mm）としている場合が多い。

2. 基本的なモデュール

モデュールについては、2つの考え方がある。1つはISO（国際標準化機構）規格によって定められた寸法である。1モデュールを10cmとし、建築の構成材の寸法をこの整数倍によって決める。基本単位はベーシックモデュールと呼ばれ、大文字のMで表される。たとえば、2Mは20cmを意味する。

もう1つは、日常よく使う寸法の集合体をモデュールと呼ぶ考え方である。この集合体は、等比数列や等差数列を用いて構成される。級数関係でできている比例を級数比といい、相加級数のフィボナッチ数列がある（次頁表1）。これは、隣り合う2項を足すと次の数になる数列である。隣り合う2項の比は、黄金比に次第に近づいてい

モデュール

古代ギリシャで使われた単位「モデュルス」に由来する。古代ギリシャでは、神殿を支える柱の基部の直径を1モデュルスと呼び、この単位を基準として、神殿各部の寸法を比例的に決定した。

住宅メーカーでは、1モデュールを1,000mmとするメーター・モデュールを採用するケースも増えているよ

尺貫法の単位

1寸＝0.1尺＝約3cm
1間＝6尺＝約1,820mm
1坪＝1間×1間＝約3.3㎡
　＝畳2枚分
1丈＝10尺＝約3,030mm→約3m
方丈は、1丈四方の平面をいい、およそ四畳半にあたる。

公式ハンドブック［上］P.92～97

くことから、この数列を活用した形状は理想的な美しさをつくるとされ、さまざまなデザインにおいて活用されている。

■表1　フィボナッチ数列の定義

数列

0 , 1 , 1 , 2 , 3 , 5 , 8 , 13 , 21 , 34 , 55…

①	0＋1＝1	②	1＋1＝2	③	1＋2＝3
④	2＋3＝5	⑤	3＋5＝8	⑥	5＋8＝13
⑦	8＋13＝21	⑧	13＋21＝34	⑨	21＋34＝55

隣接する項の比率

$\frac{1}{1}=1$, $\frac{2}{1}=2$, $\frac{3}{2}=1.5$, $\frac{5}{3}=1.66\cdots$, $\frac{8}{5}=1.6$

また、フランスの建築家ル・コルビュジエは、建築やデザインの基準尺度として、人体寸法を黄金比で分割した寸法体系モデュロールを考案した(図1)。モデュロールは、片手を挙げて立つ人の寸法をもとにした寸法比と黄金比を組み合わせてつくられている。ル・コルビュジエは、生活に適合した建物をつくるために、建築設計の図面にもモデュロールを活用した。

そのほか、寸法を表す単位として、アメリカではインチやフィートも用いられている(表2)。

■図1　モデュロール

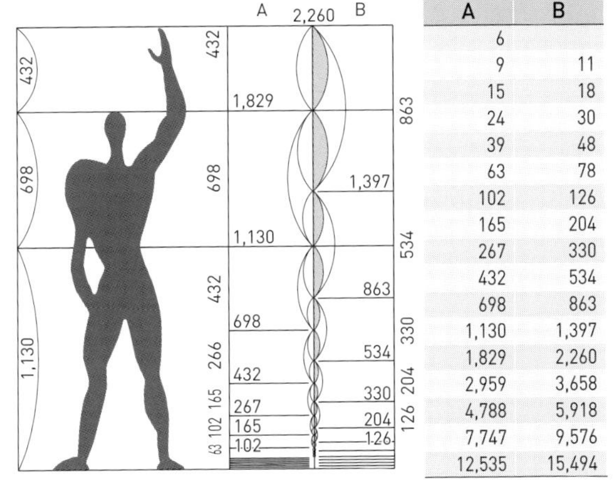

A	B
6	
9	11
15	18
24	30
39	48
63	78
102	126
165	204
267	330
432	534
698	863
1,130	1,397
1,829	2,260
2,959	3,658
4,788	5,918
7,747	9,576
12,535	15,494

A…身長を基準とした数列
B…片手を挙げた寸法を基準とした数列

■表2　単位換算表

ミリメートル	尺	間	インチ	フィート
1	0.0033	0.00055	0.03937	0.00328
303.0	1	0.1666	11.93	0.9942
1818	6	1	71.583	5.9653
25.4	0.083818	0.0139	1	0.0833
304.8	1.00584	0.1676	12	1

平方メートル	アール	坪
1	0.01	0.30250
100	1	30.2500
3.30579	0.03306	1

フィボナッチ数列

フィボナッチ数列の各数を一辺とする正方形の関係を図に表すと、以下のようになる。

3　2　1　1　5　8

黄金比

ある線分を2分割したとき、小さい部分と大きい部分の比が、大きい部分と全体の比に等しくなるような分割のこと。建築設計に応用されてきた。

モデュロール

フランス人の身体の標準寸法183cmを基準としてつくられた寸法表。片手を挙げたときの高さ226cm、ヘソの高さ113cmなどを基準として数値を割り出した黄金比率で構成されている。

ル・コルビュジエは、人体寸法を、黄金比やフィボナッチ数列などを組み合わせて体系化したんだ。美しいデザインには、ルールがあるんだね

3. モデュラーコーディネーション

モデュールを使うことによって、均一で効率的な生産が可能となる。建築やインテリアにおいて、モデュールを用いて構成材や空間の大きさ、位置などを調整し、建築空間を構成する。これをモデュラーコーディネーション(MC)という。

モデュラーコーディネーションを活用することで、リフォームなどの際、製品の取替えや間取りの変更にも対応しやすくなる。また、寸法の間違いなどを防ぐことにもつながる。

設計や製品がモデュールに基づき作成されていると、リフォームなどで商品を選ぶときに間違いもなく容易に選べるよ

グリッドによる設計

1. グリッドプランニング

建築の平面計画やインテリア計画では、モデュールを基準として縦横等間隔で引かれた碁盤目のような格子状の線を用いて設計を行う。この格子状の線をグリッドといい、グリッドを使った設計方法をグリッドプランニングという。グリッドは、主に柱の位置を決めるときの基準となる。

グリッドには、シングルグリッド(図3)とダブルグリッド(図4)がある。シングルグリッドは、1本の線を碁盤目状に引いたものをいう。ダブルグリッドは、あらかじめ壁などの厚みを想定したもので、壁の厚み分を考慮に入れて二重線で表現する。

また、グリッドの中で、柱や壁の位置を決めるのに必要な線を組立基準線(くみたてきじゅんせん)といい、構成材(エレメント)を置く基準となる面を構成材基準線(面)という(図2)。

■図2 組立基準線と構成材基準線(面)

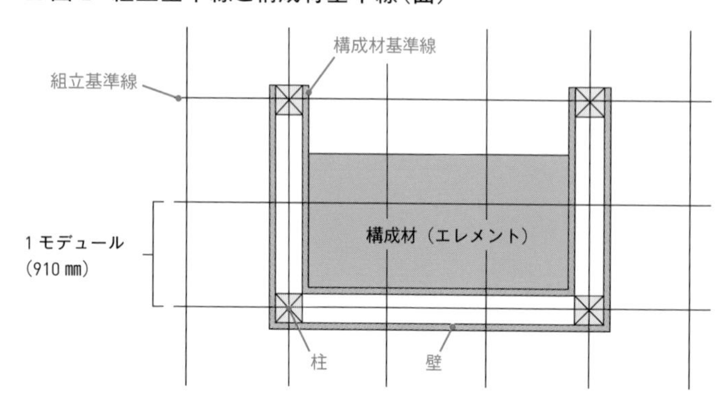

内法(うちのり)と心々

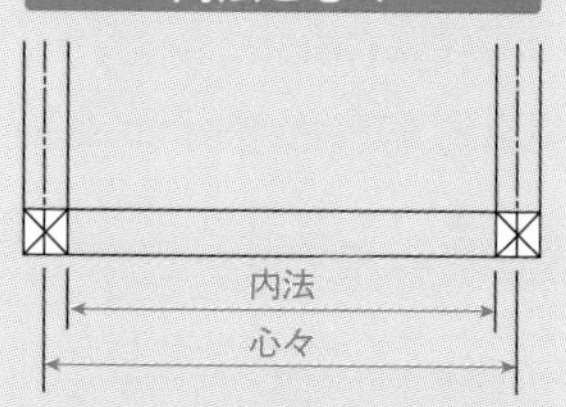

グリッドプランニングの手順

①柱を組立基準線上に置く。

②柱に沿って壁を置く。

③壁で囲まれた内側に構成材(エレメント)を設置する。

構成材(エレメント)

家具や設備などの構成要素のこと。

(1)シングルグリッドの用い方

柱や壁を立てるために、均一な間隔で格子状に引かれた基準線をシングルグリッドという(図3)。1モデュールを910㎜の間隔にしたグリッドが多く用いられている。このグリッド上に、柱や壁などの構成材の中心を合わせて配置する方法をシングルグリッド心押さえという。設計手法として容易であり、現在、最も一般的に使われている。ただし、柱の太さや壁の仕上げの厚みなど不確定部分もあるので、構成材の完全な規格化ができない。

また、シングルグリッドの線(面)に、間仕切家具などの構成材の仕上がり面(背面や扉面)を合わせていく方法を、シングルグリッド面押さえという。

■図3 シングルグリッド

シングルグリッド心押さえ

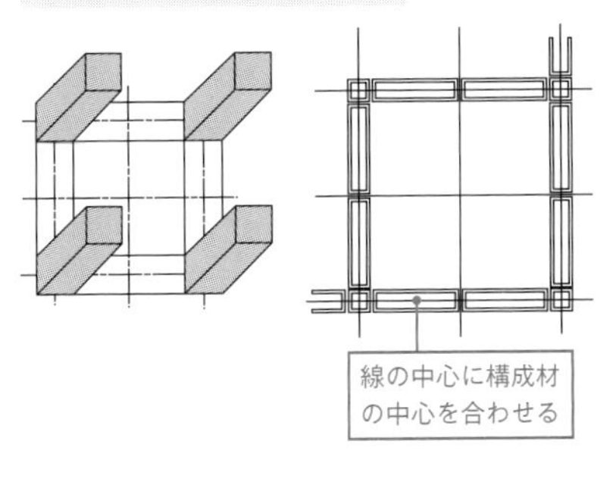

シングルグリッド面押さえ

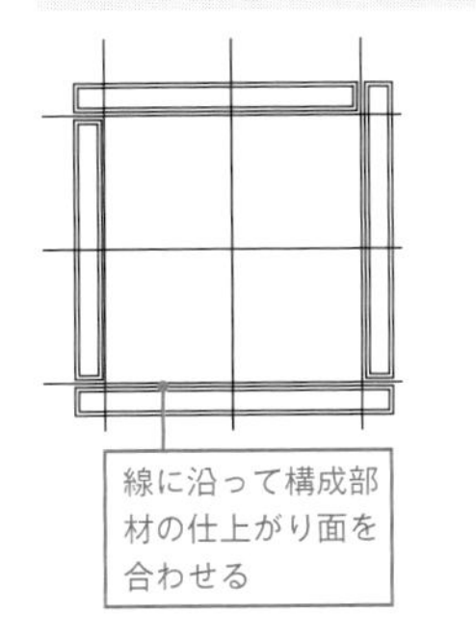

(2)ダブルグリッド

あらかじめ柱の太さ、壁やパネルの厚みを想定して、二重線で引かれた基準線をダブルグリッドという。グリッド上に、壁などの領域を配置する。部屋の大きさとは別に、柱や壁の厚みの寸法をとるので、ダブルグリッドという(図4)。この方法で設計すると常に一定の内法寸法を確保できるため、構成材の標準化がしやすい。

■図4 ダブルグリッド

ダブルグリッド

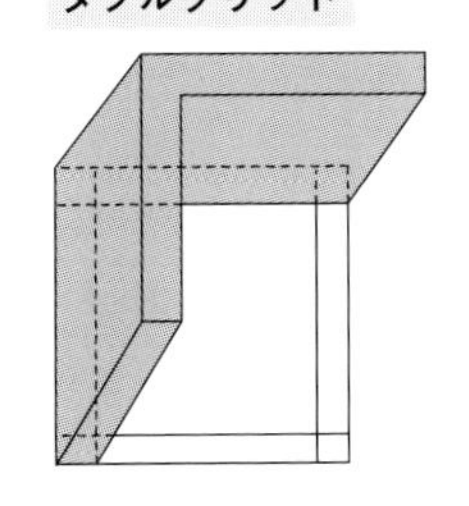

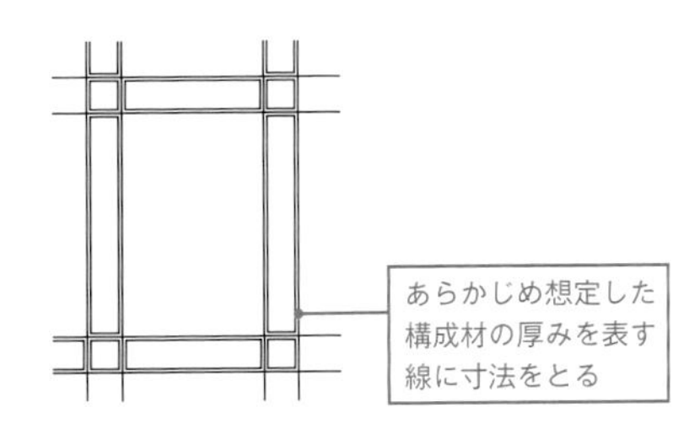

畳の大きさが変わる?

シングルグリッドは、柱や壁の位置をグリッド上に決めるだけで、実際の部屋の大きさを決めることにはならない。畳などを敷く空間によって大きさが変わる。

シングルグリッド心押さえ

グリッド上に、柱や壁を配置する方法。関東での在来木造軸組構法は、その代表例。シングルグリッド面押さえは、グリッド上に壁などの面をのせたもの。

ダブルグリッド

あらかじめ壁を配置する領域をとったもの。関西での在来木造軸組構法は、その代表例。

内法

部材の内側から内側までの距離。

2. 江戸間と京間

日本の伝統的な木造住宅は、地域によって異なるモデュールの考え方をとってきた。たとえば、関東を中心とした江戸間（関東間、田舎間）と、関西を中心にした京間（関西間、本間）である。江戸間の設計では、1間（6尺）を1,820㎜として、柱の心々間にその寸法の倍数を割り当て、部屋の大きさを決める。柱心を基準線（910㎜グリッド）に合わせたシングルグリッド心押さえを用いている。そのため、畳の大きさは部屋の大きさや形状によって異なる。この方法は、柱の心々（芯から芯）を基準とする柱割と同じような手法である（図5左）。

一方、江戸時代以降、京都などで見られる京間では、畳の寸法を基準として部屋の大きさや柱の位置などを決める畳割という設計手法を用いている（図5右）。畳1枚の大きさを6尺3寸×3尺1寸5分（1,910㎜×955㎜）に統一して、柱の位置は畳の外側に面押さえで設定するので、ダブルグリッド面押さえとなる。

また、畳の寸法は1間×半間を基本としているが、京間、江戸間などの建築の規格によって畳のサイズが異なる（図5）。そのため現場では、建物ができてから畳業者が採寸して畳を製作することもある。

JAS協会（日本農林規格協会）では、畳表の規格を特等、1等、2等、種類を1～3種に分類している（次頁表3）。

■図5　柱割と畳割

柱割（江戸間）

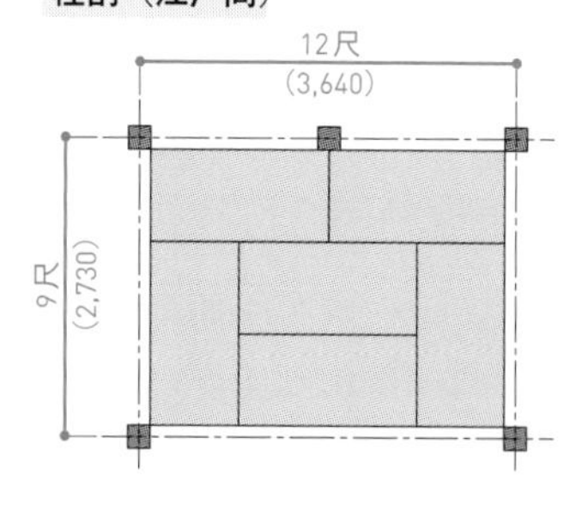

畳割（京間）

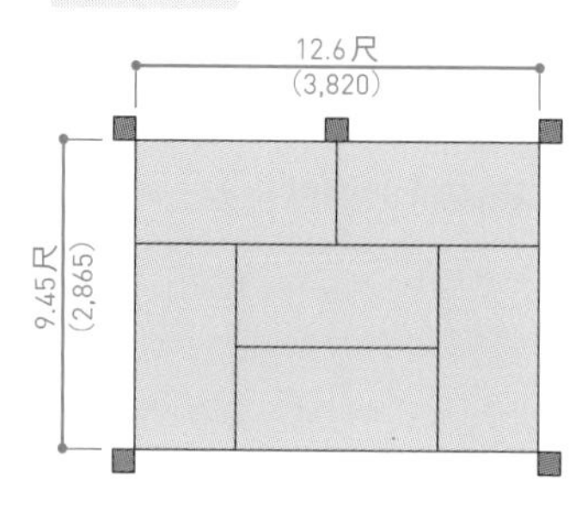

	江戸間	京間
柱割	6尺	6尺5寸
畳割	5尺8寸	6尺3寸

柱割

柱の心々距離を基準尺として、各部屋の大きさを決める平面計画法。

畳は吸湿・放湿性に優れているから、日本の多湿な風土に合っているんだ

畳の厚さ

通常は50㎜もしくは60㎜。フローリングの上に置くタイプの薄型もある。

畳の大きさ

基本は6尺×3尺だが、それぞれの地方で独自の寸法がある。

名古屋の中京間

名古屋を中心に使用されてきた中京間もある。基準として、柱割の場合は1間を6.2尺、畳割の場合は1間を6尺とする。実際は後者が大部分である。

メーカー独自の間

一部のメーカーが、広めのサイズとして採用しているメートル間もある。柱割の場合、1間を2mとして畳の寸法を決める。

■表 3 JAS 畳表の寸法と畳の種類

JAS規格	通称	畳の寸法	主な使用地域
1種	京間、関西間、本間	長さ… 1,910mm(6尺3寸) 幅…… 955mm	関西、中国地方、山陰、四国、九州
	佐賀間	長さ… 1,880mm(6尺2寸) 幅…… 940mm	佐賀、長崎など
	安芸間	長さ… 1,850mm(6尺1寸) 幅…… 925mm	山陽地方の瀬戸内海に面した地域
2種	中京間	長さ… 1,820mm(6尺) 幅…… 910mm	中京地区、東北・北陸の一部、沖縄
3種	江戸間、関東間、田舎間	長さ… 1,760mm(5尺8寸) 幅…… 880mm	全国的に普及
	団地間	長さ… 1,700mm(5尺6寸) 幅…… 850mm	公団公営住宅、建売住宅

※畳表と畳付法の目安

タイル仕上げの壁の場合、構成材を納めてから仕上げに入るんだよ

3. 構成材の寸法の考え方

構成材を納めるための基準となるのが、構成材の大きさや位置を決めるときに基準となる構成材基準面である。構成材を納めるうえで、実寸法と製作寸法の差である誤差を見込んであきをとり設計すれば、誤差を吸収して壁面に納めることができる。小さく作成された場合は良いが、大きく作成された場合は納まらなくなるためである。設計図に示される寸法を製作寸法といい、構成材を製作するときに基準となる寸法を呼び寸法という(図6)。モデュールを用いた場合はモデュール呼び寸法という。

このような方法で構成材の寸法を決めておけば、製作の際に多少の誤差が生じても構成材基準面の間に納まる。あきの寸法の基準は、JIS 規格で製作公差(せいさくこうさ)(最大と最小の許容誤差)が決められている。製作にあたっては、組立てのときに生じる組立誤差(くみたてごさ)(位置の誤差)も考慮しなければならない。

■図 6 構成材の寸法と誤差

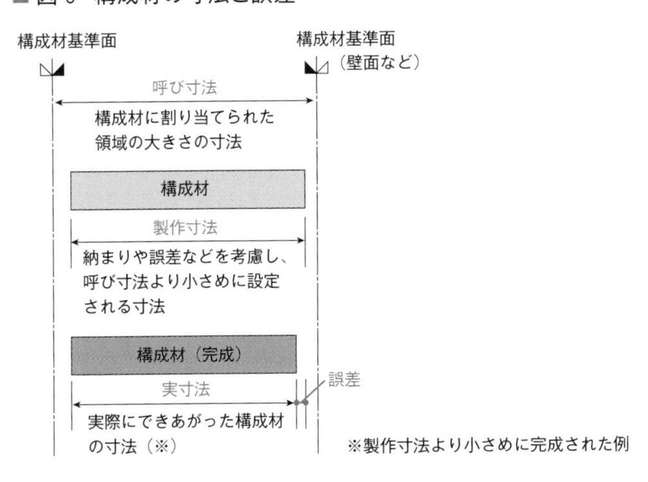

構成材
建築を構成するすべての部分。ネジなどの小さな部品から、建材、ユニットなど多岐にわたる。パーツ類やユニット家具など、まとまったものを指す場合が多い。

あき
製作寸法と呼び寸法の差。

製作寸法
製作上の寸法。

呼び寸法
構成材を製作するときに基準となる寸法。

モデュール呼び寸法
呼び寸法にモデュールの数値を用いる。

8-3 性能の計画

重要度 ! ! !

Point

- ☑ 要求条件の相互の客観的な目安のひとつが性能である
- ☑ 換気や空気環境は、健康および安全のために必要な計画である
- ☑ 品確法のひとつの柱である住宅性能表示制度を理解する

住宅における性能

1. 住宅やインテリアに関する性能

注文する側が注文を受ける側に、すべての要望を客観的に伝えることは難しいが、双方に共通する判断の目安があれば、両者に共通認識が生じて要望に近い注文をすることができる。その目安のひとつが性能である。

建築やインテリアでは、寸法の適合性や安全性、耐久性などの性能を満たすための性能計画が必要である。また、インテリアや建築の構成材においては、JIS（日本産業規格）で以下のような性能検査が掲げられている。

①断熱性…熱が移動するのをどのくらい抑えられるかを表す性能
②遮音性…音の伝わりを遮断する性能
③気密性…空気が漏れない性能
④耐火性…火の熱に耐える性能
⑤耐久性…物理的・化学的な力に対して時間的に耐える力を表す性能

2. 住宅性能の評価

建築基準法のみでは、住宅に付加すべき高い品質を規定することは不可能である。そのため、住宅の品質の評価基準を示すために新設された品確法に住宅性能表示制度（任意制度）が設けられた。住宅性能表示制度は10項目あり、うち4項目が必須。これらの項目の評価・検査は、国に登録された第三者機関である登録住宅性能評

空間の良否には、広さや間取りのように視覚的に判断できることと、防火性のように判断できないことがあるよね。だから総合的に価値を判断する目安があると便利なんだ

性能計画
空間計画の目標を明確にすることと、できあがった空間を客観的に評価することをねらいとしている。

品確法
正式名称は、住宅の品質確保の促進等に関する法律。欠陥住宅などの問題から、2000年に施行された新しい住宅の評価基準のしくみ。→ P.44

公式ハンドブック［上］P.115～120、［下］P.114～115、P.254～255

価機関が行ないその結果は、住宅性能評価書として交付される。

■図 住宅性能表示制度(10項目)のイメージ

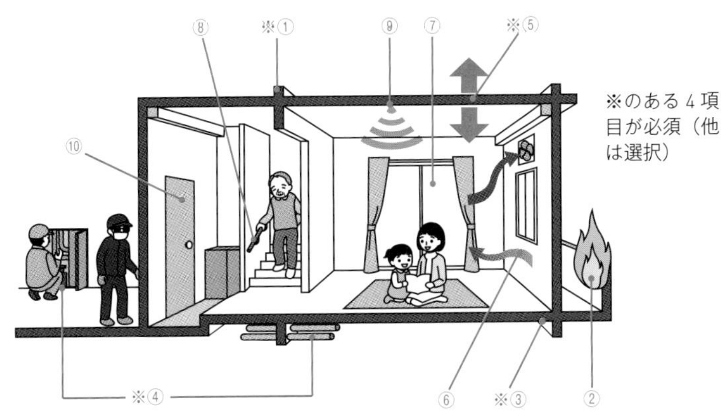

番号	住宅性能	具体例
※①	構造の安定	耐震性、耐風性、耐雪性
②	火災時の安全	防耐火性、避難経路の確保
※③	劣化の軽減	建物の劣化を防止、軽減するための対策
※④	維持管理・更新への配慮	給排水管、ガス管などのメンテナンス
※⑤	温熱環境	断熱性、気密性
⑥	空気環境	ホルムアルデヒド対策、換気対策
⑦	光・視環境	採光を取るための開口部面積の大きさ
⑧	高齢者等への配慮	段差解消、手摺の設置など
⑨	音環境	遮音性能
⑩	防犯	防犯対策

3. 室内の空気環境

近年、住宅などでは、シックハウス症候群(しょうこうぐん)が問題となっている。これは、ホルムアルデヒドなどの化学物質が原因となって健康被害を引き起こす症状である。これを受けて、2003年に建築基準法が改正され、ホルムアルデヒドの発散速度による区分とその表示が義務付けられた(表)。さらに、居室の内装材および天井裏などから発生するホルムアルデヒドの発散量が制限され、24時間換気装置の設置も義務付けられている。機械換気設備は、居室の場合、原則0.5回/h以上の換気回数を確保しなければならない。内装で使用する接着剤や下地も規制の対象となる。

■表 ホルムアルデヒド発散速度による等級区分と制限

JIS、JASなどの等級	ホルムアルデヒド発散速度※	建築材料の区分	内装仕上げの制限
F☆☆☆☆	0.005mg/㎡h以下	建築基準法の規制対象外	制限なしに使える
F☆☆☆	0.005mg/㎡h超0.02mg/㎡h以下	第3種ホルムアルデヒド発散建築材料	使用面積が制限される
F☆☆	0.02mg/㎡h超0.12mg/㎡h以下	第2種ホルムアルデヒド発散建築材料	使用面積が制限される
—	0.12mg/㎡h超	第1種ホルムアルデヒド発散建築材料	使用禁止

※測定条件:温度28℃、相対湿度50%、ホルムアルデヒド濃度0.1mg/㎥(=指針値)

誰もが元気に健康で長く住み続けられるように、子供や高齢者の視点も配慮した設計が大切だよ

クロルピリホス

有機リン系の殺虫剤。防蟻剤としての役割ももつ。シックハウス症候群を起こす原因のひとつとされるため、居室を有する建築物では、使用を禁止されている。

揮発性有機化合物(VOC)

塗料や接着剤などに含まれるトルエン、キシレンなど、揮発しやすい有機化合物の総称。

F☆☆☆☆

ホルムアルデヒド発散量による等級区分。エフ・フォースターと読む。JIS製品への表示が義務付けられている。☆☆☆☆は発散量がゼロまたは微量。☆が少ないほど、発散量が多く、条件付きの使用となる。(F☆☆☆☆が最高等級)

F☆☆☆☆の活用

現在、内装材の各メーカーのほとんどが、安心して無制限に使用できるF☆☆☆☆の性能商品を開発提供している。居室の内装仕上材の選択は、健康被害対策として重要である。

8-4 安全の計画

重要度 ! ! !

Point

- ☑ 人の生命に関わる安全計画の種類を理解する
- ☑ 安全への対策には、法規や制度を確認することが必要
- ☑ 室内空気汚染について考慮する

人の生命を守る安全の計画

インテリアの性能において、人の生命に関わる重要な項目が安全の計画である。住まいは「家族の生活をさまざまな災害から守り、安全に暮らすための器」であることから、この基本条件を備えなければならない。住まいとインテリアに関して、安全性や健康面について注意すべき主な項目は、以下のように整理できる。

①災害

非常災害(火災、地震災害、風水害など)

日常災害(転落、転倒など)

②健康障害

室内空気汚染(シックハウスなど)

1. 非常災害への対策

(1)火災対策

近年、建物の防火性能は良くなっているが、その一方で、室内での発煙などによる火災時の人身事故が多くなっている。特にプラスチックなどは、木材や紙と比べると発煙量が多く、有毒ガスを発生することもある。そのため、各法律では、居住者の安全を確保する対策として、さまざまな規定を設けている。建築基準法では、壁や天井を不燃化とするため、次頁表1に挙げた防火材料を使用するよう内装制限が規定されている。また消防法では、カーテンや布製のブラインド、じゅうたんなどに、防災性能が保証された製品の使用が規定されている。

消火設備の種類

一般的な消火設備として、スプリンクラーと消火器が挙げられる。スプリンクラーは自動散水消火器ともいい、散水するタイプ。消火器は粉末や泡などを放出して消火する。

泡消火器

二酸化炭素を多く含んだ泡を放射するタイプ。油火災などに適する。

ABC消火器

多様な出火原因に対応する粉末タイプ。Aは普通火災、Bは油火災、Cは電気火災に対応することを意味する。

内装制限

インテリアで使用される壁装材料の性能は、壁紙単独ではなく下地材との組合せで判断される。内装制限は、燃焼速度の速い壁と天井について規制されている。→P.39

公式ハンドブック[上]P.111～115、[下]P.67～68、P.71

■表1　防火材料の性能基準

不燃材料	コンクリート、レンガ、瓦、石綿スレート、鉄鋼、アルミニウム、ガラス、モルタル、漆喰、そのほかこれに類する建築材料
準不燃材料	木毛セメント板、石膏ボード、その他の建築材料
難燃材料	難燃合板、難燃繊維板、難燃プラスチック板、その他の建築材料

(2)地震対策

建物への耐震対策は進歩しているが、室内での安全性は、必ずしも十分に確保されているとは限らない。建物自体の破壊による1次災害だけでなく、家具や家電などの転倒や落下、横滑りなどによる2次災害で人的被害や避難遅れなどが起こる可能性もある(図1)。インテリア計画にあたっては､安全性の考慮された家具を選び､転倒防止金物で固定するなどの対策も講じる必要がある(図2)。

■図1　地震時における家具の動き

転倒

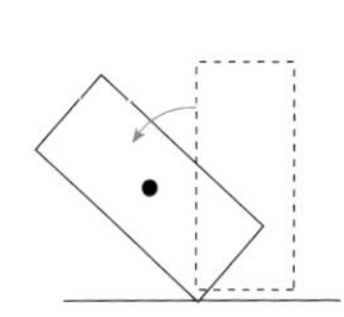

振動による家具の転倒。人や物への直接被害のほか、避難通路の閉鎖など2次災害を引き起こす

落下

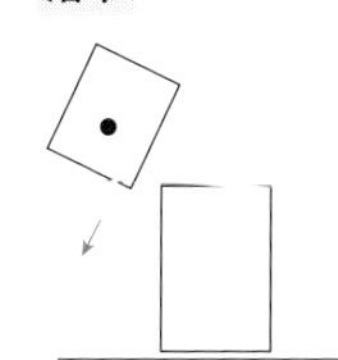

積み重ね家具やタンスの上の飾棚などが、揺れによって落下する。人や物への直接被害を引き起こす

ロッキング移動

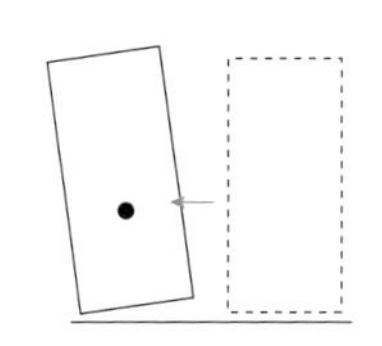

歩き移動、滑り移動などで、家具が移動する。ガラスの破壊、避難通路の閉鎖などを引き起こす

収納物落下

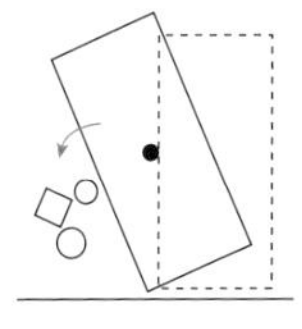

揺れによって収納物が外部へ落下、散乱する。人間への直接的傷害のほか、避難の妨げとなる

扉、引出しの開閉落下

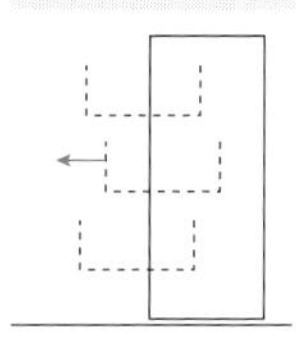

引出しが飛び出したり、扉が開閉して落下する。これにより、バランスを失った家具が転倒する

■図2　家具の留金物の例

L型金物

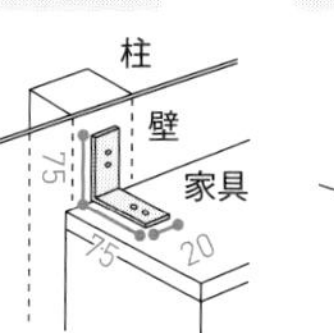

コの字型金物

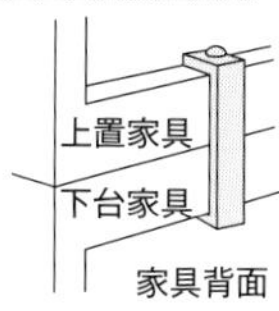

扉開放防止金物

飛び出し防止ラッチ

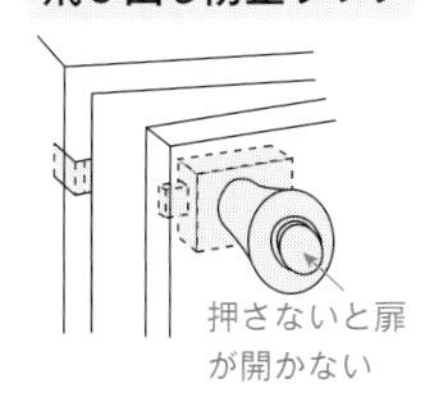

火災警報器の設置義務

消防法の改正により、2006年6月1日から、すべての住宅に火災警報器の設置が義務付けられた。

配線工事が不要な電池式の火災警報器もあるよ。電池は10年式のものが市販されているけれど、電池切れしないよう注意が必要だよ

地震対策―免震と制震

免震とは、地震エネルギーを建物に伝わりにくくする方法のこと。制震とは、建物の内部で吸収し、揺れを小さくする方法。

ガラス扉の対策

食器棚や飾棚など、ガラスを用いた家具は、地震のときにガラスが割れる可能性があり危ないので、ガラス面に飛散防止フィルムを貼っておくとよい。

2. 日常災害への対策

家庭内で起こる日常災害は、以下の3つに分類される。

①落下型…墜落、転落、転倒、落下物による打撲

②接触型…ぶつかり、挟まれ、こすり、鋭利物による傷害

③危険物型…火傷・熱傷、感電、中毒、酸欠、溺水

特に浴室内での事故は多く、浴槽での溺水は高齢者に多い。住まいの計画においては、日常災害への対策も必要である(表2)。

日常災害による死者数

家庭内で亡くなる人の数は、非常災害よりも日常災害が原因であることが多い。特に浴室内での事故は、室内の温度差や、転倒の危険性などから、最も多くなっている。

■表2 日常災害とその対策

災害の種類	原因と問題点	対策の手法例
不完全燃焼による中毒	開放型燃焼器具の不完全燃焼により一酸化炭素が発生し、中毒を起こす	・密閉型燃焼器具を用いたり、開放型を使用する場合は換気扇連動とする
階段などからの転落	勾配が急であったり、段板が滑りやすい材質の場合に転落が多い。下降時のほうが転落しやすい	・法的規制以上に踏面を大きく、蹴上げを小さく、昇降しやすくする ・身体を支える手摺を設置する ・段は滑りにくく、万一の転落時の衝撃を吸収する軟らかい材質とする
手摺などからの転落	手摺や窓台を越えて子供などが転落する	・手摺の高さは基準法の最低高以上とする。手摺の桟などは足を掛けて登りにくいデザインとする
床面での転倒	床材、ワックスなどの選択ミスや小さな段差による滑りや転倒が多い	・敷居などの段差をなくす ・水などでぬれても滑りにくい材質を選ぶ ・小さな敷物は避けて、カーペットの端部をしっかり固定する ・転倒時の衝撃を吸収する軟らかい材質とする
火傷	調理中や開放型燃焼器具の使用時の火傷が多い	・直火を使用せずにすむ電磁調理器や密閉型燃焼器具を使用する ・特に高齢者の場合は注意する
溺水	浴槽などで溺れる事故が多い	・浴槽や洗濯機に水を溜めておかない ・浴室入口に鍵を設置する
衝突	ドアや突起物に歩行者が衝突する	・移動のための動線とドアなどの移動軌跡を重ねない ・壁面の突起物は利用者が接触しない位置とする

3. 室内空気汚染への対策

建材や内装材、塗料や接着剤、家具などから多種多様の化学物質が室内に放出されている。その化学物質が原因で発症する健康障害をシックハウス症候群という。2003年7月施行の改正建築基準法で、建築物に係るシックハウス対策が規定された(図3)。また住宅性能表示制度でも、性能表示の基準のひとつとして空気環境が挙げられている。

■図3 シックハウス対策

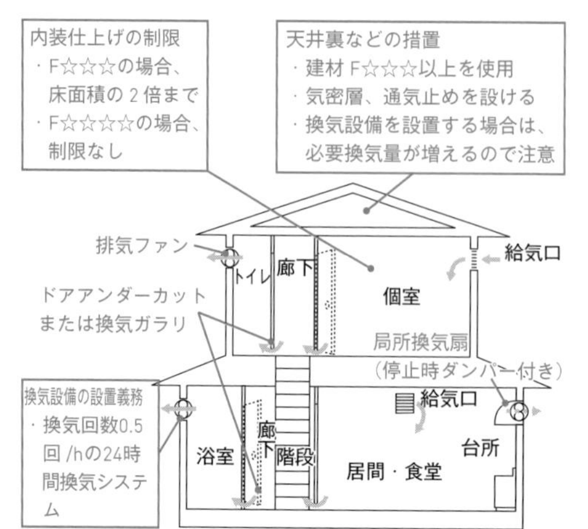

シックハウス対策

ホルムアルデヒドとクロルピリホスの化学物質が含まれる建材は、使用禁止または使用制限され、換気設備の設置が義務付けられている。

F☆☆☆☆
→ P.139

なお、室内空気汚染の対策は以下の通りである。

①建材、内装材、塗料、接着剤などに有害な化学物質が含まれていないか検討する。またリフォームの場合は、取り替える。

②換気、通気を十分に行なう。シックハウス対策法により、該当する居室のあるすべての建物に、24時間機械換気設備の設置が義務付けられている。

空気汚染の原因となる主な物質

ホルムアルデヒド、トルエン、キシレン、パラジクロロベンゼン、エチルベンゼン、スチレン、フタル酸ジ-2-エチルヘキシル、ダイアジノン、アセトアルデヒド、フェノブカルブ。

防犯への対策

住宅における防犯の意識は、年々、高まっている。住宅性能表示制度の中に「防犯」が追加された背景には、住宅への侵入といった犯罪の増加に加え、消費者の防犯意識の高まりもある。

防犯対策としては、鍵の選択や、ガラス部と鍵との位置関係を検討する必要がある。特に防犯対策が必要な場所に、玄関や玄関廻りがある。玄関ドアの錠前については、電気錠(図4)やワンドア·ツーロックなどを採用することを考慮する。また、ドアとドア枠の隙間にガードプレートを取り付けて、防犯性を高める方法もある。

玄関廻りの照明計画では、人感センサーによってフラッシュ点滅で威嚇するタイプのものを使用すると防犯に効果的である。

窓のサッシは、合わせガラスにすることや、サッシ内側の上下に補助錠を取り付けるなどの工夫も、防犯対策として有効である(図5)。

P.264「錠前」も参照してね

ワンドア · ツーロック

1つの扉に2つの鍵を付けること。

ガードプレート

ドアとドア枠の間にできる隙間を埋めるためのプレート。サムターン回しの針金の差込みや、バールを差し込んでこじ開けたりするのを防止する役割がある。

■図4 電気錠の種類

暗証番号式

4~12桁程度の暗証番号を設定。鍵やICカードとも併用できる

ICカード式

ICカードを近づけるだけで解錠可能な非接触タイプ

ICタグ式

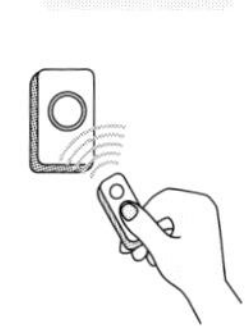

ICタグを近づけるだけで解錠できる。リモコンタイプもある

生体認証式

指紋認証、光彩認証、顔認証など、利用者の生体情報によって解錠する

■図5 防犯対策に効果的なパーツ

合わせガラス

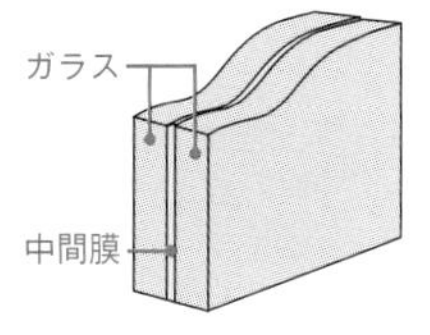

2枚の板ガラスで中間膜を挟んでいる。破損しても破片が飛び散らない

補助錠

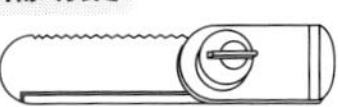

主錠のほかに取り付ける鍵。侵入にかかる時間を長くして防犯性を高める

防犯性能を示すCPマーク

防犯性能の高い建物部品であると認定された商品や部品に表示される共通標章。

8-5 住宅の種類と形式

重要度 ！！！

Point

- ☑ インテリア計画の基本となる住宅の種類と特徴を知る
- ☑ コートハウス、コーポラティブハウスなど、住宅の形式名を覚える
- ☑ 集合住宅の断面形式や平面形式を覚える

住宅の種類

1. 戸建て住宅

一戸建て住宅には平屋建て、2 階建て、3 階建てなどがある。また形式的には、二世帯住宅やコートハウス（図 1）、地下室付住宅（図 2）など、さまざまなタイプがある。

■ 図 1 コートハウス

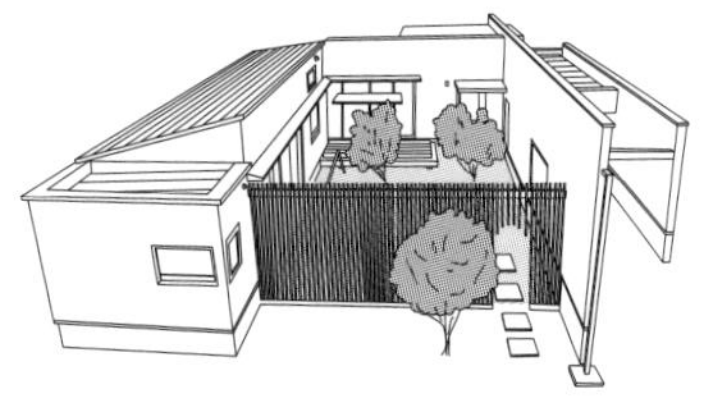

■ 図 2 地下室付住宅と 3 階建て住宅

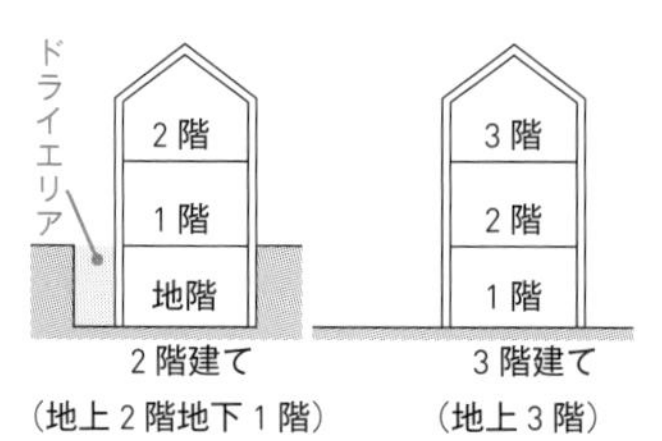

2. 集合住宅

集合住宅とは、住戸（じゅうこ）が 2 戸以上集合して 1 棟を構成する住宅のことをいう。構成により、以下のような種類がある。

①アパート、マンション…最も一般的な集合住宅の形態。階段、廊下といった共用部分をもつ。それぞれ明確な定義はない。

②コーポラティブハウス…組合方式で建てる集合住宅。入居希望者が組合を結成し、土地の購入、設計、工事までを行なう。

③テラスハウス…低層で 2 つ以上の住戸を横に配置する連続住宅。各戸は地面に接し、専用の庭をもつ（次頁図 3）。

④タウンハウス…低層の連続住宅。各戸は地面に接し、専用の庭がある。さらに共用の庭などのコモンスペースをもつ（次頁図 4）。

公式ハンドブック［上］P.91 ～ 92

コートハウス
建物や塀などで囲まれた中庭（コート）をもつ都市型住宅。

パティオ
噴水や柱廊などを配置した中庭。スペイン住宅に見られる。

ドライエリア
地下室に採光や換気を取り込むため、地下の外壁に沿って設けられた空間。→ P.43「地下室の環境」

住戸
集合住宅で使われる用語。各居住の一戸一戸をいう。

コモンスペース
集合住宅などで、各居住者が共用するために設けられた道路や通路、庭などの空間。

■ 図 3　テラスハウス

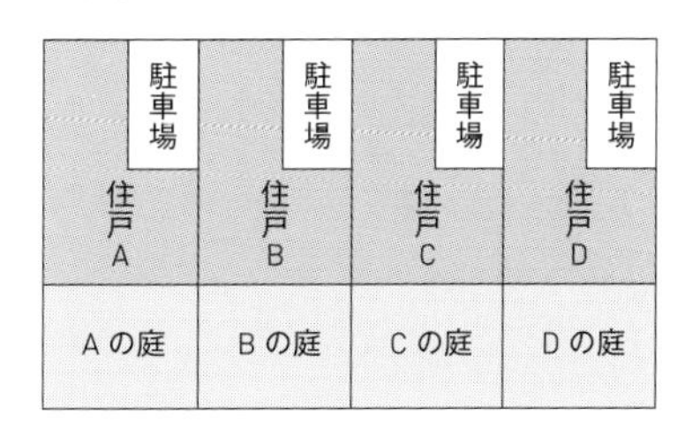

■ 図 4　タウンハウス

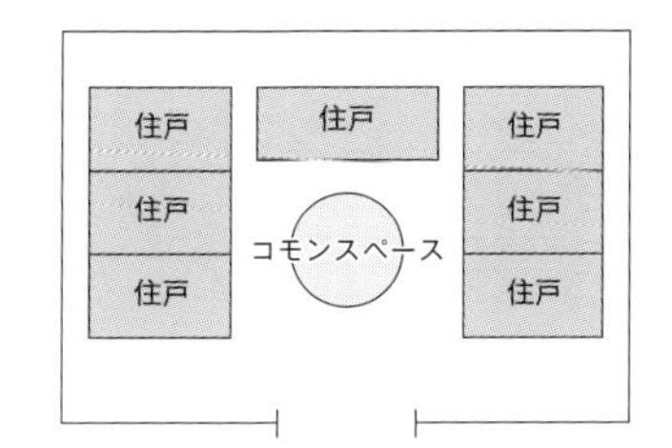

建物の骨組み（スケルトン）と、間取りなどの内部（インフィル）を分離した工法による集合住宅を、SI（スケルトン・インフィル）住宅というよ。容易にインフィルを変えられるため、長く住み続けられるよ

集合住宅の形式

1. 集合住宅の断面形式

集合住宅の断面形式には、図 5 のように 3 つのタイプがある。

■ 図 5　断面形式の種類

フラット

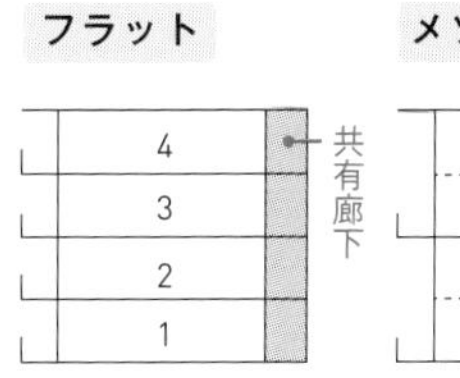

住戸の各世帯が 1 層で完結している形式

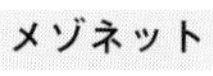

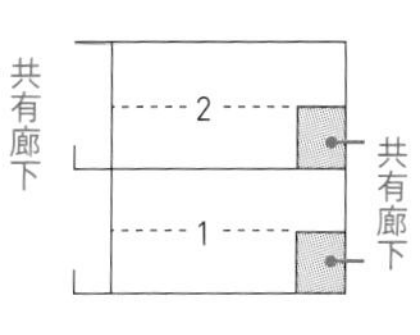

各世帯とも 2 層で、内部階段がある

スキップフロア

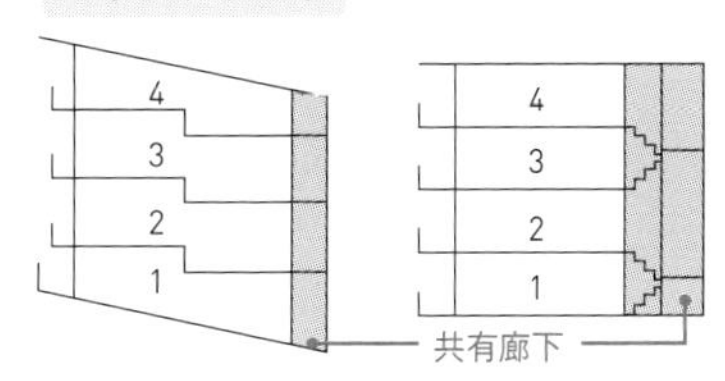

各住戸とも段差を付けた間取りをもつ。または、各住戸を半階ずつずらした床で上下階に分けたもの

コアプラン

集合住宅で、階段、水廻り設備などを核にして、周りに住戸を配置すること。

2. 集合住宅の平面形式

集合住宅には、基本として 5 つの型がある（図 6）。

■ 図 6　平面形式の種類

階段室型

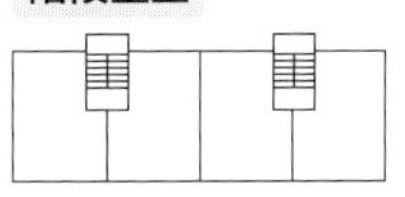

1 つの階段を挟んで 2 軒の住戸が左右に相対する形式

片廊下型

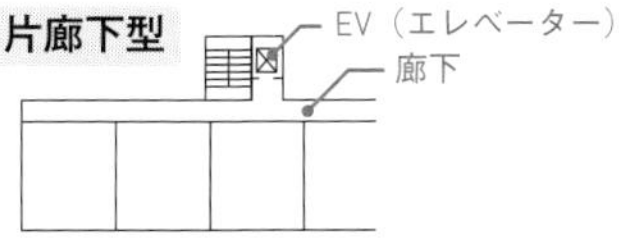

EV（エレベーター）
廊下

各階までは階段やエレベーターを使い、廊下を通って各住戸に達する形式

中廊下型

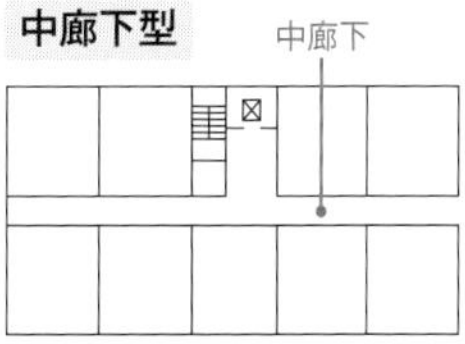

中廊下

中廊下を挟んで、両側に住戸を配置する形式

集中型

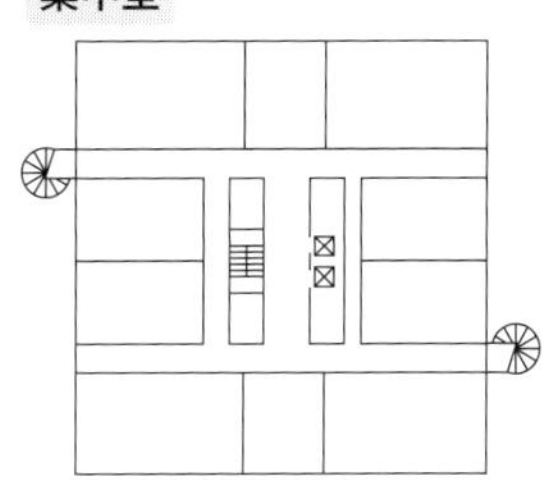

階段やエレベーターを中央に置き、周囲に住戸を配置した形式

ツインコリドー型

廊下を 2 列にし、中の吹抜けを囲むように住戸を配置する形式

8-6 重要度 ！！！

LDKの計画と寸法

Point

- ☑ リビングの家具配置と必要寸法を覚える
- ☑ キッチンでの動線や動作寸法を理解する
- ☑ ダイニングの型と各レイアウトの最小寸法を覚える

LDKのスタイルと空間計画

家族構成やライフスタイルが多様化するなかで、住宅の間取りもさまざまに変化している。住まいの中心として位置付けられるL（リビング）、D（ダイニング）、K（キッチン）は、基本的にそれぞれ独立した単位空間だが、組合せにより部屋全体の印象や使い勝手が変わる。以下にLDKの主な組合せを紹介する。

(1) LDK型

LDKを1つの空間にまとめたスタイル。調理をしながらでもLDにいる人とのコミュニケーションがとりやすい。家具の配置は人の視線の動きを考慮する。また、内装制限にも注意が必要である。

LDK型

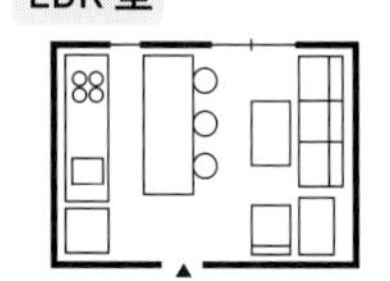

(2) L＋DK型（L独立型）

Lを完全に独立させ、DとKを1つの空間としたスタイル。Lを接客の空間として使用するのに適している。DKが同スペースのため、配膳やあと片付けの動線が短い。

L＋DK型

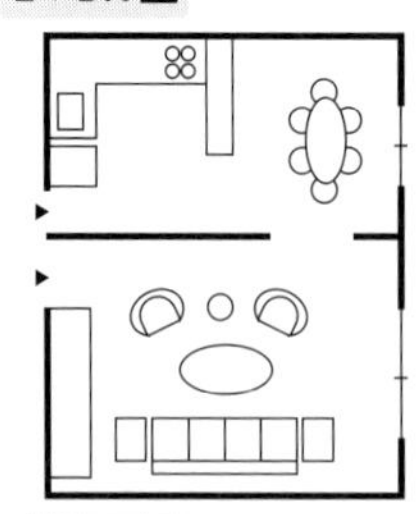

(3) LD＋K型（K独立型）

Kを独立させ、LとDを1つの空間とする構成。調理に専念でき、音やにおいがLDに侵入しにくいという利点がある。

LD＋K型

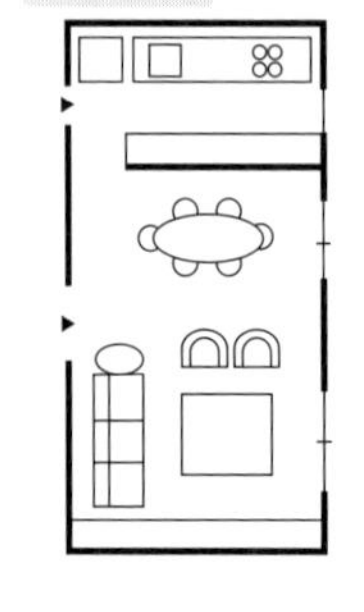

n＋LDK

住宅の間取りと規模を表す表現方法。nは個室の数。たとえば2LDKは、2つの個室とLDKの3つの空間があることを示す。個室の広さはわからないが、部屋数や構成を知る目安となる。

内装制限

建築基準法に基づく規制。火災の広がりを防止するために、室内の壁や天井仕上げに使用する材料を規制している。→P.39

一般的な戸建住宅では、キッチンは内装制限の対象です。でも、平屋、2階建ての2階や最上階にキッチンがある場合は対象にならないよ

公式ハンドブック［上］P.122～127、P.146～150

(4) L・D・K型

3つの単位空間をある程度仕切り、連続性と分離感を両立させたスタイル。面積を必要とするため、やや大きめの規模の住宅に適している。

L・D・K型

1. リビングの空間計画

リビングは生活の中心的な存在であり、だんらんやくつろぎの場となる。座る、寝転ぶなど、さまざまな姿勢をとるため(図1)、お互いの距離、視線の方向や高さ、動線などを考慮しなければならない。たとえば、ソファなどの家具は配置する位置によって視線の方向や人との距離感に変化が生じるので、どの位置に配置するかは重要な要素といえる(図2)。

3タイプのリビング

①ホール型:個室に行くためにリビングを通過する間取り。

②独立型:プライベートスペースと完全に独立。接客向き。

③ゾーン型:LDは同一空間。家具などでL空間をつくる。

■ 図1 生活姿勢の分類

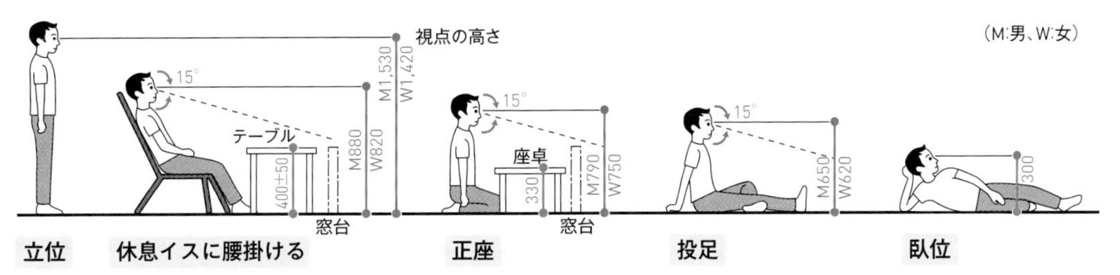

■ 図2 L空間の家具配置と必要寸法

対向型

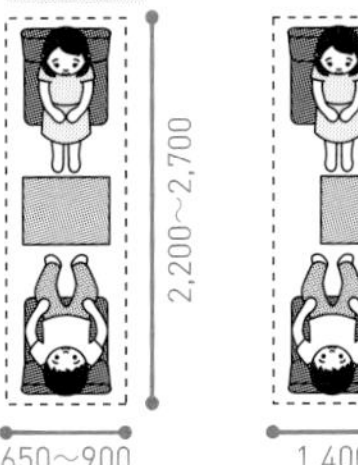

堅い会話・商談など、接客向き

L字型

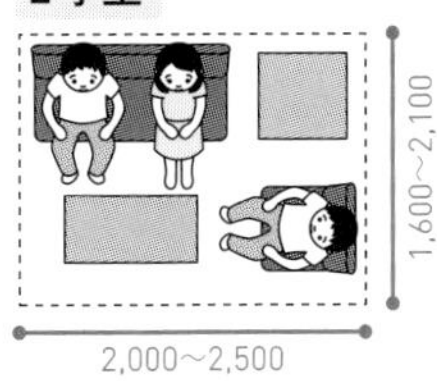

比較的近い距離での会話となるため、コミュニケーション重視型

直列型

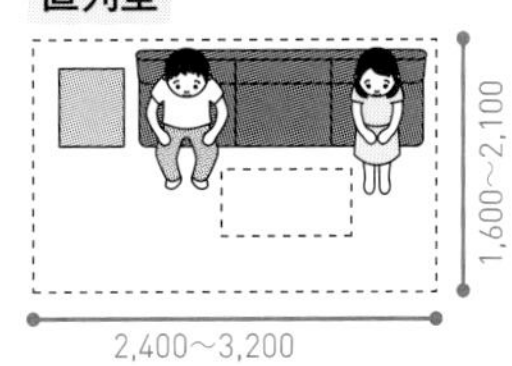

狭い空間でもコンパクトに配置できる

コの字型

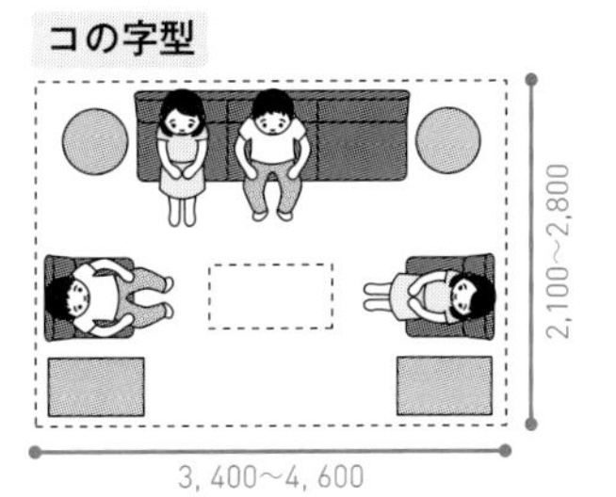

広い空間で多人数向き

分散型

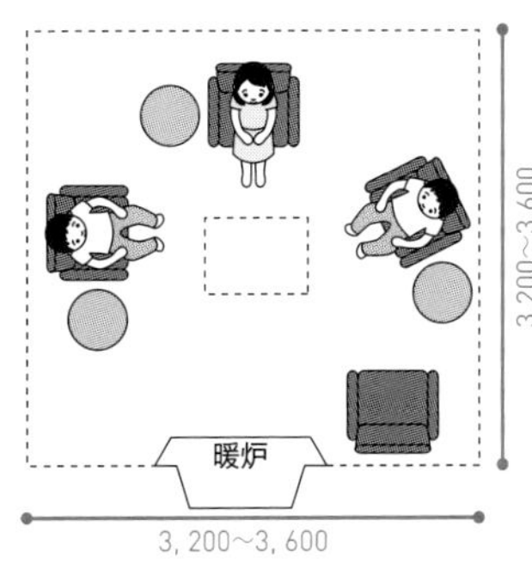

分散して配置。暖炉を囲む習慣のある西洋に多い

2. キッチンの空間計画

キッチンは、調理などの作業中心の場であるため、機能性を最優先に計画をしなければならない。それには、まず、調理の流れ(図3)や、作業のしやすい環境を知っておく必要がある。

■図3 設備と調理の流れの関係

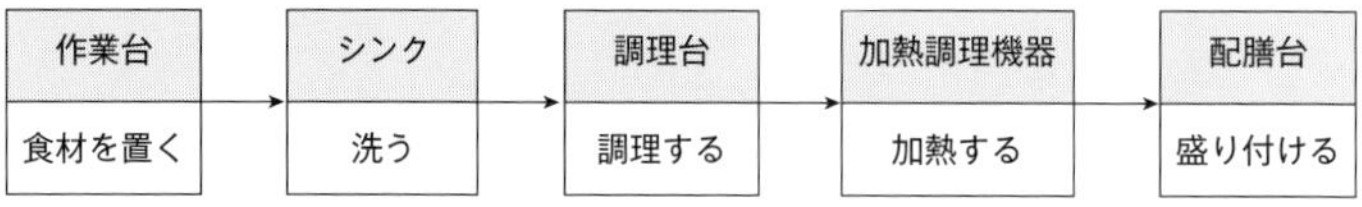

作業台	→	シンク	→	調理台	→	加熱調理機器	→	配膳台
食材を置く		洗う		調理する		加熱する		盛り付ける

(1) キッチンの設計

キッチンでは立って作業することが多いため、設計の寸法は立位で作業する場合の作業点が基本となる。作業点とは、手とまな板などの器具との接点のことで、立位の場合、成人男性では高さ80〜90cm、手元の範囲20cm程度が最も作業がしやすい(図4)。成人女性の作業点の高さは男性より5cmほど低い。

また、調理台の高さは、まな板の厚みを考慮して、作業点より5cmほど低くとる。力を要する作業の場合は、やや低めの位置が使いやすい。作業点の高さは、作業の種類により異なるので注意したい。

キッチンの設計は、この作業点と動作寸法(どうさすんぽう)によって決められる(図5)。

■図4 立位作業点の評価(単位:cm)

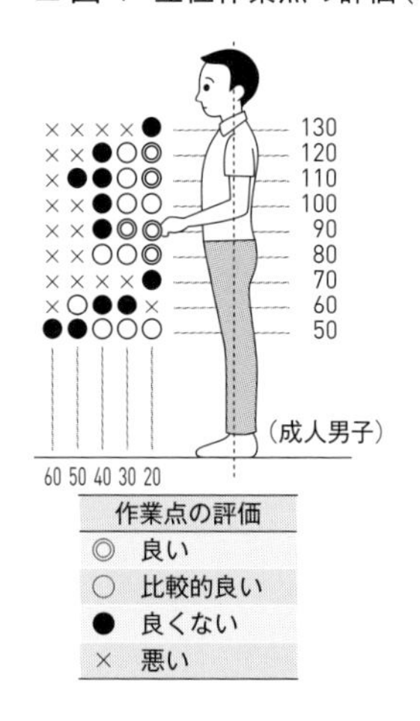

■図5 キッチン各部の寸法(単位:mm)

(2) アイレベルの調整

スムーズにコミュニケーションをとるためには、目線の高さが重要なポイントとなる。この視点の高さのことをアイレベルという。条件に合わせてアイレベルを調整することで、コミュニケーションをとりやすい環境をつくることができる(次頁図6)。

キッチンに必要な基本性能

①床…耐水性、防汚性、耐薬品性、清掃性

②壁・天井…耐水性、防汚性、防カビ性、不燃性

キッチンの寸法

キッチンの高さや奥行は、JIS(日本産業規格)とISO(国際標準化機構)で定められている。

		JIS	ISO
高さ		800mm	
		850mm	850mm
		900mm	900mm
		950mm	
奥行		600mm	600mm

キッチンの防火

火災発生の危険性が最も高い空間。建築基準法の内装制限や安全条例(市町村別)などで細かく定められている。

キッチンの採光と照明

キッチンには十分な明るさ(照明)が必要である。手元照明も計画すること。建築基準法では、独立したキッチンには、外部開口部からの採光(自然光)を義務付けていない。

垂れ壁と内装制限

火気使用部分とその他の部分が1室である場合、天井から500mm以上の不燃材料で覆われた垂れ壁が相互を区画したとき、そのほかの部分は内装制限を受けない。

■ 図6　調理と食事の場のアイレベル

調理台とダイニングテーブル

調理台とカウンター

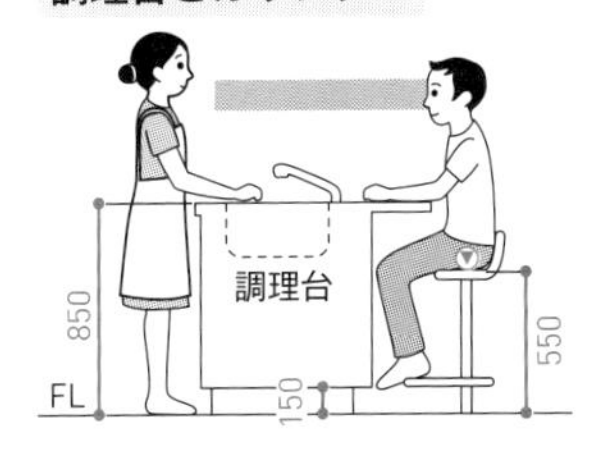

対面式のカウンターキッチンは調理台とテーブル面の高さが異なるため、イスを高くするかテーブル面を下げる必要がある。

(3)パントリー計画

コロナ渦の影響もあり、パントリーの需要が高まっている。本来の目的は食糧庫だが､住まい手によって活用の方法は多岐にわたる。

昨今、特徴的な傾向が2点ある。ひとつ目は保存量の変化である。非常時に備え長期間保存できるよう、より広いスペースを設けるケースが増えている。ふたつ目は設置場所である。外部から衛生的かつ効率よく収納できるよう、玄関から短い動線でパントリーにつなげる間取りの人気が高い。

インテリア計画で注意したいことは、仕上げ材の工夫である。特に床は清掃性がよく、重い物を置いても傷みにくい建材を選ぶとよい。また、収納棚などをのちに追加して取り付けられるように下地材などの補強をしておくと便利である。

■ 表　パントリーの主な活用例

①	常温で保存する食料品
②	防災備蓄の食料品や防災品
③	使用頻度の低い食器類
④	冷蔵庫、ウォーターサーバー、ワインセラーなどの家電を置く

ワークトライアングル

冷蔵庫、シンク、加熱調理器の3つの頂点を結んだ三角形のことをいう。作業性の良否を判断するのに重要な要素で、合計した数値が3.6～6.6mが適当とされている。

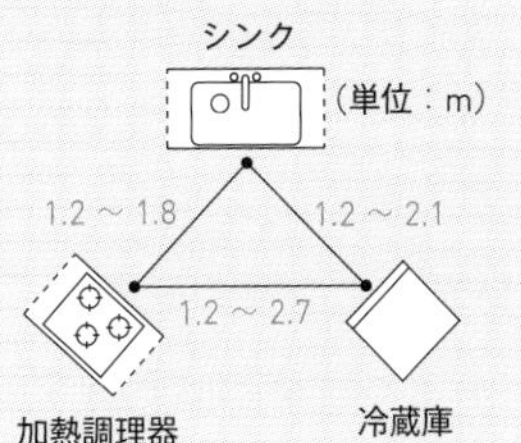

キッチンには余裕のある収納計画が必要だよ。最近は家電の種類も増えたので、コンセントの形や数、配置にも十分配慮してね

パントリー

キッチンに隣接した場所に設ける主に食料や食品を保管、収納するスペースのこと。→ P.169

3. ダイニングの空間計画

ダイニングは食事をする場所という明確な用途があるため、家具などをレイアウトしやすい。しかし、今日のライフスタイルの多様化から家族のコミュニケーションの場としての役割も強くなっており、その役割も変化している。たとえば、子供がダイニングで勉強をするというケースも見られる。こうした変化にともない、ダイニング空間の型も多様化している(図8)。

(1) ダイニングの配置

ダイニングの計画をするときは、以下の4つのポイントを理解して、空間の型を考える必要がある。

①家具の大きさと部屋の広さの関係が適切であること。
②通り抜けなどの動線が少ない配置であること。
③キッチンとの繋がりが適切であること。
④感覚的に落ち着ける空間であること。

セミオープン
ダイニングとキッチンが連続した空間の場合、キッチンキャビネットなどで適度に分割すること。

■ 図8 ダイニングの配置例

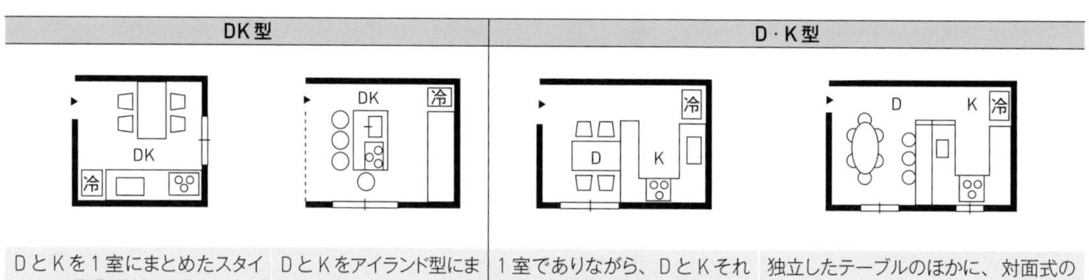

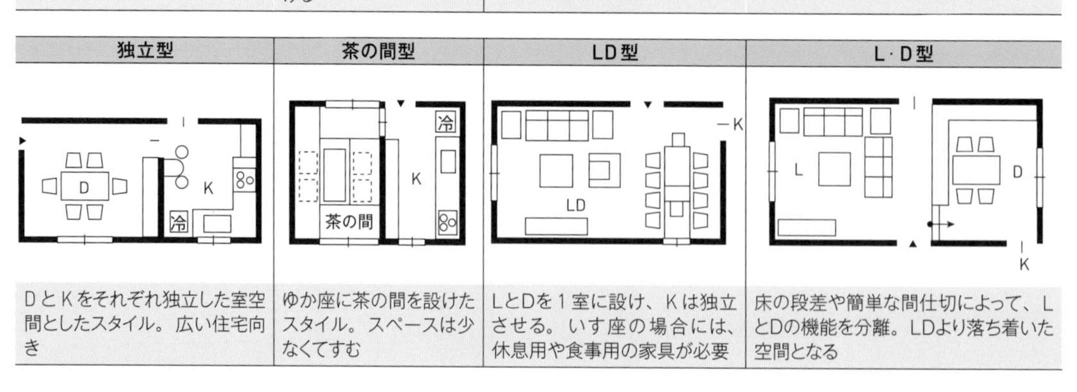

(2) 食事のために必要なスペース

食事のための1人の最低幅は600㎜、奥行は350～400㎜を目安とする。人間の動作で必要なスペースは、いす座かゆか座かで異なる(次頁図9)。ゆか座の場合、あぐらをかくなどすると、ひざの分だけ幅をとる。ダイニングテーブルや座卓の大きさを判断する目安にするとよい。また、食事には配膳（はいぜん）のためのスペースが必要なため、食卓周りに必要な寸法も考慮する（図10）。

車イスの寸法

→P.161「車イスに必要な寸法」

近頃多く見られる細長いD空間にテーブルを置く場合、長方形のテーブルだとスペースをとらないよ。図11の4人掛けのレイアウトを比べてみてね

■図9　基本的なスペース

1人分のスペース

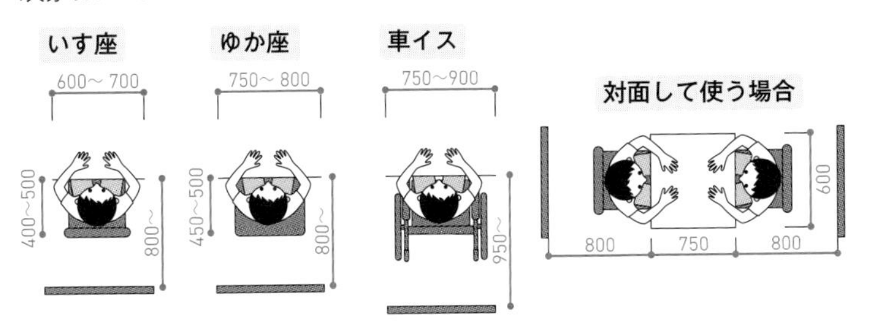

■図10　食卓周りに必要なスペース

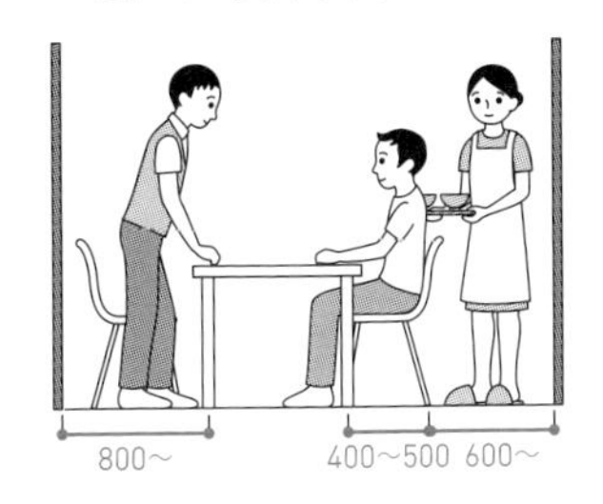

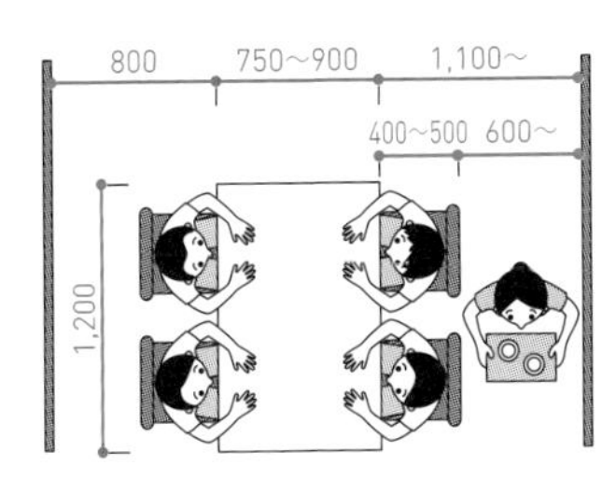

(3) ダイニングのレイアウト

使用する人数や、テーブルとイスの配置によって最小限必要なスペースは異なる。同じ人数でも、レイアウトによって空間に必要な縦横の寸法も異なる（図11）。

■図11　ダイニングのレイアウト

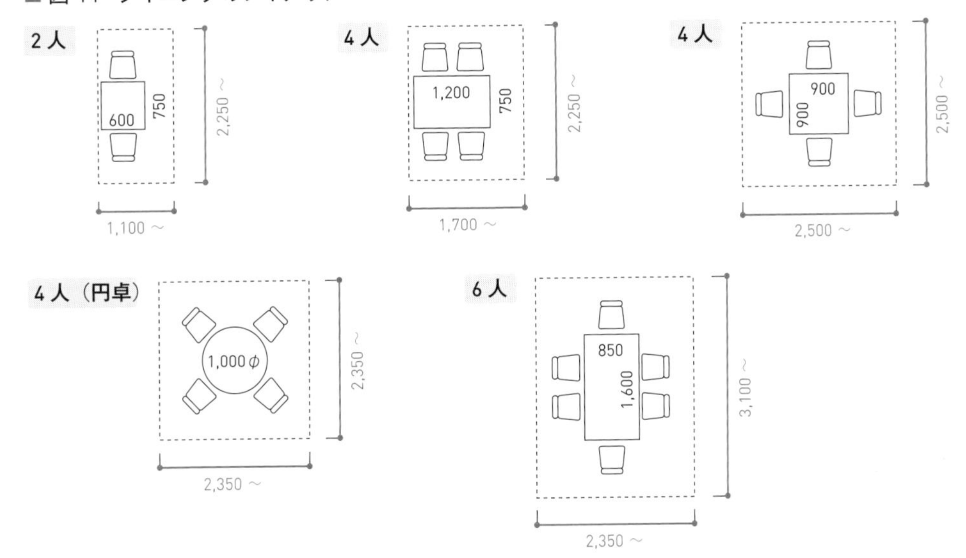

8　平面計画

8-7 個室の計画と寸法

重要度 ! ! !

Point

- ☑ ベッドや布団の寸法と周りの寸法を覚える
- ☑ イスと机の寸法の求め方を覚える
- ☑ パソコン作業における機能寸法やポイントを理解する

寝室（主寝室）の計画

人間は、人生のおよそ3分の1を睡眠に費やすため、寝室の環境づくりは大切である。安眠の条件に、まず姿勢が挙げられる。仰向けに寝た姿勢で、背中と臀部（でんぶ）を結んだ線と腰の部分が2～3cm開く状態が好ましい（図1）。マットレスは、軟らかいものより比較的硬いものを使うと、背中と臀部で適度に支えられて快適に眠ることができる。

■図1 理想的な姿勢

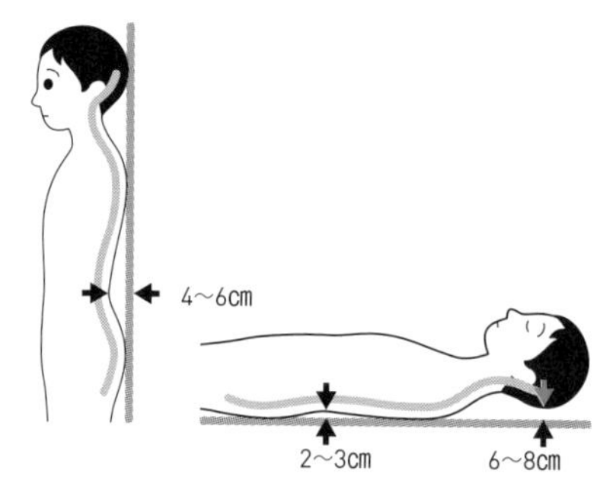

ベッドのサイズは、マットレスの大きさを基準とする（図2）。人間工学の観点から、安眠できるとされるマットレスのサイズの目安は、長さ＝身長＋40cm程度、幅＝肩幅×2～2.5倍程度（最小幅は70cm程度）とされている。

■図2 ベッド、布団の大きさ

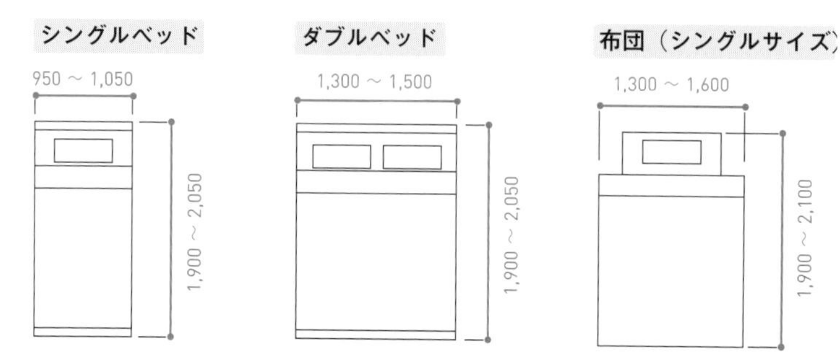

主寝室（マスターベッドルーム）
夫婦の寝室のこと。一般的には、居室のもっとも広い部屋を主寝室とする。

マットレスの構造

安眠の姿勢を保つため、マットレスには3層構造が提案されている。身体に接する軟らかいA層、姿勢を保つための硬いB層、衝撃を吸収するC層である。

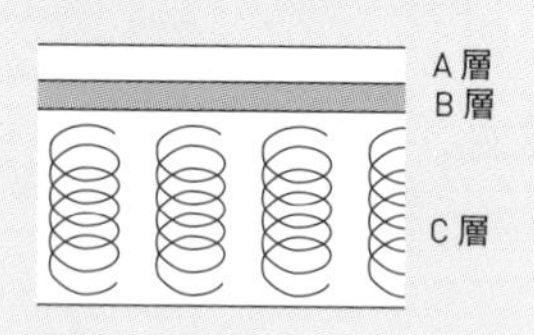

ベッドのサイズ

シングルサイズ	950～1,050
セミダブルサイズ	1,050～1,300
ダブルサイズ	1,300～1,500
クイーンサイズ	1,500～1,800
キングサイズ	1,800～2,100

長さは1,900～2,050mmが目安。

公式ハンドブック［上］P.128～129、P.156～157

また寝室のベッドや布団の周りには、50cm以上の通路スペースを設けるようにする(図3)。

■ 図3 寝室の寸法

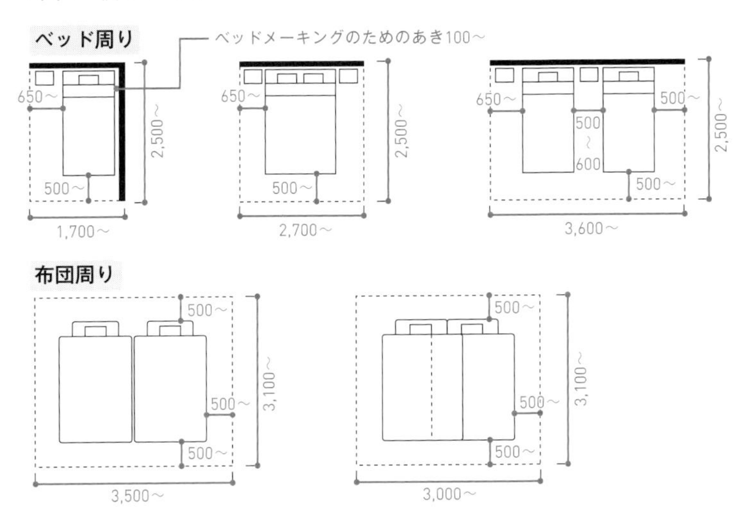

子供室の計画

子供室は、学習、遊び、就寝など多目的に使われる空間である。そのことを踏まえ、成長に応じて間取りを変更できるように設計しておくとよい(図4)。机やイスの高さは、人間工学に基づいて算出したサイズのものを使用する(図5)。

■ 図4 子供室のプラン例

小学校(低学年・中学年)

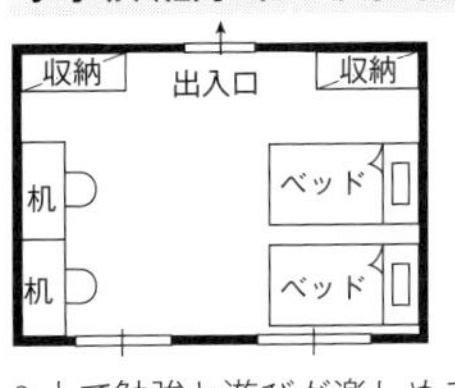

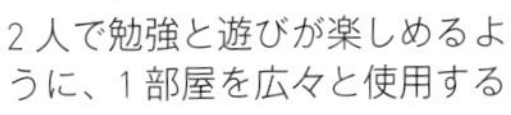

2人で勉強と遊びが楽しめるように、1部屋を広々と使用する

小学校(高学年)

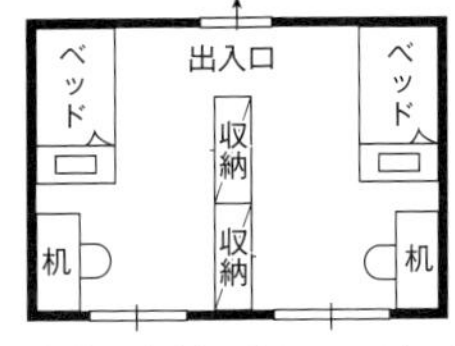

中央を収納で隔て、それぞれのプライベートな空間をつくる

■ 図5 机とイスの高さ

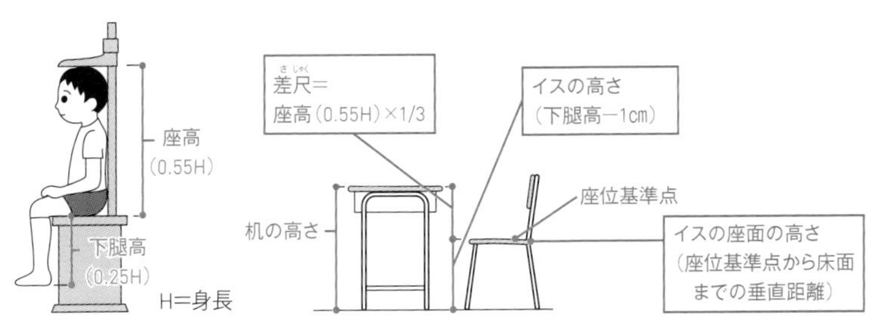

人間工学の観点から、枕の高さは、頭をのせて安定した状態で4～8cm程度が理想とされているよ

子供室のベッド

JIS規格で、ベビーベッドの格子の間隔は85mm未満、2段ベッドの床板の高さは1,200mm以下と規定されている。

机のサイズ

JISの規格では、事務用机670mmおよび700mm、家庭用学習机700mmと高さが決められている。

差尺
→ P.128

パソコン作業のための寸法

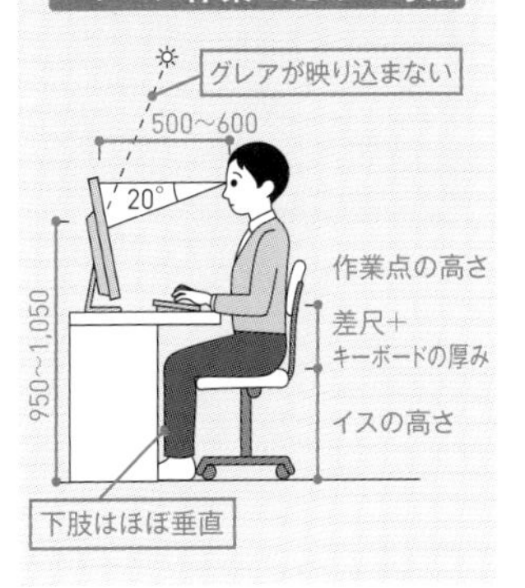

8-8 重要度 ！！！

サニタリーの計画と寸法

Point

- ☑ サニタリーの型とそれぞれの特徴を把握する
- ☑ 浴槽の形、設置方法、動作寸法との関係を理解する
- ☑ 浴室、洗面所、トイレの各種寸法を覚える

サニタリーのスタイル

住まいの質を向上させるには、浴室やトイレの快適さが不可欠と認識されるようになっている。そのため、浴室、洗面所、トイレを含めたサニタリーは、住まいの中でも重要な空間とされるようになっている(図1)。サニタリーは、以下の要素に配慮して計画することが求められている。

①清潔さが保てる。
②誰にとっても安全で使いやすい。
③他室との関連(配置)が適切である。
④寸法が適切である。
⑤耐水・防水・防カビなどの材料が選定されている。
⑥設備機器などの保守点検がしやすい。

サニタリー
「衛生的な」という意味をもつ。インテリアでは、浴室、脱衣室、洗面所、トイレといった空間の総称。

スリーインワン
洗面所、浴室、トイレを1つの空間にしたユニット。ホテルやワンルームマンションなどでよく使用されている。

■図1 サニタリーの型

1室タイプ

浴槽
洗面台
便器

単身者が住む個室など、小さな住宅向き。スリーインワンタイプとも呼ばれる

2室タイプ

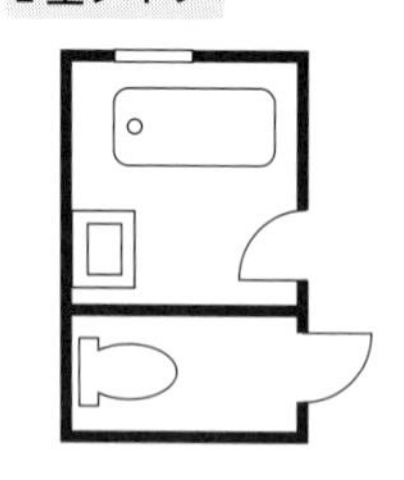

浴室・洗面所とトイレとを分けたスタイル。トイレの独立性が高くなり、同時使用が可能

2室タイプ

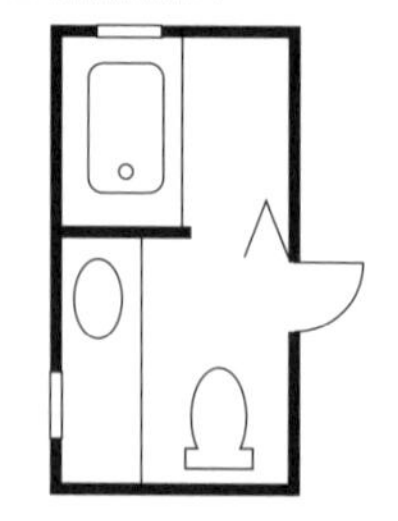

浴室を独立させているが、入口はひとつのため、同時使用は難しい。レイアウトによっては広さを確保でき、洗面機能も充実する

独立タイプ

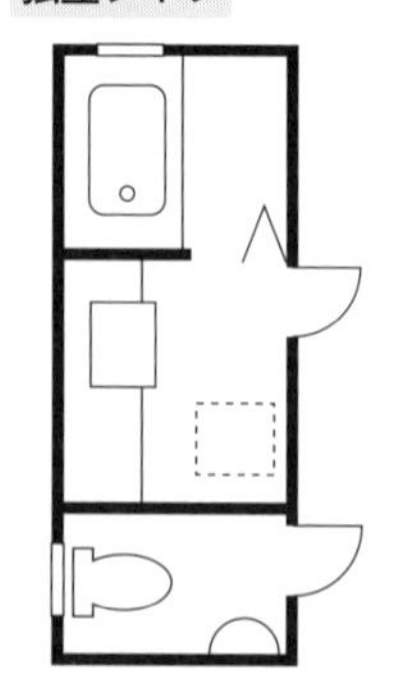

浴室、洗面所、トイレが独立したスタイル。洗面所に洗濯機や収納を置くこともできる

公式ハンドブック［上］P.132～134、［下］P.202～203

浴室の計画

浴室に楽しみやリラクゼーションを求める傾向が強くなり、入浴スタイルや、浴槽の形・大きさなどのバリエーションが増えている。入浴スタイルには2種類ある。ひとつは、浴槽と洗い場とを分けた日本特有の和式スタイルである。もうひとつは、洗い場はなく浴槽内ですべてを済ませる洋式スタイルである。このような入浴スタイルを考慮し、浴槽の種類や洗い場の空間などを設計する必要がある。

1. 浴槽の種類と設置方法

浴槽の種類には、和風、洋風、和洋折衷(わようせっちゅう)の3種類ある(図2)。日本では、肩までつかることができて、身体を伸ばせる和様折衷が多い。また、浴槽の設置には、据置(すえお)き式(しき)、埋込(うめこ)み式(しき)、半埋込(はんうめこ)み式(しき)の3種類がある(図3)。特に、埋込み式や半埋込み式では、浴槽が指定の場所に納まるよう寸法計画が重要となる。また、浴槽の内法深さは、安全面や機能面から重要な寸法となる。

■図2 浴槽の種類と寸法

和風

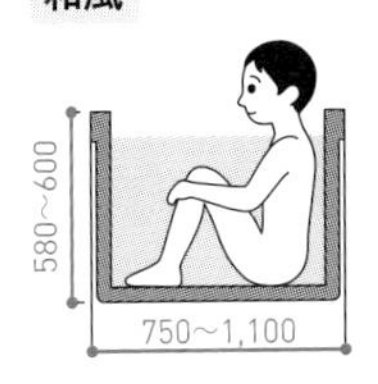

長さ方向の寸法は短いが、深さがある

洋風

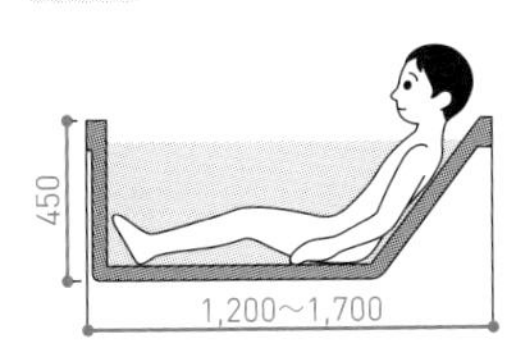

長さがあり、片面に傾きがある。背中を伸ばして入浴できる

和洋折衷

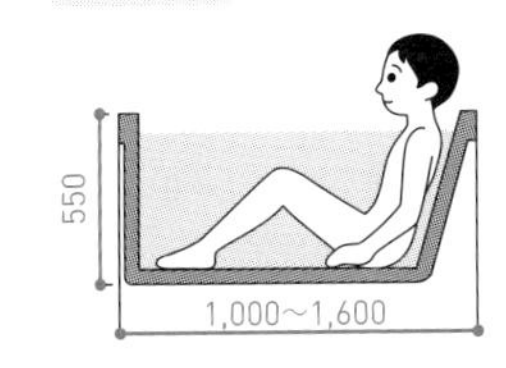

各部の寸法や形が和風と洋風の中間の形式

■図3 浴槽の設置方法

据置き式

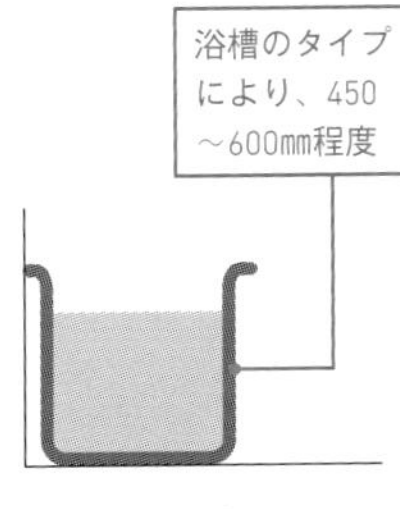

またぎ高が高く、入りにくい

埋込み式

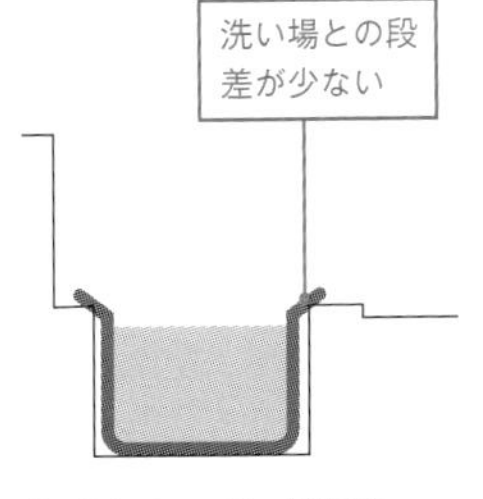

入りやすいが、幼児や高齢者には転落の危険性がある

半埋込み式

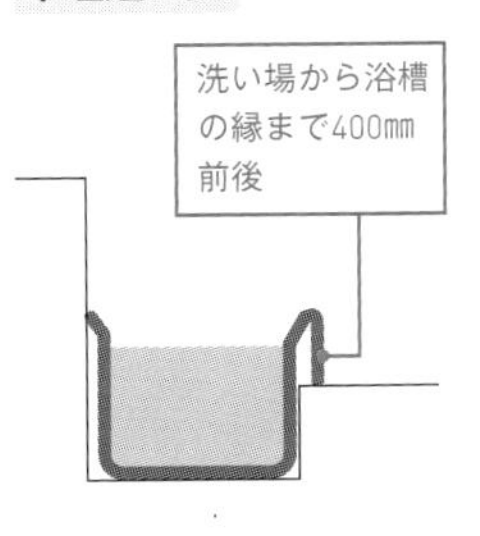

またぎやすく、住宅でよく使われる。介護もしやすい

内法(うちのり)

→P.134

浴槽のエプロン

下の図にある通り、外側の仕上げ面のことをエプロンという。据置き式や半埋込み式を設置するときに必要な仕上げ。

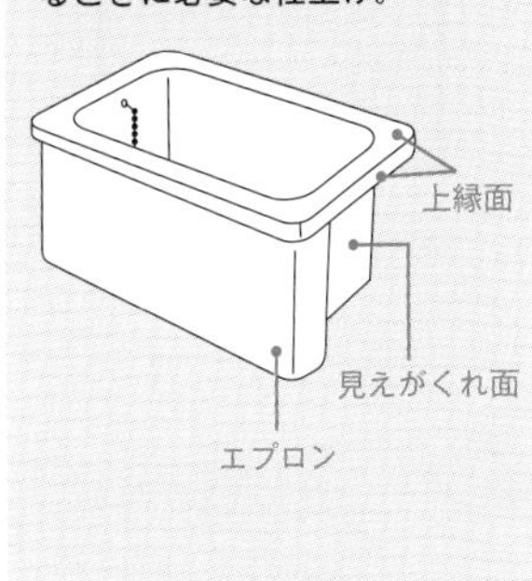

2. 浴室の寸法

浴室の洗い場は、入浴行為に必要な寸法をもとに決められる。たとえば、洗い場で背中を洗うときの動作寸法は1,100㎜が目安となる(図4)。浴槽の上に肘が出ることには問題がないため、洗い場の横幅の寸法は、一般的には800～900㎜程度である。

浴室のつくり方は、大きく分けて在来工法と浴室ユニットの2つに分類される。

浴室の広さは、浴槽の種類や大きさによっても異なる。浴室ユニット(ユニットバス)には、1216(1,200 × 1,600㎜)タイプや1616(1,600 × 1,600㎜)タイプがある(図5)。これらの寸法は、すべて内法で表示されている。1616タイプは、在来工法1坪(1,820 × 1,820㎜)に設置できる大きさである。

浴室ユニット

浴室を構成する床、壁、天井、ドア、浴槽などの部材を工場で生産し、現場で組み立て設置する方式のもの。また、浴室をそのまま運んでセットする方式のもの。

浴室の設計

浴槽をはじめとする浴室の寸法は、設備の納まりを外法寸法で設計する。

■図4 入浴に必要な寸法の目安

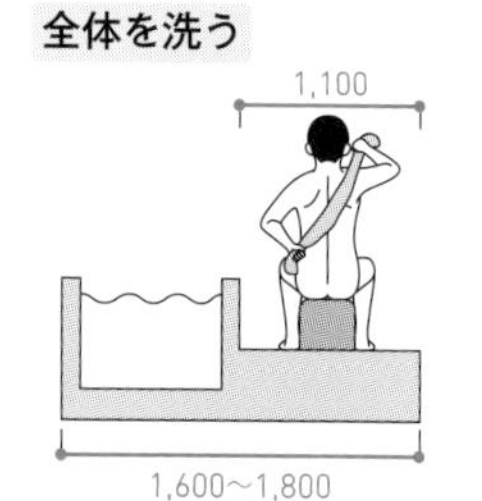

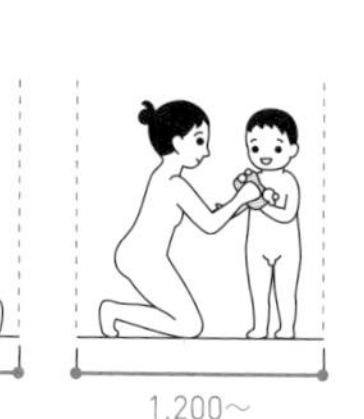

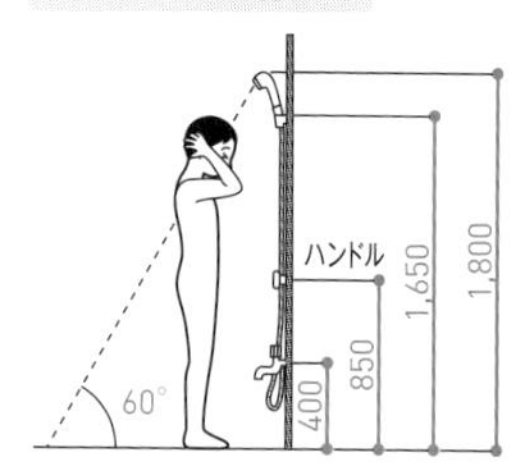

■図5 浴室の広さの例

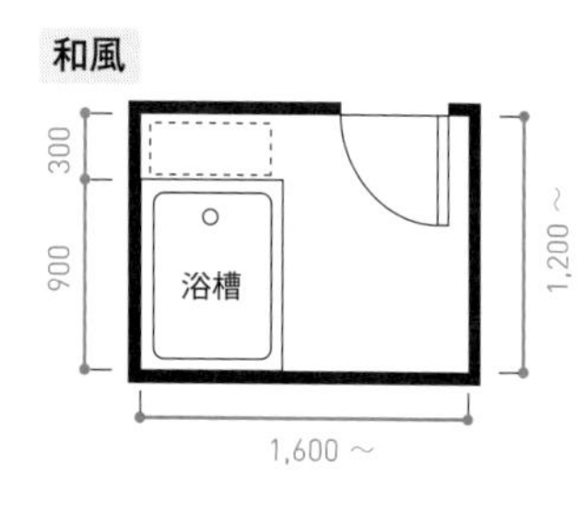

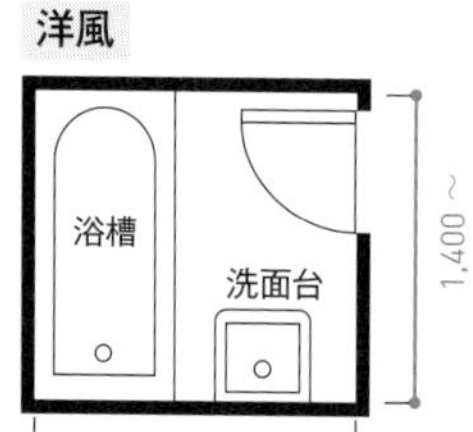

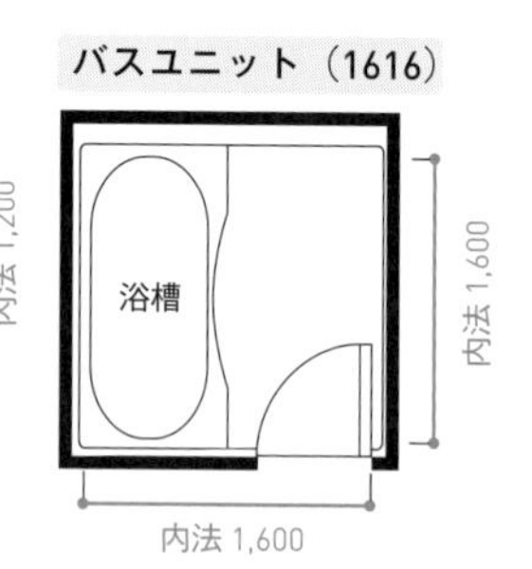

洗面所の計画

洗面所には、脱衣室を兼ねた洗面脱衣室や、トイレと一体化した化粧室(パウダールーム)などがある。いずれも、小さなスペースのため、綿密な計画が必要である。

JIS規格において、洗面化粧台の高さは、立位で洗顔していることを想定して680㎜と720㎜で規定している(次頁図6)。また、洗

洗面化粧台のサイズ

近年、洗面化粧台の幅は広くなり、高さも750㎜タイプが普及している。

面所の広さは、収納ユニットを設置したり、化粧スペースを確保するなど、目的に応じて異なる(図7)。

■ 図6 洗面所のスペース

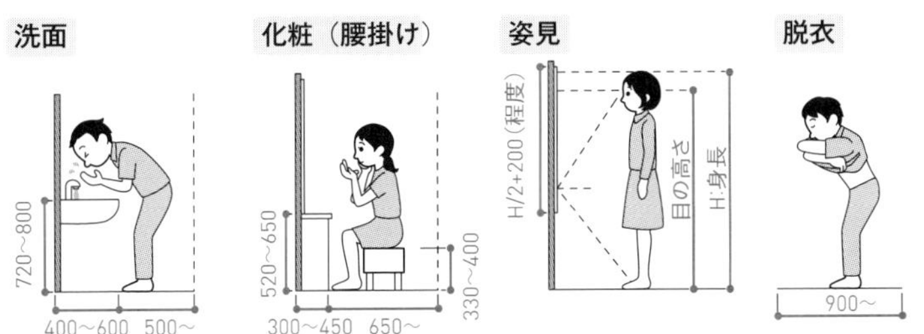

■ 図7 洗面所の広さ

トイレの計画

トイレは小さな空間だが、便器、紙巻器、手洗器、手摺、照明など多くの要素が必要である。便器の種類は、和式、洋式、小便器があるが、洋式を設置することが多い(図8)。洋式便器には、給水タンク付きや、給水タンクなしのタンクレスがある。トイレの広さは、便器や手洗器、洗面器の大きさなどをもとにして決められる(図9)。

■ 図8 標準的な洋式便器の寸法

■ 図9 トイレの広さの例

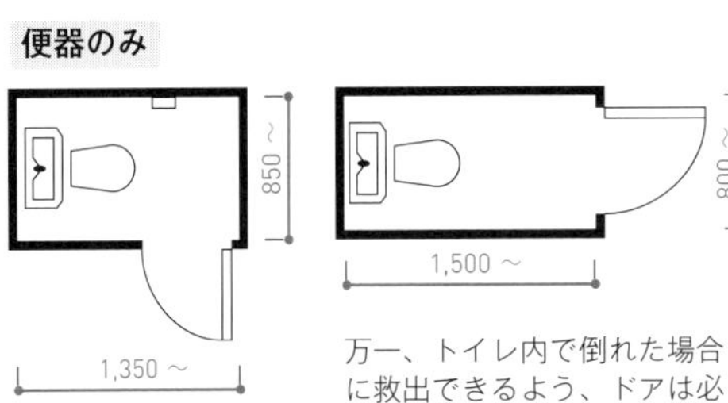
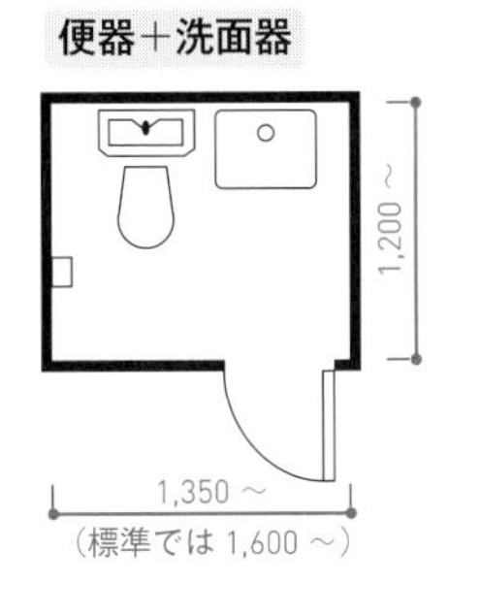

洗面所の機能

洗面所に、着替えやタオルなどを収納する機能を求められることも多い。そのため、広さの確保は重要な要素となっている。また、化粧のための照明の明るさにも配慮が必要。

タンクレス便器

シンプルな形でコンパクト。タンクがない分、奥行も浅くスペースができる。清掃性もあるので、手入れも簡単である。自動便蓋開閉の機能も選択できる。→ P.221

洋式便器の高さ

JISでは、350㎜、370㎜の2種類の規格がある。

トイレのスペース

車イスでの利用や介助などに備えて、最初の設計段階でスペースを広くとることもある。

8-9 玄関、廊下、階段の計画と寸法

重要度 ! ! !

Point

- ☑ 動作寸法とスペースを合わせて理解する
- ☑ 階段廻りの建築基準法の規定寸法を覚える
- ☑ バリアフリー計画の寸法や工夫を理解する

玄関の寸法

玄関は、外部（社会）と内部（家庭）の接点となる空間である。日本では、玄関で靴を脱ぐという生活習慣があるため、この場所で土間と室内の床とに分かれる。

玄関の計画では、来訪者への挨拶、靴やコートの着脱、荷物の受渡しといった、さまざまな動作を考慮に入れる必要がある。バリアフリーの場合は、出入口の有効幅員（ふくいん）を750mm以上にする。また、和風と洋風とではスタイルが違うため、必要な寸法も異なる。

(1)和風の玄関

玄関扉が2枚の引違いであることから、間口の幅は1,700mm以上である必要がある。バリアフリー計画のため土間と床との段差が180mmを超える場合は、安全確保のために式台（しきだい）を設ける（図1）。

(2)洋風の玄関

下足箱を除き、出入口の有効幅は800mm以上である必要がある。また、玄関ドアが内開きか外開きかによって、奥行の寸法が決まる（図2）。一般的には雨水への対処として外開きが多い。また、バリアフリーを計画する場合は、親子扉にするのが理想的である。

■図1 和風の玄関

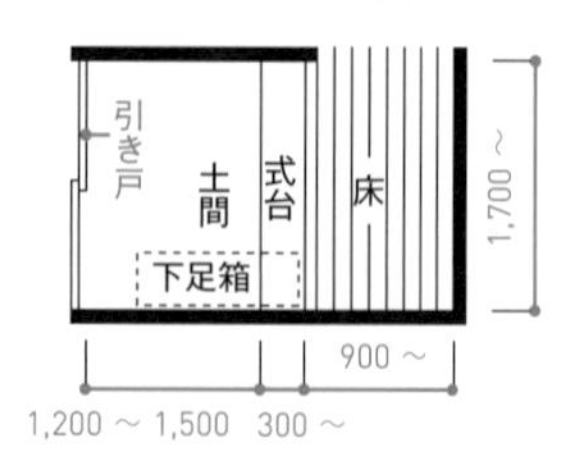

■図2 洋風の玄関

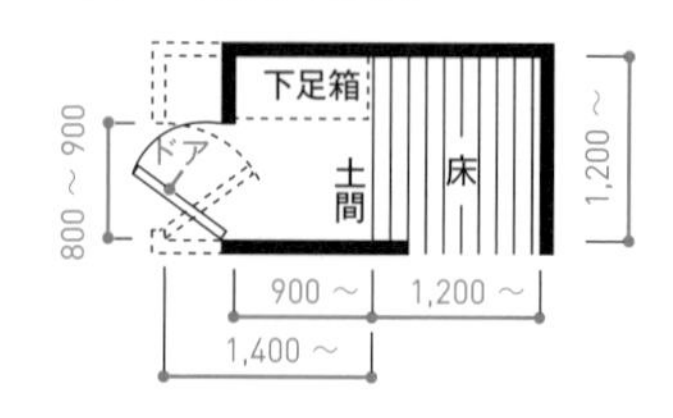

公式ハンドブック［上］P.134 ～ 136、［下］P.51 ～ 54

玄関を計画するときのポイント

玄関を計画する際は、採光、換気、防犯、視線などへの配慮も重要である。特に防犯対策としては、防犯性の高い錠を選択し、上下2か所で施錠するなどの工夫が必要である。

有効幅員

実際に通行できる幅のこと。内側の寸法。

靴と下足箱

靴一足分の幅は25cm程度とする。奥行は40cm程度あると余裕のある寸法となる。

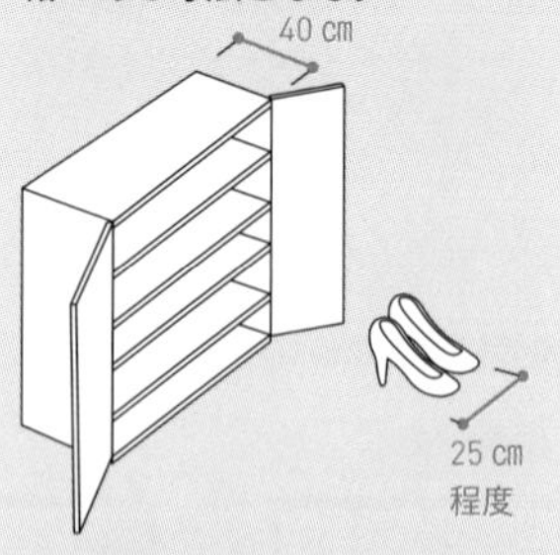

式台

玄関の土間と床との段差が大きい場合に設ける段板。

親子扉

2枚のドアの幅が大小異なる両開きのドア。

廊下の寸法

日本の住宅の廊下の幅は、一方の柱の中心からもう一方の柱の中心までの間隔が3尺(910㎜)になるように設計されていることが多い(図3)。この寸法から柱と仕上げの寸法を差し引くと、内法寸法（うちのりすんぽう）は780㎜程度となる。これは、住宅の廊下の最低幅とされる750㎜に近い数字である。歩行用の手摺を設置する場合は、手摺用の幅として100㎜程度見込んで、廊下の幅を850㎜とする。

■図3 日本の住宅における一般的な廊下の幅

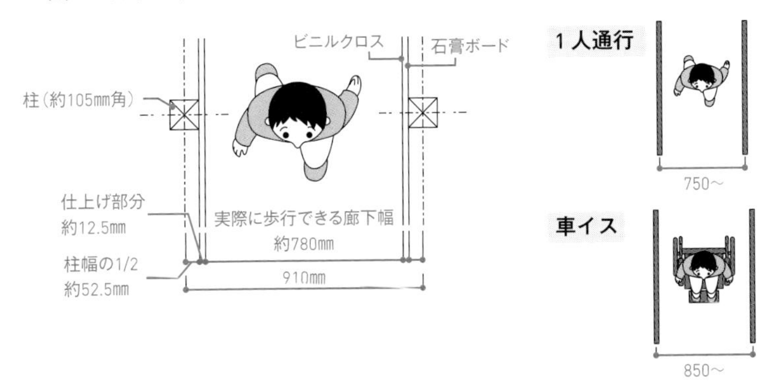

内法
→P.134

廊下に面した扉の計画

狭い廊下に面した個室の出入口は、引き戸や内開きにすることで廊下での衝突事故が起こらないように計画する。出入口の幅は、最低750㎜以上必要で、800㎜以上あるのが望ましい。

階段の寸法

階段は、住宅の中でも事故の多い場所なので、安全性を重視する必要がある。建築基準法では、最低有効幅750㎜以上、踏面（ふみづら）寸法150㎜以上、蹴上（けあ）げ寸法230㎜以下と定めている。これに基づき算出すると、階段の勾配は約60°となる。これでは急勾配のため、一般的に住宅の階段は、勾配30～35°(建築普及センター適正勾配)を目安に設定する(図4)。

■図4 階段の寸法

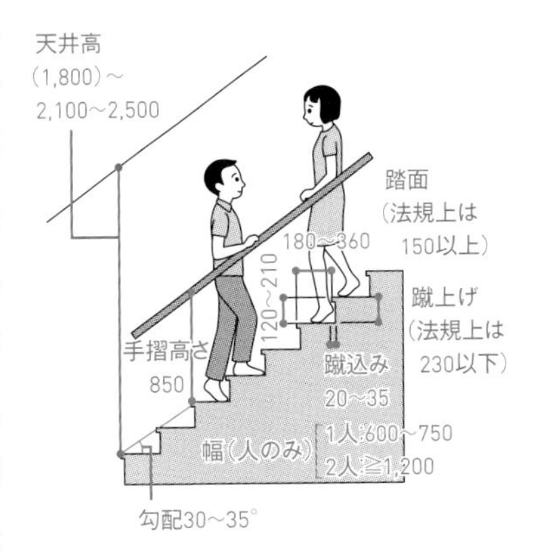

また、階段には片側に手摺を設けることが義務付けられている。階段の幅を算定するとき、手摺の出幅100㎜分は計算に入れない。100㎜を超える場合は、超えた寸法の分を階段の幅から差し引く。手摺の高さについての規制はないが、段の先端(段鼻（だんばな）)から手摺の上面までの距離が850㎜前後になるように設置するのが望ましい。

回り階段の寸法

回り階段の部分は、内側から300㎜の部分の寸法を基準とする。

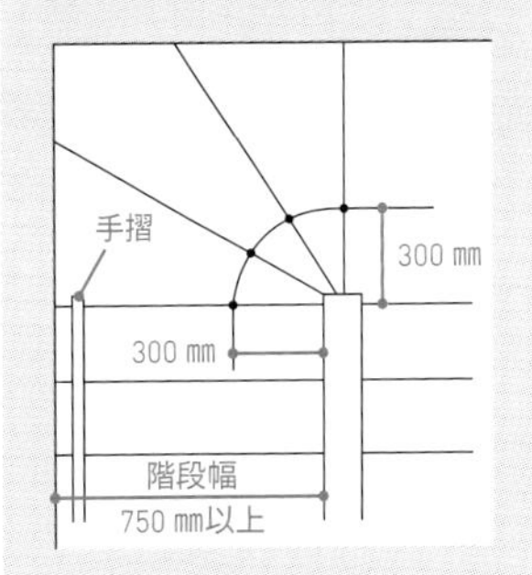

手摺の出幅

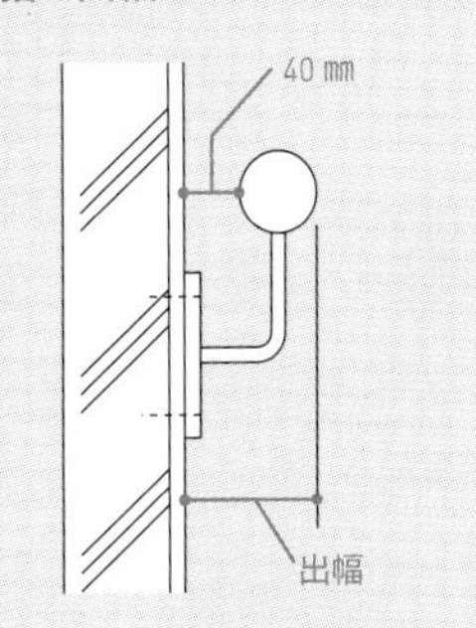

8-10 バリアフリー計画

重要度 ！！！

Point

- ☑ 超高齢社会に必要とされる住宅の機能を知る
- ☑ バリアフリー計画の廊下幅、段差、手摺などの設け方を学ぶ
- ☑ 空間別におけるバリアフリー計画の要点と寸法を覚える

バリアフリーの基礎知識

バリアフリーとは、高齢者や障害者(一時的にケガをした人も含む)にとっての障害(バリア)を取り除く(フリー)という考え方である。日本では、高齢化社会といわれた1970年以降、急速に65歳以上の高齢者の人口が増え始め、2007年には、超高齢社会へと移行した。こうした背景もあり、高齢者の加齢にともなう身体機能の低下から、転倒や転落、浴室での溺水といった家庭内での事故が増えている。これらは死亡事故につながるため、これからの住まい設計には、ユニバーサルデザインなども取り入れ、高齢者や障害者が日常生活を自力で行なうことのできる環境を整えたバリアフリー住宅を考える必要がある。さらに、将来的に介護や介助がしやすい環境を整えることが重要となる。

バリアフリー住宅の計画にあたり、可能な限り高齢者が自立した生活ができることが目的となる。施策のひとつに「高齢者が居住する住宅の設計に係る指針(高齢者居住住宅設計指針)」があり、標準的な指針となっている。法規等は時代の変化に応じて改正を繰り返すため、適宜確認しながら計画を進める。

高齢化社会

65歳以上の人口が全国民の7%以上に達した社会。14%以上は高齢社会、21%以上は超高齢社会という。

ユニバーサルデザイン

すべての人にとって使いやすく、快適に生活できる公平性を目指そうとするデザイン思想。ロン・メイスが提唱。

高齢者の身体機能の低下

視覚機能(視力、色覚など)の低下、聴覚機能(小さい音や高音域の音の聞き取り)の低下、触覚機能(皮膚感覚、指先の握力など)の衰え、臭覚機能(においへの敏感さ)の衰えなどが挙げられる。

バリアフリーの基本寸法

バリアフリー関連機器には、歩行器や杖などさまざまなものがある。その中でも、住まいの設計にも関わる手摺や車イスについては、十分考慮して計画しておく必要がある。

公式ハンドブック[上] P.129～133

1. 車イスに必要な寸法

バリアフリー計画では、車イス自体のサイズ(図1)や車イスを使って生活をするときに必要な寸法(図2・3)も考慮に入れなくてはならない。

また、車イスの操作に関わる段差も考慮する必要がある。バリアフリー住宅は段差のない納まりであることが条件となるが、5㎜以下の段差はないものとみなされる。

■ 図1 手動車イス(大型)の寸法(JIS 規格)

正面

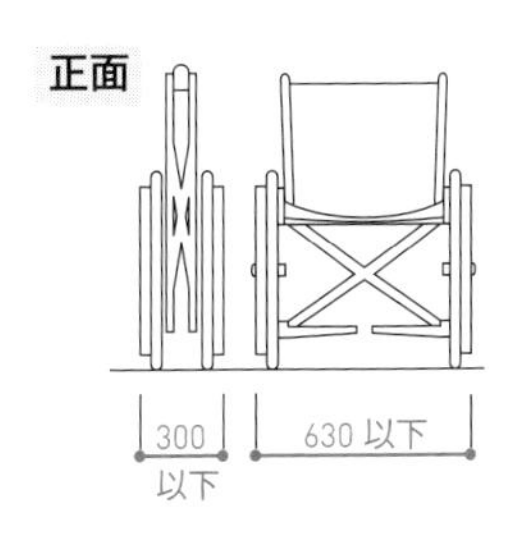

横

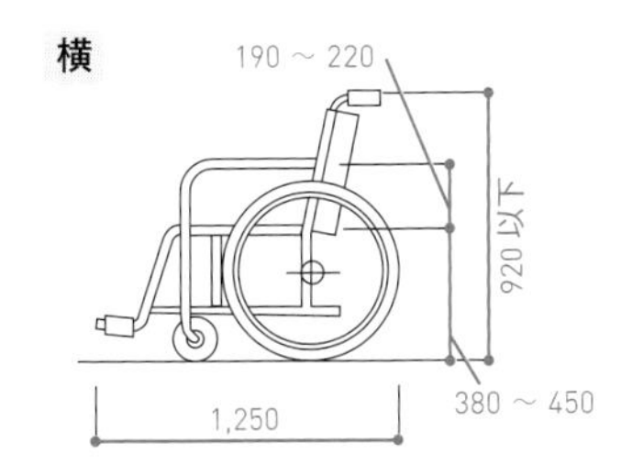

■ 図2 車イス移動に必要な寸法

開口部の通過

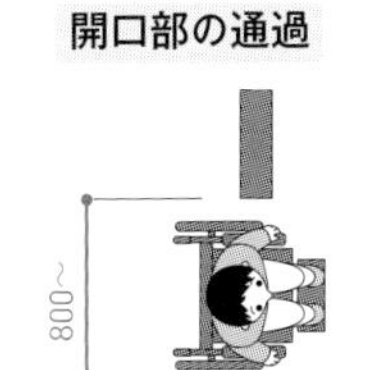

通路の通過

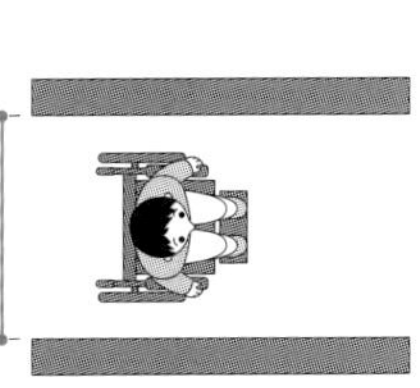

角の通過

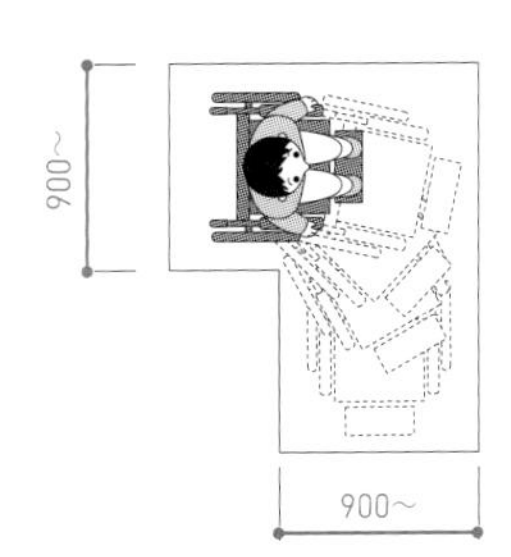

360°回転

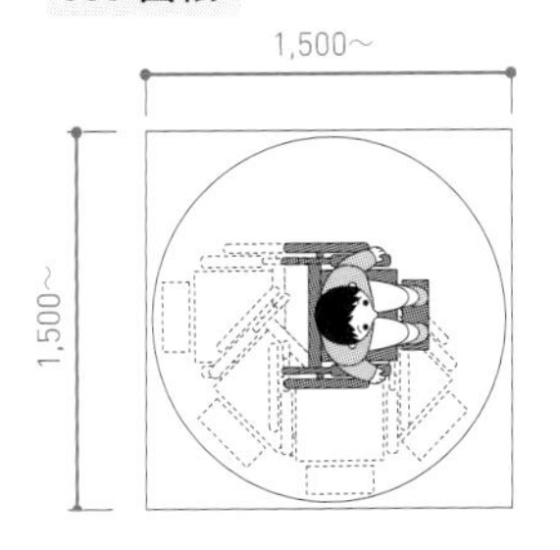

廊下で車イスを回転させる場合、最低回転幅として、φ 1,500㎜は必要。ゆとりを考えるとφ 1,800㎜はほしい

■ 図3 車イスとその他の設備の高さの比較

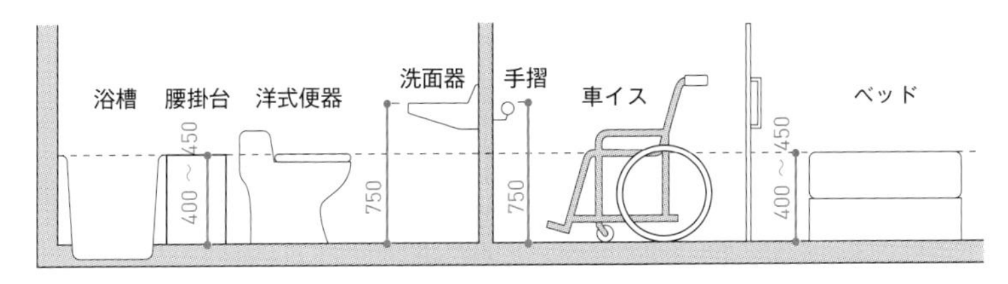

操作方法による車イスの種類

①自走型…本人が手動で操作する。後輪が大きい。

②介助型…介助者が後ろから操作する。後輪が比較的小さい。

③電動型…モーターで車輪を回転させる。

段差の種類

①単純段差

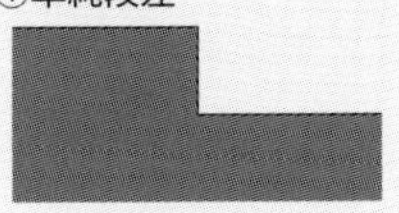

②またぎ段差

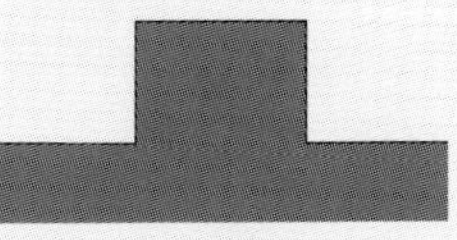

どちらも5㎜以下は段差なしとみなされる。

バリアフリーを補助する物

①階段昇降機

②すりつけ板

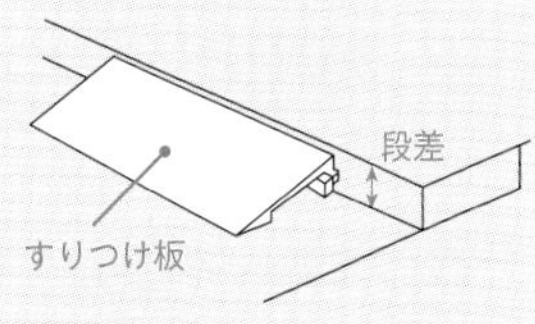

壁面と床面の接合する部分に、高さ200~250㎜のキックプレート型の幅木を設けると、車イスのぶつかりなどから内装壁を保護できるよ

2. 手摺の設置基準

階段には手摺の設置が義務付けられている。そのほかにも、玄関や廊下、洗面所、脱衣室、浴室、便所、食堂や高齢者の寝室にも設置を考慮する必要がある。

(1)設置の高さ

手摺の高さは、一般的には、床仕上げ面から手摺の上端までの寸法を750～800㎜とするのが目安である(図4)。実際には、住まい手の使いやすい高さに合わせて設置する。また、途中で途切れないように連続性をもたせる。

■図4 手摺の高さ

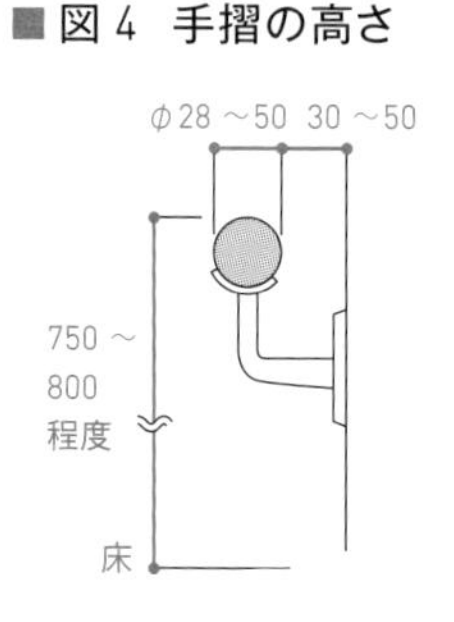

(2)形状

握り手の部分は一般的には円形で、直径28～35㎜とするのが適当である。手摺の端は、服などの引っ掛け防止として、壁側または下向きに曲げるように処理する(図5)。

■図5 手摺の端の処理

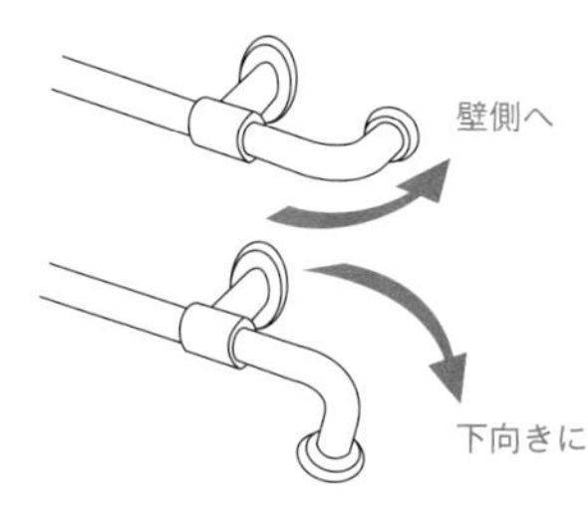

(3)素材

手摺の素材は、木製をはじめ、プラスチック製やステンレス製があり、設置場所の環境に応じて、材質を選ぶ。

空間別に見るバリアフリー計画

1. アプローチのバリアフリー

道路から玄関ポーチまでの空間をアプローチという。段差を設けずに、できるだけ勾配がゆるやかなスロープ状にする。基本の勾配は1/12以下だが、自走式車イスの場合は、1/15以下にすることが望ましい(図6)。

■図6 アプローチの勾配

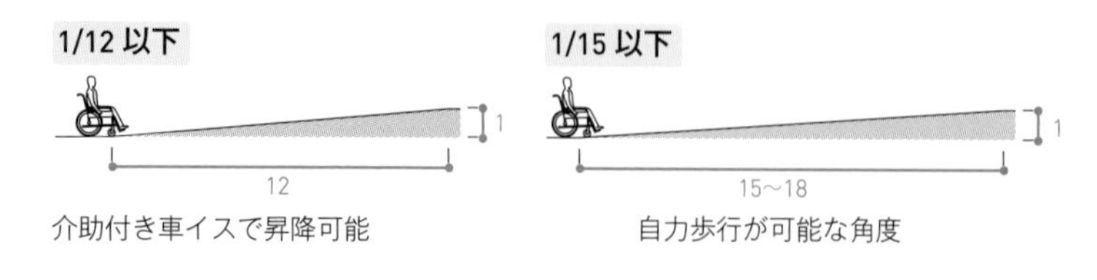

階段の手摺については建築基準法(→P.43)、スロープの設置はバリアフリー新法(→P.46)で規定されているよ！

握り手の太さ

握りやすさを重視する階段の手摺は、直径28～40㎜程度の太さが目安となる。身体を支えることが多い廊下などでは、少し太めの直径40～50㎜程度が目安となる。

スイッチの高さ

通常位置より、低めがよい。床仕上げ面からスイッチ中心まで、900～1,200㎜になるように設置する。ワイドスイッチやホタルスイッチを活用するとよい。

コンセントの高さ

床仕上げ面から400㎜以上の高さに設置する。

アプローチの勾配

推奨は、「高齢者が居住する住宅の設計に係る指針」国土交通省に基づく。たとえば勾配1/15とは、水平方向に15距離をとったときに垂直方向に1上がるという意味である。

アプローチの階段

急勾配なアプローチに階段を設ける場合は、段差解消機(リフト)や階段昇降機(レール)を設置する。

2. 玄関のバリアフリー

玄関の出入口の有効幅は、750mm以上は必要である。親子扉の親扉の有効幅は800mm以上とする。玄関には、イスやベンチなどを設置できる空間を確保すると良い。土間と上がり框(かまち)の段差は、180mm以下(集合住宅では110mm以下)とする。また、沓摺(くつずり)とポーチの間の段差は20mm以下、沓摺と土間の段差は5mm以下とする。上がり框の壁には垂直に手摺を設ける。設置する高さは土間から700〜900mm、長さは600mm以上とする(図7)。

上がり框
玄関などの上がり口に取り付けられる横木または化粧材。

沓摺
開き戸の周りに設けられた枠の床面部分。

■図7　玄関の段差

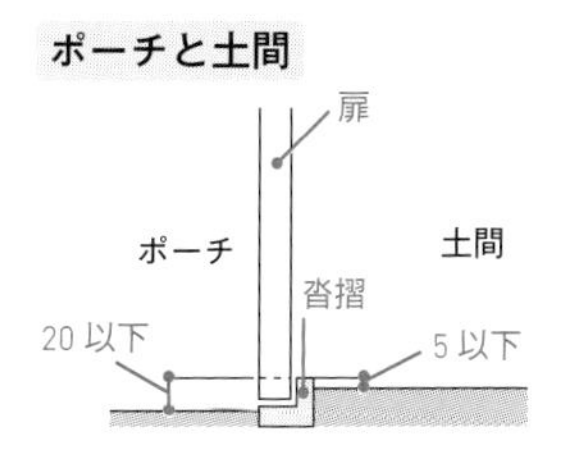

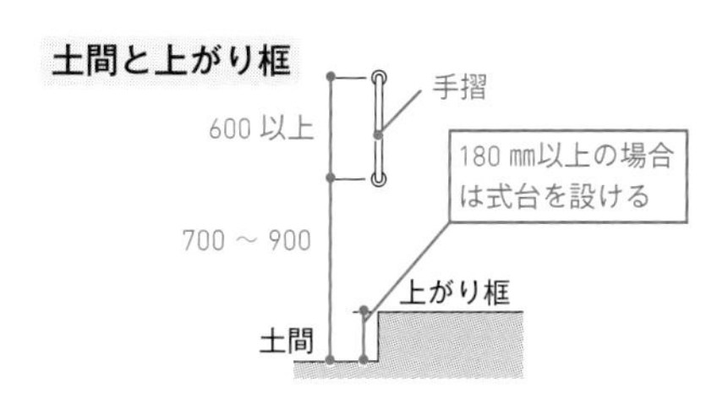

3. 廊下、通路のバリアフリー

廊下で車イスを使用する場合、曲がり角や方向転換のためのスペースも十分に確保する必要がある。車イスの場合、有効幅は750mm以上必要である。廊下、通路の有効幅員(ふくいん)(手摺がある場合は、その内側からの幅)は幅780mm以上(柱部分は幅750mm以上)だが、推奨値は幅850mm（柱部分は幅800mm)以上である。またL型の曲がり角では最低幅900mmあれば曲がることができるが、廊下の内法が800mmの場合は内角に300mmの隅切り(すみきり)が必要である。

隅切り
壁の角や端部をカットすること。

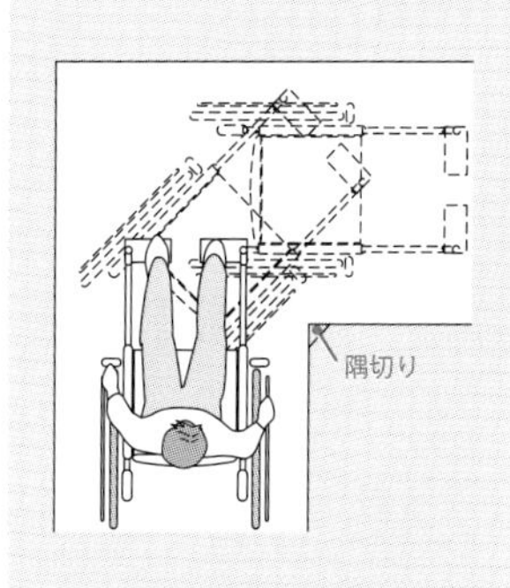

4. 出入口のバリアフリー

建具の有効幅員を、原則として幅750mm以上、浴室は幅600mmとする。推奨値は幅800mm以上である。引戸の場合、引残しがあるので、注意が必要である(図8)。

■図8　車イスに必要な寸法

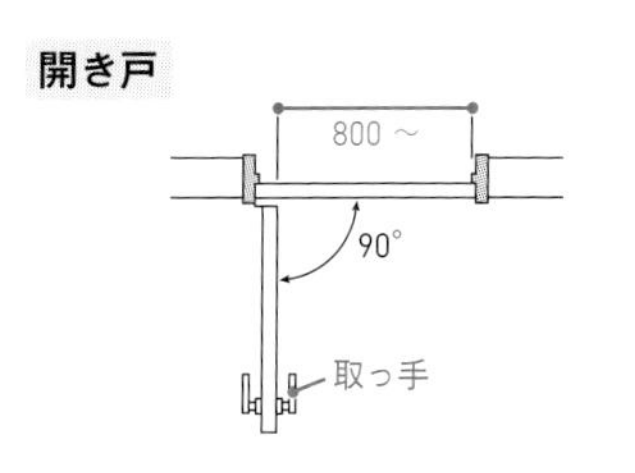

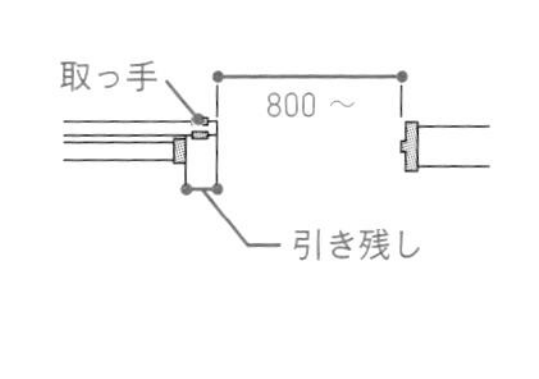

5. 階段のバリアフリー

踏面が狭くなるような回り階段はなるべく避け、踊り場を設けた折返し階段が望ましい。勾配は45°以下とされ、建築技術教育普及センターでは、適正値を30～35°としている。

一直線の階段のバリアフリー計画のポイントは次の通りである。

(1)階段の勾配

踏面(T)が広すぎても、蹴上げ(R)が低すぎても、階段は使いにくい。ちょうど良いバランスは以下の通りである。

①基本値…550㎜≦ T ＋ 2R ≦ 650㎜かつ T ≧ 195㎜、勾配≦ 22/21

②推奨値…550㎜≦ T ＋ 2R ≦ 650㎜、勾配≦ 6/7(約 40°)

(2)蹴込み寸法と仕様

蹴込み寸法は、30㎜(推奨 20㎜)以内とする。また足が段差の間に入り込まないように蹴込み板を設ける。踏面には、滑らないようにノンスリップを設ける(図9)。

■図9 階段の寸法

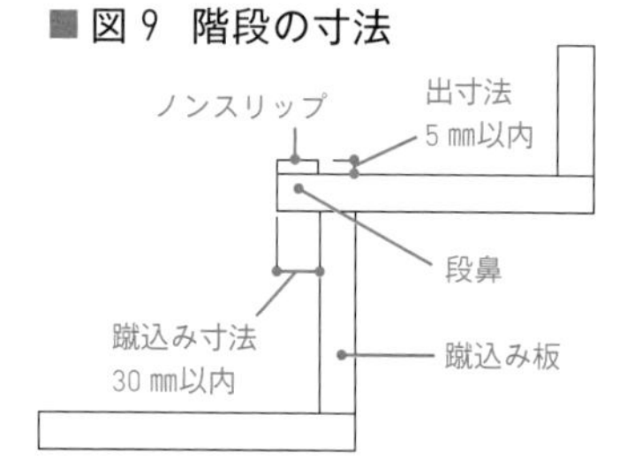

(3)手摺

建築基準法での規定はないが、勾配が45°以上の階段では、両側に手摺を設置するのが望ましい。片側に取り付ける場合は、降りる際に利用者の利き手となる側に設置する。段鼻から手摺上面までの高さは、通常850㎜前後だが、バリアフリー対応ではゆるい勾配を心がけ、低め(750㎜)に設置する。一般用とバリアフリー用の2段にするのもよい。

廊下や階段は、安全第一。危険な場所には人感センサー付きのフットライトや、多灯照明を提案しましょう!

住宅の階段の寸法

建築基準法では、住宅の階段の踏面は150㎜以上、蹴上げは230㎜以下としている。→ P.43「階段」

ノンスリップ

踏面の先端部に滑り止めなどを目的に取り付ける部材。

バリアフリーの洗面ボウル

水栓に手が届きやすいように、手前がゆるやかにへこんだ型が使いやすい。

6. 洗面所のバリアフリー

洗面所は、温度差の緩和や転倒防止などの安全対策が必要な空間である。また、車イスを利用する場合には、十分なスペースを確保したり、洗面台の鏡が見やすいように角度を付けるなどの工夫が必要である(図10)。洗面台の高さは、使用する車イスによって異なるが、約720～780㎜が目安となる。水栓は、自動水栓や温度調節のできるシングルレバー式の混合水栓が、操作しやすく安全性が高い(図11)。

■図10 車イス対応の洗面所のスタイル

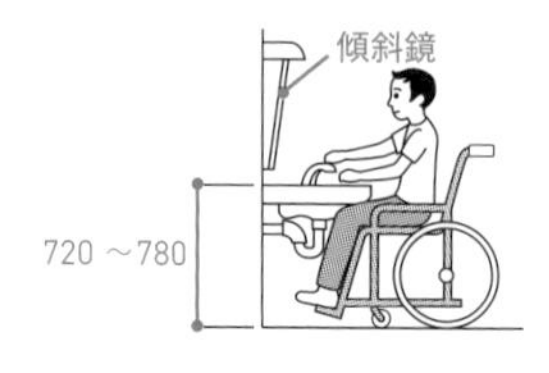

■図11 シングルレバー式の水栓

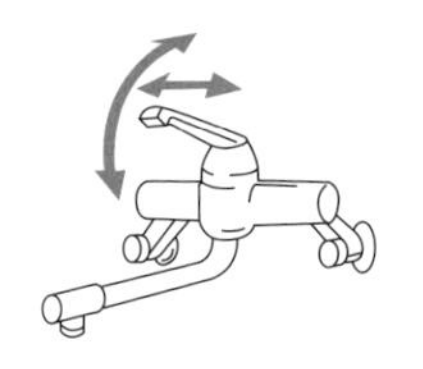

7. 浴室のバリアフリー

身体が不自由な人が入浴する場合は、介助者が付くことを考慮し、浴室の内法寸法は、短辺1,400㎜以上で、面積2.5㎡以上が望ましい。

浴槽の長さは、内法寸法で950～1,250㎜、深さは550㎜程度の和洋折衷タイプが望ましい。床から浴槽の縁までの高さは、400～450㎜で、底に滑止めが付いたタイプが良い(図12)。

脱衣所と浴室の段差は、「高齢者が居住する住宅の設計に係る指針」においては20㎜以下の単純段差とするが、脱衣所側にグレーチングなどで排水処理を行なったうえで段差なし(5㎜以下)とするのが望ましい。出入口の有効幅員は、600㎜以上であるが、シャワーチェアを使用する場合は650㎜以上必要になる。さらに、車イスでも入ることができる800㎜以上が推奨値とされる。また、建具は引戸が良い。

■図12 バリアフリーの浴室の設備とレイアウト

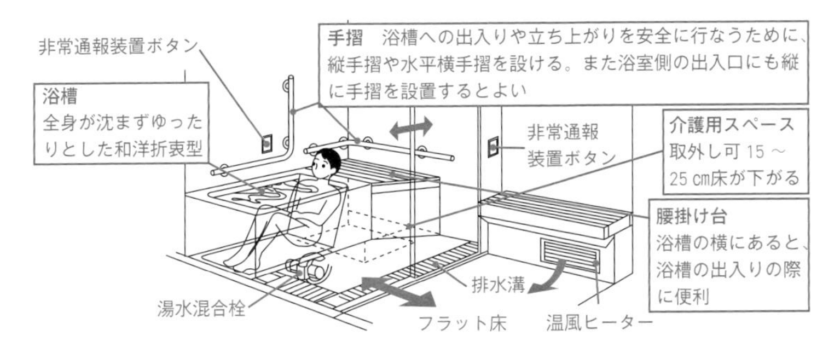

8. トイレのバリアフリー

トイレは、寝室の近くが基本である。内法寸法は長辺1,300㎜以上必要である。介助スペースとして、便器の前か横に幅500㎜以上の空間を確保したい。手摺はL型を設置すると立ち上がりやすい(図13)。出入口の有効幅員は750㎜以上(推奨値800㎜以上)で、扉は引き戸が良い。錠は外側から解錠できるものとする。

■図13 高齢者対応のトイレの例

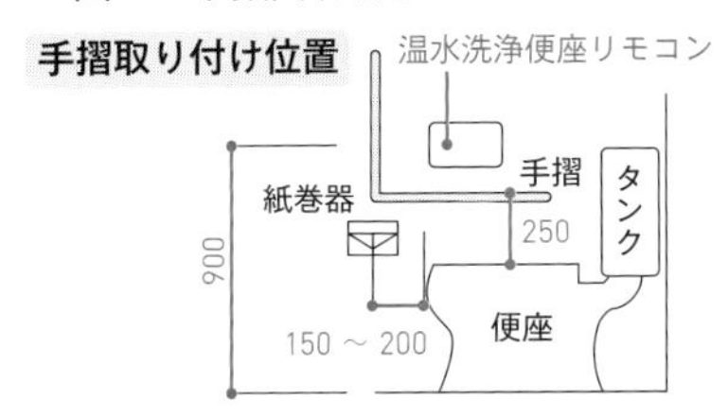

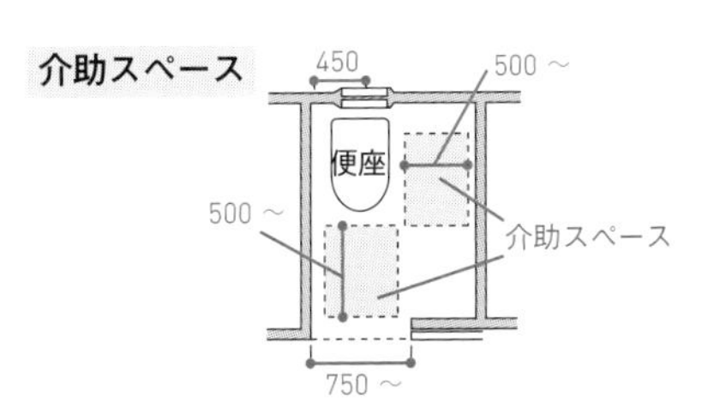

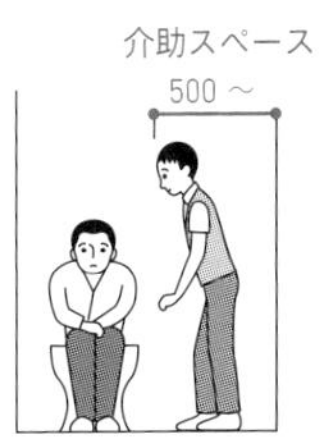

浴室の基本レベル

内法寸法の短辺…1,300㎜以上
面積…2.0㎡以上
(国土交通省告示第1299号)

ヒートショック

温度の急激な変化に伴い、心臓をはじめ身体に負担がかかることである。温度差が生じる空間などでヒートショックが起きないよう、暖房設備に配慮する。

グレーチング

排水溝の蓋などに使われるすのこ状や網目状の覆い。車イスで出入りしやすいように段差を設けないための処置方法。

浴室に入ったときの急激な温度変化を避けるため(アレルギー対策も含む)、浴室暖房乾燥機を取り入れることが多いよ

バリアフリーの便器

バリアフリー向けとしては、洋式便器で温水洗浄便座が望ましい。また、ポータブル便器やイス型便器、電動立上がり式などもある。

8-11 重要度 ! ! !

収納計画

Point

- ☑ 収納計画の条件は「動線」と「収納」の相互調整である
- ☑ 人・モノ・空間の寸法を理解する
- ☑ 空間別収納の寸法を把握する

収納計画の考え方

片づけられない・収納が少ないなど住宅における悩みで多いのが、収納計画である。多様化したライフスタイルや豊かさの象徴として生活用品が増えたことが原因のひとつであるが、日本の四季に合わせた暮らしのアイテムがある特徴的なことや住宅の中に比較的収納スペースが少ないなど、いくつか問題点があげられるだろう。収納はどんなに考えられた新築であっても、家族構成の変化などで不足してしまう場合が多い。居住性を高めるには、フレキシビリティと機能性がある収納計画が求められる。

クライアントが収納に悩む時こそインテリアコーディネーターの出番。物の配置から収納グッズの高さや色まで、様々な提案を考えてみよう

快適な収納計画の条件は、「動線」と「収納」である。動線は一般的に人の動く線ということになるが、収納計画においては、収納しやすさ・使いやすさを設計することと置き換えることができる。まずは設計における各室のゾーニングが整理されていることが前提となるが、各室内部の収納場所や高さ、奥行を人体寸法と相互調整しながら計画をすること（図1）。また収納は、モノの種類や量を把握するリサーチからはじまり、アイテムによるしまい方など、細かなアイデアが必要となる。まずはモノを知ることであり、アイテムによる標準的な寸法も理解

■図1 収納と人体寸法関係

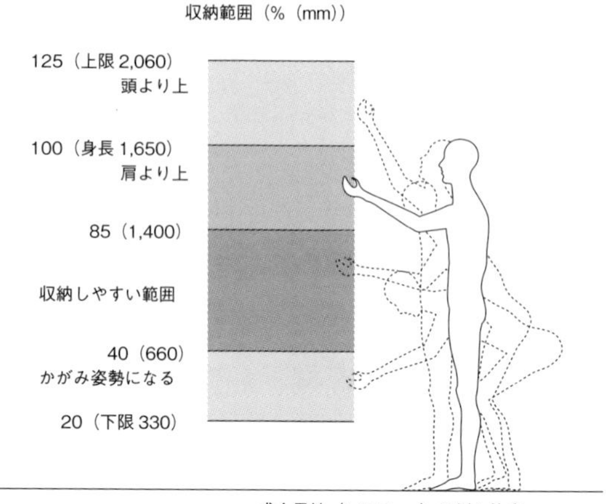

公式ハンドブック［上］P.136、［下］P.191

しなければならない(図2)。「動線」と「収納」を調整しながら計画することは、使いたい場所の近くにモノがあるというモノの住所をつくること。つまりモノの寸法に合わせたスペースと配置が適切に計画できるかということである。住宅寿命が長くなってきた昨今、変化するライフステージやライフスタイルにも考慮した計画をすることは機能性やフレキシビリティを向上させることにつながる。これからの収納計画は、生活そのものを美しく、機能的に暮らすことを目的に計画していくことが望ましい。

■ 図2 収納棚の奥行き寸法

奥行き寸法(cm)	収納に適する物	代表的な収納具
15	文庫本、トイレットペーパー、調味料、カンヅメ、洗剤、化粧品	小物棚、化粧棚
30	本、ファイル、雑誌	本棚
35	食器、調理用具、靴	食器棚、靴箱
45	衣類、バッグ	整理だんす、和だんす
60	洋寝具、スーツケース	洋服だんす、クローゼット
80	布団	押入れ

人・モノ・空間の寸法を理解する

収納計画は、モノの外形寸法、空間の内法寸法で計画する。さらに適切な計画をするためには、人体寸法と高さ関係を理解しなければならない。取り出しやすく、しまいやすくするには、人の手が届く範囲にモノを収納することである。なるべく頻繁に使うモノは使いやすい棚の高さの範囲にしまい、あまり使わないモノはモノを出し入れできる棚の高さにしまう。また重いものは取り出す作業に負担がかかりやすいため、低い位置に収納することが望ましい(図1参照)。高さ計画では、身長を基準とした略算値を活用するとよい。

(1)クローゼット計画

ライフスタイルの変化により、種類や量が変化することが多い。洋服の長さや使い手の手が届く範囲によりパイプの高さも変えるが、一般的には、パイプの高さ1,700～1,800㎜、奥行600㎜、1着あたりの洋服の厚みは、およそ60～70㎜で計算する(図3-1、2)。

■ 図3-1 収納と人体寸法関係

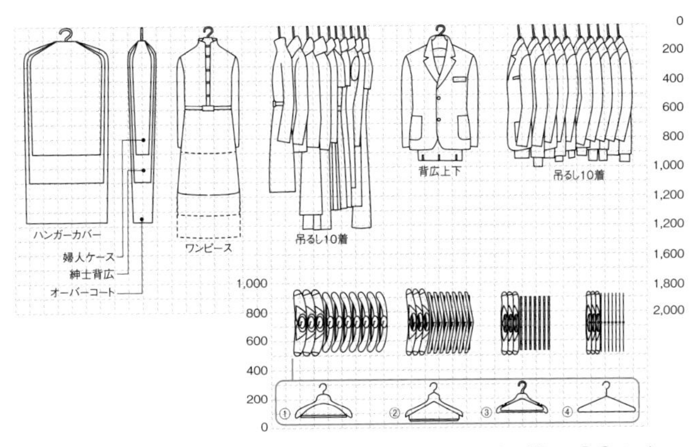

①②スーツ・ジャケット用木ハンガー(②はスライドバー付)、③④カジュアル服用スマートハンガー等、ハンガーの種類によっても収納量は異なる

■図 3-2　置く収納例

ハンガーパイプの上部には、普段使わないかばんや
帽子などを収納する棚があると便利

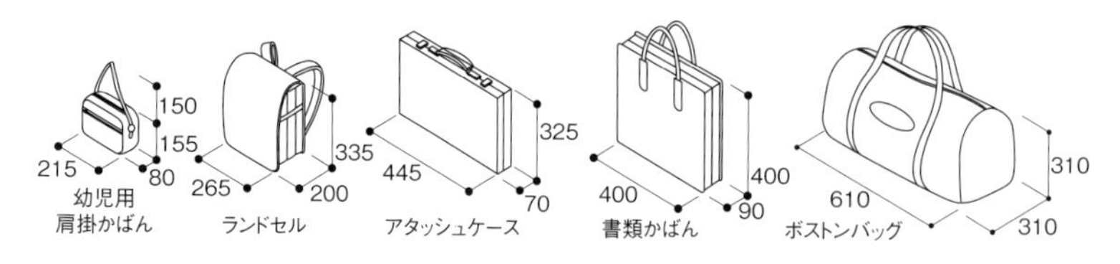

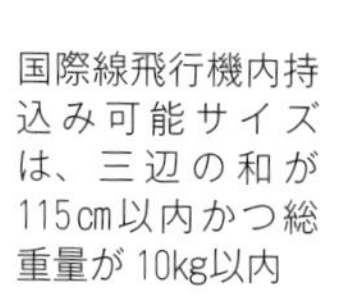

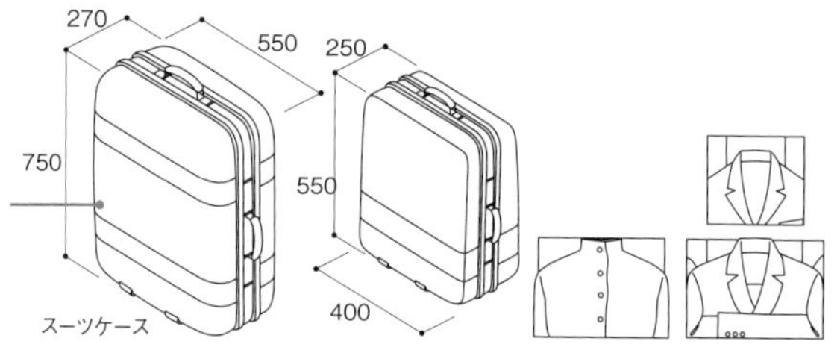

(2)押入計画

押入は、主に寝具を収納するため奥行が必要である。芯々寸法で幅 1,800 ～ 1,820㎜、奥行は 900 ～ 910㎜。中段の高さは 750㎜である（図 4）。布団は、一般的に基本的な寸法が決められている。よって、畳み方によって収納方法が異なる。ポリエステルや羊毛など素材によっても厚みが変わる。

■図 4　押入れの寸法

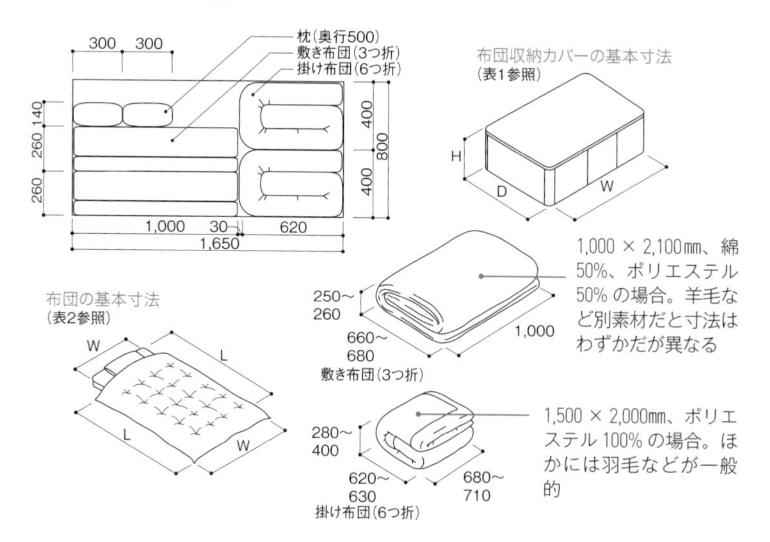

■表 1　布団収納カバーのサイズ目安（㎜）

種類	D	W	H
掛け布団用	680	1,000	350
敷き布団用	680	1,000	250
毛布用	480	680	230
整理用	340	480	200

■表 2　布団のサイズ一覧（㎜）

敷布団の種類	W	L
シングル	1,000	2,000
シングルロング	1,000	2,100
ダブル	1,400	2,000
ダブルロング	1,400	2,100

掛け布団の種類	W	L
シングル	1,500	2,000
シングルロング	1,500	2,100
ダブル	1,900	2,000
ダブルロング	1,900	2,100

(3)パントリー計画

保存のきく食料、冷蔵庫などで管理しない根菜類、使う頻度の少ない調理器具や防災時の保存食などが考えられる。そのため、重量に合わせた棚の計画や奥行などに配慮が必要となる。一般的に食器棚の奥行は450㎜である(図5)。

パントリー計画がうまくいくと、無駄買いやフードロスなども防げるよ

■図5 パントリー棚の寸法一例

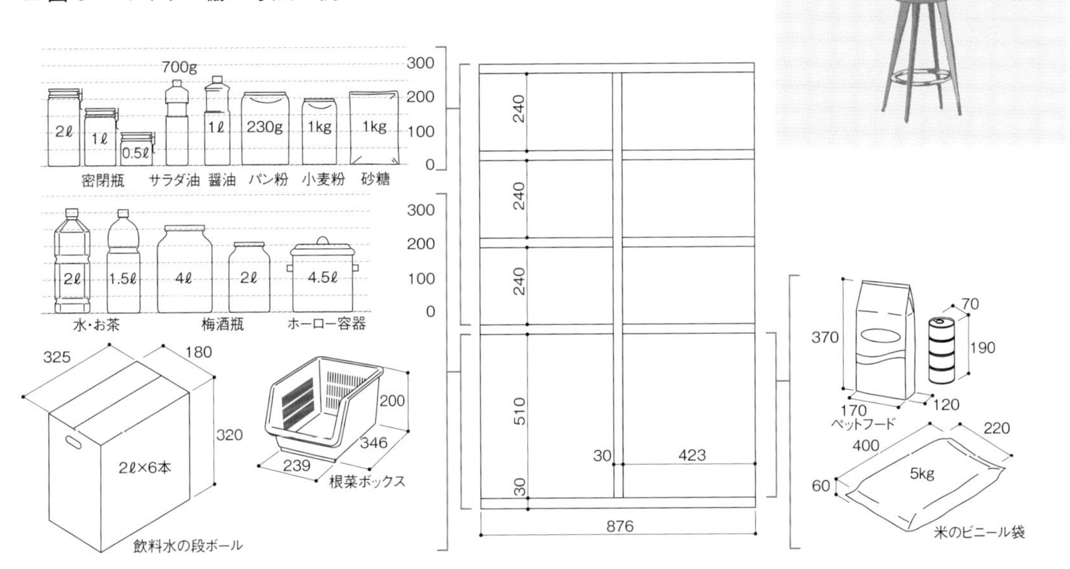

(4)本棚計画

標準的な本棚は、奥行300㎜のものが多いが、収納する本のラインナップにより寸法が異なる。大きくはJISの紙サイズであるA版とB版に分けて把握する。雑誌などのA4版は横210×縦297㎜、週刊誌などのB5版は、横182×縦257㎜である。本の厚みはさまざまであるが、単行本20㎜程度、文庫本10㎜程度と考えて計算する(図6)。

■図6 書籍の基本サイズ

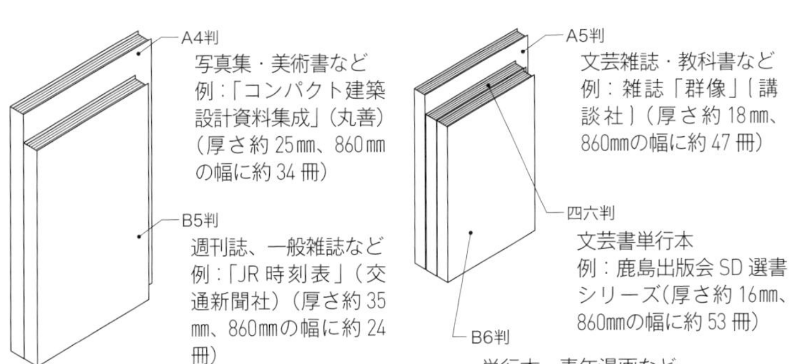

■表3 紙の規格サイズ一覧(㎜)

JIS記号	W	H
A4	210	297
A5	148	210
A6	105	148
A7	74	105
B4	257	364
B5	182	257
B6	128	182
B7	91	128

8 平面計画

9-1 熱と湿気

重要度 ! ! !

Point

- ☑ 室内の温度と湿度を快適に保つしくみを理解する
- ☑ 熱の伝わり方には、伝導、対流、放射(輻射)の3つがある
- ☑ 日本の住宅計画には、断熱や湿度と結露の関係の知識が必要

熱のしくみ

1. 熱の伝わり方

四季を通じて、室内の熱(温度や湿度)を適切に制御することは、快適な住まいの条件である。熱は高温部と低温部間を移動する性質があり、それを熱移動という。熱移動には伝導、対流、放射(輻射)の3つの形態がある(図1)。これらの特徴を利用することで、適切な室内の温熱環境づくりが可能となる。

■図1 壁を伝わる熱のしくみ

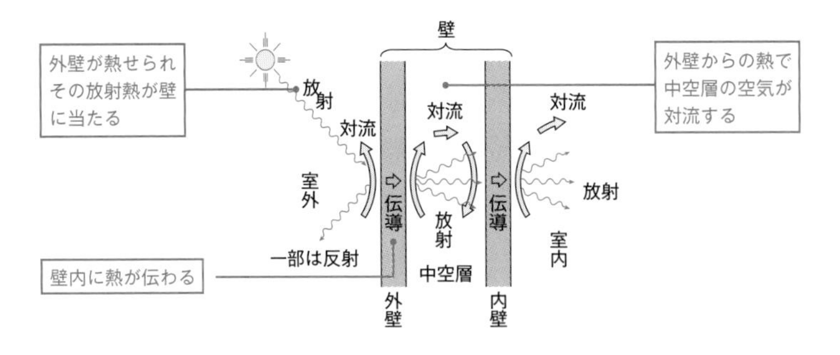

(1)伝導

金属性の鍋の取っ手はプラスチックなどの覆いがないと火にかけた際に熱くて持つことができない。このように物に熱が伝わることを熱伝導といい、金属のように熱が伝わりやすいことを熱伝導率が高いという。熱伝導率は、物の素材によって異なる(次頁表1)。

温熱環境
品確法や省エネ住宅に関連してよく使われるようになった用語。主に断熱や気密性を適切にすることで生み出される室内の温度や熱の環境。

熱伝導率
物の熱の伝わりやすさ。単位はw/m・k。

熱伝導抵抗
物への熱の伝わりにくさ。単位はm・k/w。

公式ハンドブック[下] P.98～112

■表1　各種建築材料の熱伝導率（乾燥状態）

材料	密度（kg /㎥）	熱伝導率（W/m・K）	
アルミニウム	2,700	210	高い
鉄（はがね）	7,860	48	↑
コンクリート	2,400	1.3	
板ガラス	2,540	0.78	
木材	550	0.15	
ガラス繊維	20～50	0.04～0.05	
フォームポリスチレン	30	0.037	↓
硬質ウレタンフォーム	25～50	0.027	低い
空気	1.3	0.022	

（2）対流

部屋の空気を暖めると、暖かい空気が上に昇り、冷たい空気は下に流れる。このように、温度差によって空気や水などに上下の流れができ、混ざり合うことを対流という。やかんで水を沸かすときも、加熱するのは底部のみだが、対流によって内部の水全体が湯になる。冬に起こる窓際のコールドドラフトも対流によるものである。

（3）放射

太陽の光に当たると暖かさを感じるのは、太陽が放射する電磁波というエネルギーが熱を伝えているためである。このように、物体の電磁波が移動することを放射（輻射（ふくしゃ））という。

放射による熱は、高温の物体から低温の物体へ移動する。

2. 熱貫流率

熱伝導率は単独の物質における熱の伝わりやすさをいうが、住宅の壁や天井、床などは、木材などの部材に、仕上材や断熱材などが重ねられ、いくつかの材料が複合している。このように複合して構成された部材における熱の伝わりやすさを熱貫流率（ねつかんりゅうりつ）という。これら、熱の伝わり方を表2にまとめる。

■表2　熱の伝わり方に関する用語

熱伝導率	物単独の	熱の伝わりやすさ
熱伝導抵抗	物の一定の厚さの	熱の伝わりにくさ
熱貫流率	物が複合してできた壁などの	熱の伝わりやすさ
熱貫流抵抗	物が複合してできた壁などの	熱の伝わりにくさ（上記の逆数）
熱伝達率	物の表面の一定の広さの外気への	熱の伝わりやすさ
熱伝達抵抗	物の表面の一定の広さの外気への	熱の伝わりにくさ（上記の逆数）

空気や水を遮断すれば対流による熱移動を防ぐことができる。また、光を遮断すれば放射による熱移動は防ぐことができる。しかし、物に囲まれて生活する限り、物からの熱伝導を遮断することはできない。そのため、建物の熱をコントロールするには、熱伝導の制御が重要となる。

夏季、冬季の冷暖房設定温度と外気温の差を加算したものをデグリーデー（度日）といいます。これを参考に、1シーズンに必要な冷暖房エネルギーを算出できるよ

コールドドラフト

冬に、窓際下に冷たい空気が対流によって降下し、人に不快な感じを与える現象。

電磁波

光や放送などの電波で、真空でも伝わる。X線なども電磁波。

→P.290「光と色の関係」

熱貫流率

物単体ではなく、複合した部位の熱の伝わりやすさ。以前はK値、現在はU値と呼ばれている。単位はW/㎡・K。

熱貫流抵抗

熱貫流率の逆数。複合の部位の熱の伝わりにくさ。単位は㎡・K/W。

制御

遮断したり、取り入れたり、コントロールすること。日射の制御は省エネなどの観点からも重要である。

3. 室内の熱環境をコントロールする

室内の熱環境(温度や湿度)を効率的に快適にするには、まず断熱が必要である。さらに、気密性、日射、熱容量などが大切な要素となる。国でも、建築物省エネ法の基準(H25年改正省エネ基準の一部改正)等を定め、住宅にかかるエネルギーの合理化を進めている。

以下、それぞれの効果を解説する。

(1)断熱

断熱とは、伝導・対流・放射による熱の伝わりを防ぐことである。

住宅においては、屋根や壁、床、窓などの熱貫流率を低くすることで、断熱性を高める(図2・3)。そのためには、まず熱伝導率の小さい断熱材を用いる。

断熱材には、グラスウール、ロックウール、発泡プラスチックなどがあるが、最近では自然素材のコルクやウール、再生プラスチック、古紙を繊維として再生したセルロースファイバーも使われている。ガラスもLow-Eガラスなどの断熱性に優れた製品がある。

なお、構造体の外側に断熱材を張って外の熱を中に伝えにくくする断熱を外断熱と呼び、内側に断熱材を張るものを内断熱と呼ぶ。

■図2 住宅の断熱構造　■図3 壁の断熱のしくみ

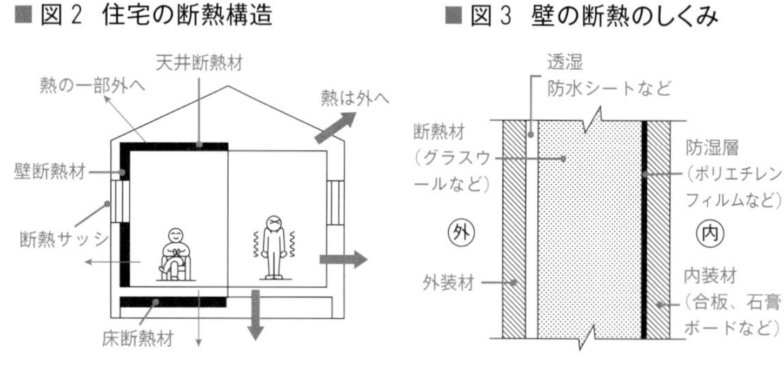

(2)気密性

住まいの気密性を高めるには、壁や天井、床などの隙間をなくし、室内外の空気(熱エネルギー)の出入りを少なくする。

断熱性を生かすためには、高断熱にすればするほど気密性を高めることが望まれる。ただし、室内の空気を清浄に保つには適度な換気も必要なため、換気をしても熱が逃げない熱交換型換気装置が使われることがある。

(3)日射

日射とは、太陽の輻射をいう。窓などから入射する全日射熱を

建築物省エネ法の基準

「建築物のエネルギー消費性能向上に関する法律」のこと。住宅の断熱性や気密性の基準を定めている。

Low-Eガラス

Low Emissivity(低放射)の略。表面に遮熱性のコーティングを施したガラス。断熱性のあるペアガラスと組み合わせると断熱性が高まる。

窓の断熱性を上げるには、ガラスだけでなくサッシも重要。断熱サッシには、木製や樹脂製、アルミと木、樹脂を複合させたものがあるよ

熱交換型換気装置

室内の空気の熱を換気の途中で交換して、外に逃がさないようにした換気装置。

気密性能の指標

床面積1㎡当たり、何c㎡の隙間があるかを示す。単位はc㎡/㎡。数値が小さいほど隙間が少ないといえ、気密住宅は5c㎡/㎡、高気密住宅は2c㎡/㎡程度といわれている。「C値」と呼ばれる。

日射量

太陽から達する放射のエネルギー量。

100%とし、室内に入る熱の比率を日射侵入率（日射熱取得率）という。通常の板ガラスであれば、日射侵入率は88%程度である（表3）。

窓から入る日射は、冬には大切な熱供給源となるが、夏には不必要といえる。季節や時間帯による日射の変化を考慮して、適切に日射を遮蔽（しゃへい）することは省エネの基本である（図4）。

■図4 季節による日射の変化

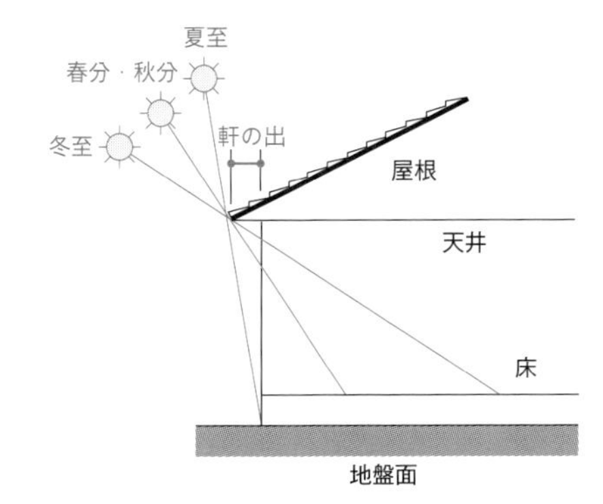

日射を遮蔽するには、庇や外部のブラインドが役に立つ。日よけは窓ガラスの外側にあるほうが遮蔽効果は大きい（表3）。

■表3 窓と日よけの日射浸入率

ガラスの仕様	空気層	ガラス面の日射浸入率（%）				
		日射遮蔽物等の種類				
		なし	レースカーテン	内付ブラインド	紙障子	外付ブラインド
普通三層複層ガラス	12㎜	71	50	44	38	16
普通複層ガラス	12㎜	79	53	45	38	17
低放射複層ガラスB	12㎜	62	48	43	39	15
低放射複層ガラスB	6㎜	61	46	41	37	15
遮熱複層ガラスB	6㎜	42	32	29	26	11
普通単板ガラス	－	88	56	46	38	19
熱線反射ガラス2種	－	55	41	36	32	13

(4)熱容量

熱容量とは、物の温度を上げるのに必要な熱量をいう。たとえば、コンクリートのように冷めるのに時間を要するものほど、熱を蓄えておく力があり、熱容量が大きい。パッシブソーラーなどには、熱容量の大きな素材が利用されている。

また、コンクリートでできた建物は、昼間に熱を蓄え、夜にかけてゆっくりと熱を発散するため、室温が保たれる。特に外断熱にすると効果的である（図5）。

■図5 コンクリートの蓄熱と発散（外断熱—冬の場合）

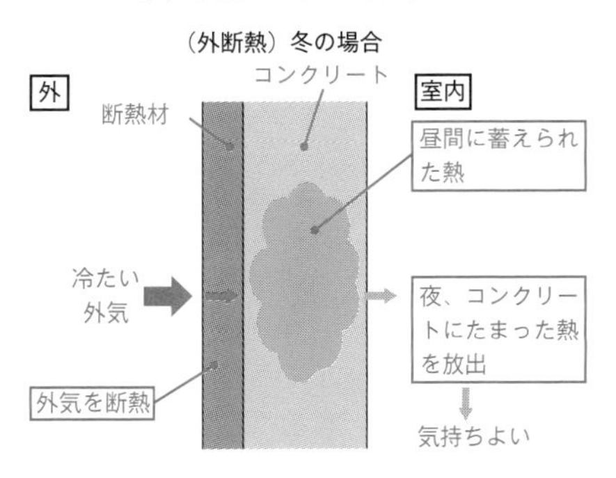

終日日射量
ある面が一日（終日）に受ける日射エネルギーの総量。全日日射量とも呼ばれる。

日射侵入率
ある部位の面積にその季節の日射侵入率および方角の係数を掛けて出す数値。実際にその部位からどれだけの日射による熱が入り込むかを表した数値。

遮蔽
日射などの外部からの影響を遮断すること。日射は季節や時間帯によって大きく変化する。

パッシブソーラー
機械設備を用いずに太陽光を蓄熱し、利用すること。室温調整に用いると、冷暖房費の軽減にも役立つ。熱容量の大きな建物には不可欠となっている。

熱容量
物の温度を上げるために必要な熱量。単位はkcal/℃。

湿度と結露

1. 湿度

日本では、夏は高温多湿で冬は乾燥するので、室内環境を快適にするための、湿気と乾燥への対応が常に大きな課題である。

湿度とは、空気中の水蒸気量であり、これを表す指標には、相対湿度と絶対湿度がある。

相対湿度とは、ある温度の乾いた空気が含むことのできる最大の水分量(飽和水蒸気圧)に対する測定場所の水分(水蒸気圧)の割合をいう。相対湿度は人が感じる湿度に近いので、一般的に湿度という場合はこの指標であり、単位はパーセント(%)で表す。

絶対湿度は、空気1kgに含まれる水分重量で表す重量絶対湿度と、1㎥に含まれる水分重量で表す容積絶対湿度がある。

2. 結露

結露とは、水蒸気を含む空気が壁などで冷やされ、その表面で水として凝結することをいう。

温かい空気は冷たい空気よりも水分をたくさん含むことができる。温かい空気のとき相対湿度が50%だとしても、温度が下がると同じ水分量でも相対湿度が100%になり結露する。

結露のメカニズムは、相対湿度と温度との関係を表した湿り空気線図を使うとわかりやすい(図6)。

壁の中で結露すると、カビや腐りの原因になるので、防湿シートや透湿防水シートを施すなど工夫されている(P. 172 図3)。

■図6 湿り空気線図

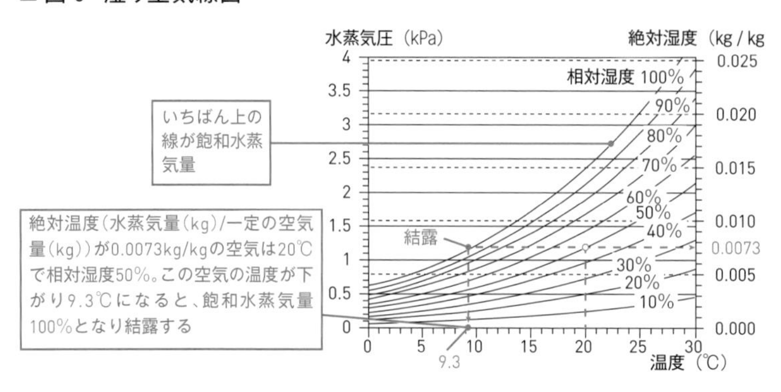

家の断熱性を高めると、同時に室内の湿気や結露への対策が必要になるよ

相対湿度
=水蒸気量/飽和水蒸気量

絶対湿度
=水蒸気量/一定量の空気(kg・㎥)

飽和水蒸気圧

乾いた空気が最大限に含むことができる水分量のこと。温度が高いと多くの水分を蓄えることができるが、規定値を超えると結露する。

防湿シート

ポリエチレンやアルミ圧着フィルムなどでできていて、室内の水蒸気が壁内に入るのを防ぎ、壁内結露を防止する。

透湿防水シート

湿気は通すが水は通さないシート。空気中の水蒸気は水よりも粒子が細かいため、シートを通り抜けることができる。壁内の湿気を外部に放出する。断熱性の高い住宅の工法には必須。

結露防止対策

結露は温度、温度差、湿度により発生する。そのため、換気や除湿をすることで、結露を軽減することができる。

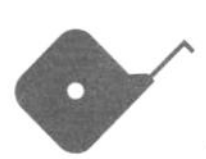

人間の温熱感覚と快適性の評価

1. 有効温度

人間の温熱感覚は、周囲の熱環境によって微妙に違う。たとえば、湿度が高いと、湿度が低いときより暑く感じる場合が多く、風の有無によっても感じる温度が変わる。このように人間の複雑な温熱感覚を、同じ環境条件で比較するための指標がある。

よく知られている指標には、有効温度(ET)、新有効温度(ET*)、標準新有効温度(SET *)がある。有効温度は、温度、湿度、風速によって快適性を表し、新有効温度は、温熱4要素の温度、湿度、風速、放射熱に、人間の代謝量、着衣量を加えて算出したものである。標準新有効温度は、新有効温度が任意の代謝量、着衣量で算出するのに対し、異なる条件で快適度を比較できる指標となっている。

また、蒸し暑さを表す不快指数は、日本でよく使われ、熱中症を防ぐためにも重要な指標となっている。

2. その他の温熱感覚の指標

(1) 予測平均温冷感申告(PMV)と予測不満足者率(PPD)

予測平均温冷感申告(PMV)とは、ある環境の温度、放射温度(放射熱)、湿度(相対湿度)、気流速度(風速)に、着衣量と代謝量を加えた6つの要素に関する人の評価を平均値にして表す指標である。寒暖を7段階評価で表している。

予測不満足者率(PPD)とは、ある状態のときに、何パーセントの人がその環境に不満を感じているかを表す指標である。

これらの指標は、国際標準化機構(ISO)の温熱環境指標としても採用されており、PMV ± 0.5以内、PPD10%以下が温熱環境の推奨範囲となっている。

(2) 作用温度(OT)

同じ温度でも壁面温度による放射により、体感温度は違う。作用温度(OT)とは、これらを加味して閉鎖空間の状態での仮想気温を表したもので、人体に対する温熱環境を評価する指標のひとつである。効果温度ともいう。

有効温度
英語でeffective temperature。略してET。ヤグローによって提案された快適性の指標。

ET* はETと区別するために「*」が付いていて、「イーティースター」と読むよ

不快指数
夏の蒸し暑さを数量的に表した指数。高温多湿の日本でよく使われる指標。

熱中症
梅雨時から夏にかけて起こりやすい病気。多湿の環境下では汗が蒸発しにくくなるため、身体の温度バランスに異常をきたすことが原因のひとつ。

室内の快適性を得るには温度や湿度だけでなく、風通しや着衣で調節したり、インテリアや服装の色、素材を工夫したり、さまざまな要素で調整するといいね！

9-2 換気と通風

重要度 ! ! !

Point

- ☑ 気密性を高めた建物は、換気で空気を清浄化する必要がある
- ☑ 空気の汚れの目安は、空気中の二酸化炭素（CO_2）の量で示す
- ☑ 自然換気と通風は省エネ対策にも重要

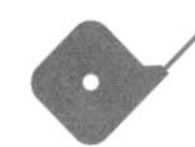

換気のしくみ

1. 空気汚染の目安

人がいる室内では、呼吸や暖房などで排出される二酸化炭素（CO_2）で空気が汚れ、ほかの有害物質も増える。このことから、室内における空気の汚染度は、二酸化炭素の濃度が指標となっている。二酸化炭素の濃度が4〜5％程度までであれば、人体にほぼ害がないとされている。

一方、ガスなどの不完全燃焼によって発生する一酸化炭素（CO）は二酸化炭素の1/100以下の濃度（0.04％程度）で人体に害を及ぼし、危険である。そのため、燃焼時は、特に適切な換気が必要である。

また、ホルムアルデヒドなどによる室内汚染が、シックハウス症候群を引き起こすとされ、換気扇の設置が義務付けられている。

2. 換気の種類

室内の汚れた空気を外に出し、外気を取り入れることで、汚染した空気を清浄化することを換気といい、それに要する換気量を必要換気量という。住宅の換気量は、1時間当たりの換気量を部屋の容積で割った換気回数という数値で表される。

住宅では、窓を開けて行なう自然換気が簡単だが、住宅の高気密化が進み、室内の汚染物質が増加傾向にあるため、リビングなどの居室でも換気扇による機械換気が必要となっている。

揮発性有機化合物とは

揮発性有機化合物（VOC）とは、空気中で容易に揮発（蒸発）する物質をいい、主に人工合成されたものを指す。塗料に含まれるトルエンやキシレンなど。接着剤に含まれるホルムアルデヒドは高揮発性有機化合物（VVOC）に分類される。

換気窓の大きさ

建築基準法において、居室には換気のために開放できる窓の設置が義務付けられている。開放できる窓の大きさは、床面積の1/20以上が必要とされる。

住宅の必要換気回数（目安）

（単位：1時間当たり）

浴室・便所	居間・寝室	食事室	台所（火気使用時）
2回	2~4回	5回	40回

公式ハンドブック［下］P.112〜117

(1) 自然換気

自然換気の換気量は窓の大きさに比例する。また、風力や温度差によっても変わる。

風力換気は、風による室内外の圧力差を利用するもので風速に比例して換気量は増える（図 1）。温度差（重力）換気は、温かい空気は上昇し、冷たい空気は下降するという性質を利用するもので、室内外の温度差と、給気口と排気口の高さの差に影響を受ける（図 2）。

■ 図 1　風力換気

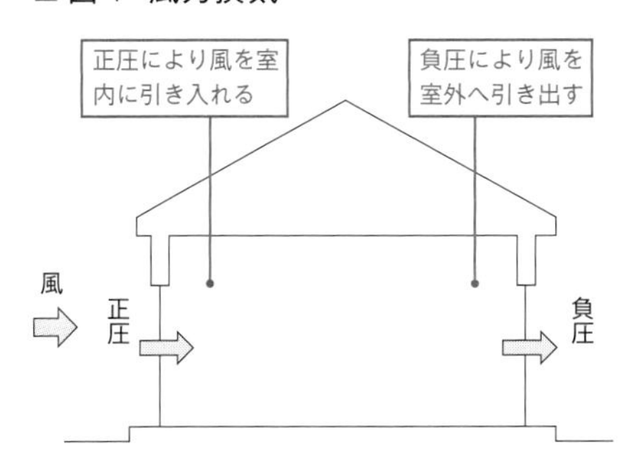

正圧：大気圧以上の圧力
負圧：大気圧以下の圧力

■ 図 2　温度差換気

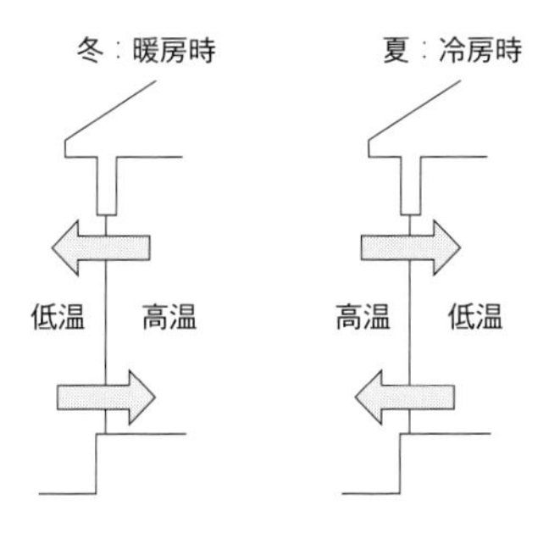

暖房時には、温かい空気は上昇するため下部の開口から冷たい空気が入り込み、上部は温かい空気が排出される。
冷房時には、冷たい空気は下降し、上部の開口から温かい空気が入り込む。冷たい空気は下部から排出される。

(2) 機械換気

もともと台所や浴室、トイレなど、湿気やにおいの溜りやすい場所では、機械換気が必要とされてきたが、気密性の高い住宅の普及で、居室の常時換気（24 時間換気システム）も建築基準法で義務付けられた。シックハウス症候群対策として、住宅には、換気回数 0.5 回 /h 以上の換気が可能な換気扇を設置するようになっている。

3. 通風

自然換気を利用して室内に風を通す通風は、住宅にとって重要である。高温多湿な日本では、住みやすさと、省エネの観点からも、ますます注目されている。通風は、外気の風速と、窓の配置や高さによって大きく変わる。

1 人当たりに必要な換気量は、約 30㎥ /h。喫煙者がいる場合は、その 2 ～3 倍になるよ

換気というと排気だけでよいように思いがち。しかし、排気された分、給気されなければ、適切な換気はできないよ

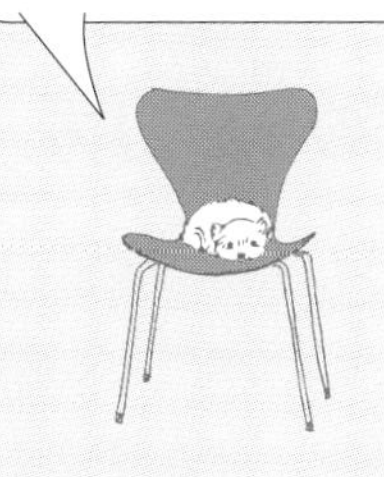

機械換気の種類

機械換気には第 1 種、第 2 種、第 3 種がある。→ P.194「換気設備の種類」

高気密住宅

住宅の断熱性をより効果的にするために、壁や開口部の隙間を極力小さくして、室内と室外の熱の行き来を少なくした住宅。床面積㎡当たり 5c㎡までの隙間なら気密性住宅、それよりもさらに気密性を上げた住宅を高気密住宅と呼ぶ。→ P.172「気密性能の指標」

通風の重要性

日本特有の湿気を含んだ温かい空気は、滞留すると人にとっても不快だが、木にとっても腐る原因となったり、カビの原因となる。湿った暖かい空気は滞留させないことが住宅にとって大切。

9-3 音環境

Point

- ☑ 音は空気や物を通じて伝わるので、完全な防音はできない
- ☑ 音は波動であり、水面の波紋と同じ原理である
- ☑ 壁は重くて密度の高いものほど遮音性が高い

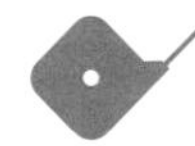

音の特性

1. 音の伝わり方

音とは、水面の波紋と同様に波動となって空気中を伝っていくもので、人の耳で聞こえる範囲のものをいう。音は壁などに当たると、一部は反射し、一部は吸収され、一部は壁の反対側へ透過する（図 1）。

音が吸収され強さが減少することを吸音、音の強さが壁などで遮られ減少することを遮音という。

音は、空気を伝って壁や床などの構造体に接触し、その構造体自体を振動させて伝わることもある。これを固体伝搬音という（図 2）。集合住宅などで離れた部屋の音が聞こえることがあるが、これは固体伝搬音の影響によるものである。

音のエネルギー

音は波面のようなエネルギー（波動）として壁面に当たる。その波動の一部のエネルギーは反射し、弱まった波動は壁面の物質を振動させて通過していく。

■図 1 音の入射、反射、吸収、透過

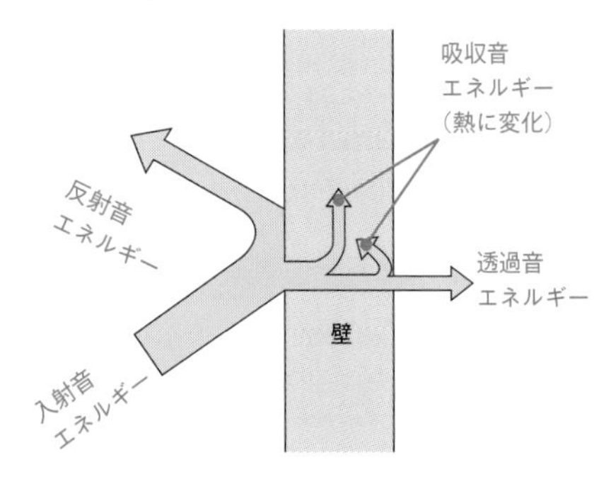

音は波動エネルギーである。物質に波動が当たると、物質内に波動が生じて熱が発生する。その分、波動は弱まっていく

■図 2 音の伝搬

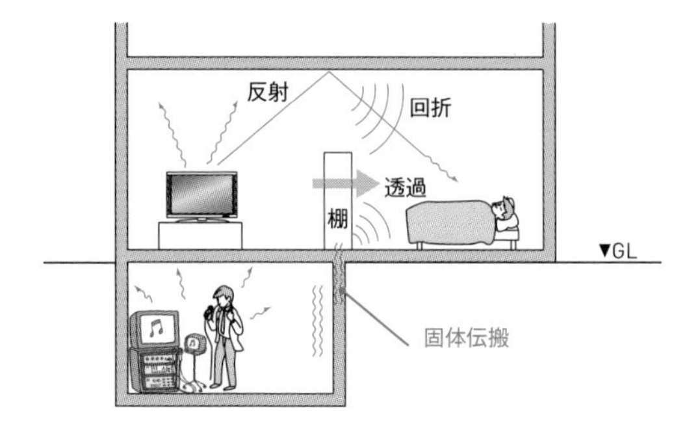

音は空気や建築物の壁・床・天井などさまざまな経路で伝わり、人の耳に入ってくる

公式ハンドブック［下］P.117 ～ 124

2. 音の属性

音は、強さ、高さ、音色に分けて考えると理解しやすい。

(1)音の強さ

音の強さのレベル(音圧レベル)の単位には、デシベル(dB)が使われ、音の強さ(大きさ)を表わす主要な単位となっている。人間が感じる音の大きさは、音のエネルギーの大きさに比例せず、対数にほぼ比例する。もとの音のレベルを0dBとすると、10倍は10dB(10の1乗)、100倍(10の2乗)が20dB、1,000倍(10の3乗)が30dBとなる。

音の強さは、音源からの距離の2乗に反比例して減少する。つまり、距離が2倍になれば、音の強さは1/4になる。

(2)音の高さ

音が1秒間に振動する回数を周波数といい、ヘルツ(Hz)という単位で表される。人間の耳で感じられる周波数は20〜20,000Hzの範囲である。

音程が1オクターブ上がると、周波数は2倍になる。たとえば、音階のラの音(イ長調ド)は440Hzであるが、1オクターブ上のラの音は880Hzである。

周波数ごとに同じ大きさに聞こえる音圧レベルを表にしたものを等(とう)ラウドネス曲線といい、曲線の谷の部分が最も感度が良いことを示す(図3)。

■図3　等ラウドネス曲線

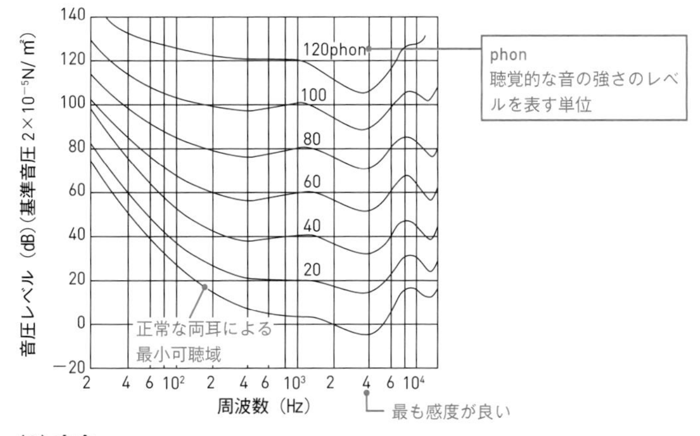

(3)音色

同じ大きさや高さの音でも、楽器の種類や聴覚によって印象は異なる。これを音色という。

音の大きさ

50dBの音と50dBの音が合わさると100dBになると思いがちだが、対数計算で53dBにしかならない。大きな音が2つ重なっても、うるささの度合いは少ししか増えない。

デシベル(dB)

音の単位dB(デシベル)の「デシ」は1/10という意味。「ベル」は電話を発明したアレクサンダー・グラハム・ベルの名前にちなんで付けられた。

人間の声は、男性が100〜400Hz、女性が150〜1,200Hz程度だよ

音の快・不快は、個人差や民族差、状況などで左右されるよ。寝るときに、今まで気付かなかった音が急に気になり眠れなくなることがあるよね

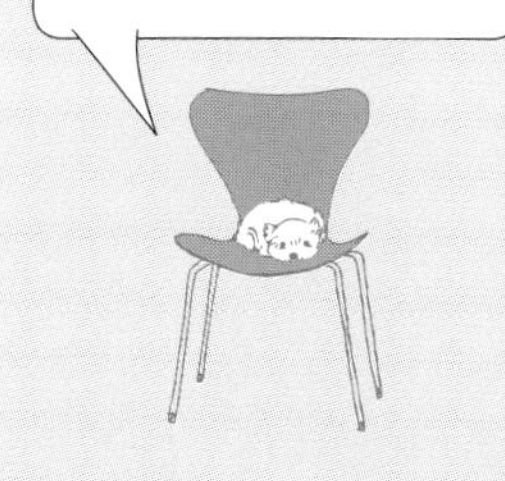

騒音

1. 騒音の基準

騒音とは日常生活で不快に感じる音である。騒音の大きさは単なる音の大きさではなく、前述したように、人間の聴覚の特性も含めて考える。

人間の聴覚に合わせた補正値をA特性といい、騒音を表すとき、dB（A）または(A)を取りdBで表す。これは、等ラウドネス曲線の40phonの曲線の近似値をとったもので騒音レベルという。住宅での許容騒音レベルは35～40dB(A)である(表1・2)。

もうひとつの騒音評価指標

室内で会話をしているときに、部屋の内外からの騒音で会話が聞きにくくなる。このような場合の騒音の評価としてNC値がある。

■表1 室内許容騒音レベル

dB（A）	20	40	50	60	80
うるささ	無音感	特に気にならない	騒音を感じる	騒音を無視できない	完全に騒音と感じる
会話への影響	会話に支障なし	10m離れて会話可能	普通会話(3m以内)	大声会話(3m)	会話困難
電話への影響	会話に支障なし	会話に支障なし	会話可能	会話やや困難	会話困難

■表2 騒音についての環境基準(環境基本法環境基準)（道路に面していない地域）

地域	時間区分による基準値	
	6：00～22：00	22：00～翌6：00
特に静穏を必要とする地域	50dB以下	40dB以下
専ら住居の用に供せられる地域	55dB以下	45dB以下
相当数の住居と併せて商業、工業等の用に供せられる地域	60dB以下	50dB以下

2. 音の制御

室内の音環境を快適に保つには、遮音、吸音による防音対策に、残響（ざんきょう）への対策も必要である。防音は、適切な吸音材と遮音材をバランスよく配置し、隙間や共鳴する部分をなくすことが大切である。

(1)遮音

遮音とは、外部から浸入する音を遮断することをいう。外部からの音の侵入を防ぐには、壁や床などの遮音性能を高める必要がある。遮音性能とは、この数値を透過損失といい、値が大きいほど遮音性が高い。

また、D値、L値、T値という数値もある。空気音の遮音性能はD値で表され、壁の遮音性能を示す際に使われる。単位はdBで表示する。数値が大きいほど遮音性能が優れている。

床の衝撃音はL値で表され、LL(Light)とLH(Heavy)がある。LL

はスプーンなど硬くて軽い物を落とした時の音(軽量床衝撃音)、LHは床の上を歩いたり飛び跳ねたりした時に伝わる音(重量床衝撃音)を表す。L値は小さいほど遮音性がある。

T値は、サッシなどの開口部材の遮音性能を表す。T1〜T4の数値がありT4が最も性能が良い。

また、遮音では、コインシデンス効果といった物質特有の性質による音漏れも注意が必要である。

騒音対策は遮音だけではない。小さな騒音を音楽などの音で気にならなくする聴覚の性質を使ったマスキングという対策もある。聴覚にはマスキング効果の逆のカクテルパーティ効果といった性質もある。

共同住宅では、住戸間の境界の壁(界壁(かいへき))の遮音性能が規定されている(表3)。床の遮音を含めた防音もマンションの管理組合の規定などで決められていることが多い。

■表3 共同住宅における住戸間の界壁の遮音(建築基準法施行令)

振動(Hz)	透過損失(dB)
125	25
500	40
2,000	50

(2)吸音

吸音とは、室内で発した音を内装材などが吸収することをいう。室内の仕上材に適度な吸音性のあるものを用いると、会話などが聞きとりやすい。吸音性能は吸音率と吸音力で表す。吸音率とは、吸収+透過した音のエネルギーの比率である。

吸音材には、ガラス繊維や畳などの多孔質材(たこうしつざい)、孔空き板のように壺状の空洞が連なった共鳴型吸音材(きょうめいがたきゅうおんざい)、合板など板状の形状をした板振動型吸音材(いたしんどうがたきゅうおんざい)がある。

(3)残響

残響(ざんきょう)とは、室内で反射した音が連続的に響き続ける現象をいう。

残響の程度は、室内で発せられた音を止めてから、音圧レベルが60dB下がるまでの残響時間で表す。残響時間は、部屋の容積が大きいほど、また、吸音力が小さいほど長くなる。一般住宅では0.5秒程度、室内楽を聴くには1〜1.5秒程度、教会では1.5〜2秒が適当とされている。

床の防音

軽量床衝撃音は吸音材や遮音材の工夫である程度防げることができる。一方、重量床衝撃音は、床の厚さに左右されるので、浮き床などの処理をしない限り防ぐことは難しい。

コインシデンス効果

壁や床などの材料に音が入射したとき、ある周波数のとき透過遮音性能が低下する現象。

マスキング

小さな騒音を大きな音(音楽など)で聞こえなくすること。

カクテルパーティ効果

カクテルパーティのような喧騒の中でも、聴覚は特定の音を聞き分けることができる。このような聴覚の選択能力による作用のこと。

多孔質材

内部に細かい空気の粒を無数に含んだ材料。ガラス繊維や畳などがある。高周波数(高音域)に適している。

共鳴型吸音材

空気を振動させ、音のエネルギーを消費させて吸音効果を得る。音楽室などは多孔質材をプラスし、さらに効果を上げている。

板振動型吸音材

板の振動で音エネルギーを吸音する方法。板材だけでは十分な効果が得られないので、多孔質材と併用することが多い。

9-4 光環境

重要度 !!!

Point

- ☑ 太陽光は可視光線、紫外線、赤外線で構成されている
- ☑ 照度は明るさの基本単位。光度、光束とセットで覚える
- ☑ 採光とは、太陽光による明るさ、空を大きな照明器具と考える

光の性質

1. 光の環境

建築物内の明るさ(光環境)は、太陽からの光と人工の照明とに大別される。太陽光で室内を照らす場合を採光(昼光)という。太陽光のコントロールは、環境時代において大切なことである。庇や簾、カーテンやブラインドなどは、室内の環境に大きな影響を及ぼす。

2. 光の基本知識

太陽光とは太陽から発せられる電磁波のことをいい、人間の目に見える可視光線と、目で見えない紫外線、赤外線で構成されている。可視光線は、電磁波380～780nmの波長の範囲にあり、それよりも短い波長を紫外線、長い波長を赤外線という。

人間の視覚は、明るめの所(明所視)では錐状体、暗めの所(暗所視)では桿状体と、それぞれ異なる視細胞を使って物を見るため波長によって明るさを感じる感度が変化する。明所視では555nmの光が最も強く感じられ、暗所視ではそれよりも低い波長を強く感じる。この原理は、比視感度曲線で表される(次頁図1)。

暗所視では、明所視に比べて比視感度が、波長の短い青色側にずれる傾向がある。たとえば、青みがかった物は明るく見え、赤みがかった物は暗く見える。これをプルキンエ現象と呼ぶ。

また、明順応、暗順応といった光への順応も視覚の重要な特徴である。

赤外線の中でも特に長いものを遠赤外線と呼び、それよりもさらに長い波長を電波といいます

健康に必要なドルノ線

波長290～330㎜の紫外線は「ドルノ線」と呼ばれる。骨を形成するのに必要なビタミンDをつくる効果があるとされる。

公式ハンドブック[下] P.124～134

■図1 比視感度曲線

V(λ):明所視
[555nmあたりがよく見える]

V'(λ):暗所視
[507nmあたりがよく見える]

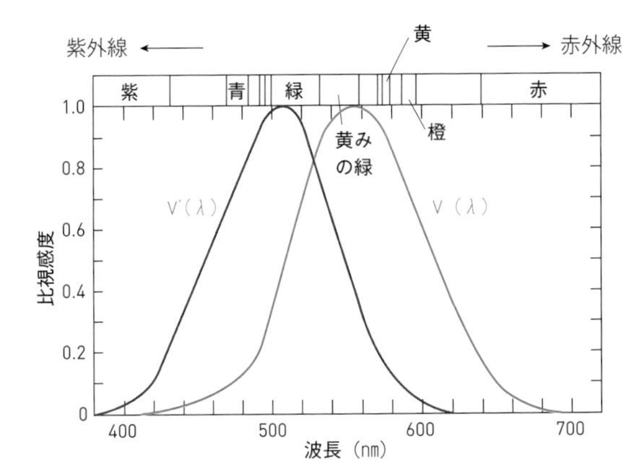

3. 明るさの尺度

光の明るさの尺度は、光束、光度、照度などで表される。

光束とは、光源から出る光のエネルギー量をいう。単位はルーメン(lm)である。光源光を、対象物に向かう1本の光の矢(束)と考えるとわかりやすい。光の基本となる単位である。

光度とは、光源が、ある方向へ出す光束の量であり、光源の明るさを示す。単位はカンデラ(cd)である。

照度とは、光を受ける面の明るさをいう。単位はルクス(lx)である。1m²の面に1lmの光束が到達すれば1lxとなる。光束がたくさん到達すれば照度も高くなる。また、図2のように、光源から受光面までの距離が2倍になれば、ある単位の光束が照らす面積が4倍になるので、照度は1/4になる。また、受光面の角度が斜めになると、照らす面積が増えるので、その面の照度は低くなる。

光源をどのように感じるかについては、輝度(きど)やグレアなどで表される。

明順応と暗順応

映画館のように暗い所から明るい所へ出てくると、目が慣れるまでにしばらくかかる。これを明順応といい、逆を暗順応という。暗所から明所に移動したときの明順応は、約1分程度。

光束と照度については、P.302「照明の基礎」も見てね!

輝度

光源に照らされた面の明るさや眩しさのこと。単位はcd/m²(カンデラ毎平方メートル)。

グレア

輝度の高いものを見た際に、周囲が見えにくくなること。輝度差が大きいと起こる。

■図2 照度の性質

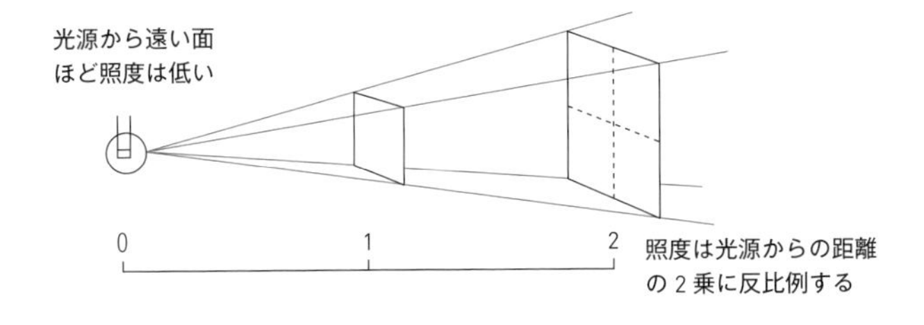

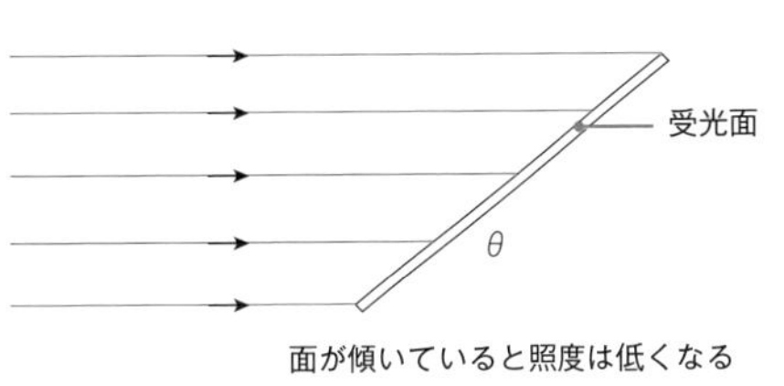

日照と採光

屋内における明るさは、太陽光が直接当たる日照(にっしょう)と、窓などから取り入れる採光(昼光照明)に大別される。日照は直射日光による熱や影など、採光は窓の位置や大きさなどを検討する必要がある。

1. 日照

建物の内外の面に直射日光が当たる時間を日照時間という。また、太陽の地平線からの高さを太陽高度という。季節によって異なり、夏は高く、冬は低くなる(図3)。たとえば東京では、真南の太陽高度は冬至で31°、夏至で78°になる。このような太陽高度の違いを把握しておくと、庇で日射を制御する場合などにも役立つ。

また、大きなビルが南側に建つときは、冬至で一定時間の日照が得られるよう設計しなければならない。日影曲線などを使って作成する日影図などでチェックする(図4)。

日影曲線
一定の高さの日時計の先端の移動ラインを日時季節ごとにグラフにしたもの。ある日時の影の方向と長さがわかる。

■図3 太陽高度

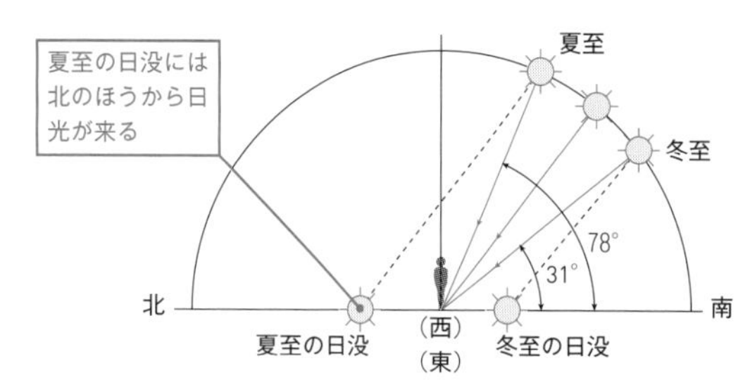

南面の日照時間は、春秋分の日が最も長く12時間程度。夏至が最も短く7時間前後。夏至の日は西日は北から来る

■図4 日影図

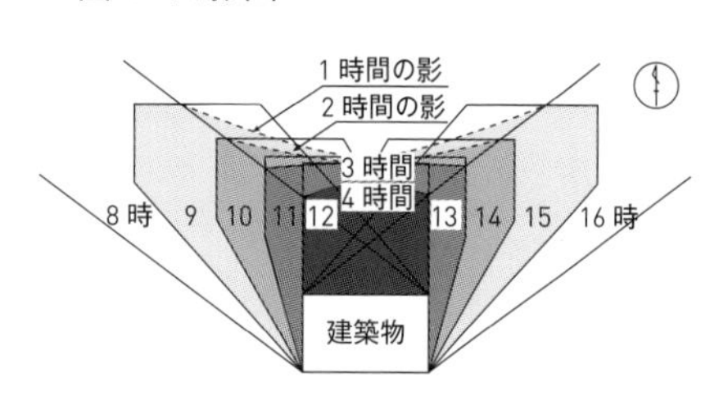

たとえば10時から2時までの影が重なる所では1日4時間以上が影となる

2. 採光

採光は、全天空照度(ぜんてんくうしょうど)を指標として考える(次頁表1)。これはたとえば、天空を丸い大きな照明器具(天空光)とした場合の、地表面の明るさを表すようなイメージである(次頁図5)。全天空照度の明るさは、直射日光ではなく空の散乱光で決まる。そのため、晴天時よりも、薄い雲のある明るい日中のほうが全天空照度は高くなる。こ

全天空照度
空全体からの光によって得られる、地上面の照度。ただし直射日光による照度は除く。

れに対して、窓を通し室内にまで達する全天空照度に対する割合を昼光率という。窓による明るさの評価として用いられる。

■ 表 1　全天空照度

条件	全天空照度（lx）
特に明るい日（薄曇、雲の多い晴天）	50,000
明るい日	30,000
普通の日	15,000
暗い日	5,000
非常に暗い日（雷雲、降雪中）	2,000
快晴の青空	10,000

■ 図 5　天空光の室内への入り方

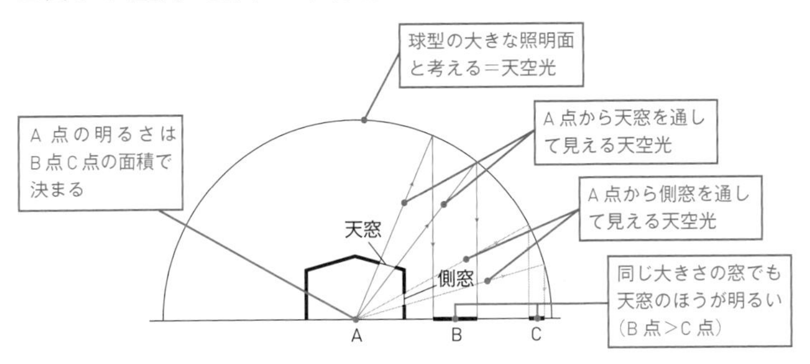

照明

照明の機能は、明視照明と雰囲気照明に大別される。明視照明とは、本を読むなど作業をするときの視対象の見やすさに重点を置いた照明で、主に明るさが重要となる。

一方、雰囲気照明は、明るさよりも、快適性やデザイン性を重視した照明である。

照明方式には 3 種類ある（表 2）。

■ 表 2　照明方式

全般照明	目的とする範囲全体をほぼ均一に照らす
局部照明	限定された狭い範囲とそのごく周辺のみを照らす
全般局部併用照明	作業する場所を効率よく照らし、そのほかの場所は低い照度で全体を照らす

室内で最も暗い所と、明るい所の比（最低照度 / 最高照度または平均照度）は均斉度で表されるが、部屋としては均斉度が 1/3 以上、作業面としては 1/1.5 以上であることが望ましいとされる。

また、明暗の差が大きいと、作業などに向かないことから、全般照明と局部照明の比率は 1：10 までとすることが望ましい。明るくしたい所だけ高い照度で照らす局部照明では目が疲れるため、住宅では一般的に全般局部併用照明が適している。加えて高齢者のための照明にも配慮する。

日光は住まいに欠かせないものだけど、直射日光によって家具が傷んだり、色褪せたりするので注意も必要だね

日本の住宅ではずっと、蛍光灯による白くて均一な照明だったけど、夜は落ち着きのある暖色系の明かりにするなどの雰囲気照明も併用するようになってきているね

高齢者のための照明

一般的に高齢者は目の機能が低下するので、20 歳の人に比べ 2〜3 倍の明るさが必要になると考えるとよい。

明るさの基準はあるの?

個人差はあるが、JIS の照度基準などを参考にするとよい。

10-1 給水、給湯

重要度 ! ! !

Point

- ☑ 給水方式の種類と、適した用途を理解する
- ☑ 給湯器の主な熱源は、ガス、電気、石油、そして太陽である
- ☑ 給湯システムの最新情報を常に把握しておく

給水

1. 給水方式

建物内に水道を引く場合、道路に埋設された水道本管から給水管を通して敷地内に取り入れ、給水設備を構成する。給水方式は、以下の3種類などがあり、建物の高さや用途などで選ぶ(図1)。

①水道直結方式

水道本管の水圧を利用して直接給水する方式。2階建て以下の建物に用いる。地域によっては、3階建ての場合もある。

②高置水槽方式、高架タンク方式

受水槽から屋上に設置した高置水槽に水を汲み上げ、重力で下階に給水する方式。中高層の建物に使用する。

③ポンプ圧送方式、圧力水槽方式、タンクレス方式

受水槽の水を加圧給水ポンプなどで給水する方式。

■図1 給水方式の種類

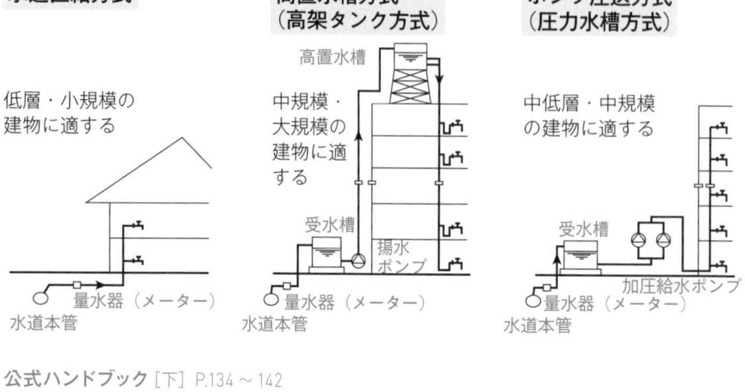

水道直結方式

低層・小規模の建物に適する

量水器（メーター）

水道本管

高置水槽方式（高架タンク方式）

高置水槽

中規模・大規模の建物に適する

受水槽

揚水ポンプ

量水器（メーター）

水道本管

ポンプ圧送方式（圧力水槽方式）

中低層・中規模の建物に適する

受水槽

加圧給水ポンプ

量水器（メーター）

水道本管

公式ハンドブック［下］P.134～142

給水設備

給水設備とは、建物や敷地内で、飲食や炊事、トイレ、浴室、清掃などに使用する水を供給する給水管やポンプ、タンク類、給水栓を指す。

水の種類

飲める水で、家庭などで使われる水道水のことを上水という。排水は下水。雨水などを簡易に浄化した水は中水といい、トイレ用などとして使われるが、日本では一般化していない。

上水の殺菌

沈殿やろ過で、ある程度の有害な物質を取り除いたあと、大腸菌やバクテリアを塩素やオゾンで殺菌する。

一般家庭での1日の水の使用量は、1人当たり200～400ℓといわれているよ

2. 給水の知識

(1)水質管理

水道水(上水)の水質は、各地域の水道局の基準と、建物内における管理によって変わる。

建物内での水質管理においては、水槽タンクの蓋(ふた)の管理、水槽の水が溢れたときの排水管(オーバーフロー管)からの逆流、配管の亀裂、クロスコネクションによる排水の混流などに気を付ける。また、水栓の急閉鎖などによる衝撃(ウォーターハンマー)も管の寿命を縮めるので、給水圧の調整などが必要である。

(2)水圧

給水設備は、給水量のほかに水栓金具を利用するための給水圧も重要である。住宅のシャワーには70kPa以上の水圧が必要である。これは、7m上の場所に設置した水槽下部から流れ出る際の水圧と同じである。マンションの屋上などの高架タンクは、最上階の部屋の水廻りの位置よりも、10m程度高い場所に設置し、実際は管内の摩擦損はあるが、100kPa程度の適切な水圧を保っている。

一般水栓は、30kPa以上、500kPa以下で使うようになっている。水圧が高い場合は、自動的に圧力を調整する減圧弁で減圧することもある。

(3)給水管

給水管は、水圧に耐えられる配管が必要である。住宅の給水管は、内径20㎜もしくは13㎜のものが多い(表)。主に塩化(えんか)ビニル管(VP)(かんブイピー)が使われ、ビニルライニング管、ステンレス管、架橋ポリエチレン管なども使われている。

■表 給水管の口径

25㎜	フラッシュバルブ式便器
20㎜	浴槽、シャワーなどの一部
13㎜	家庭の大半の水栓

給水管の水を1m上昇させるために必要な水圧は、10kPaである

3. 水栓金具

水栓金具には、単水栓(たんすいせん)と混合栓(こんごうせん)がある(次頁図2)。単水栓とは、水または湯のどちらか一方だけが出る水栓である。混合栓は、1台で水も湯も出し、湯温の調整ができる。混合栓には、主に以下のようなものがある。

クロスコネクション
飲料用の給水管と排水管が直接繋がること。水質汚染の原因となる。

ウォーターハンマー
水栓の急閉鎖などにより、管内に水圧の衝撃音がすること。水撃作用ともいう。

ウォータハンマーのしくみ

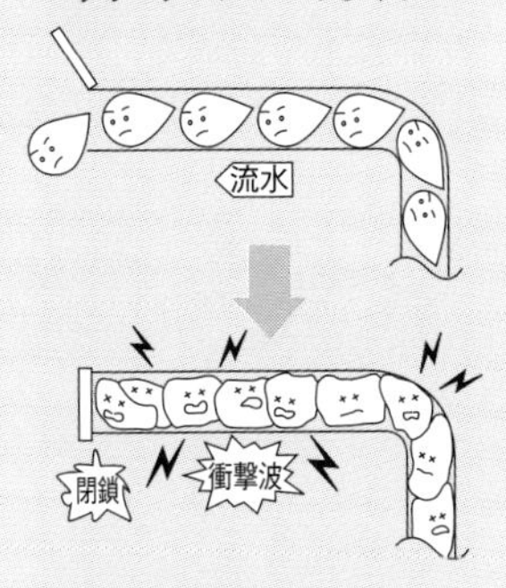

水圧の単位
・Pa(パスカル)
・kPa(キロパスカル)
1kPa=1,000Pa

水受け中に溜まった水などが給水管内に生じた負圧によって逆流することを「逆サイホン現象」というよ

ビニルライニング管(VLP)
鉄の管の内側に塩化ビニル樹脂をコーティングしたもの。

水栓金具
水や湯を供給するための器具の総称。

10 住宅設備

①ツーバルブ式…温水用と水用の2つのバルブをひねり、適温に調整する。

②シングルレバー式…1つのレバーハンドルを上下左右に動かして、水の量と温度を調整する。使い勝手がよく、使用頻度の高いキッチンの流し台などに多く利用される。

③サーモスタット式…希望の温度目盛に合わせて、常に適温の給湯をする。

■図2 水栓の名称と種類

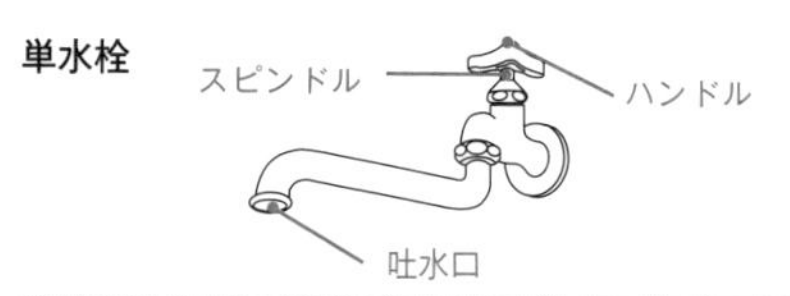

給湯

1. 給湯方式

給湯設備とは、給水管からの水を給湯器などで沸かし、給湯管を通じて各湯栓へ温水を送るしくみをいう。

給湯方式には、局所式給湯方式(きょくしょしききゅうとうほうしき)と中央式給湯方式(ちゅうおうしききゅうとうほうしき)がある。局所式は、小型の加熱器により水を加熱して給湯する。住宅の台所や浴室などで採用されている。中央式は、大規模なボイラーと給湯用循環ポンプを設置し、必要な箇所に給湯する。主にホテルや病院などで採用されている。

なお、給湯の配管には耐熱性のある銅管が使われることが多い。供給する湯が管を通る間に温度が下がらないように、管には断熱材を巻く。そのほか、ステンレス管や樹脂管も使われる。供給方式には、主要な配管から次第に枝分かれさせて水栓金具まで接続して供給する先分岐方式(さきぶんきほうしき)と、給湯器からそれぞれ細管で供給するヘッダー方式がある(次頁図3)。近年はメンテナンス性のよい、さや管ヘッダー方式が増えつつある。

銀色に輝く水栓のほとんどがクロムメッキ仕上げ。耐食性、耐磨耗性、防錆性に優れているよ

吐水口の位置に注意

水栓本体や吐水口とシンクの位置(高さや距離など)が適切でないと、水跳ねするなど使い勝手が良くない。

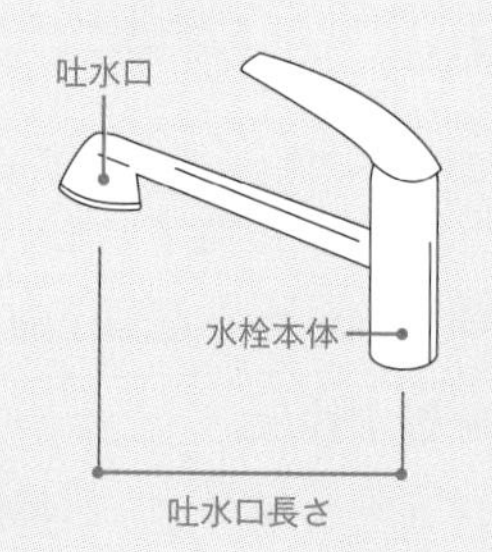

一般水栓以外の水栓

一般の水栓のほか、壁に取り付ける横水栓、ホースの取り付けが可能なカップリング付き水栓、吐水パイプが左右に動く自在水栓などもある。

給湯配管の種類

①複管式…中央式に見られる給湯配管。給湯管と返湯管の2本を設け、常にお湯を循環させる。

②単管式…給湯管でのみ供給。熱損失が少なく費用は安いが、温度の安定に時間がかかる。住宅ではこの方式が一般的。

■図3 給湯配管方式

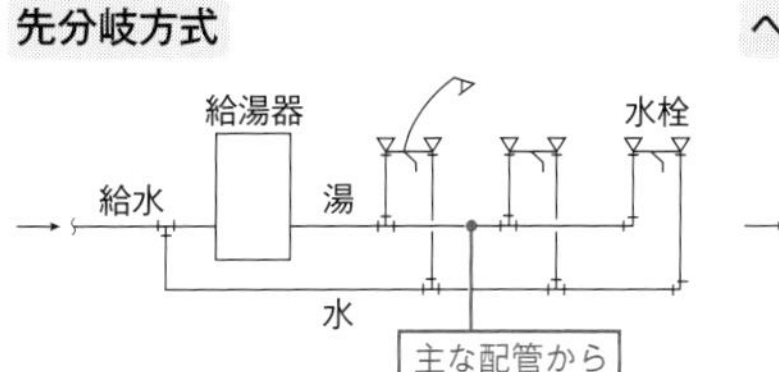

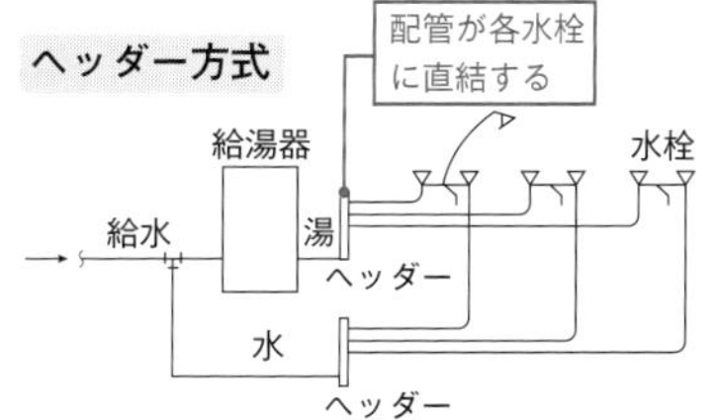

2. 給湯器

加熱装置には、瞬間式（しゅんかんしき）と貯湯式（ちょとうしき）がある。瞬間式とは、必要なときに必要な量の湯を沸かして供給する方式で、サイズもコンパクトなため、住宅で多く採用されている。熱源はガスが主流だが、石油や電気のものもある。貯湯式とは、お湯を貯湯漕に蓄えておく方式である。

近年は、省エネルギーやエコロジーなどの観点から、以下のようなシステムの給湯器も使われている。

①家庭用燃料電池コージェネレーションシステム

水素と酸素を化学反応させて電気をつくる燃料電池（ねんりょうでんち）(図4)を利用したシステムである。発電する際に副次的に発生する排熱も、蒸気や温水として利用する。低騒音で発電効率に優れている。

■図4 家電用燃料電池のしくみ

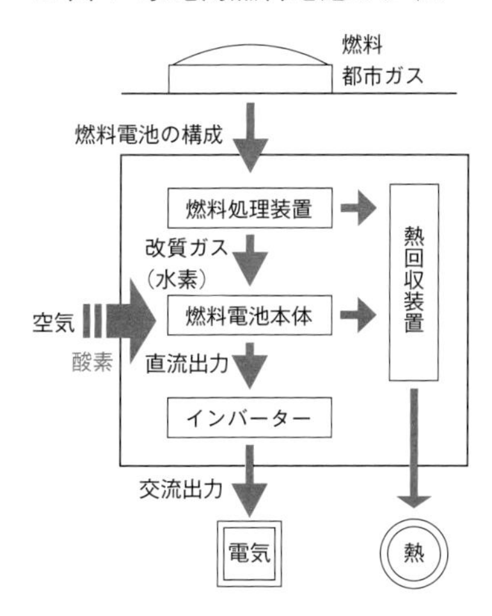

ガスから水素をつくり、水素に空気中の酸素を加えることで電力を生み出す。水素と酸素は結合して水になる。途中でできる熱は利用するようになっている

②ヒートポンプ給湯器

エアコンなどに使用されているヒートポンプの技術を利用した給湯器(次頁図5)。大気中の熱を利用するため、エコ給湯器とも呼ばれている。深夜電力（しんやでんりょく）で沸かした湯はタンクに貯湯し、昼間に利用するのが基本。ヒートポンプを運転させるために電気を使うため、オール電化の家庭で採用されることが多い。

ヘッダー
水や空気などを多くの系統へ送ったり合流させるため、管を集めた部分。

さや管方式
配管よりひと回り大きな管をあらかじめつないでおき、その中に配管を通す方式。取替えも行なえる。ヘッダー方式と共に使われることも多い。

エコキュート
ヒートポンプ技術で湯を沸かす電気給湯器。オール電化に使われることが多い。→P.37表「主な家庭用エコ給湯システム」

ヒートポンプ
室内と外部の間の熱エネルギーを、ポンプのように行き来させる技術。現在のエアコンが、夏は冷房、冬は暖房が1台でできるのは、この技術のおかげ。→P.198

■図5 ヒートポンプ給湯器のしくみ

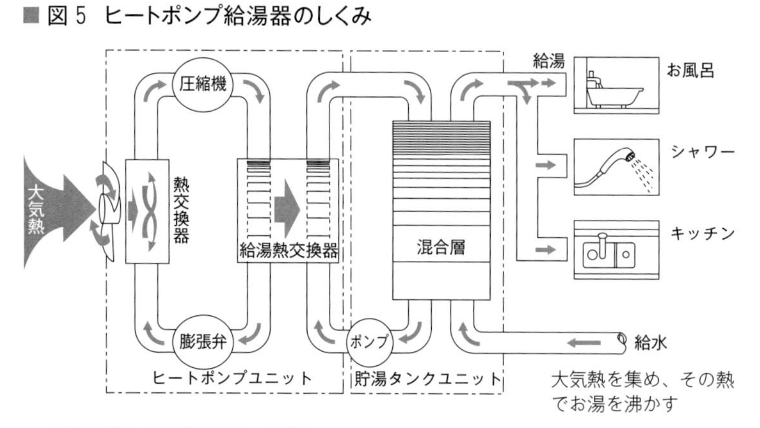

割引料金が適用される深夜電力を使って湯を沸かせるが、屋外に大きな貯湯タンクの設置場所が必要である。また、近年では、自然エネルギーの見直しから、自然循環太陽熱温水器(たいようねつおんすいき)が再び注目されている(図6)。

■図6 自然循環式太陽熱温水器

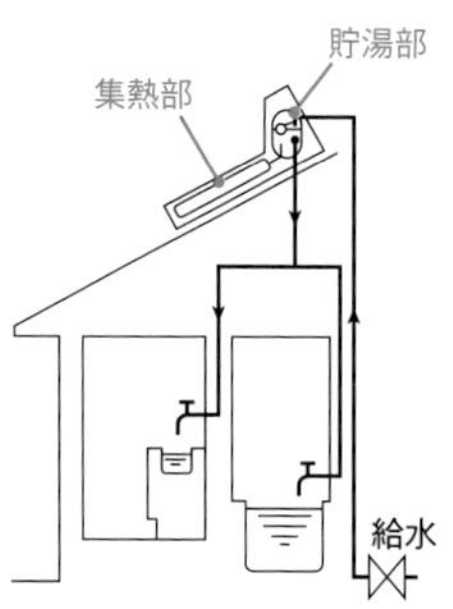

集熱器の上部に断熱された貯湯槽があり、自然循環によって温水を貯えることができる温水器。昼につくった温水を夜に利用する

給湯器のオート機能

お湯張り、追焚き、自動保温ができるものをオートという。さらに足し湯ができるものを一般的にフルオートと呼ぶ。

3. 給湯の知識

給湯は、通常60～70℃のお湯を水栓まで送り、用途により水と混ぜて適切な温度に調整する。日本では60℃のお湯を1人当たり1日で75～150ℓ使っているといわれる。その中で最も多い用途は入浴時の湯である。

瞬間式給湯器は、先止め式(さきどめしき)と元止め式(もとどめしき)がある。先止め式は、水栓を開くと水圧によって給湯器が作動し、温水を供給するしくみである。元止め式は、給湯器に直接水栓が付いている。近年は、先止め式が主流である。

住宅に用いられる瞬間式ガス給湯器は、水温を25℃上げた湯を1分間当たり何リットル供給できるかを号数で示す。たとえば、最も小さな5号の給湯器であれば、水温を25℃上昇させた湯を1分間に5ℓ出すことができる。一般家庭では、16号が主流だったが、近年では給湯箇所も増えたため、24号の給湯器を用いることが多くなっている。

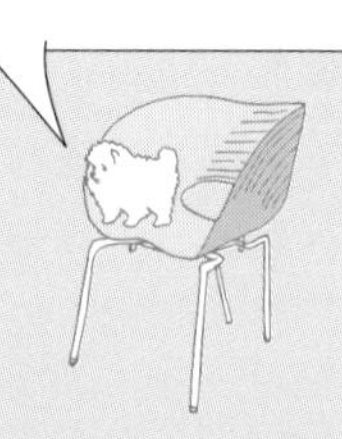

追焚き機能

家庭用給湯器の機能で、浴槽の湯が冷めたとき、給湯器で沸かすことができる。日本の伝統的な「風呂を沸かす」やり方を給湯器で実現した。

10-2 排水

重要度 ! ! !

Point

☑ 排水の種類としくみを理解し、合流式と分流式の違いを知る
☑ 衛生と防臭のためのトラップについて、種類やしくみを把握する
☑ 通気管と浄化槽の役割としくみを理解する

排水のしくみ

1. 排水の種類

一般家庭から出る排水には、汚水、雑排水、雨水がある(表1)。この中で最も環境に悪いのは、雑排水である。雑排水は、洗剤や入浴剤などの環境汚染成分が多く含んでいるうえ、水量も多いためである。

■表1　排水の種類

汚水	人体からの排せつ物を含む便器、汚物流し、ビデなどからの排水
雑排水	厨房器具、洗面器、洗濯機、浴室などからの排水
雨水	雨水、湧水などの比較的汚れの少ない排水

2. 排水方式

一般の排水設備は、便器、キッチン、浴槽などに繋がる排水管(次頁表2)は、1/50から1/100の勾配を付けて下水道まで流すしくみになっている。これが合流する場所は内径が100㎜もの太い配管になることもある。都市部では、各家庭からの排水は、住宅の外部で排水枡に集められ、道路下を通る下水道に流れる(次頁図1)。

排水を下水道に流す場合、雨水と汚水と雑排水を一緒に流してもよい合流式と、汚水と雑排水・雨水とを別々に流す分流式がある。合流式の場合、水量の多い雨水は、一部を敷地内で処理する地域もある。

公式ハンドブック[下] P.142～146

住宅の設計では排水管の配置がとっても大切。太くて勾配も必要だからね！　排水管の配置も注意しよう

排水管の種類

排水管には塩化ビニル管(VP、VU)がよく使われている。食洗機などには耐熱のものを使う。鋳鉄製の管もあるが、今はあまり使われない。

排水枡

排水管の詰まりが起きやすい要所に、点検や清掃のため設置する枡。汚物が流れやすいようにした汚水枡(インバート枡)、ゴミなどが沈殿できるようにした雨水枡、トラップの機能をもったトラップ枡などがある。

■表2 一般的な排水管の口径

大便器	φ 75㎜
洗面所、浴槽、キッチン	φ 40～50㎜

■図1 排水方式の例

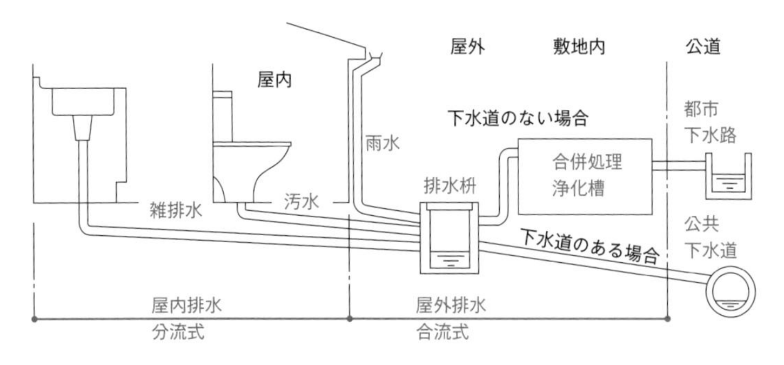

3. トラップ

排水管は、排水が流れたあとは空洞になるため、臭気や虫などが入り込む道にもなる。これを防止するために必ず取り付ける装置がトラップである(図2)。トラップ内の管の途中に排水が溜まる部分(封水(ふうすい))をつくることで機能する。たとえば、洗面台の下でS字型に曲がった排水管や、浴室などの排水口がそれにあたる。封水の深さは、5～10cmが適切である。店舗の厨房用として、油分などを一緒に取るグリーストラップなどもある。

■図2 トラップのしくみと種類

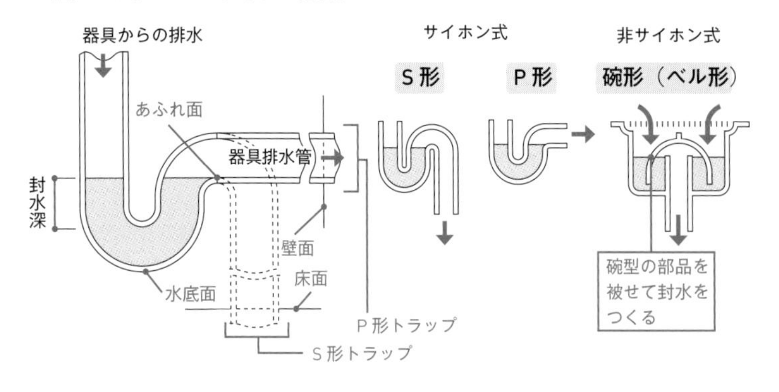

4. 通気管

トラップに繋がる排水管の負圧(ふあつ)などにより、溜まった封水が流れることがある。これを封水切れ(ふうすいぎれ)(破封(はふう))という。これを防ぐために排水管に通気管を設ける。通気管は、排水管内に空気を補給したり排除することで、排水管内の流れをスムーズにする役割をもつ。

排水桝の設置と材料

排水桝は、排水管が曲がった場所に取り付けることが多い。主にコンクリート製の製品が使用されてきたが、近年は塩ビ製のものも使われている。

トラップ

洗面台や流しの配管の途中に設けて、下水管や排水管からの臭気や害虫などが室内に逆流するのを防ぐもの。トラップ内の管の途中に水を溜める。

二重トラップに注意

1つの排水系統に2つのトラップを付けると、2つのトラップに挟まれた空気が閉塞された状態になり、排水や封水に悪影響を及ぼすため、禁止されている。

破封現象とは?

トラップの封水が以下の原因でなくなることを破封現象という。

①自己サイホン現象…大量の排水によるサイホン現象で、封水も流してしまう。

②毛管現象…トラップに残った糸くずなどを伝って、封水が流れ出る。

③蒸発…長期間使用しないときなどに、蒸発で封水がなくなる。

④吸い出し・跳ね出し…縦排水管に繋がるトラップでは、縦管に流れる水の圧力で、封水が吸い込まれたり、跳ね出したりする。対策として通気管が有効。

通気管の中でも、主な配管を上部へと伸ばし、外気に通気したものを伸頂通気管（しんちょうつうきかん）という（図3）。

■ 図3　封水切れを防ぐための通気管の役割

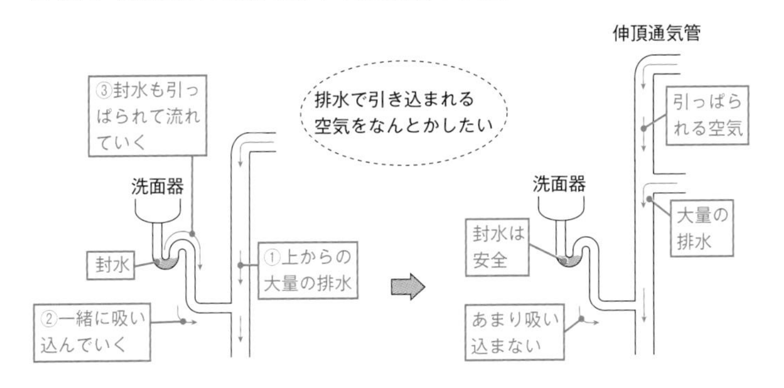

5. 浄化槽

浄化槽とは、汚水や雑排水を浄化処理する設備である。汚水のみを処理する単独処理方式と、雑排水も併せて処理できる合併処理方式がある。環境問題などに配慮し、最近は基本的に合併式を使うことになっている。主に浄化槽は、嫌気性（けんきせい）の微生物によって浄化する嫌気ろ床槽（しょうそう）と、好気性（こうきせい）の微生物によって浄化するばっ気槽（きそう）を使って浄化をしている（図4）。

■ 図4　浄化槽の働き（嫌気式ろ床接触ばっ気方式の例）

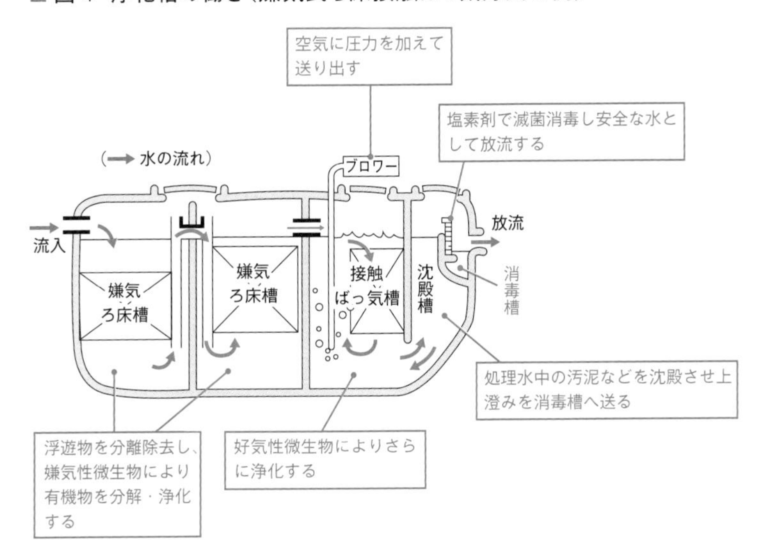

封水が蒸発すると

衛生機器などを数カ月間使わないときに、封水自体が蒸発し、封水切れすることがある。この場合、室内に排水臭がする。

住宅などの通気

住宅などでは、管に弁のある通気機器（ドルゴ通気弁）を使うこともある。また通器管には、伸頂通気管以外にループ通気管がある。

浄化処理方法

①物理的処理…浮遊物質の除去やろ過、希釈など。

②化学的処理…酸やアルカリで中和、消毒剤で消毒するなど。

③生物化学的処理…微生物を使い、有機性汚物を窒素や炭酸ガス、メタンガスなどに分解。

嫌気性の微生物

酸素の存在する環境では、生育が困難または不可能な微生物。

好気性の微生物

酸素の存在する環境で正常に生育する微生物。

ばっ気槽

圧縮空気を送り、水を空気にさらし、好気性バクテリアを増殖させて汚水を浄化する槽。

BOD値とは

生物化学的酸素要求量（Biochemical Oxygen Demand）のことをいう。水質指標のひとつとして使われる。

10-3 換気設備

重要度 ! ! !

Point

- ☑ 換気とは、外気を取り入れ、室内の空気を排出することをいう
- ☑ 燃焼機器には給排気が必要であることを知る
- ☑ 高気密住宅などでは熱交換型の換気扇を考慮する

換気のしくみ

1. 換気設備の種類

換気の方法は、P.176「換気と通風」で述べたように、自然換気と機械換気とがある。

機械換気は3種類に分けられる（図1）。第1種換気設備は、送風機で給排気を行なう。室内の気圧を自由に設定できるが、設備費が高価である。第2種換気設備は、給気のみ送風機で行ない、排気は正圧（せいあつ）にて自然排気口から行なう。外部からの埃などの侵入を防ぎたい病院の手術室などに適する。第3種換気設備は、排気のみ送風機で行なう。室内を負圧（ふあつ）にするため、においなどがほかの部屋に伝わりにくくなる。台所や便所に適している。

近年の住宅では、断熱材使用による気密性の高まりやシックハウスの問題もあり、機械による換気は、より重要なものとなっている。

■図1 機械換気設備の種類

第1種換気設備

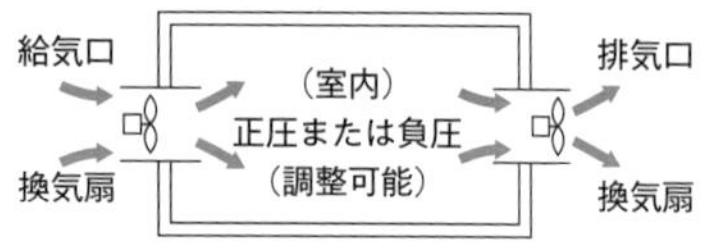

第2種換気設備

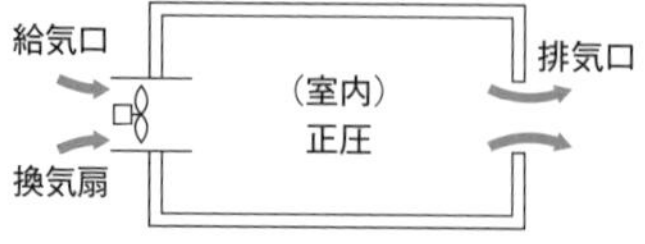

第3種換気設備

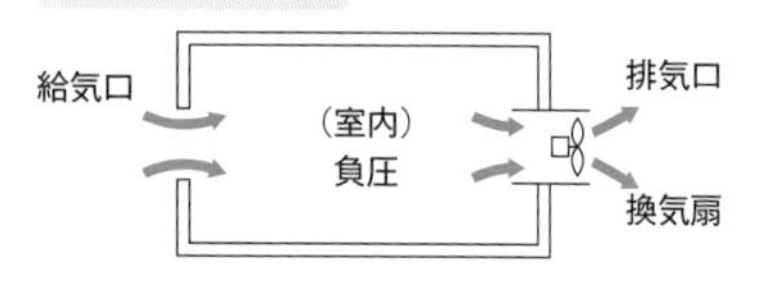

給気と排気の両方、またはどちらかに換気扇を使う。この組合せによって、第1～3種に分かれる

正圧
室内の気圧が外気圧より高い状態のこと。給気を続けると、室内は正圧になる。正圧の部屋では空気は出ていこうとするため、隙間風は入らない。

負圧
屋外に比べて室内の気圧が低い状態のこと。換気扇で排気を続けると、室内は負圧になる。屋外との気圧差により、ひとりでにドアが閉まったり、隙間風が入ったりする。

シックハウス
→ P.42「シックハウス対策」、P.139「室内の空気環境」、P.142「室内空気汚染への対策」

シックハウス対策の換気
建築基準法の中のシックハウス関連条文では、24時間換気システムの設置が義務付けられているが、点検などのために OFF にできる隠しスイッチが付いている。

公式ハンドブック［下］P.146～150

2. 換気扇の種類

換気扇には、プロペラファン、ターボファン、シロッコファンの3種類がある（表）。

気密性が高い部屋でも、換気により熱が流出入すれば、快適な室温が保てなくなる。これを防ぐためには、換気をしても室温は大きく変動しない熱交換型換気扇（空調換気扇）を利用するのがよい。熱のみを交換する顕熱交換型と、熱と同時に湿度も交換する全熱交換型がある。

■表 ファンの種類と特徴

	種類と特徴	羽根	用途
軸流ファン	プロペラファン ①軸流送風機の最も基本的な形で、小型のもの ②風量は多いが、静圧は低いので、風などの抵抗を受けると、風量が減少する		・台所・便所などの壁掛けファン
遠心力ファン	ターボファン ①比較的広幅の後ろ向きの羽根が付いているもの ②ほかのファンと比較して効率が最も高く、高速ダクト方式の送風機に適している		・空調ダクト ・高速ダクト ・浅型レンジフード
	シロッコファン ①水車と同じ原理で、羽根車に幅の狭い前向きの羽が多数付いているもの ②静圧が高く、あらゆる送風機に使われている		・空調ダクト ・浅型・深型レンジフード

3. 燃焼機器の給排気

室内に燃焼機器を設置する場合は、特に給排気に注意する。燃焼機器の種類により適切な対応がある。燃焼機器には、以下の3種類がある（図2）。

①開放型…室内の空気を使って燃焼し、そのまま室内に排出する方法。キッチンコンロやファンヒーターなどがある。特にキッチンのような火気使用室の換気量は、建築基準法による規定がある。一酸化炭素を発生する場合もあるので、機械類はメンテナンスが重要。

②半密閉型…室内の空気を使って燃焼し、外部に排気する方法。

③密閉型…屋外から取り入れた空気を燃焼し、外部に排気する方法。給排気をファンで強制的に行なうものをFF型と呼び、多くの機器に採用されている。

■図2 燃焼機器の種類

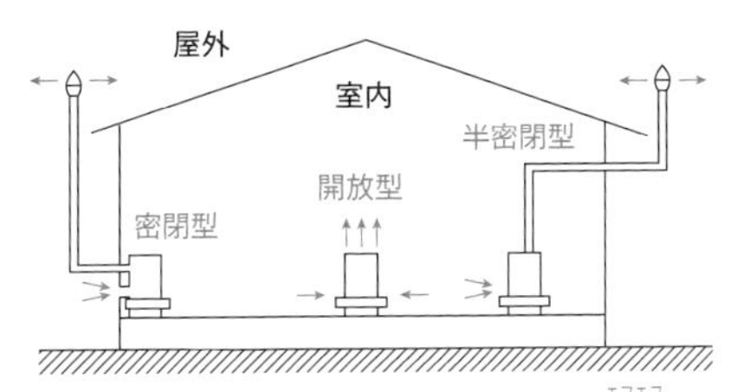

熱交換型換気扇

一般の換気扇は室内の空気をそのまま出してしまう。熱交換型換気扇は換気するときに、途中で熱のやり取りをして、室内の熱の変化がないようにするのでこの名称がある。

顕熱交換型換気扇

排気から顕熱を回収し給気する。外気と室温の差が大きいほど効果は高い。潜熱を回収しないため、全熱型より効果は小さい。

全熱交換型換気扇

室内からの排気を取り入れた外気との間で、顕熱と潜熱を同時に交換する。ロスが少なく、省エネルギー効果が大きい。

静圧

屋外からの風圧などの圧力に抵抗して風を送る力。ダクトを通す排気は、静圧が高いほうが良い。

センサー付き換気扇

トイレなどで使用する換気扇には、人を感知するとファンが回り、一定時間が経過するとファンが止まる人感センサー付き換気扇なども利用されている。

住宅のキッチンは、開放型のガス台を使うため、火気使用室と呼ばれるよ

密閉型燃焼機器の種類

① FF型（Forced Draught Balanced Flue）…ファンで強制的に給排気する。

② BF型（Balanced Flue）…自然の対流を利用する。

10 住宅設備

10-4 冷暖房設備

重要度 ！！！

Point

- ☑ 冷暖房機器は冷暖房負荷を目安として選ぶ
- ☑ ヒートポンプは効率のよい冷暖房機器である
- ☑ 冷暖房と空調の基本的な相違点を理解する

冷暖房のしくみ

1. 冷暖房負荷

冷暖房機器を選択する場合、ひとつの目安として、冷房負荷（れいぼうふか）、暖房負荷（だんぼうふか）という指標がある。冷暖房負荷とは、壁や窓、隙間、人の動きなどから発生する熱の取得や損失の合計である。この値が小さいほど、冷暖房器具の能力は高くなくてもよいといえる。この負荷は簡易な計算によって求められ、室内に応じた冷暖房器具を決めることができる。

2. 冷暖房方式

(1)暖房

暖房方式は、個別式暖房と中央式暖房(セントラル方式)がある。個別式暖房とは、各室内で直接熱を発生させるもので、FF（エフエフ）型ヒーターやファンヒーター、ストーブ、こたつなどである。

一方、中央式暖房は、機械室などに熱を発生させる機器を設置し、放熱器などで各部屋に供給する。大規模な建物に設置され、熱を運ぶ方法によって、温水暖房(次頁図1)、蒸気暖房、輻射（ふくしゃ）暖房、温風暖房がある。住宅では温水暖房や輻射暖房が使われる。なお、床暖房は温水や電熱を使うが、輻射暖房である。ファン付コンベクターや暖房器具は、窓側の下部に生じるコールドドラフトを防ぐために、窓際に設置すると効果的である(次頁図2)。

冷房負荷
室内をある一定の温度に下げるために要する熱量。

暖房負荷
室内をある一定の温度に上げるために要する熱量。

冷房負荷の例

マンションの南側中間階の部屋では、単位面積当たり145W/㎡の負荷が参考値となっている。20㎡の部屋であれば、20㎡×145W/㎡=2.9kW以上のエアコンを購入するとよい。

輻射暖房
輻射は放射ともいう。床などを暖め、放射伝熱によって暖房する。

ファン付コンベクター
熱交換器、ファンモーターユニット、エアフィルターで構成された暖房専用機。

コールドドラフト
→P.171

公式ハンドブック[下] P.150～161

■図1　温水暖房システムの例　　■図2　コールドドラフトを防ぐ放熱器の設置位置

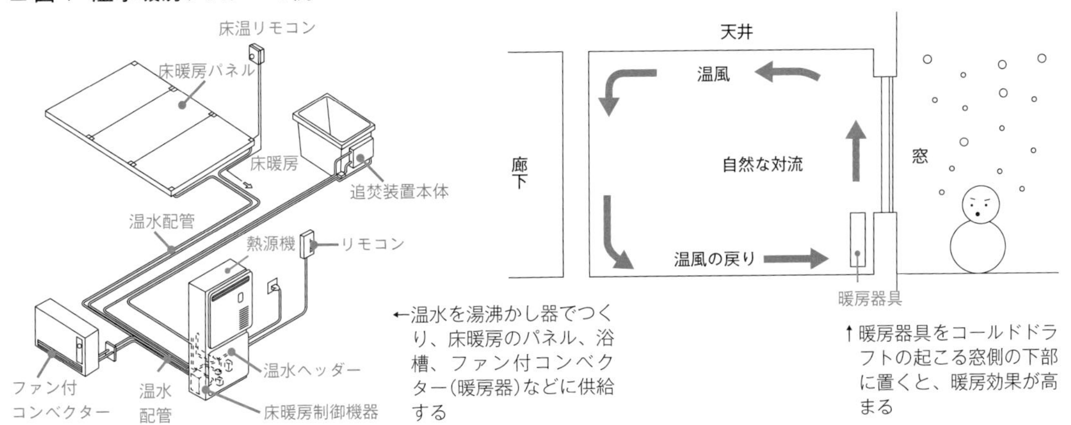

←温水を湯沸かし器でつくり、床暖房のパネル、浴槽、ファン付コンベクター（暖房器）などに供給する

↑暖房器具をコールドドラフトの起こる窓側の下部に置くと、暖房効果が高まる

（2）冷房

大規模建物では、冷房単体ではなく、冷暖房空調システムを設置することが多い。この場合、熱源の搬送方法はダクトを使う空気方式と冷温水を使う水方式がある。

ダクト方式には、単一ダクト方式とマルチゾーン方式がある（図3）。単一ダクト方式は、1つのダクト系統の途中から木の枝のように分岐した吹出し口を通して、建物全体に冷温風を送り空調する方法である。マルチゾーン方式は、冷温水用の2つの熱交換コイルを使用し、温度差のある空気を別々のダクト系統で送風する方法。送風ダクトは別々に配管されているため、部屋ごとに室温を調整することができる。

水方式の場合は、暖房のファン付コンベクターと同じように、各室内に設置したファンコイルユニットに冷温水を循環させることによって冷暖房する。

個別設置の方法としては冷媒式が多く採用され、パッケージユニットは中規模の事務所などに使われている。住宅用に使われているヒートポンプエアコンも冷媒式である。

高齢者にやさしい暖房

急激な温度の変化により身体が受ける影響をヒートショックという。血圧の急変にもつながる。特に高齢者には危険がともなうため、高齢者のいる家では、部屋別の個別暖房ではなく家全体を暖める暖房がよい。

ダクト

冷暖房や換気などのために空気を送る管。鋼板を螺旋状に巻いて筒形に成形したスパイラルダクト、曲げ施工がある程度自由にできるフレキシブルダクトなどがある。

ファンコイルユニット

ファン付コンベクターと同じような機能だが、冷温水利用の冷暖房兼用機器。

パッケージユニット

冷暖房の機能をコンパクトにまとめた機器。個別に設置できるので、中規模の事務所ビルなどに使われる。

■図3　ダクト方式

単一ダクト方式

送風ダクト
吹出し口
室内
送風機
コイル
返り空気
熱源機
（冷凍機ボイラーなど）
空調機
外気

マルチゾーン方式

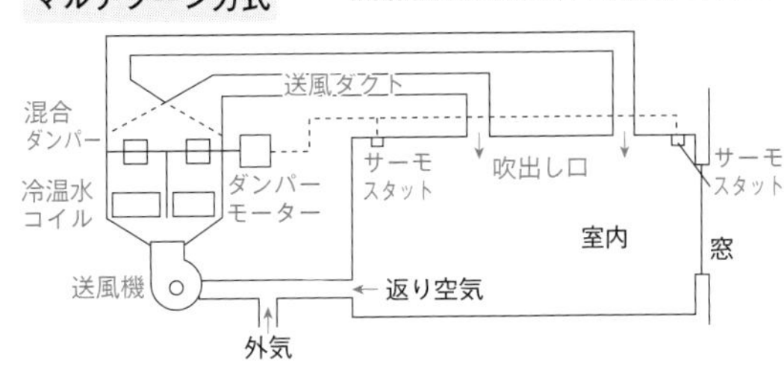

3. 床暖房

床暖房とは、床を30～40℃に加熱し、室温を18～20℃に維持する輻射(放射)暖房である。足元から暖め、その放射熱で室内全体をムラなく暖める点が特徴である。熱源により、温水循環式と電気ヒーター式に分かれる。特に高齢者に適した暖房方法として普及している。

なお、床暖房では床が乾燥するため、熱に強い床仕上材を用いる。無垢のフローリング材は、含水率を十分に下げた専用のものを使う。

■図4 各種暖房方式の室内垂直温度分布

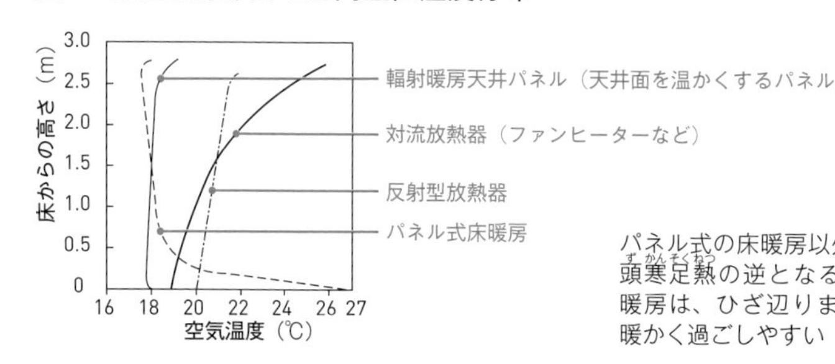

パネル式の床暖房以外は、頭寒足熱(ずかんそくねつ)の逆となる。床暖房は、ひざ辺りまでが暖かく過ごしやすい

4. 太陽熱の利用

太陽熱を利用した暖房には、パッシブソーラーシステムとアクティブソーラーシステムがある。パッシブソーラーシステムは、機械を使わずに、蓄熱などを利用し、アクティブソーラーシステムは、機械で集熱して利用する。省エネや環境問題を考慮するならば、パッシブソーラーシステムを基本に計画するとよい。

5. ヒートポンプ

家庭用エアコンは、ヒートポンプの技術により、夏は冷房として、また冬は暖房として使用できるようになっている(図5)。

熱効率が電熱器などの数倍良いため、冷暖房機器の主流となっている。なお、熱効率は、冷房能力(kW)または暖房能力(kW)を消費電力(kW)で割った数値で示され、COPという単位が使われる。

ヒートポンプエアコンは、室内機と室外機に分離したセ

■図5 ヒートポンプの原理

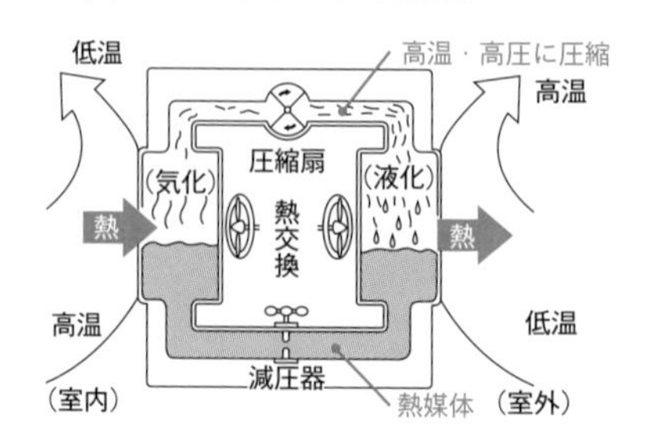

温水循環式床暖房

家庭用では、温水の通る樹脂パイプを埋め込んだ床下地に、給湯器から温水を供給して暖める。熱源は、電気、ガス、灯油のいずれも可能。

電気ヒーター式床暖房

家庭用では、電気の薄いシート型熱源を床の下に設置して暖めるものが主流。立ち上がりが早く、施工もしやすい。

ヒートショックに注意

急激な温度変化によって血圧が急に変動し、脳卒中や心筋梗塞などの発作を起こすことがある。冬場の浴室やトイレなどで多く見られ、特に高齢者は注意が必要。

パッシブソーラーシステム

太陽熱や風などの自然エネルギーを、建物の構造、間取り、方位などの工夫によって取り入れる方法。人工的な機械などは使用しない。→P.35「ソーラーシステム」

アクティブソーラーシステム

太陽熱温水器や太陽熱発電など、機械的な方法を使い太陽熱を積極的に利用すること。→P.35「ソーラーシステム」

ヒートポンプ

→P.190

COP

Coefficient of Performanceの略。成績係数ともいう。冷房機器などで使われるエネルギーに対し、エネルギーがどれだけ出力できるかを数値で示したもの。高いほうが効率がよい。気候変動などに関する締約国会議(conference of the Parties)とは別。

パレート型が一般的である（図6）。室内外機は冷媒管で繋がれており、その中を冷媒が循環する。この冷媒管は機種によって距離の制約があるため、設置時には注意が必要である。室内機で発生する水分はドレイン管を通じて外部に排水される。また、室内機には壁掛型、天井型、床置型などがある（図7）。

住宅では、エアコン1台につき室外機1台を設置するため、室外機の数が多くなる。それを緩和するために、エアコン数台に対して室外機が1台で済むマルチ型エアコンを利用することもある。また、ヒートポンプエアコンの効率を上げるためにインバーターを組み込んだり、地中に埋設した管（クールチューブ）に空気を通過させ温度調節してから空調機に取り入れる方法、風向センサーや除湿、空気清浄フィルターなどの機能を取り入れて快適性を上げる工夫もされている。

■図6 セパレート型のヒートポンプエアコンの設置例

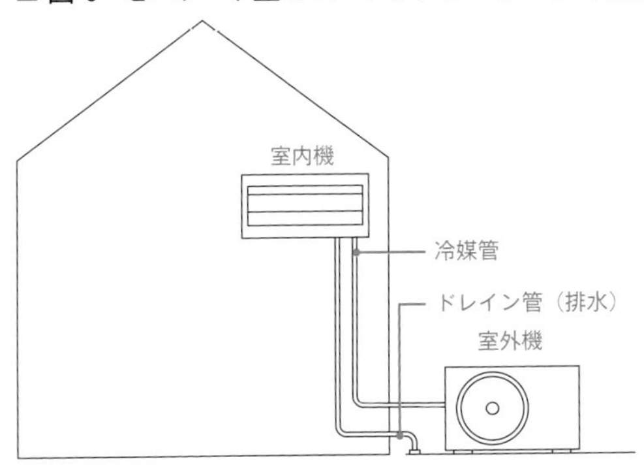

■図7 マルチ式ヒートポンプエアコン

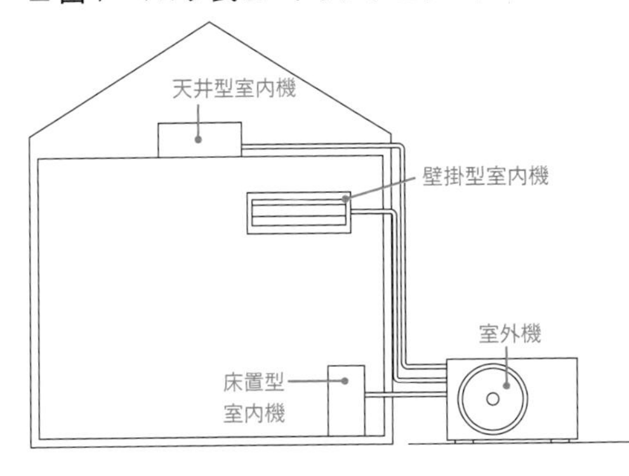

冷媒管

エアコンの室内外機の間で、冷媒のやり取りをするための管。かつて冷媒にはフロンが使われていたが、オゾン層の破壊などの問題により、現在はノンフロンになっている。

インバーター

周波数変換装置。周波数、電圧を自在に変えることで、効率よく運用できる。インバーターエアコンとは、室内負荷に対応して運転するエアコン。

地中の温度

地域によって差はあるが、地下3~4mを超えると地上の温度に関わらず温度は一定になる。地上が30℃でも地下は15℃。

ヒートポンプは、オール電化の湯沸器などにも利用されているね

設備にかかる費用

冷暖房などの設備にかかる初期費用をイニシャルコストという。そして、それらを維持、管理、運用していく中で発生する費用をランニングコストという。2つのバランスが大切。

6. 空調と冷暖房システム

空調とは、空気調和のことをいう。具体的には、温度、湿度、空気清浄度などの室内環境を、機械を使って最適な状態へと調整することをいう。冷暖房システムでは、ダクトや冷温水を利用して空調を行うことが多い。ダクト併用型には、ファンコイルユニット方式や、インダクションユニット方式などがある。

なお、家庭用のエアコンは、エアーコンディショナーの略である。清浄機能がないものは正式にはエアコンとはいえないが、一般的にエアコンと呼んでいる。

ファンコイルユニット方式
中央でつくられた冷温水をパイプで各部屋に送り、冷暖房を行う。

インダクションユニット方式
ダクトからの１次空気を高速・高圧で送風し、吹き出した勢いを利用して室内空気を誘引し、熱交換装置で温度調整を行う方式。

7. 機器や部品に関する用語

①ルームエアコン…家庭用ヒートポンプエアコンの呼称。

②ファンヒーター…暖房器具内に送風機が付いていて、効率よく空間を暖めることのできる機器。ガスや石油を使用する場合、室内の空気を使って二酸化炭素(CO_2)を排気するので換気が必要。

③クーリングタワー…空調用の冷却水をつくるための空気冷却塔。建物の屋上などに設置する。

④ダンパー…ダクトの経路に設けて、空気などの流量を調節する抵抗可変装置。防火ダンパーとは、火事のときに温度の上昇などを感知して自動的に閉まり、延焼を防止する金属製の蓋状の部品。

⑤ボイラー…水を加熱、沸騰させて蒸気や温水をつくる装置のこと。蒸気暖房や温水暖房の熱源。

⑥チラー…冷水をつくる装置。

⑦吹出し口…室内に空気を供給するための開口部。空気式の冷暖房では、効率のよい吹き出し口が欠かせない。羽根を数枚重ねたようなアネモスタット型は覚えておきたい。

⑧吸込み口…室内の空気を吸い込み空調機へ返す部分。

⑨ラジエーター…温水や蒸気などを機器内部に循環させる放熱器。

⑩ファン付コンベクター…ラジエーターにあたる部分が箱内に収められ、ファンで放熱を補助する機器。

⑪スリーブ…給排水管やダクトが壁などを貫通するときに、あらかじめ少し大きめの穴を開けるさや管のこと。

⑫ドレイン管…ドレイン(冷房時に生じる排水)を排水する管。家庭用エアコンでは、冷媒管と共に外部に排水される。

給気と吸気

「給気」は排気に対し外気などを供給するときに使われる。「吸気」は空気式の空調の吹き出し口に対する吸い込み口より、空気を吸い込むことに使われることが多い。

アネモスタット型吹出し口

10-5 重要度 ! ! !

電気設備

Point

- ☑電気のしくみは、ややこしいが、住まいの計画をするうえで必須の知識
- ☑電圧（ボルト）、電流（アンペア）、電力（ワット）の関係を覚える
- ☑いろいろなスイッチとコンセントの特徴を把握する

電気の基本知識

1. 電気の単位

電気のしくみは、川の流れにたとえるとわかりやすい（図1）。それに習い、電圧、電流、電力の関係と、関連する記号を以下に挙げる（表）。

■図1 電気のしくみ

電流

太

細

W W

水量大 水量小

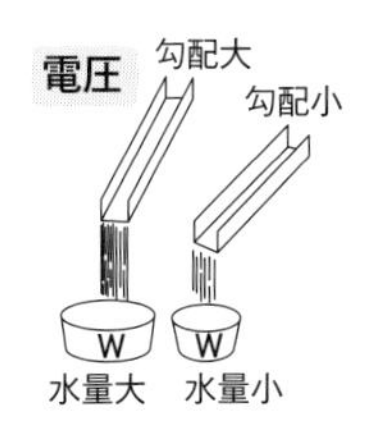

(1) 電流（でんりゅう）

電気の流れる量を電流という。単位は、アンペア（A）で表す。川にたとえると電流は川の大きさ（太さ）にあたり、漏電（ろうでん）は川の氾濫といえる。

(2) 電圧（でんあつ）

電流を流すための圧力を電圧という。単位は、ボルト（V）で表す。川にたとえると、川の勾配や水流の速さにあたる。一般的な家庭用の電圧は100Vだが、200Vの場合もある。

(3) 電力（でんりょく）

単位時間内に発生または消費されるエネルギーを電力という。単位は、ワット（W）で表す。川にたとえると、運ばれる水の量にあたり、直流では電流（A）と電圧（V）の積で表される。

■表 電気の量記号と単位記号

量	単位記号	単位の名称
電流	A	アンペア
電圧	V	ボルト
電力	W	ワット
電力量	kWh	キロワット時

公式ハンドブック［下］P.161～168

電池とは「電気を溜める（池）」と書くが、乾電池は小さな発電システムといえる。電池の種類には、乾電池以外にも、蓄電池、燃料電池などがあるよ

家庭で使われる電流は？

家庭に供給される電流の大きさは分電盤のブレーカー（スイッチ）部分に表記されている。分電盤は、外部に設けられた幹線から配電される電気を屋内に分岐する機器。保守点検が簡単な場所に設置される。

弱電と強電

電気は利用方法で分類する。通信や制御、情報機器関連には電圧の低い弱電を使う。一方、照明や電気機器を動かすには電圧の高い強電を使う。

2. 交流と直流

乾電池のようにプラス極(＋)とマイナス極(−)があり、一定の電圧で電気の流れる方向が決まっている電流を直流(DC ＝ Direct Current)という(図2左)。一方、電圧の大きさと電流の方向が一定の周期で変化する電流を交流(AC ＝ Alternating Current)という(図2右)。その正弦波が1秒間に発生する回数を周波数(Hz、ヘルツ)と呼ぶ。日本では、東日本は50Hz、西日本は60Hzと分かれている。

■ 図2 電池(直流)とコンセント(交流)

直流

⊕ 乾電池 ⊖

(＋)(−)が決まっている

交流

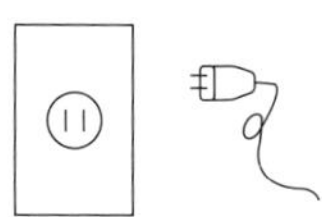

差込みの2つの穴は、どちらが(＋)でどちらが(−)とは決まっていない。左右を逆に差しても問題はない

3. 電力量

電力量は、電力×その電力を使用した時間で表される。通常、照明器具や空調機などの電気機器には、消費電力○kWというように、その機器を作動させるために必要な電力が記載されている。これらの電気機器を1時間使うことをWh(ワット時)と表記する。しかし、多くの電気機器を使うと1,000W基準としたほうがわかりやすいため、実際にはkWh(キロワット時)の単位が使われることが多い。

また、使用した電力量は、電力メーター(電力量計)で計測され、これに基づいて課金される(図3)。

■ 図3 電力メーターの例

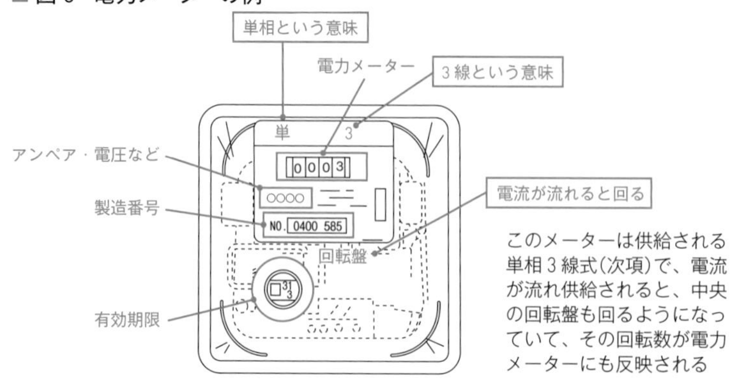

このメーターは供給される単相3線式(次項)で、電流が流れ供給されると、中央の回転盤も回るようになっていて、その回転数が電力メーターにも反映される

交流→直流にする装置

ACアダプターを用いると、コンピュータなどの直流機器を一般コンセント(交流)に繋いで使える。直流を交流に変えて変圧もする電源装置である。

交流

電圧の大きさが変化する電気。電流の＋−も変化する。家庭用コンセントは交流。

正弦波

交流電気に見られる電圧の振幅。1/50〜1/60秒を1周期とする。

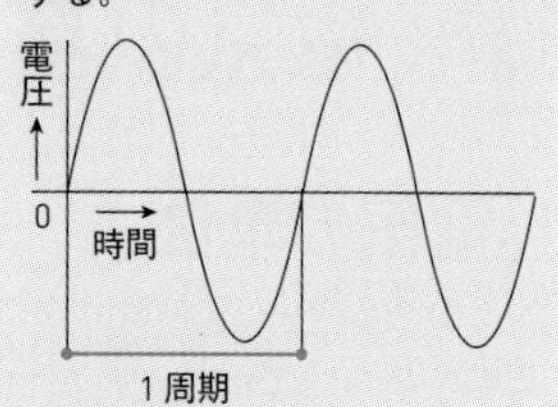

周波数

交流は、電気の流れる方向が周期的に変わる。1秒間に変わる回数を周波数という。

電力メーターの中にある回転する円盤をじっと見てみよう。回っていれば、家の中で電気が使われているということだよ

4. 電気の供給と配線

住宅で使う電気は、交流100Vまたは200Vで供給される。一般的なコンセントは差込み口が2穴あり、これを単相(2線)と呼ぶ。従来、家庭用では単相2線式の100V(図4上)が基本となっており、家電製品も100Vに対応した機器が多い。ただし、エアコンなど電気の消費量の多い機器には単相200Vを使っている。

また、家庭用の100Vと200Vを一緒に供給する方式として、単相3線式100/200V(図4中)がある。100Vと200Vを別々に供給すると4本の線が必要になるが、この方式では3本の線で済むので経済的である。現在では、家庭への供給方式の主流となっている。

店舗や工場などでは、200Vでも3本の線でつながるものを使用しているが、これを一般的に三相3線式200V(図4下)と呼んでいる。

■図4 電気の供給方式

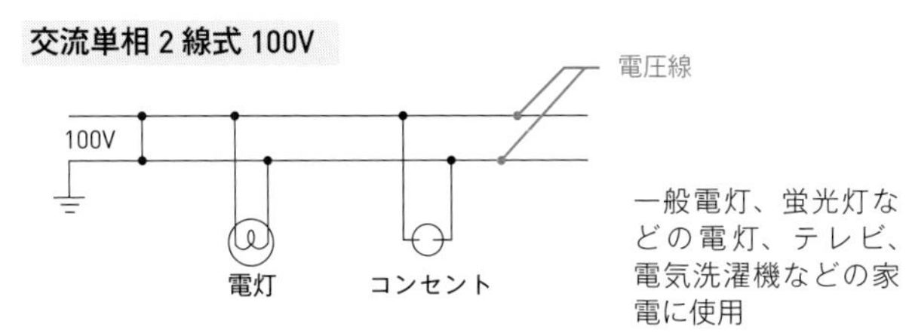

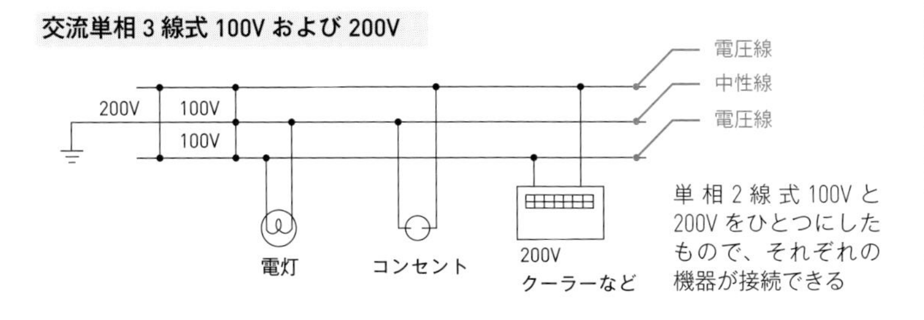

交流三相3線式200V

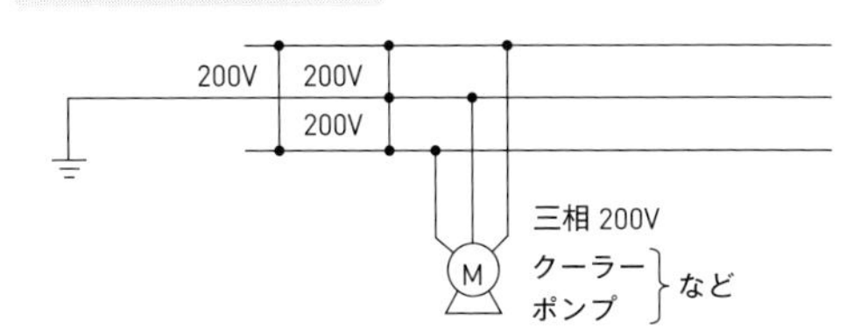

溶接機、工業用電熱器などに使用

動力

三相200Vは一般的に家庭では使われず、業務用として使われている。家庭の電灯に対し、主にモーターなどに使われたので、動力と呼ばれている。低圧電力ともいう。

電気を調整する装置

変圧器とは、交流電流の電圧の高さを変えるための装置。トランスとも呼ばれる。安定器は放電を安定させるための装置。蛍光灯には、この安定器が付いている。

効率的な200V

200Vは100Vに比べ、消費電力量は同じでも時間が短縮でき、配線や機器に流れる電流が1/2、損失が1/4と効率的。

電圧は国によって違います。日本は100Vが基本。ヨーロッパの多くは220Vか230V、アメリカは120V。プラグの形状もいろいろです

5. 電気の契約

電力会社との契約プランにはいくつか種類があるが、最も一般的なのは従量電灯である。これは、利用する契約容量(アンペア)の大きさにより基本料金が異なり、契約容量が大きいほど基本料金が高くなるしくみである。その他、深夜に発電する電力を割引価格で利用できる深夜電力などの契約もある。

6. 幹線と分電盤

電力会社でつくられた電気は送電線を通して変電所へ送られ、そこで電圧を下げながら配電される。一般的な住宅では、変電所から送電された電力を電柱などから架空線で屋外へ引き込み、電力量計(メーター)を通して屋内の分電盤に送り込んでいる。この電路は、幹線と呼ばれる太い線で繋がれている。

分電盤で電気を分岐して、各部屋に運んでいる(分岐回路)(図 5)。許容量を超えた電気が流れると火災などの原因になるため、自動的に電流を遮断する安全装置としてアンペアブレーカーが付いている。一般的には分電盤から引き出される 1 つの回路で同時に使える電気は、15A 以下(または 20A)である。つまり、100V の電圧を利用している場合は 1 回路で、100V × 15A = 1,500W が基本である。コンセントタップにも 1,500W までと表記されている。

電気を多く消費する食洗機やエアコンなどは、専用回路を使うか、200V の電圧を使うとよい。近年は、専用回路を設けて使う家電機器が多いので、分電盤は多くの分岐(20 回路以上)を備えている(図 6)。

従量電灯という名称は、かつて 100V の電気は、主に電灯に使われていたことからきていると思われます

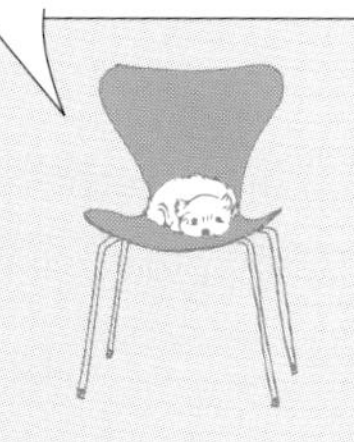

架空線

鉄塔や電柱などから空中に張り渡した電線。

ショート

ショートサーキット、短絡などとも呼ぶ。電気回路の 2 点が直接接触してしまうこと。回路に大電流が流れるため、非常に危険である。

コンセントタップ

延長コード、テーブルタップとも呼ぶ。コンセントから離れた場所まで電気を送る器具。

■図 5 戸建て住宅の屋内配線

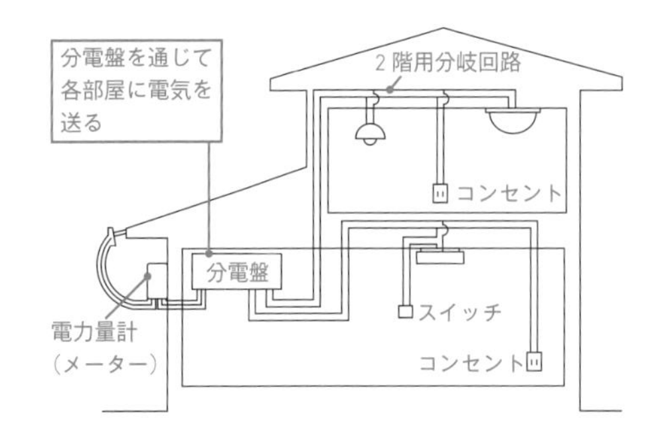

■図 6 分電盤回路の例(単相 2 線式)

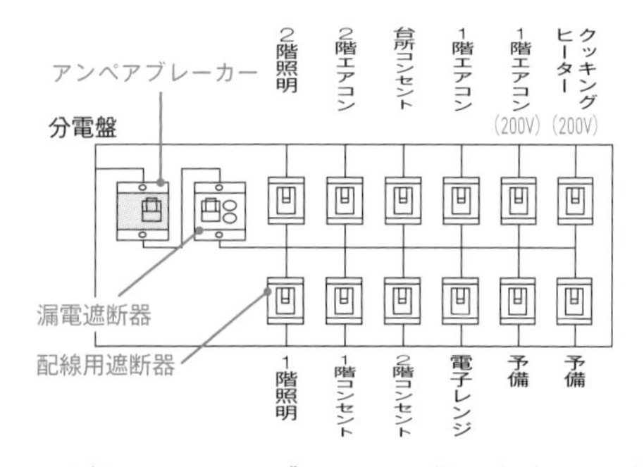

分電盤は、アンペアブレーカー、漏電遮断器、配線用遮断器を納めた箱である

7. 配線

木造住宅の場合、分電盤から屋内へ電気を送る配線には、主にビニル絶縁ビニル外装ケーブル(VVケーブル)が使われる。VVケーブルには平形(VVF・図7)と丸形(VVR)がある。VVFはFケーブルとも呼ばれ、最もよく使われており、ステープルなどで木部に止める。コンセントと電気機器を繋ぐ線は、ケーブルと区別して電気コードと呼ばれる。テレビなどには円形断面の同軸ケーブルを使う。

また、電話線などは、100Vに対して弱い電気なので弱電と呼ばれる。CD管という空の配管を先行して取り付けたあとで配線することも多い。

■図7 VVF(Fケーブル)

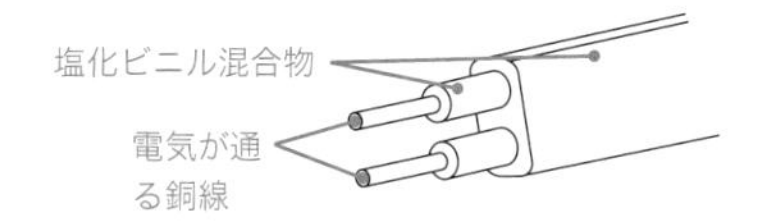

8. スイッチとコンセント

(1)スイッチ

スイッチは、主に室内の照明器具を点灯消灯するために、壁に取り付ける器具である。ドアの取っ手に近い壁に付けると扱いやすく、丁番側に取り付けると不便なので注意する。スイッチの主なものを以下に挙げる。

①3路スイッチ…3本の電線を使って制御し、1つの照明器具の点灯を2カ所で行なうことができる。階段の上階と下階、寝室の入口とベッドのそばなどに設置されることが多い。3カ所で点灯するものは4路スイッチと呼ぶ。

②ホタルスイッチ(表示灯付スイッチ)…暗い場所でもスイッチの位置がわかるように、スイッチ部分の小さな表示灯が点灯する。オフの状態で表示灯が点灯し、オンの状態で消灯する。

③消忘れ防止スイッチ…玄関灯などのように室内から直接照明が見えない場合も、パイロットランプによって照明の点滅状況がわかる。ホタルスイッチとは逆で、オンのときに表示灯が点灯する。

④タイマー付スイッチ…一定時間が経過すると、電気が切れて消灯する。トイレの照明などに使われる。

⑤調光スイッチ…明るさを調節する機能が付いている。これを使

屋内用ケーブル(Fケーブル)
Flat Cable。電線管なしで配線する簡単な電気の配線工法。

ステープル
電気関係では電気の線を壁などに取り付ける「コ」の字型の釘をいう。ホッチキスもステープルの一種。

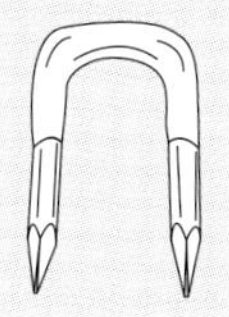

コード
電気機器の接続などに使う電気を流すための線材。2本で一対となったものが多い。電気を流す銅線の周りを塩化ビニルなどで絶縁している。

同軸ケーブル
1本の銅線の周りに絶縁体、網状の動線、保護絶縁体を巻いた電気線。ひとつの軸を中心にした形状なので、このように呼ばれている。

CD管
Combined Ductの略。電線を通す合成樹脂管。自由に曲げることができる。あとで配線する場合に便利。耐燃性のあるものは、PF管(Plastic Flexible conduit)という。CD管、PF管共に、コンジェット管と呼ぶこともある。

パイロットランプ
発光ダイオードの小さな表示ランプ。オーディオ機器や、夜間にスイッチの位置を知らせるためなどに使われている。

用するには、光源自体が調光可能であることが条件となる。蛍光灯には使用できない場合が多い。

⑥光センサースイッチ(明暗センサースイッチ、EE(イーイー)スイッチ)…暗くなると自動的に点灯する。玄関先の照明によく使われる。

⑦熱線自動(ねつせんじどう)スイッチ(人感(じんかん)センサー)…赤外線センサーにより人を感知して自動的に点灯する照明器具に使われる。防犯も兼ねて玄関先に利用されることが多い。

(2)コンセント

コンセントは、分電盤から分岐した電気を各場所に送る受け口である。2畳につき1カ所(2口以上)が目安とされる。洋室では床から25㎝、和室では畳から15㎝程度の高さが取り付けの目安である。主なものを以下に挙げる。

①アース付コンセント…感電防止のためのアース線を取り付けたもの。洗濯機や電子レンジには、アース専用のコードを取り付ける。PC用には、コンセントの2穴の下に、丸いアース専用の穴がある。

②**専用コンセント**…エアコンなど、その器具専用のものとして分電盤から設置するもの。

③抜止(ぬけど)めコンセント…プラグ挿入後に回転させ、抜けなくする機能をもつもの。コンセントが不意に抜けると危険な天井などに取り付ける(図8左)。

④フロアコンセント(アップコンセント)…床面下のボックスに取り付け、使用時に床面上に出す形式のもの。ダイニングテーブルの下に設置すると、ホットプレートなどを使うときに便利である(図8中)。

⑤**家具用コンセント**…ベッドやドレッサーなど、電源を必要とする家具に直接取り付ける専用のもの。

⑥防水コンセント(防雨コンセント)…屋外に取り付けるもの。雨などの水が侵入しないように上部にカバーが付き、コンセントが下向きになっている(図8右)。

■図8 コンセントの形状

抜止めコンセント

フロアコンセント(アップコンセント)

防水コンセント(防雨コンセント)

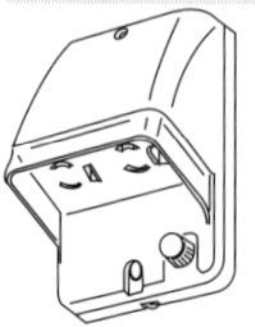

スイッチの取り付け位置

スイッチは、床上1,200㎜を中心に設置する。

ケースウェイは便利

室内仕上げの上に電気配線を通すためのプラスチック製箱型棒状ケース。ケースウェイを利用すると、コンセントやスイッチなどの位置の変更上役立つ。

アース

コンセントの横などに付ける感電防止用の線。機器から電流が漏れたりした際に、触れた人間ではなく、アースに電流が流れ、感電を回避することができる。

アース専用コンセントの種類

アース専用のコンセントには、2種類あり、アース線(一般的に緑色)を直接つなぐことができるアースターミナル式と、コンセント形状がアース専用になっている接地コンセントがある。

10-6 重要度 !

家電など

Point

- ☑インテリア計画では家電製品の選択も重要である
- ☑主な家電製品の寸法や配線、使い方を知る
- ☑個人住宅ではホームエレベーターの需要が増えている

情報・映像・音響家電

情報化社会において、最も進化している家電製品がコンピュータなどの情報機器である。これら設備の機種やデザイン、機器の配置、配線などは、インテリアにも大きく影響するので、常に最新の情報や知識を得ておく。

テレビ放送がアナログからデジタルに移行し、画面は液晶（えきしょう）を中心にプラズマや有機（ゆうき）EL（イーエル）など、薄型軽量のものが普及している。また、テレビをインターネットと接続したり、ホームシアターとして利用する場合もあるので、配線に注意がいる。映像の記憶媒体（メディア）としては、DVDやブルーレイ、ハードディスクなどがあり、インターネット配信などの手段も含めると、これに対応する機種も豊富である。

電話機能は、固定電話の保有率が徐々に減少し、携帯電話やスマートフォンの普及率が飛躍的に上昇している。固定電話を持たずに携帯電話やスマートフォンのみの世帯が増加傾向にある。また、家庭内のインターネットが普及し、スマートフォンで家電を遠隔操作できたり音声のみで製品を操作できたりするスマート家電が徐々に浸透している。

CATVとは?

ケーブルテレビのこと。テレビ視聴だけではなく、インターネットや電話にも接続して使うことができる。

有機ELディスプレイ

有機化合物を利用した自発光型の新世代ディスプレイ。従来のディスプレイと比べると、薄型軽量、高速応答、高コントラストなど優れた特徴をもっている。

臨場感のある音響効果

モノラルは1基、ステレオは2基のスピーカーで音声を再生するが、スピーカー5基＋超低音域再生専用スピーカー1基を加えた5.1chサラウンドシステムは、立体的で臨場感のある音響環境を実現する。

キッチン・生活家電

家庭用の家電製品は、デザイン性の良いものや機能が特化したもの、省エネに配慮したものなどに注目が集まってきている。

洗濯機は斜めドラム式が多く商品化されている。使用方法やサイズ、給排水、電気消費量、振動、重量などを把握しておくとよい。

エアコンは、空調機能性の高い製品が多く商品化されている。地下室および調湿が必要な部屋では、除湿器（じょしつき）や加湿器（かしつき）の利用も多い。除湿器には、除湿能力の高いコンプレッサー式とコンパクトで扱いやすいデシカント（ゼオライト）式がある。加湿器には、スチーム式と超音波式などがある。

近年は、環境問題への意識から、自宅で生ゴミ処理機（なまゴミしょりき）を利用し、生ゴミを有機肥料に変える取組みも増えている。

その他、AI機能が搭載された冷蔵庫や電気圧力鍋、自動調理鍋なども注目されている。

ホームエレベーター

都市部の住宅では3階や4階建てが多く建築されるようになり、ホームエレベーターの需要が増えている。特に、高齢者の住む二世帯住宅などで設置するケースが多い。遠隔操作、火災や地震時の安全な運転など、利用者の使いやすさに配慮した高性能な機種も売り出されている。

ホームエレベーターを設置するには4階が限度であり、定員3名以下、床面積1.3㎡以下と規定されている。また個人住宅以外や店舗併用住宅で使う小型のものは、小型エレベーターと呼ばれる。

ホームエレベーターを設置する場合、建物の確認申請時にエレベーターの確認申請も行なうことが、建築基準法により義務付けられている。増改築の際にエレベーターを設置したいという要望も多いが、構造的な補強など、さまざまな厳しい条件を満たす必要がある。

掃除機の種類

紙パック式やサイクロン式掃除機の他、自動で掃除をしてくれるロボット掃除機がある。省電力、小型軽量化が進んでいる。

コンプレッサー式の除湿器

空気を冷やすことで水分を取り除く方法。エアコンのしくみと同じ。コンプレッサーがあるため、振動音があり、本体もやや大きく重さもある。

デシカント式の除湿器

吸湿性に優れたゼオライトという鉱物で水分を取り除く方法。ゼオライトに水分を吸着させ、乾いた空気を出す。コンプレッサーがないため、運転音も静か。本体も軽量でコンパクト。

スチーム式加湿器

水を沸騰させて、湯気を出す方式。

超音波式加湿器

水を超音波振動によって細かく破砕し、ファンで吹き出す方式。

ホームエレベーターについては、2015年の建築基準法改正に伴って昇降行程の制限が廃止され、床面積が広くなったよ

10-7 重要度 ! ! !

情報設備機器

Point

- ☑ インターネットやコンピュータに関する基本用語を覚える
- ☑ ホームオートメーションのしくみから住まいの情報設備機器を考える
- ☑ 高齢者対応や環境問題などの観点も含めて計画する

住宅で使う情報設備機器

通信情報システムが発展し、インターネットや携帯電話、スマートフォンなども利用したホームオートメーションなどの情報システムが身近になってきている(図)。

ホームオートメーション
通信システムを利用し、家庭の設備機器を家屋の内外から操作するシステムのこと。外出先からのエアコン調整なども可能。

■ 図 家庭で使用される情報設備機器

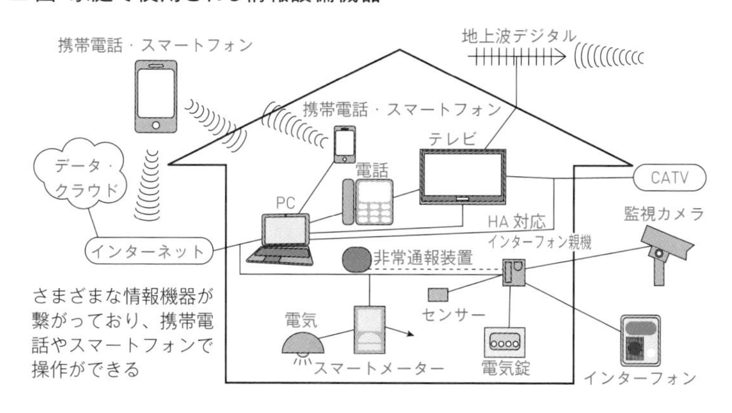

機器・サービス

家庭内での安全を守るための情報機器やサービスも以下のように、さまざまなニーズに合った商品がある。

①ホームセキュリティ…住宅侵入犯罪、火災、ガス漏れを感知し、契約している警備会社などに情報を伝えるシステム。窓や勝手口など開口部の防犯、高齢者への緊急時対応が中心である。

②電気錠(オートロック)…インターフォンなどと連動させる。

③非常通報装置…他室にいる家族に警報を知らせるシステム。高齢

者のいる家庭に使われることが多い。配線工事が必要なタイプとワイヤレスタイプがある。

④**監視カメラ（防犯カメラ）**…防犯などの目的で屋内外に取り付けるビデオカメラ。

インターネットとコンピュータ

電気機器とコンピュータおよびインターネットとの繋がりが深くなっている。電気機器の新しい機能を知るためにも、ハードウエアやソフトウエアの基本的な用語は覚えておくとよい。

① OS（オーエス）…コンピュータシステムを動かすための基本的なソフトウエア。Windows11（ウィンドウズイレブン）、mac OS（マックオーエス） 12.0 などのバージョンがある。

②ルーター…異なるコンピュータのネットワーク間を繋ぐ機器。

③ LAN（ラン）…家庭や事務所内などのコンピュータネットワーク。

④光ファイバー…デジタル通信に使われる高性能の通信線。

⑤ IP電話（アイピーでんわ）…インターネットを使った電話。

⑥データベース…データを集積管理できるようにしたもの。コンピュータによって検索などが容易にできる。

⑦グループウェア…コンピューターネットワークを使い効率よく共同作業するためのソフトウェア。

⑧プロトコル…コンピュータ同士が通信を行なううえで、相互に決められた通信手順と通信規約。

⑨ドメイン…インターネット上での住所。

⑩ SNS（エスエヌエス）…フェイスブックなど、インターネット上のコミュニティ。ソーシャル・ネットワーキング・サービスの略。

⑪プロバイダー…インターネットの接続環境を提供する業者。

⑫クラウドコンピューティング…インターネットのネットワークを通じて、ネット上のソフトウエアやデータなどの情報を必要に応じて出し入れし、利用する方式。

⑬アフィリエイト…個人のサイトなどで、商品情報などのリンクを貼ることで商品購入が行なわれたとき、リンク元である個人に報酬が支払われるという広告手法。

⑭ Wi-Fi…「ワイファイ」と呼び、無線でインターネットにつながる無線 LAN の通称。電波の範囲は狭いので中継機器（ルーター）が近くになければつながらない。

監視カメラ

セキュリティ会社がモニター上で侵入者や不審者を確認したときに通報を受けるものと、インターネットを使って自身で遠隔監視できるものなどがある。

テレビ放送

2012年にアナログからデジタル方式に移行した地上（波）デジタルテレビ放送に加え、放送衛星経由のBSデジタル放送、通信衛星経由のCSデジタル放送がある。CATV、光ケーブル経由のサービスもある。

ハードウエアとソフトウエア

コンピュータ関係でいうと、コンピュータの実際の機器をハードウエアと呼び、その中の電子回路で動くプログラム、システム、アプリケーションなどをソフトウエアと呼ぶ。

新しい電力網

コンピュータやデジタル機器を活用することにより、電力の需要供給を自律的に調整する機能をスマートグリッドという。電力の省エネ化とコスト削減、安定供給を目指す新しい発想。

家電など様々な機器を、インターネットを通じて制御、利用する Internet of Things、略して「IoT（アイオーティー）」も増えているよ

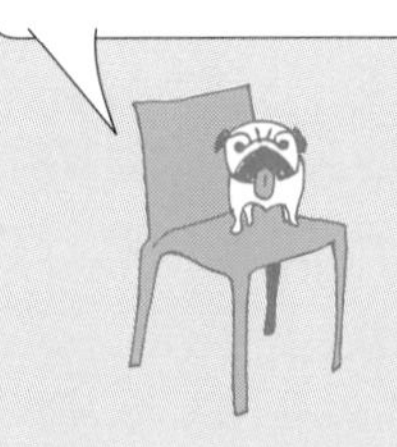

10-8 重要度 ！！！

キッチン①レイアウトと種類

Point

- ☑ キッチンの配置は、動線計画やほかの部屋との繋がりが大切
- ☑ システムキッチンの各部分の名称を図と共に覚える
- ☑ セクショナルキッチンとシステムキッチンの違いはワークトップの有無

キッチン内の動線

キッチンは、生活の中でも最も作業量の多い場所である。作業に支障がでないよう効率的な作業動線を考える。

キッチンの配置については、以下の4つのことを考慮する。

(1)キッチンの基本的な作業動線を把握する

冷蔵庫→作業台→シンク→調理台→コンロ→配膳台という流れがスムーズにいくよう構成する(次頁図1)。

(2)ほかの部屋との動線を考慮する

家事を行なうにはダイニングや家事室などとの繋がりが大事。

(3)収納を考える

食器や調理器具、食材などの収納場所は作業効率を左右する。

(4)身長や目線を考慮する

吊戸棚(つりとだな)やレンジ、カウンターの高さを使う人に合わせて計画することで、身体への負荷を小さくできる。ワークトップの高さは身長によって異なる(表)。

■表 ワークトップの高さの計算方法の例

数式(身長160cmの場合)	提唱元
H(高さ)= 0.339 ×身長+ 29.321 +スリッパ厚 =83.561 +スリッパ厚(cm)	製品科学研究所
H(高さ)= 0.4 ×身長+ 22 = 86(cm)	東京工業大学
H(高さ)= 1/3 ×身長+ 32 = 85.3(cm)	暮しの手帖

※それぞれ± 3cm前後が許容範囲

キッチンのリフォーム

リフォームのなかでも、キッチンリフォームの要望は高い。キッチンは、水廻り、仕上げ、設備など、あらゆる工事が関係するので、多くの知識が必要。

家事室

洗濯やアイロンがけなどの家事作業を行なうための部屋。

ワークトップ

キッチンの作業面のことで、天板、カウンタートップなどとも呼ばれる。

ワークトップの高さ

身長が160cmの場合、キッチンの作業台の高さは、85cm前後が一般的。計算方法は団体などによって異なるが、数値に大きな違いはない。

ショールームでの注意点

ショールームでワークトップの高さを確認する際には、靴を脱いでスリッパを履いて確かめるようにする。

公式ハンドブック[上] P.126～127、[下] P.190～195、P.200～202

■ 図 1　キッチンの作業動線

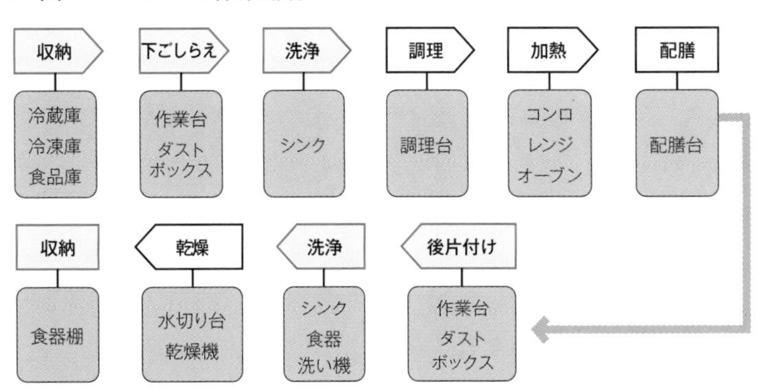

キッチン設備のレイアウト

キッチンは、冷蔵庫やシンク、コンロなどの設備のレイアウトが大切である（図 2）。前述したように、使い勝手の良さ、およびダイニングとの関係も重要なポイントになる。

■ 図 2　キッチンのレイアウト

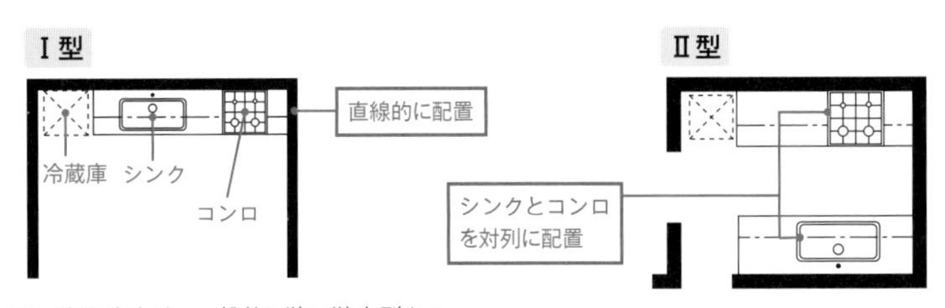

コンパクトなため、一般的に狭い独立型キッチンやダイニングキッチンに適している

動線が短いため作業効率が良い。2 列の間隔は 900mm以上が望ましい

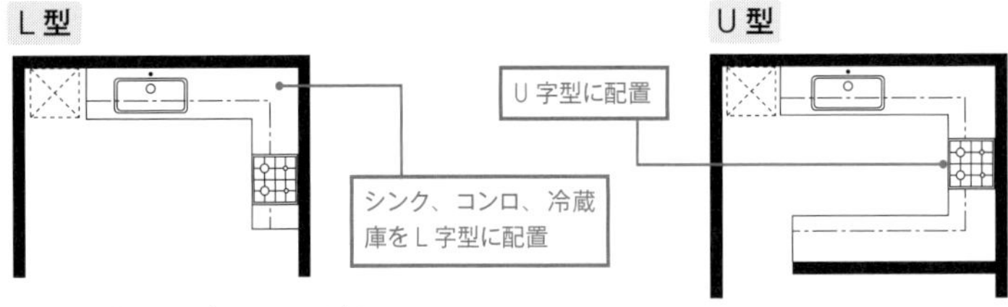

6~8 畳のダイニングキッチンに適している。作業動線が短く効率がよい

収納スペースも十分に取ることができ、インテリア性も高い。作業動線はI型より短い

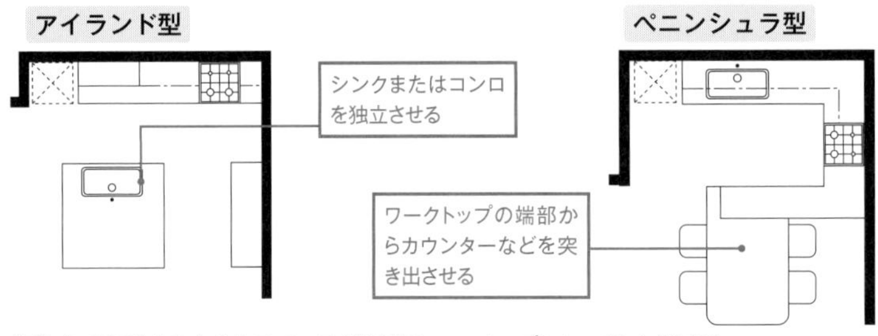

複数名で調理する十分なスペースがあり便利。パーティなどにも適している

オープンキッチンに適する

活用頻度の高い電子レンジの位置は意外と大事！

シンク
キッチンの流しのこと。

コンロ
キッチンの火や熱を扱う調理機器のこと。IH のように火を使わない電気機器も熱機器なのでコンロと呼ぶ。

U 型は使い勝手が良いけど、ワークトップが長く、収納棚も多いので、値段もアップするよ

アイランドとペニンシュラ
アイランドは「島」、ペニンシュラは「半島」を意味する。それにちなみ、アイランド型はシンクやコンロが島のように独立し、ペニンシュラ型はキッチンから半島のようにテーブルが伸びている。

キッチンの種類

1. セクショナルキッチン

セクショナルキッチンとは、シンク、調理台、コンロ台などの単品を併置した、ワークトップの連続性がないものをいう。幅は150㎜単位でつくられる。調理台付きの流し台1,200㎜幅、コンロ台600㎜幅、合計1,800㎜幅などで構成する。キッチンセットと呼ばれることもある。

2. システムキッチン

日本でいうシステムキッチンとは、シンク、コンロ、調理台、収納などを一定の範囲内で自由に組み合わせて、ワークトップを継ぎ目なく一体化した設備をいう（図3）。

システムキッチンには、ヨーロッパなどで主流の部材型と、日本で一般的な簡易施工型がある。部材型は、キッチンスペースに合わせてかなり自由に部材を選択できる。

一方、日本で主流となっている簡易施工型は、工場で生産された規格部材を現場で組み立てるもので、セミオーダーともいえる。セクショナルキッチンと部材型の長所を合わせて、商品選択の自由度と価格のバランスをとっている。設備の幅はセクショナルキッチンと同様、150㎜間隔で調整するものが多い。奥行は、600㎜や650㎜が多いが、750㎜のものもある。

■図3　システムキッチンの各部名称

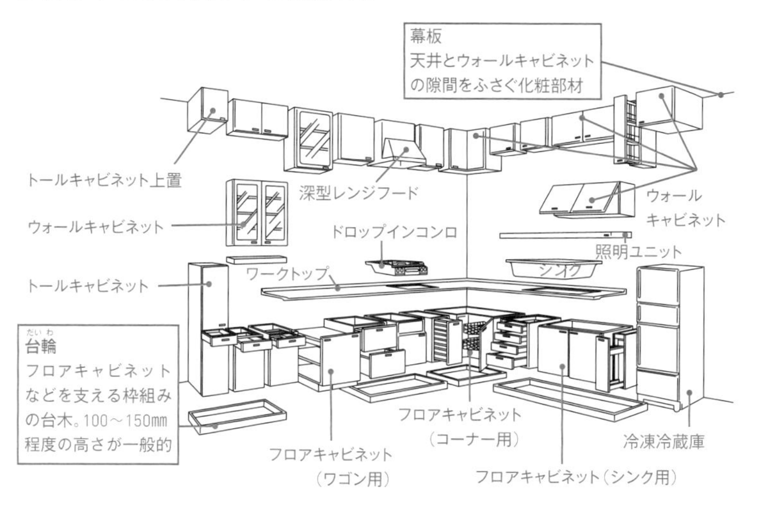

幅のモジュール

日本の住宅では、1間=1,820㎜を基本寸法としている。これを4分割（455㎜）、6分割（303㎜）した寸法を基準とし、450㎜、300㎜という寸法を家具やキッチンなどに採用している。

配管・配線工事の注意点

キッチンには、給水、給湯、排気、排水、電気、ガスなどの配管・配線工事が必要となる。これらの工事を専門の業者に依頼する工事費も考慮に入れておく必要がある。

コンパクトなキッチン

幅900㎜～1,800㎜程度の小さなタイプをミニキッチンという。シンク、コンロ、換気扇、ウォールキャビネットなどが一体となっている。ワンルームや湯沸室などに設置されることが多い。

キッチンのオーダーメイド

日本のシステムキッチンは、形状や素材をメーカーが限定することが多い。対して、生活空間や要求に合わせ、プランや機器、素材を選択・設計できるオーダーメイドキッチンもある。

サイドパネル

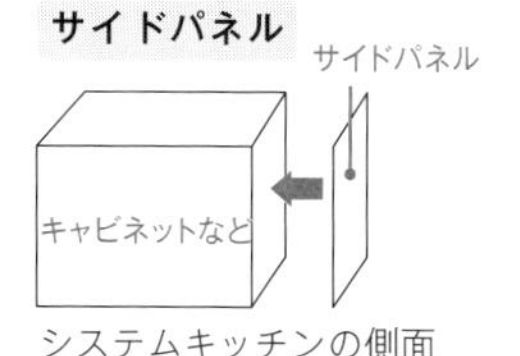

システムキッチンの側面を覆うための化粧パネル

フィラー

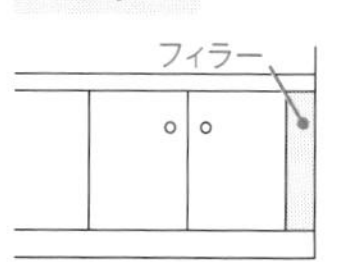

キャビネットや壁面との間隔を調整しふさぐための調整部材

10-9 重要度 ! ! !
キッチン②設備機器

Point
- ワークトップはステンレスと人工大理石が主流
- ガスコンロとIHクッキングヒーターの違いを知る
- IHクッキングヒーターには専用の換気扇が必要

ワークトップとシンク、水栓

キッチンを構成する設備機器の代表的なものを以下に挙げる。

(1)ワークトップ

ワークトップとは、システムキッチンに設ける一体の調理作業台であり、キッチンカウンター(天板(てんばん))ともいう。材質はステンレスが一般的だったが、見た目が石材のようなポリエステル樹脂やアクリル樹脂製の人造大理石も人気である。メラミン樹脂や天然石も使われる。

(2)シンク

シンクとは、水栓を設けた、食材や食器を洗う槽(そう)をいう。日本ではジャンボシンクが主流である(図1)。標準タイプの一槽式シンクより水槽部分が大きく、幅も900㎜程度ある。

■図1 ジャンボシンクの例

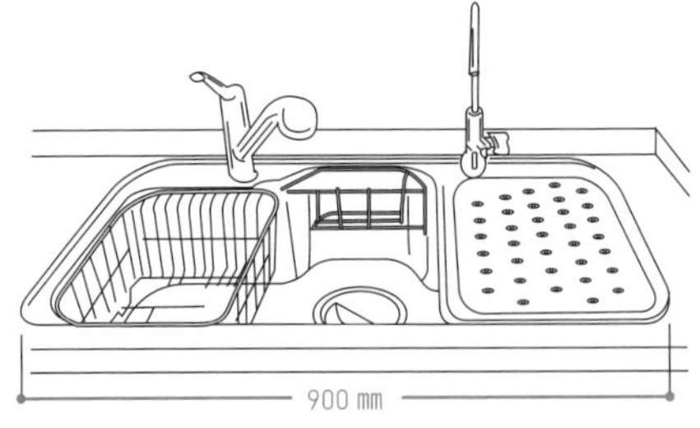

材質としては、ステンレスが最も普及している。これは、丈夫なうえ、同じステンレス製のワークトップと一体化させて製作できるためである。ホーローや樹脂も用いられ、人造大理石のワークトップと一体型の樹脂製シンクもある。

(3)水栓

シンクの水栓は、操作が簡単なシングルレバー式(→ P.188)が主流である。ハンドシャワータイプや浄水器と一体化したものもある。

ステンレスは機能性では優れているけど、見た目のいい人造大理石が人気。ショールームで実物を見たお客さんの多くが人造大理石を選ぶそうだよ！

アンダーシンクとオーバーシンク

カウンターにシンクを納める際、天板の下にシンクの縁が入るアンダーシンクタイプと、天板の上に縁を載せるオーバーシンクタイプがある。人造大理石は小口もきれいなので、アンダーシンクタイプが多い。

公式ハンドブック［下］P.193 ～ 202

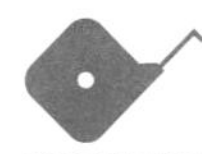

加熱調理器具

加熱調理器具には、コンロにグリルなども付いたクックトップや、オーブン、レンジなどがある。熱源は、以下のように電気とガスとに大別される。

(1)電気式加熱調理器具

200V電流の使用が普及し、オール電化の需要も増えたことにより、コンロも電気を熱源にしたクッキングヒーターの普及が進んでいる。クッキングヒーターには、以下のようなものがある。

①IH(アイエイチ)クッキングヒーター…電磁誘導により加熱するヒーター。調理パネルの上に鍋を置くとコンロの表面が加熱されるしくみである。燃焼型と異なり、使用時に燃焼の煙などで室内の空気を汚さない。掃除がしやすく、防火の面で安全性が高いことから、高齢者にも適している。専用鍋が必要な通常タイプのほか、アルミや銅、ステンレスといった非磁性金属製の器具でも使えるオールメタル対応タイプがある。

②シーズヒーター…ニクロム線をニッケル鋼のパイプで保護したもの。ニクロム線ヒーターの上に直接鍋を置くタイプ。

③ラジエントヒーター…渦巻状のニクロム線でできたコンロをセラミックプレートで覆ったもの。

④ハロゲンヒーター…高熱を発するハロゲンランプを熱源とする。

(2)ガス式加熱調理器具

三口(みつくち)コンロで、下部にグリルが付いたガステーブルが主流である(図2左)。現在、製造・販売されているものは、安全センサー付きのバーナーとなっているため、安全で使いやすい。

また、コンロ下には、ガスオーブンに電子レンジを組み込んだコンビネーションレンジや、加熱した空気をファンで対流させて調理するコンベクションオーブンなどが付加できるようになっている(図2右)。

供給ガスは都市ガスとプロパンガス(LPG)があり、地域によって違いがある。

■図2 ガス加熱機器

IH

Induction Heatingの略。電磁加熱調理器。鍋全体が発熱体となり、熱効率が最も高い。電気を使用しているため、酸欠や一酸化炭素中毒の心配がない。

調理の幅を広げるバーナー

4,000kcal以上の火力を発揮するものをハイカロリーバーナーという。火力は標準の2倍程度。三口コンロの場合、そのうちの1つはこのバーナーであることが多い。

都市ガスは空気より軽く、プロパンガスは空気より重いので、ガス警報器を天井側に付けるか壁下側に付けるかは、ガスの種類で決まるよ

バックガードの必要性

水や油が壁にはねたり、流れたりするのを防ぐ、カウンターやシンクの奥側に設置された立ち上がり部分をバックガードという。

10 住宅設備

3. 換気扇

キッチンなどの火気使用室には、機械換気の設置が義務付けられている。ガスコンロ用の換気扇は、住宅用ではプロペラ型、シロッコ型が主流である。プロペラ型は、コンロ上部のフードで煙を集め、外壁の穴に設置したプロペラファンで排気する。

フードと換気扇が一体となった製品はレンジフードという(図3)。多くがシロッコ型である。シロッコ型はダクトを利用するため、コンロの位置の自由度が高い。その他に換気扇を上部に設けず、横から排気するシステムもある。その場合、外部までの排気ダクトのルートを確保する必要がある。

IHコンロの場合は、ガスほど燃焼による上昇気流が生まれないため、吸気の強い専用の換気扇が必要である(図4)。

換気扇関係の代表的な部位を以下に挙げる。

①フィルター…レンジフードに設置し、ファンや排気管、外壁が油分などで汚れるのを防ぐもの。

②ダンパー…排気ダクトの中に設置し、換気扇の途中で空気を遮断する装置。防火ダンパーは、外部の火災時に火の侵入を遮断する。

③ウェザーカバー…外壁のダクト部分からの雨水侵入防止のために取り付けるカバー(図5)。ダクトの先端の外壁部分に取り付ける。鋼製、アルミ製、ステンレス製のものがある。

■図3 換気扇のフード

横壁付型

浅型レンジフードファン

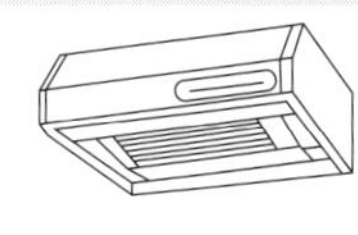

深型レンジフードファン

■図4 IH対応のレンジフード

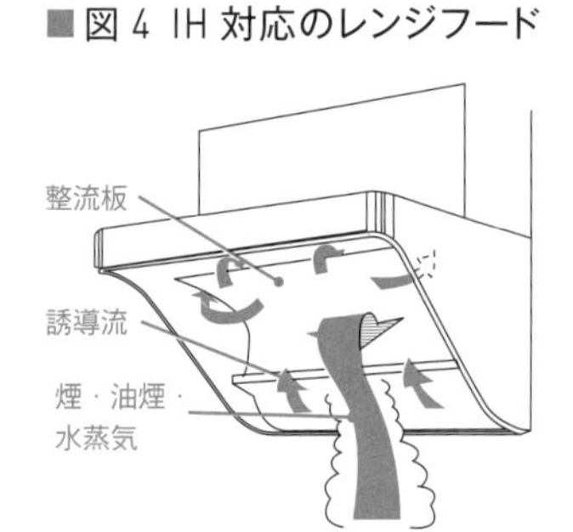

■図5 ウェザーカバー

外壁に取り付ける雨除けのカバー

プロペラファン
壁付けの一般的な換気扇。壁にプロペラファンを取り付けて直接屋外へ湯気などを排出する。→P.195表「ファンの種類と特徴」。

シロッコファン
レンジフードファンに使われる排気方式。ダクトを用いて屋外へ湯気などを排出。プロペラファンに比べ、外の風の影響を受けることが少ない。→P.195表「ファンの種類と特徴」。

ダクト
→P.197

ダクトの直径
家庭で使うダクトはφ100〜150㎜。φ100㎜の場合は、延焼の恐れのある場所に設置しても、外部からの延焼の恐れはないと判断され、防火ダンパーは必要ない。

その他のキッチン設備

(1) 食器洗い乾燥機

ビルトインタイプとカウンターの上に置くタイプがある。ビルトインタイプには、幅300・450・600㎜のものがあり、キッチンの規格寸法に合わせることができる。引出しのようなプルオープンタイプ(図6)と、前扉を開けて内部トレイを引き出すフロントオープンタイプが主流である。

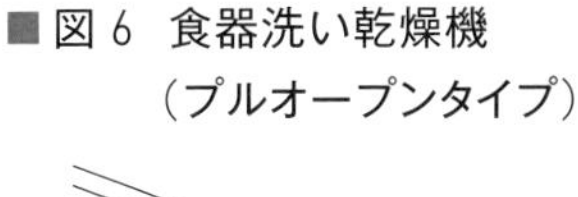

■図6　食器洗い乾燥機
（プルオープンタイプ）

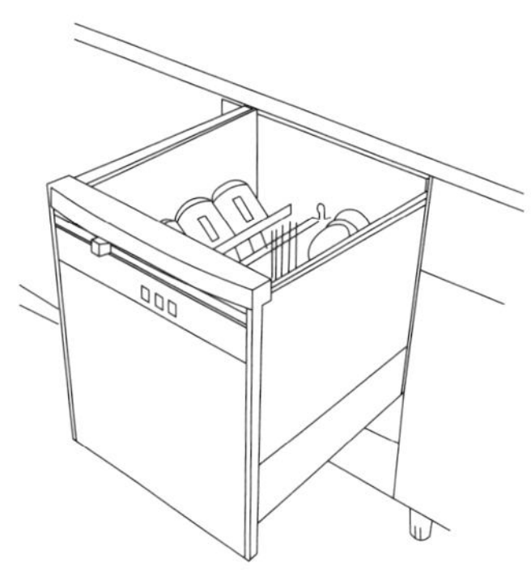

(2) 浄水器

水道水のカルキ(残留塩素)やトリハロメタンなどを除去、または減少させる装置。脱臭効果のある活性炭のカートリッジを取り付けて使用する。カートリッジは、定期的に交換する必要がある。

(3) ゴミ処理機

バイオ式と乾燥式の2種類がある。バイオ式は、微生物に適した環境をつくり、有機物を分解して堆肥化(たいひか)する。乾燥式は、温風による加熱で生ゴミを乾燥させ、ゴミの減量化と衛生化を図る。

(4) コンポスト

コンポストとは、堆肥を意味する。コンポスト用容器に入れた生ゴミを、微生物などによる発酵と分解で堆肥化させる装置。

キッチン設備設置の注意点

キッチンは、火気使用室としての対応が必要である。特に、内装制限(→ P.39)、機械換気の性能(→ P.194)などは、法規で規定されている。また、排気のためには、必ず給気口を取り付ける。

換気扇を取り付ける際は、専用の四角い穴もしくはレンジフードから、φ100〜150㎜のダクトが外部に通じていなければならない。

設備は、ある程度スペースの余裕がないと取り付け施工ができないので注意する。また、吊戸棚を設置する壁は、補強が必要な場合がある。

食器洗い乾燥機に給湯器を接続する場合は、10号以上の先止め式給湯器が必要だよ

カルキ

水道水の殺菌のために混ぜられるクロールカルキのこと。漂白、殺菌作用がある。

トリハロメタン

水道水の消毒の際に生成される。発ガン性があるといわれるが、水道水内のトリハロメタンは安全圏内となっている。

キッチンの造作

食洗機などをキッチンに造付けで組み込むことをビルトインという。隙間がなく機能的で使いやすい。

排水口と一体のゴミ処理機

シンクの排水口に、高速回転するステンレスのカッターを取り付け、生ゴミを粉砕し、下水へ流すディスポーザータイプのゴミ処理機もある。下水処理に負担が大きいので、自治体によっては使えない。

10-10 重要度 !!

浴室の設備

Point

- ☑ 浴槽の材質は人造大理石が主流。人造大理石も素材はさまざまある
- ☑ 浴槽は和洋折衷型が一般的である
- ☑「1616」などのユニットバスの呼び名は大きさから名付けられたもの

浴槽

浴槽の種類には、和式、洋式、和洋折衷型の3タイプある。その中で、適度に身体を伸ばせ、肩まで浸かれる深さのある和洋折衷型が多く採用されている。和洋折衷型の浴槽の大きさは、短辺750・800㎜、長辺1,200・1,300・1,400㎜、深さ500・550㎜のものが多い。

浴槽の材質は、人造大理石、ポリエステル、ステンレスなどがある。デザイン的に人造大理石が好まれている(表)。

浴槽には、図1のように各部に名称が付けられている。

■ 図1 浴槽各部の名称

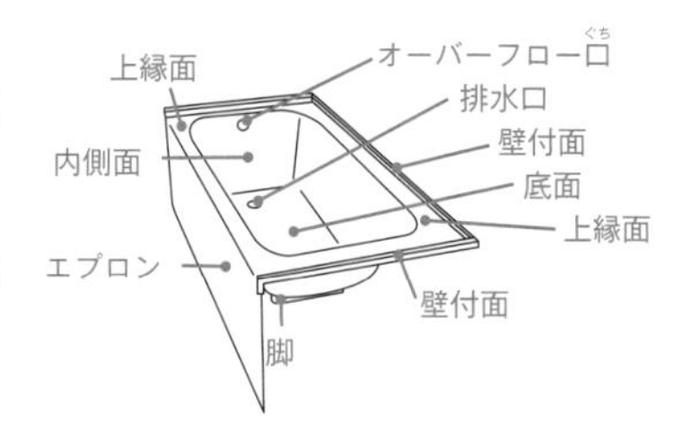

浴槽の種類と大きさ
→ P.155 図2「浴槽の種類と寸法」

人造大理石の原料

浴槽用に使われるのは、アクリル、ビニルエステル、ポリエステルなど。

洗い場と浴槽上縁面の段差

現在は400〜450㎜の段差があると、使い勝手が良いといわれている。

■ 表 浴槽の材質と性能

材質	性能						
	耐久性	肌触り	外観	保温性	施工性	手入れ	その他
人造大理石	○良好	◎非常に良い	◎色・形の自由度大	○良い	○取扱い・施工が簡単	△湯を落とすとき、直ちに中性洗剤とスポンジで洗う。ただし、汚れやすい	汚れやすい
ポリエステル(FRP)	△変化するが良いほう	○良好	○色の自由度大	○保温材を付けて良好	◎軽く加工も容易(〜40kg)		たばこに注意 汚れやすい
ステンレス	◎非常に良い	○良好	△清潔感あり色の自由度なし	○保温材を付けて良好	◎軽く加工も容易(〜40kg)	○湯を落とすとき、直ちに中性洗剤とスポンジで洗う	もらいサビに注意 汚れやすい
鋳物ホーロー	◎非常に良い	○良好	○色の自由度大	○保温材を付けて良好	×重く手間どる(〜145kg)	○(ステンレスに同じ)	(ステンレスに同じ)
木(サワラ ヒノキなど)	×相当な手入れが必要	△良好だが経年変化大	×初期良好黒変する	○良い	○取扱い・施工が簡単	×手間取る	入浴後の手入れが重要、水漏れに注意

公式ハンドブック[下] P.202〜204

浴室ユニット

浴室ユニット(ユニットバス)の形式には、フルユニット、ハーフユニット、サニタリーユニットなどがある。主流となっているフルユニット型は、浴槽、給水栓、シャワー、照明器具などの必要な部材をすべて工場で製作し、現場で組み立てる。ハーフユニットとは、浴槽と洗い場が一体化した下部だけのタイプをいう。サニタリーユニットとは、浴室、洗面、便器が一体化したもので、スリー·イン·ワンとも呼ばれる。

浴室ユニットは、日本の木造モジュールに納まるようにつくられている。たとえば、一坪(1,820 × 1,820㎜)内に設定できるユニットは、柱や隙間の分を除くと内壁が1,600㎜角となっている。これは、1616タイプと呼ばれる(図2)。ワンルームや小さな住宅では、1216タイプも使われ、0.75坪型ともいう。柱芯間1,820 × 1,365㎜内に設置できるようになっている。

■図2 浴室ユニットの寸法(1坪型·1616タイプ)

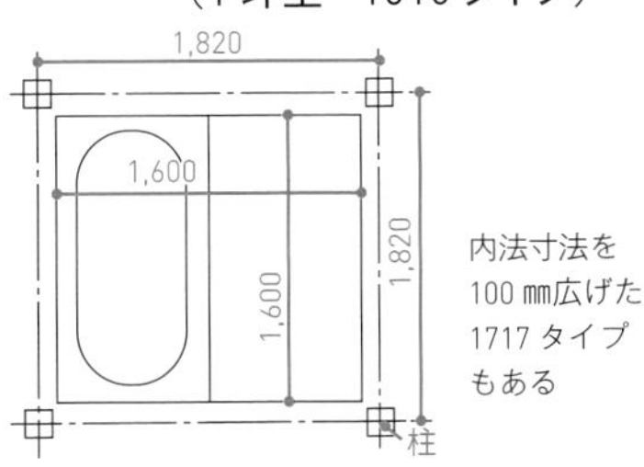

浴室の機器

(1)水栓

浴室に設ける水栓には、シャワー水栓(すいせん)と、浴槽にお湯を入れるためのバス水栓がある。シャワー水栓は、指定の温度に自動調整するサーモスタット式が主流である。湯沸器が全自動で給湯や追焚き、足し湯の機能をもつ場合は、バス水栓を取り付けないこともある。

(2)浴室暖房乾燥機

暖房や洗濯物を乾かす乾燥機能の付いた換気扇が人気となっている。乾燥機能は浴室のカビ対策にも役立つ。

(3)サウナ

家庭に設けるサウナには、ウエットサウナとドライサウナがある。ウエットサウナは、低温の蒸気を使うスチームサウナと温水噴霧によるミストサウナがある。フィンランド式に代表されるドライサウナは、高温のサウナストーン(香花石(こうかせき))で室内を加熱する。また、低温の輻射式(ふくしゃしき)もある。

ユニットバス

システムバスとも呼ぶ。共に和製英語。初期は施工の省力化、スピードアップを図るための製品だったが、現在では高性能で高級化したものも多くなっている。

ユニットバスの設置

ユニットバスを設置する際、給水管、排水管、換気ダクト、照明などの配管·配線が先行されている必要がある。

日本の木造モジュール

建築物を設計するうえで基準となる基本寸法。日本の木造基本寸法は尺モジュールと呼ばれ、3尺(910㎜)を基本寸法として構成されている。

バス水栓

単水栓と混合栓がある。単水栓とは、水か湯のどちらか一方だけを吐水口から出すタイプ。混合栓は、水と湯とを1つの吐水口から出すタイプ。単水栓、混合栓→ P.187「水栓金具」

プラスαの浴槽機能

気泡の噴射によりマッサージ効果をもたらすジェットバス、気泡バスも人気がある。ジャグジーやブローバスといった名称はメーカーの商品名。

サウナの温度と湿度

スチームサウナの温度は40~50℃、湿度は70~100%。ドライサウナの温度は70~100℃。

10-11 サニタリーの設備

重要度 ! ! !

Point

- ☑ 洗面化粧台は洗面器、鏡、収納などがセットなので扱いやすい
- ☑ 洗面器の主な種類と形を覚える
- ☑ 便器の洗浄方式はサイホン式を基本として覚える

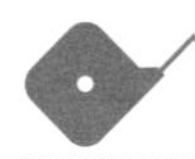

洗面脱衣所の機器

1. 洗面器と洗面化粧台

洗面器のスタイルには、壁掛型、カウンター式、独立型（ペデスタル型）、ベッセル型などがある（図1）。材質には、陶器、ステンレス、ホーロー、人造大理石などがある。

■ 図1 洗面器のスタイル

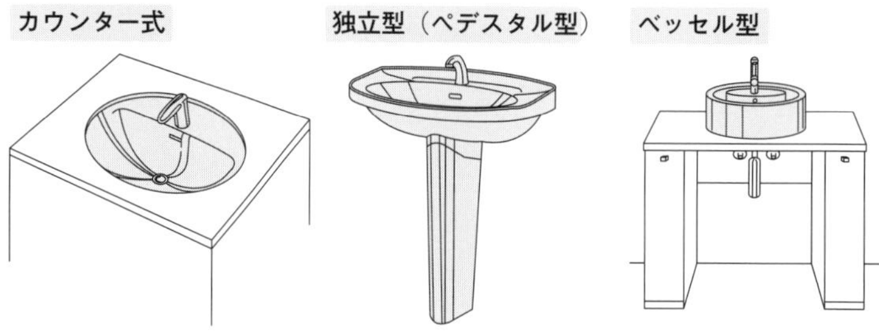

洗面化粧台とは、洗面器や鏡、照明、収納をユニット化したものである（図2）。JIS規格では、幅500・600・750・800・1,000・1,200㎜が中心である。

2. 脱衣所の設備

(1)スロップシンク

深さのある大型の流しで、雑巾やモップをすすぐなど、多目的に使える。SKシンクとも呼ばれる。スロップとは「汚水」の意味。

(2)防水パン

洗濯機の下に設ける水受け。排水口とトラップがセットになっている。

デザイン性のよいベッセル型の洗面器が人気だよ

防水パン

防水パンの大きさは、奥行き640㎜が基本。幅は、640・740・800・900㎜などがある。

■ 図2 化粧洗面台各部の名称

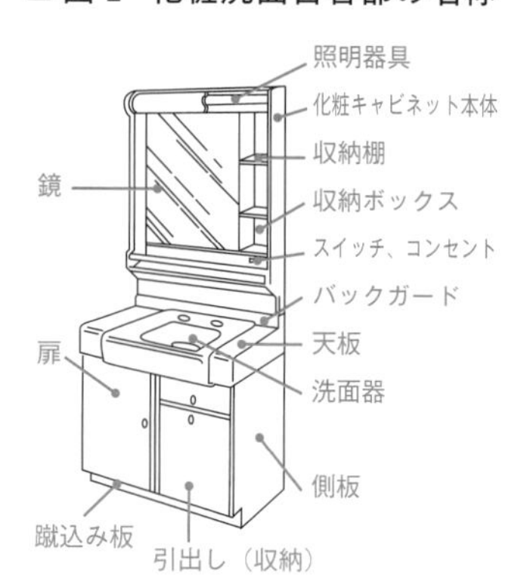

公式ハンドブック［下］P.204～208

(3)浴室、脱衣所の暖房

壁や天井に単独で設置する型のほか、浴室乾燥暖房器とセットで天井に埋め込むものが主流。また、床暖房や洗面キャビネットの下部の幅木に取り付けるもの、壁面設置電気ヒーターなどもある。

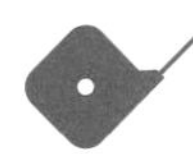トイレの機器

1. 便器と便座

現在、家庭で使われる多くの便器が洋式である。洋式便器の給水には、ロータンク式とフラッシュバルブ式がある。ロータンク式は、一度タンクに溜めた水を流すタイプである。フラッシュバルブ式は、水道の水圧を利用して水を流す。また、便器の種類は、洗浄方法によっても分かれる(図3)。

洋式の便座には、暖める機能の付いた暖房便座、シャワー機能付き洗浄便座、便蓋が自動開閉するもの、使用後に自動洗浄されるものなどがある。

■ 図3　洗浄方法による便器の種類

洗い出し式

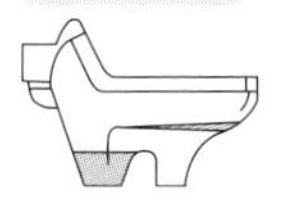

一般的な和式便器。便鉢の汚物を後部からの水で流す

洗い落し式

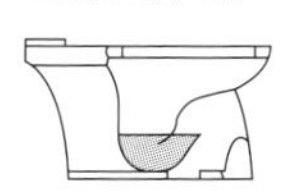

落差のある洗浄水で汚物を押し流す。水たまりが少なめなので汚物が付着しやすいのが欠点

サイホン式

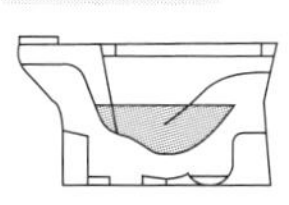

サイホン作用で洗浄する。水たまりは洗い落し式より多めだが汚物が付着することがある

サイホンゼット式

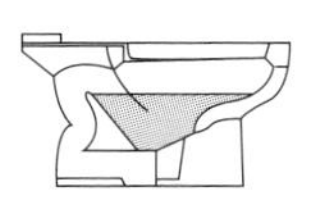

独特の穴から吹き出す水流で強いサイホン作用を起こし汚物を排出する

サイホンボルテックス式

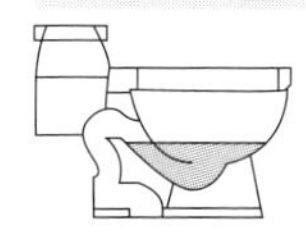

渦巻き状の水流の強いサイホン作用で洗浄する。水たまり面が広いので、臭気の発散も少なく汚物の付着もほとんどない

ブローアウト式

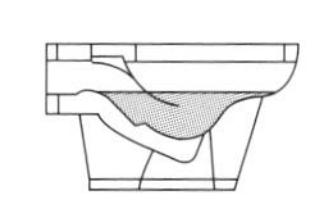

サイホン作用は使わず独特の穴から強い水流で汚物を流す。排水部分がシンプルで詰まりに強いが、音は大きい

2. その他の設備

トイレの設備には、手洗い、手摺、カウンター、紙巻器が必要である。換気扇には、外壁に直結して排気する壁型、天井からダクトで排気するダクト型がある。スイッチは人感センサー、遅延スイッチなどもある。

壁面設置電気ヒーター

タオル掛け兼用の電気ヒーターの例。

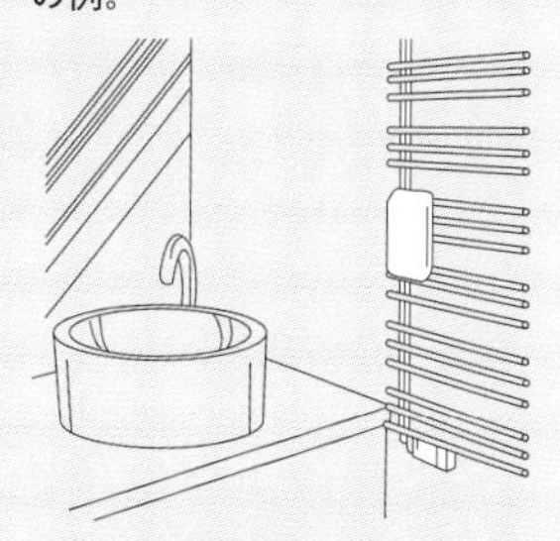

ロータンクとハイタンク

ロータンクは便器のすぐ上にタンクが設置されたタイプのもの。頭より上の位置にあるものは、ハイタンクと呼ぶ。ハイタンク式は、家庭用としてはほとんど使われていない。

フラッシュバルブ

便器用の給水栓。水道に直結し、その水圧でバルブ(弁)を操作したあと、一定時間水が流れる。

タンクレス便器

フラッシュバルブ式の一種。デザイン性に優れているが、水圧を電気で制御するため、停電時には水を使用できない。緊急時に手動で流せるものもある。

サイホン作用

気圧の差により、水面より高い所を経由しても、低い所へ液体が流れる作用。便器でも、この作用を利用して、汚物を勢いよく流すことができる。

トイレの手摺は、高齢者にはなくてはならないもの。手触りや清潔さ、滑りにくさ、位置などを十分に考慮しようね

11-1 床に使われる材料①

重要度 ! ! !

Point

- ☑ 床仕上げは適切な下地を選ぶ事から始まる
- ☑ フローリング床材は実はぎという継ぎ方が基本
- ☑ タイル床や石の床は、防滑や質感に注意が必要

床の性能

床は、家具の荷重が掛かったり、人が動き回り直に足が触れたり、飲み物などがこぼれてくるなど、さまざまな外的要因を受ける部分なので、耐久性や安全性、環境性能が求められる(表1)。また、壁や天井に比べてあまり人の視線が及ぶ部分ではないが、床は部屋の雰囲気を左右するので、慎重に選びたい。床の下地のつくり方(工法)も使用目的や仕上げに合わせた適切な選択が必要なので、早めに決めるとよい。

■ 表1　床に求められる性能

性能	項目	内容
耐久性	耐摩耗性	床の仕上げでまず考えるべき、摩擦に対する性能。素足か靴を履くかによって、要求される耐摩耗性も変わってくる
	耐水性	吸水しにくい、または水により材が変質しない性能。水廻りでは耐水性を重視して選ぶ
	耐光性	日光にさらされ劣化するのを防ぐ性能
	耐熱性	燃えにくい、または熱により材が変質しない性能。火を使う部屋やタバコの吸殻の落ちるような場所には注意
	耐変退色性	直射日光などで変色しにくい性能
	耐薬品性	薬品により材が変質しない性能。病院や施設などでは考慮すること
	耐衝撃性	衝撃に強い性能。下地との関係も大切
安全性	防滑性	滑りにくい性能。水により滑る危険性がある場所には注意が必要
	衝撃吸収性	倒れたときなどの衝撃の吸収力。G値で性能を表す。子供や高齢者、ペットには、足への負担を軽減する衝撃吸収性の良いものを選ぶ
環境	平滑性	平らで滑らかなこと。靴、スリッパ、素足それぞれに合った平滑性を考慮する
	質感	手触りや足触り感のこと。日本の素足の生活には重要な選択要素
	防汚性	汚れにくさや掃除のしやすさのこと。質感などから選ぶと、汚れ対策が問題となることが多い。ペット用の床材は質感が良く防汚性のあるものを選びたい
	遮音性	足音などを伝えにくくする性能。マンションなどの床は遮音性が要求され、住まい手の自由にならないことも多い

下地材

仕上材を支え、固定するための裏側の部材。

仕上材

目に直接触れる表面に使われる建材。

床材の安全性

床材の衝撃吸収の性能を表すG値という数値がある。100以下の値だと安全性が高いとされていて、値が小さなものほど安全性に優れる。

日本式の生活では、住居内では素足、靴下、スリッパ、また、勝手口やバルコニーではサンダルと、さまざまなスタイルで過ごすから、床材の選択が難しいね

公式ハンドブック[下] P.32～34、P.73～75、P78～81

床の下地

1. 架構式床

床板を支える根太（ねだ）、それを支える大引（おおびき）、さらにそれを垂直に支える床束（ゆかづか）で構成する工法を架構式床（かこうしきゆか）といい(図1)、一般の木造住宅で主に採用されている。マンションなどでは、天井の高さをとるために床束を使わず、コンクリートスラブの上に大引を敷き、根太、床板という順で組み立てていく。

以前は木造建築の1階床束には、角材（かくざい）が使われていたが、乾燥で収縮し床鳴り（ゆかなり）などの問題が生じるため、近年はプラスチック製や鋼製のものがよく使われている。高さの調整がネジなどで簡単にできるため、スピーディな施工が可能である。さらに、乾燥収縮や腐食の心配がないという利点がある。

マンションでも同様に、プラスチック製の足の付いた合板などを使ったパネル式の床組（ゆかぐみ）(床下地)が主流となってきている(図2)。

■ 図1 架構式の床組

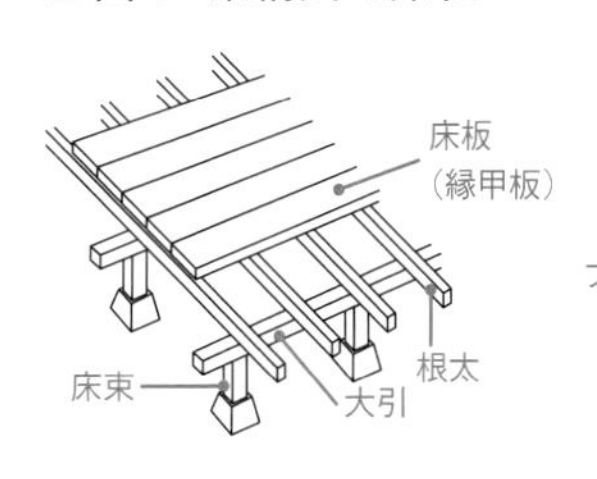

■ 図2 パネル式の床組

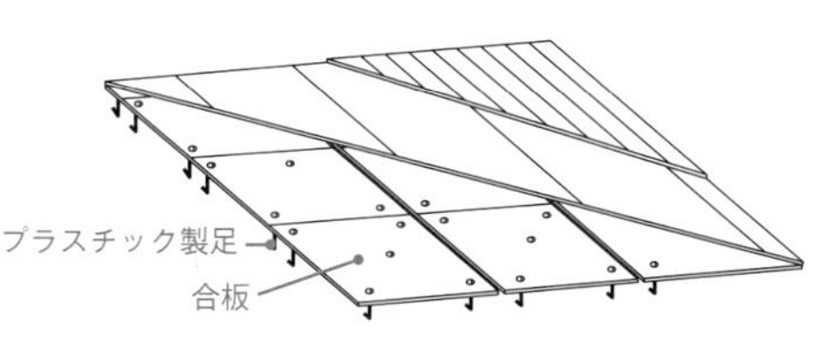

2. 非架構式床

マンションの床などで木の下地をつくらずに、コンクリートスラブなどに直接床材を貼っていく工法のものを非架構式床（ひかこうしきゆか）という(図3)。カーペットのようにある程度クッション性のある仕上材が使われてきたが、クッション材を付けたフローリング材を直に貼る場合も多くなってきている(図4)。

■ 図3 非架構式床の例

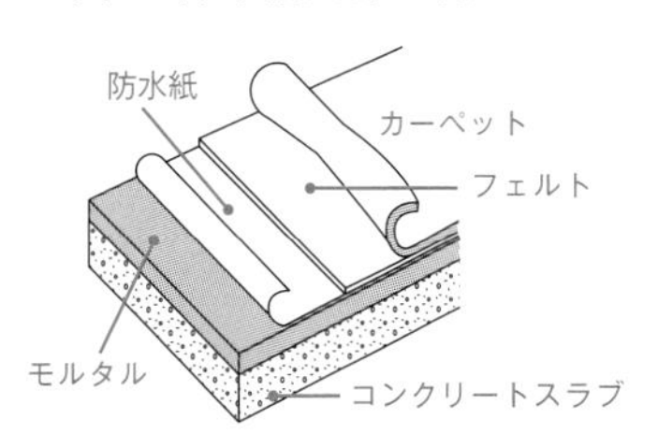

■ 図4 直貼り（じかばり）フローリング

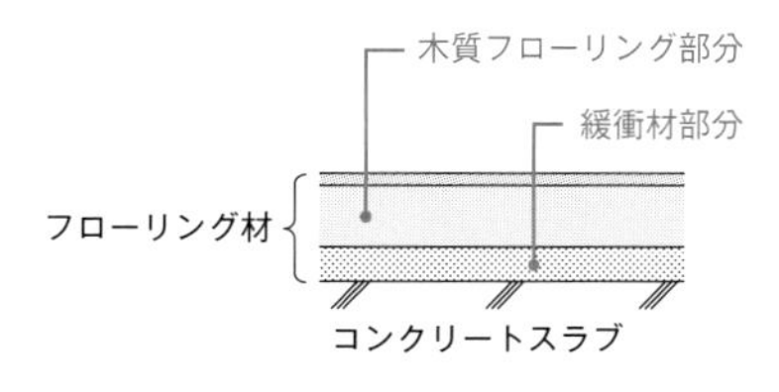

根太
床仕上材を下で支える下地材。

大引
根太を下から支える下地材。

床束
大引を下から支える柱状の下地材。

コンクリートスラブ
一般的に鉄筋コンクリートの床板をいう。

フリーアクセスフロア

事務所などによく使われるパネル式の床下地。コンピュータやコピー機などのOA配線が床下で自由に配線できるようにつくられた床システム。

床組用の合板は、プラスチックの足の下にゴムなどを付け、防音システムとして商品化しているものが多いよ

直貼りフローリング
コンクリートスラブなどに下地を組まないで、直接貼るフローリング。

遮音性の高い浮き床

架構、非架構の区別とは別に、特殊な床として浮き床がある。グラスウールなどの緩衝材を敷き詰めた上に床をつくり、衝撃を最小限に抑えたもので、音楽スタジオなどでよく使われる。

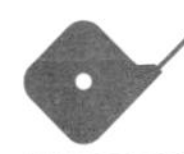

木質系の床仕上材

木質系床材とは、表面を木材にした床材で、フローリング、縁甲板、コルクフロアなどがある。

1. フローリング

フローリングとは、木質の床仕上材および床のことをいう。木材はブナやナラなどの広葉樹が一般的で、厚さは12～18mm、幅は50～180mmが一般的である。継ぎ目は隙間が開かないように、実はぎ(本実)加工をしているものが多い(図5)。

複層(複合)フローリングとは、合板や集成材の上に突き板などの表面材を貼ったものをいう(図6)。ブロック状の木片をピース状にしたモザイクパーケットやフローリングブロックもある。無垢(単層)フローリングは乾燥技術が向上し、床暖房対応のものも多く出回っている。無垢材、複層フローリング共に、床暖房対応品か確かめる必要がある。

■ 図5 フローリングの継ぎ目

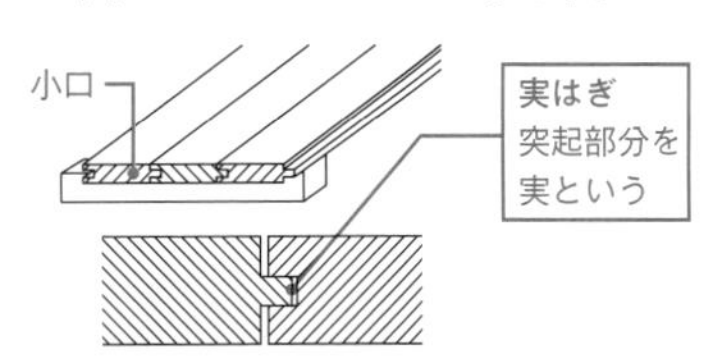

■ 図6 複層フローリング

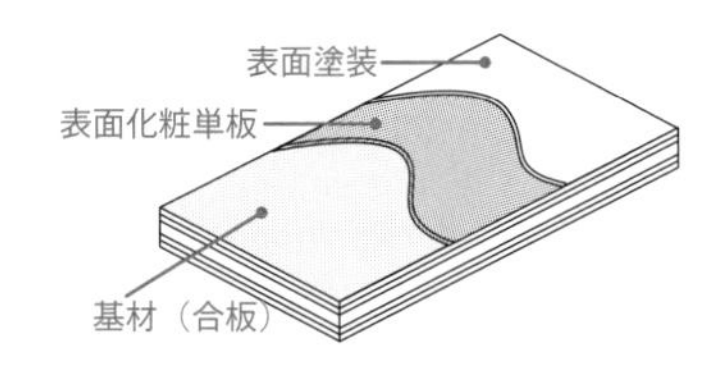

2. コルクフロア

コルクフロアとは、天然コルク(堅木)の外皮などを固めた床材である。合板下地などに直に接着剤で貼って仕上げる。弾力性に富み、断熱性もあるので素足で使用する部屋に適しており、高齢者や幼児用の部屋や浴室の床などにも使われている。

タイル

タイルとは、土などを板状に焼いたもので、住宅では主に水廻りや外部の床、内・外部の壁などに使われる。

1. タイルの種類

タイルは一般に、焼成温度により3種類に分けられる(次頁表2)。

フローリングと縁甲板

フローリングは床専用で、継ぎ目4面には実はぎ加工が施されている。縁甲板は床のほか、壁、天井にも使われる。両側は実はぎ加工をしているが、小口は実はぎ加工していないものが多い。

フローリング

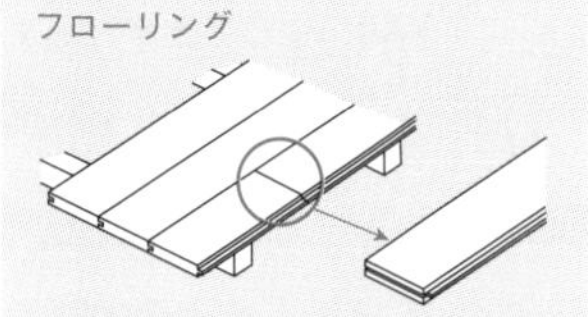

縁甲板

必ず根太の上で継ぐ

フローリングの固定

フローリングなどを固定するときには、クギが表に見えないように打つ。これを隠しクギ打ちという。

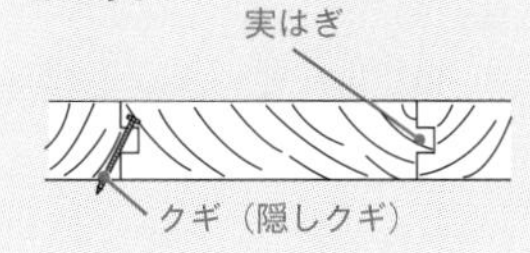

木質系の床材は、ぬれたまま放置すると劣化や変色しやすいので、水から守るための管理が必要。定期的にワックスなどで保護しよう

それぞれに適した用途がある。また、表面にガラス質の釉薬(ゆうやく)を施す施釉(せゆう)タイルもある。用途により、外装用、内装用、床用、モザイク用と区分されることが多い。

■表2　タイルの種類

種類	焼成温度	特徴・用途
陶器質タイル	1,100℃前後	多孔質で吸水性があるので、外部より内装に適する
せっ器質タイル	1,250℃前後	吸水性は少なく、外装、床、舗装、内装に適する
磁器質タイル	1,300℃前後	吸水性はなく、外装、内装、床に適する

※ JIS では吸水率による分類(Ⅲ、Ⅱ、Ⅰ類)がある

2. タイルの大きさ

タイルのサイズは、表3に挙げたものが代表的である。モザイクタイルは小さくて取り付けが大変なので、四角い薄紙にあらかじめ配置されたものを施工面に張り、紙だけを取り除く方法が一般的である。

■表3　タイルの大きさの種類

名称	寸法	厚み
三丁掛タイル	227 × 90㎜	内装：5～8㎜ 外装：7～15㎜ 床用：9～20㎜ モザイク：4～6㎜
小口平タイル	108 × 60㎜	
二丁掛タイル	227 × 60㎜	
36角	108 × 108㎜	
75角	68 × 68㎜	
100角	92 × 92㎜	
150角	144 × 144㎜	
200角	192 × 192㎜	
ボーダー	227 × 40㎜	
モザイク(例)	25 × 25㎜ 19 × 19㎜	

3. タイルの施工と目地

タイルは通常、モルタル下地に圧着張りすることが多く、水が掛からない内部の床や壁では、接着剤でボードに直接張ることもある。

割付(わりつけ)とは、仕上げ面に対してなるべく端数のないように材料を並べることである。たとえば、出隅(ですみ)には、割り付けたタイルの端部をきれいに処理するために役物タイルを用いる。

タイルは目地(めじ)をとって(埋めて)張る(図7)。通し目地(芋目地(いもめじ))が一般的だが、破れ目地(やぶれめじ)(馬踏み目地(まふみめじ))、四半目地(しはんめじ)などもあり、沈み目地が一般的である(次頁図8)。目地材の色も多様である。

■図7　タイルの目地の種類(平面的なデザイン)

通し目地(芋目地)

目地を一直線にとった張り方

破れ目地(馬踏み目地)

横目地が一直線で縦目地が一直線でない張り方

四半目地

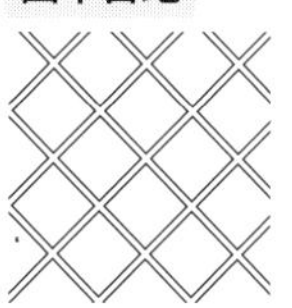

通し目地を斜めに傾けた張り方

タイルのブライト、マット

施釉タイルで光沢のあるものをブライト、ツヤなしのものをマットという。

キッチンのコンロまわりに張る場合
→ P.39

出隅

2方向からの壁が出合う外端部。

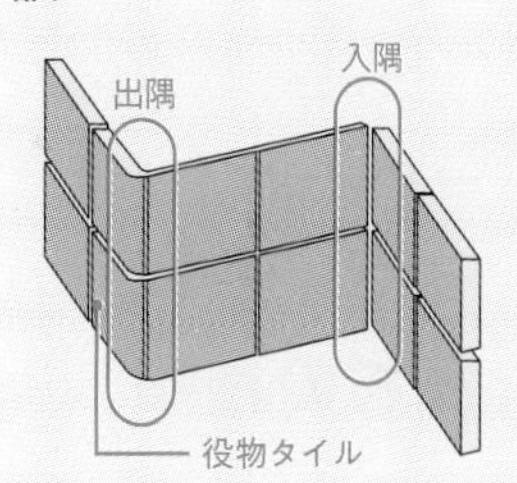

役物タイル

開口部や隅角部などに用いられるタイルで、平物以外の特別な形状をしたタイルの総称。

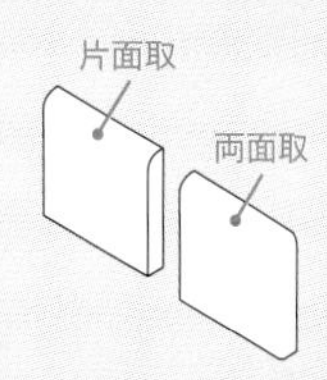

目地にシミが!?

施工後、目地のモルタルに白いシミのようなものが出ることがある。これはコンクリートやモルタルの表面にも浮き出るエフロレッセンス(白華現象(はっかげんしょう))である。見栄えは良くないが、強度に問題はない。

■ 図 8 タイルの目地の種類

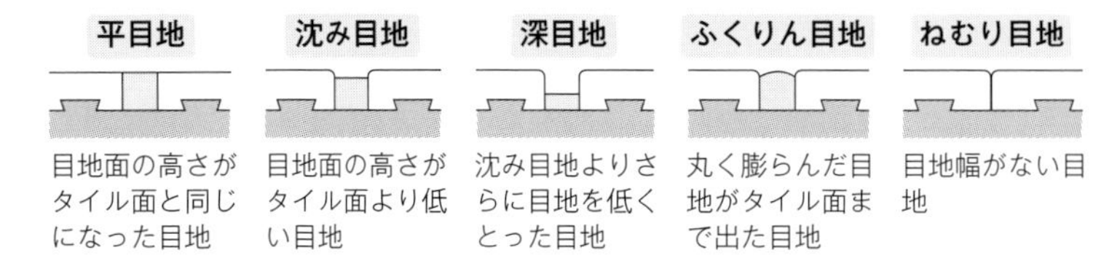

タイルは目地をとるのが一般的だけど、石状のボーダータイルは、ねむり目地にして石の雰囲気を出すよ！

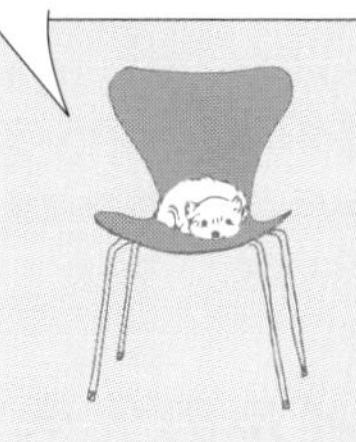

レンガ

レンガとは、粘土などを四角く焼いたり、固めたり、日干しにした建築材をいう。JIS 規格によるレンガの標準寸法は 210 × 100㎜（60㎜厚）だが、ほかにも図 9 のような形状や寸法がある。

■ 図 9 レンガの寸法

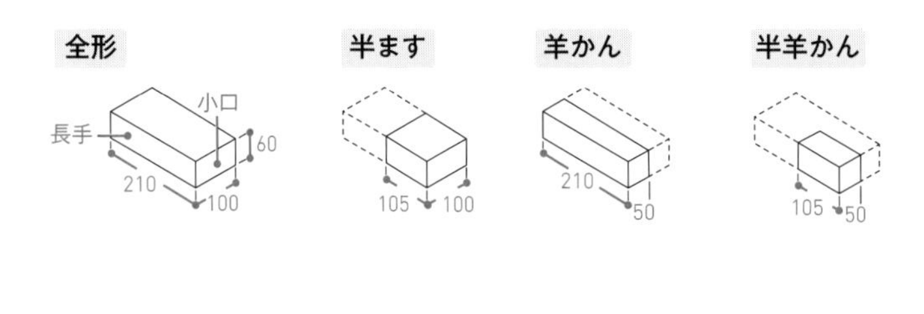

内装によく使われる薄型レンガは、レンガの雰囲気を室内で出せるので覚えておこう

日本のレンガ

日本では、一般的に焼いた赤茶で四角いものだが、高温で黒く焦げた部分の残る焼過(やきす)ぎレンガも装飾的に好まれている。

石材

1. 石材の種類

石材は天然石と人造石（テラゾや擬石(ぎせき)）に大別される。丈夫で硬く

■ 表 4 石の種類と性質、用途、仕上げ

分類	種類	主な石の名称	性質	主な用途	適した仕上げ
火成岩	花崗岩（御影石）	稲田石 / 真壁石 / 恵那錆(えなさび)石 / 万成(まんなり)石 / 大島石	火に弱い / 硬い / 耐久性あり / 耐摩耗性大	内外装床・壁 / 階段 / テーブル / 甲板	水磨き / 本磨き / 割り肌バーナー / 小叩き / ビシャン / のみ切り / こぶ出し
	安山岩	小松石 / 鉄平石	細かい結晶のガラス質 / 硬い / 黒～灰色 耐摩耗性大 / 軽石は断熱性が大きい	床・壁 / 外装 石垣 / 基礎	水磨き / 割り肌
水成岩（堆積岩）	粘板岩	玄昌石（スレート）	層状に剥がれる / 黒っぽい / 光沢あり / 吸収性小 / 強度高い	屋根葺き用 / 床 / 壁	割り肌 / 水磨き
	砂岩	サンドストーン / ライムストーン	光沢なし / 吸水性大 / 摩耗しやすい / 汚れやすい	床 / 壁 / 外装	粗磨き / 割り肌
	凝灰岩	大谷石	軟質 / 軽量 / 吸水性大 / 耐久性小 / 耐火性強 / もろい	内装壁 / 暖炉 / 倉庫	小叩き / のこびき目
変成岩	大理石	ビヤンコカララ / ボテチーノ / ポルトーロ / トラバーチン / オニックス	堅硬緻密 / 耐久性中 / 酸に弱い / アルカリに弱い / 光沢が美しい / 屋外では徐々に光沢を失う	内装床 / 内装壁 テーブル / 甲板ほか	本磨き / 水磨き / 小叩き
	蛇紋岩	蛇紋石	大理石に似ている / 磨くと黒・濃緑・白の模様が美しい	内装床 / 内装壁	本磨き / 水磨き
人造石	テラゾ		種石 = 大理石 / 蛇紋岩	内装床 / 内装壁	本磨き / 水磨き
	擬石		種石 = 花崗岩 / 安山岩	床 / 壁	小叩き

長もちするという印象があるが、強度や性質など、それぞれに特徴がある(前頁表4)。たとえば、御影石は硬く、耐久性もあるが、火には弱いので直火が当たる所には用いない。大理石は酸やアルカリに弱いので、雨水が頻繁に掛かる所には不向きである。大谷石は火に強く、暖炉などに使われるが硬度が低い。

2. 石材の表面仕上げ

石材は特質によって表面の加工方法が異なる。代表例として、御影石の表面仕上げを覚えておくとよい(表5)。

■表5 御影石の表面仕上げ例

種類	特徴
本磨き	水磨きをさらに細かく磨いた仕上げ。ツヤを出す仕上げ
水磨き	研磨機で磨いた滑らかな仕上げ
ショットブラスト	ツヤのある石の表面に高圧で鉄粉を吹き付けて小さな凹凸を付け、ツヤを消す
ジェットバーナー	石の表面に冷水を散布しながらバーナーで焼き、急冷して凹凸をつくる。滑止めによく使われる
小叩き	ビシャン仕上げをさらに凹凸を細かくした仕上げ
ビシャン	先に小さな凹凸をもつ金槌(ビシャン)で叩き、小さな凹凸を出す仕上げ
割り肌	石を割ったときのような凹凸のある仕上げ

その他の床仕上げ

玄関や土間などの仕上げとして、以下の方法がある。

(1)コンクリート床

コンクリート打設後、そのままコテで平滑に仕上げるコンクリート直押えと、コンクリート床の上を、モルタルで平滑に仕上げるモルタル金鏝押えがある。

(2)洗出し

玉砂利や豆砂利などの種石をコンクリートやモルタルに混ぜ、それが表面に出るように水で洗い出す仕上げ(写真1)。

(3)三和土

土に消石灰や砂利、苦汁などを混ぜて叩き固める仕上げ(写真2)。玉砂利を入れて層状に重ねるものは版築と呼ぶ。

■写真1 洗出し床

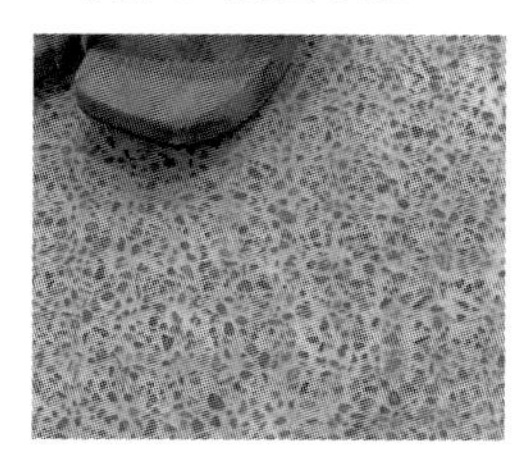

■写真2 三和土

テラゾ

大理石などの細かな砕石(種石)を白セメントなどに混ぜ、固めて石状にした人造石。種石が花崗岩などの場合は擬石(キャストストン)と呼ぶ。

ビシャン

石を平坦に仕上げる金槌状の道具。石を叩く部分が凸凹状になっている。

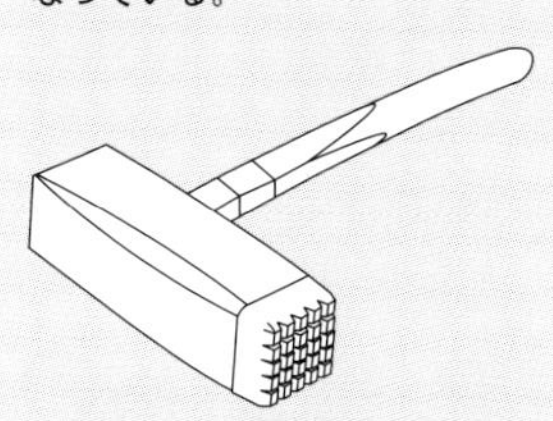

石材のメンテナンス

大理石は、濃い酸性やアルカリ性の洗剤を使うと、表面のツヤが消える恐れがあるので注意が必要。磨き仕上げの場合は、ときどき中性洗剤で拭くか、乾拭きする。

サイコロ形の石材

主に花崗岩をサイコロ形に成形した石材をピンコロという。舗道に敷かれた小舗石を指すことが多い。

土間

もとは建物内で地面や三和土になった部分をいったが、現在は建物内の土足で歩ける床部分を呼んでいる。

種石

那智黒、大磯石、御影石、稲田石などの粒を用いる。砂利のサイズは、分、寸などで表されることも多い(1分＝3㎜)。

11-2 重要度 ! ! !

床に使われる材料②

Point

- ☑ 樹脂系床材は、タイル系、シート系、塗床系に分かれる
- ☑ 樹脂系タイルはバインダーの配合率により3分類される
- ☑ シート系床材のうち、住宅ではクッションフロアシートがよく使われている

樹脂系の床材

樹脂系床材の多くは合成樹脂（プラスチック）製の建材で、床下地を薄く覆って使うことが多い。厚みは2～3㎜のものが多く、水や摩擦にも強いという特性がある。用途によってタイル系、シート系、塗床系（ぬりゆか）と、3種類に分けられ、店舗、公共施設、住宅など幅広く使われている。量産できるので比較的安価という利点もある。

1. タイル系

樹脂系床タイルとは、プラスチックや塩化ビニル樹脂を主原料とし、薬剤を混合してタイル状に成形したものである。普及品はPタイルと呼ばれることも多い。バインダーと充填材（じゅうてんざい）の配合率により分類される（表1）。寸法は300㎜角程度、厚みは2～3㎜のものが多い。事務所や店舗用として用いられていたが、近年は住宅の内装にも用いられている。

また、ゴム系の床タイルや天然石を樹脂で固めたレジンテラゾタイルも同様の扱いの床材である。

■表1　樹脂系タイル床材の種類

種類	バインダー配合率	特徴
コンポジションビニル床タイル	バインダー配合率30%未満	安価、汎用、硬め
単層ビニル床タイル	バインダー配合率30%以上	断面が単層で移動荷重等に対応できる
複層ビニル床タイル	バインダー配合率30%以上	従来はホモジニアスタイルと呼ばれ、耐摩耗・耐薬品性が良く、色数も多く、幅広く使われている

樹脂って何？

天然樹脂と合成樹脂がある。天然樹脂は動植物などからとれる脂状のもので、昔から塗料などに使われてきた。合成樹脂は石油などからつくられる固形、半固形状のもので、一般的にプラスチックと呼ばれている。

バインダー

塩化ビニル樹脂に可塑剤（かそざい）と安定剤を加えたもの。

充填材

プラスチックの隙間を埋め、熱による伸縮などを抑える材料。

ゴム系床材の種類

ゴムシート、ゴムタイルなどがある。プラスチックタイルより弾力性に富む。

プラスチックタイルのデザイン性

石材調や、タイル調、フローリング調などいろいろある。

シガレットプルーフ

タバコの焦付きに対して求められる性能。プラスチック系には弱いものも多く、要注意。

公式ハンドブック［下］P.33～34、P.75～76、P.90

2. シート系

シート系床材は、1,800～2,000㎜程度の幅で、ロール状の塩化ビニル樹脂シートが主流である。塩ビシートとも呼ばれ、長尺シート、クッションフロアなどがある（表2）。発泡層のないものは単層と複層に、発泡層のあるものは、クッションフロアと発泡複層ビニル床シートに分類。クッションフロアは住宅の洗面所、台所などの床によく使われている。シートの継ぎ目は溶接する場合も多い。また、亜麻仁油（あまにゆ）が原料のリノリウムも同様の用い方をする床材である。

■表2　主なプラスチック系シート床材の特性

分類	名称	層構成例	特性
発泡層のないタイプ	長尺ビニル床シート	ビニル表面層（高純度） ビニル中間層（含充填材） 基布（きふ）（麻・綿・化繊織布）	ビニル表面層の厚さにより耐摩耗性が異なるが、一般に良好である
	インレイドシート	透明ビニル層（ソフト系） 着色ビニル層（チップ） ビニルまたは不織繊維	着色したビニルチップを積層することにより、豊富なモザイク模様が可能
発泡層のあるタイプ	複合ビニル床シート	ビニル表面層（着色） 発泡ビニル層 基布（麻・綿・化繊維布）	弾性のある発泡ビニル層により、適当な硬さをもつ
	クッションフロア	透明ビニル層 （模様印刷面） 発泡ビニル層	発泡ビニル層により、適当な硬さと保温性が期待できるが、耐久性においてやや劣る

3. 塗床系

塗床とは、現場でコンクリートやモルタルの上に直接樹脂塗料を塗布する仕上げである。エポキシ系、ポリウレタン系、ポリエステル系などがある。継ぎ目がなく、塗るので広い工場や病院などで用いられる。防水材として使われるものもある。

4. 施工とメンテナンス

樹脂系の床材は薄くて柔らかく、下地の凹凸が表面に出やすいため、施工時には下地を平滑にならす必要がある。また、接着剤は、健康、温度や湿気を考慮し、含有物質を確認する。

メンテナンスには、ポリッシュ（磨き剤）や樹脂系のワックスを用いる。また、ワックスを剥がす場合はリムーバー（剥離剤（はくりざい））などを使う。これはマニキュアと除光液の関係に近い。

長尺シート
発泡層を含まない長尺のプラスチックシート。ロール状で運搬しやすく、大きな床面の仕上げに適している。耐久性、磨耗性に優れ、取替えが楽。長尺塩ビシートとも呼ばれる。

リノリウム
天然樹脂である松ヤニに亜麻仁油やコルク粉などを混ぜ、麻布に加熱圧着したもの。

インレイドシート
インレイとは、嵌（はめ）込み細工という意味。アームストロング社の商品によって広まったが、一般的にも使われている。

塩ビシートは水が染み込みにくいので、掃除がしやすいよ。ペットのいる家庭に最適だよ！

エポキシ
接着力が強く優れた合成樹脂。接着剤、塗料などに使われる。

ポリウレタン
ウレタンとも呼ぶ。塗料や塗床材、発泡材、断熱材に使われる。

ポリエステル
摩耗性、耐久性がある。ユニットバスなどに使われるFRPの素材でもある。

11-3 床に使われる材料③

重要度 ！！！

Point

- ☑ カーペットは、ウイルトン、アキスミンスターを中心に覚える
- ☑ タフテッド・カーペットは経済的なので、現在よく使われている
- ☑ カーペット施工の一般的な方法は、グリッパー工法である

カーペット

1. カーペットの種類

カーペットとは、絨毯とも呼ばれ、屋内の床に敷く織物状の敷物のことをいう。日本では、古くは毛氈と呼ばれる獣毛を使ったフェルト状のカーペットが使われていた。その後、中央アジアで発祥した手織りの緞通も使われるようになった。

現在、カーペットの素材には、上記のような天然繊維のほか、化学繊維が用いられている（表）。天然繊維は光沢がありしなやかな絹と、弾力性や耐久性に優れた羊毛（ウール）が主な素材である。化学繊維は、レーヨン、ナイロン、アクリル、ポリエステル、ポリプロピレンなどがある。その他にサイザル麻の平織も玄関マットなどに使われる。

パイル織り

経糸、緯糸に毛足となる糸（パイル糸）を加える織り方。

緞通

麻やジュート（黄麻）などの経糸にパイルを結び付けて織る織物。ペルシャ絨毯、トルコ絨毯、中国絨毯などがこれにあたる。パイルの結び目が多く緻密なほど高級品とされる。

■表 繊維の種類

素材＼特徴	耐摩耗性	親水性	汚落ち	防炎性	帯電性	染色性
ウール	合成繊維よりは劣る	優れている	良好	燃えにくく、焼焦げが目立ちにくい	あまりない（湿度30％以下からは帯電しやすい）	多くの染料によって染色できる
レーヨン	合成繊維より劣る	優れている	やや落ちにくい	燃えやすい	ない	非常に良い
ナイロン	優れている	僅かに有り	普通	火に溶ける	有り（帯電防止加工が必要）	良いが発色に深みがない
アクリル	ナイロンよりやや劣る	僅かに有り	普通	急速に燃えるものもある	あまりない	染色の鮮明さ、堅牢性に優れている
ポリエステル	ナイロンに次ぐ	なし	普通	火に溶ける	あまりない（ナイロンより帯電しにくい）	ナイロン、アクリルよりは劣る
ポリプロピレン	ナイロンよりやや劣る	なし	良好	火に溶ける	あまりない	良くないので原液着色されている

公式ハンドブック［上］P.202～211、［下］P.76～78

2. カーペットの製法による分類

カーペットの素材は、羊毛などの天然繊維や、アクリル、ナイロンといった化学繊維など、さまざまである。以下に、カーペットの製法で主なものを挙げる。

(1) 緞通

中央アジアで発祥し、中国やペルシャに伝わった手織りの最高級カーペット。

(2) ウィルトン・カーペット

■ 図 1 ウィルトン・カーペット

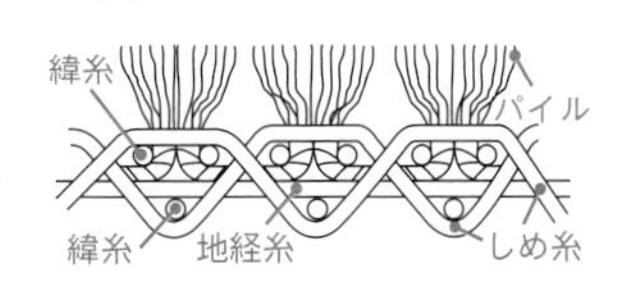

基布（きふ）とパイルを同時に織り上げる製法で、2〜5 色使いが可能（図 1）。変化のある柄と耐久性が特徴。パイル糸は羊毛が多い。18 世紀に英国のウイルトンで始まり、ジャカード織機による機械化によって普及した。

(3) ダブルフェイス・カーペット

■ 図 2 ダブルフェイス・カーペット

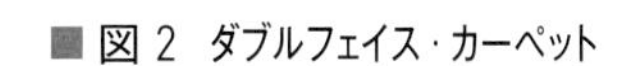

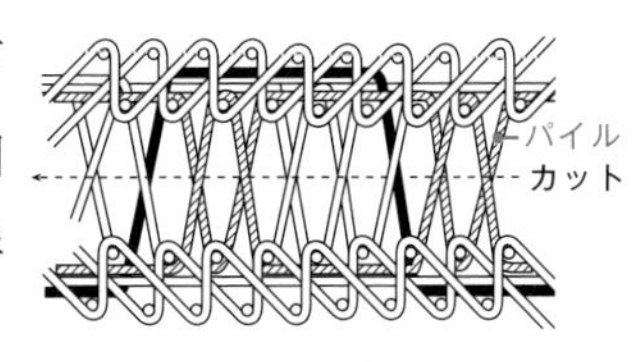

ウイルトンの製法で同じものを上下に編み、中央でパイルをカットする（図 2）。フェイス・トゥ・フェイスとも呼ばれる。

(4) アキスミンスター・カーペット

■ 図 3 アキスミンスター・カーペット

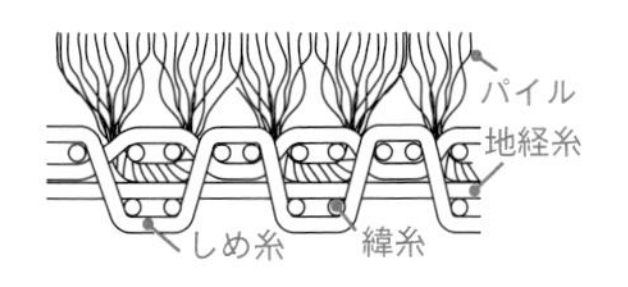

ウイルトンと同じ製法だが、多色使いが可能（図 3）。8〜12 色の糸で織られるグリッパー・アキスミンスターと、色を無制限に使えるスプール・アキスミンスターがある。高級なデザインカーペットで、ホテルなどで使われることが多い。

(5) タフテッド・カーペット

■ 図 4 タフテッド・カーペット

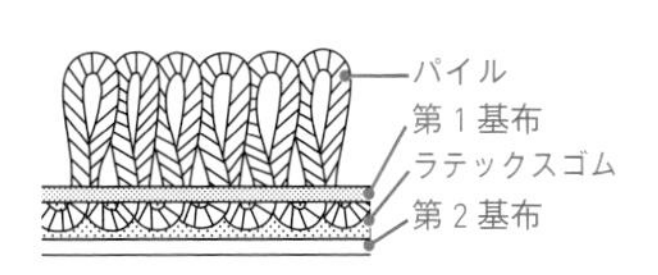

基布にパイル糸を編み込む製法（図 4）。ウイルトンの 30 倍といわれる生産効率で、大量生産とコストダウンを実現した。基布からのパイルの抜けを防ぐため、基布にゴム素材のラテックス（接着剤）などを塗布する。20 世紀アメリカで開発された。

(6) フックドラグ・カーペット

ハンド・タフテッドとも呼ばれる、タフテッドの製法に手工芸的な要素を加えたもの。

(7) ニードルパンチ・カーペット

不織布のカーペット。最も低価格なもの。

タイルカーペットとは

タイル状に並べて敷いていくカーペット。タフテッド・カーペットに主に用いられ、1 ピース 500㎜角のものが多い。裏面にラテックス（接着剤）をコーティングしピールアップ接着工法（→ P.233）で固定する。

手織りの工芸品は現在タペストリーとして壁掛けなどに用いられているよ

タフテッド・カーペットの規格

①ゲージ
横方向のパイル密度の規格。5/32 ゲージは、5 インチの間に 32 本のパイルがあることを示す。

②ステッチ
タフテッド・カーペットの縦方向の規格。8 ステッチは 1 インチの間に 8 本のパイルがあることを示す。

3. 表面形状による分類

同じ素材や製法を用いても、パイルの表面形状により見た目や感触が異なる。主な表面形状は、カットタイプ、ループタイプ、カット＆ループタイプがある(図5〜7)。また、フラットなタイプにはニードルパンチがある。

■ 図5 カットタイプ

プラッシュ

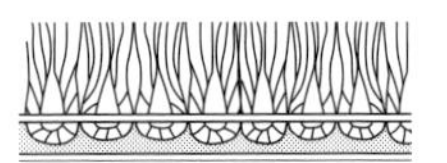

5〜10㎜程度のパイル長さの一般的なカットタイプで、カット面によりソフトな感触

サキソニー

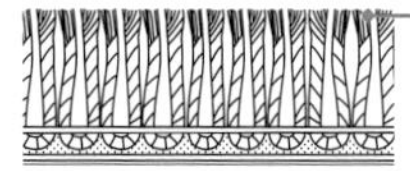

撚りをかけた15㎜程度の長いパイルを高い密度で仕上げたもの。ふかふかして豪華な感じ

パイルの輪を切断する

ハードツイストやシャギーなどもある

■ 図6 ループタイプ

レベルループ

高さが均一なループパイル。耐久性や歩行性が良い

ハイ＆ローループ

ループの違いで表面に違いを出し、装飾性を上げることができる

パイルの輪を切断しない

ハイ＆ローループは、マルチレベルループともいう

■ 図7 カット&ループタイプ

レベルカット＆ループ

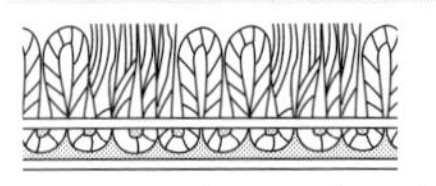

レベルループのタイプの一部をカットして模様を表現できる

ハイカット＆ローループ

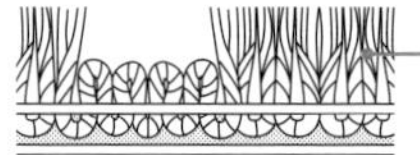

カット部分がループより突出しているので明確な模様が可能

カットタイプとループタイプをミックスしたもの

4. 敷き方

カーペットは、床面を覆う程度によって敷き方が分類されている。敷詰め(ウォール・ツゥ・ウォール)、中敷き(センター敷き)、ピース敷き、重ね敷き、ランナー敷きなどがある(図8)。ランナー敷きとは廊下などの中央に敷き流す方法である。

■ 図8 カーペットの敷き方

敷詰め

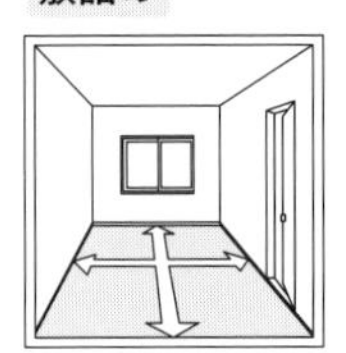

中敷き

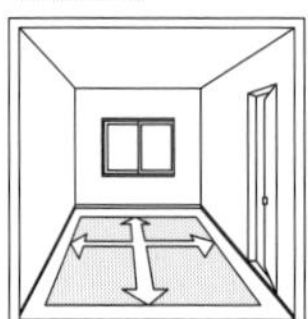

ピース敷き

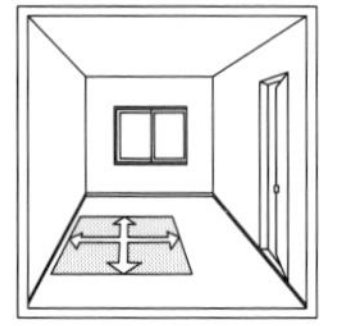

重ね敷き

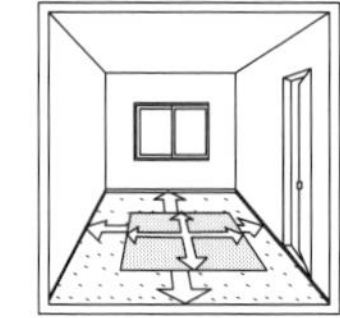

ニードルパンチ・カーペット
多数のニードル(針)が付いた機械で繊維を圧縮してフェルト状にしたカーペット。

ベロア
プラッシュタイプでパイル長さ5〜7㎜のパイルを高密度に打ち込んだもの。表面はスムーズで柔らかくベルベット(ビロード)調。

シャギー
パイル長さが25㎜以上で太めのパイルを粗く打ち込んだもの。ラグとしてもよく使われる。

既成の大きさで販売されているもののうち、1畳未満をマット、1畳から3畳未満の広さのものをラグと呼んでいるよ

グリッパー
細長く薄い板にクギを打ち込んで逆面にクギを突き出したもの。カーペットを引っ掛けて止めるために使う。

アンダーレイ
ゴムや麻、繊維製の下敷き材。踏み心地、吸音性を向上させる。

5. 施工法

カーペットの取り付け方には以下の3つがある。

(1) グリッパー工法

部屋の四隅に設置したグリッパーにカーペットを引っ掛けて固定する方法(図9)。アンダーレイなどを下敷きにすることもある。最も一般的な工法。

■図9　グリッパー工法

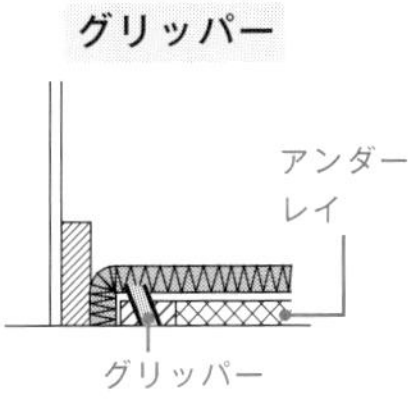

グリッパー

アンダーレイ

グリッパー

(2) 接着工法

接着剤や両面テープで床下地とカーペットを固定する方法。剥がしやすい接着剤を使うピールアップ接着工法もある。

(3) 置敷き工法

部屋の形状に合わせてカットし、固定しないで置く方法。切り口を折り曲げてテープで留める折曲げ工法、ミシンを掛けるオーバーロック工法、畳縁のように別布で処理するテープロックがある。

畳

畳は、畳床、畳表、畳縁とで構成されている。畳床とは藁などを重ねて麻糸などで糸締めしたものである。発泡ポリスチレンフォームなどを用いた化学畳床などもある。

畳表とは、畳床の表面に張るイ草の織物である。特に、広島の備後表や沖縄の琉球表が有名である。畳の裏を表に替えて使うこと(畳裏替え)もある。畳縁は、畳床と畳表を継ぐ縁取りである。色・柄とも多くの種類がある。琉球畳のように畳縁を付けないものを坊主畳、縁無畳と呼ぶこともある。

大きさは地域や部屋の大きさによって違いがあり、京間、中京間、江戸間(田舎間)などがある。厚さは、55mmや60mmが標準的である。敷き方には、祝儀敷きと不祝儀敷きがある(図10)。祝儀敷きは婚礼や祝い事で、不祝儀敷きは葬儀などの敷き方といわれるが、祝儀敷きは、現在、一般的に使われている敷き方となっている。

■図10　畳の敷き方(畳敷様)

祝儀敷き

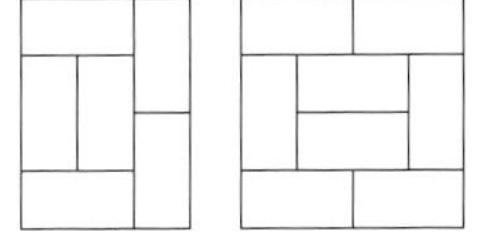

畳同士の合わせ目がT字型になるように敷く方法

不祝儀敷き

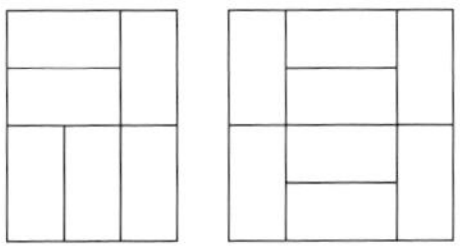

畳同士の合わせの一部または全部に十字が入る敷き方

継ぎ目の施工法

一般的なカーペットの継ぎ目の施工法をヒートボンド・ジョイントという。接合部分裏面にヒートボンド用テープを挟み、上からアイロンを掛けて糊を溶かし、カーペットを圧着する。

施工の際はサイズに注意

ロールカーペットの幅は日本では91cm(3尺)、182cm、273cm、364cm、386cmなどがある。畳物といわれる、6帖用などは実際の6帖の部屋と合わないことがあるので注意が必要である。

カーペットの見積もり

材料費は幅・長さ共に約10cm多めに見積もり。施行ロスは無地5%、柄物7%を目安に見込む。

イ草

単子葉類イグサ科の植物。別名燈心草。畳表の材料となる。琉球表にはイ草ではなく、シチトウ(七島)の茎が使われている。

京間、中京間、田舎間

→ P.136「江戸間と京間」

花筵と籐筵

花筵は、畳表の材料と同じイ草を編んだ敷物、籐筵は、材料に籐を使った敷物をいう。筵も日本の床材として覚えておきたい。

11-4 重要度 ! ! !

壁に使われる材料

Point

- ☑ 珪藻土などの左官系の壁も調湿性などの面で注目されている
- ☑ 壁紙は予算に合わせ多様な表現が可能なので重要
- ☑ 壁紙の施工の良し悪しはクライアントの満足度に関わる

壁の工法と下地

壁の仕上げ方は、湿式工法と乾式工法に大別される。湿式工法とは左官のように水などを用いる工法、乾式工法とは壁紙のように水などを用いない工法をいう。下地は柱や壁のつくり方（工法）や木造、RC造などの構造の種類によって異なる。

1. 木造の壁下地

日本の木造建築においては、昔から湿式工法である左官が壁の仕上げに用いられてきた。その下地である小舞下地は、今ではほとんど見られず（図1左）、ラスボード下地が使われている（図1中）。薄塗りの左官には石膏ボードを用いることもある。

外部の左官には下地板にフェルトとメタルラスを設けたラスモルタルによる大壁が一般的である（図1右）。また、ラスモルタルの代わりとなる板材もいろいろ商品化されている。

■図1 湿式工法の下地

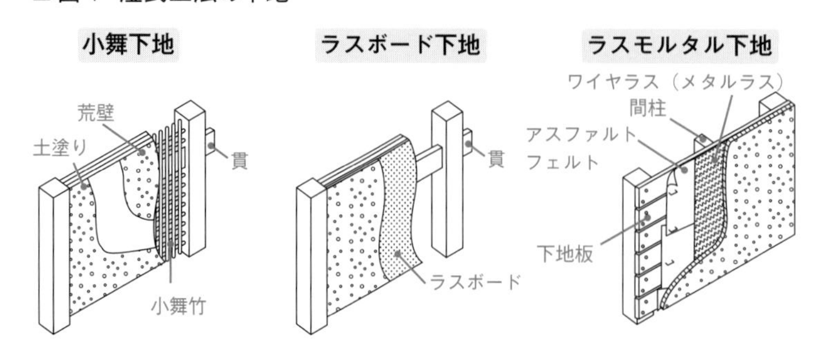

一方、乾式工法の下地には、石膏ボードが最も用いられている（図

真壁と大壁

壁のつくり方には2種類ある。伝統的な木造のように、柱が壁から見える真壁、壁で柱を覆って見えなくする大壁である。現在は柱を防火材で覆う大壁が主流。

ラスボード

伝統的な左官下地の木ずり（lath）の代わりとなる凹凸のある石膏ボード。

石膏ボード

石膏の両側に紙を貼った内装下地材。防火性、加工性、平滑性に優れる板材。

ワイヤラス、メタルラス

モルタルなどの付着性を高めるために使う下地材。ワイヤラスは、鉄線を編んだもの。メタルラスは、薄い金属板に切れ目を入れて伸ばした網状のもの。

荒壁

粘土系の土に藁、水などを混ぜて練ったものを塗った壁。主に下地用。荒木田土などがある。

小舞竹

真竹などを縦に細く割ったもの。土壁の下地として使われる。

公式ハンドブック［下］P.34～36、P.81～87

2左)。木質の化粧合板などは下地板と仕上げを兼ねるものも多い(図2右)。

■図2　乾式工法の下地

石膏ボード下地(壁紙貼り)

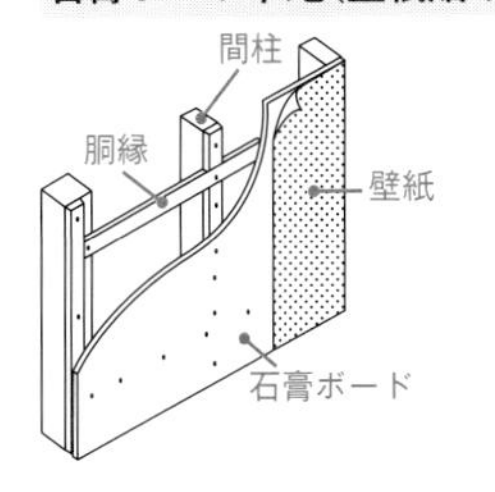

化粧合板下地兼仕上げ

2. RC造、その他の壁下地

RC造の建築ではコンクリート打放し仕上げとする場合も多い(図3)。さらに打放し面に直に仕上げを施す場合もあるが、住宅では下地をつくって仕上げを施すことが多い。下地材は、木レンガ(図4)やホールインアンカー、接着剤などで留める。

内部の間仕切壁などにブロックを用いる場合もモルタルの直塗り(じかぬり)や下地を設けて仕上げる(図5)。

■図3　コンクリート打放し仕上げ

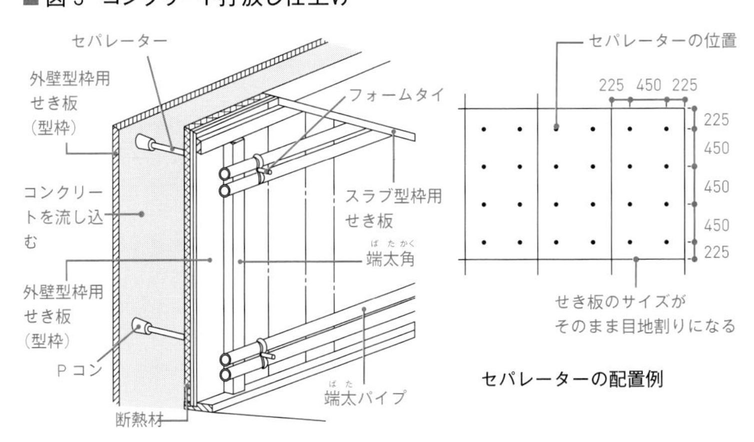

■図4 RC造の下地

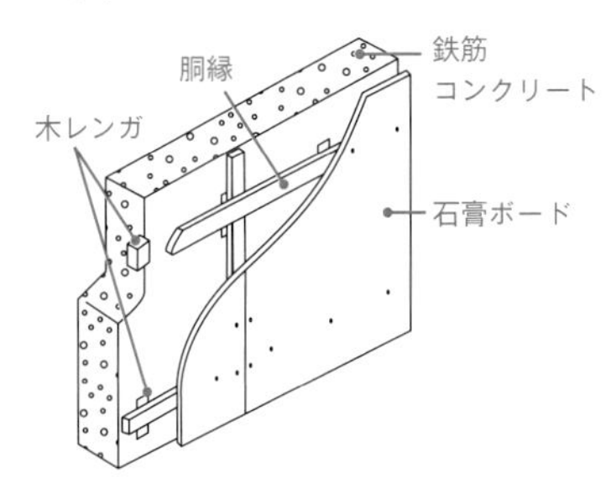

■図5 CB下地モルタル塗り

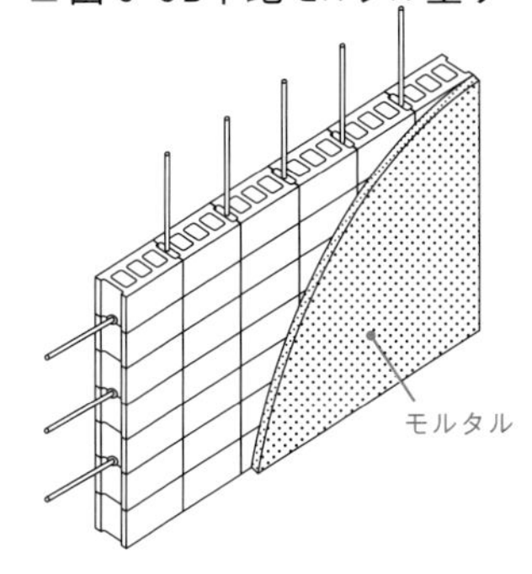

間柱(まばしら)
柱と柱の間に立てる柱。壁を支えるためにある。

胴縁(どうぶち)
内外壁の仕上材を支える下地として一定の間隔で入れる桟木。一般に横に30㎝程度の間隔で入れる。

RC造の打放し仕上げの穴
コンクリートを打設するときに型枠を固定するためにPコンと呼ばれる部品を使う。それを外したあとが、丸い凹みとなり、打放し仕上げ面の特徴となる。

木レンガ
コンクリート壁に下地を設けるために、コンクリート内に入れておく木片のこと。公園など舗装に使われる四角いブロック状の木片も、同じく木レンガと呼ばれる。

ホールインアンカー
コンクリートに物を取り付ける際に、あと付けでボルトを止めるナットを入れ込むこと。

型枠
流し込んだコンクリートが固まるまで雌型となる仮設の部材。仮枠(かりわく)ともいう。

セパレーター
型枠の間隔を一定に保つために使う金物。

壁の仕上げ

壁は常に目線の先にあり、視界に入りやすいため、下地の凹凸処理や仕上げの精度が重要である。また、質感や素材感も仕上げのポイントである。

手が触れたりペットの掻き傷などが付くことも想定し、メンテナンスや改装がしやすい素材選びをすることも必要である。また、建築基準法による内装制限、接着剤や塗料に含まれる有害物質ホルムアルデヒドの制限などにも注意する。

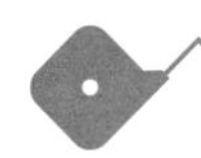

湿式工法の壁仕上げ

日本の夏は高温多湿であるため、壁仕上げには湿度の調整をしてくれる湿式仕上げが多く用いられてきた。主な壁仕上げを以下に挙げる（表 1）。

■表 1　湿式壁仕上げの種類と特徴

種類	特徴
漆喰	日本の伝統的な白い壁。消石灰に糊、すさなどを混ぜる
土壁	小舞壁などに塗る下地用の土壁。仕上げにも使われて、砂壁や大津壁、じゅらく壁などがある
珪藻土	珪藻の死骸が堆積してできた粘土状の泥土による仕上げ。多孔質で調湿機能があるため、室内左官材の主流となっている
モルタル	木造の外壁や浴室壁、RC 造やブロック壁などの下地材・仕上げに使われる。その上を直接塗装することもある
プラスター	鉱物・石膏などを水で練る仕上材。ドロマイトプラスターや石膏プラスターがある
吹付け	主に外部の仕上げだが、コテで塗る左官に比べ工事が簡単なので内装仕上げにも使われる。リシンやスタッコ、じゅらく壁風などさまざまな仕上げがある
タイル	意匠材として目地割も大切。壁面用の役物がないものもあるので注意。水廻り以外では接着による施工が増えている
石材	内装では薄い石材を貼る。タイルのように目地をとることも多い

土壁の種類

砂壁は、色砂を入れた壁材。大津壁は色土に石灰やすさを入れたもの。また、土で細かな凹凸を表現するじゅらく壁は京都産出の土が使用されていたことから「京壁」ともいわれる。

リシン掻落し

セメントなどに粒状の石を混ぜたリシン材をモルタル下地の上に塗り、硬化する前にブラシなどで掻き落とし、粗面（そめん）に仕上げること。リシン吹付けはその表情に似せたもの。

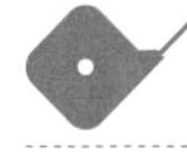

乾式工法の壁仕上げ（木質系）

乾式工法とは、工場で生産されたパネルや合板などのボード類を現場で貼り付ける仕上げ方法である。接着剤やクギを用い、乾燥が不要なため工期の短縮ができる。湿式ほどの技術はなくても施工が可能といえる。

木質系の内装の仕上げとしては、無垢材を使った羽目板（はめいた）、天然木化粧合板や、メラミン化粧板、ポリ合板などのオーバーレイ合板などが用いられる。主な製品の特徴を以下に挙げる（次頁表 2）。

■表 2　主な木質系壁（内装仕上げ）の種類と特徴

種類	特徴
羽目板	集成したり表面に貼りものをしていない単一の材質でできている木材が多い。傷みにくく、重厚感がある
天然木化粧合板	合板の表面に天然木の単板を貼った化粧合板。模様や色、素材とも変化に富む。価格も幅が広い
合成樹脂オーバーレイ合板	合板の表面をメラミン樹脂やポリエステル樹脂で薄く覆ったもの。デザイン性が高く、耐水性、耐摩耗性などの機能性がある
プリント合板	普通合板の表面に直接木目模様などを印刷し塗装した化粧合板。バリエーションも多く安価なので、広く使われている

壁紙

1. 壁紙の特徴と種類

壁紙は、乾式材料の中でも工期が短く施工もしやすい仕上材である。色柄の種類が多く、価格が安いので、リフォームなどでも貼替えによく用いられる。また、防火性などさまざまな機能を付加したものもある。主な壁紙の種類とその特徴を以下に解説する（表 3、次頁表 4）。

(1) ビニル壁紙

ポリ塩化ビニルに可塑剤や充填剤、安定剤、発泡剤、難燃剤、着色剤などを混ぜ、紙に薄く塗り付けたものをビニル壁紙という（表 3）。最も普及している壁紙である。色柄も豊富で、安価な量産品から高級品まである。

■表 3　ビニル壁紙の種類と特徴

種類	特徴
エンボス無地系	石目調や織物調などの凹凸を加えたもの
プリント・エンボス	エンボスにプリントを加えたもので最も種類が多い
シルクスクリーン	大きな柄の印刷が可能なシルクスクリーンを使ったもの。ハンドプリントともいう
発泡壁紙	スポンジ状のソフトな手触りにしたもの
ケミカル発泡壁紙	インキで発泡を制御した凹凸の壁紙
塩ビチップ壁紙	塩ビの小片をシートに貼った壁紙

(2) 織物壁紙

平織や綾織、朱子織などで織られた布壁紙。天然繊維よりレーヨンが多く用いられている。不織布や植毛（フロック）、寒冷紗などの壁紙もある。

(3) 紙壁紙

紙を用いてつくられる、ビニル壁紙より自然な印象の壁紙。西欧では昔からよく使われている。色柄の種類も豊富である。日本には和紙（鳥の子紙）壁紙などがある。

リフォームで壁紙を塗装に替えたいとき、壁紙を剥がし下地の凹凸を処理するのは難しいから、壁紙に直接塗る塗料も出てきているよ

代表的な織り

平・綾・朱子は三原組織。
→ P.353「組織のしくみと織機」

寒冷紗

ガーゼのように粗く薄い平織を糊付けしたもの。塗装の下地調整材、蚊帳などにも使われる。

(4)その他の壁紙

蛭石(ひるいし)の小片やアルミ箔(メタリック系)、ガラス繊維などを使った無機質系壁紙や、天然木やコルクを薄くスライスして紙に貼った木質系壁紙などもある。

■表4 機能性壁紙の種類

種類	機能
汚れ防止	撥水処理の樹脂の塗布やラミネートなどで汚れを防ぐ
防カビ	防カビ剤を混入。下地、接着剤にも防カビ処理が必要
脱臭	脱臭剤や消臭液を混ぜ、アンモニアや硫化水素(卵が腐敗したようなにおい)などを防ぐ
防塵	帯電防止剤を添加し、静電気によるほこりの付着を防ぐ
エコロジー系	珪藻土などを使用したもの

2. 壁紙の施工

壁紙は下地への直貼(じかば)りが多いが、下地の色が透けてしまう場合は和紙などを下貼りする(下貼り工法)。下貼りとしては目貼(めば)りやベタ貼り、袋貼(ふくろば)り、清貼(きよば)りなどがある。下地を平滑にするには、サンダー(やすり)処理、隙間を防ぐコーキング処理、凹みを埋めるパテ処理、下地のアクを止めて接着性を良くするシーラー処理などがある。また、ケレン処理を行なう場合もある。

継ぎ目は突付貼りが多いが、透(す)かし目地貼(めじば)りや和紙の重ね貼りなどがある。

3. 壁紙の選択、施工、見積りの注意点

(1)選択

長く平らな壁面(一引(いちび)き)の場所では、柄合わせが難しいので柄物を避ける。また、光の方向で凹凸が目立つ場所は、凹凸のあるものを使用したほうが素材が生きる。

(2)施工

湿気の多い所は剥がれやすいので、壁紙の使用を避ける。また、接着面にほこりやゴミなどが入り込まないように、きれいな環境にしてから施工すること。リフォーム時には、下地のアク止め(シーラー処理)などが必要な場合も多い。

(3)見積り

下地ごとに処理方法も異なり、見積りに反映されるので注意する。施工する際に材料のロスは必ず出るが、部屋の形が複雑だとロスが増えることも知っておく。

壁紙の防火の性能

壁紙と下地基材の組合せにより「不燃」「準不燃」「難燃」が決まる。これを表示するために防火製品表示ラベル、防火施工管理ラベルがある。

壁紙の接着剤

壁紙の接着剤は、でん粉が主原料で、防腐のためにホルムアルデヒドの水溶液であるホルマリンが使用されていたが、シックハウス問題以降は、安全な防腐剤を使うようになった。

サンダー

下地の凹凸面を平滑に研磨する工具。

コーキング

建材間の隙間を目地材などで充填すること。

パテ

下地の隙間、亀裂、穴を埋め、平坦に調整するもの。

シーラー

下地と上塗の接着性を良くするための塗料。

ケレン処理

下地の調整のために、不良部分などの除去や鉄部の錆、古い塗料などを取り除く下地調整処理のこと。

突付け

壁紙の継ぎ目をくっ付けて合わせるだけで、だぶらせない。

透かし目地

仕上材の継ぎ目に隙間を空けて凹型にする。壁紙の場合は凹部に端を落とし込む。

一引き

壁紙貼りなどで長く平たい壁面に施工すること。簡単そうだが逆に技術の差が出て難しい。

11-5 重要度 ！！！

天井に使われる材料

Point

- ☑ 天井は木か軽量鉄骨下地で、吊られている
- ☑ 天井は手が触れないので形状や仕上げなどの見せ方の工夫ができる
- ☑ 伝統的な天井は、主に竿縁天井を覚えるとよい

天井の下地と仕上げ

1. 天井の吊り方

天井は、上階や屋根を支える梁などに設けた吊木（つりぎ）で吊られている。吊木に野縁（のぶち）受けや野縁などの角材を互いに直交して取り付けた下に天井の仕上材を設けるのが一般的である（図1）。

和室に多用される竿縁天井（さおぶちてんじょう）は、野縁に直接板材を張り、それを竿縁で押さえる工法である（図2）。

野縁
天井板を張るために吊木、または野縁受けに取り付ける水平材。

竿縁天井
竿縁と呼ばれる細い角材を一定間隔に並べ、その上に天井板を並べて張ったもの。野縁受け不用で天井下地の簡略化、軽量化を図ったものだが、現在では簡略とはいえない。

■図1　打上げ天井の付け方

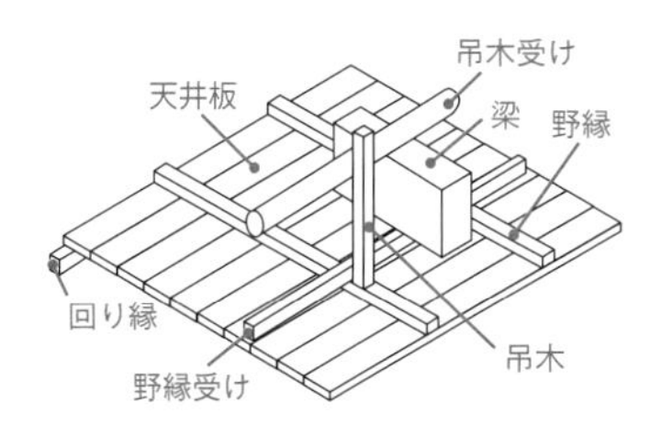

■図2　竿縁天井の付け方

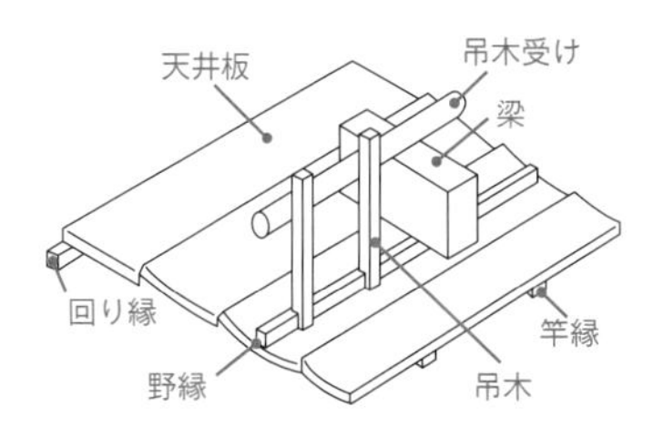

軽量鉄骨下地の場合は、吊木と同じ役割の吊りボルト、野縁受けに相当するTバーや野縁受けチャンネル、また野縁と同じ役割を果たすMバー、シングル野縁、ダブル野縁などで天井を吊る（図3）。取り付ける際の考え方は木造と同じである。

■図3　軽量鉄骨下地

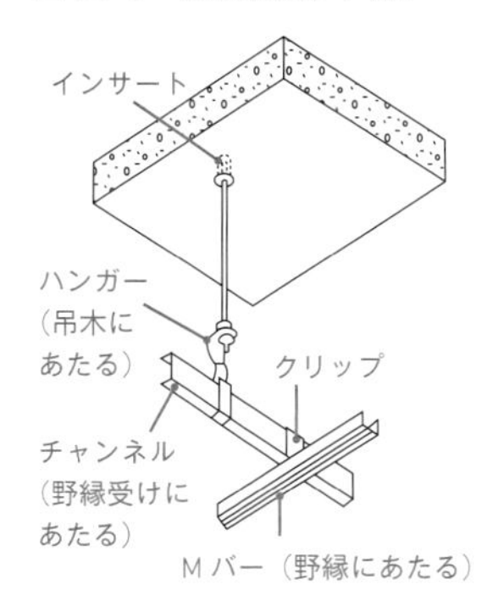

埋込照明を取り付ける場合、野縁や野縁受けの下地が邪魔になる場合も多いから、取り付けの前に調べておこう

公式ハンドブック［下］P.36～38、P.87～88

2. 湿式工法

RC造の床(スラブ)の下面を直接仕上げて直塗り天井にする場合は、比較的工事が容易で一般的な工法である。一方、木製下地の上に土壁などの湿式仕上げをする伝統的な木ずり漆喰塗り天井やラスモルタル塗り天井は、手間がかかるので一般的には見られなくなってきている(図4〜6)。

■ 図4　直塗り天井(モルタル塗り)

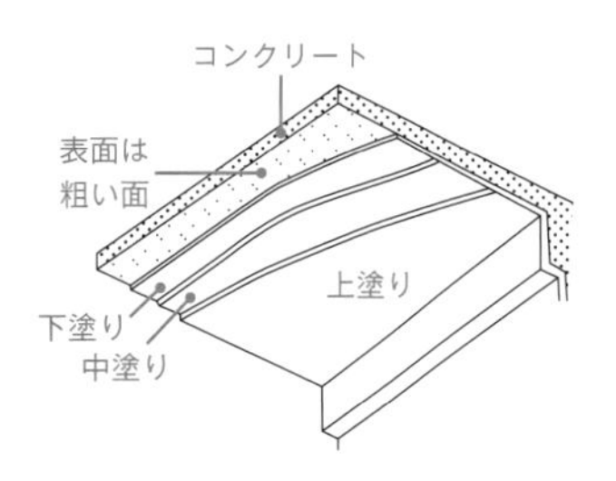

■ 図5　木ずり漆喰塗り天井

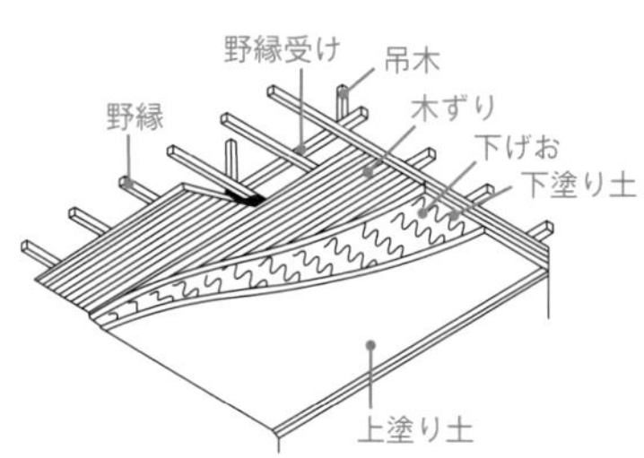

■ 図6　ラスモルタル塗り天井

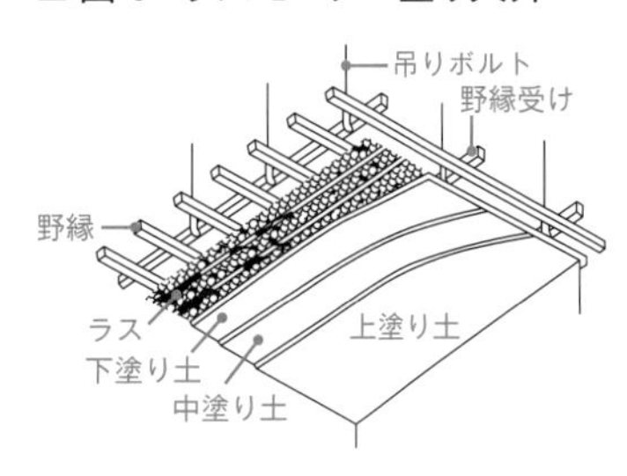

湿式の左官材は重さで落ちる心配があるので、下地に対して十分な接着性が必要である。下げおやラス網をしっかり取り付ける。直塗りの場合は粗い下地面が望ましい

3. 乾式工法

乾式工法の天井仕上げの伝統的なものとして、竿縁天井(次頁図7)や格天井がある。その他に、打上げ天井(次頁図8)、クロス(壁紙)貼り天井(次頁図9)などがある。事務所などでは吸音板捨張り天井(次頁図10)もよく使われている。

和風の天井としては、杉のへぎ板(木を薄く削いだもの)や竹を編み込んだ網代天井(次頁図11)、ヨシやハギを素材にしたものが数寄屋風の和室や茶室によく用いられている。

また、杉柾などの薄板に加え、杉柾などの化粧合板や、石膏ボードに杉柾などの木目をプリントしたものなどもある。

天井の原型は、承塵といわれる塵よけの一種。板や布などを上方に張ったものだったよ

格天井

木を格子状に組み、その格内に板を張った天井。格式の高い天井で、城や寺などに見られる。→ P.68 図2「書院造の内部」

天井板のはぎ方

天井の板と板の間に隙間ができないように、またクギを隠すために、天井板のはぎ方には工夫がされている。

化粧屋根裏天井とは

伝統的な和風の天井のひとつ。天井を張らずに屋根下地をそのまま天井としたもので、縁側や茶室などに用いられることが多い。意匠的に工夫が必要なので、このように呼ぶ。

杉柾

杉の木目が平行・直線に並んだもの。日本のデザインには必ず出てくる。

■ 図 7　竿縁天井

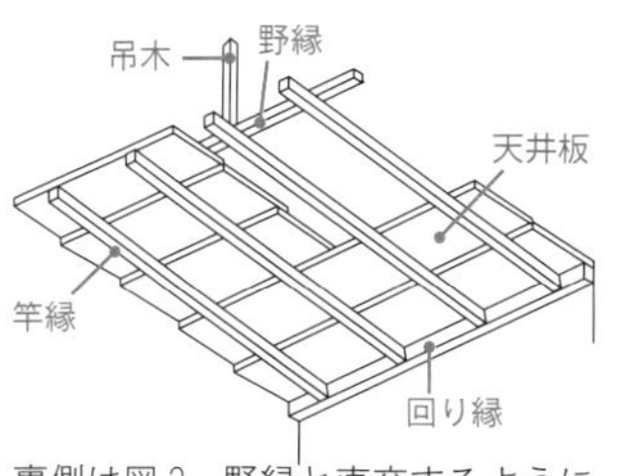

裏側は図 2。野縁と直交するように竿縁で板を押さえる

■ 図 8　打上げ天井

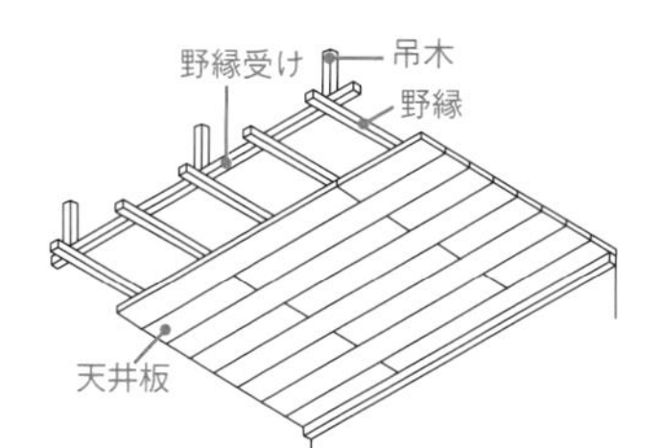

仕上げには縁甲板や薄い広幅の板が使われる

■ 図 9　クロス貼り天井

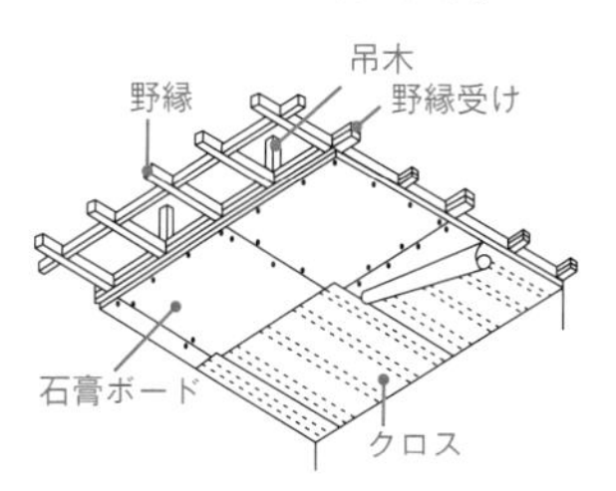

住宅でよく使われる仕上げ。下地材には石膏ボードが使われる

■ 図 10　吸音板捨張り天井

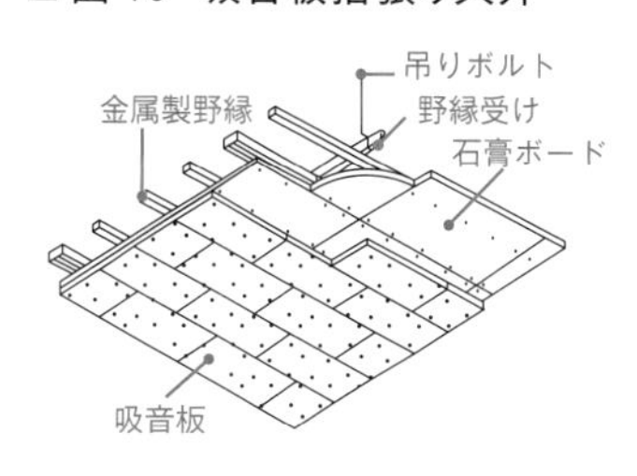

事務所、ホールなどに使われ、音の残響を抑える

■ 図 11　網代天井の模様

矢羽根編

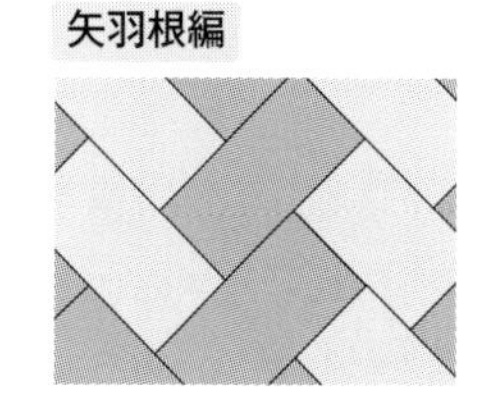

市松編

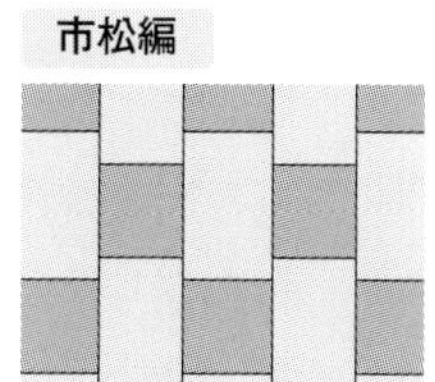

石畳編

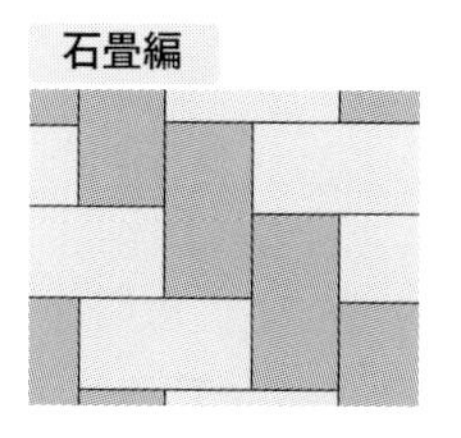

4. その他の材料（塗装・化粧板）

下地の石膏ボードに壁紙を貼る以外に、直接、天井を塗装する方法もある。高低差や曲線、間接照明などの凹凸部にも施工しやすい。また、色合いも自由なので、意匠性の高い天井にも適している。ただし、継ぎ目のない天井に仕上げたい場合は、石膏ボードなどの継ぎ目にひびが入らないよう、念入りに処理する必要がある。

洗面脱衣室のように湿気のある場所には、水に弱い石膏ボードは避け、ケイ酸カルシウム板を用いて塗装仕上げにすることが多い。透(す)かし目地(めじ)にするときは板材の端部をきれいに仕上げる必要がある。

簡易的な天井材として、石膏ボードに凹凸の化粧加工を施した板もある。天井材と同色のビスで直接野縁に取り付ける。

ほかにも、トップライトや埋込照明を利用した光天井に乳白色のプラスチック板などが和洋の区別なく使われている。

竿縁の取り付け方に注意

竿縁は床の間に平行にするのが基本。垂直は床ざしといって、いみ嫌われる。

さるぼう（さるぼお）面

竿縁の角を 45° より急角度に取った竿縁の断面のこと。猿の頬の形状に似ている。

石膏ボードの厚さ

天井は 9.5㎜、壁は 12.5㎜が一般的に使われる。防火性を上げた石膏ボードもある。

システム天井

乾式工法の天井をシステム化し取り付けを簡単にしたもの。天井板、照明、吹出し口などの定型パネルを組み合わせて構成する。事務所ビルなどに多いが、住宅には和風システム天井もある。

天井を施工するときには、上を向いての作業になるので足場が必要。これも見積りにも影響する場合があるよ！

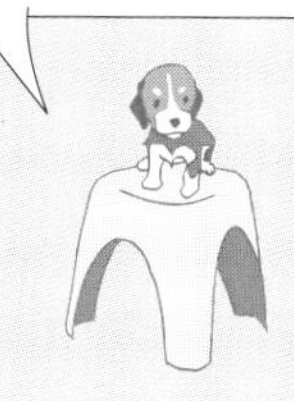

ケイ酸カルシウム板

火にも強く耐水性もあるので、台所のタイル下地にも使われる。一般的には、ケイカル板(ばん)と呼ばれる。

11-6 重要度 ！

屋根の工法と使われる材料

Point

- ☑ 伝統的な瓦葺きの中でも基本となる桟瓦葺きはしっかり覚える
- ☑ 屋根の仕上げとして性能の良い金属板葺きは主流となりつつある
- ☑ 陸屋根といっても排水のための勾配は必要

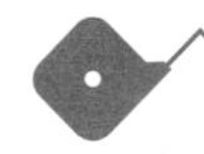

屋根の工法と仕上げ

1. 屋根に関する基本用語

屋根は、室内環境を風雨から守るためにある。特に、日本では雨漏りのないことが大切である。

覚えるべき用語を以下に挙げる。

(1) 屋根勾配

屋根勾配（やねこうばい）とは、屋根の傾斜の度合いをいう。角度は「〇度」ではなく、4寸勾配、6寸勾配と表現することが多い。

RC造などでよく見られる、勾配のない水平の屋根は、陸屋根（ろくやね）という。

(2) 屋根を構成する部材

屋根を構成する屋根材は、垂木（たるき）という勾配を付けた軸材の上に板材（野地板（のじいた））を張り、その上にルーフィングという防水シートを張って屋根材で仕上げる（図1）。防水シートは、もしもの雨漏れに備えて張る、雨の多い日本ならではの工夫である。

■ 図1　屋根の成り立ち

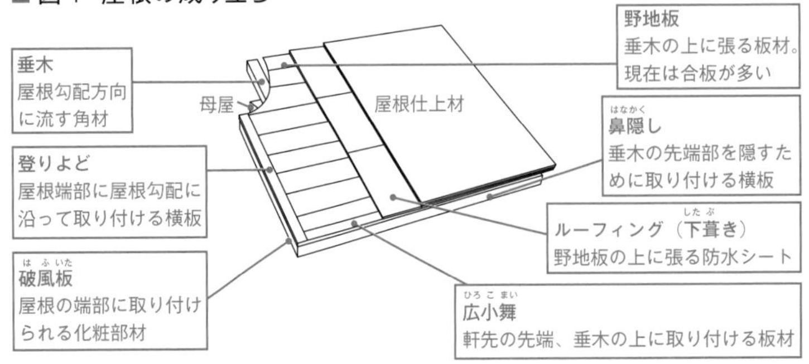

瓦屋根の勾配

瓦屋根の勾配は、多くが4寸勾配くらいで統一感があり、日本家屋の美しさともなっている。

屋根の4寸勾配

4寸勾配とは4/10（水平に10移動して垂直に4下がったときにできる斜辺）の勾配である。

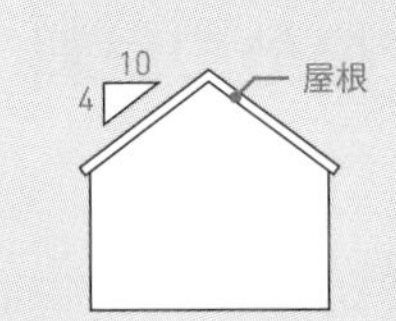

公式ハンドブック［下］P.9～10、P.23

2. 屋根の種類

神社仏閣の屋根には今でも本瓦が用いられるが、住宅では多くが桟瓦である。近年は地震対策として、金属屋根やスレート屋根などの軽めの屋根材を用いることが多くなってきている。

(1)瓦屋根

瓦屋根には、丸瓦と平瓦による本瓦葺き(図2)と、桟瓦による桟瓦葺き(図3)がある。桟瓦は、屋根に横桟を設け、それに瓦を引っ掛けるので、引掛け桟瓦とも呼ばれる。

①鬼瓦…瓦屋根の棟の端部に設置される瓦(図3)。

②棟瓦…瓦屋根の頂上に置く瓦(図2)。がんぶり瓦も棟瓦の一種(図3)。

■ 図2 本瓦葺き

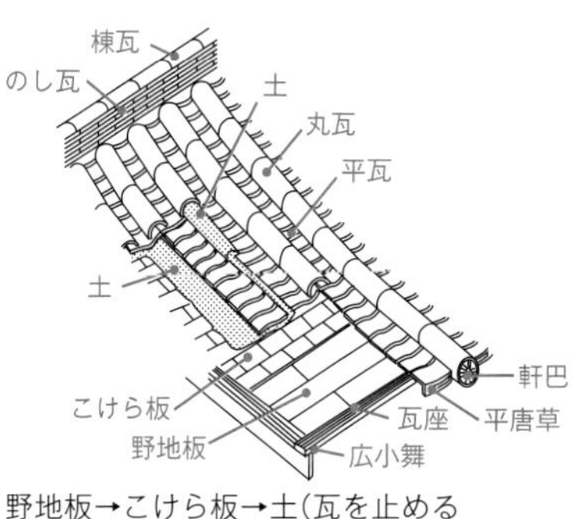

野地板→こけら板→土(瓦を止めるため)→平瓦→丸瓦の順に葺く

■ 図3 桟瓦葺き

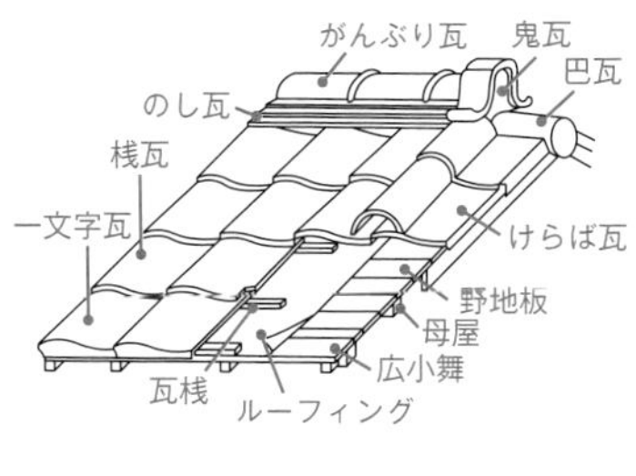

野地板→防水紙(ルーフィング)→瓦桟→桟瓦の順に葺く

(2)金属板葺き

金属板葺きとは、金属加工板を用いて屋根を葺く方法をいう。住宅では施工の容易な瓦棒葺きが主だったが、近年は、たてはぜ葺きに変わってきている(図4・5)。一文字葺き(平板葺き)も多い(図6)。

■ 図4 瓦棒葺き　■ 図5 たてはぜ葺き　■ 図6 一文字葺き

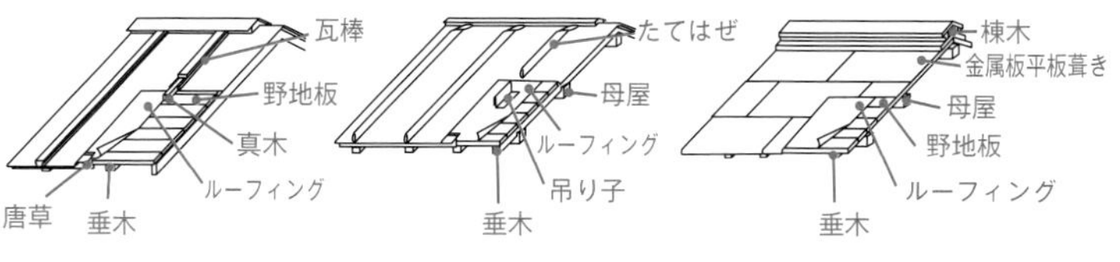

屋根勾配方向に付けた瓦棒という桟を利用した葺き方

瓦棒部分を金属同士のはぜ継ぎとした葺き方

金属板を継ぎ目が横に一直線になるようにした葺き方

(3)スレート葺き

スレート葺きとは本来、粘板岩の玄昌石などを用いる高価な屋根仕上げだが、安価な無石綿スレートを使ったものが一般的にスレート葺きと呼ばれ、住宅によく使われている。

本瓦葺き

神社仏閣の屋根に用いられることが多い。雨の流れる平瓦、継ぎ目を覆う丸瓦からなる。簡易的な桟瓦が用いられるようになってから、この名称で呼ばれるようになった。

桟瓦葺き

平瓦と丸瓦を1枚瓦でつくったもの。これにより、工事も楽になり、瓦が民家にも用いられるようになった。

一般的な瓦の種類

①唐草瓦

軒先に用いる瓦で、丸い部分に唐草模様などが付けられる。

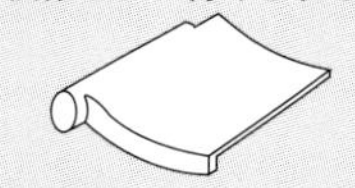

②一文字瓦

軒先端に用いる桟瓦。前垂れ下端が一直線になっている。

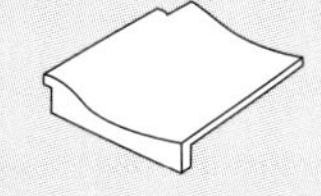

③セメント瓦

モルタル(セメントと砂)を加圧成形し、塗装を施した瓦。

④厚型スレート瓦

セメントと硬質細骨材と水を混ぜ加圧成形した瓦。一般のスレートより厚い。

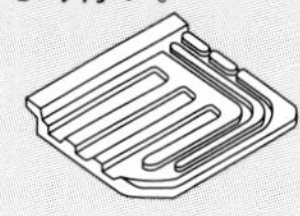

はぜ

板金工事で薄板の端部をお互いに折り曲げて巻き込む接合方法。

少し装飾的に見える屋根

一文字葺きを45°傾け菱形に見えるように葺くと、菱葺き(四半葺き)となる。少し手間がかかるが独特の雰囲気がある。

(4)その他の葺き方

伝統的な屋根の葺き方として、日本の民家でよく用いられていた茅葺き(かやぶ)がある(図7)。また、古来より最も格式の高い屋根材として宮殿や神社仏閣で用いられてきた桧皮葺き(ひわだぶ)や、腐りにくいヒノキなどの木材の割板を重ねたこけら葺き(ぶ)などもある(図8・9)。

■図7 茅葺き

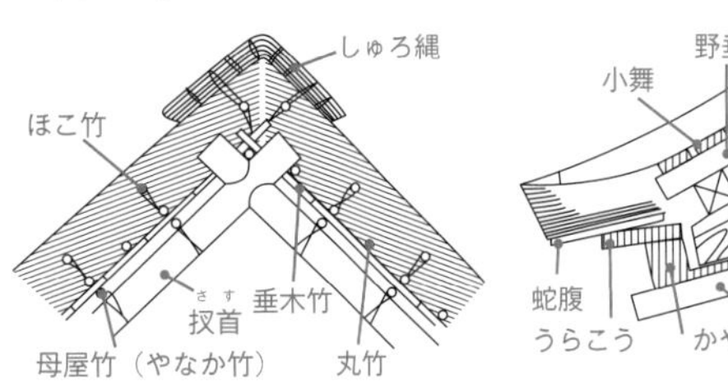

カヤ(ススキなどの植物)を材料にした屋根。現在は、飛騨地方などの豪雪地帯に見られる

■図8 桧皮葺き ■図9 こけら葺き

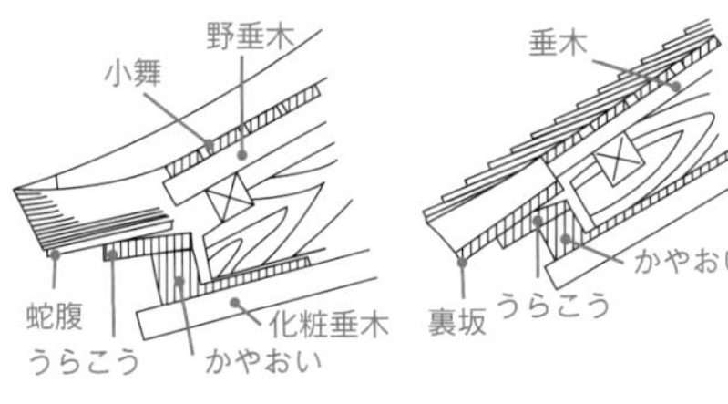

ヒノキの樹皮を少しずつずらしながら重ねてつくる。社寺を中心に見られる

こけらと呼ばれる薄い木片(こけら板)を重ねてつくる屋根。多くの文化財の屋根で見ることができる

桧皮葺きの例は厳島神社や出雲大社、こけら葺きの例は金閣寺が有名だよ

3. 陸屋根と屋根の排水･防水処理

前述したように、陸屋根とは、RC造などに見られる平らな屋根である。ただし、水平とはいっても排水のためのゆるやかな水勾配は設けられている。屋根には防水を施し、端はパラペットという防水立上がりで水を止める(図10)。水勾配の下流に設けたドレインという排水パイプに繋がれた金物から外部に排水される。

木造でも陸屋根は可能だが、シート防水や塗膜防水の一種であるFRP防水、ウレタン防水などがよく使われる。防水については以下の表のような方法がある。

■図10 パラペット

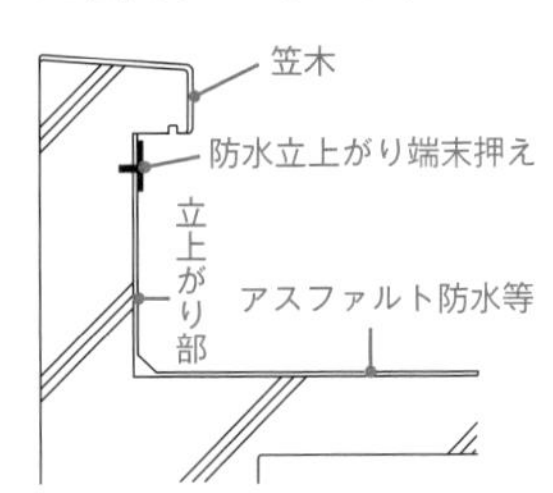

■表 防水処理の種類

アスファルト防水	アスファルトルーフィングを何層か重ねる方法。歴史があり信頼性が高い
シート防水	2㎜厚程度のシート(塩ビなど)を張る方法。継ぎ目を溶かしてシームレス(継ぎ目がない)にする場合が多い
塗膜防水	液状のプラスチックや合成ゴムを現場で直接下地に塗る方法。継ぎ目もなくせる。施工者により仕上がりの精度に差が出るので要注意

RC造の陸屋根とパラペット

パラペット
陸屋根

笠木
防水などの立上がり部を上から覆う部分。

アスファルトルーフィング
アスファルトをしみ込ませたシート。防水性に優れている。

11-7 重要度 ! ! !

機能材料

Point

- ☑ 断熱や吸音には多孔質の性質が有効である
- ☑ 不燃、準不燃、難燃の防火材料の区別を覚える
- ☑ 内装制限は、壁、天井の仕上げのみに制限がある

機能材料の種類と特性

住宅の室内環境を向上させたり、安全性を高めるために、特有の機能をもった材料を用いる。以下、代表的なものを挙げる。

1. 断熱材料

断熱材料（だんねつざいりょう）とは熱を遮る材料のことで、室内の熱環境を適度に保つために使われる。一般には、床、壁、天井などの内部に充填（じゅうてん）・設置される。多くは多孔質で空隙（くうげき）を多くもつ軽量な素材であり、空気の小さな気泡を多くとどめているのが特徴である。断熱材は大きく以下の3つに分類される。

(1)鉱物繊維断熱材

鉱物を原料とする断熱材には、ロックウールとグラスウールがある（写真1・2）。日本の住宅で最も用いられているのはグラスウールである。ロックウールは、岩石を溶かして繊維（岩綿）にしたもので、マット状、ボード状、粒状のものがある。断熱材のほかに、吸音材や鉄骨造の耐火被覆材としても使われる。グラスウールはガラスを溶かして繊維にしたもので、マット状、ボード状、粒状のものがある。ロックウールも同様だが、粒状のものは、吹込み断熱（ふきこみだんねつ）に使われる。

■ 写真1　ロックウール

■ 写真2　グラスウール

公式ハンドブック［下］P.54 ～ 58

熱伝導率

物質内の熱の伝わりやすさの指標。アルミなど金属は一般に熱が伝わりやすく、空気は熱が伝わりにくい。空気を非常に小さな気泡にとじ込め、動かぬようにしてあるのが断熱材である。

→ P.170「熱のしくみ」

岩綿と石綿

石綿は発がん性があるとされ、現在では使用が禁止されている。岩綿は石綿の10～100倍の太さであり、呼吸器系に入りにくく、発がん性などは確認されていない。

付加断熱

より高い省エネルギー基準に対応するため、充填断熱や外張断熱だけを別々に施工するのではなく、どちらも同時に施工する断熱施工法。

(2)発泡プラスチック系断熱材

発泡プラスチック系断熱材とはプラスチックの樹脂に発泡剤を混ぜ、気泡を含ませてボード状などに成型したものである。ポリスチレンフォーム、ポリウレタンフォームなどがある(表1)。一般に、繊維状の断熱材よりも熱伝導率や吸水率は小さいが、熱には弱い。施工現場で隙間なく吹き付けられる現場発泡のタイプもある。

■表1　プラスチック系断熱材の特徴

種類	ビーズ法ポリスチレンフォーム	押出し法ポリスチレンフォーム	硬質ウレタンフォーム	フェノールフォーム
形状				
特徴	いわゆる、発泡スチロール。吸湿性、吸水性がなく、経年変化もほとんどない。板状のみならず、さまざまな形状に加工できる	発泡スチロールの一種。ボード状で軽く、剛性があり、熱伝導率が小さい。耐水性、耐吸湿性に優れているため、外張り・外断熱に適する	内部に熱を伝えにくいガスを封じ込めた、独立気泡の集合体	硬質ウレタンフォームと同様、熱を伝えにくいガスを封じ込めた微気泡をもつ。断熱性、難燃性共に優れる

(3)自然系断熱材

木質繊維を原料とする断熱材には、インシュレーションボード(軟質繊維板)とセルロースファイバーがある。インシュレーションボードは、木のチップを繊維状にして、接着材などを混ぜ高温・高圧で圧縮成型したものである。メインの断熱材としてはあまり用いられない。セルロースファイバーは、古紙を粉砕して線状にした吹付け・吹込み用の断熱材である(写真3)。自然系断熱材の中で最も普及している。このほか羊毛(ウール)や炭化コルクなどの断熱材もある(表2)。

■表2　その他の自然系断熱材

種類	特徴
羊毛断熱材	高性能グラスウールに匹敵する断熱性と、優れた吸放湿性をもつ
炭化コルク	接着剤を一切用いず、水蒸気によりコルク自体の樹脂だけで固められた断熱材

■写真3　吹付け施工

2. 防音材料

住宅の防音対策には、室内で発生した音をほかの部屋や外部に伝えないことと、外部の騒音を室内に入れないという2つの目的がある。そのために用いる防音材料には吸音材と遮音材がある(次頁表3)。

吸音性を高めるには多孔質の材料や空気層が効果的である。表面に小さな穴を開けた有孔(ゆうこう)ボード(穴あきボード　合板や石膏ボード)が代表的で、その下にロックウールやグラスウールを設置するとさらに効果的である。遮音性を高めるには、コンクリートなどのような重い材料が効果的である。木造などの軽い構造の建物には、鉛や金属粉を混入した遮音シートを用いる方法がある。

■表 3　防音材料の種類と特徴

種類		特徴
遮音	鉛シート	透過損失が大きく遮音に優れるほか、しなやかで共振現象を起こさないため制振性もある
	金属粉混入シート	塩ビに金属粉を配合し不織布などで表面処理したもの。軟らかく施工性良好
	アスファルト系シート	低音域の遮音に効果的で制振性もある
	ガラス繊維混入石膏ボード	耐火性・耐衝撃性もある
吸音	グラスウール・ロックウール	吸音率が高く、断熱性・防火性にも優れる
	木毛セメント板	繊維方向に裁断した木片をセメントで薄板に成形したもの。天井材などに使われる。準不燃材料
	畳	グラスウールと木毛セメント板の中間程度の吸音率がある
吸音（穴あき加工）	岩綿吸音板	ロックウールを主原料とし、接着剤や混和剤を加えて成形。断熱性・防火性も併せもつ
	吸音用軟質繊維板	木質繊維を接着剤や混和剤を加え、成形したものに穴あき加工を施すことによって、吸音性能をもたせたもの
	吸音用穴あき石膏ボード	石膏ボードに穴あき加工を施すことによって吸音性能をもたせたもの
	吸音用穴あきアルミニウムパネル	穴あきアルミニウムを成形したものにグラスファイバーを充填したもの
防振・制振	防振ゴム／フェルト	振動の伝達を少なくする
	制振シート	エアコン・冷蔵庫などの振動の共振を速やかに止める

3. 防火材料

防火材料とは、火災時に構造体を熱から守ったり、煙などが避難の支障とならないようにするために用いるものである。防火材料の条件は、燃えない、変形しない、有毒ガスを生じないことであり、建築基準法上では、燃焼時間の違いにより、以下の4つに分類される。

(1) 不燃材料

火熱を加えた際に20分間以上燃焼しないものを不燃材料という。金属や鉱物を原料とした材料であり、鉄やコンクリート、ガラスなどがある。

(2) 準不燃材料

準不燃材料とは、不燃材料の性能に準ずるもので、不燃性継続時間が10分間以上のものである。石膏ボードや木毛セメント板などがこれにあたり、紙や木質材を含んでいるものが多い。

同じ材料でも厚みにより区分が変わる場合があるので注意する。

(3) 難燃材料

難燃材料とは、不燃性継続時間が5分間以上のものである。元々は燃えやすい木やプラスチックなどを、薬品や加工で燃えにくく処理したものである。難燃合板、難燃繊維板などがある。

鉄は不燃だが熱に弱い

鉄は不燃(燃えない)材料だが、火災時の高温環境下では極端に強度が低下する。そのため、耐火建築物とするには、耐火被覆をして熱から守る必要がある。

耐火被覆

建築基準法において、耐火構造を必要とする建築物の柱、梁、壁、階段、屋根の各部位が通常起こりうる火災に耐えられるように、不燃材で表面を覆うことをいう。

用途や規模により必ずしもすべての鉄骨造の建築物が、耐火被覆の必要があるわけではないよ

内装制限の基準

対象となる建築物の居室では、床から1.2m以上の壁と天井を難燃材料とし、避難経路となる廊下や階段等では壁および天井を準不燃材とする。住宅ではキッチンなど火気使用室の壁と天井は準不燃材とする。ただし最上階にある場合を除く。
→P.39「内装制限」

火災が拡大したり、避難上の支障とならないように、建物には内装材の制限が規定されているよ

(4)耐火被覆材料

耐火被覆材料とは鉄骨造の建物を建築基準法上の耐火建築物とするために用いる材料である。構造部材を覆うケイ酸カルシウム板や、吹き付けるロックウールなどがある。近年は木造でも耐火被覆することで耐火建築物として認められるようになった。

耐火被覆
→ P.247

4. 接着・接合材料

建築や内装工事で使われる主な接合材料には、クギ、木ネジ、ボルトナット、構造用の補強金物などがあり、材料の製造や工事においては、接着剤の使用が必須である。たとえば、集成材などの構造材料においても接着剤の機能は重要である。また、内装の木工事では、酢酸ビニル系の木工用ボンドを用いる。クロス貼りなどにはでんぷん糊系のもの、床タイルやシートなどを貼るにはゴム系の接着剤を用いる。金属やガラスには接着力の強いエポキシ系の接着剤を用いる場合もある。

エポキシ系接着剤
エポキシ系樹脂を主成分とする接着剤。硬化膜が硬く強度があるため、金属などの接着や、隙間の充填、異種材料の接着などに適している。

5. シーリング材

外壁パネルや屋根材、サッシと窓ガラスなど、建築部材の隙間を埋める材料をシーリング材という。水密性や気密性の向上を目的として施される。シリコン系、ポリサルファイド系、ポリウレタン系、アクリル系などがあり、それぞれ強度や特性が違う。地震などで変形するおそれのある部材の隙間(ワーキングジョイント)に施工するシーリング材は、2面接着が原則である。(図左)。変形可動する部分で3面接着にすると、シーリング材が切れる場合もあるので注意する(図右)。

■図 シーリング材の接着

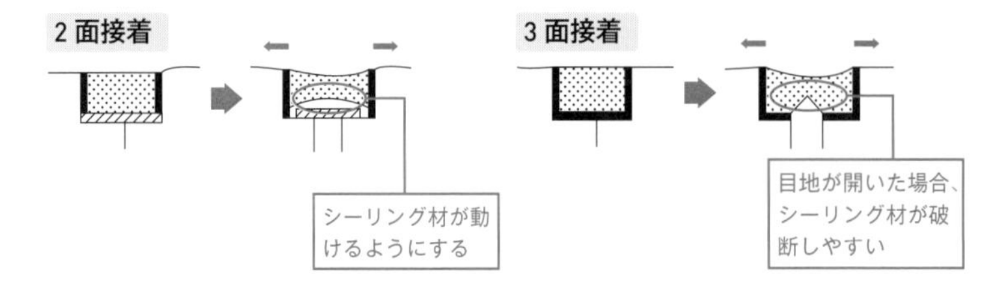

11-8 重要度 ! ! !

塗料と塗装

Point

☑ 環境対策の一環として、塗料の溶剤は水性に移行している
☑ 日本の伝統的な塗料も再注目されてきている
☑ 塗料の略称も覚えておく

塗料

1. 塗料の機能と分類

塗料は、塗膜形成材(主に樹脂)と溶剤に着色や錆止めなどの役割を果たす顔料や染料、添加剤などを加えたものである。

樹脂は塗膜になる成分で、塗料の基本的な性能を決める。特にシリコンやフッ素系の樹脂は塗膜性能が高い。溶剤は、シンナーとも呼ばれる塗膜形成材を塗りやすくする材料だが、最近は空気や環境を汚染しない水性の塗料が増えている。塗料には木目などの風合いを生かす透明塗料と、着色により下地を見えなくする不透明塗料がある。どちらも塗膜をつくるので造膜系塗料(ぞうまくけいとりょう)といい、ツヤのレベルによってツヤあり、5分ツヤ、ツヤなしなどがある(表1)。

水性化する塗料

環境問題から、塗料は強溶剤から弱溶剤へ、さらには水性(水系)へと商品化が進んでいる。

不透明塗料は、塗料の種類によってエナメルと呼ぶこともあるよ

■表1 代表的な造膜塗料の種類

	種類	特徴
透明	クリアラッカー	木工家具や木部の塗装に使われる透明塗料。ニトロセルロースが主成分。ウレタンワニスより表面は柔らかいので床には向かない
透明	ウレタンワニス(ポリウレタン樹脂塗料)	あらかじめ調合された1液型と、主剤(塗料)と硬化剤を直前に混ぜて使う2液型がある。硬く、耐水、耐摩耗性に優れる。フローリングによく使われる
不透明	油性調合ペイント	オイルペイントと呼ばれる。ボイル油が主原料。安価だが肉付は良く耐衝撃性・耐候性も良い。アルカリに弱い
不透明	合成樹脂調合ペイント	上記ペイントのボイル油の代わりに合成樹脂を使ったもので、家庭用ペンキは普通これにあたる。アルカリに弱い。
不透明	エマルションペイント	代表的な水性塗料の名称。塗膜となる樹脂を水に分散乳化させた塗料。シンナーではなく水で薄めるが、乾燥後は水に溶けない。アクリル系は水に強い
不透明	塩化ビニル樹脂エナメルペイント	水廻りによく使われる。アルカリにも強いのでモルタル面にも塗装可能
不透明	アクリル樹脂	バランスが良いため塗膜の樹脂としてよく使われる。樹脂としては安価
不透明	エポキシ樹脂	防錆機能や耐水性、耐摩耗性、耐薬品性などがある。スチール家具などにも使われる
不透明	シリコン樹脂	フッ素樹脂に次ぐ高性能塗料
不透明	フッ素樹脂	コストは高いが優れた耐候性塗料

公式ハンドブック[下] P.88～91

また、透明塗料と同じく木目を生かす含浸塗料（がんしんとりょう）もある（表2）。防火、防虫、防水効果などの性能向上を目的に薬液を混ぜ浸透させる場合もある。

環境や健康を考慮した自然系塗料もある。日本の伝統的な塗料である漆などもこれに分類されることもある（表3）。

■表2 主な含浸塗料の種類

種類	特徴
オイルステイン	ボイル油などの溶剤に顔料を混ぜ、木に染み込ませる塗料。ステインはシミという意味がある
オイルフィニッシュ	木材にオイルを浸透させる。桐油、エゴマ油など様々な油が使われる

■表3 主な日本の伝統塗料の種類

種類	特徴
漆	ウルシオールを主成分とする天然樹脂塗料。硬く光沢のある表面で高級家具や工芸品などに使われる。アルカリや油、アルコールには強いが紫外線に弱いので外部使用は不可。湿度が高いほうが乾燥が早い
カシュー塗料	塗膜や性能は漆に近いので、漆の代わりにもよく使われる。乾燥には漆のように湿度を必要としない。家具に使われる
柿渋	渋柿から抽出した液を発酵・熟成させた赤褐色で半透明の塗料。防虫、抗菌などの効果もある

2. 塗料の略称

塗料の種別によってそれぞれ略称がある（表4）。種別が同じでも、扱う主体により略称が違う場合があるので注意が必要である。住宅の内装に最も用いられているアクリル系エマルションペイントはAEP（エーイーピー）またはEP（イーピー）と呼ばれている。

■表4 塗料種別の略称

略称文字	塗装種別
OP	油性調合ペイント
SOP	合成樹脂調合ペイント
OS	オイルステイン
UC	ウレタンワニス
LC（CL）	クリアラッカー
VE（VP）	塩化ビニルエナメル
EP	合成樹脂エマルション（水性）
AEP（EP）	アクリル系エマルション

※（ ）内は略称の別表記。SOPはOPを使う場合もある

塗装

1. 塗料の選び方

塗料は、下地の状態や塗装技術、周囲の環境とセットで考える。特に、塗装現場の気温や湿度、ほこり除けなどの管理が大切である。

揮発性の強い溶剤の場合は、塗装時にきついにおいを発するため、近隣の迷惑にならないよう注意する。そのようなことが懸念される場合は、においの少ない弱溶剤や水性の塗料を使うことも検討する。

自然系塗料
環境を考慮したリボスなどドイツ製の木部塗料を呼ぶ名称として普及した。

塗料の付加機能
塗料には、色を塗る、保護するといった基本的機能に防錆や耐水、防腐、防蟻、耐中性化（コンクリート面）、断熱性、遮熱性、耐火塗料、抗菌、汚れ防止などの機能が近年は付加されていることが多い。

複雑な塗料
塗料はいろいろな化合物が混合されているので、安全性がわかりにくい。化学物質の情報開示のためのMSDS（情報シート）といった制度で、塗料メーカーに情報開示を促している。

塗料は日々進化する
近年注目を浴びている光触媒塗料。光が当たると活性酸素を発生させて有機化合物を分解する性能があるので、汚れなどが付きにくい。

2. 鉄部の塗装と下地処理

鉄部に塗装する際は錆止め塗料を塗ってから上塗りをする。その場合、下地処理が重要である。ケレン処理、サンダー掛け、パテ処理を十分に行なったうえで塗装すること。

なお、木部以外の塗装では、塗装工程を英語名で呼ぶことが多い。下塗り剤はプライマーといい、主に錆止めや付着性を高める機能をもつ。中塗り剤はサーフェーサーといい、耐久性や付着性を高める。上塗り剤はトップコートといい、これにより塗膜性能が決まる。

ケレン処理
→ P.238

塗装については、P.344「家具の仕上げ」も参考にしてね

3. ドライウォール工法

ドライウォール工法とは、乾式工法で塗装などで継ぎ目のない下地をつくる工法をいう。また、継ぎ目には、割れないように専用のジョイントテープを施す(図)。

■図 ドライウォール工法のジョイント処理

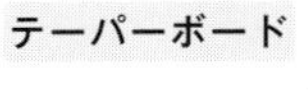

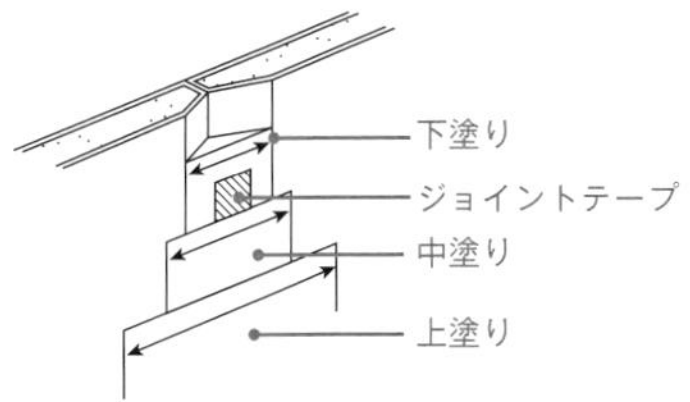

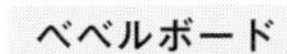

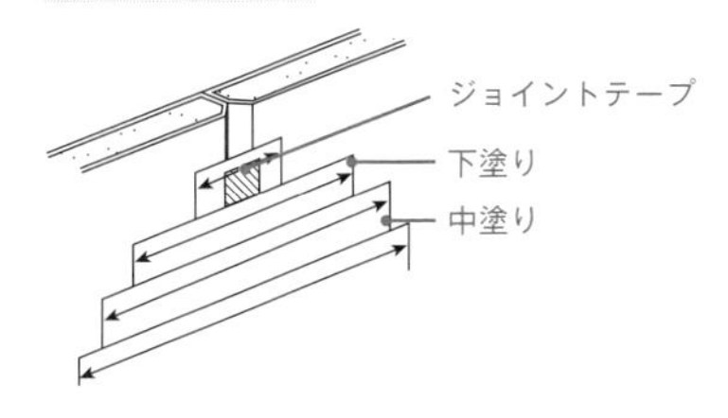

アクの処理

リフォームの塗装では、たばこのヤニなどが染み込んだ壁には、それを止めるシーラーなどを塗り、その上に塗装しないと塗装後アクが染み出てくることがあるので注意。

4. メンテナンスとリフォーム

塗装は下地が大切なので、リフォームの場合は古い塗装面の扱いが難しい。塗替えは新しい塗装より手間がかかるので、新築の段階で将来の塗替えを考えた塗料選びをするとよい。

塗装は、小さな不具合などは補修(タッチアップ)も容易なので、メンテナンスは比較的しやすい。

5. 塗料・塗装の法律

塗料は化学物質を含んでいるので、さまざまな法規制がある。家庭用品品質表示法や消防法(塗料、溶剤の貯蔵)、労働安全衛生法(塗装時の溶剤の安全基準)、毒物及び劇物取締法、悪臭防止法、廃棄物の処理及び清掃に関する法律などが該当する。

東京都には、鉛を含んだ塗料のガイドラインがあって、子供が使う施設や遊具には、鉛を含有しない塗料を使うように決められているよ！

12-1 和室の造作

重要度 ! ! !

Point

- ☑ 和室の開口部廻りの基本の構成部材を覚える
- ☑ 床材や壁材の仕上げを良く見せる幅木、回り縁、畳寄せを覚える
- ☑ 床の間の種類と造作、特に名称や読み方を理解する

造作とは

造作とは、建物内部の仕上材や取り付け材のことである。特に、開口部とその枠や階段、棚や押入れ、造付け家具などのことをいう。

和室の造作には、内法廻り、床の間、書院、畳寄せ、押入れ、戸袋などがある。

1. 和室の内法廻り

内法廻りとは和室の開口部廻りのことで主に敷居、鴨居、長押、欄間によって構成される（図1）。

①敷居…床面に付ける水平材のこと。障子や襖などの建具を立て込むため、溝やレールが付く。床材同士の取合いを美しく納める役割もある。溝の深さは3㎜程度。

②鴨居…建具の上部に付ける水平材のこと。溝は幅15㎜程度。一筋鴨居、薄鴨居、指鴨居などがある。付け鴨居は意匠的な役割がある。

■図1 開口部の造作（内法）

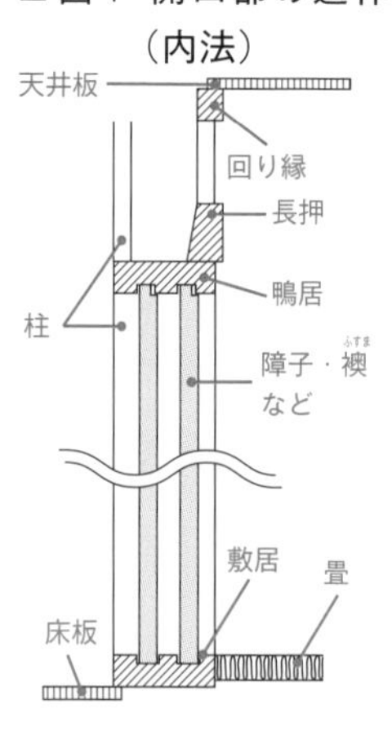

③長押…柱を固定するための構造的に重要な部材であったが、貫が用いられてからは意匠的な役割となった。省略されることもある。

④欄間…鴨居上の小壁に嵌める格子、組子、透かし彫、障子などのこと。またはその部分。装飾と同時に通風や採光の目的もある。二間続きの和室や和室と縁側との境などに設ける。

公式ハンドブック［下］P.39～45

「部材と部材の内側から内側の寸法」を内法というけど、和室の開口部のことも内法というよ

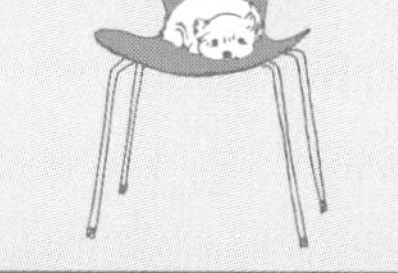

柱には面取りを

柱の角は、面取りして角の破損やケガの防止をする。面取りの程度により、糸面、小面、大面などがある。

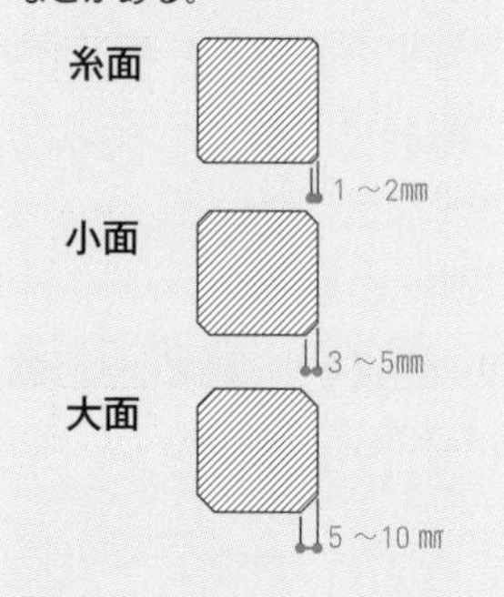

貫

柱と柱の間に通される水平材。骨組みの水平方向の強度を補強する役割がある。

2. 見切り縁

見切り縁とは、異なる材料が接する部分や端部を美しく仕上げるために付ける部材をいう。

①幅木…壁と床の見切り縁として壁の最下部に付く部材のこと(図2)。施工上、見栄えを良く調整する役割と、清掃の際に壁を保護する役割などがある。

■図2 幅木の納まり

出幅木

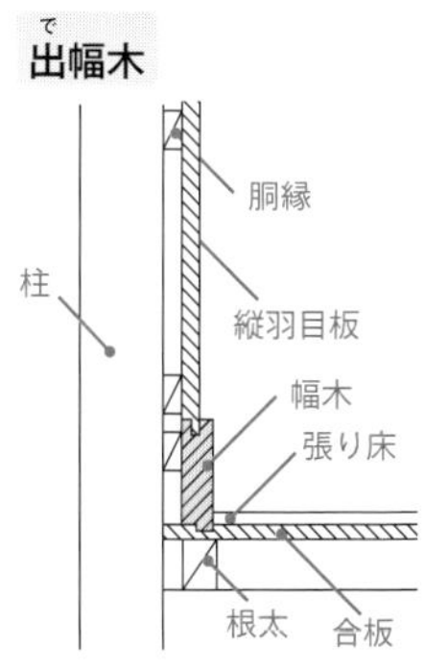

壁面より6〜10㎜出す納まり。左官壁やボード系の壁に用いる

目地幅木

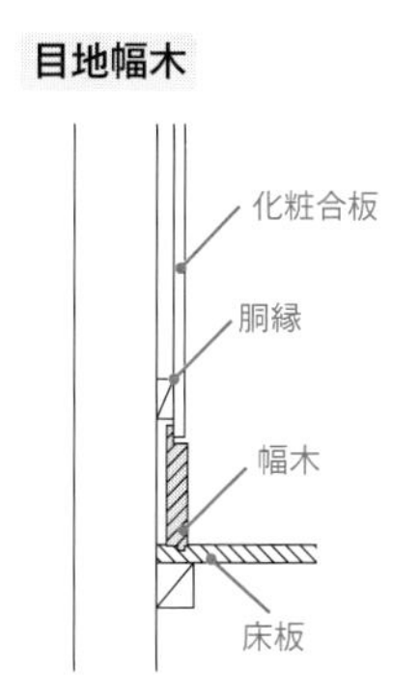

壁と同一面で納まり目地で見切る

入幅木

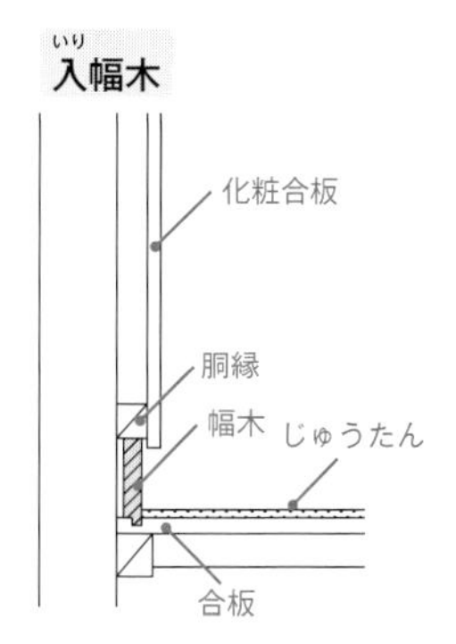

壁より幅木が引っ込んでいる

②回り縁…天井と壁を見切る部材のこと。施工上の見栄えを良くする。真壁回り縁、隠し回り縁、プラスチック回り縁などがあるが、最も一般的なものは大壁回り縁である(図3)。洋室では天井の周囲を縁取るように付けられ、装飾的な意味が強い場合もある。

■図3 大壁回り縁

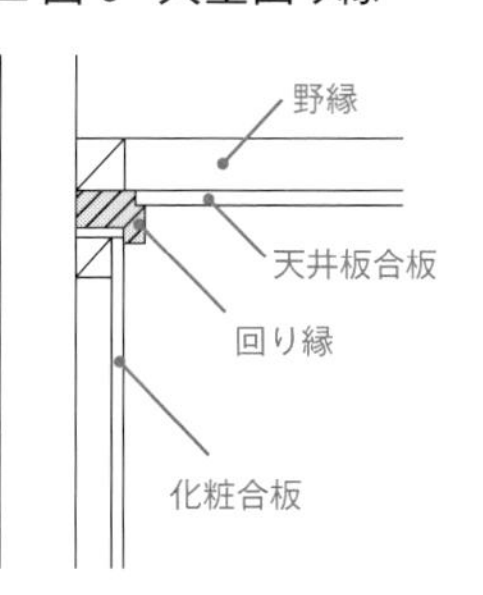

材料は比較的軽量のもの、木材、アルミニウム、プラスチックなどが多い。寸法や形状は多様である

③畳寄せ…真壁と畳の間に生ずる隙間を防ぐ木材のこと(図4)。真壁では壁が柱よりも後退しているので、畳と壁に隙間が出る。この隙間を埋める役割をもつ。

④雑巾摺…和室の押入れなどの棚と壁面との接合部に、見切り材として取り付ける材のこと(図5)。幅15㎜程度の木材が使われることが多い。

■図4 畳寄せ

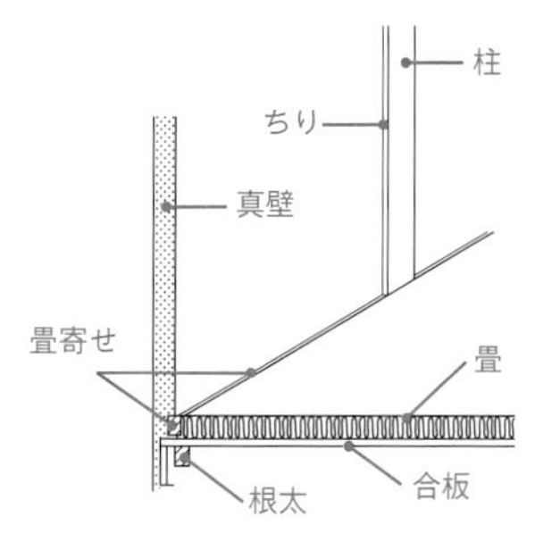

■図5 雑巾摺

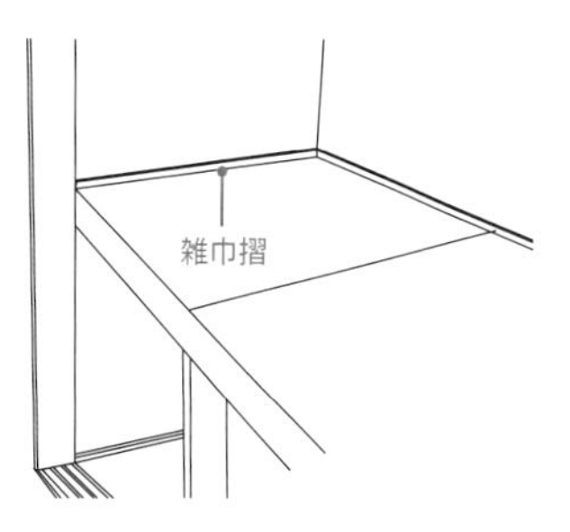

幅木の材料

幅木の材料は木材、タイル、石、プラスチック、金属、テラゾなど。規格化された製品も多い。汚れや破損に配慮し選定すると良い。住宅では一般的に、幅60〜100㎜、厚さ10〜45㎜程度のサイズを使用。

「見切る」とは

天井と壁の境目など、異なる部材の境目を美しく納めること。幅木などを取り付けることで、木が収縮した際に隙間を目立たなくする効果もある。

3. 床の間

床の間とは、畳の部屋に見られる座敷飾りのひとつである。単に、床という場合もある。客間の一角に設けられ、床柱、床框などで構成されている。掛軸や活花などを飾る場所であり、和室には欠かせない視覚的要素となっている。床の間の様式は、中世(鎌倉～室町時代)に定着したといわれている。この時期に、室内の格式化や床の間を中心とした室内の作法ができた。近世初期(安土桃山～江戸時代)の書院造(→ P.68)、数寄屋風書院をもって完成とされている。

(1)床の種類

床の間には、図6のようにいくつかの種類がある。鎌倉時代に、禅僧が仏画の前に三具足(花瓶、香炉、燭台)を置いた分厚い板(押板)から発展したものと、畳床から発展したものがあるといわれている。

床の間は格式ばったものと考えがちだけど、もともと数寄屋や茶室は遊びの空間なんだよ。だから、新しい床の間を考えてもいいんだよ

■ 図6 床の間の種類

本床

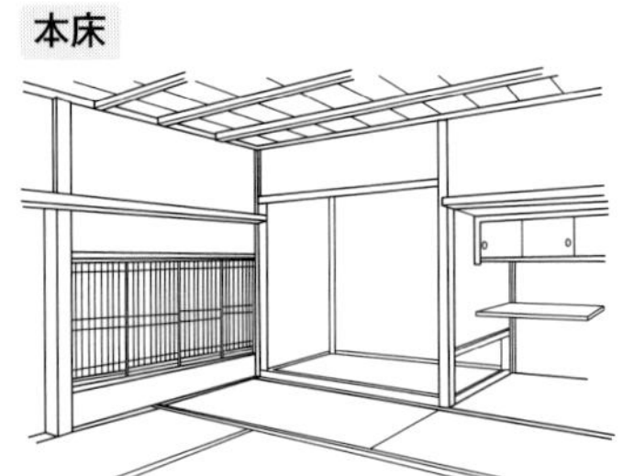

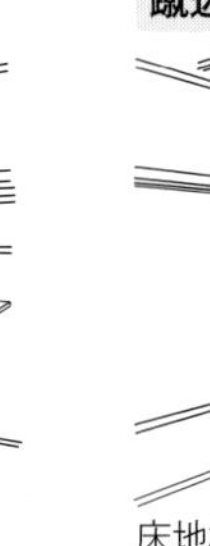

代表的な床。図は平書院

蹴込み床

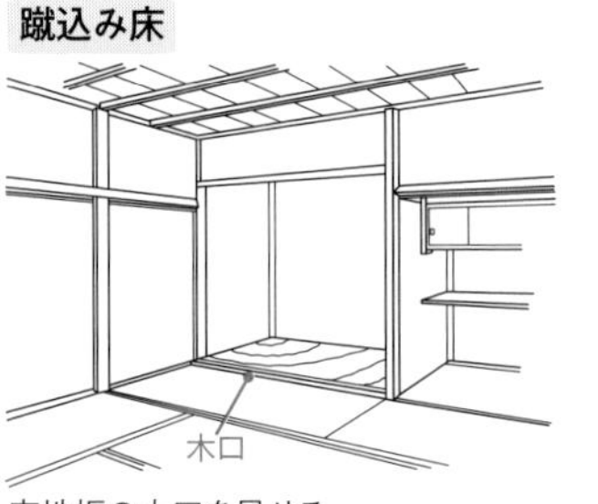

床地板の木口を見せる

踏込み床

地板

畳と床地板を同一面に納める

袋床

袖壁

袋のように袖壁を設ける

釣り床

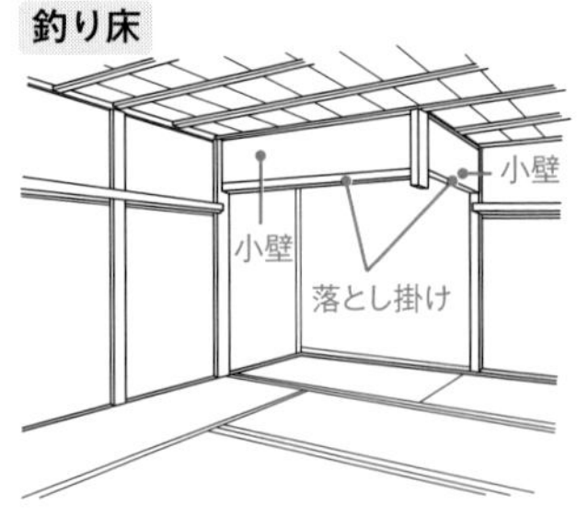

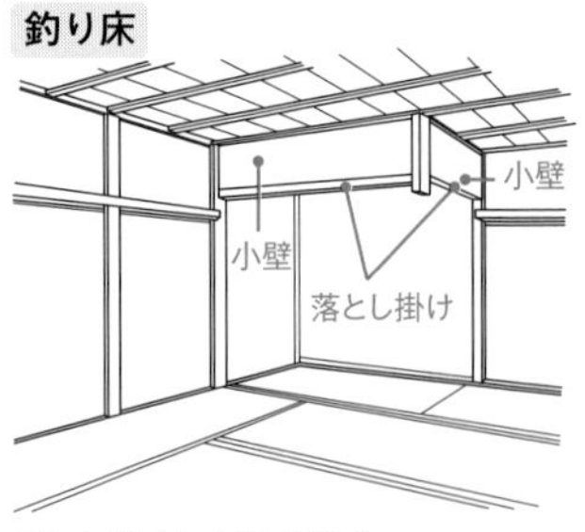

落とし掛けと小壁で構成

織部床

壁上部に幅20㎝ほどの板を取り付け床の間に見立てる

置き床

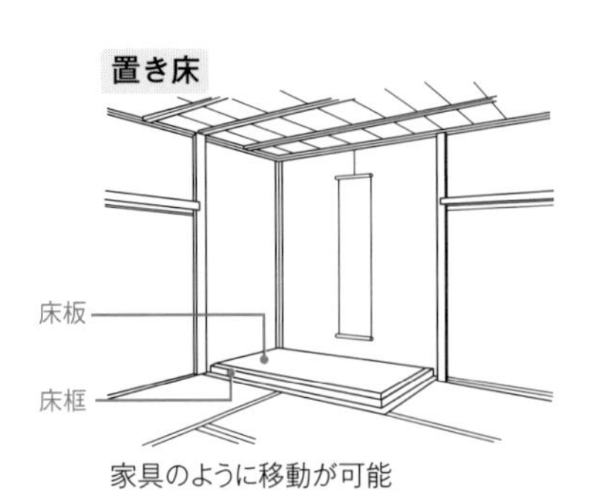

家具のように移動が可能

洞床

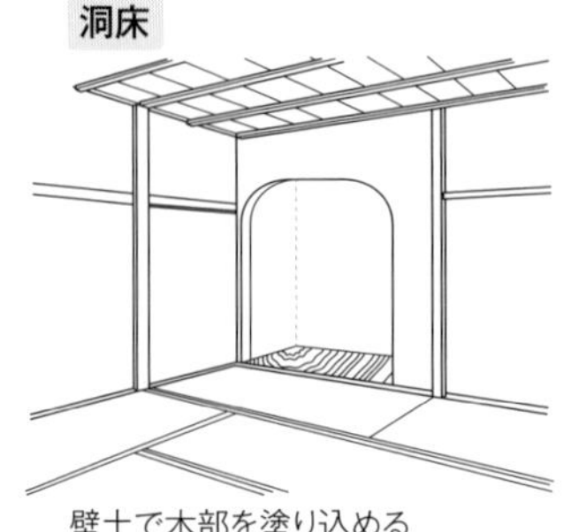

壁土で木部を塗り込める

(2)本床と付書院の造作

床の間の形式で代表的なのは本床(ほんどこ)である(図7)。本床は床の間、床脇(とこわき)、書院(しょいん)で構成される。その中心となる床の間は、床柱、落とし掛け(おとしがけ)、床地板(とこじいた)、床框などからなる。床脇には天袋(てんぶくろ)、地袋(じぶくろ)、違い棚(ちがいだな)などがある。書院とは、採光のために縁側(庭側)に障子を取り付けた部分のことをいう。縁側に張り出した形式のものを付書院(つけしょいん)といい、本来読み書きをするための出窓状のスペースだったが、現在はその意匠的な面だけが残されている。また、縁側に張り出さず障子が柱内に納まっているものを平書院(ひらしょいん)と呼ぶ。

床の間は、庭側に配置するのが一般的である。向かって左に床の間、右に床脇が配置されるものを本勝手(ほんがって)、反対のものを逆勝手(ぎゃくがって)という。

畳の敷き方

床の間に接する部分は床の間に平行に、天井の竿縁も平行にするのが一般的。

12 造作

■図7 本床の各部名称

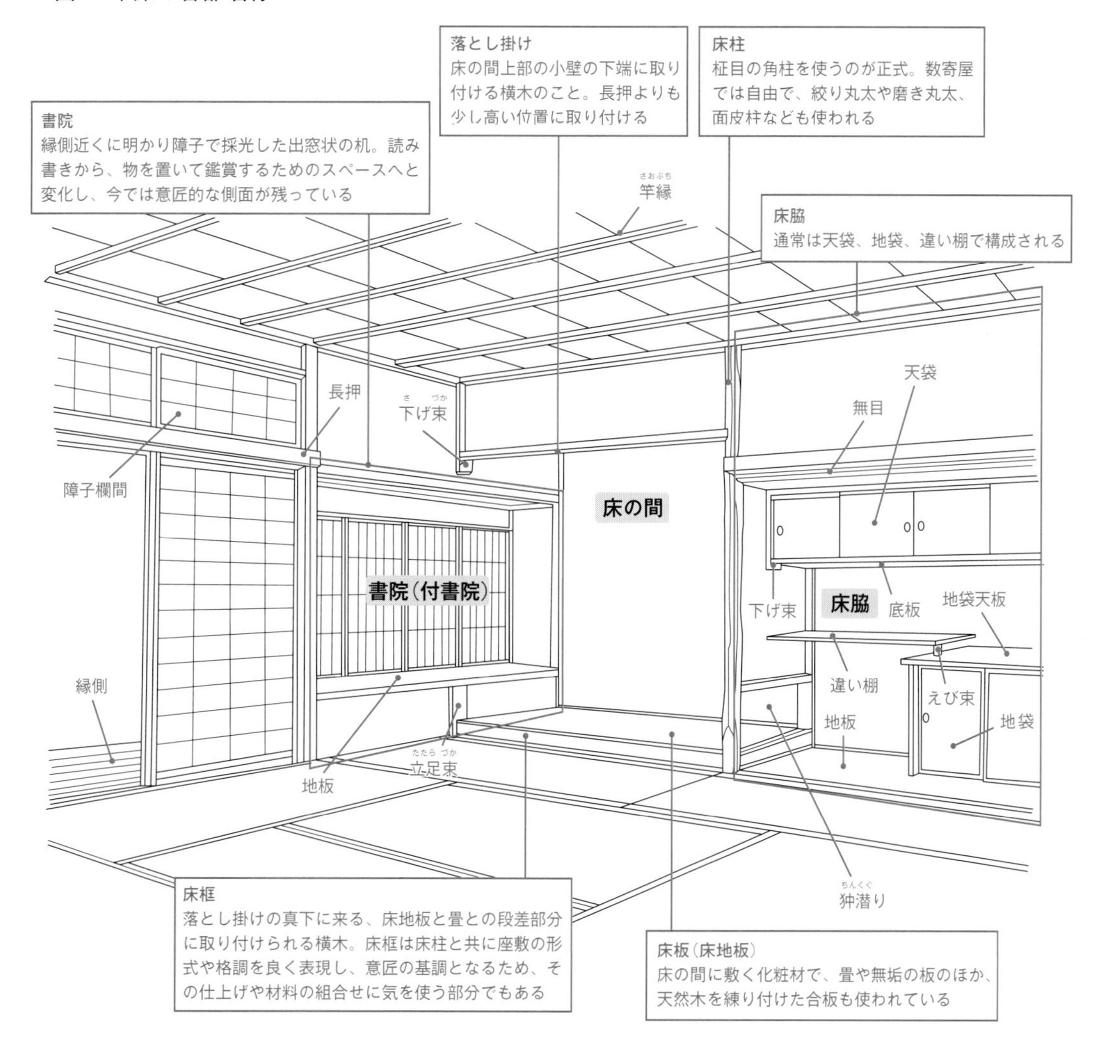

12-2 重要度 ！！！

開口部と建具①窓

Point

- ☑ 引き戸と開き戸それぞれの特徴を理解する
- ☑ 取り付ける位置により、窓の名称の違い（腰窓、テラス窓など）を覚える
- ☑ 窓の種類、機能や開閉形式を覚える

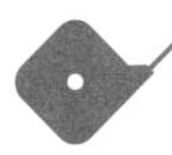

開口部と建具

開口部（かいこうぶ）とは、人の出入り、物の出し入れ、採光、通風、換気のため壁に開けられた部分のことをいう。また、開口部に嵌（は）め込まれる開き戸や引き戸、窓などの可動部分を建具（たてぐ）と呼ぶ。一般的にはドアや窓そのものと考えてよい。戸と枠が一式の製品となったものをサッシと呼ぶ。その開閉方式を図1に示す。

また、外部の開口部は遮音性、断熱性、防火性、防水性、耐衝撃性、耐久性、耐候性のほかに、採光、プライバシーの保護などの機能が求められる。そこで、ガラスや雨戸、カーテン、ブラインドなどを組み合わせて機能を補う。可動の建具と枠の戸当たり部分にはビードゴムを取り付け、隙間を最小限にする。一方、内部の開口部は要求される性能が外部よりも少なく、材料の選択範囲も広い。

戸当たり
扉のノブやレバーハンドルが壁に当たらないように、床や幅木、建具自体などに取り付ける金物。

ビードゴム
単にビードとも呼ばれる。可動建具と枠の間に隙間があると、気密、遮音、雨仕舞の面に影響が出るため、防水あるいは防音のために隙間に取り付けられる線状のゴムのこと。

■図1 主な建具の開閉方式

片引込み戸

片開き窓

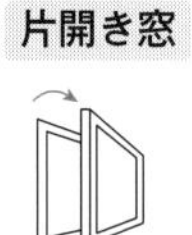

突出し窓

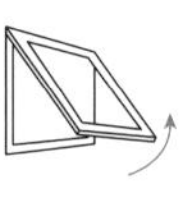

縦滑り出し窓

引違い窓

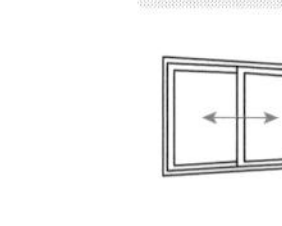

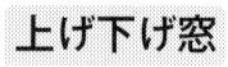

上げ下げ窓

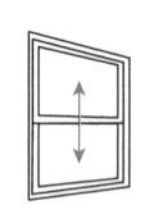

折戸

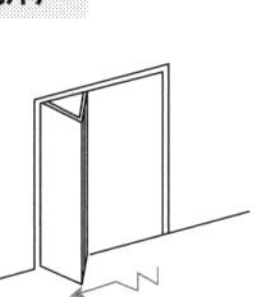

両開き窓

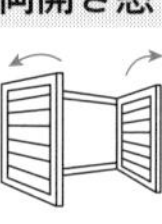

内倒し窓（外倒し窓）

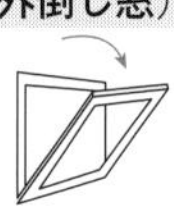

横滑り出し窓

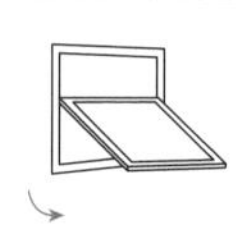

回転窓

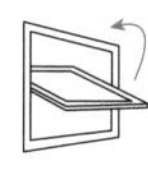

はめ殺し窓

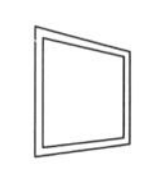

開閉なし

公式ハンドブック［下］P.47～48、P.62～63

窓

1. 開口部の位置と窓

開口部は窓の取り付け位置により、それぞれの名称がある(図2)。

■ 図2 開口部の位置による窓の名称

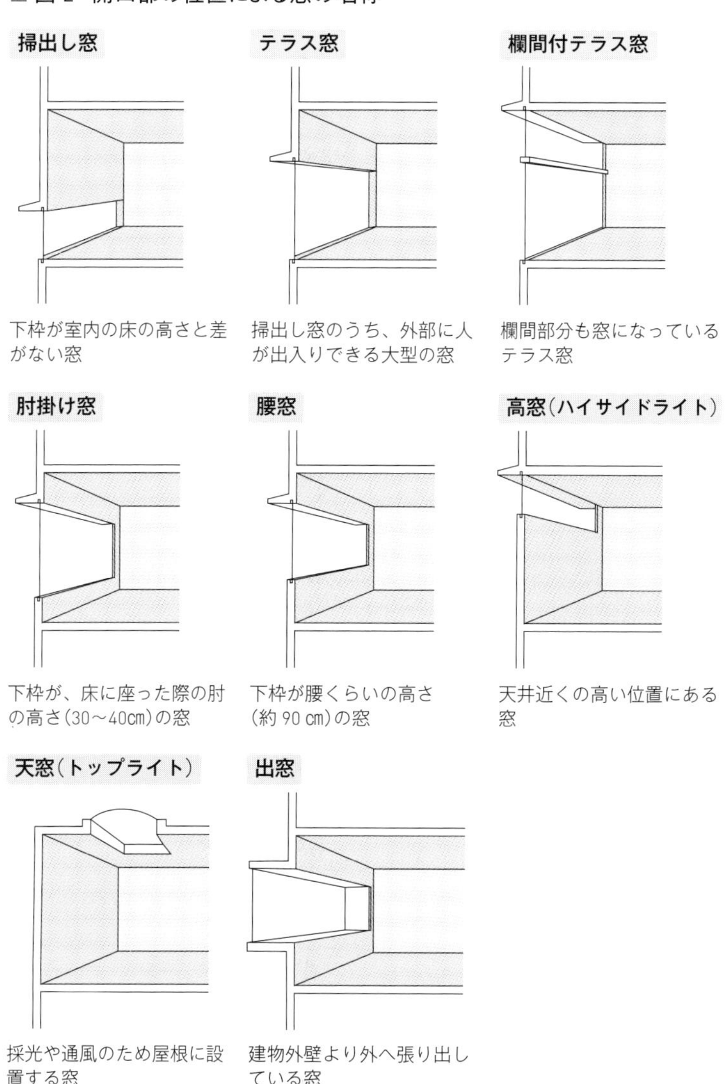

2. 製品化された窓の種類と機能

窓の種類は、出入り、採光、換気などの機能に合わせて、インテリアや外観なども考慮して選定する。輸入品も含め製品化された窓の種類も多く、デザインや機能、寸法の種類が豊富にある。主に次頁のようなものがある。

掃出し窓の利便性

掃出し窓とは、ほうきで集めたゴミを掃き出せる、という意味だが、大半の家庭で掃除機を用いる今日ではその意味合いは薄い。むしろ、足下に風が抜ける、床面が明るく天井が暗めになる、などの理由で選択されることが多い。

テラス窓

テラス窓も掃出し窓の一種。図2のような低い掃出し窓は地窓とも呼ばれる。

開閉しない窓

窓の呼び名のひとつに、ピクチャーウィンドウと呼ばれるものがある。これは、風景などを切り取って絵画のように見せる目的(＝見るためだけ)で設置される窓である。

多くの窓は開閉することで、採光と同時に換気もできるね。今後は環境への負荷を軽減するという意味でも、効果的な換気＝窓の設置が求められるよ

(1)単体窓

単体窓は一般的な窓で、代表的なものは以下の通りである。

①パラレルスライド(内動片引き窓)

2枚の建具の片方がはめ殺し(FIX)のもの。反対側の建具を手前に引きFIX側にスライドさせる。2枚の建具が平らに納まり、見栄えが良い。

②ヘーベシーベ(大型引き戸)

ハンドル操作で戸車が戸を持ち上げてスムーズな開閉ができるもの。

③シーベキップ(内倒し引き戸)

シーベは引く、キップは倒すの意味。換気時にも防犯上強い(図3)。

■図3 シーベキップ

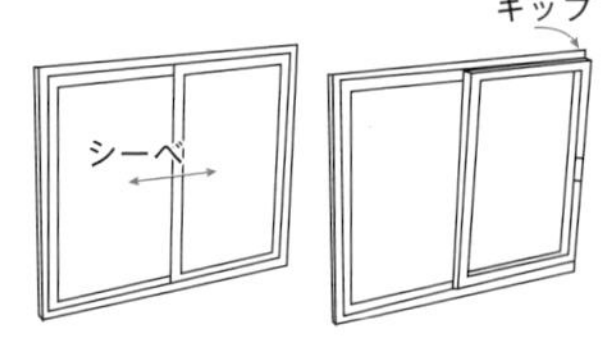

片引き窓と内倒し窓を兼ねる

■図4 ドレーキップ

内開き窓と内倒し窓を兼ねる

④ドレーキップ

ドレーは開く、キップは倒すの意味。内開きと内倒しの機能を併せもつもの(図4)。

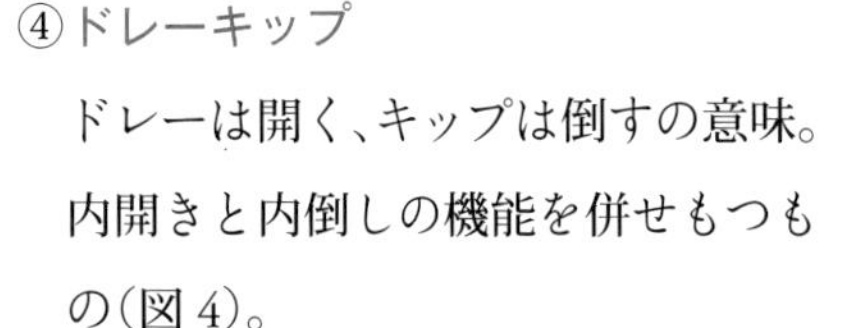

⑤平行突出し

ハンドルを押すと窓が10cm程度外側に出るもの。型板ガラスを使うとプライバシー保護や防犯面にも有効。

■図5 ガラスルーバー(ジャロジー)

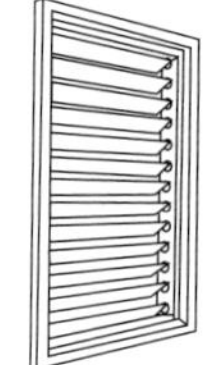

■図6 オーニング

⑥ガラスルーバー(ジャロジー)

窓ガラスがルーバー状に開閉するもの。換気や通風に優れる。気密性には少々難がある(図5)。

■図7 ケースメント

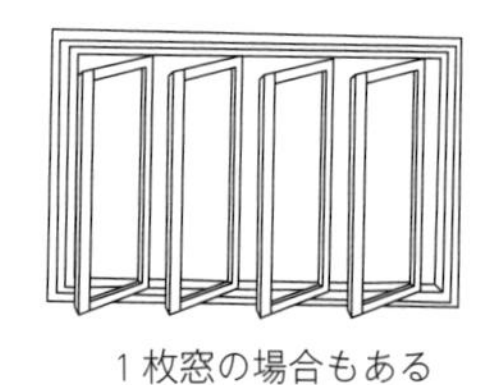

1枚窓の場合もある

⑦オーニング

ハンドル操作で可動する多段の滑り出し窓(図6)。

⑧ケースメント(多段縦張出し窓)

オーニングを縦にしたもの(図7)。

(2)テラス窓

床から立ち上がり、出入りが可能な窓をテラス窓という。大型で欄間がない片引き戸、超大型引き戸(ヘーベシーベ)、また雨戸枠やシャッターと一体型のものなどがある。単体窓と同じ種類でも、多くの場合、障子(可動部)の部材が大きい。

FIX

はめ殺し窓。開閉機構をもたない窓のこと。

その他の単体窓

①内開き

ガラスの清掃が容易。面格子や網戸も簡単に取り付けできるが、日本の家屋の一般的な壁厚、雨仕舞を考えると一般的ではない。

②上下スライド型窓

上下に動く窓。上部がFIX、上下とも動くもの、双方バランスして動くものがある。

オーニングは、もともと庇や日よけという意味で、カフェなどにある開閉式の日よけのテントもオーニングというよ

(3)出窓

外壁より30cm以上出幅のある普通の出窓と、出幅が10～15cm前後のハーフ出窓がある。設置される場所や目的などにより、いくつかの形態があり、特殊なものとしてはコーナー出窓(図8)、トップライト出窓(図9)などがある。

■ 図8 コーナー出窓

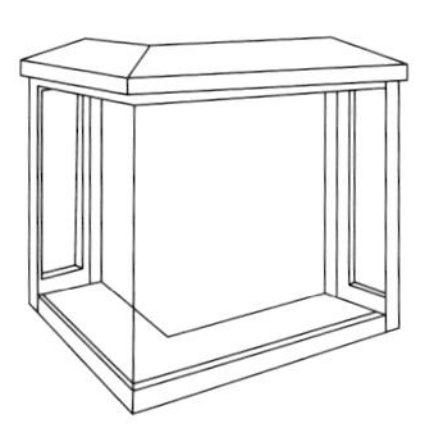

うまく用いると視線を誘導して開放感を与えられる

■ 図9 トップライト出窓

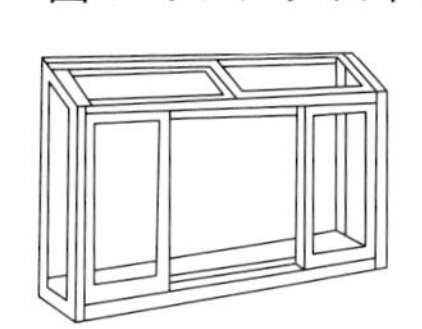

出窓の屋根部分がガラスになっており、より採光上の効果が高い

(4)特殊窓

断熱や防音などの機能を特に強化したサッシとして、以下のものがある。

①二重サッシ…遮音・断熱に効果を発揮する。後付け用の製品もある。

②複層ガラスサッシ…ペアガラスやトリプルガラスを入れる断熱用サッシ。枠や障子が木製や樹脂製のものは結露しにくい。

③木＋アルミサッシ…外部にアルミ、内部に木製サッシを使用したもの。耐久性がありインテリアにも合わせやすい。

④ブラインド内蔵型サッシ…ペアガラスの間にブラインドを内蔵したもの。ブラインドが汚れにくいので道路際など汚れやすい場所に有利。

⑤樹脂サッシ…主に寒冷地用で高耐候性硬質塩化ビニル製のもの。断熱性が高いため結露が起こりにくい。防火地域での使用には基準、規制を確認する必要がある。

(5)天窓(トップライト)

天窓は、開閉式か固定式か、開閉する場合には手動か電動かなどの操作性の選択ができ、開閉方式によって以下の3つがある。

①回転式…ロフトや屋根裏など手の届く所での使用が多く、清掃が比較的容易である。

②スライド式…横、または上にスライドするもので、回転式よりも開放面積が大きい。

③突出し式…チェーン状の金物で突き出すもの。雨が入りにくく、換気に向いている(図10)。

■ 図10 突出し式天窓

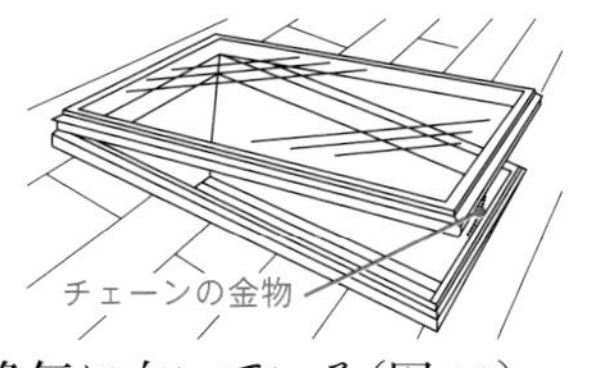

その他の出窓

①ベイウィンドウ
形状が多角形の出窓。地形の湾(ベイ)に見立てて名付けられた。

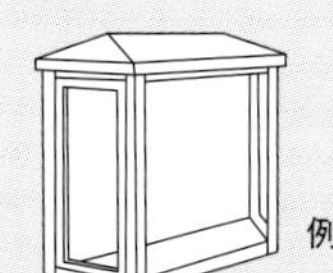

例：台形出窓

②ボウウィンドウ
形状が円弧状の出窓。弓(ボウ)に見立てて名付けられた。

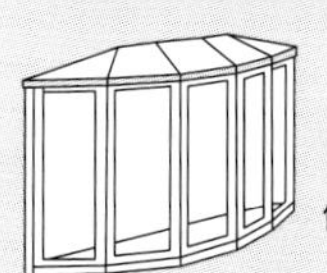

例：弓形出窓

シャッターボックスや雨戸の戸袋は出っ張りが大きくなる場合があるので、外壁・外観デザインも考慮して選択しよう！

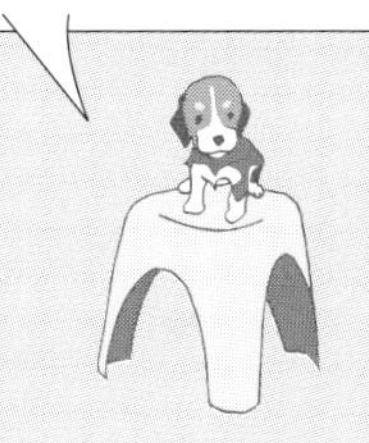

トップライトの採光率

トップライトは壁面に付く窓の採光上3倍の効果があるものとして、建築基準法上認められている。天井面にあるので、周囲の建物の影響が少なく、室内に均一な光をもたらす。

12-3　重要度 ! ! !

開口部と建具②戸（ドア）

Point

- ☑ 框戸、ガラス戸、唐戸などの名前を覚える
- ☑ 襖や障子の種類を覚える
- ☑ 和の建具（蔀戸、舞良戸、格子戸）などの種類を覚える

木製建具

1. 開き戸

洋式住宅では、主に框戸（かまちど）、フラッシュ戸などに代表される開き戸（ドア）が用いられる。

(1)框戸

框戸とは四周を框と呼ばれる木材で組んで固めた戸である（図1）。その内部に嵌（は）め込む板やガラスを鏡板（かがみいた）という。さまざまな種類があり、なかでも唐戸（からど）やガラス戸、ガラリ戸などは、一般住宅にもよく使われている（図2）。

■図1　框戸

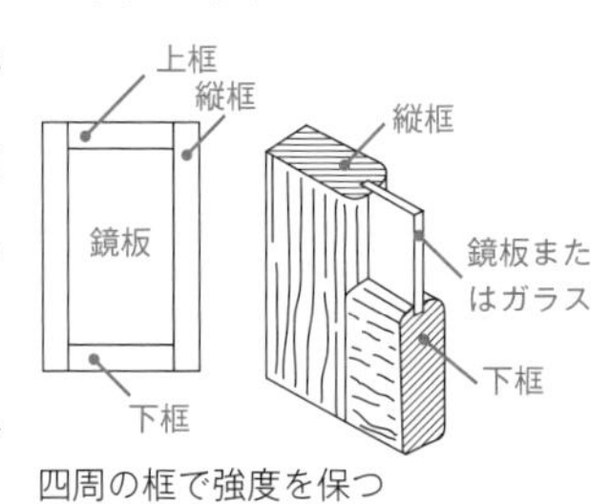

四周の框で強度を保つ

■図2　框戸の種類

唐戸

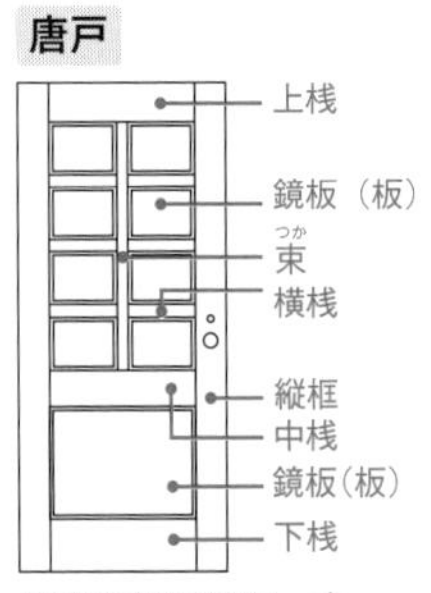

四周の框以外に、中桟や縦桟（束）を入れたもの

ガラス戸

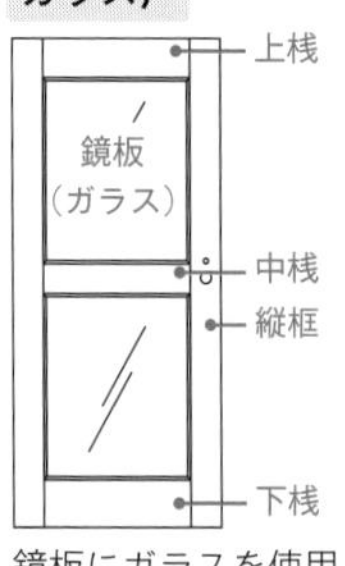

鏡板にガラスを使用したもの。フランス戸もこれの一種

ガラリ戸

ルーバー（羽状の板）を、斜めに連続して組み込んだもの。視線を遮りつつ、通風と採光を得られる

框戸と鏡板の仕口の例

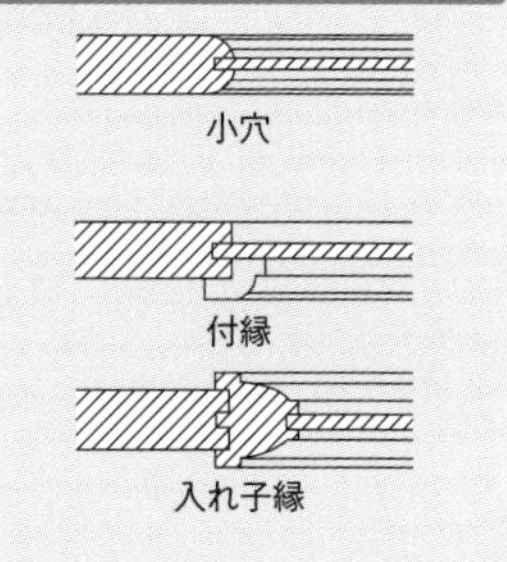

唐戸

神社仏閣の重厚な門扉も唐戸である。また、洋風のクラシックなものも唐戸の一種ということができ、デザインの幅は広い。

フランス戸

大きい格子にガラスをはめ込んだ開き戸。ガラス戸の一種。

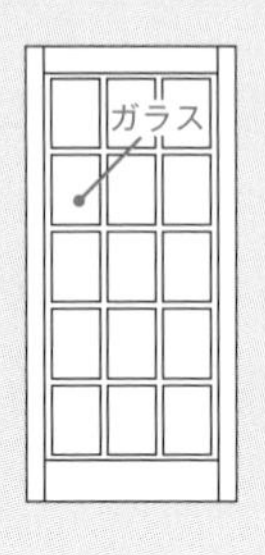

公式ハンドブック［下］P.48～49、P.59～63

(2) フラッシュ戸

四周の枠材と補強のための桟で組んだ骨組みの上に板材を貼って仕上げた戸をフラッシュ戸という。表面に緑甲板を貼るものや、ガラスを入れた中抜きなどがある（図3）。木口は、化粧縁を貼る場合と、表面材と同じ材をテープ状にしたものを貼る場合がある。芯材には木材のほか、ハニカム状のコアを使ってさらに軽量化するものもある（図4）。工場生産向きで既製品は軽量かつ安価である。

■ 図3 フラッシュ戸の種類

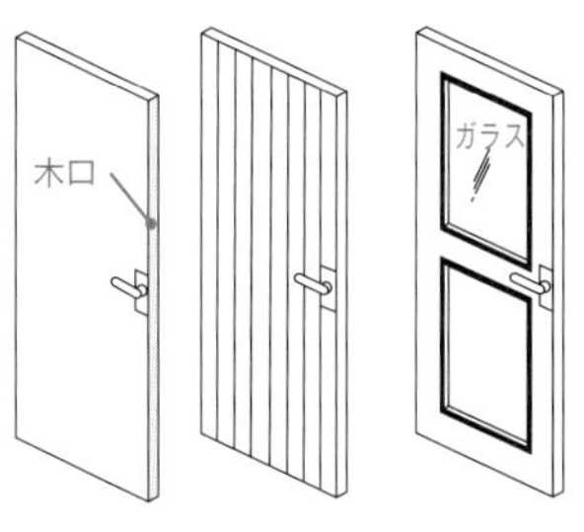

■ 図4 フラッシュ戸の芯材と木口

木口化粧縁の納め方

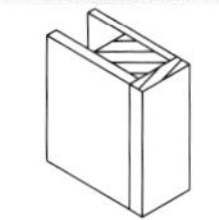
化粧縁突付貼り

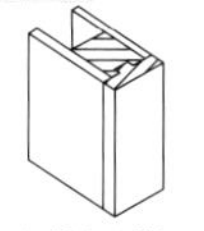
化粧縁溝掻取り貼り

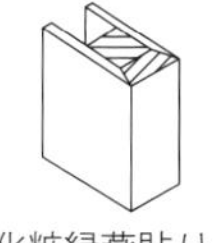
化粧縁燕貼り

芯材の構造形式

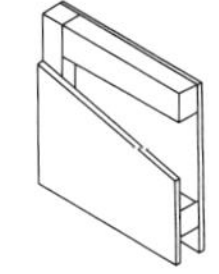
ソリッド枠芯構造

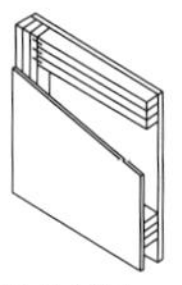
枠芯構造

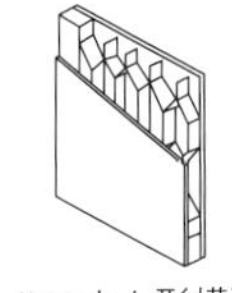
ハニカム形構造

2. 引き戸

和室では主に引き戸が用いられる。ガラス戸や襖などがある。

(1) ガラス戸

ガラスの入った引き戸を指す。開き戸と比較して、框の幅が小さい。主に外部に面した所に使われたが、今では、外部の建具のほとんどがアルミサッシに置き換わっている。

(2) 襖

和室の入口や押入れ、天袋、地袋などの戸に用いられる。框と縦横の格子（組子）で構成され、表面に襖紙や布などを貼る（図5）。襖縁を付けたものが一般的である。襖には以下のようなものがある。

■ 図5 襖の下地骨

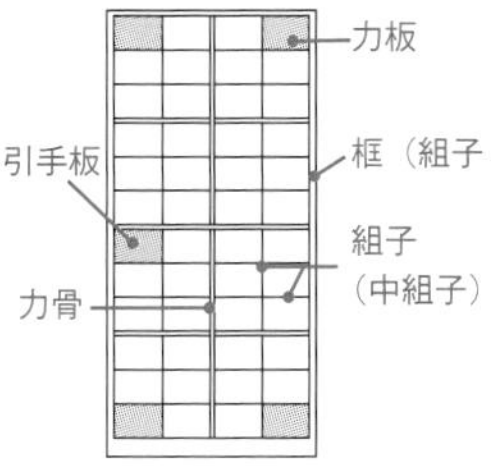

力板
引手板
框（組子）
組子（中組子）
力骨

①太鼓張襖…縁を付けない襖（図6左）。
②単板襖…合板に下地張り、襖紙を貼った襖。丈夫で安価。
③戸襖…片面を板戸とした襖。和室洋室の境に用いる。
④源氏襖…一部に障子を嵌め込み、採光できるようにした襖（図6右）。
⑤段ボール襖…芯が段ボール製の襖。貼替え不可。

緑甲板

主に床板に使われる材。長手方向に実加工を施し、貼った際にクギの頭が見えないようにするもの。

ハニカム状のコア

正六角形、または正八角形の形を並べたもの。強度を損なわずに軽量化できる。

和風ドアの素材

スギ、ヒノキ、ヒバ、サワラのほかベイヒ、タイヒ、ベイマツ、シトカスプルースなどが用いられる。塗装は木の素地を生かし、クリア、あるいはワックスなどで仕上げられることが多い。

洋風ドアの素材

チーク、クリ、ケヤキが代表的。その他、シトカスプルースやラワン、シオジ、タモなども用いられる。積層材に銘木の突き板を練り付けたり、着色で仕上げたりすることもある。

襖縁

襖の周囲に付けられる縁。スギ、クワ、マツなどの材を素地で用いるほか、漆やカシューを塗ったものが使われる。

襖紙

上貼りには、基本的には鳥の子紙、新鳥の子紙と呼ばれる和紙を使用するが、布や壁紙、クロスを貼ることもできる。

■ 図6 襖の種類

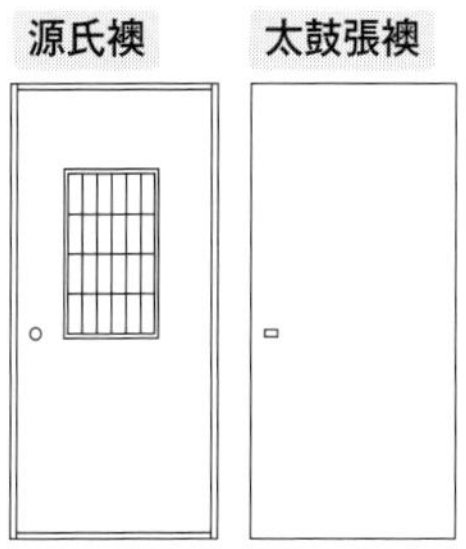

源氏襖　太鼓張襖

(3)障子

四周の枠組(框組)の中に、縦横の組子を入れて、表面に障子紙を貼ったもの。障子の種類には、次のようなものがある(図7)。

①腰付障子…腰板が入ったもの。腰板の高さは240〜360㎜が一般的。600㎜以上のものは、腰高障子と呼ばれる。

②水腰障子…腰板がなく全面に紙貼りしたもの。

③摺上障子…障子の下部にガラスを嵌め込み、その内側に紙貼りの小障子(孫障子)を備え付けたもの。小障子を上下させて開閉できる。雪見障子ともいう。

④東障子…障子の代わりにガラスを入れたもの。

⑤額入障子…障子の中央にガラス入りの額を嵌め込んだもの。

■図7　障子の種類

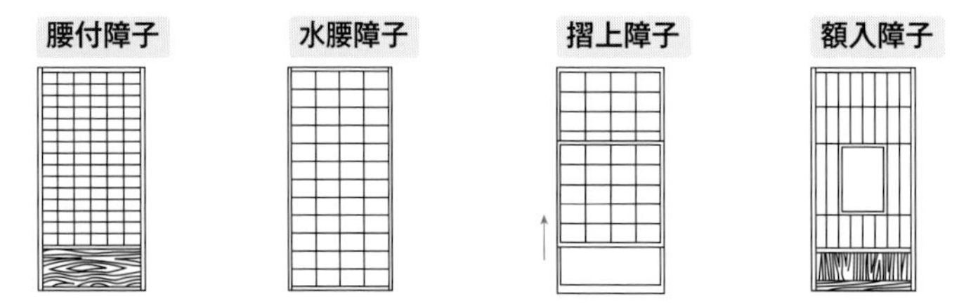

(4)桟戸

蔀戸、舞良戸、格子戸、雨戸などの引き戸系和風建具を桟戸と総称する(図8・9)。軽くするために周囲の枠組みを細くし、その代わりに内部に細桟を数多く入れて補強した建具である。

①蔀戸…板の表裏に格子を組んだ建具。社寺建築等でよく見かける。戸を外部に跳ね上げて、吊り金物で固定。桟戸の原型とされる。

②舞良戸…元は紙障子の保護のため外部建具として建て込まれたもの。雨戸の前身ともいえる。舞良子と呼ばれる細い桟を一定の間隔で取り付け、表面に6㎜程度の薄板(鏡板)をクギ止めする。

■図8　舞良戸の主な種類

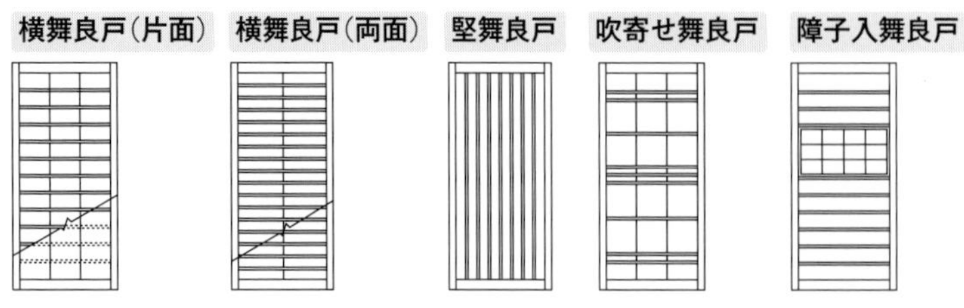

③格子戸…桟の間を透かした吹抜けの格子戸が本来のものであるが、ガラスや板を入れたものも格子戸と呼ぶ。和風の門や玄関戸に使われることが多い。

襖も障子も和風でくくられるけど、引き手も含めてデザインすると、モダンな空間に合うものをつくることができるよ!

障子の組子

縦3本の組子に横は障子紙の二つ割りの寸法で組子を入れるのが基本形。材料はスギ、ベイスギ、スプルースなどが多い。荒組、横繁組、縦繁組などが代表的な組子の形式。

雨戸

防犯や遮光、ガラス戸の保護などを目的としたもの。日本家屋の木製雨戸は、日中は戸袋に収納する。外部のガラス戸がアルミサッシに変わった現在は、アルミ製の雨戸もある。

夏場に活躍―簾戸

夏場の防虫と通風を目的とした和風建具のひとつ。葦や萩、伊予竹などを糸で編んだ簾を枠組みに組み込んだもの。

換気に便利な無双窓

雨戸などの戸を開けずに換気ができるよう工夫された小窓。

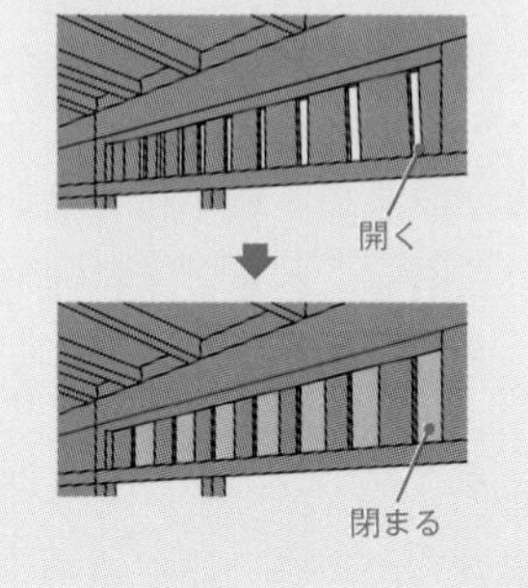

■図9　格子戸の主な種類

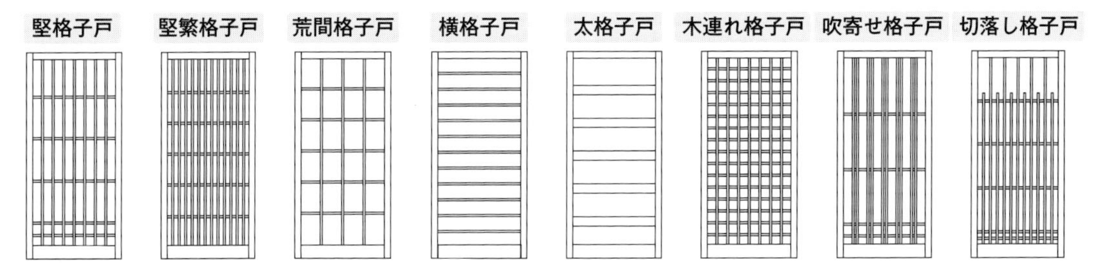

内部建具（ドア）の枠廻り

建物内部の開き戸は、部屋の出入口と収納の戸として、特に廊下と洋室の間、洋室と洋室の間、サニタリー廻りなどの出入口に多用されている。高さ2,000㎜、幅700㎜前後の寸法のものが多い。枠とドア本体には、含水率15％以下に十分乾燥した材を使う。以下は、洋室の大壁（図10）と和室の真壁（図11）の建具枠廻りの納まりである。

■図10　洋室（大壁）建具枠廻りの納まり

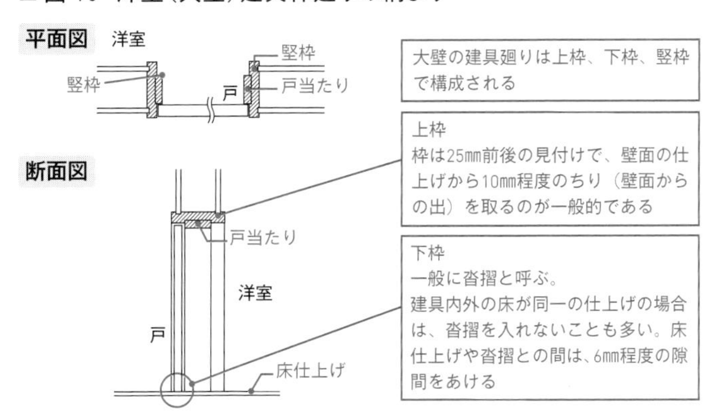

■図11　和室（真壁）建具枠廻りの納まり

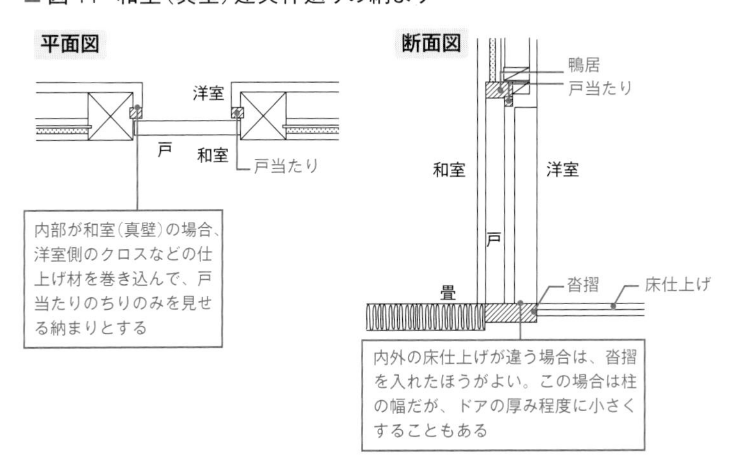

飾装的な枠

建具の枠廻りには、インテリアの雰囲気に合わせてケーシング（額縁）を付けることもある。単なる枠ではなく、ケーシング（額縁）を加えることで、表現したいインテリアのスタイルを強調することができる。形状によりさまざまなスタイルにも対応が可能である。

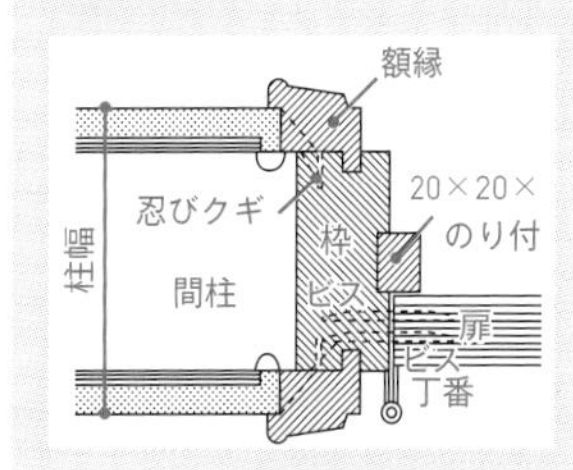

重厚感を出したいクラッシックやトラッドのスタイルの場合。

換気にはアンダーカット

通常、床仕上げと建具の間は6㎜前後のアキ（隙間）を取るが、洗面所やトイレ、脱衣所などの出入口では換気扇の空気の取入れ口となるよう、20～30㎜建具の下部を短くカット（アンダーカット）すると、給気口の代用となる。

12-4 錠前

重要度 ！！！

Point

- ☑ 錠前は、扉などに取り付ける錠と、錠を開閉する鍵のセットである
- ☑ 本締りと空締りの機能を理解する
- ☑ 錠の種類について覚える

錠前の構造

錠前は、錠(lock)と鍵(key)で構成される。一般的にはこの錠と鍵をまとめて鍵と呼んでいる。シリンダー錠と円筒錠があるが、現在、玄関ドアに一般的に使われているのはシリンダー錠である(図1)。シリンダー錠は、円筒形のシリンダーの内部にあるタンブラーと呼ばれる金物を鍵で操作し回転させることで、施錠や解錠をするしくみになっている。シリンダー錠は、タンブラーの形状の違いにより、ピン、ディスク、ロータリーディスク、マグネチックなどの種類がある。

■図1 錠前の各部名称と働き

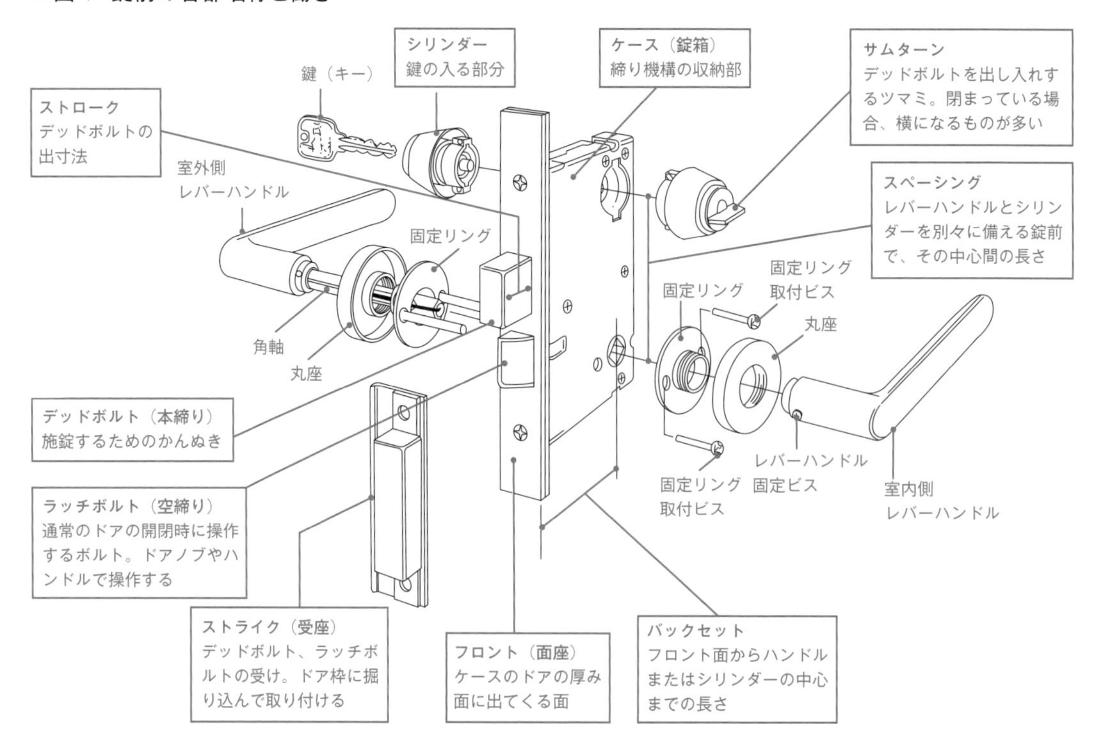

公式ハンドブック［下］P.66～68

錠の種類

錠は、デッドボルト(本締り)とラッチボルト(仮締り・空締り)の2つの要素で構成されている(図1)。デッドボルトとは「かんぬき」のことで、施錠(本締り)のためのボルトのことをいう。ラッチボルトとは、扉が風圧などで開かないよう仮締りするためのボルトで、ノブやハンドルで開閉を操作する。

錠は、デッドボルトとラッチボルトの組合せにより、ほかにも次のような種類がある。

(1)シリンダーケースロック

本締り機構とハンドル(ドアノブ)をケースに内蔵したタイプ。そのため、ケースロック(箱錠)とも呼ばれる。鍵を差し込んで回すことで、シリンダー内部のピンが外れて施錠・解錠する(図1)。彫込み型と面付け型がある(図2)。

(2)モノロック(円筒錠、シリンドリカルモノロック)

本締り機構がなく、ラッチボルトのみで本締りと仮締りの役目を果たす。すべての機構が錠内部のチューブ状のケースに内蔵されており、チューブラ錠とも呼ぶ。取付けは簡易だが、シリンダーがノブに内蔵されているため、外部からの破壊に対して弱い。

(3)本締り付モノロック(インテグラルロック)

外観上はモノロックと同じだが、本締り機構を内蔵する(図3)。そのため、モノロックより安全性は高いが、外廻りで使用する場合は、補助錠を併用することが望ましい。

■図3　本締り付きモノロック

(4)本締り錠

本締り機構のみの錠。ワンドアツーロックの補助錠に用いる。キーとサムターンで施解錠する(図2)。

■図2　本締り錠

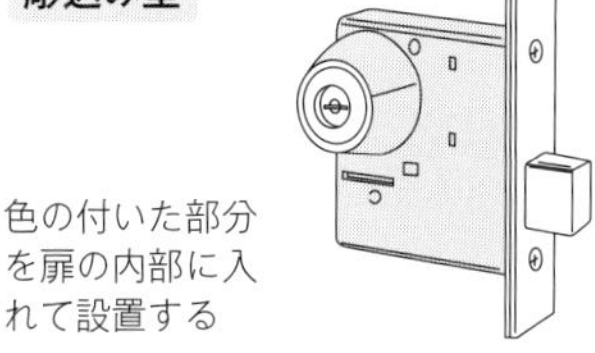

レバータンブラー錠

錠の内部にあるタンブラーが、てこのように動くことで開閉するしくみの錠。簡易的なつくりで、引出しなどに用いられる。

面付け型錠の防犯性

ケースをドアの内側表面に取り付ける面付け型錠は、締り機構がドアの奥に位置する。そのため、破壊攻撃からの安全性が高い。集合住宅の玄関ドアに多く採用されている。

ワンドアツーロック

ハンドルやドアノブ近くのシリンダー本締り錠のほかに、もう1つ補助錠として、シリンダー錠を設置し二重施錠とすること。

ワンドアツーロックとしたときは、2つの鍵をマスターキーにすることによって、1つの鍵で2つのシリンダー錠を開閉することができるよ

(5)鎌錠

デッドボルトの代わりに鎌型の金物を使用した錠(図4)。ボルトの先端をてこのように回転させて、建具の枠に取り付けられた受け座に錠を引っ掛けて施錠する。主に引き戸に用いられる。

■図4 鎌錠

(6)引違い戸錠

2枚の框に錠を取り付けて、互いを棒で栓する栓錠や、鎌型の金物で固定させる錠(図5)がある。和風の引違い戸などに用いられる。

■図5 引違い戸錠

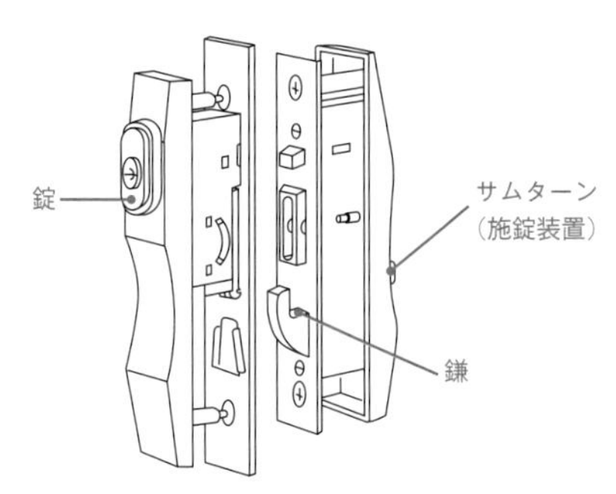

(7)非常開装置付錠

非常時に外からコインなどで解錠できる錠。トイレや浴室などに用いられる。トイレでは、中に入っているときに、施錠されていることを示す表示錠が使われる。

複数の錠前のコントロール

錠前の開閉方法には、カードや暗証番号を使用するものなど、さまざまな形式のものがある。以下は複数のドアの錠前をコントロールする方法でよく用いられているものである。

(1)マスターキーシステム

それぞれ異なった錠前を1本のキーで施解錠できるシステム。ワンドアツーロック、玄関と門扉または勝手口など、いくつかの鍵がある場合にも使用される。

(2)逆マスターキーシステム

異なる鍵のいずれでも、特定の錠前を施解錠できるシステム。集合住宅の玄関などによく用いられる。集合住宅の各戸の玄関の鍵はそれぞれ異なるが、建物全体の入口玄関はどの鍵でも開くようになっている。

CPマーク

「防犯」を意味するCrime Preventionの意味。さまざまな侵入攻撃に対して5分間以上防御することができるかという試験に合格した製品に使用が許可されている。→P.51, 143

新しい識別機構の錠

カードロック、テンキーロックなどがある。それぞれ磁気コード、バーコードカードなどを使用するが、パスモやスイカなどのICカードを登録できるタイプのものもある。

ワンドアツーロックのほか、耐ピッキングシリンダー錠、暗証番号錠、カードキー、指紋認証キーは、防犯性が高いよ

12-5

建具金物

Point

- ☑ 取っ手と引き手の種類と操作性を覚える
- ☑ ドアや引き戸の開閉に使う金物

ドアの金物

1. 取っ手と引き手

建具を開閉するために、ドアには取っ手、引戸には引き手が設けられる。どちらも材質は、真鍮(しんちゅう)、アルミ、ステンレス、木、樹脂などが一般的である。

(1)取っ手

取っ手には、ドアノブやバーハンドル、レバーハンドルなどがある。ハンドルの上にラッチボルトを動かすレバーが付いたサムラッチ(図1)、バーハンドルがラッチボルトと連動したプッシュプルハンドルなどがある。

(2)引き手

形により、ちり出し引き手、縁なし引き手などの種類がある。引込み戸の場合は、木口に回転式引き手を付ける。

また、ケースハンドルは防火扉などでよく見られる形態である(図2)。使わないときは彫込み式ケースに引き手を納めることができる。パニックハンドルは主に非常口用ドアに使われる。慌てても操作しやすいよう、握りやすい構造になっている(図3)。

■図1　サムラッチ

■図2　ケースハンドル

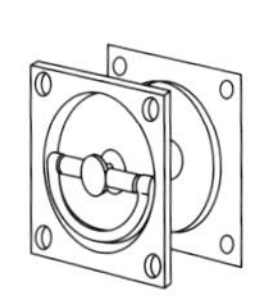

■図3　パニックハンドル

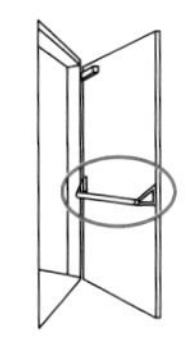

公式ハンドブック[下] P.68～70

ラッチボルト
→ P.264「錠前の構造」

バーハンドル
ドアに対して垂直方向に長い棒状のドア用ハンドル。

レバーハンドル
ハンドルを握って押し下げることにより開閉できるドア用ハンドル。

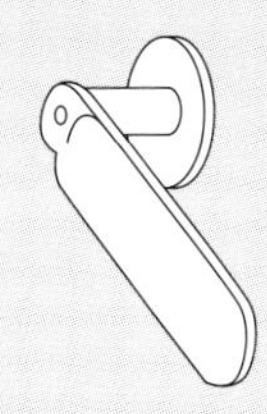

プッシュプルハンドル
ハンドルを軽く押したり引いたりすることで開閉できるドア用ハンドル。

2. ドアの開閉用金物

ドアは、丁番（ちょうばん）やドアクローザなどの各種金物によって開閉できるしくみになっている。

(1)丁番(ヒンジ)

ドア吊り金物として最も一般的である。建具丁番としては、普通丁番、フランス丁番、旗丁番（はたちょうばん）などが多く使われている(図4)。

■図4 代表的な丁番の種類

普通丁番

フランス丁番(ナックル丁番)

軸をくるむナックルが上下2つの管でできている

旗丁番

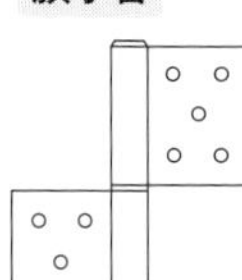

金属製のドアに使用。旗のような形から名付けられた

(2)ピボットヒンジ、フロアヒンジ

ドアの吊り金物の一種である。ピボットヒンジは、扉の上枠と下枠あるいは床に取り付ける軸吊りの金物で、見えがかりが小さくスマートである(図5)。フロアヒンジは、油圧とスプリングによる自動閉扉機構を床に埋め込んだもの(図6)。上部はピボットヒンジと同じ構造になっており、主にビルなどの出入口用として使われる。

■図5 ピボットヒンジ

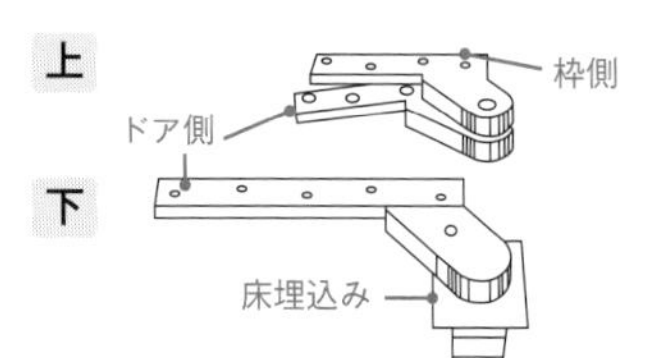

■図6 フロアヒンジ

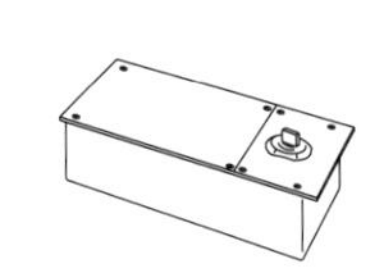

(3)ドアクローザ(ドアチェック)

ドアクローザは、ドアの閉まる速度を調整する装置である。スプリングの機構でドアを閉じ、オイルダンパーにより閉じる速度を調整する。ドアを引く方へ取り付ける標準型、ドアを押す側に取り付けるパラレル型(図7)のほか、ドア上部に埋め込むコンシールドタイプもある。

■図7 ドアクローザ

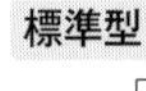

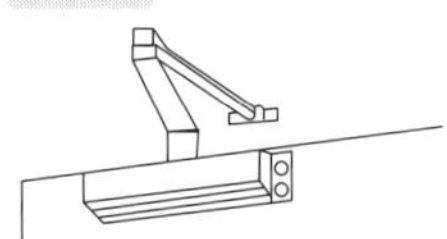

パラレル型

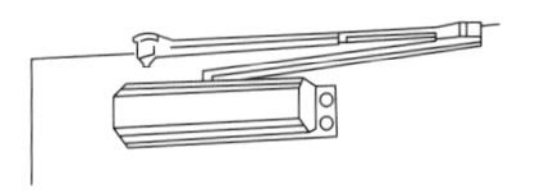

丁番は、蝶番とも書く。形がチョウに似ていることから名付けられたんだ

オートヒンジ

丁番に自動閉機能をもたせたもの。上丁番にスプリング機構、下丁番にオイルダンパー機構がある。

オイルダンパー

油の粘性を利用して震動や衝撃をやわらげる。ここではドアをゆっくりと閉まるようにする装置。

コンシールドタイプ

ドアの上框に内蔵する。金物が露出しないのでドア廻りはすっきりして見えるが、ドアや框の寸法に制約がある。

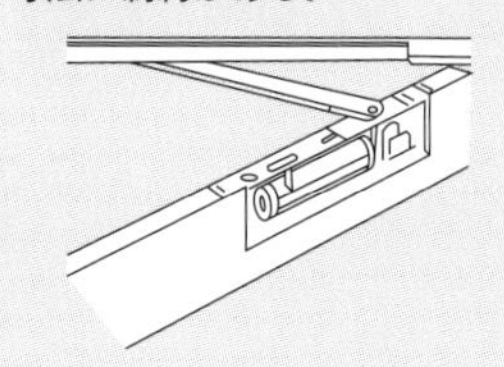

3. 引き戸の開閉を補助する金物

引戸の開閉を補助するために、以下の金物を設ける。

(1)戸車、レール

重たい引き戸には戸車とレールが必要である。レールを床面に取り付け、引き戸に付けた戸車のガイドとし、開閉をスムーズにする。レールは材質、形状とも種類が多い(図8)。室内の木製ドアでは、床から出っ張らないVレールがよく使われる。ナイロンやゴムの戸車と合わせて使うと音も静かで良い。障子や襖の場合は、敷居に掘った溝にカシなどの堅い木を入れ、滑りを良くする。

■図8 レールの種類

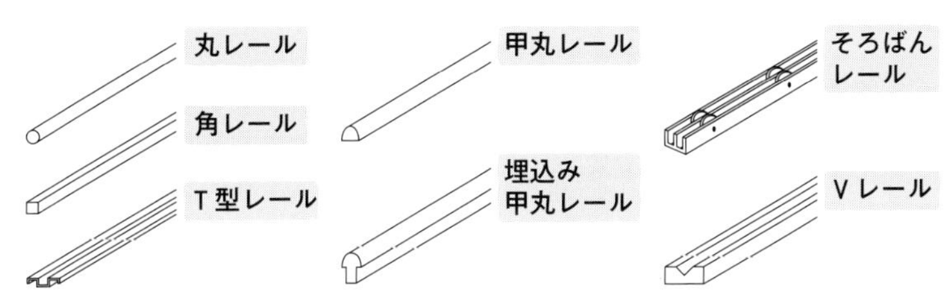

(2)ドアハンガー

床面にレールを出したくないときや、大きくて重い扉の場合に使用する吊り戸用金物のこと(図9)。ハンガーレール、ハンガー戸車、振れ止め(ガイド)などからなる。

■図9 ドアハンガー

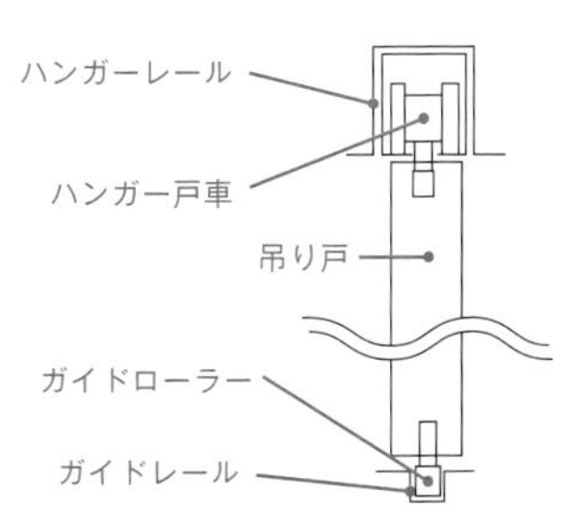

戸車
戸の下部に付ける、戸の開閉をスムーズにする車輪のこと。

Vレール
床にレールを埋め込むので、出っ張らず、足が引っ掛かることもない。

敷居の溝に入れる埋木

障子や襖などの木製建具は敷居に溝を掘り、滑らせる。その際、溝にカシ、サクラなどの堅木や合成樹脂のシートを埋め、滑りを良くする。

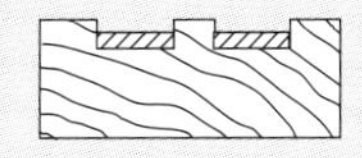

4. その他の建具金物

(1)その他のドア用の金物

ドア用の金物には以下のようなものもある(図10)。

■図10 その他のドア用の金物

クレモンボルト

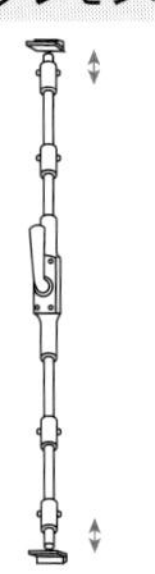

上下に上げ落とし金物のピンが突き出して、窓やドアを閉める金物

フランス落とし

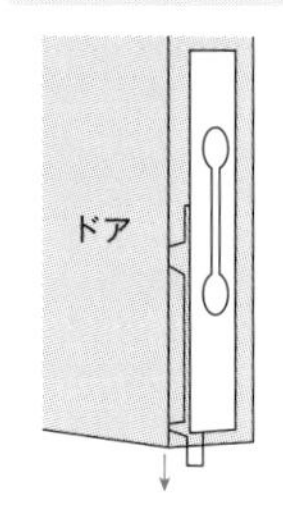

ドアの開放を防ぐため、ドアの木口に埋め込んで付ける。両開きのドアや、親子ドアの片方に付けられる

ドアガード

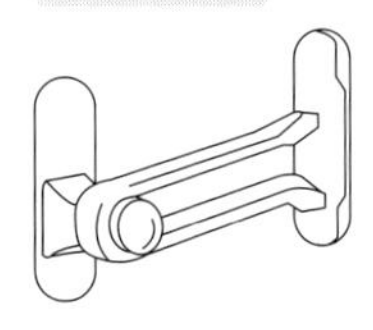

ドアに付ける防犯用の金物。ドアを一定以上開かないようにする。同様の機能をもつものにドアチェーンがある

ドアストッパー(戸当たり)

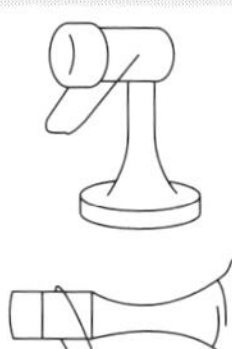

ドアが開いたとき、壁などを傷付けないよう、手前で受け止めるためのもの

(2)その他の窓用の金物

木製窓を製作する際に使う窓用の金物には、図11のようなものがある。外部に面する多くの窓にアルミサッシなどの既製品が使われる現在では、室内の窓に用いられることが多い。

■図11 その他の窓用の金物

クレセント

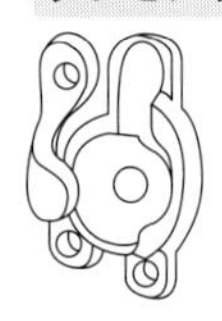

引違い窓などに付ける締り金物。三日月状の鎌で開閉を操作する

ホイトコ

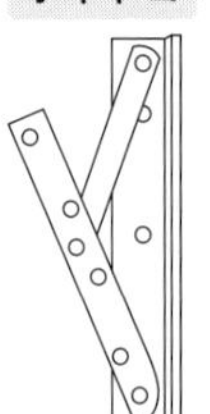

突出し窓、内倒し窓に設ける開き金物

ドンデン

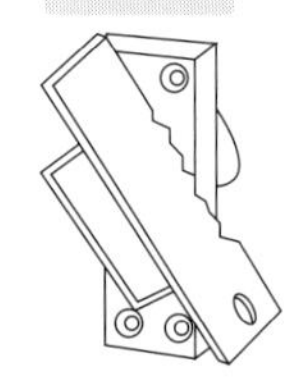

回転窓の金物

ホッパーヒンジ

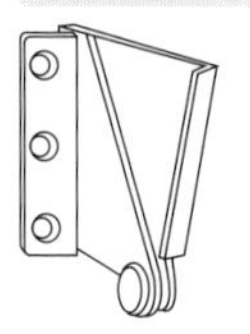

内倒し窓や突出し窓をある位置より開かないようにする

ハンドルや丁番、キーチェーンなどの細かな金物も、ドアのデザインに合わせてコーディネートしたいね

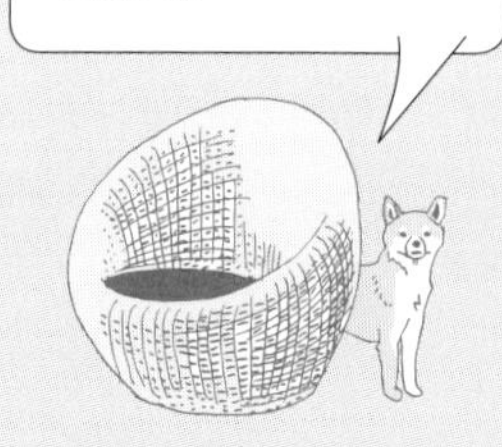

親子ドア

大きなドアと小さなドアの組合せからなる。普段は、大きなドアだけを使用し、小さなドアはフランス落としなどで固定しておく。家具を搬入する際などに両方を開ける。リビングや玄関に多い。

窓の召し合わせとは

引違いの建具で、戸を閉じたときに重なり合う部分。

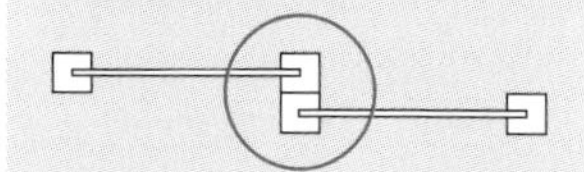

回転窓

→P.256「図1主な建具の開閉方式」

12-6 ガラス

重要度 ！！！

Point

- ☑ガラスの種類と特徴を理解する
- ☑ガラス以外の採光材料(主に樹脂系)を覚える
- ☑ガラスブロックやプロフィリットガラスなど特殊な工法を知っておく

ガラスの機能と種類

ガラスは開口部にさまざまな機能を付加することができ、その機能性によって表のように分類できる。

■表 ガラスの機能性による分類

機能性	種類
安全性	強化ガラス、倍強化ガラス、合わせガラス
省エネルギー性	複層ガラス、Low-E ガラス、熱線吸収ガラス、熱線反射ガラス
快適性	防音合わせガラス、型板ガラス、調光ガラス、視野選択ガラス、タペストリーガラス、網入り板ガラス
その他	低反射ガラス、高透過ガラス、電磁遮蔽ガラス

①フロートガラス(透明フロート板ガラス)…板ガラスの基本形。浴融金属の上に浮かせてつくるガラス。

②強化ガラス…板ガラスを熱処理することでフロートガラスの3～5倍の曲げ強度をもたせたもの。穴開けや切断などの後加工ができないため、正確な使用寸法で発注する必要がある。

■図1 合わせガラス

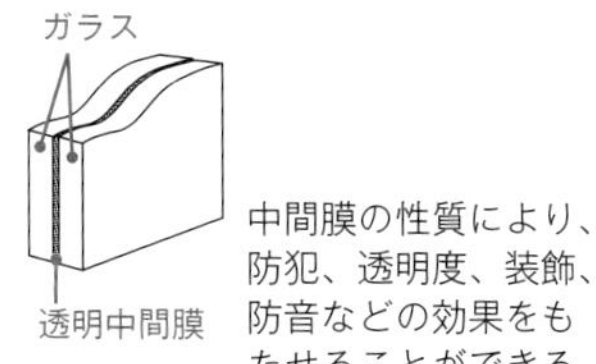

③合わせガラス…2枚の板ガラスを特殊中間膜で接着合わせ加工したもの(図1)。耐衝撃性に優れ、防犯ガラスなどに用いられる。

■図2 複層ガラス

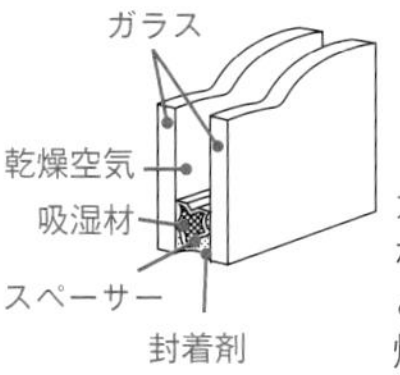

タペストリーガラス

細かな凹凸加工をしたガラス。フロストガラスのこと。一部、柄をタペストリー加工したガラスもある。

強化ガラスと倍強化ガラス

倍強化ガラスは、"強化ガラスの倍"という意味ではなく、"普通のガラスの倍"という意味。強化ガラスより倍強化ガラスのほうが強度は弱い。

紫外線カットガラスや防弾ガラス、自動車のフロントガラスなども合わせガラスの一種だよ！

公式ハンドブック[下] P.70～72

④複層ガラス…ペアガラスともいう。2枚のガラスの間に乾燥した空気や不活性ガスの層を閉じ込めることにより、断熱性や防音性の機能を高めたガラス（前頁図2）。住宅でも一般的になってきている。寒冷地ではトリプルガラスが使われることもある。

⑤ Low-E ガラス…Low-Emissivity（低放射）の意で、ガラスの中空層側に特殊金属膜（Low-E 膜）をコーティングした複層ガラス。遮熱性と断熱性を兼ね備えている。

⑥熱線吸収ガラス…太陽熱エネルギーを吸収し、室内の冷房効率を高める。省エネ効果がある。

⑦熱線反射ガラス…太陽光の放射エネルギーを反射して室内の冷房効果を高めるガラス。省エネ効果は熱線吸収ガラスより高い。また、ハーフミラー効果も備えている。

⑧型板（かたいた）ガラス…板ガラスの片面に型模様を付け、透視性に変化を付けたり視線を遮蔽できるようにしたもの。

⑨調光ガラス…合わせガラスの中間層に液晶を挟んだもの。液晶に電圧をかけて、透明・不透明を切り替えることができる。

⑩網入り板ガラス…ガラス内に鉄線や金網を入れたもの。金網や鉄線は強度向上のためだけでなく、ガラスの破損時に破片の飛散を防ぐ役割もある。主に防火設備（防火戸）やトップライトなどの高所に用いる。防犯上の効果は薄い。

⑪低反射ガラス…ガラスを通した先の対象物が見やすくなるように、フロートガラスの両面に特殊なコーティングを施して表面の反射を抑えたガラス。展示ケースや額縁ガラスに使われる。

⑫高透過ガラス…通常、薄く緑がかっているフロートガラスの色を抜き、透明性を高めたガラス。

⑬電磁遮蔽ガラス…特殊な金属膜をコーティングして電磁波を遮蔽する。コンピュータルームなどに使用される。

その他のガラス工法と採光材料

サッシ以外にガラスを納めたり補強するには、以下のような方法がある。

①ガラスブロック…内部が真空に近い角状のガラス。断熱性、結露防止などの機能に優れている。壁材としても使われる。

②プロフィリットガラス…溝型（みぞがた）ガラス。連続して立ててガラス壁面

その他の板ガラス

①フロストガラス
片面をサンドブラストでつや消し加工してフッ化水素水で処理したもの。型板ガラス同様の使い方をする。

②線入り板ガラス
金属の線をストライプ状に入れたガラス。機能性は網入り板ガラスに近いが防火戸用のガラスとしては認められていない。

視野選択ガラス

調光ガラスの液晶を、ある角度で固定し、一定の方向からの視野を遮る機能を付加した合わせガラス。

ガラスブロックの壁

室内壁や間仕切壁だけでなく、外壁としても使われる。壁面をつくる際は、ブロック間に鉄筋が入れられる。

を構成する(図3)。

③リブガラス…垂直なガラス壁面に、風圧などに対し補強する意味で直角にガラスの方立てを立てる工法(図4)。

④ SSG 工法…構造シーリングによりガラスを支持する工法(図5)。

⑤ DPG 工法…強化ガラスの4隅に穴を開け、それぞれに金物を取り付けて支持する(図6)。

SSG
ストラクチュラル・シーラント・グレージング工法の略。

DPG
ドット・ポイント・グレージング工法の略。

■図3 プロフィリットガラス

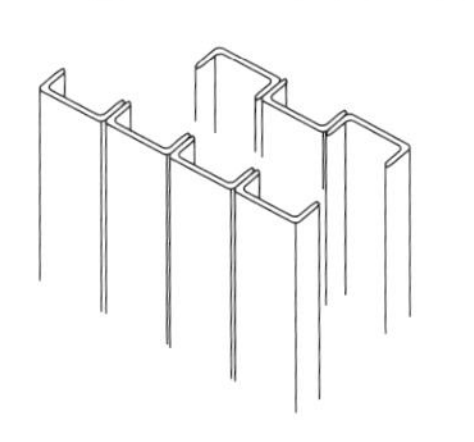

■図4 リブガラス

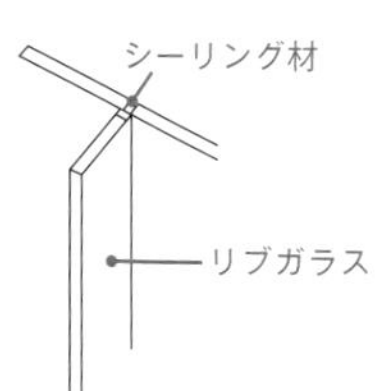

■図5 SSG 工法

■図6 DPG 工法

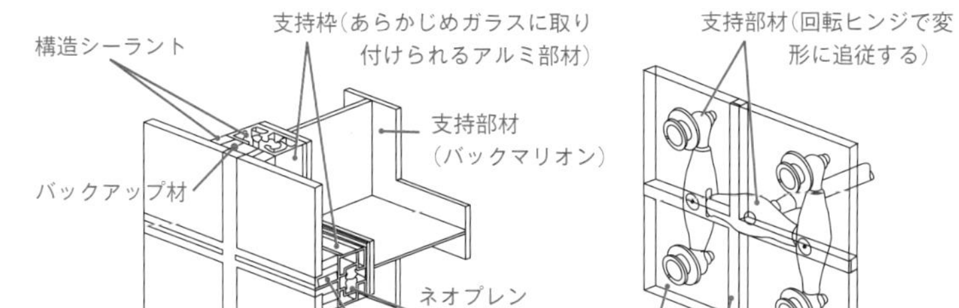

ガラスを支持する工法

ガラスを支持する方法にジッパーガスケットという工法もある。PC 板や鉄骨に、ゴム製のジッパーガスケットを用いて直接ガラスを支持する方法。

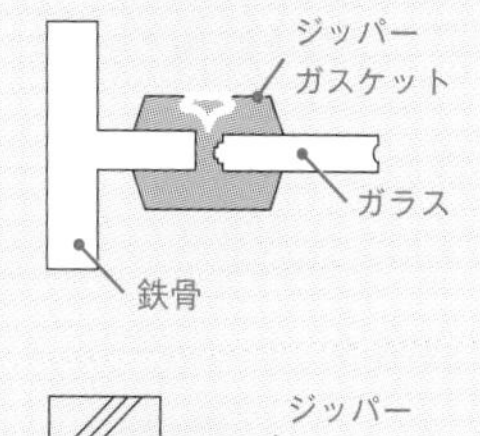

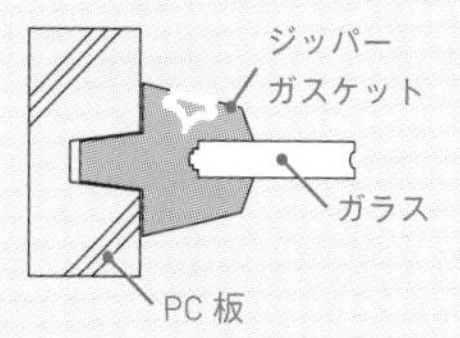

ガラス以外の採光材料

ガラス以外にも光を透過し、採光できるプラスチック材料を紹介する。

①アクリル…光の透過率が高い。軽量で耐候性があるが可燃性で熱膨張率が大きいため、使用場所を選ぶ。

②ポリカーボネート…ガラスに対し、比重は1/2、熱伝導率は1/4。耐衝撃性に優れ、自己消火性もある。

③ FRP…ガラス繊維強化ポリエステル。光の透過性は高くない。目隠しや波板(なみいた)などに用いられる。

④ポリ塩化ビニル…熱可塑性の樹脂。波板などに使われる。

自己消火性
火元があると燃えるが、火元が取り除かれれば、それ以上燃え広がらない性質のこと。

ポリカーボネートは、紫外線により変色するので、着色したりほかの樹脂で保護したりする製品もあるよ

12-7 階段

重要度 !!!

Point

- ☑ 階段の形状と特徴を覚える
- ☑ 蹴上げ、踏面、階段の勾配と使いやすさと安全性の関係を理解する
- ☑ 手摺の高さ、手摺子の間隔の決まりを覚える

階段の形状

階段の形状は単独で決まるものではなく、平面計画上、廊下などとの関係で決まる。上下階で向きや位置が変わることもある。

(1)直階段

上階への水平移動距離が長くなる(図1)。小規模や低層の建築物で使用されることが多い。

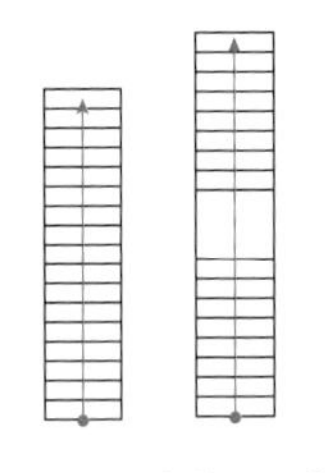

■ 図1 直階段

(2)折返し階段

一般に階高の1/2の部分に踊り場があるもの(図2)。階段室として独立して設けやすい。オフィスビルなど中高層建築物によく使用される。

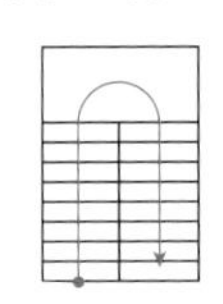

■ 図2 折返し階段

(3)曲がり階段

直階段と踊り場を組み合わせたもの(図3)。上り口、下り口の位置の調整がしやすい。

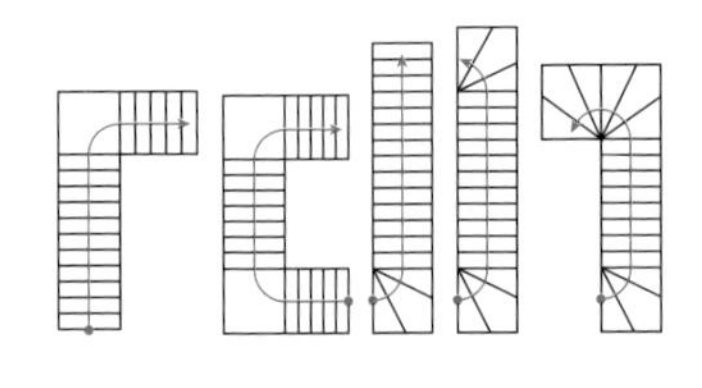

■ 図3 曲がり階段

(4)回り階段

螺旋(らせん)階段のように、回りながら上下する階段(図4)。中心から30cmの位置で踏面の寸法をとる。

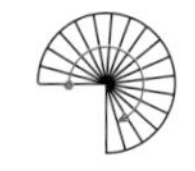

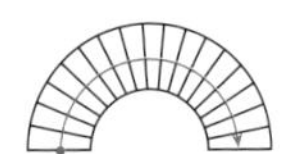

■ 図4 回り階段

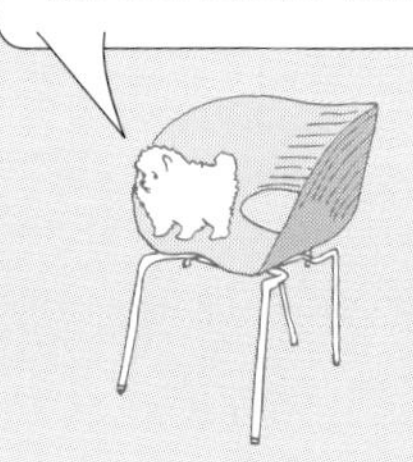

階段と踊り場

住宅等であれば階高4m以上の場合に、学校などであれば3m以内ごとに踊り場を設けることが建築基準法で定められている。直階段であれば、その場合の踊り場の踏幅は120cm以上。

回り階段の踏面寸法の定義

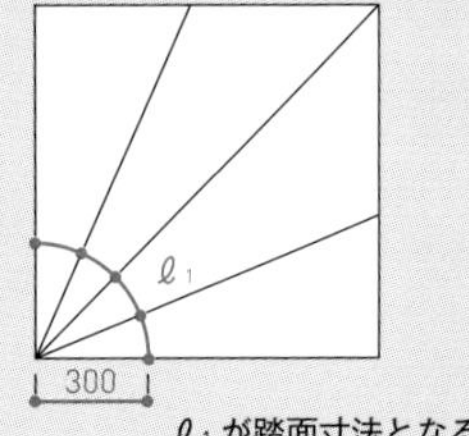

公式ハンドブック[上]P.135、[下]P.50～54

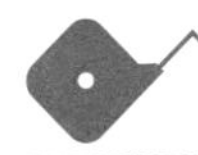

階段の部位と寸法

1. 階段部位の名称と寸法の呼称

階段の各部位の名称を図5に、また、寸法呼称および寸法の押さえの位置を図6に示す。

■ 図5　階段の部位名称

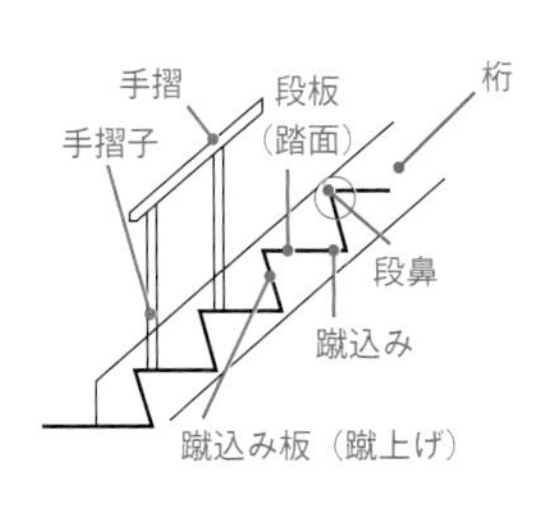

■ 図6　階段の寸法の呼称

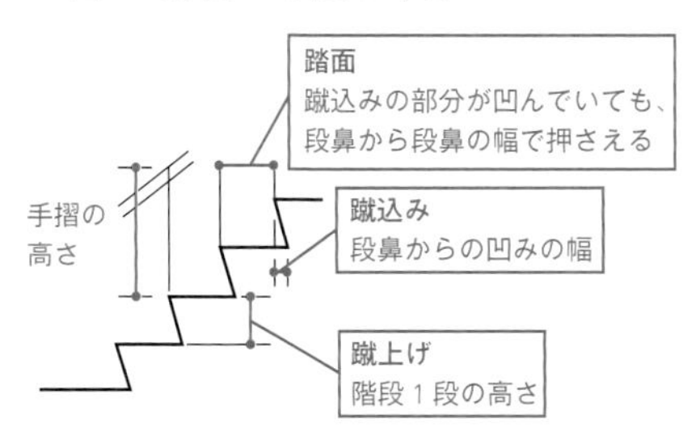

2. 階段の勾配

建築基準法では、住宅の階段勾配は蹴上げ最大23cm、踏面最小15cmが許されるが、これでは60°近い急勾配となってしまう。建築基準法の範囲内であれば良いものができるわけではない。一般に昇降しやすい階段は30～35°といわれている。

3. 手摺、手摺子の寸法

建築基準法によって、階段には手摺の設置が義務付けられている。ただし、設置する高さについての規定はない。昇降の補助としては、75～85cmの高さが一般的である。公共の建築物などでは落下防止のため、110cm以上の手摺や側壁を設け、その内側に手摺を付ける場合がある。手摺子（てすりこ）の間隔は幼児の転落防止を考え、110mm以下とされている。また、手摺に上る足掛かりとならないように、縦桟かパネル状のものとするとよい。

手摺の握りやすい寸法は35mm前後で、手摺と壁の間の隙間は40mm以上を設ける。手摺の壁からの出が100mm以内の場合は、建築基準法の階段幅の計算の際には手摺がないものとしてよい（図7）。

■ 図7　手摺出寸法

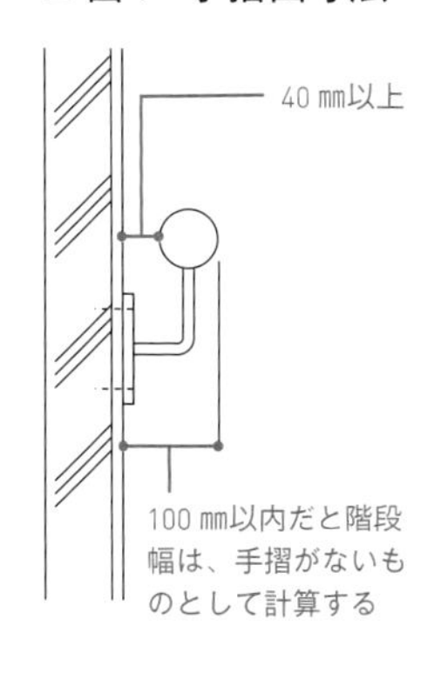

蹴上げ・踏面の寸法の関係

階段の昇降しやすい蹴上げ寸法と踏面寸法を求める式
→ 2R ＋ T=63（cm）
（R= 蹴上げ寸法、T= 踏面寸法）
住宅であれば蹴上げ18cm、踏面24～27cmあたりが使いやすい。

階段の支持方法

①側桁（がわけた）階段
段板や蹴込みを両側面から支える方式。

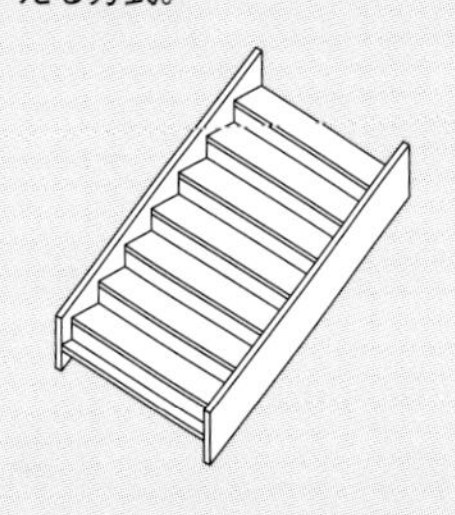

②ささら桁階段
階段状に切り欠いた板で段板や蹴込みを下面から支える方式。

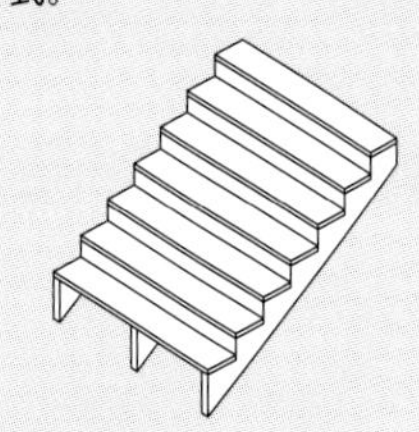

③中桁階段
1本の桁で段板や蹴込みを下面から支える方式。階段に浮遊感、透明感が出る。

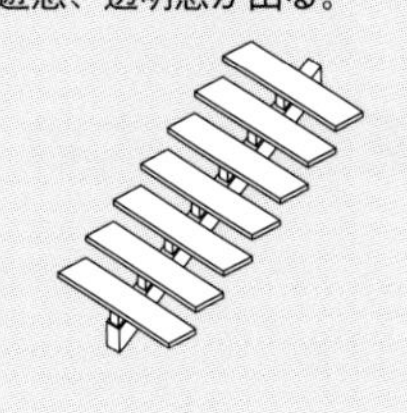

12-8 既製の造作材

重要度 ！

Point

- ☑玄関框や式台などの名称を覚える
- ☑洋室の幅木、回り縁、ドア枠なども多くの既製品があることを理解する
- ☑天井や押入れなど、セットの部品からなるユニット製品もある

造作の部品

住宅の造作とは、施工者が下小屋や現場で内部仕上げの材木などを加工したり、取り付けたりすることであるが、現在では工場で製品化された製品を使用することも多くなってきている。

1. 洋室造作部品・部材

洋室の部材としては、幅木（はばき）、回り縁（まわりぶち）、見切り縁（みきりぶち）、額縁（がくぶち）（ケーシング）、建具枠（たてぐわく）などの端部造作材（図1）のほか、壁面装飾パネルなどがある。輸入品をはじめ、さまざまなメーカーから数多くの既製品が出ている。

■図1 洋室の造作部品

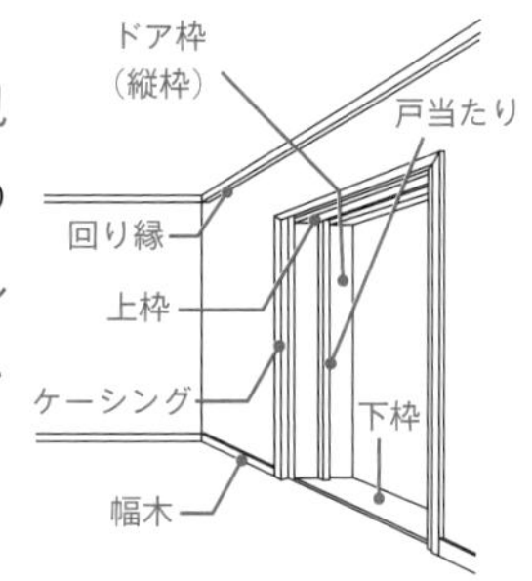

2. 和室造作部品・部材

和室の部材としては、長押（なげし）、回り縁、鴨居（かもい）、敷居（しきい）、畳寄せ（たたみよせ）など内法廻り（うちのりまわり）の造作材のほか、欄間や天井の竿縁（さおぶち）などがある。伝統的な和室の需要が減ってきていることもあり、規格商品化され、扱いやすい造作用の部材も増えつつある。表面はスギやヒノキなどの化粧材を練り付けたものが多く、それらは比較的安価である。

3. 玄関框・式台

玄関框（げんかんがまち）や式台（しきだい）は断面が大きい（図2）。無垢材は一般住宅では高価すぎるため、天然木を集成材や合板に練り付けた規格製品が多い。

■図2 玄関框と式台

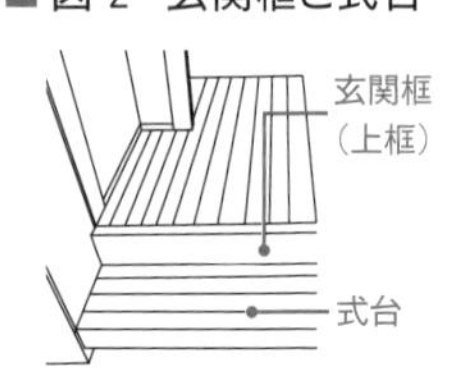

既製品のメーカーごとの違い

無垢材、練付け材などの造作部材は既製品があり、メーカーごとに違いがある。塗料の色などにも違いあがる。

既製品は同じメーカーの製品が合わせやすいけど、一方で画一的になりやすいという弱点が…。利点や弱点の把握が大切だよ

玄関框

玄関の上がり口に横に通した化粧材のこと。上框（あがりがまち）とも呼ばれる。

式台

敷台とも書く。玄関の上がり口に設けられた1段低い板敷きの部分。現在では玄関床と上框との段差が大きい場合に設ける。

公式ハンドブック［上］P.179～186

ユニット製品

ユニット製品とは、造作部材の中でも部品がさらに複合的に組み合わされたものを指す。希望小売価格があるので積算がしやすい。

(1)飾り天井ユニット

洋風では折上げ天井など木製の飾り縁付の天井ユニット、和風では井桁（いげた）や組子（くみこ）の細工、網代織（あじろおり）の天井など凝ったデザインのものなどがある。また、照明器具と一緒になったもの、間接照明を組み合わせたものなどもある。

(2)押入れユニット

中段棚板と引出しのあるものが一般的。座布団小物の収納、洋服掛けスペース、また布団乾燥や調湿機能が付いたものもある。

(3)下駄箱と玄関収納

下足を入れる小さなものから、ゴルフバッグや傘、スキー板などを収納できるものもある。扉に鏡を付けたものもある。

(4)天井収納はしごユニット

屋根裏へ行くための折畳み式のはしご。電動式もある。

(5)床下収納庫

キッチンなどで調味料や食品のストックを収納するために用いられる。電動式のもの、冷蔵機能の付いたものもある。人が入れる地下室ユニットもある。

(6)掘座卓と掘ごたつ

夏は座卓として、冬は掘ごたつとなる床造作をいう。夏場は床下に座卓を収納して畳が敷けるようになっている形式もある。

(7)物干ユニット

天井から物干パイプを昇降させる。梅雨時の物干などに使う。

(8)システム階段・手摺

システム階段は、側桁（がわげた）やささら桁などさまざまな形式がある。手摺や笠木なども統一感のある色やデザインでまとめられている。

段板や側桁などの寸法を自由に指定できるプレカット階段は、部材だけ発注することもでき、単独の部材としても使われる。

(9)床の間ユニット

簡易な形式に限られるが、ひと通りの部材がセット商品化されており、技術がなくとも容易に施工できるもの。合板＋練付け材で構成されるものが多い。

ユニット製品の価格

メーカーから希望小売価格が示されていることが多いので、工事費は製品価格と取り付け工事費での積算が可能である。でき上がりのイメージもクライアントに提示しやすい。

システム階段

階段と統一されたデザインで、手摺や笠木などの一連の商品が用意されているもの。デザインや色などにバリエーションがあることが多い。

プレカット

木の構造材料や階段などの材料を工場であらかじめ加工しておくこと。現場での加工が少なく、工期の短縮が図れる。

練付け

薄くスライスした化粧仕上げ用の突き板（つきいた）を合板の表面に接着剤で貼り付けること。内装仕上げや家具などに使われる。高価な材料は厚い板として用いずに、練付け合板として用意されることが多い。

12-9 造付け家具

重要度 ! ! !

Point

- ☑ 収納家具は、家具工事だけでなく大工工事で造ることも多い
- ☑ 収納家具において、扉の納まりは顔というべき大事な存在である
- ☑ 使いやすい収納では、高さと奥行きは一体で考えることが重要となる

家具工事と大工工事の振り分け

収納などの造付け家具を製作するのは、建築家具業者がある程度製作したものを現場で組み立てる家具工事だけでなく、大工が現場で造る大工工事や、家具工事と大工工事、大工工事と建具工事などを組み合せて施工する場合も多い。

それぞれの工事の振り分けは、使用する材料、形状や納まりの複雑さ、求める精度、日程、予算などにより誰に依頼するかを判断する。

(1)大工工事による収納家具の工程

1. 打ち合わせ
2. 現場で加工・組み立て・設置 [大工工事]
3. 組み上がった枠に合わせて建具を製作・取り付け [建具工事]
4. 現場で色出し、刷毛塗りなどの仕上げ [塗装工事]
5. 完成

(2)家具工事による収納家具の工程

1. 打ち合わせ
2. 専用工場で木取り・パーツの発注、加工・キャビネット・扉・引き出し等の仮組み、塗装工場で色出し、吹付け塗装などの仕上げ
3. 現場へ搬入・設置・調整
4. 完成

造付け家具
空間に合わせて特注でつくり、固定して取り付ける家具の総称。費用や形状の複雑さ、グレードによって大工工事や家具工事を上手に使い分けることが大切。

システム家具
造付け家具と異なり、工場生産によってシステム化されたユニットやパーツで多種の組み合わせを可能とする家具。規格寸法による組み合わせが基本だが、寸法を調整する部材などもあり、造付け家具のように空間に合わせて納めることも可能。

家具工事
引き出しが多い場合や形状・納まりが複雑な場合、特殊な金物や素材・塗装を使う場合は、一般的に建築専門の建築家具製作業者に依頼。設計者の家具の基本プランに基づき建築家具製作業者が製作図を作成した後、塗装を含め家具工場で製作された家具は、現場に搬入されて最終組立てをして設置される。

それぞれの工事の特徴

1. 大工工事

比較的安価だが引き出しなど複雑なものは難しい。主に現場で切って使えるランバーコア材などを使用する。建築本体との間に「逃げ」を取らず、現場寸法に合わせて調整ができる。

2. 家具工事

作業工程や材料が増えればコストアップにつながるが、引き出しや扉などの複雑な形状や特殊な材料、塗装に対応できる。専用工場でプレス機を用い、フラッシュパネルや錬付け合板、メラミン樹脂化粧板などを加工して使用。完成したものを現場で組み立てるので、建築本体との間に「逃げ」が必要。

家具に使う一般的なパネル材

積層合板、ランバーコア

大工工事で箱の構造材や棚板の材料として使う。小口にテープを張るなど一枚物のように納めることがポイント。

フラッシュパネル

プレス機でつくり、家具工事で箱の構造材や戸の材料として使う。

錬り付け合板

ナラ柾目合板など家具工事で化粧材として使う。

(1)収納家具の基本構造

収納家具は箱とパネルに分解して考えると構成を単純化できる場合も多く、搬入や組み立ての効果も上がる。建築と家具との隙間は、床は台輪（だいわ）（幅木）、壁はフィラー、天井は支輪（しりん）（幕板）などの調整部材を現場で削り、間を埋めて納める（図1）。

■ 図1　収納家具の基本構造

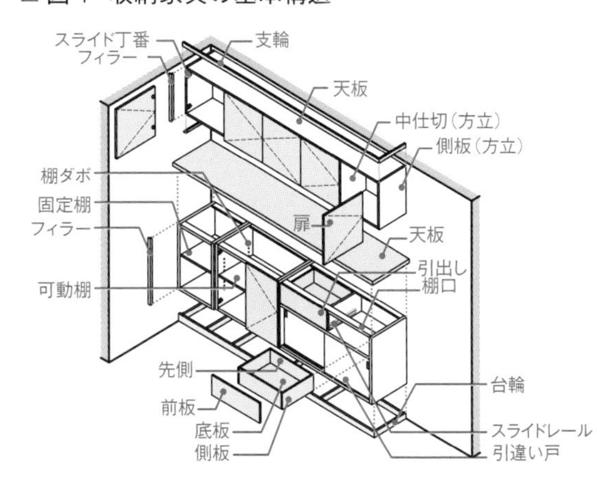

(2)収納家具における開き戸の納まり

開き戸は、左右や上下に開く軌道に応じて金物を選定する。納め方には、アウトセット扉、インセット扉、半かぶせ扉などがある（図2、P.331「収納家具の特殊な扉機能」、P.339「被せ扉とは」も併せて参照）。近年では、上下に開く場合のフラップアップ・スイングダウンや垂直にスライドするスイングリフトアップ・スイングリフトダウン、垂直引込み開きなどさまざまな軌道を描く家具金物も開発されている。左右に開く場合は主にスライド丁番を使用する（次頁図3、P.342「その他の機能金物」も併せて参照）。

■ 図2　開き方の一例（垂直引込み開き）

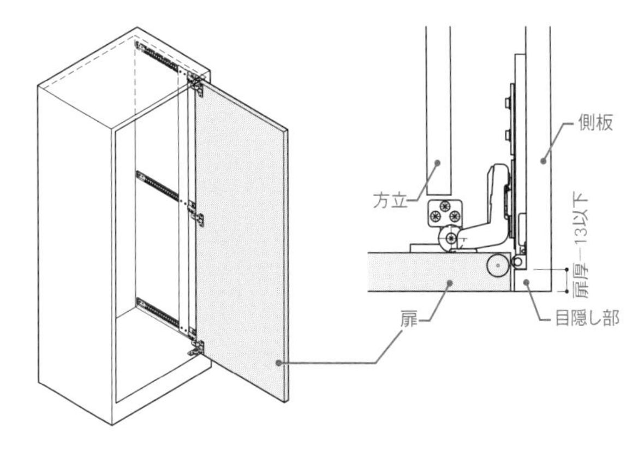

■図3 スライド丁番を用いた扉の納まり

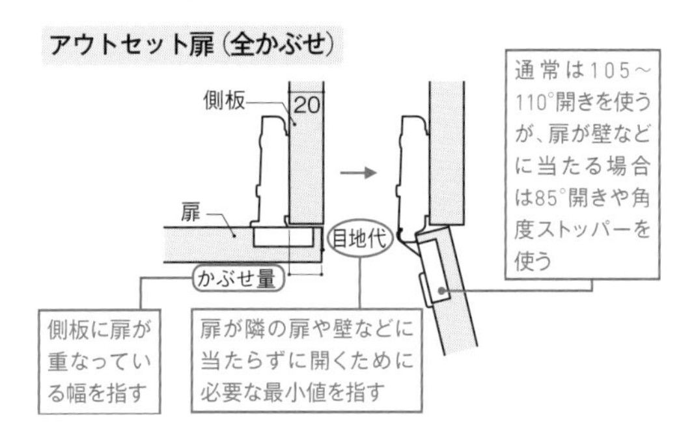

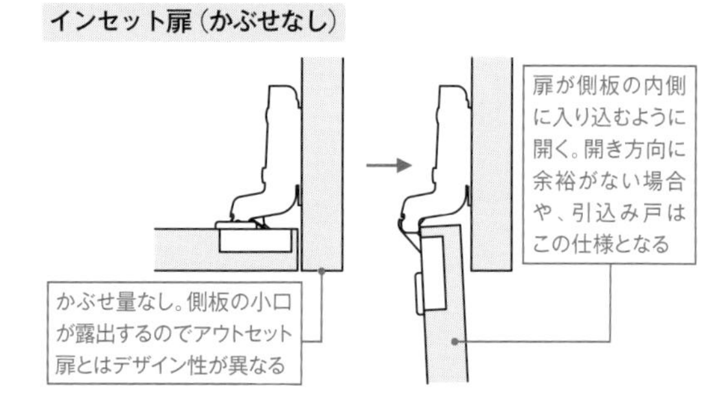

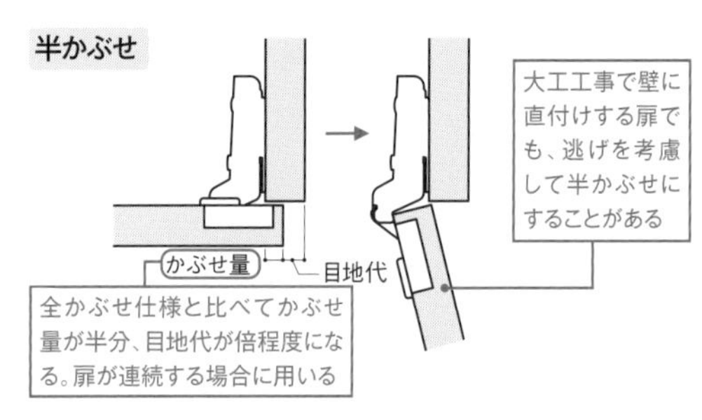

(3)収納家具における引戸の納まり

引戸は一般的に天板と地板に溝を彫りケンドンで戸を納める方法と、上吊りレールを用いる方法がある。これらは共に箱に対してインセット仕様となる。また引違い戸の場合、重ね合わせ部分の段差を違和感なく見せる必要がある。重ね合わせ部分の段差を解消する方法には、折れ戸にしたり、特殊な金物によりアーム式スイング戸やレール式フラット引戸にする方法もあるが、金物が大きくなるので注意が必要となる(図4)。

■図4 引違い戸の納まり

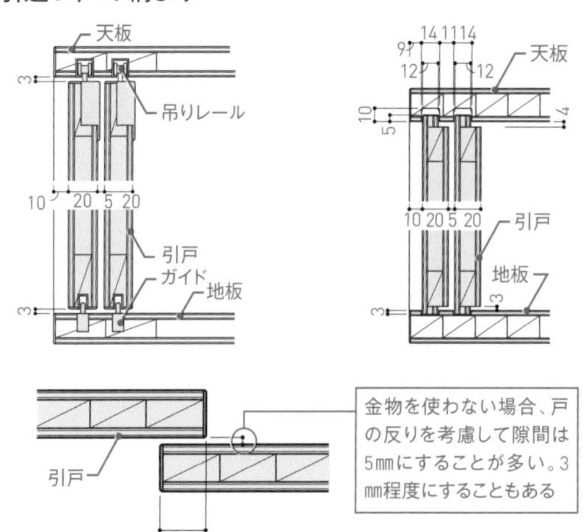

家具の金物
アウトセット扉は、扉だけが連続する納まりですっきり見える。インセット扉は、扉にフレーム(箱の小口や壁)が周囲に回って見える。扉を箱の内側に納める引戸は必然的にインセット扉となるので、アウトセット扉と混在する場合はバランスに注意。

耐震ラッチ
ラッチおよびキャッチとは片開き扉などが自然に開くことを防止する目的の金物。ラッチは一般的にばね、キャッチはマグネットを用いているが、地震時に揺れで扉が開いてしまうので、キッチンの吊り戸棚や食器棚などには耐震ラッチを取り付ける。
扉を閉めた際に掛かったロックを、つまみを押したり回転させたりすることで扉を開ける在来型だけでなく、地震の揺れにセンサーが対応するとロックが掛かり扉の開放を防止するタイプもある。

(4)引き出しの納まり

引き出しは箱に対してアウトセットで設けることが多い。また化粧前板廻りの手掛けなどの目地が通っていると美しく見える。引き出しの出し入れは、側板の溝で受ける摺り桟からスライドレールという金物の使用が一般的になり、最近は側板の側面に取り付けるローラ式やボールベアリング式だけでなく、引き出しの下部に取り付ける底付け式スライドレールが主流になっている(図5)。

■図5 引き出しの基本的な納まり

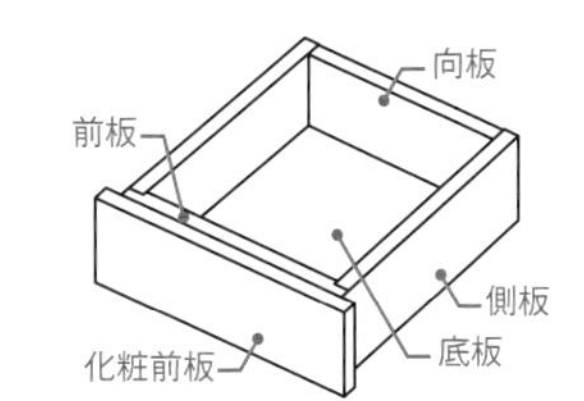

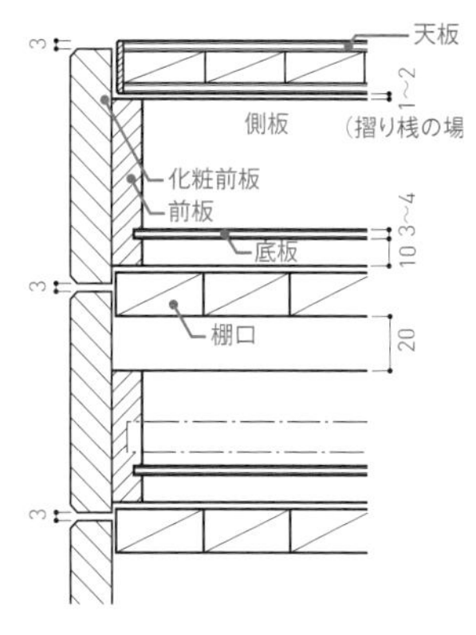

(5)造付け家具の見積り

造付け家具の見積りは、家具の製作を誰に依頼するかが大前提となる。一般的に扉のない収納棚やワードローブのような扉のみ建具工事で取り付ける壁面収納は、大工工事として依頼し、展開図上で指示する。

また、扉や引き出しなど複雑なつくりのものは、家具工事として依頼し、仕上げ材料や使用金物、設備が絡む場合は機器の品番まで明記した家具図を作成して指示する。家具の寸法はデザイン面だけでなく、材料の歩留りを念頭に記載することが重要である。一般的に詳細に描かれていない部分の見積りは割高になる傾向がある。また天井までの高さや壁面いっぱいの大きな収納家具は、分割しやすいように設計することが重要だが、あまり小さく分割しすぎても割高になるので注意が必要である。

(6)造付け家具の計画上のポイント

収納計画においては、納める物と納める場所の適切な関係が重要である。納める物の種類や形状、寸法にあった適切な広さと使い勝手の適切な場所に配置されることがポイントとなる。またデスクに収納を組み合せるなど、機能を複合化する場合もある。使いやすい高さは身体の動きで大まかに決まるので、使いやすい収納では高さと奥行きは一体で考えることが重要である。

収納家具は簡易な棚板から壁面収納やオーダーキッチンのような複雑なものまで種類が多く、造付け家具が住空間全体の印象や使い勝手に与える影響は大きく、インテリアコーディネーターにとって重要な提案のひとつになっている。

家具や建具の寸法

銘木化粧合板や人造大理石などの材料の歩留りを念頭に寸法を指示することも重要。たとえば、扉をつくるパネル材を3×6判(1820×910mm)から効率的に切り出せ、歩留りが良いと一般的に割安となる。

家具図

置き家具は正投影図法の第三角法によって、平面図、正面図、側面図の3つが描かれる。
造付け家具は、平面図と展開図の表示以外に詳細図で平面図、正面図、断面図の三面図を描くことが多い(P.384図7「イスの三面図」、図8「造付け家具の三面図」も参照)。

収納家具の適切な寸法はP.148「キッチン各部の寸法」P.328「主な収納家具の奥行寸法」も参照!

13-1 エクステリアの構成

重要度 ！！！

Point

- ☑ 敷地内の各エリアは、それぞれ生活機能をもっている
- ☑ 門扉や塀の設け方や庭づくりにはさまざまなスタイルがある
- ☑ エクステリアの計画は、安全性と防犯性にも留意する

エクステリアの役割と様式

1. エクステリアの範囲

「住まい」は、敷地と建築物(住宅)、そして庭で構成されているといえる。住宅の内側をインテリアとし、それ以外の庭(ガーデン)や門扉などの外側にあたる部分をエクステリアと呼んでいる(図1)。

家庭とは

家庭とは文字通り、「家」+「庭」。建物だけでなく、庭を含むエクステリアも考えることが、住まいづくり=家庭づくりにつながるといえる。

■図1 庭の区分け

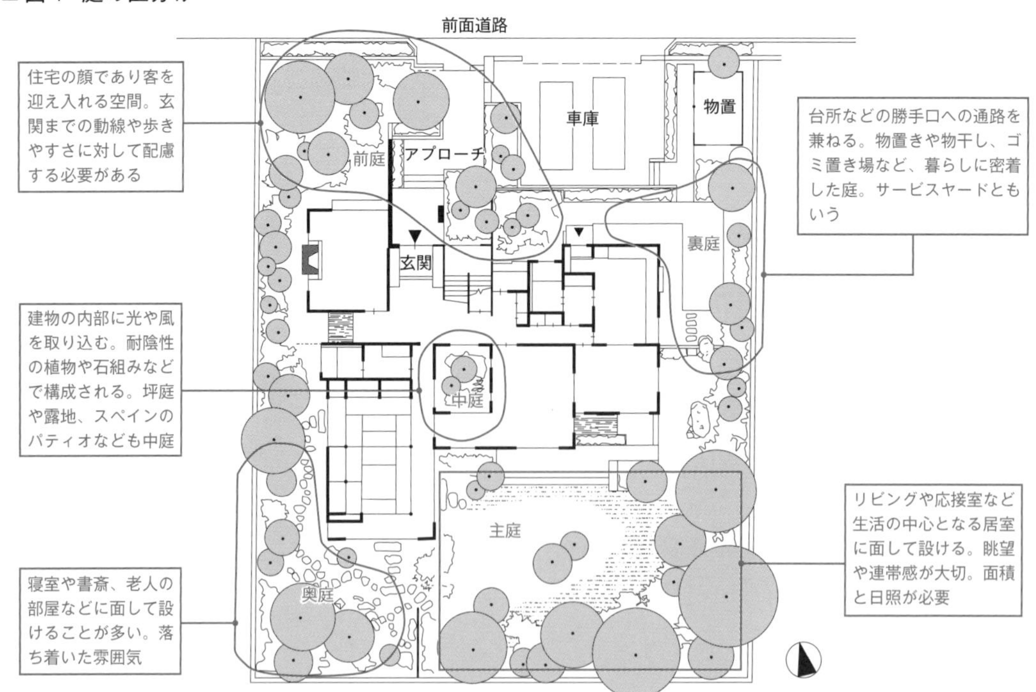

公式ハンドブック[上] P.232～241

図1 作図：太平秀和[太平建築設計工房]

2. エクステリアの役割

エクステリアは、インテリアと同様に、住まい手の生活スタイルや家族構成、機能性、快適性を考慮して計画する。住まいの印象を決める大切な要素であり、住まい手の外に向けた顔として考え、建物と庭の調和、近隣との関係、街並み(景観)などに配慮をする必要がある。また、景観づくりの条例を定めている地方自治体もある。

また、太陽光の侵入による室内熱の上昇を塀や植栽で防いだり、植栽や敷材によって熱の発散を調節することができる。このため、省エネの観点からもエクステリアの有効活用は重要である。

3. エクステリアの外観様式

住まいの印象を決めるエクステリアの様式には、主に下記の3つがある。

(1) オープンスタイル

欧米の郊外型住宅に多く見られる開放的なスタイル。門扉や塀を設けない。敷地や前庭が広い。プライバシーの確保と防犯への配慮が必要。建物の意匠が主に見えるスタイル。

(2) クローズドスタイル

和風住宅に多く見られる閉鎖的なスタイル。高い塀や門扉、垣根、植栽で完全に敷地を囲む。プライバシーの確保を優先している。門としての機能をしつらえやすく、まとめやすい。

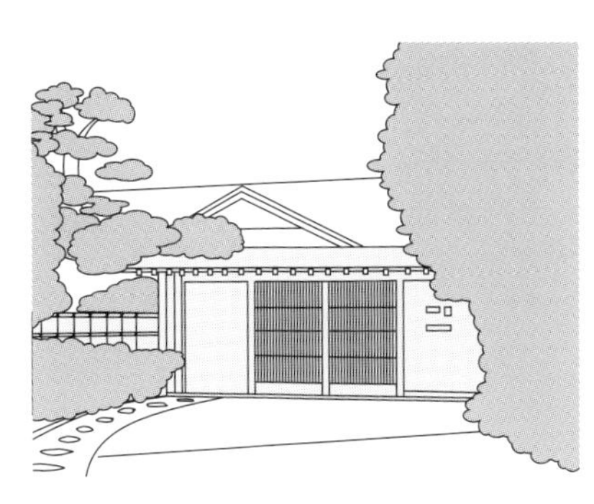

(3) セミクローズドスタイル

適度に塀や垣根で囲む、上記2つの中間的スタイル。明るい印象を与えながらも、外と住まいの境界を意識させることができる。最も一般的。

景観緑三法

良好な景観づくりを目的に、2005年に施行。地方自治体ごとに、植栽や建築物の形態、色、意匠などについて指定した条例。

省エネ効果

太陽光による熱の調節には、よしずや簾などが効果的。近頃は、ゴーヤなどツル性の植物を活用した「緑のカーテン」も人気。

景観

一般的には、景色、風景など視覚的に目にする様をいう。ここでは、自然に形成された環境と区別し、人工的につくられた街並みや森や山川などを利用した自然の眺めなどのこと。

植栽

植物を植え、栽培すること。または敷地内に植えられた樹木や草花などのこと。

敷材

屋外の足元に敷く材料の総称。

垣根

敷地の内と外の境界として設置する囲いのこと。塀と同目的だが、生垣、石垣、竹垣など和風庭園に代表されるエレメントとしていわれることが多い。

塀

レンガブロック塀、コンクリートブロック塀、大谷石の塀など、垣根とは違う資材を使う。

人を感知して点灯・消灯する人感センサー付きの照明を選ぶと、防犯にも役立つよ!

前庭

前庭とは、門扉から玄関までの空間に設ける庭をいい、外から人を招き入れる際には住まいの顔となる。住まい手にとっては、パブリックからプライベートへと気持ちを切り替える場所でもある。そのため、スタイルやエレメント(構成部材)、演出方法、素材などの選定は、意匠性と機能性の両方を考慮する。

また、外から侵入しやすい場所でもあるので、外灯や見通しの良い植栽の配置など、防犯上の配慮も不可欠である。

1. 門扉と塀

門は、外と住まいの出入口である。人の動線への配慮や、住まい手の生活スタイルに応じて、以下の3つに分けられる。

玄関へとつながる門を表門(おもてもん)(正門または本門)といい、勝手口へとつながる通用門を裏門(うらもん)という。庭と庭の通用口に設けて仕切る役割をもつ門を庭門(にわもん)という。

また、門に設ける扉を門扉という。敷地を囲う塀や垣根と合わせて、エクステリアの様式も表現するエレメントである。色や素材、パターンなどは建物のスタイルと適合したものを選定する。また、道路と接するエレメントでもあるので、内開きや外開き、引き戸など、通行人に配慮した扉の開閉手段にも注意する(図2)。門扉と車庫の扉が兼用の場合、カーゲートは伸縮式のアコーディオンタイプや、跳ね上げ式が便利である(図3)。

■図2 門扉の開閉手段

内開き

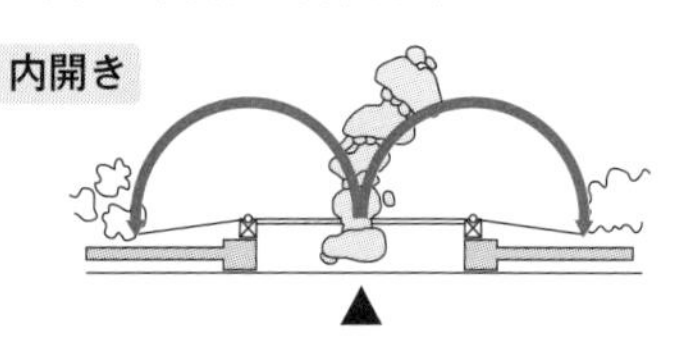

外開き

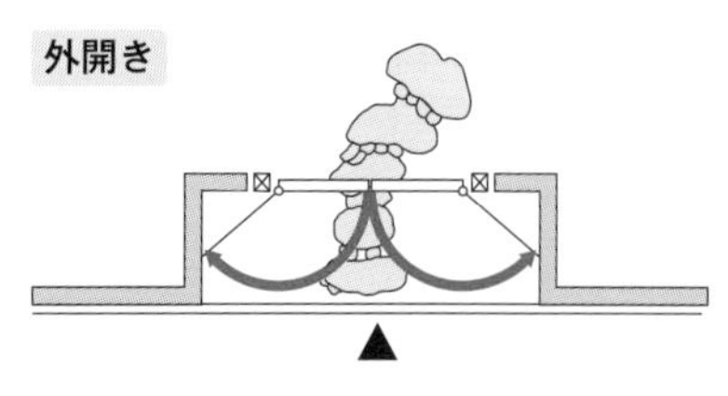

門の扉は、内開きが一般的。外開きの扉は、敷地側に奥行をとって設ける

■図3 カーゲートの開閉手段

伸縮式

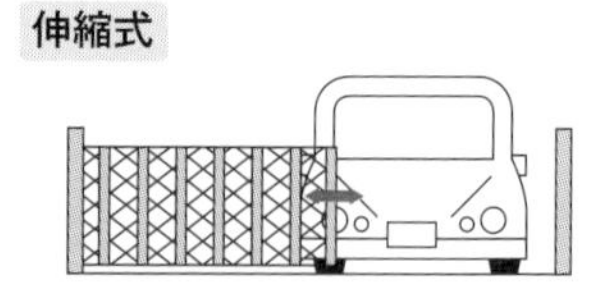

跳ね上げ式

前庭のエレメント

① 門扉、門付属部品(門灯、ポスト、インターホン、表札など)
② 塀、垣根、フェンスなど
③ 花壇、植栽
④ 玄関扉
⑤ 車庫、カーゲート

道路から玄関までのアプローチは、高齢者や小さな子供などに配慮して、高低差をなくすといったバリアフリー計画が大切だね

駐車場(カーポート)の配置

駐車場や自転車置場は、前面道路からの入庫方法と、車を降りてから玄関までの動線が重要。雨にぬれずに、荷物を持ったまま家に入れるとよい。

伸縮式

アコーディオンタイプのカーゲート。扉を収納するスペースが小さいため、狭い敷地や角地にも適している。

跳ね上げ式

扉を90°上方に跳ね上げるタイプのカーゲート。道路へのはみ出しも少なく、省スペース。手動式と電動式があり、いずれも比較的扱いやすい。

2. アプローチの演出

アプローチとは、門から玄関までの動線部分をいう。カーブなどを設けたり、通路の脇に植栽を施すなどして、視線の向きが変わるようにすると、人を迎え入れるための演出にもなる（写真1）。

舗装材は、建物の様式や外壁の素材、玄関ポーチなどとの調和を考慮して選定する（写真2）。飛石（とびいし）や延段（のべだん）、砂、玉砂利（たまじゃり）などの石材が中心であり、歩きやすさや滑りにくさ、汚れが目立たないといった点も重要である。

■ 写真1　演出を加えたアプローチ

延段を利用したアプローチの事例。直線ではなく、延段をずらし配置することで視線の向きに配慮。また、足元の植栽もさまざまな演出が可能になる

■ 写真2　代表的な舗装材と仕上げ方

石張り

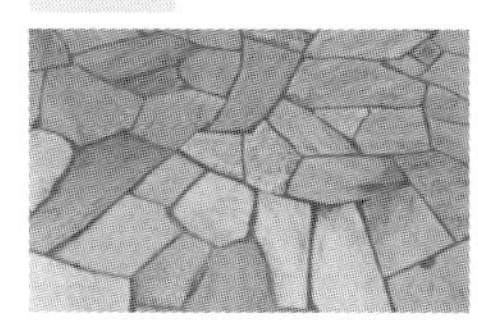

基礎コンクリートの上にモルタルを施し、薄い自然石を張る。砂岩やジュラシックストーン、丹波石、鉄平石などが代表的

タイル張り

大判タイルやモザイクタイルなど種類が豊富。最も一般的に使われている。玄関ポーチと同じか、同色系の素材が良い

レンガ敷き

厚みがあり、質感や色合いが素朴で親しみやすい。並べ方のデザインが豊富。門柱、塀、花壇、テラス、階段など幅広く使われる

インターロッキングブロック敷き

コンクリートブロックの一種。透水性、保水性の高いものや、リサイクル素材によるものもある

洗い出し

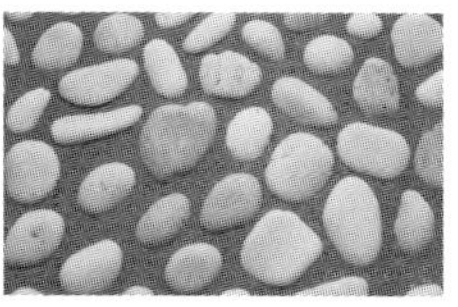

小石などをモルタルに混入して流し込み、乾かないうちに表面を水で洗って小石を浮き出させる

枕木敷き

廃線となった鉄道の枕木を活用。木材の中でもクリ、ヒバ、ヒノキなど堅く、狂いのない材料に防腐処理をしたものが多い

枕木敷き　写真提供：株式会社Q－GARDEN

飛石

歩幅程度に間隔を開け、自然石や切石を敷く。石の大きさ、配置でリズムや景観美をつくる。和風庭園に多く見られる方法。

延段

一定の幅と長さに石を敷き詰める。和風庭園を代表する手法。飛石や違うスタイルの延段と組み合わせてもよい。素材を変えて洋風庭園にもアレンジできる。

砂、玉砂利

玉石敷きは、踏んだときに音が出るので、手軽な防犯対策でもある。水はけが良い。

舗装材は滑らないように配慮しよう。花崗岩を使用する場合には、大きさや表面の仕上げ、目地の入れ方に注意！

エクステリアの明かり

門灯や門から玄関までのアプローチの足元灯、玄関ポーチ部の明かりなど。防雨型で虫が近付かないLEDタイプが好まれる。推奨照度は、門灯30～75lx、通路5～10lx（JIS Z 9110より）。

枕木

鉄道線路のレールを支えるために敷く材。エクステリア材として活用することがある。

主庭と中庭（坪庭）

1. 主庭

主庭（しゅてい）は、リビングやダイニング、応接室などに面するメインの庭である。生活に潤いを与える観賞用の場でもあるため、住まい手の好みや生活スタイル、建物、インテリアに調和させるとよい。

また、近頃は、室内と庭をつなぐテラスなどに、ガーデンファニチャーを配置するアウトドアリビングが増えている。日差しをやわらげるために、開口の外部側にパラソルやオーニングを設置することもある。

2. 中庭（坪庭）

中庭（なかにわ）（パティオ）は、建物に囲われた採光のために設ける庭である。通風や日当たりが悪く、植物の生育に不向きな場合が多いが、敷地条件や建物の形状などによっては主庭になることもある。

和風庭園に見られる坪庭（つぼにわ）も同様の空間に設けることが多い。庭石や蹲踞（つくばい）（図4）、石灯籠（いしどうろう）（図5）、手水鉢（ちょうずばち）（図4）などのエレメント（添景物（てんけいぶつ））を用いて景色をつくるとよい。

アウトドアリビング
屋外を室内と同様に生活空間の一部とし、家具などを置いて活用するスペース。

オーニング
掃出し窓（外と出入りできる窓）の上部に設置した日よけのこと。カフェなど屋外にもテーブルを設ける店舗でよく用いられる。素材は防水加工されている。

坪庭
和風庭園の手法のひとつ。建物と塀で囲む、坪単位の小さな庭。建物内に光を取り入れるために設ける。

■ 図4 和風庭園（坪庭）のエレメント

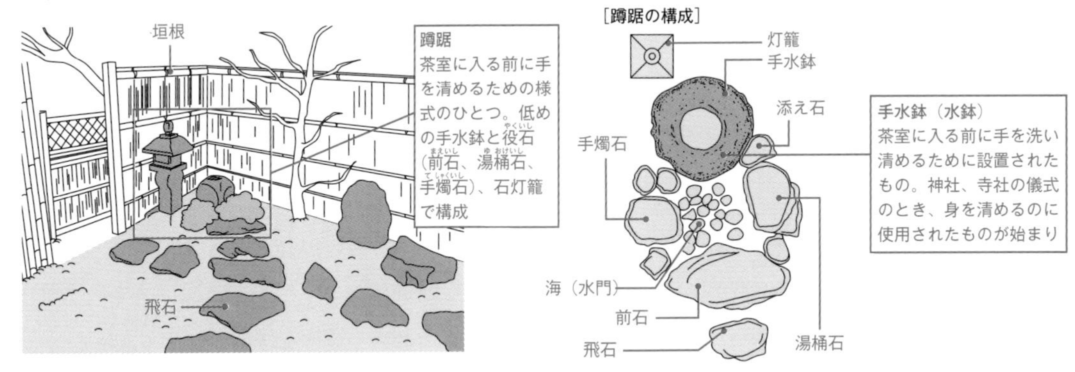

■ 図5 代表的な石灯籠の種類

西洋庭園

和風庭園の風景をつくる見せ方に対して、西洋風の庭(ガーデン)は、造形物を取り入れる建築的な見せ方が主流である。

たとえば、パーゴラやトレリス、ラティスなどの植栽を立体的に楽しむためのエレメントや(図6)、植栽を動物などにかたどったトピアリー、植物を鉢植えするコンテナガーデンなどがある。これらを左右対称(シンメトリー)に配置するのが西洋の宮殿の庭に見られる特徴である。

近頃は、和風庭園と西洋風の庭を複合させることも多い。また、テラスにウッドデッキを設けて、室内から延長した空間として利用することもある(図7)。和芝(高麗芝(こうらいしば))と洋芝(ベント)なども用いられる。

■ 図6 植栽を立体的に楽しむためのエレメント

パーゴラ

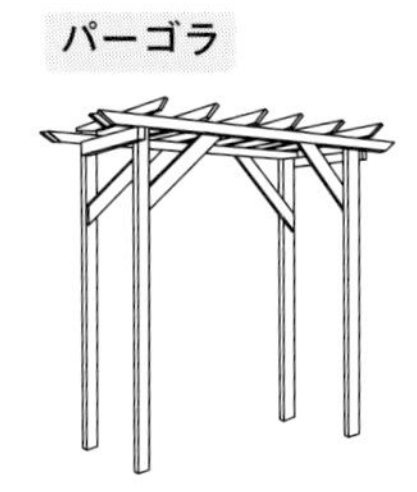

木組みの棚。ブドウ棚や藤棚として用いる

トレリス

木や金属などを格子状に組んだもの。ツル植物を絡ませて楽しむ

ラティス

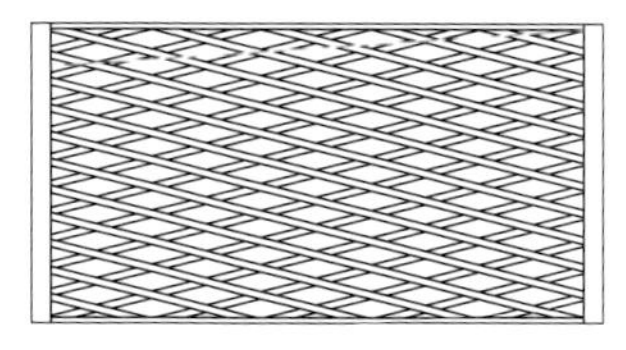

木を格子状に組んだフェンス。装飾や目隠しのために間仕切や柵として用いる

■ 図7 西洋風の庭のエレメント

バルコニーやベランダもエクステリアに入るよ。近頃は、こういうスペースにコンテナを置いて、野菜を育てる人が増えているね!

屋上、ベランダガーデンの注意点

マンションのバルコニーや屋上などにつくる庭。ガーデニングをする場合は、建築部分や共用部分についての規則に注意。重さや防水、排水、避難経路など安全面についても配慮する。

ウッドデッキのメンテナンス

木材のウッドデッキは、腐朽や蟻害に要注意。定期的な防腐剤、耐候性塗料の塗布が必要である。

和芝、洋芝

和芝(高麗芝、野芝(のしば)など)は冬に葉が茶色になり枯れるが、洋芝(ベントグラス、ライグラス、ブルーグラス)は常緑。

Interior Elements,
Furniture and Accesary,

Part3

インテリア商材の基本とコーディネーション

このPartでは、インテリア計画に必須となる
エレメントの基本を解説する。
色彩計画や家具、ウインドウトリートメントなど、
空間の機能や雰囲気の決め手となるものばかりである。
まずはそれぞれの名称と特徴をしっかりと覚える。
特にファブリックスの基本や
インテリア商材としての特性は把握するとよい。

Part 1 市場調査・建築とデザインの基礎

1. クライアントインタビュー
2. 環境への取組み
3. インテリア関連の法規
4. インテリアと造形
5. 建築とインテリアの歴史
6. 建築構造の基礎知識
7. リフォーム

Part 2 住宅の基本とコーディネーション

8. 平面計画
9. 室内環境計画
10. 住宅設備
11. 内装材とその他の建材
12. 造作
13. エクステリア

Part 3

14. 色彩
15. 照明
16. 家具
17. 寝装・寝具
18. ファブリックス
19. ウィンドウトリートメント
20. インテリアアクセサリー

Part 4 表現技法と仕事の流れ

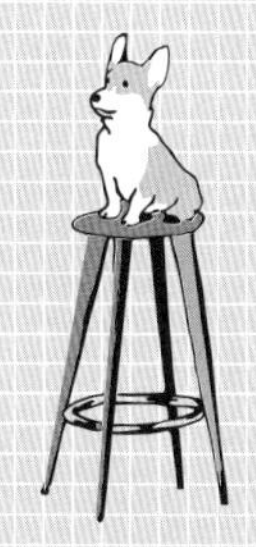

21. 表現技法
22. 業務

14-1 重要度 ! ! !

色のしくみ

Point

- ☑ 光は空間を伝わる電気と磁気のエネルギーの波である
- ☑ 可視光線は380～780nmの範囲の電磁波である
- ☑ 光の三原色と色の三原色の違いをきっちりおさえる

光と色の関係

人の目は光によって色を認識している。このため、暗闇では色を感じることができない。光は空間を伝わる電気と磁気のエネルギーの波であり、これを電磁波(でんじは)という。電磁波は固有の波長(はちょう)と振幅(ふりはば)で構成されている。

太陽から発せられる自然光は人の目に見えない。これを白色光(はくしょくこう)という。白色光は、さまざまな長さの波長で構成されている。波長は、異なる物質の境界でそれぞれ進行方向を変える屈折という性質をもっている。そのため、プリズムなどを通すと色をもった7つの単色光(たんしょくこう)に分かれる。波長の短い側から順に、紫・藍・青・緑・黄・橙・赤と並び、これが色の違いとして認識される(図1)。この光の帯をスペクトルといい、単位はナノメートル(nm)である。

人の目で感じる電磁波を可視光線(かしこうせん)という。人が見ることのできる光は380～780nmの範囲の電磁波である。

■図1 光の構成

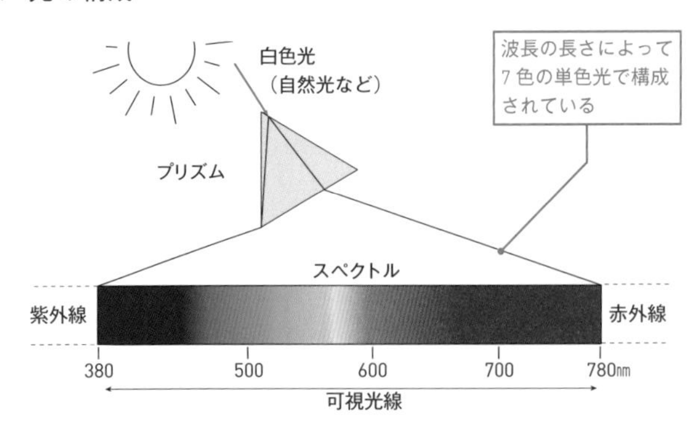

光の正体

電磁波は波長と振幅で表される。振幅は波の高さ、波長は波の間隔である。波長の長さが、人の目には色の違いとなる。

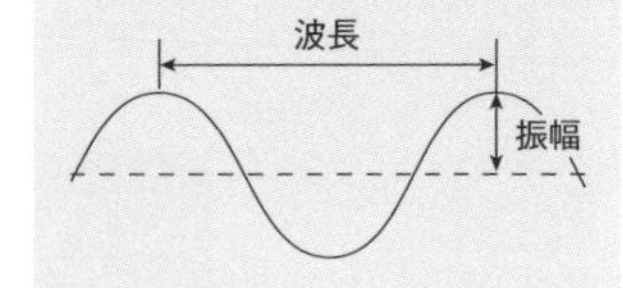

ナノメートル(nm)
1つの波長の長さ(山から山)を表す単位。1nmは1mの10億分の1。

公式ハンドブック[上] P.103～104、P.107

可視光線により目に感じる色には、光源色と物体色がある。光源色とは、太陽や照明などのように自ら光を出すもの（光源）の色を示す。光源光にどの波長の電磁波が多く含まれているかにより、光が青やオレンジ色を帯びて見える。

物体色とは、ほかからの光を受け、反射や吸収をして現れる色を示す（図2）。また、物体色には、その表面で反射した光により目に見えるよう現れる表面色と、光が物体を透過することで現れる透過色がある。

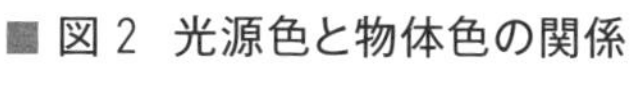
■ 図2　光源色と物体色の関係

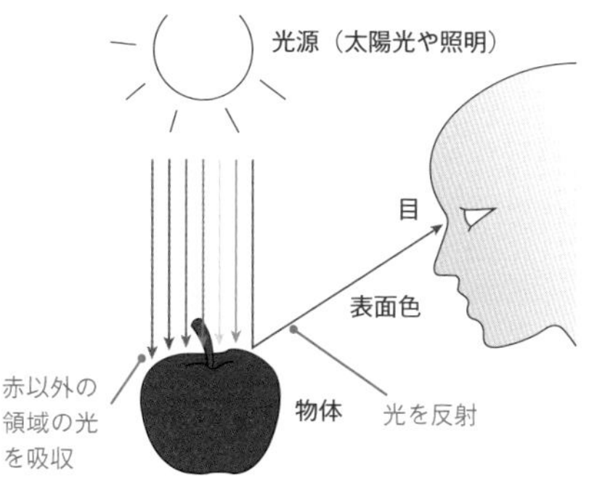

反射する光の多くが赤いと感じる波長を帯びているため、リンゴは赤く見える

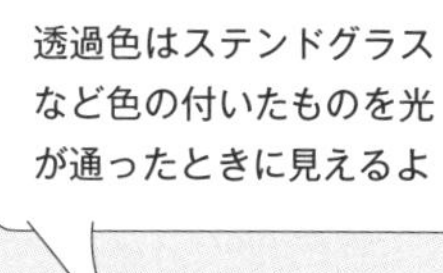

色のしくみと混色

光源色は、太陽や照明などのように自ら光を出すものの色であり、さまざまな波長で構成されている。波長が加わるほど色が白くなり、まったくない状態が黒となる。色光は、R（Red・赤）、G（Green・緑）、B（Blue・青）以上に分解することはできない。これを光の三原色といい、この3つの光を重ね合わせて色をつくることを加法混色という。RGBを混色するほど明るくなり白に近づく（図3）。

物体色は、リンゴなどのように光源色を反射・吸収して現れる色であり、物体がすべての光源色（波長）を反射すれば白く、すべてを吸収すれば黒に見える。色料は、C（Cyan・青緑）、M（Magenta・赤紫）、Y（Yellow・黄）の3色を基本とし、これを色の三原色という。また、この3つの色を重ね合わせて色をつくることを減法混色という。CMYを混色するほど黒に近づく（図4）。

■ 図3　加法混色

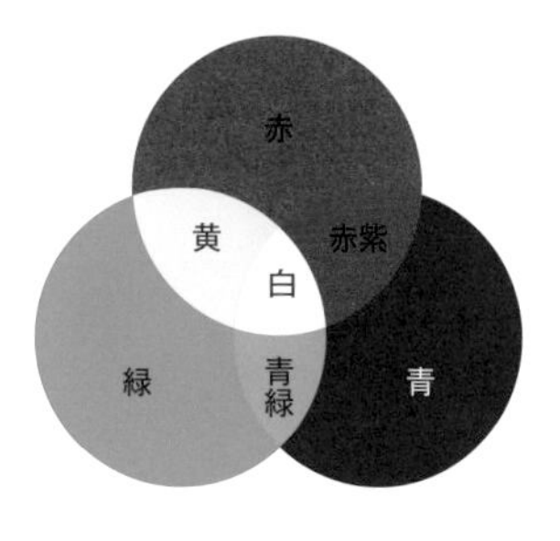

■ 図4　減法混色

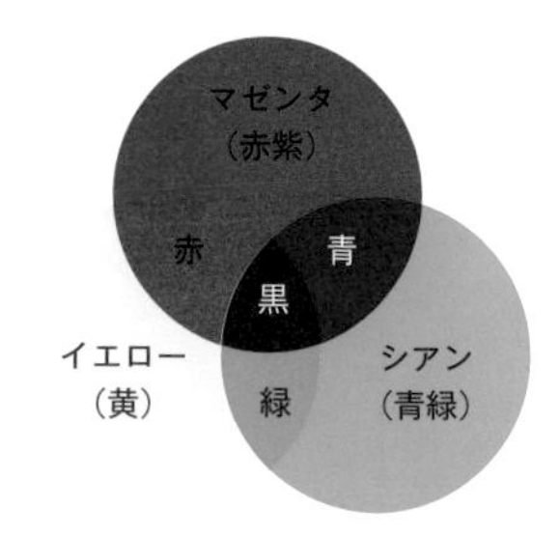

色光
色の付いた光のこと。テレビや花火などが例。光の三原色は光色R（赤）、G（緑）、B（青）の加法混色で表される。混色した色は元の色より明るくなる。

色料
インクや絵具などのもととなる色のこと。色の三原色はC（青緑）、M（赤紫）、Y（黄）の減法混色で表現される。混色された色はもとの色より暗くなる。

14-2 色の表し方

重要度 ! ! !

Point

- ☑有彩色は色相、明度、彩度（色の三属性）の度合いで表す
- ☑各表色系の構成、色相環、色立体の特徴をおさえる
- ☑PCCSの特徴はトーン（色調）という概念が設定されていることである

表色系と色立体

色には、白・黒・灰色など、明暗の度合いのみで表される無彩色と、赤・青・黄などの色味をもつ有彩色がある。

有彩色は色合い（色相）、明るさ（明度）、鮮やかさ（彩度）の度合いで表される。これを色の三属性という。

色相は「赤みがかった色」など色味の方向性を示す。これを円形に並べたものが色相環である。

明度は色の明るさを示す。すべての色に明るさがあり、たとえば、まっ赤とまっ黄色を比べると、後者のほうが明度が高い。

彩度は、色味の冴えや鮮やかさの度合いを示す。彩度が低くなれば無彩色に近づく。また、最も彩度の高い色を純色という。

色相・明度・彩度を三次元空間の座標に配置して、立体的に示したものを色立体という（図1）。これは、明度を中心軸として、そこからの距離に彩度、円周上に色相を配置した考え方である。色立体に基づき、色彩を正確に表せるように記号化したものを表色系（カラーオーダーシステム）という。以下、代表例4つを解説する。

■図1 色立体のイメージ

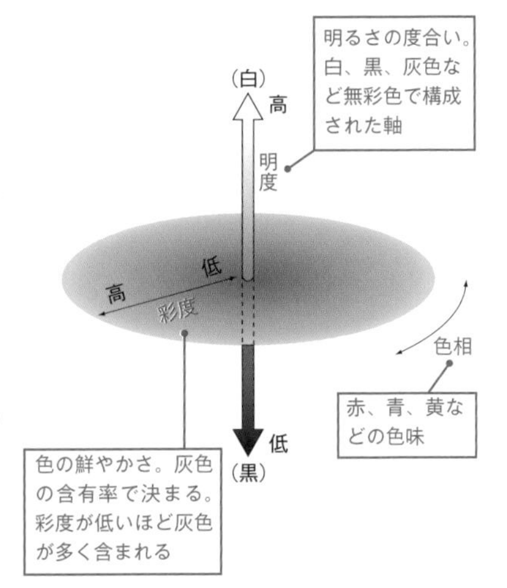

無彩色
色味をもたない色のこと。白から黒までの明暗の度合いで表す。彩度は0である。

有彩色
無彩色以外の色のこと。色の三属性（色相・明度・彩度）の分類で表す。明度は無彩色の明暗の度合いが基準となっている。

純色
各色相の中で最も彩度の高い鮮やかな色のこと。色立体の最も突き出た部分。

明度の高低はカラー写真をモノクロにコピーして無彩色で見ると分かりやすいよ。白い部分が高明度、黒い部分が低明度となるよ

公式ハンドブック［上］P.104～107

色の表示方法

1.マンセル表色系

マンセル表色系はアメリカの画家・美術学者アルバート・マンセルによって1905年に考案された。色相、明度、彩度を尺度に構成された表示システムである。色彩を「H V/C」(Hue(ヒュー):色相、Value(バリュー):明度、Chroma(クロマ):彩度)で表す点が特徴となっている。

色相は、R(赤)・Y(黄)・G(緑)・B(青)・P(紫)の5色を基本とし、その中間の黄赤、黄緑、青緑、青紫、赤紫の5色を加えた10色で構成されている。これをさらに10分割した100色を「1R」などというように表示する(図2)。

明度は0~10の数値で表示する。彩度は最低値を0、最高値を14~15として表示する。

たとえば、純色に近い鮮やかな赤は「5R 4/14(アール の)」のように表される。また、無彩色はNに明度の数値を付けて0~10の数値で表される。たとえば、灰色は「N5」などとなる。

マンセルの色立体は、完全な黒を0、白を10とする無彩色(彩度0)を中心軸として色相環を三次元的に表したものである(図3)。中心軸からの距離が彩度を示し、離れるほど彩度が高い。また、それぞれの色相の中で最も突出している部分が純色となる。

マンセル表色系
色相環をR(赤)・Y(黄)・G(緑)・B(青)・P(紫)を基本に100色で表し、彩度と明度の値を加えた色立体で表現している。数値は「色相 明度/彩度」と表示。

■図2 マンセル色相環

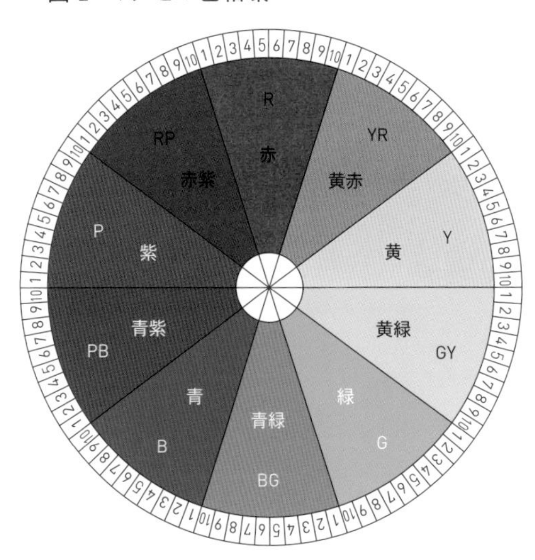

色合い(色相)を円状に表した色相環。基本の10色を10分割した100色で表示している

■図3 マンセル色立体

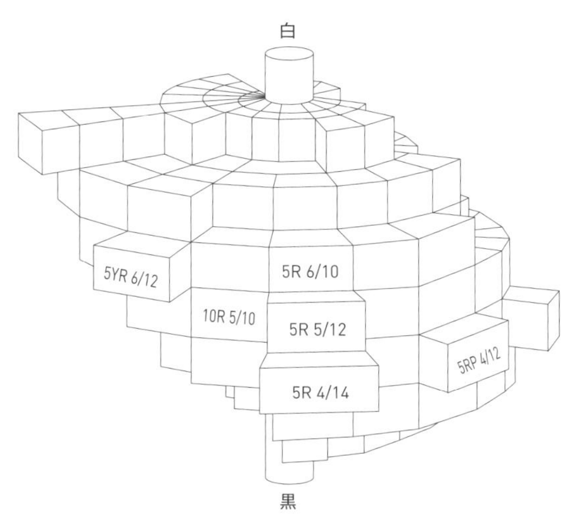

それぞれの色相の最高彩度(純色)値や明度の位置が異なるため、凸凹のある不規則な形をしている

2. オストワルト表色系

オストワルト表色系は、基本色相となるY(黄)・O(橙)・R(赤)・P(紫)・U(藍)・T(青)・SG(青緑)・LG(黄緑)の8つを、さらに3分割した24色相に対する、黒・白・純色の配分によって色を表示するシステムである(図4)。

W(理想的な白)+B(理想的な黒)+F(理想的な純色)=100%という式ですべての色をつくることができるという考えである。それを三次元化した色立体は、きれいな二重円錐形(そろばんのコマ型)をしている(図5)。

■図4 オストワルト色相環

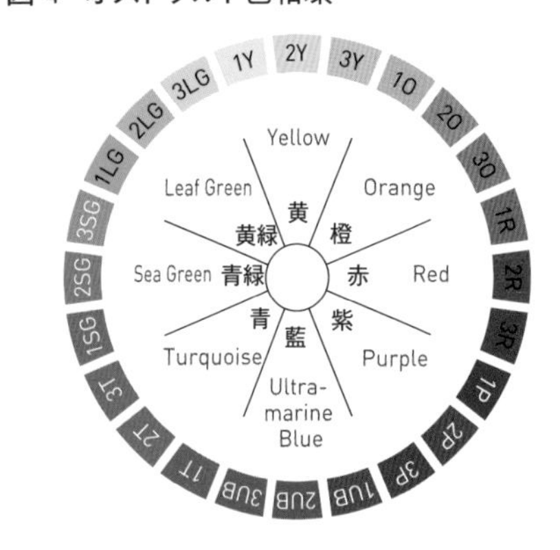

基本の8色相を3分割した24色相で表す。たとえば、黄の色相は「1Y、2Y、3Y」と表記する

■図5 オストワルト色立体

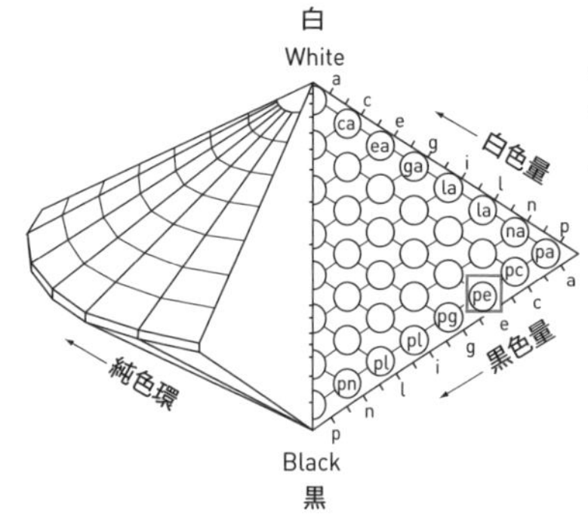

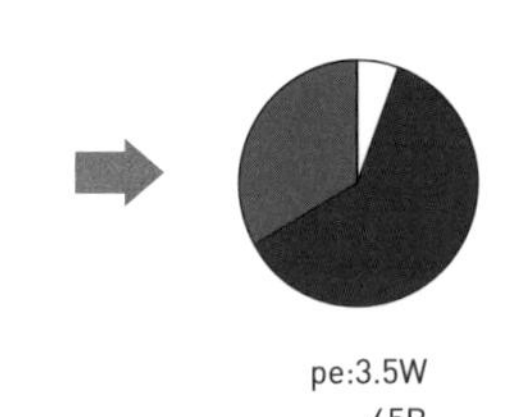

白、黒、純色を各頂点とする正三角形で表す色立体。明度をa、c、e、g、i、l、n、pの8段階で表す

3. CIE表色系

CIE(シーアイイー)表色系とは、国際照明委員会(CIE)により定められた表色系である。光の三原色(RGB)を基準とし、これを加法混合することですべての色を表すという考えである。RGBを新たにXYZという3記号に置き換えて表示するXYZ系(Yxy系)などが工業分野などで広く応用されている。

オストワルト表色系は、色彩の調和論を展開したドイツの科学者ウィルヘルム・オストワルトによって1920年頃に考案されたよ

オストワルト表色系

Y(黄)・O(橙)・R(赤)・P(紫)・U(藍)・T(青)・SG(青緑)・LG(黄緑)の8つを3分割した24色色相環を表し、白・黒・純色の混合比で色立体を表現している。

CIE表色系

光の三原色(RGB)を基準とし、加法混合することですべての色を表すという考え方。

XYZ系を表すxy色度図

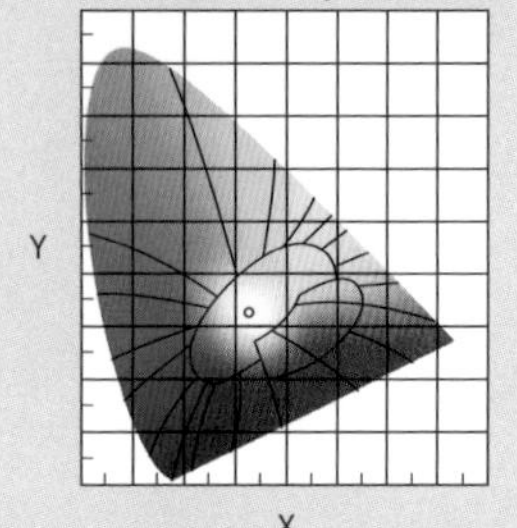

4. PCCS（日本色研配色体系）

PCCS（ピーシーシーエス）とは、一般財団法人日本色彩研究所が考案した表色系である。三属性の記号表示や、系統色名（けいとうしきめい）での表示方法を用いている。Y（黄）・G（緑）・B（青）・V（青紫）・P（紫）・R（赤）・O（橙）を分解した24色で色相環を表す（図6）。

いちばんの特徴は、明度と彩度を組み合わせたトーン（色調（しきちょう））という概念が設定されていることである（図7）。主に、色相とトーンの2系列で色彩調和（しきさいちょうわ）の基本系列を表す方法がある。

トーンは明度や彩度の度合いにより、ブライト（明るい）、ダーク（暗い）、ダル（鈍い）、ビビッド（冴えた）などと形容される。

PCCS

三属性や、系統色名での表示方法。24色で色相環を表す。明度と彩度を組み合わせたトーン（色調）と、色相とトーンの2系列で色彩調和の基本系列を表す点が特徴。

トーン

明度と彩度によって分けられる色の系統のこと。無彩色、低彩度、中彩度、高彩度、純色の5種類で示される。色調やカラートーンともいう。

■ 図6 PCCS色相環

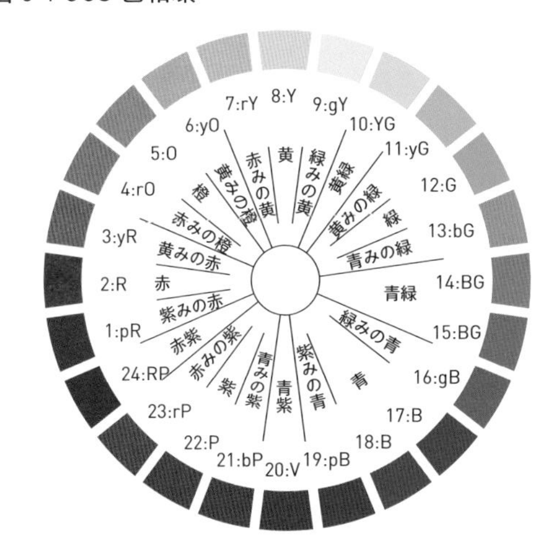

24色相による色相環。色相-明度-彩度（Sを付ける）という順に表記する。無彩色の場合は、明度の頭にnを付ける

■ 図7 トーンの考え方

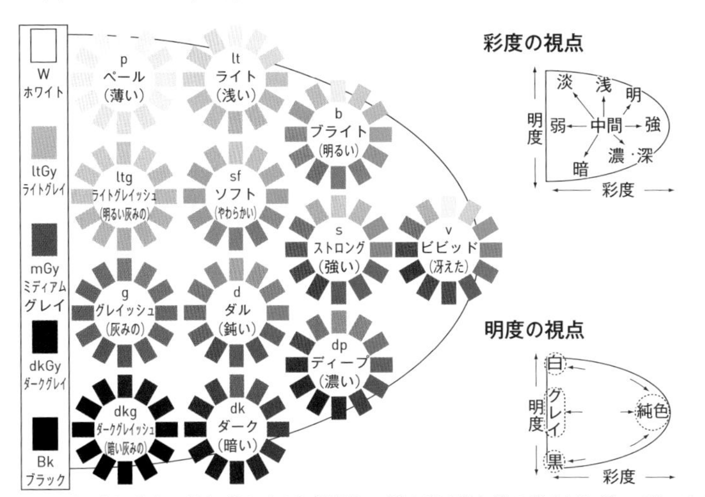

トーン（明度と彩度の組合せ）による色相環を、縦の明度軸と横の彩度軸に沿って並べたもの。彩度が低くなると無彩色に近づき、明度が高いほど白くなる

色が違っていても、「鮮やか」や「暗い」などトーンが同じものは、色の雰囲気が似ているね。トーンの考え方もインテリアコーディネートによく用いられているよ

図6,7資料提供 日本色研事業株式会社

5. 慣用色名・系統色名

系統的に分類された表色系のほかに、日常的に広く使われてきた色名で表す方法もある。由来や意味のある固有名詞であり、これを慣用色名という。植物や動物にちなんだ名称が多く、たとえば、赤だけでも桜色や珊瑚色、茜色などがあり表現が豊富である。

色のイメージを掴みやすい一方で、色名によって思い浮かべる色があいまいになりがちである。そのため、マンセル値などの表色系の色記号に置き換えられることもある。

このほか、13の基本色名（赤・黄・赤黄・黄緑・緑・青緑・青・青紫・紫赤・紫・黒・白・灰）に「薄い」や「明るい」「やわらかい」など特定の修飾語を付けて表すものを系統色名といい、350通りある。シンプルな表現方法だが、正確な色を伝えることは難しい。

以下、代表的な慣用色名と、それに対応するマンセル値、系統色名を紹介する（表）。

慣用色名

日常的に広く使われてきた色の呼び名。JIS規格により中心的な代表色がマンセル値で決められている。ただし、本来はある程度の幅をもった色を表すもの。

鴇色、萌葱色、利休鼠、青磁色、浅葱色など代表的な色は特に覚えておくといいよ！

■表 代表的な慣用色名

慣用色名/系統色名	実際の色とマンセル値
朱色（バーミリオン）/鮮やかな黄みの赤	6R 5.5/14
緋色/やや黄みの赤	7.5R 5/14
弁柄、紅殻色/暗い黄みの赤	8R 3.5/7
柿色、金赤/黄赤	10R 5.5/12
鴇色（ピンク）/うすい紫みの赤	7RP 7.5/8
萌葱、萌黄色/黄緑	4GY 6.5/9
青磁色/くすんだ青みの緑	7.5G 6.5/4
浅葱色/緑みの青	2.5B 5/8
納戸色/くすんだ緑みの青	4B 4/6
藍色（インディゴ）/暗い青	6.9PB 3/10.3
利休鼠/緑みのグレイ	2.5G 5/1
鉄色/ごく暗い青緑	2.5BG 2.5/2.5

※（ ）内は英語名称

14-3 色の効果

重要度 ！！！

Point

- ☑ 特定の色の組合せには、錯視（目の錯覚）を生じさせる効果がある
- ☑ 同時対比の主な例は、明度対比・色相対比・彩度対比・補色対比である
- ☑ 色の視認性や感情効果の特徴を知る

色の視覚効果

1. 同時対比

2つ以上の色を同時に見ると互いの色が影響し合い、単独で見る場合とは異なる色に見える。この現象を同時対比（どうじたいひ）という。主に、明度対比（めいどたいひ）、色相対比（しきそうたいひ）、彩度対比（さいどたいひ）、補色対比（ほしょくたいひ）（補色による彩度対比）が代表的である（図1）。

■図1　同時対比の代表例

明度対比

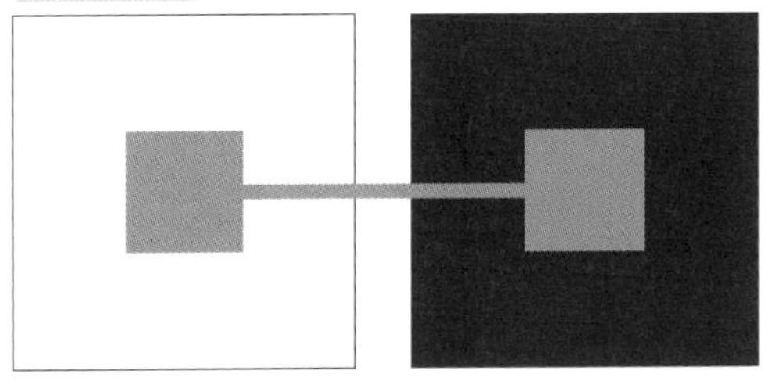

周囲の色の影響を受けて本来よりも暗く、または明るく見える現象。例：白が背景の灰色は暗く、黒が背景の灰色は明るく見える

色相対比

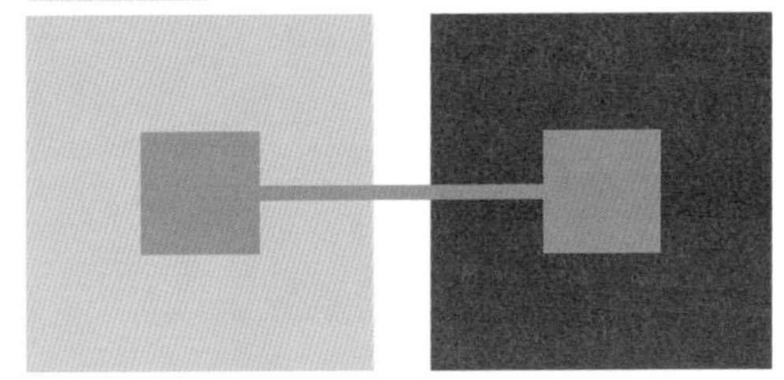

隣り合う色が影響し、色相がずれて見える現象。例：黄色が背景の橙色は赤みが、赤が背景の橙色は黄色みが増して見える

彩度対比

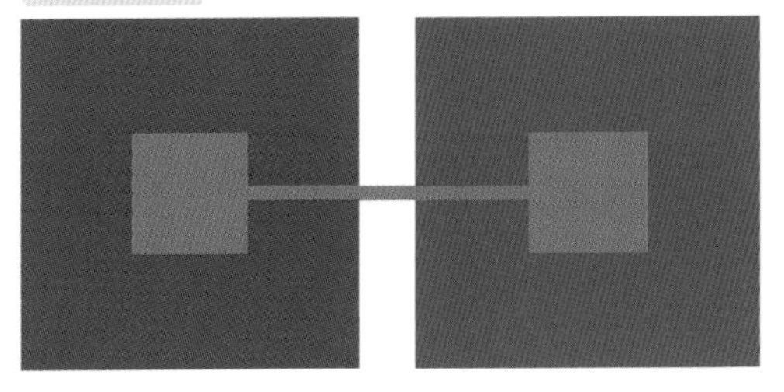

隣り合う色によって同じ色の彩度が異なって見える現象。例：背景が無彩色だと高彩度に、高彩度だと彩度が低下して見える

補色対比

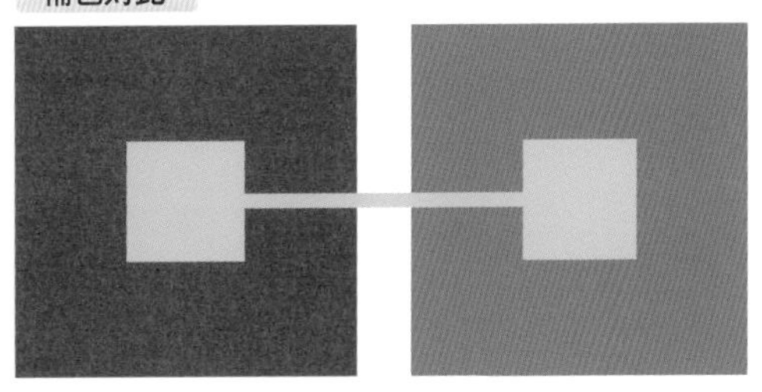

隣り合う色が補色（色相環で反対に位置する）のとき彩度が高まって見える現象。例：赤と緑が隣り合うと中央の緑が高彩度に見える

公式ハンドブック［上］P.108 ～ 109

2. 継時対比

ある色をしばらく見続けたあとで別の色を見ると、初めに見た色の補色（色相環で反対に位置する色）が残像として現れる。この現象を継時対比という（図2）。

■図2 継時対比の例

白の残像

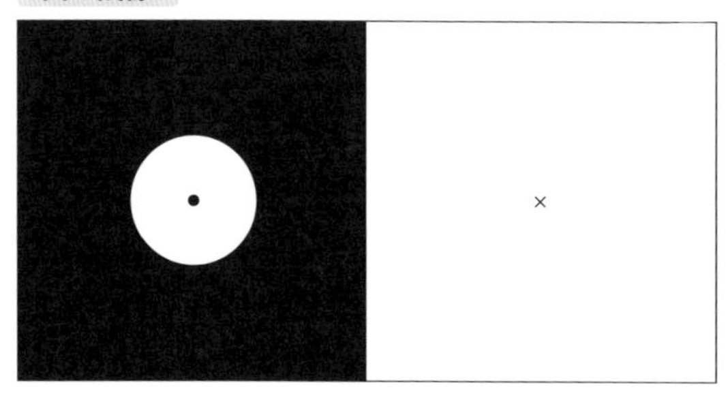

左の白い円をしばらく見続けたあと、右にある×印に目を移すと、中心部分に灰色の円が残像として見える

赤の残像

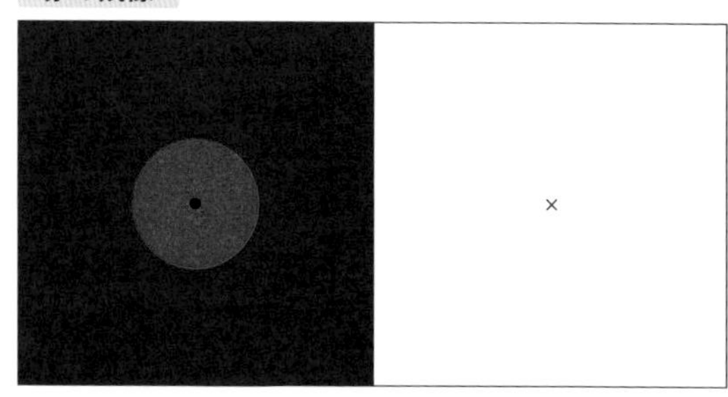

左の赤い円をしばらく見続けたあと、右にある×印に目を移すと、中心部分に補色である青緑の円が残像として見える

3. その他の視覚効果

対比のほかにも錯視を生じさせる効果がある色の組合せがある。特に、色の組合せによる視認性の違いは、日常生活に広く取り入れられている視覚効果である。隣り合う色の明度や彩度、色相の差が大きいほど視認性は高くなる。たとえば、最も視認性が高い組合せは「黒×黄色」であり、最も視認性が低い組合せは「黄色×白」である。以下、代表的なものを紹介する（図3）。

■図3 視覚効果の代表例

視認性の違い

Interior

Interior

彩度が高い黄色と低い紫に、白い文字をのせて比較。彩度の差が大きい紫のほうがはっきり見え、視認性が高いといえる

色の面積比

同じ色でも面積が大きいほうが明るく鮮やかに見え、小さいほうが暗く見える現象

色の同化

相互の色が近づいて見える現象。背景の緑は同色だが、もとの緑よりも、それぞれ黄や青の線に似た傾向の色に見える

リープマン効果

図形と周辺の色相が異なり、明度の差が小さい場合は不明瞭（左）、差が大きい場合は明瞭（右）に見える現象

視認性

物や文字などがもつ、明確に見えるか否かの性質。見えやすいものを、視認性が高いという。大きさや色、明暗、周囲のものなどに影響される。

道路標識などには視認性の高い「黄地×黒」や「青地×白」の図柄がよく用いられているね！

色の感情効果

色は人の感情に影響を与えることがある。たとえば、赤・橙・黄などは暖かさを感じ、青・青緑・青紫などは冷たさを感じるといった温度感である。前者は暖色(系)といい、後者は寒色(系)という。

インテリアにおいては、空間の要素を暖色系でまとめると暖かみのある雰囲気、寒色系でまとめると涼しいような雰囲気を感じさせることができる(図 4)。

また、明度の高い色は、低い色よりも面積が大きく感じる。実際の面積よりも大きく感じる高明度の色を膨張色という。軽さややわらかさのイメージにもつながる(図 5A)。

それに対し、実際の面積よりも小さく感じる低明度な色を収縮色という。重さや硬さのイメージにもつながる(図 5B)。

暖色・寒色と同様に、インテリアにおいては、この効果を利用して空間の見え方を操作することができる。

■ 図 4　暖色系と寒色系でまとめたインテリアの例

(左)暖色は気持ちを高ぶらせる興奮色でもある。(右)寒色は気持ちを落ち着かせる沈静色でもある。同じ部材要素で構成しても、色の使い方次第で、空間の見え方や感じ方が大きく変わる

■ 図 5　高明度と低明度の見え方の違い

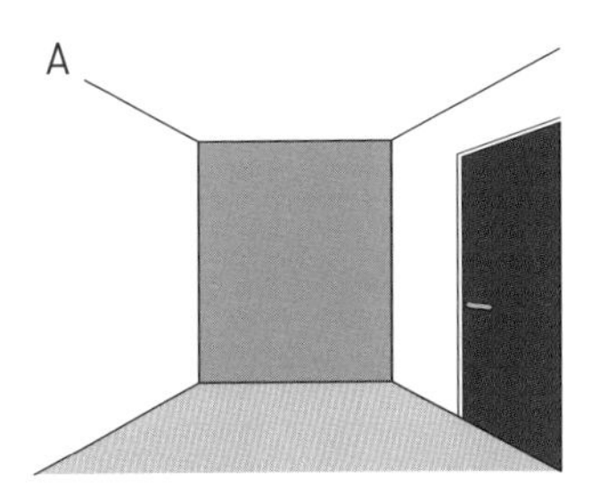

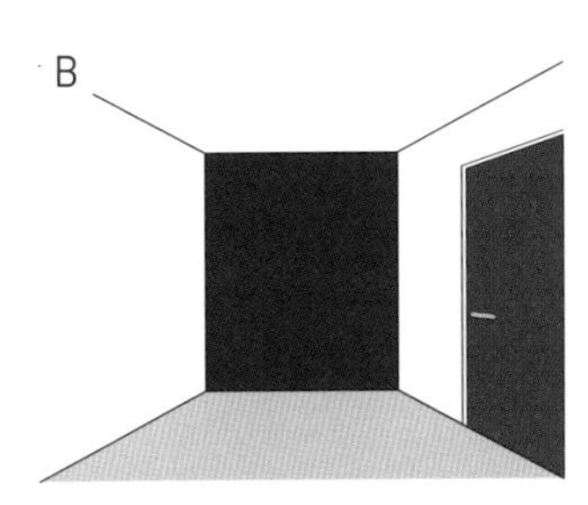

明度が高い黄色の壁(A)のほうが、明度が低い灰色の壁(B)よりも面積が広く感じる。また、高明度の色は手前に出てくるように感じる進出色、低明度の色は後ろへ引くように感じる後退色でもある

暖色系

赤・橙・黄など、太陽や火を連想して暖かさを感じる色の仲間。興奮色でもある。

寒色系

青・青緑・青紫など、水や氷を連想して冷たさや涼しさを感じる色の仲間。沈静色でもある。

暖色系と寒色系の体感温度差(心理的な温度差)は、約 3℃もあるといわれているよ

14-4 色彩計画

重要度 ！！！

Point

- 心地よく感じる配色と調和方法を覚える
- インテリアの色彩計画の手順をおさえる
- 代表的な内装材の色をマンセル値で覚えておくと便利

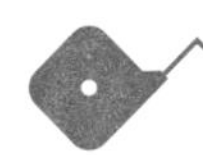

配色の方法

1. 色彩調和とは

2つ以上の色を組み合わせることを配色(はいしょく)という。配色がバランスよく調和していると人は快く感じる。この考え方を利用してインテリアの色彩を計画するとよい。

たとえば、同じ色相で明度や彩度が異なる色の間で生じる同一色相(どういつしきそう)の調和、色相環で近い位置にある類似色相(るいじしきそう)の調和などがある(図1)。

また、調和しにくい色を調和させる分離効果(ぶんりこうか)(セパレーション)というルールもある。

■図1 色相を基準とした配色

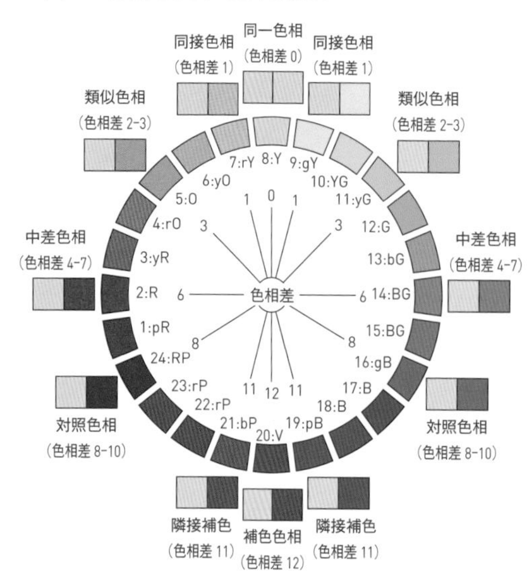

PCCSの色相環をもとに色相差を表したもの。色相差が0の色は同一色相、色相差が12のものは補色色相となる
資料提供 日本色研事業株式会社

調和
矛盾などがなく、ほどよく釣り合い、まとまっていること。

同一色相の調和
同じ色相で、明度や彩度が異なる色の間で生じる調和。

類似色相の調和
色相環で近い位置にある色の間で生じる調和。

補色色相の調和
相対する位置にある色同士の間で生じる調和。

分離効果(セパレーション)
調和しにくい色同士の間に無彩色の線を入れると調和がとれて見える効果。

公式ハンドブック[上] P.110～111

2. 色彩計画のポイント

インテリアの色彩計画（しきさいけいかく）とは、内装材や家具、小物などの色やその配分を決める作業である。基本的な方法として、ベースカラー（基調色）・アソートカラー（配合色）・アクセントカラー（強調色）の3つを順に組み合せる。これらの色相・明度・彩度や配色の面積を調整し、調和させると空間全体にまとまり感がでる（図2）。色彩計画を行う順序は以下の通りである。

色彩計画はカラースキームともいいます。スキームは「ルールやしくみのある計画」という意味だよ

■図2　色彩計画されたインテリアの例

インテリアの配色計画の進め方
① 「落ち着き感」など空間に表現したい雰囲気を決める
② 内装材や家具など色をもつ部材を確認する
③ ベースカラー → アソートカラー → アクセントカラーの順に配色してバランスをとる

ベースカラー（基調色）
最も広範囲（70％程度）に用いる色。床や壁、天井に適している。

アソートカラー（配合色）
ベースカラーの効果を高め、インテリアの個性を表す色。中面積（25％程度）に用いる。家具やカーテンに適している。

アクセントカラー（強調色）
インテリアのアクセントとなる色。ベースカラーに対して目立つ色で、アソートカラーの類似色や反対色など。小面積（5％程度）に配分する。クッションや小物などに適している。

3. 内装材料の色と質感

内装材は表面の質感によって色の見え方が変わるので、注意が必要である。たとえば、凹凸があり粗い質感だと陰影が出やすく、明度と彩度が低くなる。光沢があり滑らかだと質感が不明瞭になり、光沢がないものはどの方向からも色の見分けがつきやすい、などの特徴がある。また、主な内装材の色をマンセル値で把握しておくと便利である（写真・図3）。

■写真　木材の色とマンセル値の例

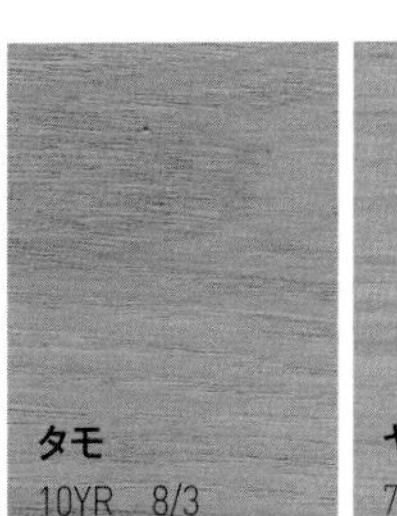

ヤマザクラ
7.5YR　5/5

■図3　コンクリートの色とマンセル値の例

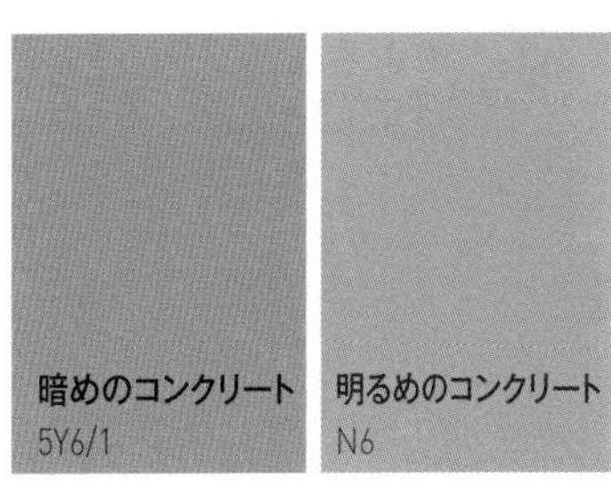

15-1 照明の基礎

重要度 ! ! !

Point

- ☑ 照明で使われる用語とその特徴を理解する
- ☑ 光の色は、照明の種類によって異なる
- ☑ 物の色は、それを照らす光源の種類により違って見える

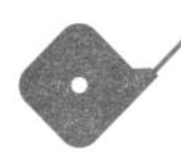

照明の特徴と効果

明かりによる光と影をコントロールすることは、快適な空間を演出することにつながる。照明計画は、次に解説する照度、色温度、演色性といった特徴や効果を考慮して行う。

1. 照度

照度とは、1㎡の受光面に光源から何本の光束（光の矢）が届いているかを見る物差しである（図1）。照度の単位にはlx（ルクス）、光束の単位にはlm（ルーメン）が用いられる。光束が1本=1lmの場合、受光面を照らす照度は1lxとなる。同様に、光束が100lmの場合、照度は100lxとなる。

■ 図1 照度と光束、輝度の関係

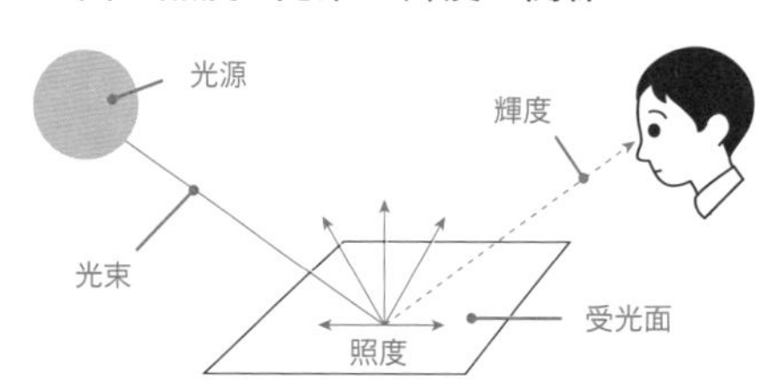

2. 色温度

色温度とは、光源の色の違いを数値で表したものをいう。単位はK（ケルビン）で表す。光源の光の色が赤っぽいほど色温度は低く、青白っぽいほど色温度は高くなる（次頁図2）。

色温度は、空間に与える印象を左右する重要な要素である。白熱電球などのように色温度の低いものは、暖かく（ウォーム）落ち着いた雰囲気を演出する。一方、蛍光灯などのように色温度の高いものは涼しげ（クール）な印象を与える（次頁図3）。

照度
ある面に当たる光の量。
受光面
光によって照らされる面。
光源
太陽や電球など光を発するもの。
光束
ランプなどの光源から発せられる光の量。単位はlm（ルーメン）。

明るさを測る単位

光源や照らされた面の輝き具合を数値化したものを輝度という。単位はcd/㎡（カンデラ毎平方メートル）。

不快な光のまぶしさ

太陽や光源の輝きが視野に入って物が見えにくくなる現象をグレアという。

グレアの種類

①直接グレア
太陽や照明などの光源が直接目に入り、物や周りが見えにくくなる現象。

②間接グレア（反射グレア）
見る対象物に光が映り込み、物が見えにくくなる現象。

公式ハンドブック［下］P.168～172

■ 図 2　色温度の比較

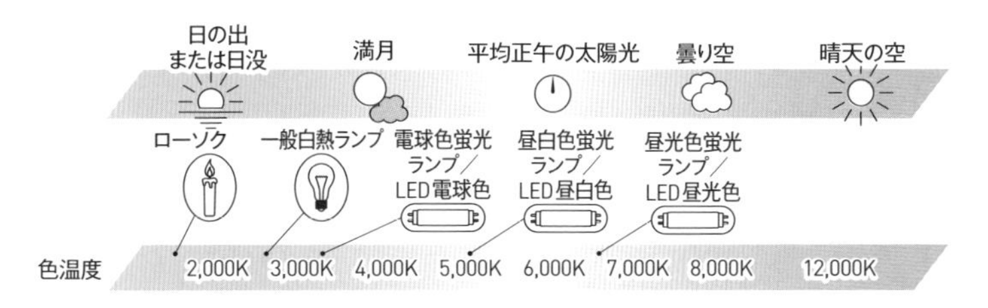

■ 図 3　色温度が与える印象

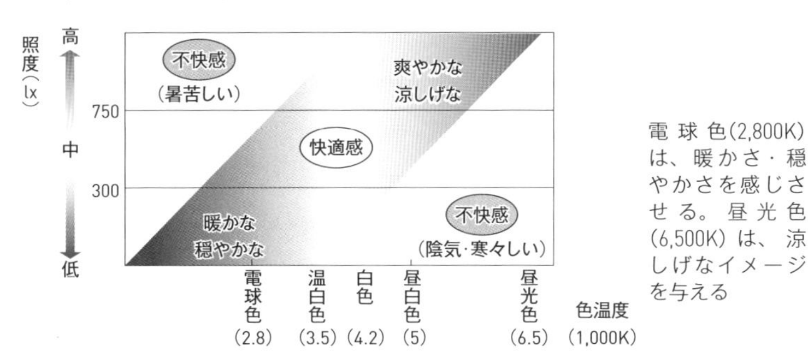

3. 演色性

物の色は、照らす光の種類によって変わって見える。たとえば、店舗に飾られている洋服を見るとき、照明光が当たった状態と、自然光が当たった状態とでは、色が違って見えることがある。これは、店舗の照明の色が、洋服そのものの色に影響を与えるためである。このように光による物の色の再現性を演色性という。評価する指標として平均演色評価数（Ra）がある（表）。

■ 表　光源の演色性と用途（CIE、1986を元に作成）

演色性グループ	平均演色評価数の範囲	用いられる場所		適合ランプ例
		好ましい	許容できる	
1A	Ra ≧ 90	色比較・監査、臨床検査、美術館		白熱ランプ、LED電球（高演色タイプ）、蛍光ランプ（高演色タイプ）、HIDランプ（高演色型メタルハライド）
1B	90 ＞ Ra ≧ 80	住居、ホテル、レストラン、店舗オフィス、学校、病院、印刷・塗料・繊維および精密作業の工場		LED電球（一般電球形・電球色）、蛍光ランプ（三波長）、HIDランプ（高演色形高圧ナトリウムランプ）
2	80 ＞ Ra ≧ 60	一般作業の工場	オフィス、学校	LED電球（一般電球形・昼白色）、蛍光ランプ（昼光色）、HIDランプ（演色改善形）
3	60 ＞ Ra ≧ 40	粗い作業の工場、トンネル、道路	一般作業の工場	蛍光ランプ（温白色）、HIDランプ（蛍光水銀ランプ）
4	40 ＞ Ra ≧ 20	トンネル、道路	演色性がそれほど重要でない作業の工場	HIDランプ（高圧ナトリウムランプ）

ランプは、用途や状況に応じて選ぶ。演色性が悪い＝性能が悪いランプという意味ではない

照明のポイント―均斉度

照明の明るさのムラを示す指標のひとつに均斉度がある。室内に照明器具をいくつか設けて均等に配置すると、均斉度が高くなる。

色温度

光の色を表す単位。赤いほど色温度は低く、白いほど色温度は高い。単位はK（ケルビン）。

演色性

物に光を当てたときの色の再現性。物販店での演色性は以下。

白熱ランプ→白い服は白く見える

赤っぽい光→白い服が赤っぽく見える

青っぽい光→白い服が青っぽく見える

平均演色評価数

光源の演色性の程度を表す数値。単位はRa（アールエー）。100を基準とし、100に近いほど「演色性が良い」という表現をする。

美術館やアトリエで自然光を取り込む場合は、安定した北側からが適切だよ

15-2 重要度 !!!

光源の種類

Point

- ☑照明の発光原理には、温度放射、放電、発光の3つがある
- ☑各ランプの種類と特徴を理解する
- ☑ランプ効率について知る

光源の種類

照明の光源は、発光原理(しくみ)によって、温度放射(おんどほうしゃ)、放電(ほうでん)、発光(はっこう)の3つの種類に分けられる(図1)。

温度放射とは、電球や真空管のフィラメントに電流を流すと、熱せられ発光して光を得る現象をいう。熱と光を同時に発生させるため、ランプが高温になる。白熱ランプやハロゲンランプがこれにあたる。

放電とは、2つの電極間に高電圧をかけたときに電流が流れる現象で、高電圧を与えるために安定器やグローランプが必要になる。蛍光ランプ、高輝度放電ランプ(HIDランプ(エイチアイディー))などが代表的である。

発光とは、電子の結合により光を出す現象をいう。照明の主流となっているLED(エルイーディー)(発光(はっこう)ダイオード)がこれにあたり、寿命が長く白熱電球の40倍、蛍光灯の4〜5倍の4万時間といわれている。

■図1 光源の分類と種類

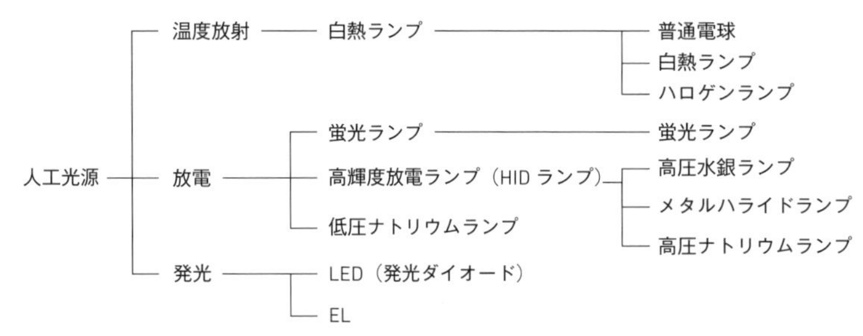

また、ランプ光束(lm：ルーメン)を消費電力(W：ワット)で割った値をランプ効率または発光効率という。同じ明るさを得る場合でも、ランプ効率が高ければ電力は少なくて済む。

フィラメント
電球や真空管などの発熱部を構成する金属の細い線。→P.306 図2「白熱ランプの構造」

電子
素粒子のひとつ。物質を構成する最も基本的な要素。

LEDランプ
既存の電球等の代替えとして使えるLEDランプ。主に以下がある。

電球型LEDランプ(LED電球)
既存の白熱灯代替品。白熱灯の口金に合わせて作られている。

直管型LEDランプ(LED蛍光灯)
既存の直管型蛍光灯の代替品だが、安定器や点灯方式で代替できないものもあるので要注意。既存の2本ピンの口金とは違うLED専用のL型ピンも有。

公式ハンドブック［下］P.172〜178

■ 表 1　主なの種類と特徴

	ランプの例	発光のしくみ	特徴	主な用途
白熱ランプ		タングステンフィラメントに電流を通し発光	・点光源 ・演色性が高い ・安定器が不要 ・調光可能 ・低効率 ・寿命が短い ・安価 ・発熱が多い	住宅や工場など広範に利用。
蛍光ランプ		放電によってガラス管内の蛍光物質を発光させる	・効率は良い ・安定器が必要 ・ちらつきが少しある ・周囲温度の影響を受ける ・光を制御しづらい ・水銀(有害物質)の使用	住宅やオフィスの全般照明。建築化照明。
LED		電圧によって発光する半導体	・寿命が長い ・省エネルギー ・紫外線、赤外線が少ない ・光色が豊富 ・点滅は早い ・熱や湿気に弱い ・調光調色が容易	省エネとして白熱灯、蛍光灯などの代用として普及。
有機EL		薄い有機発光層に電圧をかけて光る面状発光	・面光源 ・薄く軽量 ・目に優しい ・調光可能 ・構造が簡単 ・光色が豊富 ・曲げることも可能	店舗や装飾など。小スペースでの利用。

■ 表 2 LED 光源の品番表示の見方

LDA	6	L	H	E17	D／BH／S
ランプの種類・形状	消費電力	光色	配光角	口金の種類	その他
LDA…A 形(一般電球タイプなど) LDC…C 形(シャンデリア電球タイプなど) LDG…G 形(ボール電球タイプなど) LDR…R 形(レフ電球タイプなど) LDT…T 形(LED 小丸電球 T 形など)	定格消費電力(小数点第 1 位を四捨五入。1 W 未満は 1 と表記)	L…電球色相当(2,700K、2,800K) W…白色相当(4,000K) N…昼白色相当(5,000K) D…昼白色相当(6,700K) B…青色	M…中角配光形 H…準全般配光形 G…全般配光形 W…広角配光形	無表示…E26 口金 E11…E11 口金 E12…E12 口金 E17…E17 口金	D…調光器対応 BH…斜め取り付け専用 S…断熱材施工器具 C…クリア電球タイプ W…防湿・防雨型器具対応

■ 表 3　蛍光ランプの点灯方式

スターター方式	グロースタータ(点灯管)が必要。点灯するまで数秒かかる。グロー専用ランプ(FL,FLC)を使用。
ラピッドスタート方式	安定器が点灯管の役割もして、点灯までの時間が早い。 点灯管が不要なので、多数配置する場合に使いやすい。専用のランプ(FLR)を使用。
高周波点灯方式 (Hf 型)	電子回路でできた効率の良い軽量の安定器(インバーター)で制御。「インバーター形」ともいう。チラつきが少なくランプ効率も良く、調光も可能となってきている。専用のランプ(FHF)を使用。

1. 白熱ランプ（電球）

白熱ランプ（前頁表1・図2・表2）は、ガラスでできたバルブ内のタングステンフィラメントに電気を通すと高温になり、白色で発光するしくみである。ランプ寿命は約1,000時間である。なお、フィラメントは、発光するとタングステンという元素が空気中で蒸発して、ランプ効率が悪くなる。これを効率化するため、アルゴンガスと窒素（ちっそ）の混合ガスが封入されている。

■図2　白熱ランプの構造

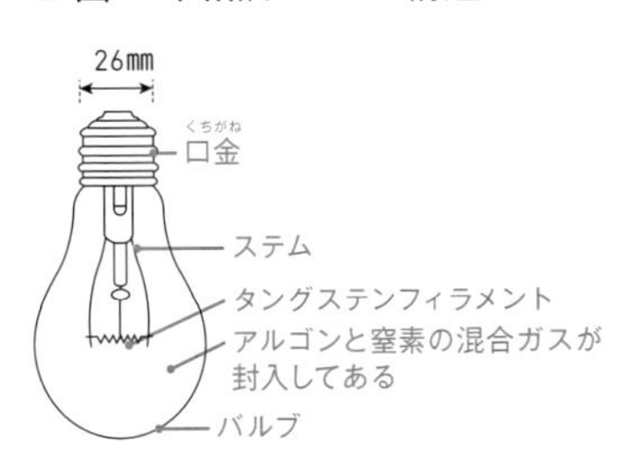

■表2　白熱ランプの特徴

○	演色性が良く、暖かい光色
○	点光源に近く、光を集めやすい
○	調光が連続的にできる
○	点灯が簡単で、すぐに明かりが点く
○	寿命までの光の減少が少ない
×	効率が低く、寿命が短い
×	熱線の放射が多い

また、白熱ランプは、封入するガスにより、下記の2種類がある。

(1)クリプトンランプ

バルブ内にクリプトンガスを封入したランプ。一般の白熱ランプに比べてランプ効率が良く、寿命は約2,000時間である。住宅では、小型化されたミニクリプトンランプがよく使われている。

(2)ハロゲンランプ

ハロゲンランプは白熱ランプに含まれるが、バルブ内にハロゲンガスが封入されている。ハロゲンガスの効果でランプ寿命は約3,000時間。ランプは小型で高温になりやすいので、取扱いに注意が必要である。ダイクロイック（反射板）を装着したタイプもある。

2. 蛍光ランプ

蛍光（けいこう）ランプ（前頁表1）は、ガラス管とその両端に付けられた電極でできている。電極には、エミッタと呼ばれる電子放射物質を塗ったタングステンが取り付けられていて、通電させると電子が放出される。この電子がガラス管内に封入されている水銀原子

■図3　蛍光ランプの構造

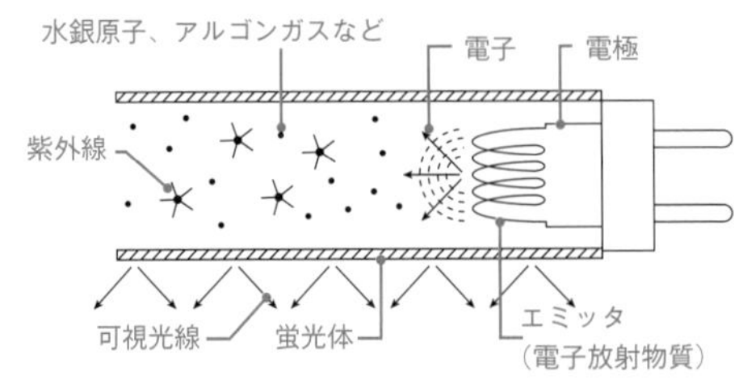

タングステン
金属元素のひとつ。融点が、約3,400℃と高く熱に強いため、ランプのフィラメントに用いられる。このタングステンでできた白熱ランプ用の細い線をタングステンフィラメントという。

アルゴンガス
地球大気中に3番目に多く含まれる無味・無臭・無色の気体。白熱ランプ、蛍光灯、ネオン管に封入されるほか、複層ガラスなどにも用いられている。

白熱ランプは、1879年エジソンによって改良・実用化されたんだよ！

口金のサイズのEは、エジソンベースのことでE26は直径26mmの意味。ちなみにE26の白熱ランプは一部2012年に生産中止となりました

電球の口金

E26	E17
26mm	17mm
一般電球、ボール電球の多くがこのサイズ	ダウンライトなどによく使われている小型電球がこのサイズ

ダイクロイックハロゲンランプ
赤外線で高温になるハロゲンランプの熱のほとんどを、ダイクロイックという反射板によって、背後に放出させるランプ。

に当たり紫外線が発生、紫外線が蛍光体に当たり発光する（図3）。ランプ効率は白熱ランプの6倍程寿命が長く比較的安価。演色性は低いが、昼光色、昼白色、白色、温白色、電球色など光源色が豊富で、高演色タイプも製品化されている。

3. 高輝度放電ランプ（HIDランプ）

放電ランプ（前々頁表1）は、ガラスでできた外管と、発光する内管、口金で構成されている。ガスが封入された真空状態の内管に、高電圧をかけると放電し発光する。ランプは小さくて高輝度である。また、光の方向を調整しやすい、寿命が長いという利点がある。その一方で、点灯してから光の状態が安定するまでに時間がかかる。

放電ランプには、演色性が劣るが寿命の長い高圧水銀ランプ、高演色のメタルハライドランプ、光色がオレンジ色の高圧ナトリウムランプなどがある。これらは、街路やスポーツ施設、工場など、大空間の照明に使用されている。

4. LED（発光ダイオード）

LED（前々頁表1）は、電圧が加わると発光する半導体の性質を利用したものである。電圧を加えると、プラスとマイナスの半導体が結合したときのエネルギーがそのまま光になる（図4）。光源がコンパクトで長寿命、高効率という特徴をもつ。寿命は4万時間と推定されている。光線に熱や紫外線がほとんど含まれないため、店舗のショーケースなどから使われ始めた。

■図4 LED（発光ダイオード）のしくみ

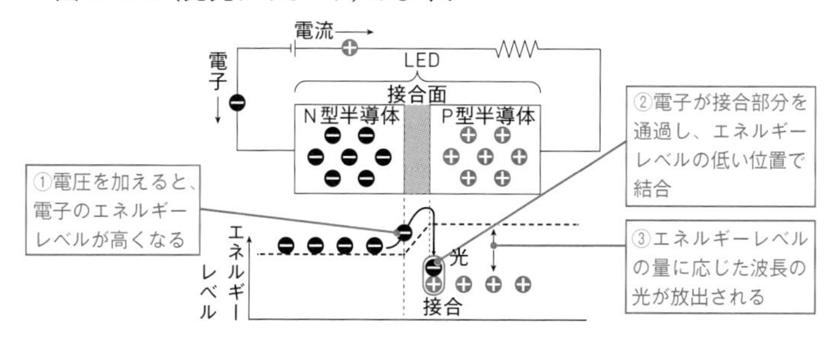

5. 有機EL（Electroluminescent）

薄い発光層に電圧をかけて光る面状発光体。有機と無機があるが、主に有機ELが商品化されている。面発光で自然で優しい光。薄くて軽量。ディスプレイなどに利用されている。

新しい光源

近年、EL（エレクトロ・ルミネセンス）、LED（発光ダイオード）、無電極放電ランプなどの新しいランプの開発がめざましい。

無電極放電ランプは、ランプ内に水銀蒸気などを封入して外部から高周波の磁力線を当てると、ランプ内で放電が起こり、蛍光体に当たって発光する。長寿命で演色性、ランプ効率が高い。

LEDモジュールとパッケージ

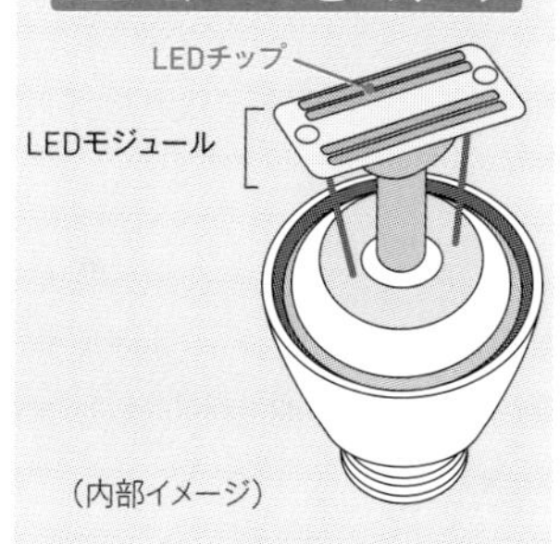

ライン型LED

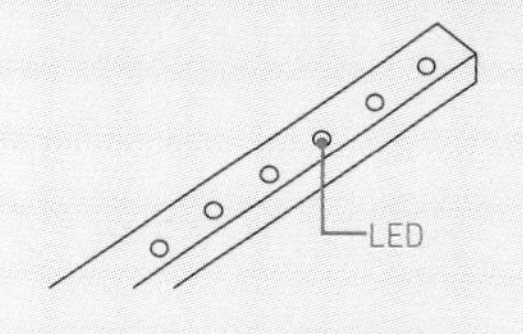

棒状やテープ状の器具にLEDチップを取り付けたもの。蛍光灯に比べ小型で長寿命。建築化照明としての汎用性が高まっている。設置の際は、調光やアダプターなどの有無も調べること。

15-3　重要度 ！！！

照明器具の種類

Point

- ☑ 照明器具の取り付け位置による名称を覚える
- ☑ ダウンライトの種類と特徴を知る
- ☑ 建築化照明の種類とその効果を知る

住宅で用いる照明器具

1. 照明器具の種類

照明器具は、種類も取り付け方も多種多様なので、用途に合わせて使い分ける。天井に取り付けるものだけでなく、壁や床に取り付けるもの、机や床に置くものもある（図 1）。

■ 図 1　照明器具の取り付け位置と名称

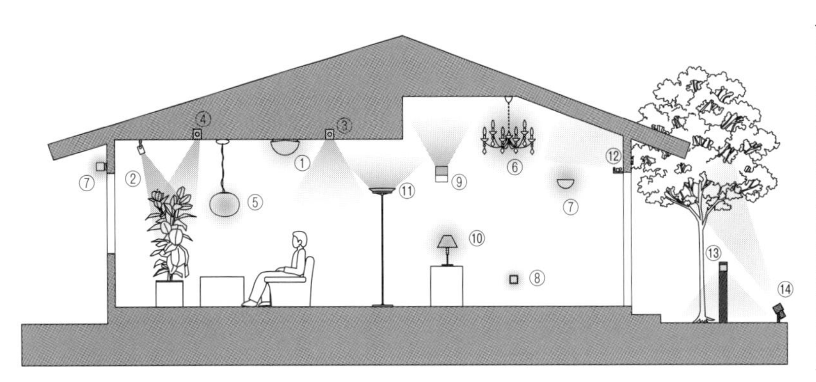

①	シーリングライト
②	スポットライト
③	ダウンライト
④	ダウンライト
⑤	ペンダントライト
⑥	シャンデリア
⑦	ブラケット
⑧	フットライト
⑨	シーリングウォッシャー
⑩	テーブルスタンド
⑪	フロアスタンド
⑫	建築化照明
⑬	低ポールライト
⑭	差込み型アッパーライト

2. 主な照明器具の特徴

(1) シーリングライト

シーリングライトとは、天井に直接取り付ける照明器具である。全般照明として使うため、部屋の大きさに応じて器具のサイズや明るさを選ぶ。設置には引掛けシーリングを使用する。

(2) スポットライト

スポットライトとは、局所的に照明をする器具である。天井埋込

全般照明
→ P.312「一室多灯計画」

引掛けシーリング
天井に取り付ける、コンセントを兼ねた天井配線器具。
→ P.317

公式ハンドブック［下］P.177 ～ 182

みタイプと吊下げタイプがある。全般照明のほか、壁を舐めるように照らすウォールウォッシャーなど、配光のバリエーションが多い。

(3)ダウンライト

ダウンライトとは、天井から照らす照明器具である。天井に小さな穴を開けて器具を埋め込む。室内はすっきりとするが、施工に手間がかかる。

(4)ペンダントライト

ペンダントライトとは、コードやワイヤー、チェーンなどで天井から吊り下げる照明器具である。吹抜けや食卓の上の天井に設置することが多い。食卓の場合、テーブルの大きさを考慮して選択する。また、シェードがあると、ランプの光が直接目に入らない。引掛けシーリングに取り付けるものと、ダクトレールに取り付けるものがある。

(5)シャンデリア

シャンデリアとは、天井から吊り下げる多灯照明器具である。ペンダントより大型で煌びやかなものが多い。天井の高さや部屋の大きさ、器具の高さ寸法を十分に考慮して設置する。器具に重量があるので、天井下地が荷重に耐えられるかを必ず確認し、必要に応じて天井を補強する。

(6)ブラケット

ブラケットとは、壁に直付けする照明器具である。玄関灯として使用したり、階段室、洗面所、浴室やメンテナンスがしにくい場所にも適している。壁から出っ張るため、人がぶつからないよう位置に配慮して取り付ける。なお、浴室や屋外は、防水・防湿性のある器具を用いる。

(7)スタンドライト

スタンドライトとは、床、テーブル、机などに置く、独立した照明器具である。床置きをフロアスタンド、卓上置きをテーブルスタンドまたはデスクスタンドという。デザインも豊富でインテリア装飾としての要素もある。また、配置や台数を変えて、部屋の明るさや雰囲気に変化をつけることができる。

(8)建築化照明

建築化照明とは、壁や天井などに組み込んで建物と一体化させた照明をいう。壁や天井に光源を隠し天井面や壁面を照らす反射光により、やわらかい光を演出する間接照明になる。

ウォールウォッシャー
壁面を明るく照らす器具のこと。

シェード
電灯や電気スタンドの笠。または、光を遮るもの。

ダクト
照明でいうダクトとは、電線やケーブルなどを通す導管のこと。

ダクトレール
金属または合成樹脂のダクトに電気導体を通し、照明器具を任意の位置で電源に接続できるようにしたもの。配線ダクトレール、電源レールとも呼ぶ。

多灯照明器具
1つの照明器具に、2つ以上の電灯部分をもつもの。

寝室·廊下·階段にはフットライトを付けると夜間も安心だよ

建築化照明
カーテンボックスやニッチ、天井のスリットに設置する、いわゆる間接照明が建築化照明の代表例である。

代表的な照明方法

1. ダウンライト

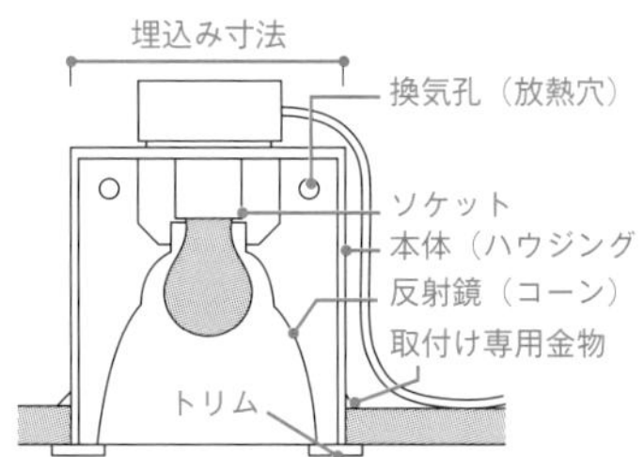

■図 2　ダウンライト器具の構造

ダウンライトは、器具本体(ハウジング)と反射鏡(コーン)、ソケット、トリム(天井に設置する枠)、ランプなどで構成されている(図 2)。トリムと反射鏡の組合せによって、機能性が異なる(表 1)。断熱材のある天井では断熱材施行器具を選ぶ。

ダウンライトは、ランプの光を反射鏡に反射させて、床面や壁面を照らす(図 2)。配光角度により、部屋の広範囲を照らす全般照明用と、作業などに必要な一部のみを照らす局部照明用とがある。

■表 1　ダウンライトの主な種類

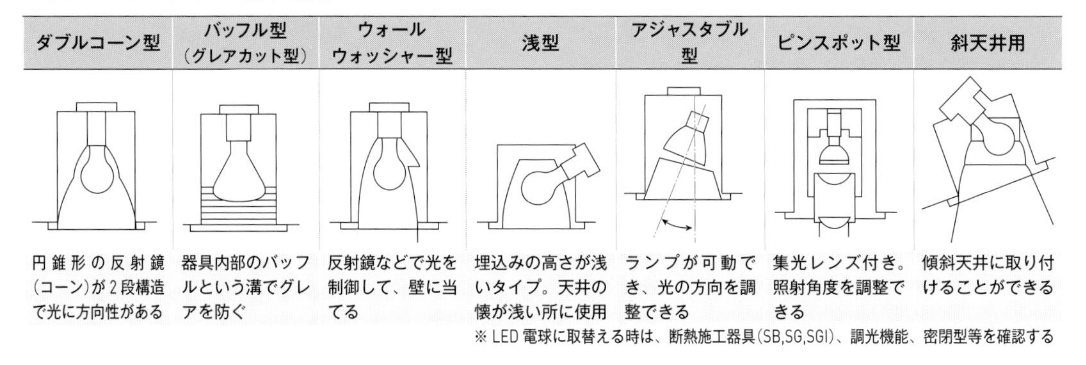

ダブルコーン型	バッフル型（グレアカット型）	ウォールウォッシャー型	浅型	アジャスタブル型	ピンスポット型	斜天井用
円錐形の反射鏡(コーン)が 2 段構造で光に方向性がある	器具内部のバッフルという溝でグレアを防ぐ	反射鏡などで光を制御して、壁に当てる	埋込みの高さが浅いタイプ。天井の懐が浅い所に使用	ランプが可動でき、光の方向を調整できる	集光レンズ付き。照射角度を調整できる	傾斜天井に取り付けることができる

※ LED 電球に取替える時は、断熱施工器具(SB,SG,SGI)、調光機能、密閉型等を確認する

2. 建築化照明

建築化照明は、前述(→ P.309)のように、壁や天井に照明器具を組み込んで建築の一部とする方法である。代表的なものにコーブ照明、コーニス照明、バランス照明、光天井照明などがある(図 3)。光源には、直管形蛍光(ちょっかんがたけいこう)ランプ、シームレスライン、白熱ランプ、キセノンランプなどがある(次頁図 4)。

また壁や床を半透明の素材で仕上げて光源を内蔵する光壁(ひかりかべ)(次頁図 5)や光床(ひかりゆか)(次頁図 6)や、光天井と同じように半透明の素材で仕上げた柱の背後に光源を設置し柱全体を光らせる手法などもある。

■図 3　建築化照明の主な種類

コーブ照明

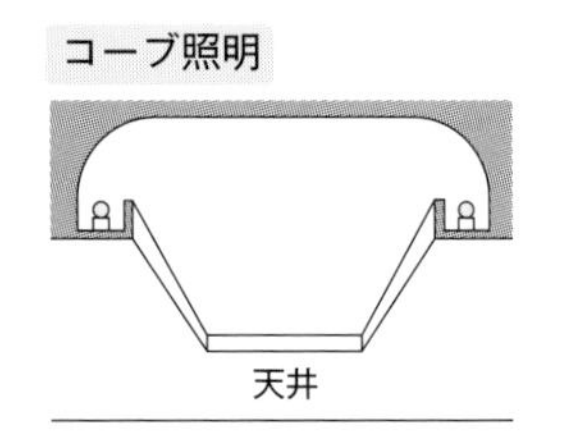

天井を照らし、その反射光により空間を明るくする。上方の広がり感を強調する

コーニス照明

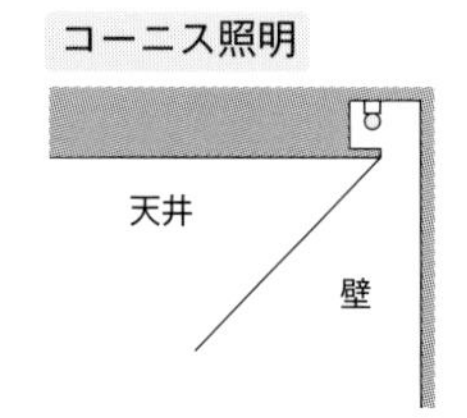

壁面を照らし、その反射光により空間を明るくする。水平方向を強調する

バランス照明

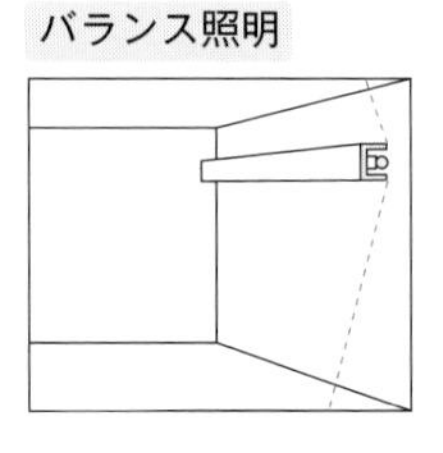

壁面を上下に照らす。コーブ照明とコーニス照明の効果を併せもつ

光天井照明

光を透過する
仕上材

天井に照明器具を取り付け、乳白色のカバーを被せたもの。天井全体を光らせる

■図4　建築化照明の器具（間接照明器具）

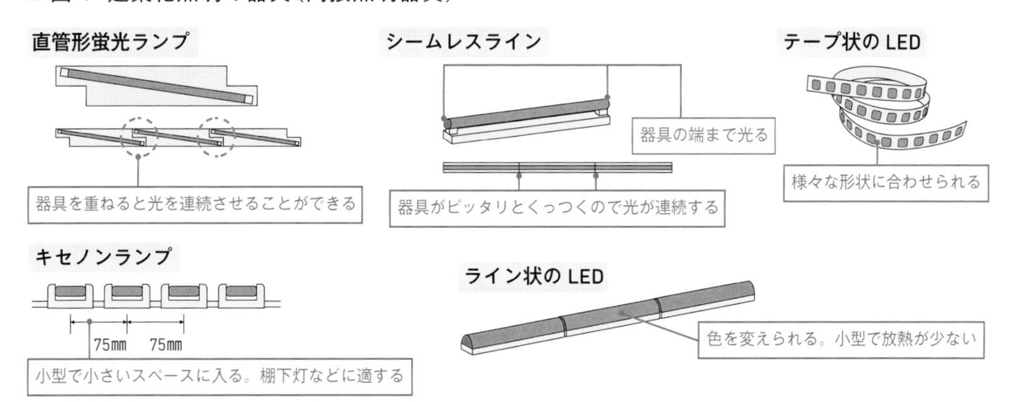

■図5　光壁

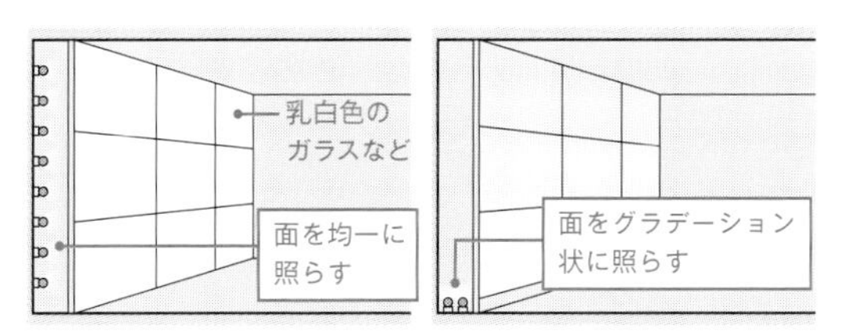

商業施設やホテルの壁面装飾、サインやグラフィックの演出などに使用される。光源は蛍光灯、LED、ハロゲンランプなど

■図6　光床

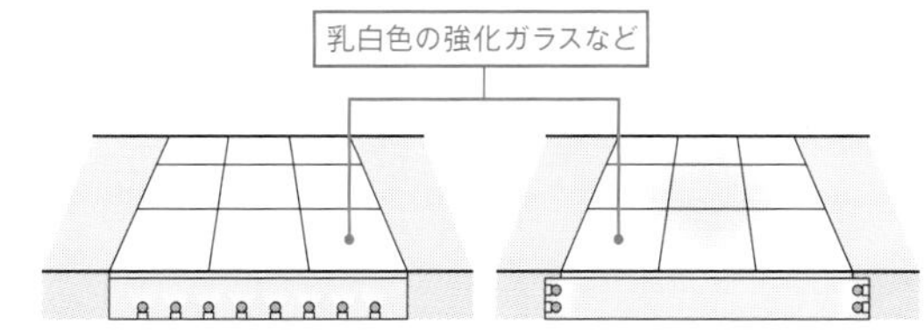

商業施設や公的総合文化施設などに使用されている。人が歩行したり、家具などが置かれるので、素材は強化ガラスを用いることが多い

3. 全般照明蛍光灯

全般照明蛍光灯には、天井に直接付ける直付型と、天井に埋め込む埋込型がある（表2）。スリム型の蛍光ランプを用いると天井面をすっきりデザインできる。全般照明蛍光灯は機能的かつ経済的なため、オフィスや学校などで用いられている。机上面に平均的な明るさを確保する一方で、パソコンの画面への光源の映込みやグレアが発生しないよう配慮して計画をする。

LEDによる全般照明用器具も一般化している。

■表2　全般照明蛍光灯器具

直付型	笠なし直付型	富士型	直付型
埋込型	露出型（下面開放型）	乳白アクリル拡散板付き	ルーバー付き（グレアカット対応）

全般照明

作業箇所と周りを区別せず、部屋全体を照らす。→P.312「一室多灯計画」

局部照明

全般照明が届きにくい箇所を部分的に照らす。→P.312「一室多灯計画」

15-4 照明の方法

重要度 ！！！

Point

- ☑ 住宅での照明は、全般照明と局部照明を組み合わせたものが主流
- ☑ 配光による照明の種類を知る
- ☑ 全般照明に用いられる光束法による照度の計算式を覚える

一室多灯計画

室内全体の明るさを確保するために、天井に照明器具を設置する一室一灯(いっしついっとう)から、暮らしのシーンに合わせる一室多灯(いっしつたとう)、適材適照(てきざいてきしょう)などの照明計画へと変わってきている。

一室多灯とは、シーリングライトやダウンライトによる全般照明(ぜんぱんしょうめい)と、スポットライトやブラケット、スタンドなどによる局部照明(きょくぶしょうめい)の組合せである。全般照明方式とは、一定の間隔で照明器具を配灯(はいとう)し、部屋全体をできるだけ均等に照明する方法である。局部照明方式とは、限定された場所を部分的に照らす方法である。全般照明だけでは光が届きにくい場所や、より明るさを必要とする場所を照らす。このように複数の照明器具を用いて光と影をコントロールすることで、部屋の用途や雰囲気に合わせた照明とすることができる(図)。

■図 全般照明と局部照明を組み合わせた一室多灯の住まい

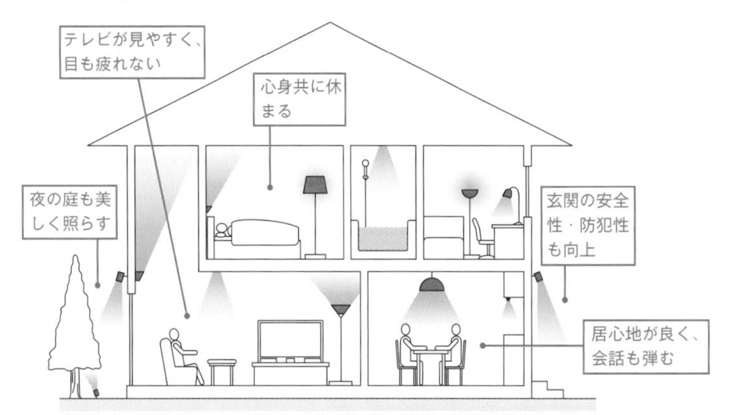

全般照明

目的とする範囲全体をほぼ均一に照らす方式。

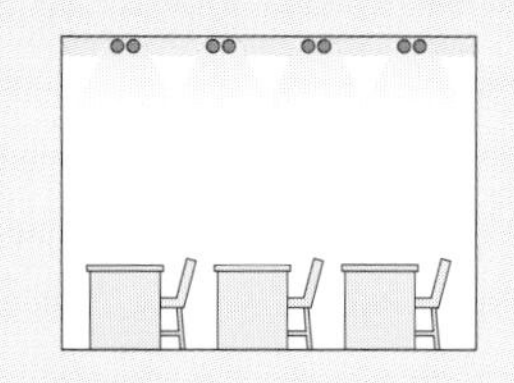

局部照明

限定された場所とそのごく周辺のみを照らす方式。

局部全般照明もある

机上面やキッチンなどの作業面を局部照明で効率良く照らし、全体は局部照明より低い照度で照らす方法。タスクアンドアンビエント照明ともいう。

公式ハンドブック［下］P.178～185

配光

照明計画では、まず、照明器具の光源の配光（光がどのように広がっているか）を把握する（表）。各照明メーカーが、照明器具別に配光曲線図を作成している。

配光曲線図
光の広がりや強さを表した図。立体断面図で表したものを鉛直面配光曲線という。

光束比
照明器具または光源の中心を基準にして水平線を引き、上下に分けた場合、水平線以上に出る光束の上方光束と水平線以下に出る光束の下方光束の比率。

光幕反射グレア
明るい光源が光沢のある物の表面で反射することによって生じるグレア。

■表 配光による照明の種類

		直接形照明	半直接形照明	全般拡散形照明	直接・間接形照明	半間接形照明	間接形照明
鉛直面配光曲線例		A B a b c C D					E F G
光束比	上	0 ～10%	10～40%	40～60%	40～60%	60～90%	90～100%
	下	100～90%	90～60%	60～40%	60～40%	40～10%	10～ 0%
照明の配光例		ダウンライト 金属シェードペンダント	乳白ガラスペンダント（下面開放）	和紙ペンダント ガラスグローブペンダント	シェードスタンド	乳白ガラスペンダント（上面開放）	金属ペンダント（上面開放） 金属トーチャー型スタンド
照明効果		・水平面照度が得やすい ・天井面を暗く見せる ・白熱ランプやHIDランプ用は強い影が生じやすい ・Aはa（直射グレアゾーン）に光があるため器具が輝いて見える ・Bは直射グレアがない ・Cは非対称配光 ・Dは直下照度が高くなるが、光幕反射グレアも生じやすい	・天井や壁面を少し明るくするため、直接形に比べて陰影が少しやわらかい ・輝度が高くならないように注意	・提灯のような器具 ・輝度が高くならないように注意	・グレアが生じにくく目にやさしい ・天井と床面にほぼ同じぐらいの光量が得られる	・天井面も明るいため空間に暗いイメージを与えにくい	・天井、壁面の反射率によって照明効果が異なる ・物の立体表現が弱い ・天井が明るくなるが、器具が影になりやすい ・Eは天井面にホットスポットをつくりやすい ・F、Gは連続配灯で天井面をより均一に照明することが可能。低天井の広い部屋は天井を高く見せる

各メーカーのカタログには、取り付ける際の注意も表示されているよ。照明計画の際には、必ず内容を確認しよう！

照度の計算方法

照度の計算方法には、光束法（こうそくほう）と逐点法（ちくてんほう）がある。光束法は、主に照明器具を均等に整列配灯する全般照明に用いる計算方法である。室内全体の照度 lx は、下記の計算式で求められる。

$$\text{平均照度(lx)} = \frac{\text{ランプ光束(lm)} \times \text{照明器具数} \times \text{照明率} \times \text{保守率}}{\text{面積(m}^2\text{)}}$$

ランプ光束、照明率、保守率は、各メーカーのカタログに照明器具ごとに掲載されている。なお、照度計算による照度の予測はあくまでも参考値である。実際は、外部からの入射などの影響を受けるためである。

逐点法
ある特定の場所の照度を計算するときに用いられる（局部照明など）計算式。式は、照度（lx）＝光度（cd）÷H（距離の2乗）

照明率
照明器具から出る光束のうち、ある面に届く光束の割合。

保守率
初期の照度が、時間が経つにつれ低下してくる割合を予測した数値。照度計算をするときに使用する。

15-5 照明計画

重要度 ! ! !

Point

- ☑ 各部屋の照明計画のポイントをおさえる
- ☑ 照明の施工時には、漏電・感電、落下、発火などに注意
- ☑ 照明スイッチ、引掛けシーリング、ライティングレールについても知る

各部屋の照明計画

照明計画は、用途に合わせて部屋ごとに行う。各部屋の照明計画のポイントを表1に挙げる。

■表1 各部屋における照明計画のポイント

区分	行為	室名	ポイント
屋外	内と外を繋ぐ	アプローチ・庭	・アプローチから玄関までの動線の明るさを確保する ・門灯や庭に照明を設置して防犯に配慮する ・庭の照明で家と外を繋ぐ光を演出し、夜景を楽しむ
	出迎え	外玄関	・ウェルカムライトで出迎えの雰囲気を演出する ・鍵穴が見えやすいようにする ・夜間は周囲に眩しい光を与えないようにする
接客空間		内玄関	・迎える人と入ってくる人の双方の顔が確認できるようにする ・靴脱ぎの段差を認識しやすくする ・鏡を設置している場合は、鏡を見たときに十分な明るさが得られるようにする ・家の第一印象を与える場であるため、単なる直管形蛍光灯ではなく、各部屋の雰囲気に合った照明を選ぶ
	移動	廊下・階段	・階段の段差を認識しやすくする ・廊下の幅が狭い場合は、器具が邪魔にならないようにする ・廊下が長い場合は単調な印象にならないよう、単なる直管形蛍光灯ではなく、各部屋の雰囲気に合った照明を選ぶ ・深夜の歩行に配慮する（フットライトの導入など）
	くつろぐ 会話する 見る	和室・座敷	・多目的な行為や用途に対応できるよう、複数の器具を組み合わせる ・照明で床の間を演出する ・寝室として利用する場合は、スイッチ操作の方法に配慮する
だんらん空間		応接室 （洋室） リビング	・多目的な行為や用途に対応できるよう、複数の器具を組み合わせる ・行為に応じて明るさを調整できるようにする ・雰囲気を楽しめるように、単なる直管形蛍光灯ではなく、各部屋の雰囲気に合った照明を選ぶ
	食べる 会話する	ダイニング	・料理だけでなく、人の顔を良く見せる ・高演色の暖かな光色で消化を促進させる ・食卓を周囲よりも明るくして、レストランのような雰囲気を演出する
作業空間	見る 作業する	キッチン	・照明によって食べ物がおいしく見えたり、まずそうに見えたりするので、高演色の光源を設置する。 ・清潔感を演出する ・作業する場所は特に明るくする ・ダイニングやリビングと連続する場合は、光色を統一するか、調光・調色ランプまたは器具を使用する
		浴室	・部屋全体を明るくし、清潔感を演出する ・リラックスできるように、明るさを調整できるようにする ・洗面、脱衣室または庭との繋がりに配慮する
		洗面室	・顔がきれいに見えるようにする ・部屋が広い場合は、洗面用の照明とは別に全般照明を加える ・清潔感を演出し、あまりコントラスト（明暗の差）を付けないようにする
		トイレ	・排せつ物の状態を見て健康チェックができる明るさを確保する
	勉強する くつろぐ 休む	子供部屋 勉強部屋	・タスクアンドアンビエント照明を導入する ・寝室としての利用に配慮する ・子供が小さい場合は、全般照明で均一な明るさを確保する ・目の疲れを軽減するため、ちらつきのない照明器具を使用する
プライベート空間		書斎	・タスクアンドアンビエント照明を導入する ・目の疲れを軽減するため、ちらつきのない照明器具を使用する ・趣味などでくつろげるように、明るさを調整できるようにする
	寝る 休む	寝室	・寝姿勢で眩しい光が目に入らないようにする ・リラックスできるように明るさを調整できるようにする

公式ハンドブック［下］P.185～187

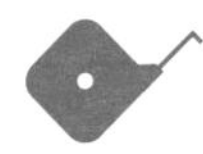

照明器具の施工と配線

1. 施工上の注意点

一般的に、照明器具の配線工事は、内装工事の前に行う。感電や漏電の危険もあるため、取り付け作業は有資格者が行う。また、照明器具自体からの発熱や光の照射によって対象物や付近の壁、カーテンなどが加熱されることもある。照明器具の取り付けには、下記の点に注意する。

(1)感電、漏電事故を防止する

湿気の多い場所や水廻りおよび屋外には、防湿・防水・防雨型の器具やスイッチを使用する。

(2)落下、破損事故を防止する

重量のある器具を設ける場合、下地補強をする。また、取り付けネジの長さや数に不足がないよう気を付ける。吊下げ器具やシャンデリアなどはじゃまにならない高さを確保し、ドアを開閉する際に接触しないよう注意を払う。

(3)発火、火災事故を防止する

ダウンライトやスポットライトの下方向30cm以内には、内装ドアや家具の扉が来ないようにする。ダウンライトは熱が天井内に放射されるため、天井の懐（ふところ）の高さも必要である。天井内に断熱、遮音材が使われている場合は、S型ダウンライトなどの対応器具を採用するとよい。

なお、照明器具の種類によって施工の内容が異なるため、各器具の注意点をおさえておくとよい(表2)。

空調・防音効果対策

ダウンライトの場合、取り付けるために天井に開けた穴から音や空気が漏れるため、断熱材や遮音材で覆う必要がある。

電気用品安全法の分類

電気用品の安全性を確保する法規。照明器具は「特定電気用品以外の電気用品」に、電気配線器具は「特定電気用品」に分類される。

電気安全法による適合検査に合格した製品は、適合性を表すPSEマークの表示が認められているよ！

天井懐

上階の床における躯体の下端から天井までの高さ空間のこと。

■表2　各照明器具の施工時の注意点

器具の種類	施工上の注意点
ダウンライト	・基準線や壁からの距離など、器具の取り付け寸法を図面に明記する ・壁などを照明する場合、照射角度の制限で狙った高さに光が当たらないということがないように注意する ・梁や野縁などがあって指定の位置に開口を開けられない場合もある
ブラケット	・器具自体が光るタイプ、上下に光が出るタイプなど、配光によって照明効果が異なるため、取り付け高さを展開図や立面図に明記する　・真壁の場合、柱部分には設置できないため、平面図でも確認を行う
フットライトまたは地中埋設型器具	・RC造の場合、配線用の配管と、器具を設置するための埋込みボックスを事前に設置する必要がある(照明器具の多くは工事の終盤に設置されるため、うっかりしていると設置できなくなるおそれがある)
ペンダントライトまたはシャンデリア	・引掛けシーリングで設置する簡易取り付けタイプが多いが、勾配天井に設置できるタイプとできないタイプがあるので、取り付け方法を確認しておく ・コードの長さも事前に確認する ・エアコンの風で器具が揺れ動くおそれがあるので、ほかの設備の取り付け位置も確認しておく
スポットライト	・配線ダクトを横付けで設置する場合は、ほこりが入らないようにカバーを取り付ける ・ハロゲンランプのスポットライトを、エアコンの近くに設置すると、冷房時にエアコンに結露が生じるおそれがある

2. 配線計画と照明スイッチ

照明器具の配置計画ができたら、次は配線計画を行う。照明器具と照明スイッチの組み合わせや、スイッチの位置を計画する。スイッチの位置は、ドアの開き勝手やインテリアデザインにも関わるのでしっかり検討する。住宅では、日常生活で使いやすいよう、部屋ごとに使い勝手を考えて計画する。

スイッチには、電球色→温白色→昼白色のように色温度を切り替えることができたり、インターネットに接続したスマートリモコン経由で、自宅の外からスマートフォンで操作することもできる。

スマートリモコン
家電や照明などのリモコン機能を１台に集約した機器のこと。Wi-Fi や Bluetooth でアプリに接続することで、スマートフォンからの操作も可能になる。

■ 図１ スイッチの種類

人勧センサー付きスイッチ

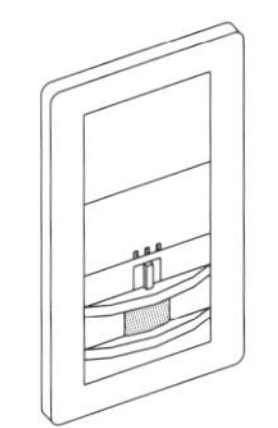

熱線センサーで人を感知し自動的にオン・オフする

ワイド手動調光スイッチ

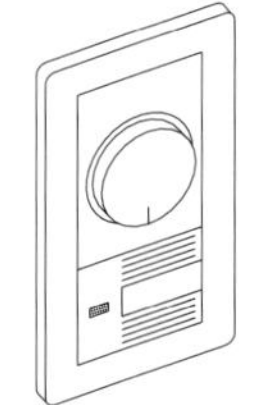

一回路ごとにつまみを回して調光する

非接触型スイッチ

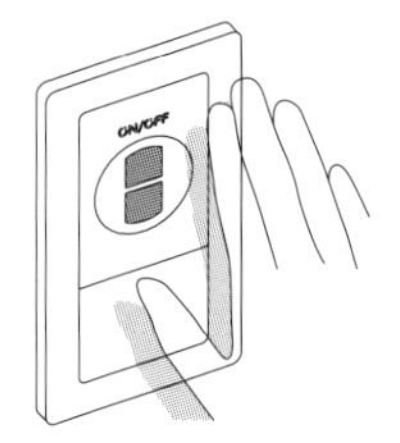

スイッチに触れず、手をかざしてオン・オフする

ワイドホタルスイッチ

暗闇でも位置がわかる小さな目印の灯りが付いている

フットスイッチ

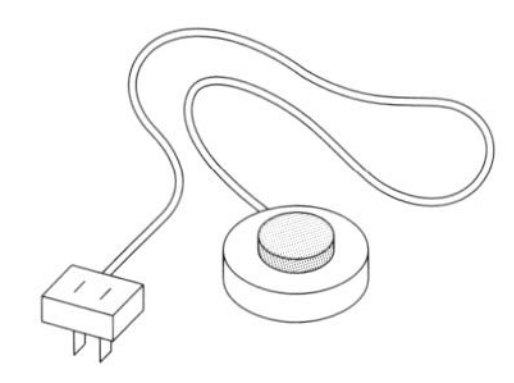

足で踏んでオン・オフする

24 時間タイムスイッチ

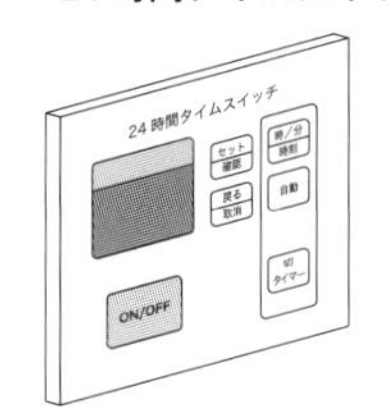

オン・オフの時間設定ができる

シーン記憶式調光スイッチ

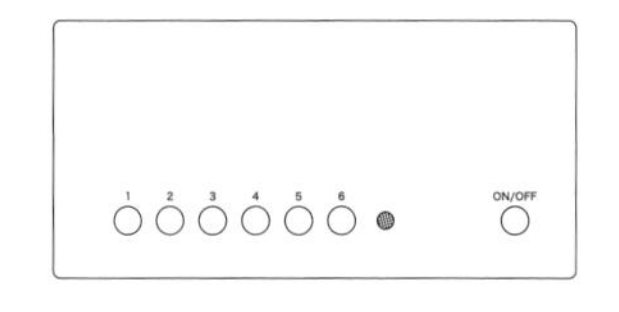

あらかじめ設定した光のシーンを再現できる

■ 図２ 色温度の切り替えが可能なスイッチの例

明るさは、ロータリー式のスイッチで調節

色温度はON・OFスイッチをパチパチ押しして切り替える

3色温度切替

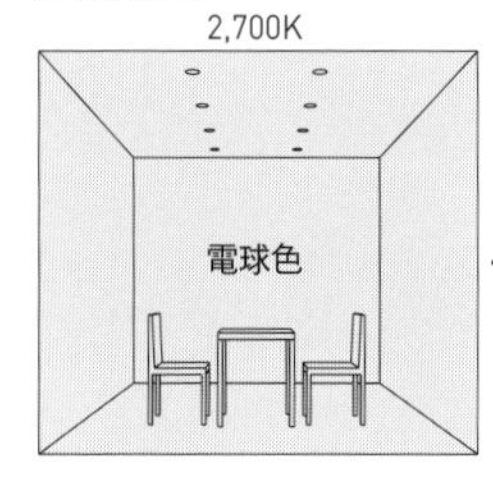

→

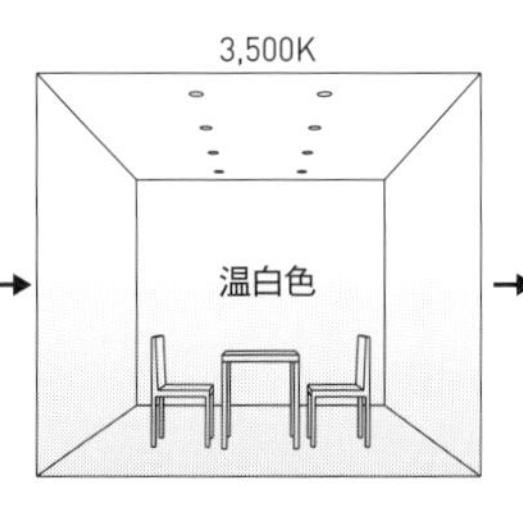

→

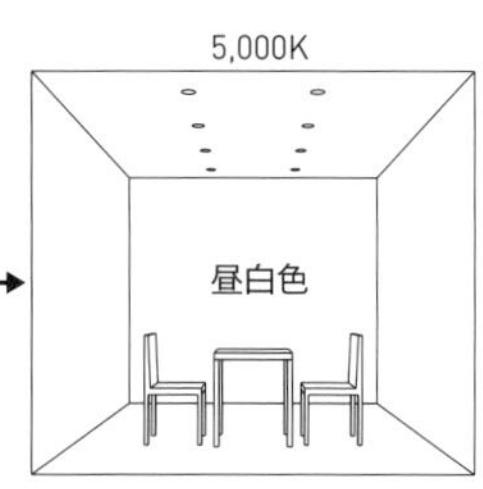

3. 照明器具の取り付け器具

(1)引掛けシーリング

シーリングライトやペンダントライトを天井に取り付ける器具を引掛けシーリングという(図3)。これは、コンセントを兼ねた天井配線器具である。

和室に利用される角型引掛けシーリングは、取り付けネジの間隔が小さいため、重い器具を取り付けられない。一方、洋室や和室の目透かし天井に適している丸型引掛けシーリングと埋込みローゼットは、取り付けネジの間隔が広いので大型の器具でも設置できる。

■図3 引掛けシーリングの種類

角型引掛けシーリング

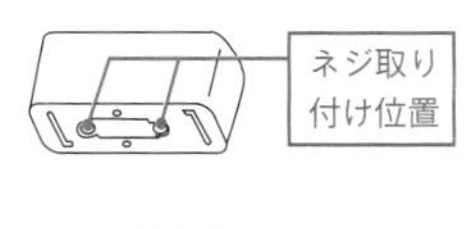

丸型引掛けシーリング

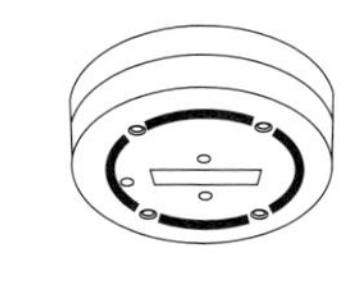

埋込みローゼット

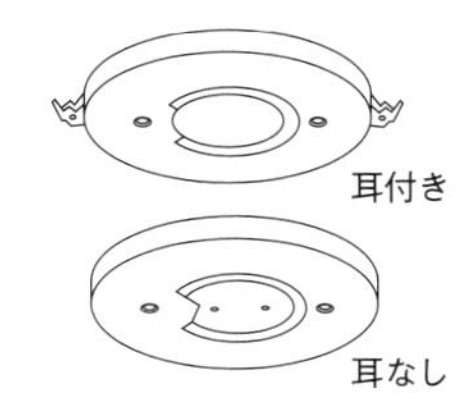

(2)ライティングレール(配線ダクト)

ライティングレールとは、レール内部に電気を通した管のことをいう(図4)。一般的な100V用のほか、12V専用のスリムタイプなどがある。規定の電気容量内であればレールのどの位置にでも複数の照明器具を設置できる。また、それぞれの照明器具は、好きな方向に配光できる。最近は、レールが90°回転するものや、スライド式で長さを伸ばすことのできる、おしゃれなインテリアダクトも取り入れられている。

ライティングレールにはスポットライトを取り付けることが多いが、省エネタイプのLEDペンダント型照明も採用されるようになっている。照明器具は、ライティングプラグ付きのものを選ぶ必要がある。

■図4 ライティングレールの各部名称

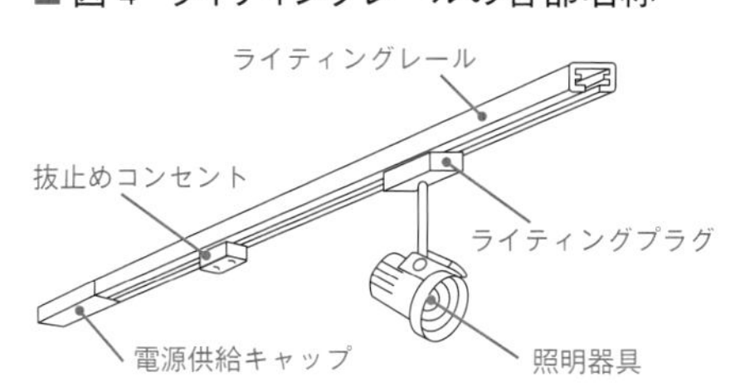

目透かし天井とは

目透かし天井とは、板と板の継目に隙間を開けて張った天井。継目には、敷目板と呼ばれる細い板を張る。引掛けシーリングを設置することが多い。

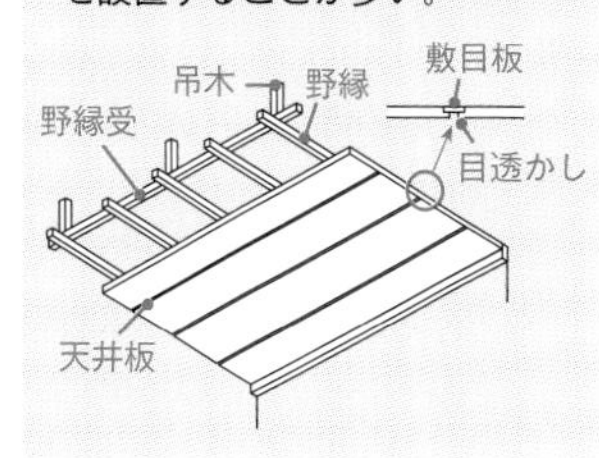

埋込みローゼット

引掛けシーリングと同じ住宅用配線器具。主にマンションなどで使用され、照明器具の簡易取り付け式金物を簡単に取り付けられる。

ライティングレールは、引掛けシーリングや埋込みローゼットなどの配線器具を使って、取り付けることができるよ

16-1　重要度 !!!

家具の分類と機能

Point

- ☑ 家具は、人体系家具、準人体系家具、建物系家具の3つに分類できる
- ☑ イスの高さとは床から座位基準点（座骨結節点）までの垂直距離である
- ☑ 机の高さとはイスの高さに差尺を加えたものである

家具の分類

家具の分類は、人の生活行為を基本にしてとらえることが重要である。通常、人が家具を使用する目的は、休息や作業、収納である。家具には直接人体を支えるものや作業を補助するもの、身のまわりの生活用品を収納するものなど多様な種類があり、それぞれに対応した機能が盛り込まれている。

これを人間工学的な立場から分類すると、人体を支えるための人体系家具、物を支えるための準人体系家具、収納や遮断（仕切り）のための建物系家具の3つに分類することができる（表）。

脚物・台物・箱物

家具業界で使われる家具を、形で分類するための呼び方。イス類は脚物、机やテーブルなど物を置く機能のものは台物、ボード類やタンス、食器棚など収納家具は箱物と呼ばれる。

機能寸法とは?

家具のデザインや設計をする場合に、基本または基準となる数値のこと。イスの座り心地、テーブルや収納家具の使い勝手に影響し、またそれぞれの用途によっても変わる。

■ 表　家具の分類

分類	家具の機能	人・物と家具との関わり	家具の例
①人体系家具（アーゴノミー系家具）	人体を支える	人	イス、ベッド
②準人体系家具（セミアーゴノミー系家具）	物を支える		机、調理台、カウンター
③建物系家具（シェルター系家具）	収納や遮断をする	物	棚、戸棚、タンス、衝立て

家具の機能寸法

空間における家具の機能寸法は図に示す通りである。イスなどの人体系家具は間口（幅）、奥行、高さとも人体寸法を優先させ、収納家具などの建物系家具は間口、奥行に物の寸法と空間の寸法を、高さは人体寸法を優先させる。また、机やテーブルなどの準人体系家具は、これらの中間的な考えをとる。

■ 図　家具の機能寸法

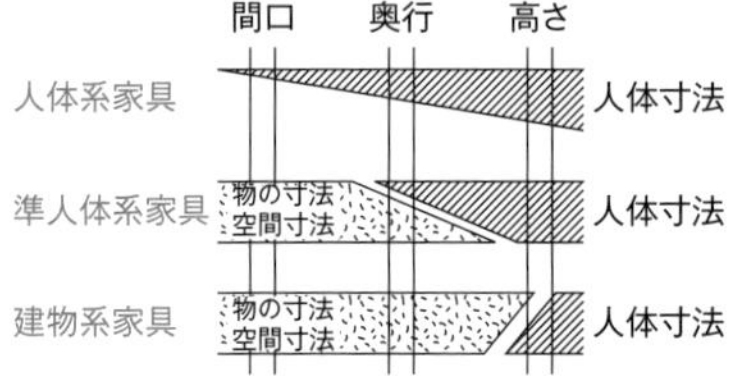

公式ハンドブック［上］P.81、P87

16-2 重要度 ！！！

イス（チェア）

Point

- ☑ ダイニングチェア、スツール、ソファなど、イスの種類を覚える
- ☑ 角度や寸法、体圧分布、クッション性など、座りやすいイスの機能を理解する
- ☑ イスの構成部材と、座面や背もたれの張り工法の名称を覚える

イスの種類

イスは、人間が快適な姿勢を保ちながら食事や休息、作業をするために使われる道具である。その種類は目的に応じて、背もたれや肘掛けのあるイス、回転やリクライニング機能を備えたもの、和室に用いる座イスなどさまざまである（図1）。

■ 図1 イスの主な種類

イージーチェア
休息を目的とするイス。幅が広く、背もたれの傾斜角度も大きく、ゆったりとした座り心地をもつ。

カウチ
横たわったり脚を伸ばして座ることのできる1人用のイス。形はソファに似ている。寝イスとも呼ばれる。

オットマン
イージーチェアやパーソナルチェアと組み合わせて使用する。脚を乗せて、さらに楽な姿勢がとれる。

海外製のイスは靴を履いた生活に合わせた寸法でつくられているから、日本人には座面が高すぎる場合があるよ。イスを選ぶときは注意しようね

公式ハンドブック［上］P.81～84、P.159～163

イスの機能寸法

イスの掛け心地を左右するのは、寸法・角度、体圧分布、クッション性である。作業用、軽作業用、休息用など機能や使用目的に合う姿勢を保つには、これらの要素を適切に組み合わせる(図2)。

■図2 機能によるイスの分類

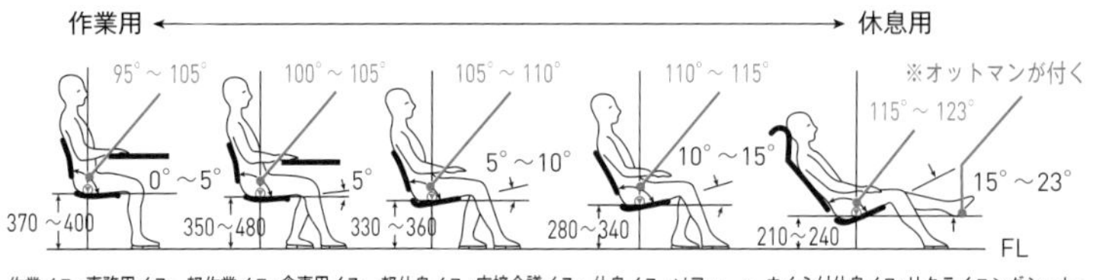

作業イス〔事務用イス 学校用イス〕 軽作業イス〔食事用イス 会議用イス〕 軽休息イス〔応接会議イス 喫茶用イス〕 休息イス〔ソファ 安楽イス〕 まくら付休息イス〔リクライニングシート ハイバックチェアー〕

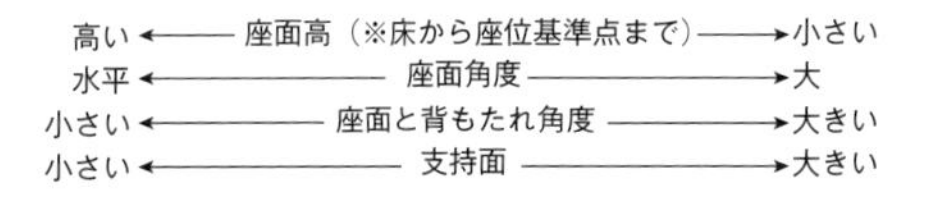

リラックスする姿勢ほど床からの高さが低く、背もたれの角度が大きい

1.寸法・角度

イスに重要な寸法・角度は、座面の高さ、奥行とその傾斜角度、背もたれの角度と背もたれ点の位置などの関係である。イスに座ったときの人体各部の位置は、すべて座位基準点(ざいきじゅんてん)を原点に決まる。イスの寸法や角度もこれを基点に前後・左右・上下方向に決める(図3)。

■図3 座位基準点と寸法・角度の例

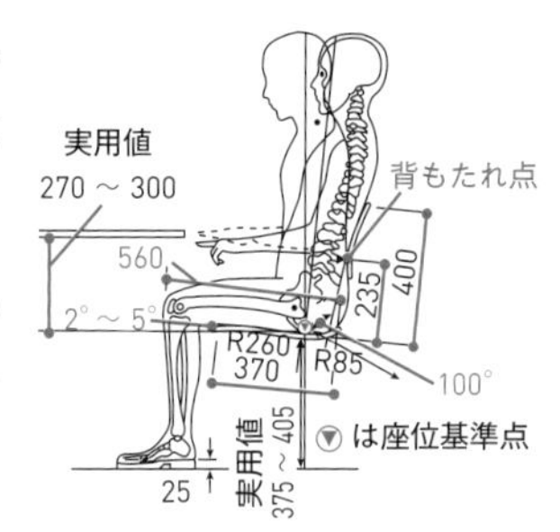

2.体圧分布

人体には感覚の鋭敏なところと鈍感なところがある。イスの座面は鋭敏なところには小さな力が、鈍感なところには大きな圧力がかかるようにつくられることが望ましい。それを知る手段として体圧分布図(たいあつぶんぷず)がある(図4)。

■図4 イスの座面の体圧分布図(単位:g)

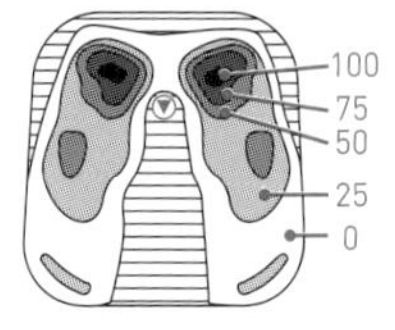

一見、右のほうが安楽そうに見えるが、実は座位基準点(▼印)に圧力の中心がある左の分布形のほうがよい

椅座時の上体の姿勢

イスに腰掛けた姿勢を椅座(きざ)という。イスを機能的に考えるとき、椅座時の上体の補助も考慮に入れなければならない。

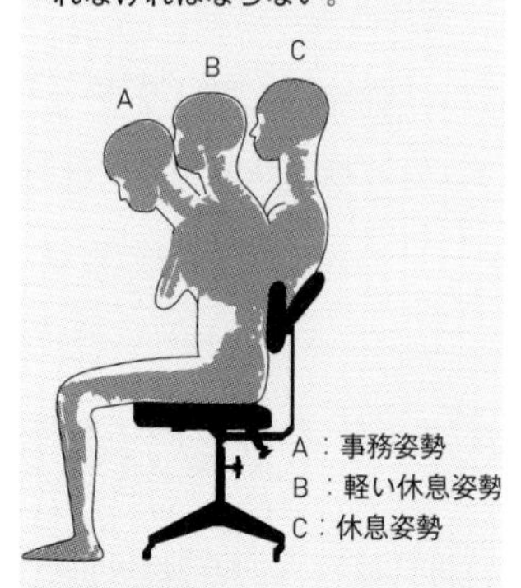

座位基準点

座骨結節は座面に接して体重を支える箇所である。この左右の座骨の中央を設計寸法の原点とする。

→P.127「座骨結節点と座位基準点」

イスの高さの測り方

一般的にイスの前縁は、やや高くなっているので、座位基準点を基準に高さを計測する。

座面と大腿部への圧力

適当な高さの座面に腰掛けるときは、大腿部の裏側には圧力がかからない。

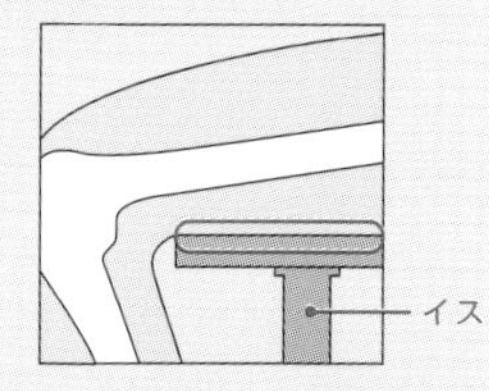

高すぎる座面は、大腿部の裏側を押しつぶすので血行を妨げる

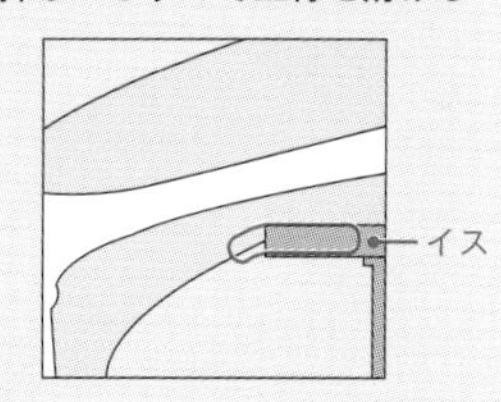

3. クッション性

休息用のイスではクッション性が要求される。ただし、軟らかくすることよりも、姿勢を正しく保つことのほうが重要である。良いクッションとは、その中に軟、硬、軟の3種の要素を組み込んだ3層構造をもつものである(図5)。

■図5 クッションの3層構造

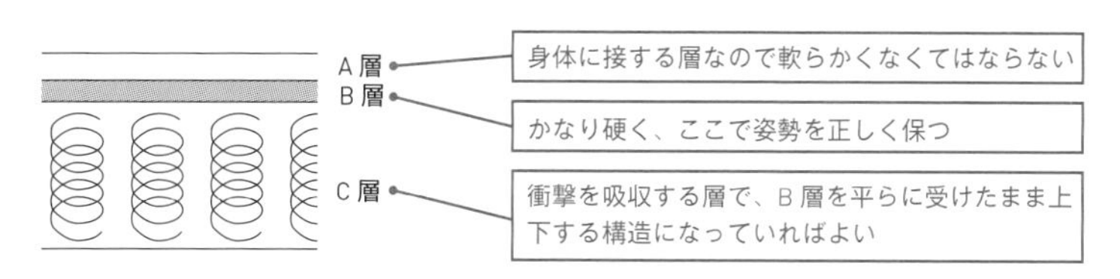

張り加工
イスの快適性を高めるため、座や背にクッション材を施し、布や皮革で覆う加工。意匠性にも関わる。

イスの基本構造

1. 構成部材

イスの基本的な構造は、人体に接する座、背、肘、脚部からなり、目的や用途に応じて張り加工が施される(図6)。

■図6 イスの基本構造と各部名称

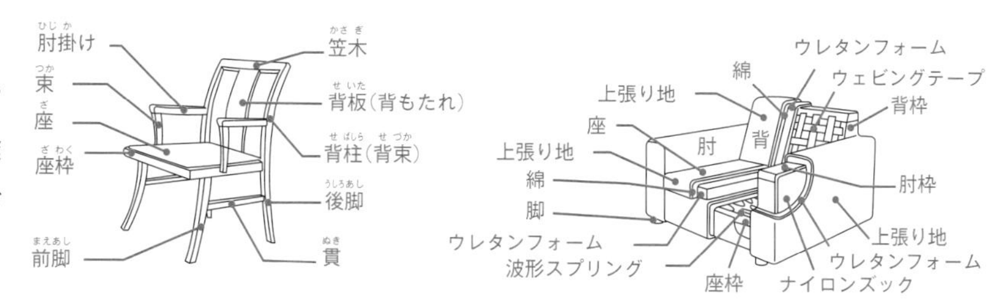

(1)座

座枠を組んだ上か、合板にクッション材を敷いた上に張り加工をすることが多い。張り加工を行なわない場合は、矧ぎ合わせた成形合板や木材を削り出して座面をつくったり、キャンバス、皮革、籐などシート状のものを座にすることもある。

(2)背

背は、後脚上部と笠木、背貫、背束などからなる。張り加工を行なわないイスは、これらを背もたれにする。張り加工を行う背は、座と同様に背枠を組むか合板などを使用する。

(3)肘

肘は、肘掛けと束からなる。前脚を上に伸ばして束とする場合と、単独の束を座枠の上に立てる場合がある。

(4)脚

脚は、前脚、後脚、幕板、貫からなる。木製の場合は、枘差しや太枘によって接合する。貫は強度を高めたり、足掛けに用いられる。

2. イスの張り工法

イスの張りとは、座や背に詰め物をしてイスの一部分あるいは全体を上張りで覆い、デザインや用途に合わせて形づくる加工方法である。次の4つに大別される。

(1)薄張り

薄張りとは、一般にクッションの厚みが20㎜程度のものをいう。工法には、皿張り（さらばり）(図7)や張り込み(図8)などがある。薄張りの場合は衝撃を吸収する工夫が必要である。

■図7 皿張り

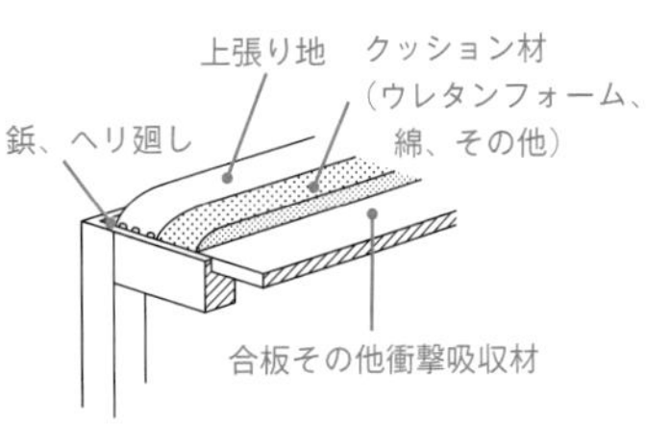

■図8 張り込み

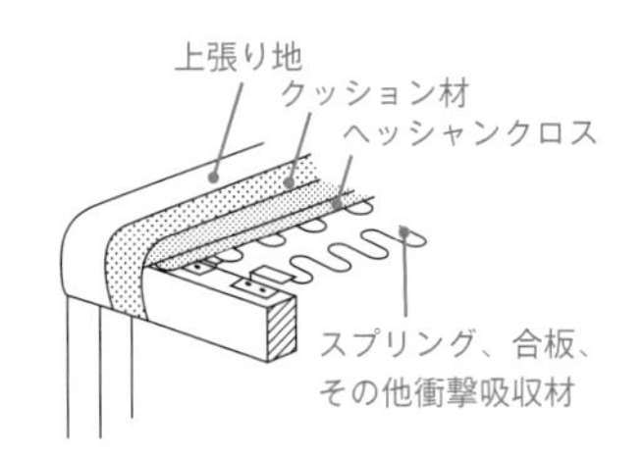

(2)厚張り

厚張りとは、クッションの厚みが50㎜以上のものをいう。衝撃吸収材やクッション材の選択の幅が広い。リビング用のイスや高級なイスの張りに多い(図9)。

(3)あおり張り

あおり張りとは、イスの座枠の上に小巻きのスプリングを取り付けて二重張りにする方法をいう。最もクッション性が高く、ソファや安楽イスに用いられる(図10)。

(4)カバーリングシステム張り

カバーリングシステム張りとは、本体から上張りを着脱しやすいようにファスナーなどで固定し、加工する方法をいう。上張り(カバー)の取替えが容易である。

■図9 厚張り

軟らかいクッション材（ウレタンなど）
充填物（ウレタンフォーム、
ラバーフォーム）
綿、化繊綿
上張り
衝撃吸収材（または合板）
ウレタンフォーム
ウレタンフォームの硬質材
（0.04 比重以上）
（チップフォーム、パームロック
など硬めの素材）

■図10 あおり張り

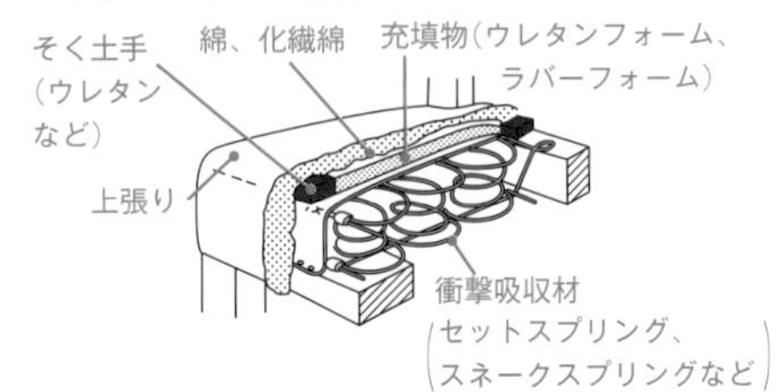

3. 張り材

イスの座面などに施す張り加工の材料は、上張り材、クッション材、衝撃吸収材の3つに大別される。以下、各材料に用いる代表的な素材を挙げる。

張り枠（落とし込み）
張りの座や背を別につくり、本体の枠に落とし込む方法。仕様の自由度が高く、張りの替えが簡単。

皿張り
イスの張り工法のひとつ。薄く張ったパーツ（座面や背面）を取り付ける。

張り込み
張り材を座枠に巻き付けるイスの張り工法。

(1)上張り材

①繊維織物…イス張り用として、平織の緞子織、ゴブラン織などがある。その他、パイル織(モケット)、編物(ニット)なども用いる。

②天然皮革…主に牛革を用いる。吸湿性、耐熱性、弾力性、染色性に優れている。用途に応じて、なめし加工や染色加工が施される。

③合成皮革…塩化ビニルを発泡させて基布に付着させたビニルレザーや、表面にポリアミドやポリウレタン樹脂を塗布したものがある。

(2)クッション材

①ポリウレタンフォーム…軽くて弾力性に富み、加工性が良い。代表的なクッション材。用途に応じた比重や硬度のものを選ぶ。

②合成繊維綿・綿…当たりがソフトでふっくらと見える綿や、綿の代替品のポリエステル、ポリプロピレンなどの合成繊維綿(ツイスト綿)が多く使われている。

③パームロック…ヤシの実の繊維を合成ゴムなどで固定したもの。耐久性が必要なイスに使われる。

④ヘアーロック…動物の毛にラテックスを混入し乾燥硫化させたもの。

(3)衝撃吸収材

①セットスプリング…螺旋状に巻いた複数のコイルスプリングを鋼線にセットしたもの(図11左)。吸収する衝撃の量が大きいスプリングをヘッシャンクロスで覆ってから、充塡物を載せて上張りする。

②エラストベルト(ウェビング)…特殊な糸の繊維にゴムを浸透させた帯状のもの(図11中)。ポリプロピレンテープも使われる。

③スネークスプリング…形状がヘビに似た波型の平たいスプリング(図11右)。簡易な薄張りの衝撃吸収材として使われる。

④力布…イスの裏側など、力のかかる箇所の補強のために裏から当てる布。

■図11　衝撃吸収材

セットスプリング

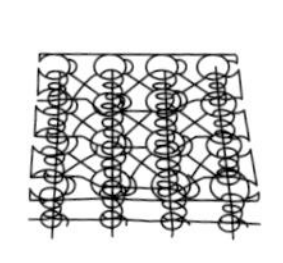

上部径
下部径
朝顔型

上部径
下部径
つづみ型

エラストベルト(ウェビング)

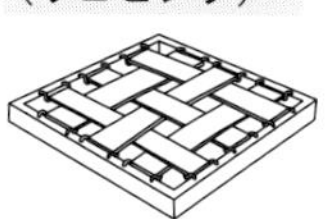

スネークスプリング

織りについては、P.352「インテリアファブリックス」も参照してね

なめし加工

製革工程で動物の皮が腐敗したり固くなることを防ぎ、皮を柔軟にし、耐久性をもたせるための加工。

なめしの種類

なめしにはクロームとタンニンがあり、軽くて丈夫、柔軟で伸びが良いクロームなめしが一般的。

ヘッシャンクロス

黄麻の平織物。イス張りの下地として用いる。

布張りイスの加工

イス張りで、張り地が出合う縁部分に縫い込まれるパイプ状の部分を玉縁という。形に張りを与え、出隅を強調する役割がある。パイピングともいう。

16-3 テーブル・机（デスク）

重要度 ！！！

Point

- ☑ テーブルや机の形状と呼び名を覚える
- ☑ テーブルの大きさは座席数をもとにして決める
- ☑ 甲板には無垢材のほか、合板による5つの構造がある

テーブル・机の種類

食事・応接・家事などに用いられるテーブルや筆記作業などのときに使用する机（デスク）は、機能性はもちろん、インテリアエレメントとして重要な要素であり、種類もさまざまである（図1）。

■図1 テーブル・机の主な種類

ダイニングテーブル

丸型テーブル

リビングテーブル

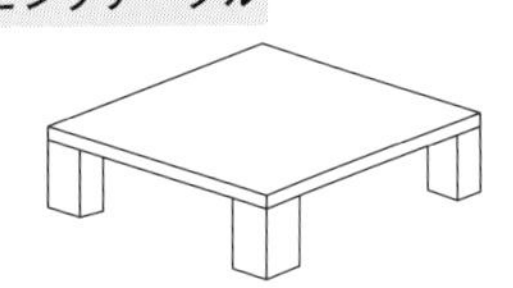

リビングダイニングテーブル

デスク

ライティングビューロー

ナイトテーブル

座卓

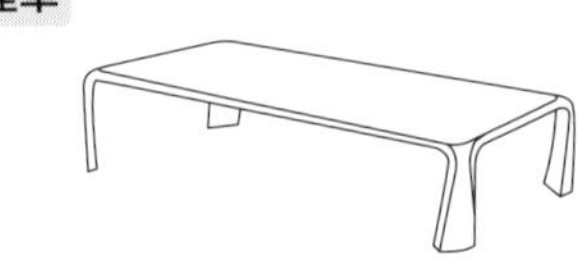

ダイニングテーブルとリビングテーブル

ダイニングテーブルは高さが食事に適した70cm前後で、大きさは人数によって変わる。リビングテーブルはソファなどに組み合わせて使用し、高さは40～45cmと低めである。

ライティングビューロー

小型のデスクと書物を収める本棚、引出しなどの収納機能をコンパクトに一体化したもの。

ナイトテーブル

ベッド脇に置く小型のサイドテーブル。スタンド照明や時計、小物などを置く。

テーブルは脚モノ、デスクは箱モノと分類されるよ！

公式ハンドブック［上］P.84～85、P.163～164

テーブル・机の機能寸法

テーブルや机の機能寸法の原点は、イスと同様に座位基準点にあると考える。机とイスが人体に適合しているかどうかを判断するには、まず人体に合うイスを考え、次に人体とイスが適合する机の寸法を設計する。机の寸法は最後に決まる。

1. テーブル・机とイスの高さ

イスの座面とテーブルや机の甲板(こういた)面との高さの差を差尺(さじゃく)という（図2）。差尺は甲板面での作業や食事の際、疲れにくい姿勢を保つための重要な要素である。適切な差尺の寸法は、人の座高と作業内容により以下の式で求める。

■図2 差尺

甲板面
差尺＝座高（0.55H）×1/3
机の高さ
座位基準点
イスの高さ（下腿高－1cm）
H＝身長

①筆記作業が主で、能率に重点を置いた場合

差尺＝座高× 1/3

②読書および緩慢な作業が主で、長時間の使用に重点を置いた場合

差尺＝座高× 1/3 －（2～3cm）

なお、テーブルや机の標準的な高さは、67～70cmである。

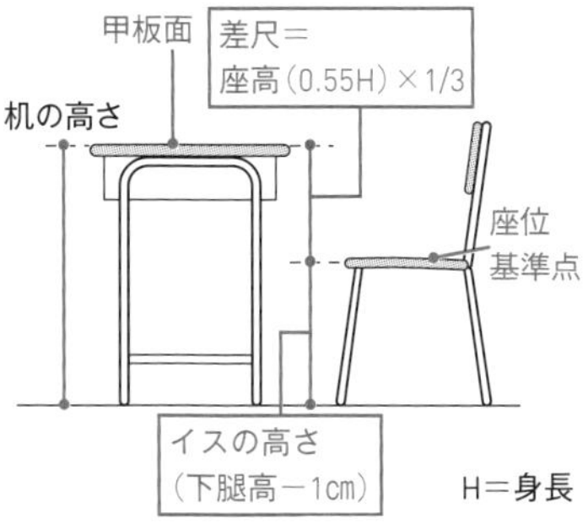

2. テーブルの高さと大きさ

テーブルの高さは使用する目的によって異なる（表）。また、ダイニングテーブルは、座席数が甲板の大きさの目安となる（図3）。この場合、1人が占めるスペースは、約60 × 40cmである。

■表 テーブルと高さの目安

種類	高さ（mm）
リビングダイニングテーブル	630
応接用センターテーブル	400
応接用サイドテーブル	500
座卓	330

■図3 座席数と甲板寸法

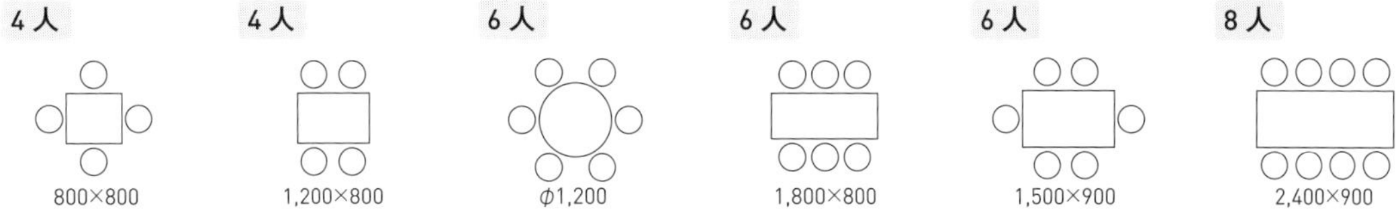

4人 800×800

4人 1,200×800

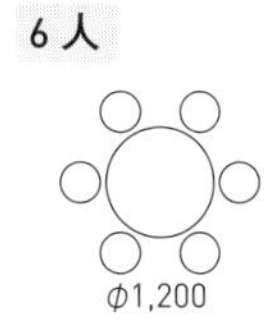

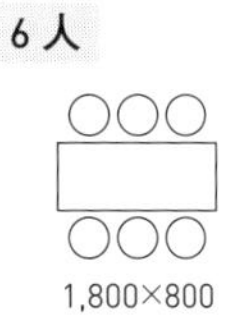

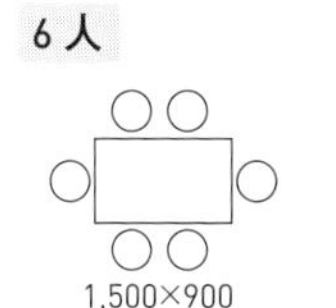

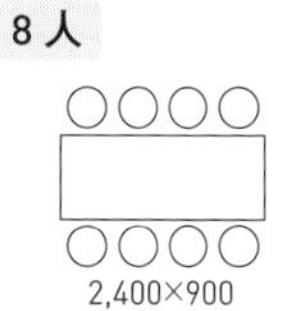

イス・机の寸法

イスや机の高さは、身長を基準として寸法を決める。
イスの高さ≒下腿高－ 1cm
≒ 1/4 身長
机の高さ≒イスの高さ＋差尺
≒ 1/4 身長 +1/3 座高
≒ 2/5 身長

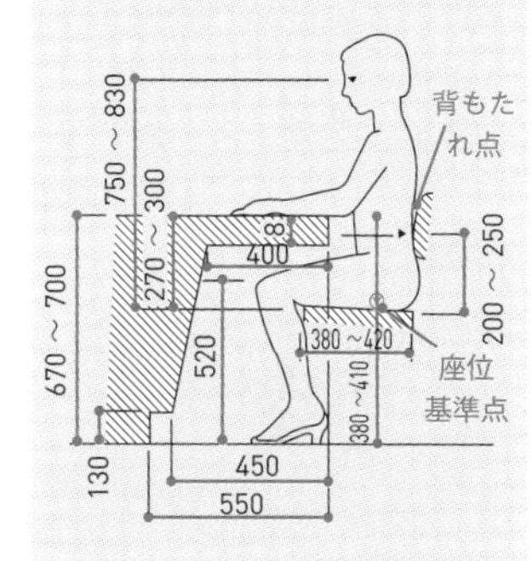

甲板

テーブル・デスクの最も主要な部分。平滑さと耐久性が要求される。木材、ガラスなどが用いられる。天板、テーブルトップとも呼ばれる。→ P.326「テーブル・机の構成部材」

差尺の違い

筆記は腕が動かしやすいなど、作業性の高い姿勢が求められるが、読書は比較的軽い作業であるため、筆記作業と読書とでは差尺に2～3cmの違いが出る。

共用するテーブルの高さ

応接テーブルとダイニングテーブルを兼用する場合には、テーブルの高さを低めにし、イスはややゆったりとした物を選ぶとよい。

テーブル・机の基本構造

テーブルや机の基本的な構造は、作業面である甲板とそれを支える脚組からなる（図4・5）。甲板を脚部にしっかりと固定するために幕板をもつものもある。また、必要に応じて引出しなどを加える（図6）。

■図4 主なテーブルの基本構造と各部名称

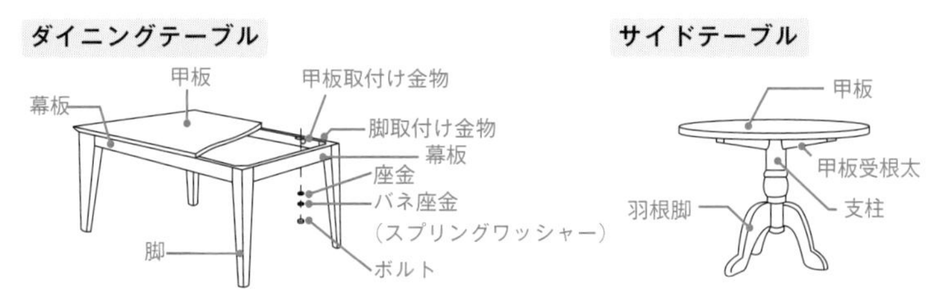

■図5 主な机（デスク）の基本構造と名称

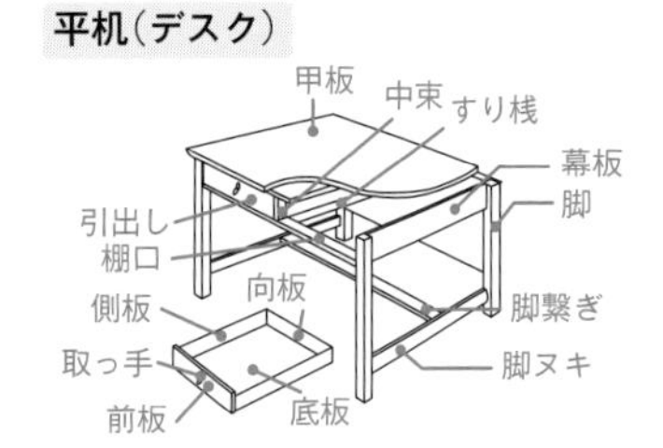

片袖机（デスク）
脚繋ぎ
袖天板
引出し
中仕切板
引出し
前板
袖側板
スライドレール
側板
引出し側板

ライティングビューロー
天板
棚口
仕切板
ドロップ（丁番）
ドロップ扉
フラップ扉受け
引出し
台輪
側板

■図6 引出しの仕込構造断面図

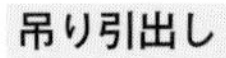

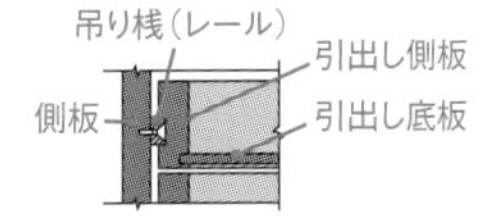

上げ底引出し

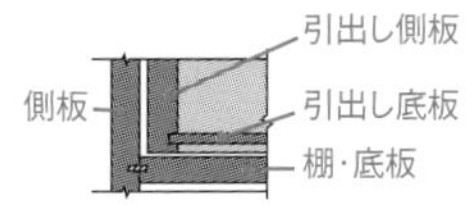

金属レール式引出し

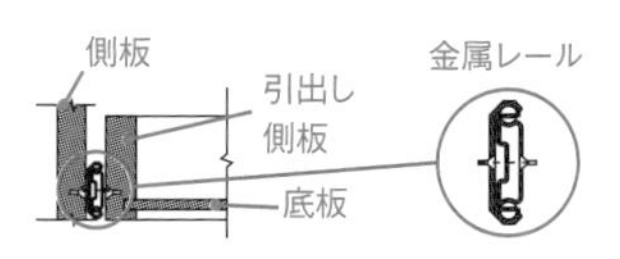

テーブル・机の構成部材

1. 甲板

甲板はテーブルと机の最も重要な部分であり、その表面材は平滑で狂いを生じないものとする。木製の甲板には、用途に応じた強度や重量の材を用いる（次頁図7）。

(1)無垢材

耳（樹皮）付の無垢材を表面加工してそのまま使用したり、平板材を数枚矧（は）ぎ合わせて用いる。重量のあるものが多い。

(2)ランバーコア構造

無垢の小角材を並列に矧ぎ合わせたものを芯材とし、その両面に練付合板（ねりつけごうはん）などを張るもの。

(3) フラッシュ構造

無垢材や積層材、硬質繊維板などの小角材を芯材として格子に組み、その両面に練付合板などを張るもの。芯材がない部分の表面圧縮力は劣るが、比較的軽く、最も一般的な製法である。

(4) ペーパーコア構造

ハニカムなどの形をした紙製の芯材を用い、その両面に練付合板などを張るもの。表面の圧縮に比較的強く軽い甲板となる。

(5) パーティクルボード構造

パーティクルボードを芯材として、その両面に練付合板などを張るもの。直接表面に突き板を練り付けたり、塗装することもある。

(6) 積層合板構造

積層した合板を芯材とし、両面に練付合板などを張るもの。表面の圧縮には強いが、比較的重い甲板である。

■図7　木製の甲板

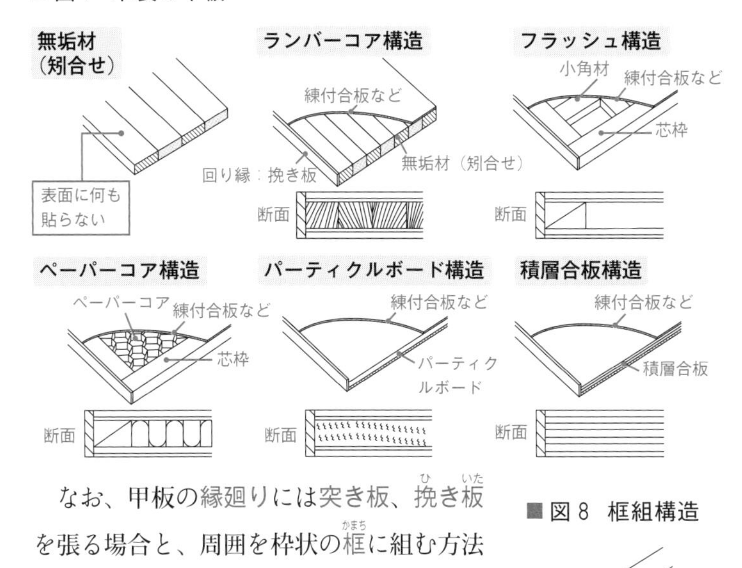

なお、甲板の縁廻りには突き板、挽き板を張る場合と、周囲を枠状の框に組む方法がある(図8)。またアルミニウムや塩化ビニルなどのエッジ材を付けることもある。

■図8　框組構造

2. 脚組

脚組は、脚と幕板、貫で構成される。素材には木、金属パイプ、アルミ鋳物などを用いる。脚の形状は、丸脚、角脚、挽物脚、板脚、箱脚、ネコ脚などがある。甲板との接合は、幕板に取付け金物を設け、ボルトなどで堅固に取り付ける。幕板を使わずに脚を直接甲板に取り付けるものもある。

突き板と挽き板

突き板は木目の美しい天然木をごく薄くスライスしたもの。挽き板は木材を縦方向に挽き切ったもの。

練付合板

普通合板の上に仕上材として突き板や樹脂板などを接着剤で貼った合板。

コア

合板の芯材のこと。表面に練付合板などが張られて合板となる。集成材、紙、繊維板などが用いられる。

ハニカム

蜂の巣状に成形したもの。軽く強度に優れる。ハニカムコア合板は軽量合板の代表である。

矧合せと積層

矧合せは角材などを繊維方向に平行に接着すること。積層は単板(薄板)を積み重ねて接着すること。

フラッシュ合板は、反りや歪みが生じにくい。また、軽量で大量生産向きで比較的安価だよ

鋳物

熱して溶かした金属を砂の型に流し込んで作る金属製品。金型を使うものをダイカストという。

挽物

木材を回転させ、刃物を当てて切削加工したもの。形は回転体となる。旋盤やろくろを使う。

16-4 収納家具

重要度 ! ! !

Point

- ☑ 空間の用途に合わせた家具選びが大切である
- ☑ 収納家具は物を収納する箱体とそれを支える台輪や脚からなる
- ☑ システム家具にはユニットファニチュアとビルトインファニチュアがある

収納家具の種類

収納家具には、それぞれの空間(部屋)や用途に合わせた形態がある(図 1)。たとえば、玄関には下足箱、居間や食堂にはリビングボードやサイドボード、ダイニングボード(食器棚)などを置く。また、書斎や子供部屋には書棚や整理棚、寝室にはワードローブ(洋服ダンス)、和室には和ダンスなどを備える。

■図 1 収納家具の種類

ダイニングボード

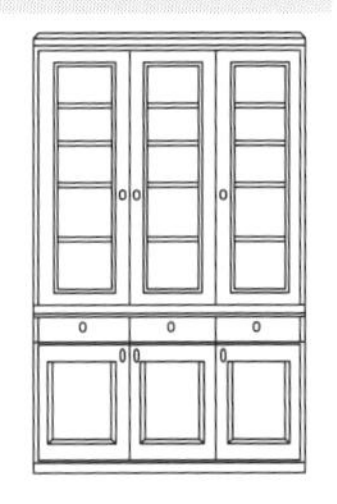

リビングボード

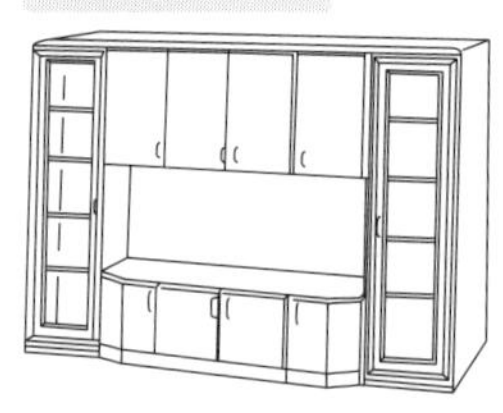

サイドボード

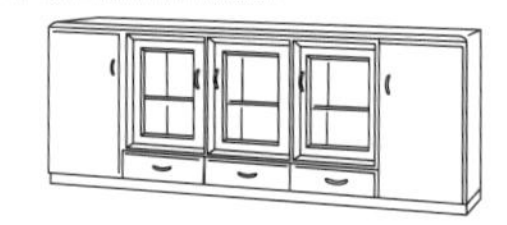

ワードローブ

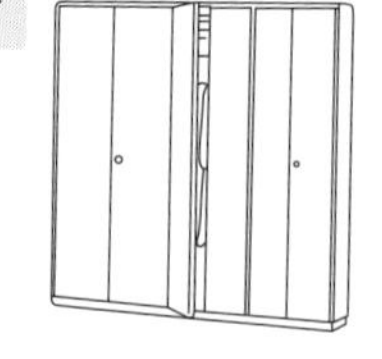

書棚

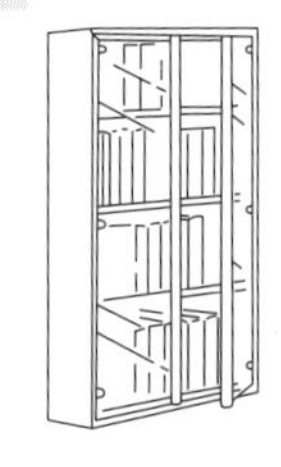

棚類

タンス類

主な収納家具の奥行寸法

種　類	奥行寸法 (cm)
下足箱	35～40
食器棚	35～45
リビングボード	40～45
書棚	30～35
和ダンス	40～45
洋服ダンス	60～65
ワードローブ	60～65

両面ハッチ家具

両面から物を出入れすることができる間仕切り家具。居間と食堂、食堂とキッチンの間などに設置する。

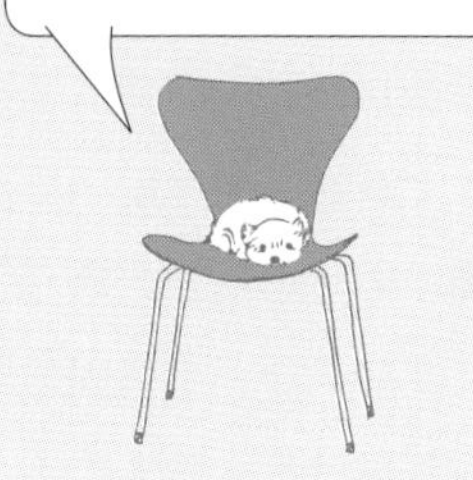

公式ハンドブック[上] P.150 ～ 151、P.164 ～ 165

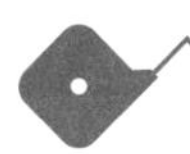

収納家具の基本構造

収納家具の基本的な構造は、物を収納する箱体(はこたい)(キャビネット)とそれを支える台輪(だいわ)や脚からなる(図2)。さらに、使用目的や機能、デザインによって、天板(てんいた)(カウンター)や支輪(しりん)、扉や引出し、中仕切板や棚板などが加わる。箱体の基本構成は、天板、左右側板(がわいた)、地板(じいた)、背板からなり、各構成材を木太枘(きだぼ)や枘(ほぞ)、組継(くみつ)ぎや締結金物(ていけつかなもの)などで接合する。

■図2 収納家具の基本構造

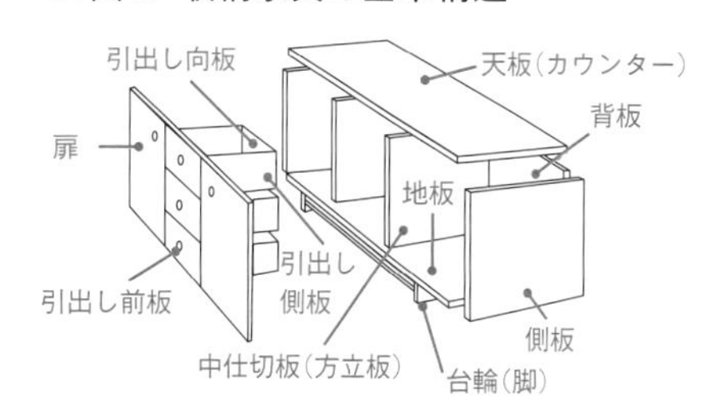

支輪
背の高いウォールキャビネットなどの天井と接する部分にあと付けする装飾部材。

収納家具の分類

収納家具は、以下のように単品家具とシステム家具に大別できる。

1. 単品家具

単品家具は、置き家具と呼ばれるものである。部屋や用途に合わせて設置する家具で、食器棚やリビングボード、洋服ダンス、書棚などの単体、もしくは限定した組合せのものがある。

2. システム家具

(1)ユニットファニチュア

ユニットファニチュアとは、箱を一単位(ユニット)としてとらえた家具をいう。天板や箱体、台輪など、部材ごとに機能をもつ(図3)。規格寸法で展開し、シンプルなデザインのものが多い。

■図3 ユニットファニチュア

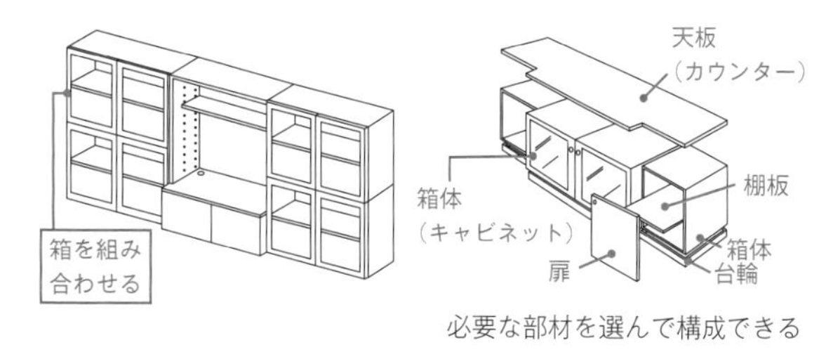

(2)ビルトインファニチュア

ビルトインファニチュアとは、建築物に直接造付ける家具をいうが、実際にはユニットファニチュアと同様に、標準化し部材で構成し、箱体自体も共通パーツとして部品化されていることが多い。一つひとつの部材は収納の機能をもたず、組み合わせて初めて機能する(図4)。設置する壁面の左右の幅や天井高に合わせて寸法を調整する部材などもあり、特注家具のように壁面いっぱいに納めることも可能である。

■図4 ビルトインファニチュア

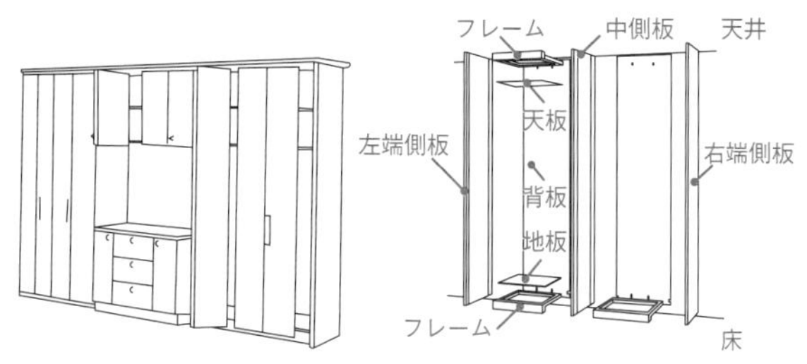

16 家具

16-5 家具の機能別分類

重要度 ！！！

Point

☑イスは、座り心地の良い機能や収納方法を工夫したものが多い
☑テーブルは、必要に応じて甲板を拡張できるものがある
☑収納は、出し入れしやすく、扉にも工夫を凝らしたものが多い

イスの機能別分類

イスは、機能によって以下のような種類に分けられる。

(1)ロッキングチェア

イスの脚部にソリ状の部材やロッキング金物を取り付け、前後に揺れる機能をもたせて休息性を高めたもの(図1)。

■図1 ロッキングチェア

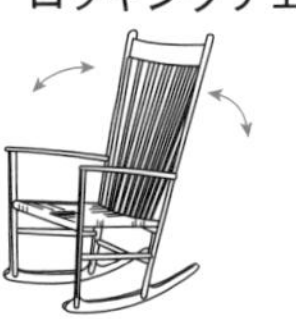

(2)リクライニングチェア

イスの背の角度が、自由な位置か数段の決められた位置に変えられるしくみのもの(図2)。

■図2 リクライニングチェア

(3)フォールディングチェア

折り畳みできる機能をもつもの。持ち運びや収納が簡単で、臨時に設営される会場の座席などに使われる(図3)。

■図3 フォールディングチェア

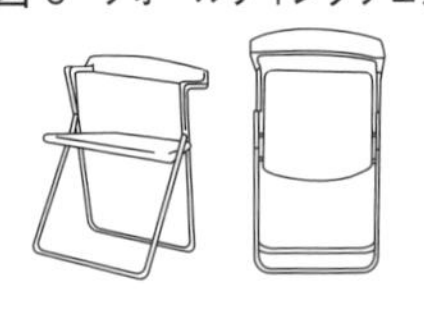

(4)スタッキングチェア

形状を工夫し、積み重ねできる機能をもたせたもの。場所をとらずに収納できる(図4)。

■図4 スタッキングチェア

(5)ギャンギング

脚部で連結できる機能をもたせたもの。整然とした列に並べることができる(図5)。

■図5 ギャンギング

事務に適したイス

作業効率をよくするために、機能性を重視する。回転する機能や脚部にガススプリングなどの機構を組み込み、高さを簡便に変えられる、キャスター付のものが多い。

ガススプリング

シリンダーに封入した高圧ガスをバネとした機構。座の昇降や着座時の衝撃を吸収する機能をもつ。

イスやソファの背や座の部分の上張りを、ファスナーなどで簡単に取り外せる機能をもたせた、カバーリングシステムなどもあるよ

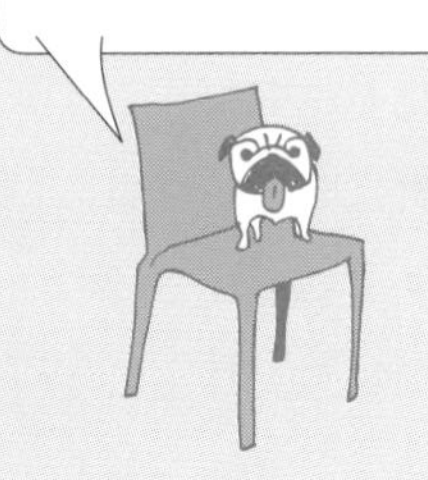

公式ハンドブック[上] P.144～151、P.164

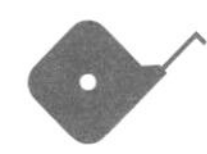

テーブルの機能別分類

テーブルは、機能によって以下のような種類に分けられる。

(1) エクステンションテーブル

必要に応じて甲板を拡げることができるもの。脚部が一緒に動くもの、甲板が伸長したり回転するものなどがある(図6)。

■ 図6　エクステンションテーブル

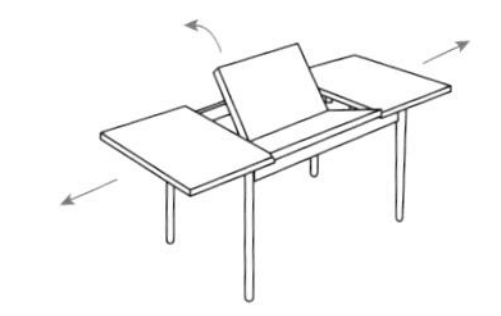

(2) バタフライテーブル

折り畳んだ甲板を水平に支え、大きさを拡げて使うことができるもの。不要なときは収納することができる(図7)。

■ 図7　バタフライテーブル

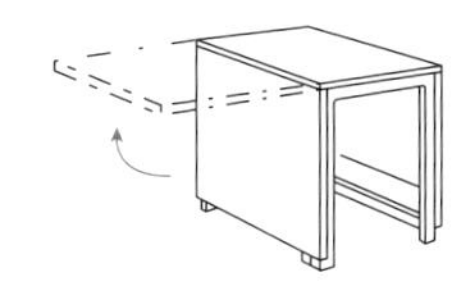

(3) ネストテーブル

相似形で入れ子式になっている3〜4組のセットテーブル。引き出して使うことが多い(図8)。

■ 図8　ネストテーブル

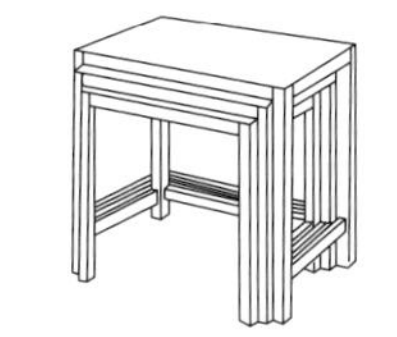

(4) ライティングビューロー

書棚や収納棚に折畳み式の扉を付け、開いたときに甲板となるデスク機能をもつもの。省スペースで利用できる(図9)。

■ 図9　ライティングビューロー

甲板の工夫

ガススプリングによって甲板の高さを変えられるものや、電動の上下機構を内蔵したテーブルがある。また、甲板の中央をくり抜いてガスコンロや電磁調理器を組み込んだものもある。

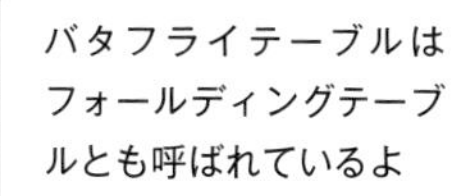

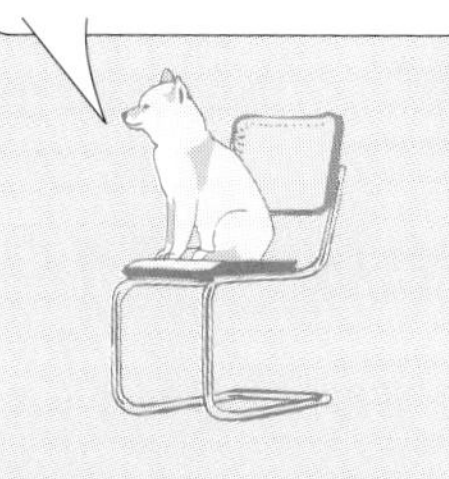

リフトアップドアの導線

リフトアップドアは前後のスペースは必要ないが、扉が垂直に上がるので、上部に扉分の高さが必要となる。

収納家具の特殊な扉機能

収納家具には、特殊な扉を備えた下記のような収納家具がある。

(1) フラップドア

扉を上側に開ける跳ね上げ式扉のこと。キッチンの吊戸棚などの上部にあり、開けたまま作業ができるという利点がある(図10上)。

(2) リフトアップドア

扉がほぼ垂直に上がって開くもの。吊戸棚や戸棚の上段に使用する。収納動作の邪魔にならない(図10中)。

(3) ロールドア

シャッターのような細い溝を切った扉を、左右または上部に引き込むもの。内部へロール状に巻き取られるしくみである(図10下)。サイドボードなどに用いられる。

■ 図10　収納家具の扉機能

フラップドア

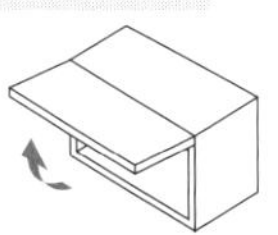

リフトアップドア

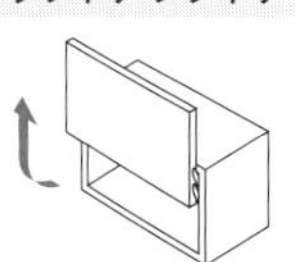

ロールドア

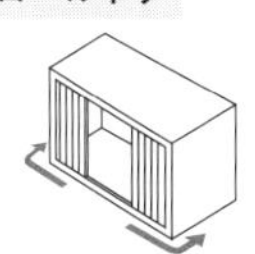

16-6 家具の材料

重要度 ！！！

Point

- ☑ 木材は針葉樹と広葉樹に大別され、家具には主に広葉樹が使われる
- ☑ 金属材料としては加工性の良い鋼、錆びにくいステンレスなどがある
- ☑ プラスチックは熱可塑性樹脂と熱硬化性樹脂に大別される

木製材料

1. 合板（プライウッド）

合板は、木材を薄くスライスしてできた単板を、繊維方向を交互に直交させて奇数枚張り合わせた板材である（図1）。各単板のあばれや狂いを抑え、板全面に平均的強度をもたせている。接着剤の耐水性により特類合板、1類合板（タイプⅠ）、2類合板（タイプⅡ）、3類合板（タイプⅢ）の4種類に分けられている。

■図1 合板

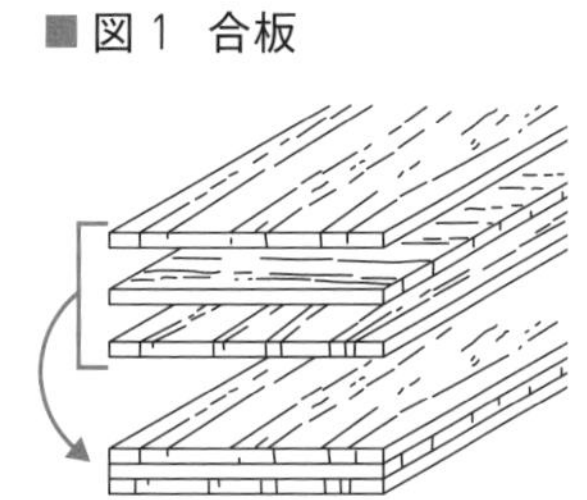

2.LVL（単板積層材）

木材をスライスしてできた2～6㎜の薄い単板を繊維方向に平行に積層接着したものをLVLという。縦方向の強度を重視している（図2）。単板を重ねることで強度が均一になり、剛性が期待できるので家具の芯材やドア枠などに使われる。

3. 集成材

集成材は、2～4㎝厚の挽き板（ラミナ）や小角材を繊維方向に集成接着したものをいう（図3）。挽き板は、強度上の弱点となる節を取り除き適度に人工乾燥するため、狂いや変形を最小限にとどめられる。木の重厚感も残るので、テーブル甲板などに使われる。

家具に使う合板

家具にはタイプⅡの合板が多く使われている。また、水場や水がかり部分には耐水用のタイプⅠを使う。

構造材としての用途

LVLは建物の構造用として大梁や木製の複合梁の継手に使われる。また、集成材も構造用大断面集成材として大規模木造建築に使われている。

■図2 LVL

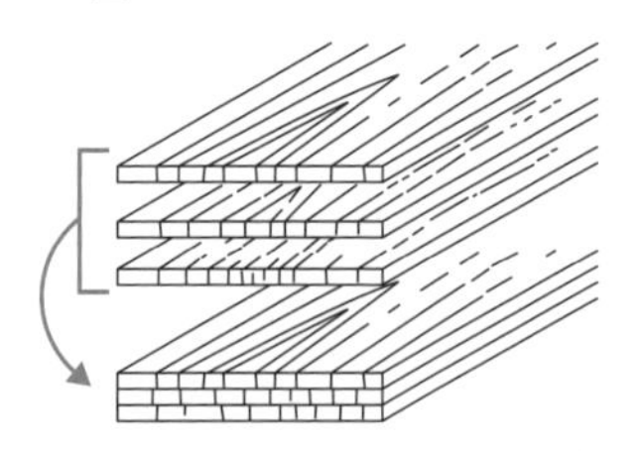

■図3 集成材

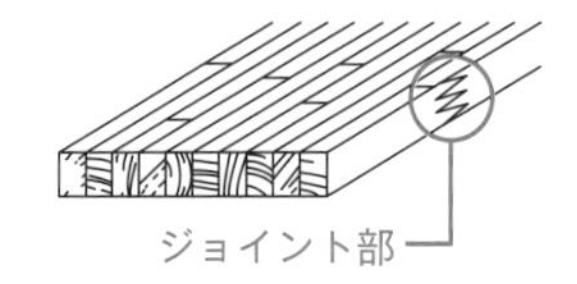

公式ハンドブック［上］P.165～171

4. パーティクルボード

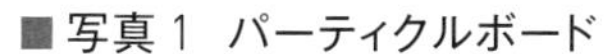
■写真1　パーティクルボード

パーティクルボードは、木材を小さな木片（木材チップ）に砕き、乾燥させて接着材を添加し、板状に熱圧をかけて成形・研磨したものである（写真1）。繊維板（ファイバーボード）の一種として分類される。繊維板の中でも最も目が粗く、内部に空気を含み断熱性や遮音性に優れるが、吸湿性が高いので、木口から水分を吸って膨張するおそれもある。また、引抜き強度が弱く、ビスの二度締めは難しい。

5. ファイバーボード（繊維板）

木材を繊維状にして熱圧成形した板材をファイバーボードという。以下のように、製造工程や比重によって分類され、強度や断熱性、吸音性などに違いがある。

(1) ハードボード

硬質繊維板ともいう。木材を化学処理し繊維状にし、フェノール樹脂を加えて高温高圧で圧縮成形したもの（写真2）。断熱・遮音・加工性に富み、表面が平滑で曲げ加工ができ、焼付塗装が可能である。

■写真2　ハードボード

(2) MDF

中質繊維板ともいう。比重が軽いものは吸音材として、重く強度の高いものは家具の材料として使われている（写真3）。

■写真3 MDF

(3) OSB（配向性ボード）

薄く細長い削り片（ストランド）を繊維方向をそろえて配列し、3～5層を直交させて接着剤で加工・成形した面材料である（写真4）。

■写真4 OSB

(4) PSL（パララム）

厚さ2.5cm程度の単板を細長く切断し繊維方向に揃えて接着成形した軸材料である（写真5）。強度が安定しているので、構造材として使われる。

■写真5 PSL

引抜き強度
クギや木ネジの抜けに対する保持力。数値（kgf）で表される。繊維板などでは注意が必要となる性能。

繊維板の比重
ハードボードは比重0.8以上。また、MDFは比重0.35以上0.8未満である。

JISによると、ファイバーボードは比重によって軽いものからインシュレーションボード、MDF、ハードボードの3種類に分類されているよ

その他のファイバーボード
木材内に合成樹脂を注入し高分子化・硬化させてつくる強化木材のWPCや、薄いウェハー状（薄く削った角形）の削り片を不規則に重ねたWBなどもある。

木材以外の植物性材料

1. 籐

籐とは、ヤシ科の熱帯性植物である。ホーロー質状の表面皮は硬く、内部は多孔質の繊維で構成されている。しなやかで弾力性に富み、曲げ加工性にも優れている。特に繊維方向の引っ張り強度は強く、折り曲げにも耐えるので、太い棒状のものを木材のように枠組みに使う。皮籐(かわとう)は細い紐状に挽いたもので、木製のイスの座面や背に張られる。

2. 竹

竹は、イネ科タケ亜科に属する植物である。古くから日本建築の内外装の素材として多く活用されてきた。繊維方向がはっきりしていて弾力性に富み、削る・曲げるなどの加工がしやすい。無加工の状態でも比較的腐食しにくいので、中国や東南アジアではイスやテーブル、収納家具にも使われている。

皮籐

丸籐の表皮をひも状にしたもの。編む、巻く、縛る用途のほか、カゴ目などに編んだシートもある。

竹フローリング

竹は強度、硬度ともに高く、傷に強い。また、床暖房にも適するため、竹フローリングも人気がある。竹は、殺菌消臭、防カビ、防ダニ効果ももつ。

家具に使う主な樹種

木材は針葉樹と広葉樹の2種類に大別され、家具や造作には主に広葉樹が使われる(表1)。広葉樹の材質は硬木が多く木肌は粗いが、美しく仕上がる。

■表1 家具に使う主な樹種(広葉樹)

樹木名	産地	特徴	色
オーク	北米 ヨーロッパ	日本産のナラ、カシに似て、重くて硬いが、加工性は良い。柾目面に虎斑(とらふ)模様が現われる	白木
ブナ	日本・北米東部 ヨーロッパ	材質は緻密で硬く美しい。粘り強く強度があり曲木や成形合板に使われるが水には弱い	↓
メープル	北米	材面は硬くやや加工しにくい。美しく鳥の目のような斑点(バーズアイ)が特徴	↓
キリ	日本・中国 台湾・米国	軽く軟らかい材質で木肌が美しい。防湿性があり、桐ダンスとして有名	淡黄褐色
サクラ	日本	緻密な材質だが硬さは中程度で加工性は良い。材面は美しい光沢をもち用途が広い	黄褐色
ケヤキ	日本・中国 台湾	硬く材面に光沢があって美しい。保存性・強度に優れるため、構造材としても使われる	↓
マホガニー	中南米 アフリカ	やや硬いが光沢があり狂いも少なく加工性が良い。高級家具や仕上材として使われる	紅褐色
ウオールナット	北米	やや重く、強靭で弾力性に富み耐久性が高い。仕上面は滑らかで色が美しい	茶褐色
チーク	インド・タイ ミャンマー	比較的重く硬いが狂いが少ない。強度、耐久性ともに高い。高級家具や建具、装飾用材に使われる	↓
シタン(紫檀)	タイ・ラオス ベトナム	重く硬い材で光沢があり、仏壇などの高級家具、装飾材として使われる。天然ものは輸出禁止	赤黒

家具に使う金属材料

金属の材料は、鋼(はがね)を代表とする鉄鋼と、アルミニウムや銅、チタンや真鍮(しんちゅう)などの非鉄金属に分類される。代表的なものを以下に挙げる。

(1)鋼(鉄・スチール)

鋼は、家具に最も多用される金属である。加工性が良く、プレス加工、溶接、表面処理を経て製品化される。表面処理には塗装とメッキがある。塗装はメラミン焼付け塗装や粉体塗装が一般的で、メッキは光沢のあるクロームメッキが一般的である。

(2)ステンレス

ステンレスは、鋼の一種である。クロームやニッケル、モリブデン(鋼)を添付して耐食性を向上させ、錆びやすいという鉄の欠点を改良した。これらの含有量が多いものほど耐食性に優れ、錆が発生しにくい。家具に用いる18-8と呼ばれるものは、クローム18%、ニッケル8%を含有していることを示しており、SUS(サス)304の別称である。イスのフレームやテーブルの脚などに適している。

(3)アルミニウム

アルミニウムは、比重が鋼の約1/3と小さく、軽い合金である。耐食性に優れ、加工性や展延性(てんえんせい)が良いため、家具に多く用いられる。

家具用材としては展伸材(てんしんざい)と鋳物(いもの)に分けられる。展伸材は複雑な断面形状のものを押出し加工する。テーブルのエッジやイスのフレームなどに使う。一方、事務用イスの台座などには、鋳物のアルミダイキャストが多く使われる。

いずれも、腐食を防ぐために表面処理にはアルマイト加工を施す。

(4)その他の金属

銅は、加工性や耐食性が良く、高級感もあるため、古くから金物などに使われている。銅に30〜40%の亜鉛を加えた真鍮(黄銅)が家具の取っ手や金物に使われることが多い。

チタンは軽量で耐食性の良い素材だが、加工性がやや悪く、高価なため、あまり家具には用いない。

各材料の比重(水:1.0)

材料	比重
キリ(木)	0.3
ナラ(木)	0.7
コクタン(木)	1.1
アルミニウム	2.7
鋼(鉄・スチール)	7.9
銅	8.9
鉛	11.3

メッキ
金属の表面に、酸化しにくい金属の薄膜を被覆して保護する表面処理。プラスチックにも施される。

SUS304
「SUS」とはステンレス鋼材の材料記号のこと。「304」は鋼の種類の区分。

展延性
素材を薄く広げたり、あるいは細く長く延ばしても、破れたりちぎれたりせず柔軟に変形する性質。

展伸材
プレスや、鍛造(たんぞう)、押出し、引抜きで加工製造された金属材料。板、管、棒、線の形状のものとなる。

鋳物
→P.327

真鍮は時間を経るとアンティークの風合いが出るから、和洋を問わず人気だよ

16 家具

プラスチック

プラスチックは比重が小さくて軽く、耐食性に優れた素材である。丈夫で美しく、比較的簡単に成形できるものが多い。

プラスチックは、熱可塑性樹脂と熱硬化性樹脂に大別される。熱可塑性樹脂は、熱を加えると溶融し、冷却すると再び硬化するという特徴をもつ。熱硬化性樹脂は、熱によって一旦硬化すると、再び熱を加えても溶融しない。

1. 熱可塑性樹脂

(1)熱可塑性樹脂の種類と特徴

熱可塑性樹脂の種類とその特徴を表 2 に示す。

■表 2 熱可塑性樹脂の種類と特徴

種類	特徴
ポリエチレン樹脂	プラスチックの中で最も多く生産されている。水に浮き、耐衝撃性、耐薬品性に優れている。家庭用ポリ袋のほか、家具ではブロー成形のイスの背や座などに使われる
ポリプロピレン樹脂(PP)	ポリエチレン樹脂とよく似た樹脂で、耐熱性や耐衝撃性はやや優れている程度。梱包用バンドやイスの背裏カバー、肘、背座芯材にも使われる
塩化ビニル樹脂	水より重く、耐水性、耐酸性、耐アルカリ性に優れている。テーブルのエッジ材やビニルレザーなどに多用されていたが、燃やすと塩素を放出しダイオキシンのもとになるとも言われていることから使われなくなっている
ABS 樹脂	耐衝撃性、剛性、加工性のバランスのとれた不透明な樹脂で、寸法安定性も良く、イスやテーブルの回転機構部であるリンクのカバーなどに使われる
ポリアミド樹脂	一般にナイロンと呼ばれる。水よりも重く、耐摩耗性、耐薬品性、潤滑性に優れている。歯車やローラーなどの駆動部品のほか、イスの脚先キャップやキャスターの車輪などに使われる
ポリカーボネイト樹脂	透明のプラスチックで、耐熱性に非常に優れ衝撃にも強い。照明器具のほか、安全ガラスの代わりとして多用されている
アクリル樹脂	メタクリルとも呼ばれる。無比の透明度と光沢を有し、耐候性も良くガラスに準ずる素材として使われている

(2)熱可塑性樹脂の成型方法

①射出成型…融解した樹脂を金型内に射出して成型する。量産性が高く、複雑な形状も成型できる。比較的小さな部品に多い。

②押出し成型…溶融した樹脂を金型から連続して押し出すもので、決まった断面形状しか得られない。しかし、金型費が安いので、製品単価も安くなるものが多い。テーブルのエッジ材などはこの成型法でつくられる。

③中空(ブロー)成型…樹脂を金型で挟み、中に空気を吹き込んで風船状に成型する。イスの座などはこれでつくられている。

熱可塑性樹脂はチョコレートのようだね！ 熱すると軟らかくなり、冷やすと固まるよ

アクリル樹脂のイス

倉俣史朗のミスブランチは、アクリル樹脂でつくられたデザイナーズチェアの代表例。透明度が高いアクリルの特性を生かし、アクリル樹脂の中にバラの造花を封入した作品。

→ P.100「デザイナーズチェア」

またイスだけでなく、布をかぶせたようなデザインの照明「オバQ」も倉俣によるアクリル樹脂作品。

金型

プラスチックを成型するための金属製の型。冷却や加熱が可能で、精度が良く大量生産に向く。

押出し成型

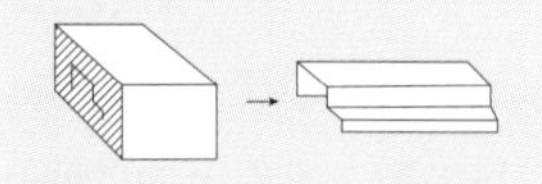

中空成型

この成型法がとられている製品で、最も代表的なものにペットボトルがある。

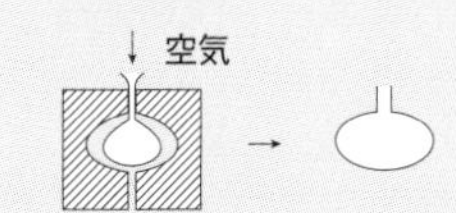

④真空成型…型に設けた穴から空気を吸い出し、加熱軟化させたシートを型に吸い付けて成型する方法。照明器具のカバー、カトラリートレイなどが生産されている。

2. 熱硬化性樹脂

(1) 熱硬化性樹脂の特徴と種類

熱硬化性樹脂の種類とその特徴を表3に示す。

■ 表3 熱硬化性樹脂の種類と特徴

種類	特徴
フェノール樹脂	耐熱性、寸法安定性、電気絶縁性に優れ、電気基板や配線機器に多用されている。酸には強いがアルカリには弱い。家具用材としては、耐水合板用の接着剤として使われる。合板に含浸させて強化し、イスの座としても使われる
不飽和ポリエステル樹脂	不飽和ポリエステル樹脂にガラス繊維などを付加し、強化したものをFRPと呼ぶ。常温常圧でも成型加工でき、引っ張り強度の高いガラス繊維により優れた強度をもつ。プレス成型によって浴槽や防水パン、イスのフレームや座などに使われている。また、合板にオーバーレイしたポリエステル化粧板は、収納家具の仕上部材として使われている
メラミン樹脂	表面硬度が高く、耐熱性、耐薬品性、耐水性に優れている。家具では、紙に含浸させ積層加圧したメラミン化粧板として、キッチントップやテーブル甲板などの表面材に使用されている
ポリウレタン樹脂	一般的には、耐衝撃性、耐摩耗性、耐油性に優れている。その用途は広く、発泡体、弾性体、断熱材、合成皮革、塗料などに使われている。家具ではイスのクッション材として多用され、発泡させるスラブウレタンと金型内で発泡させるモールドウレタンなどがある。後者は三次曲面のクッションがつくれるので、オフィスチェアなどに使われている。また、耐摩耗性、耐溶剤性に優れた塗料として、家具の塗装にも使われている

(2) 熱硬化性樹脂の成型方法

熱硬化性樹脂の成型方法には、材料を加熱して流動状態になったところで加圧し成型する圧縮成型や、熱可塑性樹脂にも使われる射出成型などがある。

3. その他（生分解性プラスチック）

プラスチックは廃棄されても分解されないため環境破壊の一因となっていると指摘されてきた。しかし、生分解性（せいぶんかいせい）プラスチックは、使用中は従来の樹脂と同程度の機能をもち、使用後に廃棄されるときには、自然界に存在する微生物の働きによって低分子化合物に分解され、最終的には炭酸ガスと水に完全に分解される高分子素材である。その種類は、微生物生産樹脂、でんぷんを原料とする樹脂（自然崩壊性プラスチック）、化学合成の樹脂の3つに大きく分けられる。

真空成形

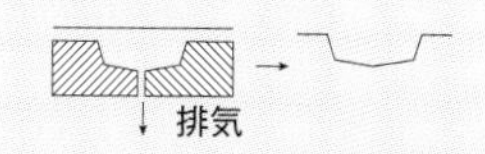

オーバーレイ

合板の表面に耐久性と意匠性を与えるため樹脂を貼ったものを、合成樹脂オーバーレイ合板という。

圧縮成型

金型に樹脂材料を入れ、熱と圧力を加え成型する最も単純な方法。主に熱硬化性樹脂に使われる。

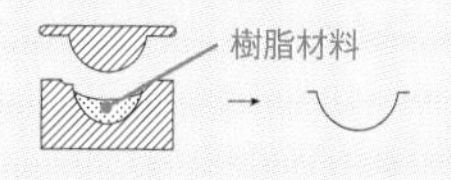

射出成型

樹脂の成型法で最も一般的。熱可塑性、熱硬化性樹脂両方に使われる。インジェクションともいう。

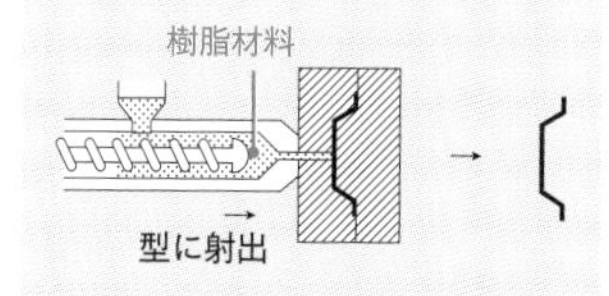

16-7 家具金物

重要度 !!!

Point

- ☑ ノックダウン金物により、運搬やストックの省力化が可能になる
- ☑ 外観の意匠効果や調整の利点からスライド丁番が多用される
- ☑ スライディング折戸やフリッパードアにより作業性が良くなる

組立金物

組立金物とは、ビルトインファニチュアなどを構成する一つひとつの部材を組み合わせるための金物で、容易に取り付けられるものが多い。

(1)ノックダウン金物

ノックダウン金物とは、収納家具を構成する板と板(側板、天板、地板、構造棚板、背板など)の組立て・分解を容易にするための金物で、締結金物(ていけつかなもの)、KD(ケーディー)(ノックダウン)パーツとも呼ばれる(図1)。カム(締付円盤)やネジの回転により締結するものが多い。

たとえば、一方の部材に円筒状の穴を開け、他方の部材から連結ボルトを差し込み、あらかじめセットしたケーシングや締付円盤金物(図2)を回転させて締付緊結する方法である。

■図1 ノックダウン金物

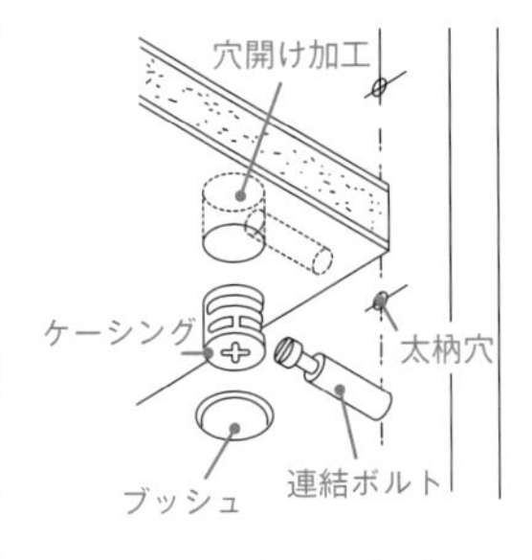

■図2 締付円盤金物

(2)インサート用メネジ

インサート用メネジとは、木製家具の組立て工程のノックダウン化を容易にするための緊結金物(きんけつかなもの)である(図3)。あらかじめ一方の部材にメネジ(鬼目ナット)を取り付け、もう片方の部材に専用ボルトをねじ込んで固定する。取り付けが簡単で、強度を増すためによく使われる。

■図3 インサート用メネジ

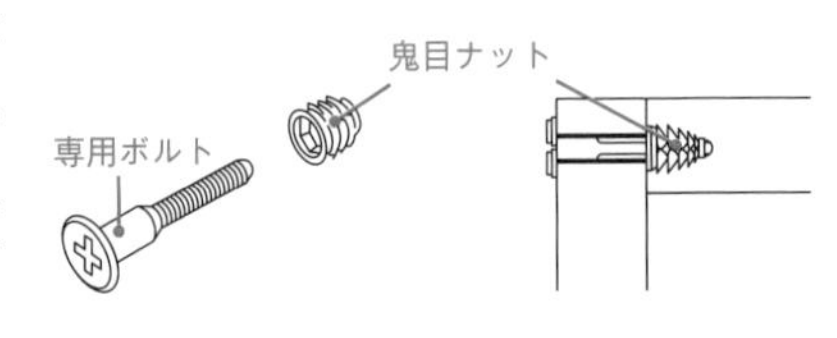

ノックダウン金物

ノックダウン金物には、ドライバー1本、コイン1枚で回して組み立てられるものが多い。

棚太枘(たなだぼ)の種類

棚太枘は棚板を載せるための金物。以下のような種類がある。

①打込み式

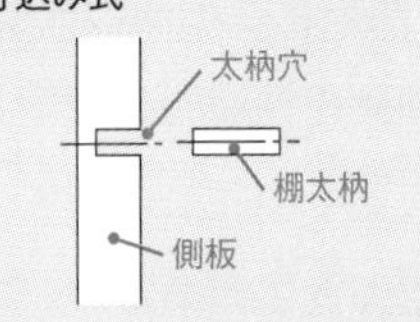

②ねじ込み式

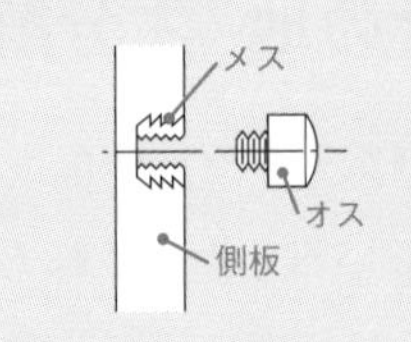

③レール式

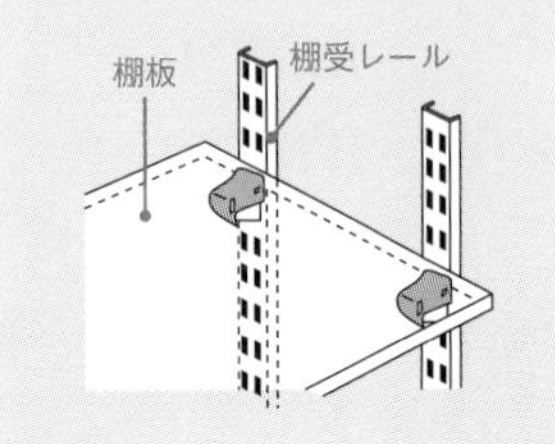

公式ハンドブック[上] P.171～175

開閉金物

(1)丁番

丁番とは扉を開閉させるための軸となる金物である。以下のようにさまざまなしくみをもつものがある(図4)。最も一般的なものは、長方形の平丁番である。その他、扉を側板の小口に被せるアングル丁番、開き扉の吊り元の上下に取り付け軸回転させるピボットヒンジ、丁番を見せたくないときに使う隠し丁番、ライティングビューローなどの扉に使われるフラップ丁番、どちらにも180°開く折畳み用の屏風丁番、扉を閉じた表側からは見えないスライド丁番などがある。

■図4 丁番の種類

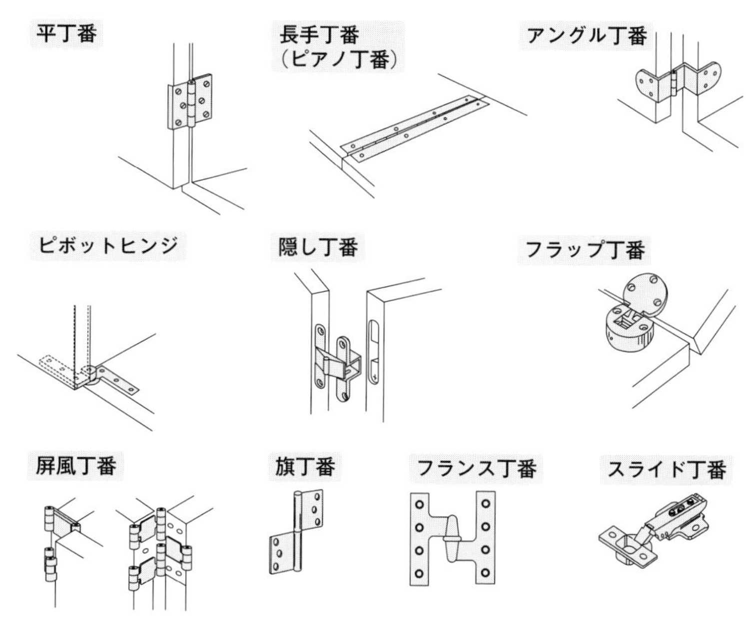

スライド丁番は、特に、被せ扉(アウトセット)の場合に、最も一般的に使われている(図5)。扉の前後・左右・上下の調整や丁番の着脱が容易で施工性も良い。

■図5 スライド丁番の調整例

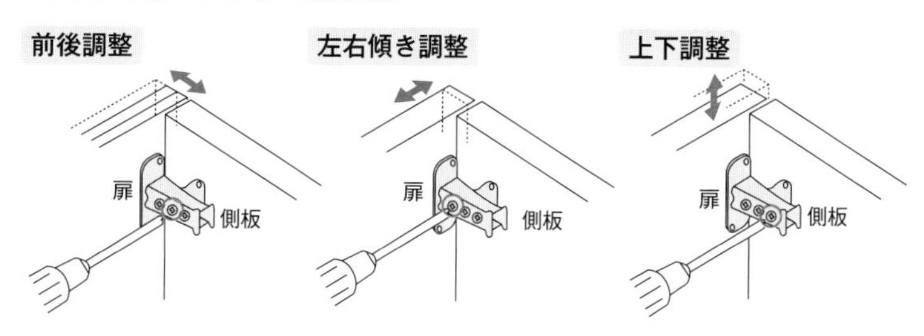

旗丁番とフランス丁番は、軸部分が分割されていて上下に引き抜くことができるので、扉の取外しも容易にできて便利だよ！

被せ扉とは

扉が側板の内側に納まった状態のものをインセット、扉が側板の外側に被さった状態(被せ扉)のものをアウトセットと呼び、全被せと半被せがある。

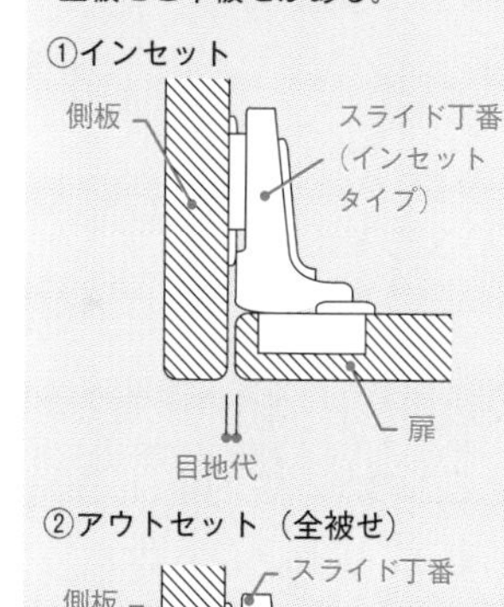

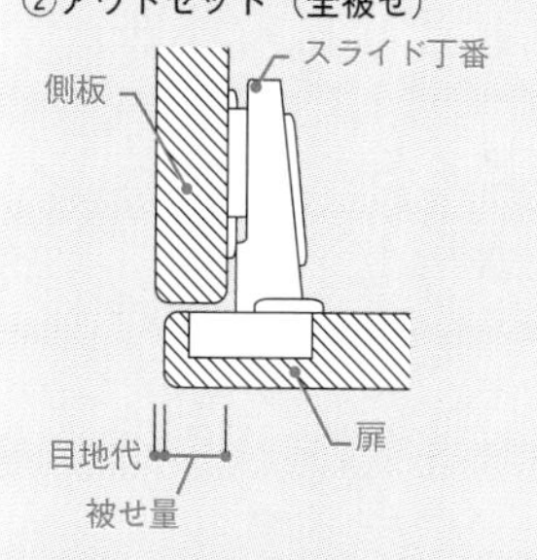

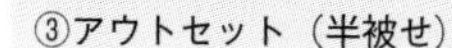

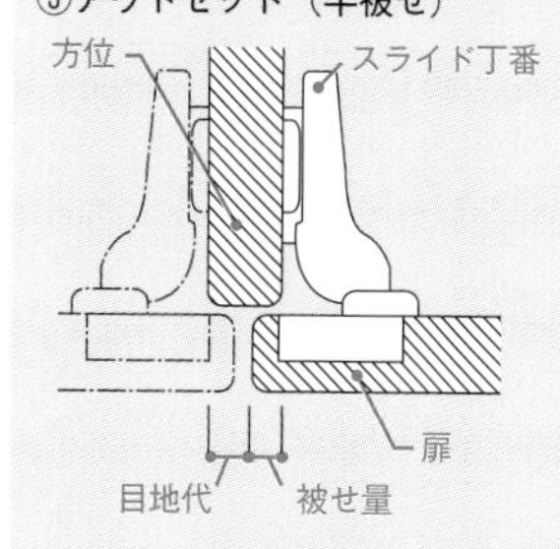

(2)ステー

ステーとは、ライティングビューローなどで、甲板となる扉を水平に支える金物をいう(図6)。

■図6 ステー(フラップステー)

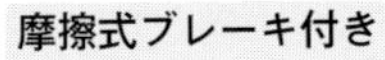

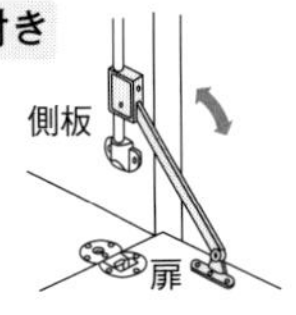

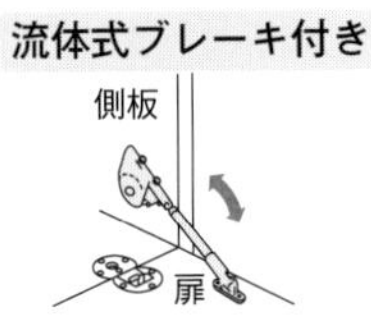

スムーズに開閉させるためのブレーキ機能付きのものが多い

(3)キャッチ

キャッチとは、扉を閉めたときにしっかり固定するための物をいう。バネや素材自体の弾性を利用したもの、磁石を使ったものがある(図7)。

■図7 キャッチ

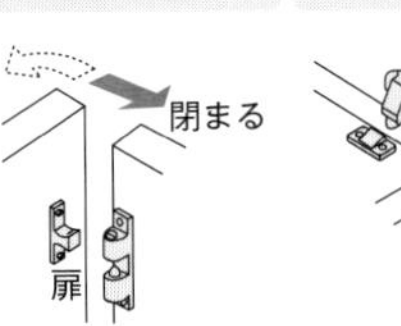

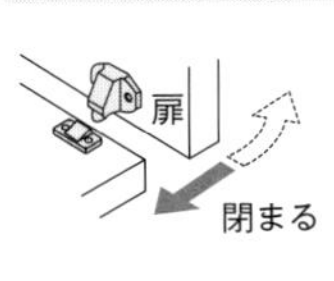

(4)スライドレール

スライドレールとは、机の引出しなどをスムーズに出し入れするための左右一組の金物である(図8)。ベアリングを使用して伸縮させるものが一般的で、二段引きと三段引き(すべて引き出せるタイプ)がある。木製の吊り桟もこの一種である。

■図8 スライドレール

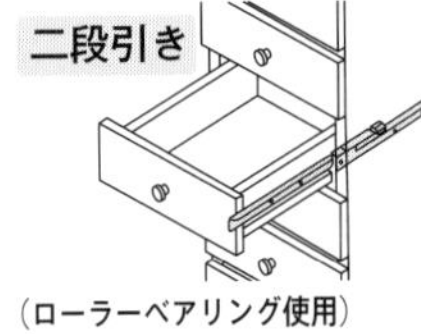

(ローラーベアリング使用)

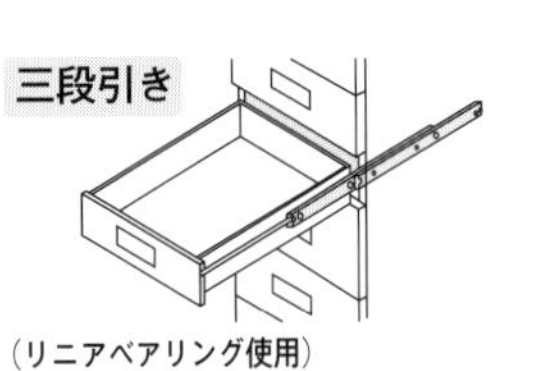

(リニアベアリング使用)

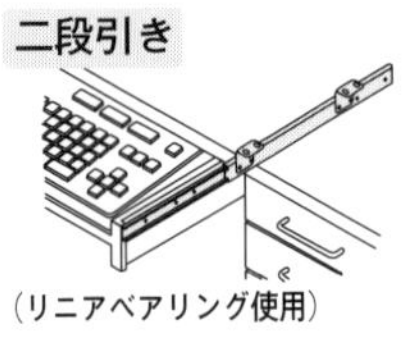

(リニアベアリング使用)

(5)家具用錠前

家具の錠前には、引出しの面付錠や引扉の鎌錠(かま)、ショーケースなどにも使われるガラス錠やはかま錠がある(図9)。

■図9 家具用錠前

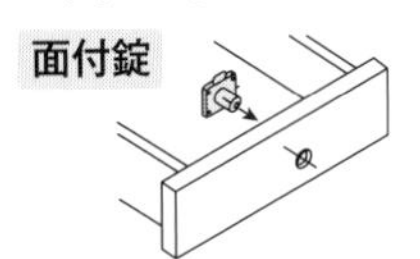

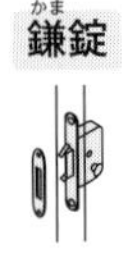

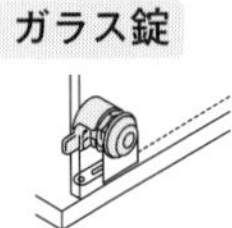

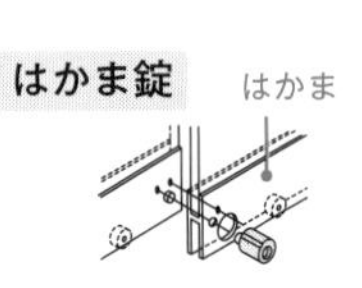

リッドステー

扉をはね上げてテーブルなどに使用するステーでフラップステーと区別している。

プッシュキャッチ

閉まっている扉を一旦押すことによる反動で開く機構で、取っ手のない扉の開閉に使われる。

ベアリング

外輪と内輪がボールを挟んで逆の方向に動く原理を応用して、スムーズに移動できるしくみ。

三段引きレール

フルスライドともいい、引出しの中身をすべて引き出すことができる。

かま錠

引戸や引分け戸、上方開き扉に使用される錠。かんぬきの鎌型の部分が開いて施錠する。

ガラス錠

ガラス開き扉用のシリンダー錠。ガラス扉端部の本体と接する箇所に穴を開けて取り付ける。

はかま錠

ガラス引違い戸用のシリンダー錠。ガラス戸下部の金属製はかまの部分に穴を開けて取り付ける。

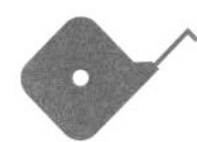

地震対策金物

地震のときにタンスや棚などの転倒を防止するために、次のような金物が使われる。

(1)収納物飛散防止金物

地震の揺れで家具の扉が開き、中の収納物が落下や飛散しないように、扉の開放を防ぐ掛け金や、吊戸棚用のレバーラッチがある。また、取っ手やつまみに組み込む耐震ラッチは、扉を閉めた際にロックが掛かるしくみで、つまみを押したり回転したりすることにより解錠される(図10)。

■ 図10　収納物の飛散を防止するための金物

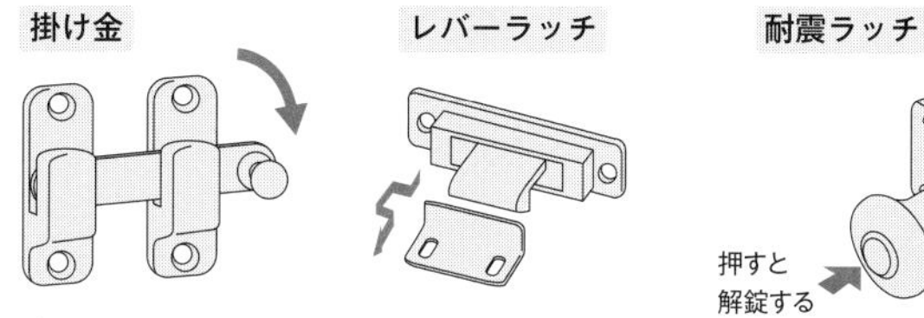

(2)上置転倒防止金物

二段重ね家具の上置の転倒を防止する金物で、家具背面の裏桟(框枠)に取り付けるコの字転倒防止金物や、家具の側面や背面などに金属の板を差し込み、上下一体に繋ぐ帯金物がある(図11)。安定させたい家具の上下方向に、なるべく長い金物を選ぶのがよい。

■ 図11　上置家具の転倒防止のための金物

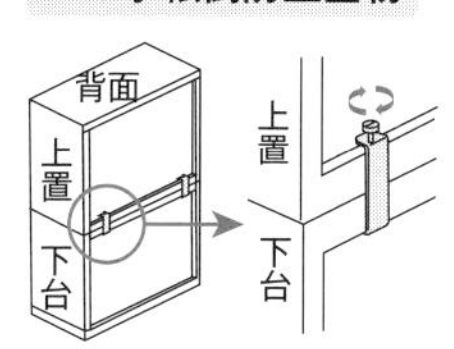

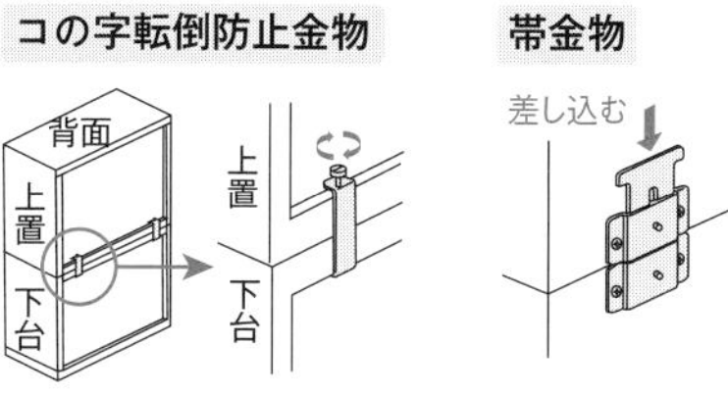

(3)家具転倒防止金物

地震の揺れで家具が転倒しないように、家具の天板と天井の間で突っ張る形式の固定用ポールがある(図12左)。取り付ける際は、天井で強度の強い所を選び、野縁がある場合は、家具の天板と同じ大きさの板を天井に設置して一部分に力がかからないように調整する工夫が必要である。長さが調整でき、地震の振動をフレキシブルに吸収するベルトタイプもある(図12右)。取り付ける際は、固定可能な芯材があるかどうかを確認する。

■ 図12　家具の転倒を防止する金物

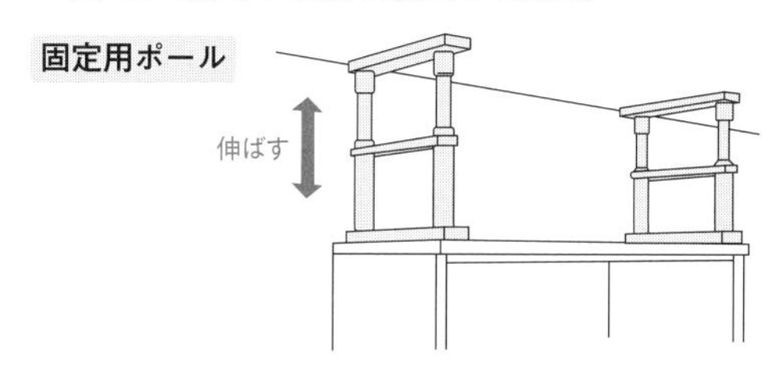

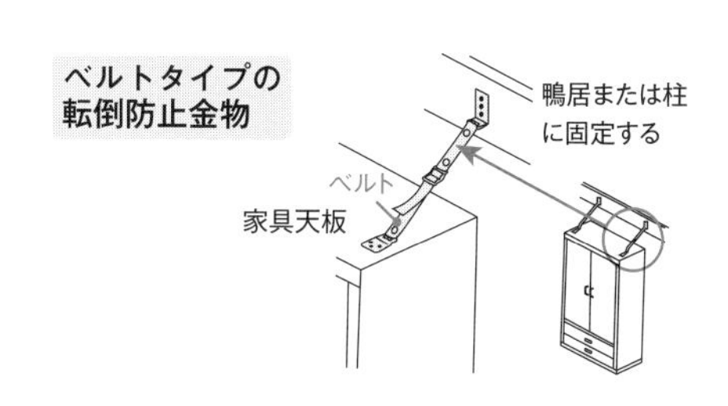

食器棚などのガラス扉のある家具は、収納物でガラスが破損し飛散するので、ガラス面に飛散防止フィルムを貼るといいよ

裏桟(框枠)

タンスなどの箱体で、裏板の押さえとして取り付ける桟。または天板、地板の裏側の見付け面。

野縁

天井板を取り付けるための骨組みのこと。細長い水平材で、30～45cmほどの間隔で配置される。

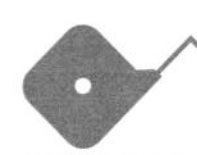

その他の機能金物

(1) ドアレール金物

ドアレール金物は、ワードローブの折戸や引戸に使われることが多い。2枚の扉をセンターヒンジで繋ぐ2枚折戸が一般的だが、物の出し入れが容易にできるように扉を折ったまま引戸のように左右に移動できるものもある(図13)。この形式のものは、スライディング折戸、あるいはリバーシブル折戸と呼ばれる。

■図13 スライディング折戸

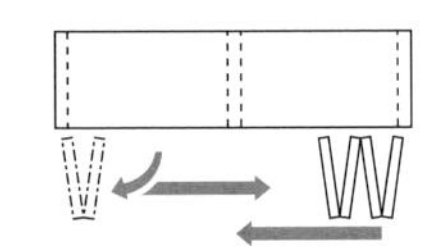

2枚の扉をセンターヒンジで繋ぎ、扉と箱の上下に設けたレール上を移動させる

(2) 収納扉金物

キャビネットの中や天板の上に扉を収納する専用の金物がある。ドアシステムに使う金物を収納扉(フリッパードア)金物と呼び、垂直フリッパードア用と水平フリッパードア用がある(図14)。システムキッチンの吊戸棚などに使われる水平タイプは、閉める扉をソフトに受けるブレーキ機能付きのものもある。

■図14 収納扉の形式と金物

垂直フリッパードア金物

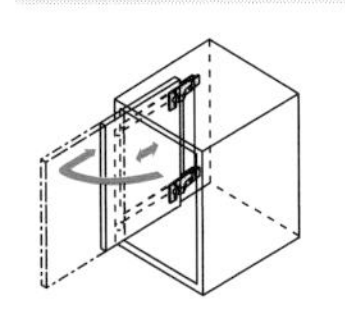

キャビネットの中に扉を収納する

水平フリッパードア金物

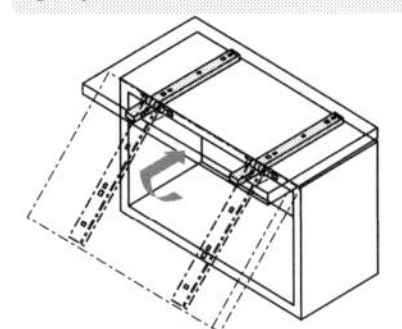

キャビネットの上に扉を収納する

(3) 折畳みベッド金物

折り畳んで収納するベッドに使う専用の金物がある(図15)。壁面収納ベッド金物や、ソファの下からベッドフレームを引き出すインナーベッド金物、ソファをベッドに変えるソファベッドヒンジ、シートを跳ね上げてベッド枠の内部を収納に使えるようにするベンチシートヒンジなどがある。

■図15 折畳みベッドの形式と金物

インナーベッド金物

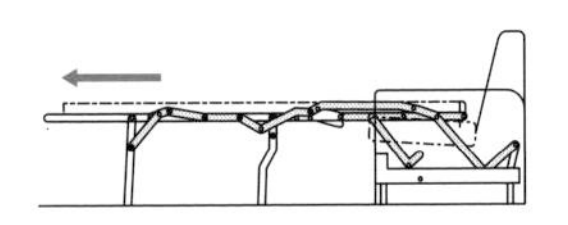

ソファベッドヒンジ

ベンチシートヒンジ

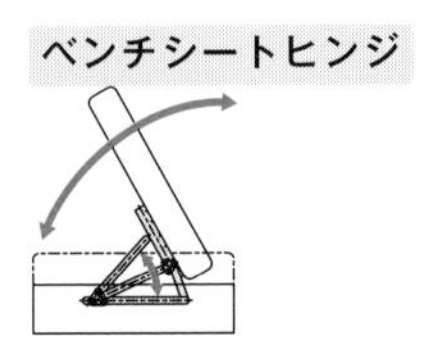

折戸

引戸に比べ間口が広くとれ、開き戸に比べ戸の開閉スペースが少なくてすむという利点がある。

スライディング折戸やフリッパードアは比較的新しい収納家具のシステムだよ

ベッドフレーム

マットレスを載せる構造体。通常、マットレスを支えるボトム、ヘッドボード、フットボードで構成されるが、フットボードなし、ボトムと脚のみのものもある。

(4)テーブル用機能金物

テーブル用の機能金物には、甲板を伸縮させて大きさを変えられるエクステンションテーブル金物や、甲板の高さを変えられるテーブル昇降装置などがある(図16)。

■図16 テーブル用機能

エクステンションテーブル金物

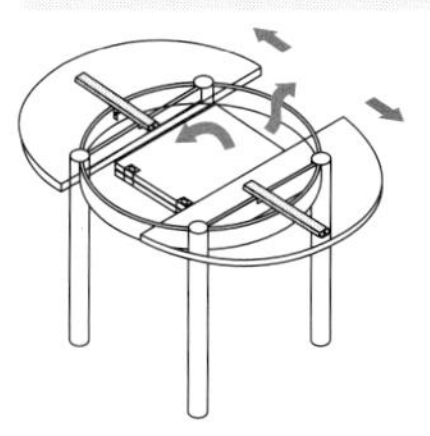

テーブル昇降装置

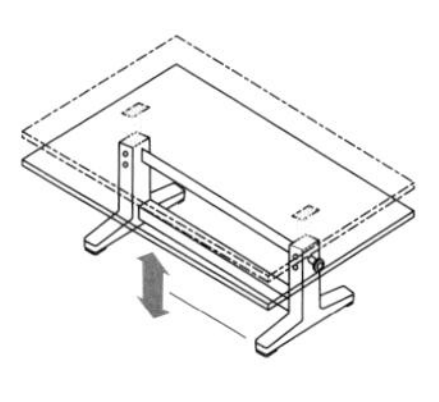

(5)イス用機能金物

イス用の機能金物には、座を回転させて向きを変える回転装置や、簡単なレバー操作によって行うガススプリング式昇降装置がある(図17)。その他、安楽イスの背もたれの角度を段階的、あるいは自在に変えられるリクライニング金物などもある。

■図17 イス用機能金物

円形受座

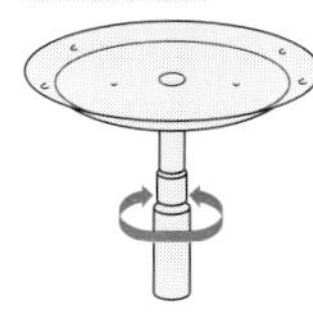

ガススプリング式昇降装置

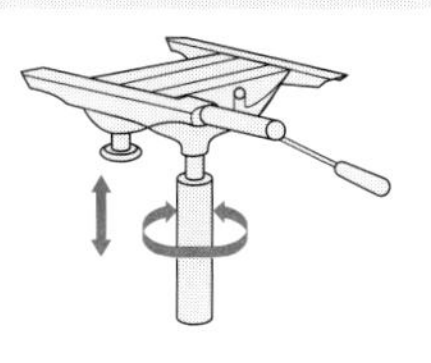

(6)ハンドル金物

扉や引出しに付けるハンドル金物には、取っ手や引き手、つまみ(ノブ)の他、埋込み取っ手や平面ハンドルなどがある(図18)。

■図18 ハンドル金物

取っ手・引き手

埋込み取っ手

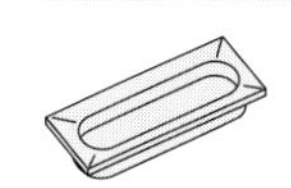

平面ハンドル

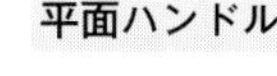

プッシュつまみ

押すとつまみ部分が出てくるタイプ。見た目がスッキリする

(7)脚先金物

イスやワゴンの脚先に付けるキャスターなどを脚先金物という。テーブルの脚先やキャビネットの下端に付けて高さを調整するアジャスターや、ソファやベッドの脚先や下隅に付けて移動時に床を傷付けないようにするグライド(ドメス)などもある(図19)。

■図19 脚先金物

キャスター(双輪)

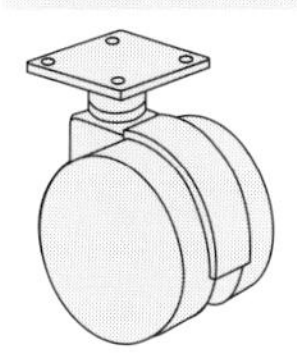

アジャスター

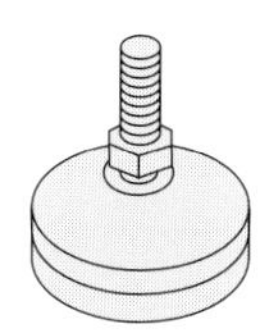

グライド(ドメス)

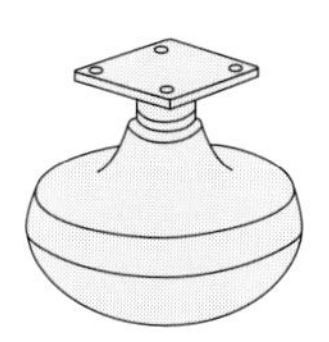

エクステンション
→P.331「テーブルの機能」

ロッキング装置

バネの弾力でイスの座と背を前後に揺り動かす金物。休息姿勢で固定できるものもあり、主にオフィスチェアに使用される。

ドメス

四隅に付ける三角形のものを三角ドメス、先端が回転するものはロータリードメスと呼ぶ。

16-8 家具の仕上げ

重要度 ！！！

Point

- ☑ 仕上げは、材料面の保護と美しさや感触の向上のために施す
- ☑ 家具の塗装は透明塗装と不透明塗装に大別される
- ☑ 金属に塗装を施す第一目的は錆止めである

木製家具の塗装

1. 塗装仕上げの種類

木製家具の塗装は、仕上がりの表面状態から、透明塗装と不透明塗装に分類できる(表1)。透明塗装は木材の素地(木目)が透けて見え、質感を生かした仕上げである。着色する場合はカラークリヤー塗装、またはステイン着色塗装を施す。これに対し、不透明塗装は木材の表面を見せない塗りつぶし仕上げで、エナメル塗装またはオペーク塗装などがある。

■表1 木製家具の塗装仕上げ

仕上げの種類		塗装の着色状態	
透明塗装	無着色	生地仕上げ	木材(素地)にそのまま透明塗料を塗るため、濡れ色になって仕上がる
		白木仕上げ	塗装による濡れ色が出ず、生地の白さがそのまま、あるいは強調されて出る仕上がり
		オイルフィニッシュ	オイル(乾性油)を木材に浸透させるため、表面に塗膜がない仕上げ。濡れ色の自然な色になる
	透明着色	ステイン仕上げ(カラークリアー)	素地着色、目止着色、塗膜着色などにより色を浸透させて、木材の持ち味(木目)を生かして仕上げる
不透明塗装	不透明着色	エナメル仕上げ	不透明顔料着色剤により、木の素地を隠して表面を平滑に仕上げる
		特殊塗装(加飾塗装)	顔料などの特殊技法により、表面を石目調やスエード調などの模様に仕上げる

2. 塗装の基本工程

木材の表面は、木理(もくり)や木目に加え、導管の多い樹種もあるので、下地を平滑にする素地調整(下地調整)を行う。また、材料面に一定の厚みの塗膜を得るために通常3～4回塗重ねをする。

公式ハンドブック[上] P.175～179

ステイン
透明塗装で用いる着色剤の総称。染料と顔料、生地を着色するものと塗膜に着色するものがある。

エナメル
生地表面を塗りつぶす不透明塗装のうち、特に艶のあるカラー仕上げをいう。ピアノの塗装が代表的。

オペーク
基本的にエナメル塗装と同義の不透明塗装だが、家具塗装では光沢のないものをいう場合が多い。

目止め着色
目止め剤に顔料や染料を添加し、木材表面の導管の穴や繊維の隙間を埋める作業。着色効果が良い。

(1)透明着色塗装(ステイン)

透明着色塗装の基本的な工程は図1の通りである。以下の塗りつぶし塗装も同様だが、塗重ねの間に表面研磨を施して美しく仕上げる。

■図1 透明着色塗装の基本工程

素地調整 → 着色目止め(との粉) → 下塗り(シーラー)[研磨] → 中塗り(ウレタン)[研磨] → 補色 → 上塗り

※( )内は充填剤・塗料名

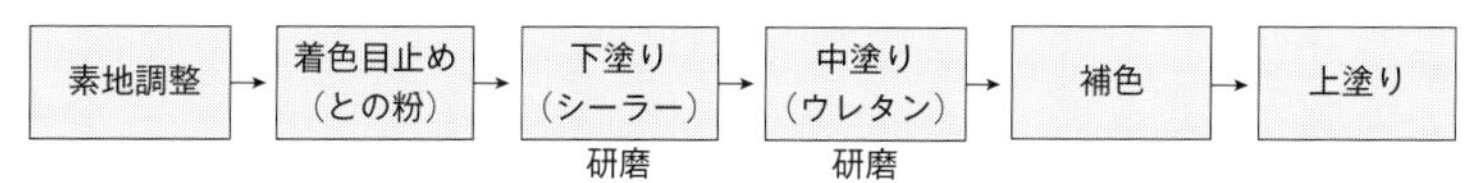

(2)塗りつぶし塗装(エナメル)

塗りつぶし塗装の基本的な工程は図2の通りである。

■図2 塗りつぶし塗装の基本工程

素地の下塗り → 下地調整(パテ)[研落し] → 中塗り(サーフェーサー)[研磨] → 上塗り(エナメル)[研磨] → クリア塗装

※( )内は充填剤・塗料名

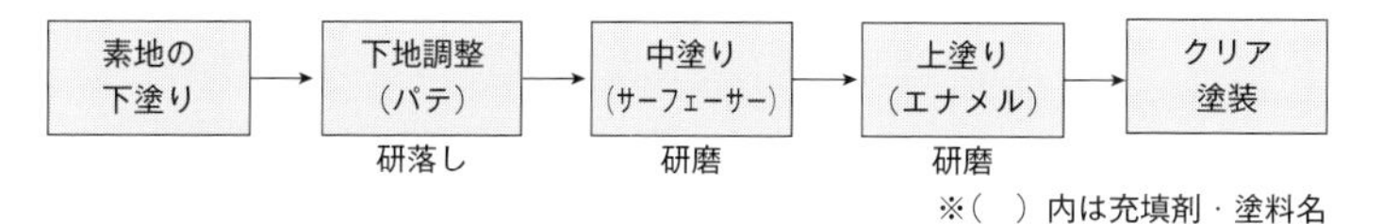

(3)表面の仕上げ

木工塗装のうち大部分は木材の表面に塗膜をつくる方法である。これを素材面から見た仕上がりで大別すると、クローズポア、オープンポア、セミオープンポアの3つに分けられる。

クローズポアは、素材面の導管の小孔を目止材で拭き取り塗装するなどして完全に塞ぎ、塗面を平滑な状態にする方法で、特に磨いたものは鏡面仕上げ、またはピアノ塗装などと呼ぶ。オープンポアは、素材面の導管を残して木目をくっきり見せる方法で、ケヤキやナラ、タモなどのような導管がはっきりと美しく表れるような木材に適している。セミオープンは、クローズポアとオープンポアの中間的な仕上げである。

(4)木製家具用塗料

木製家具用塗料の代表的なものを表2に挙げる。

■表2 木製家具用の仕上げ塗料

名称	特徴	用途
ラッカー	仕上がりがソフトで速乾性がある。作業性が良いが、塗膜が薄く、耐摩耗性、耐薬品性、耐候性などに劣る	伝統家具全般 建築造作木部
ポリウレタン樹脂塗料	一般にウレタンと呼ばれる。塗膜が厚く硬いため、耐摩耗性や耐薬品性、耐候性などに優れ、広く使われる	家具全般 木製品全般
ポリエステル樹脂塗料	一般にポリと呼ばれる。塗膜が厚く耐候性や耐薬品性に優れる。磨くと光沢が出るが、付着性や衝撃性に弱い	家具全般 合板、楽器
UVハードコート塗料	紫外線照射装置を使用して、数秒で乾燥・硬化させる。高硬度の塗装が可能。乾燥が速く生産効率が高い	テーブル、座卓、扉
漆	漆の木の樹液を原料にした天然塗料。塗膜が硬くアルカリや油に強く美しいが、耐候性が悪く手間がかかる	高級和家具、 工芸品、仏壇
カシュー	カシューナッツオイルを原料にした天然塗料。漆に似た性質で、乾燥が速く扱いやすい。硬さや光沢は漆に劣る	高級和家具、 工芸品、仏壇

との粉

粘土を水濾しして乾燥させた微細な粉。水に溶いて木地に塗り、拭き取る作業が目止めである。

シーラー

木材透明塗装の下地の凹凸を埋め、研磨して中塗りや上塗りの塗膜を平滑にする塗材。

ウレタン

付着性が良く塗膜物性に優れるため、ラッカーやポリエステル樹脂塗料の下塗りとしても使用される。

パテ

木材塗装前の下地調整に用いるペースト状の充填剤。穴、割れ、隙間を埋めて隠すために使う。

サーフェーサー

木材不透明塗装の下地の凹凸を埋め、塗膜に厚みを与え、研磨して表面の平滑さを高める塗材。

ソープフィニッシュ

北欧の白木の家具に多く使われている仕上げ。石けん液を木部に塗布し、サンディングと乾拭きで仕上げた木地の自然な質感が特徴。

家具のお手入れ

ラッカー塗装は古くなったり傷付いたりしても塗り直しが容易にでき、補修性に優れるといえる。

塗料については、P.251「塗料と塗装」も参照してね!

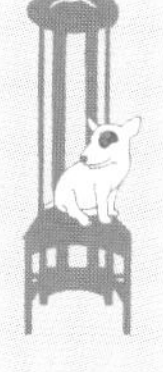

16 家具

金属家具の塗装

1. 塗装方法

金属家具には、スチール製(鋼製)、ステンレス製、アルミ製などがある。そのうち最も多いのがスチール製である。

スチール家具の塗装は、大量生産品か少量多品種生産品かにより多少工程が異なる(図3)。しかし、いずれの塗装も第一目的は、素材の保護、主に錆止めである。塗装方法で最も多用されているのは、吹付け塗装で、高圧空気を利用して霧状に塗料を吹き付け、均一な塗膜をつくり出す工法として自由度も高い。

■図3 スチール(鋼)の塗装の基本工程

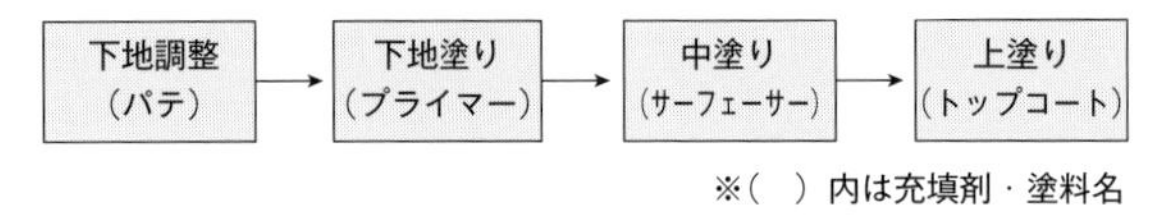

※( )内は充填剤・塗料名

なお、金属家具の塗装には、主に以下のような種類がある。

(1)静電塗装

塗料を静電気の力で帯電させ、塗装する物への付回り性(塗着効率)を向上させる方法である。手吹き塗装から自動塗装機を使った塗装まで広範囲に対応できる。

(2)電着塗装

水溶性の塗料を張った槽内に家具などを浸漬(しんし)させて電流を流し、電気泳動(えいどう)によって塗膜を形成させる方法である。自動車の下塗り方法として定着しており、大量生産に適している。

(3)粉体塗装

粉体の塗料を用いた塗装方法である。静電塗装方式を用いることが多く、塗装後、焼付けにより軟化・乾燥させる。1回の塗装で厚膜にすることが可能。

2. 塗装以外の表面処理

塗装以外の仕上げ方法としては、代表的な表面処理にメッキがある(次頁表3)。地金属を腐食から守ると同時に、光沢の装飾性をもつ仕上がりになるため、古くから貴金属に施されてきた。現在も家具の取っ手や金物、テーブルの脚やイスのフレームなどの仕上げとして広く使用されている。

パテ
→ P.345

プライマー
錆止めであるとともに、中塗りとの付着性を高めるための塗料。

サーフェーサー
→ P.345

トップコート
中塗りを保護し、耐久性を高めるための塗料。

付回り性
塗装するものの内側、エッジ部分、凹凸や複雑な部分などを含む全体が均一に塗装されることをいう。

電気泳動
塗料に被塗装物を浸し通電すると、塗料の粒子が被塗装物に付着する現象。このあと焼付けを行なう。

メッキは「ドブ漬け」の一種だよ！メッキ槽に鋼材を漬けて処理するので、このように呼ばれているよ

■表 3　塗装以外の表面処理

種類	名称	内容
皮膜系	メッキ	耐食性・装飾性の向上などの目的で、金属あるいはその他の素材に金属皮膜をつくる。電気メッキ、無電解メッキ、溶融メッキなどの方法がある
	アルマイト（陽極酸化）	アルミニウム素材を陽極酸化することにより得られる皮膜処理。皮膜は多孔質のため染色することもでき、耐摩耗性や耐食性向上の機能もある
	スパッタリング	高電圧を利用して、異金属の粒子を加工したい金属の表面にたたき付けて付着させる表面処理方法。これにより、ステンレスの表面にチタンを薄く貼り付けることができる
付着系	サンドブラスト	仕上面に砂状の研磨剤を高圧水とともに吹き付けて、表面を粗面に仕上げる方法。ショットブラストとも呼ぶ
	静電植毛	長さ1㎜前後にカットした繊維を静電気を利用して飛ばし、接着剤を塗布した素材面に植え付ける方法。繊維の長さや種類により、断熱や反射防止の機能も得られる
	印刷	文字や模様を直接素材に印刷するシルク印刷と、あらかじめフィルムに印刷したものを間接的に印刷するフィルム転写がある

陽極酸化

アルミニウムなどを＋極で通電して酸化、つまり錆させる処理のこと。チタンの仕上げにも使われる。

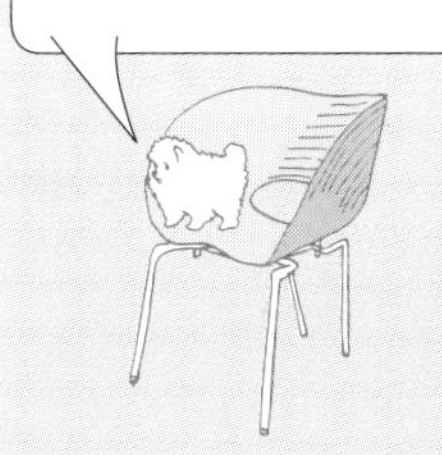

家具の手入れ

家具は、適切な取扱いと手入れによって長く使用することができる。材料や仕上げなどにより手入れの方法が異なる（表4）。特に洗剤の種類やポリッシュ剤の使用の可否に注意が必要である。

■表 4　家具の手入れのポイント

材料の種類	手入れ方法
木材・籐	塗装仕上げのものは柔らかい布で乾拭きするとよい。汚れが目立つ場合は薄めの中性洗剤液で水拭きしたあと乾拭きする。ただし、桐タンスなどの塗装されていないものはシミになるので水分は厳禁。また、ツヤ消し仕上げのものは強くこすってはならない
金属	普段は乾拭きでよい。メッキの場合は手垢が錆の原因になるので、専用のクリーナーで汚れを除去してから柔らかい布で乾拭きする。ポリッシュ剤は表面に傷が付くので使用してはならない
プラスチック	通常は水拭きする。手垢や油汚れは中性洗剤液を使って布拭きし、よく水拭きしたあとに乾拭きする。ポリッシュ剤は使用してはならない
ガラス・鏡	汚れが目立つ場合は、専用クリーナーや中性洗剤で布拭きして汚れを除去し、よく水拭きしたあとに乾拭きする
合成樹脂化粧板	メラミン、ポリエステルDAPなどの化粧板汚れは、中性洗剤で布拭きしてからよく水拭きし、乾拭きする。ポリッシュ剤は使用してはならない
大理石・花崗岩	天然石なので表面に凹凸があり、汚れが浸み込みやすいので注意を要する。通常は、油性のワックスを塗り込み乾拭きする。特に大理石は、酸やアルカリに弱いので注意する
皮革	普段は柔らかいウールの布で乾拭きする。汚れが目立つ場合は、水性の専用クリーナーを使用する。カビが生じた場合は、薄めの逆性石鹸液で布拭きして殺菌し、水拭きのあとに乾拭きする。シンナーやベンジンは損傷・変色の原因となるので使用してはならない
合成皮革・ビニルレザー	通常は水拭きでよい。手垢や油汚れは中性洗剤液で布拭きして除去し水拭き後、乾拭きする。塩素系の洗剤や艶出しクリーナー、シンナーなどは変色・変質の原因となるので使用してはならない
布張り地	一般的にはブラッシングや掃除機でゴミやほこりを取り除く。汚れが目立つ場合は、中性洗剤の泡を付けたブラシでこすり、ぬるま湯に浸したガーゼなどで拭き取る

家具の取扱い上の注意

①直射日光は避ける。
②冷暖房の熱は避ける。
③水平垂直に設置する。
④水分や湿気を避ける。
⑤ほこりを除去する。
⑥転倒を防止する。

ポリッシュ剤

研磨剤の入った洗剤。金属やプラスチックの手入れには使用しないよう注意が必要。

逆性石鹸

陽イオン界面活性剤のこと。洗浄力は弱いが細菌やカビに対して殺菌作用がある。柔軟剤などにも使用。

17-1 重要度 !!!

睡眠環境とベッド

Point

- ☑ 快適な睡眠を得るには、光、音、温熱の環境を整える必要がある
- ☑ ベッドはフレームとマットレスで構成される
- ☑ 立姿勢と同じ身体の凹凸を保てるマットレスを選ぶとよい

快適な睡眠とは

睡眠の目的は、身体と心を休ませ、疲労を回復することである。快適な睡眠を得るためには、睡眠のメカニズムを知る必要がある。

人間の睡眠は、寝入ってからの3時間は脳の疲労をとるノンレム睡眠が多く、その後90分間隔でレム睡眠とノンレム睡眠を繰り返す(図1)。一般に、疲れをとるノンレム睡眠を多くとり、眠りから覚めやすいレム睡眠時に起きれば、心地良い睡眠と目覚めを得ることができる。

■ 図1 睡眠のメカニズム

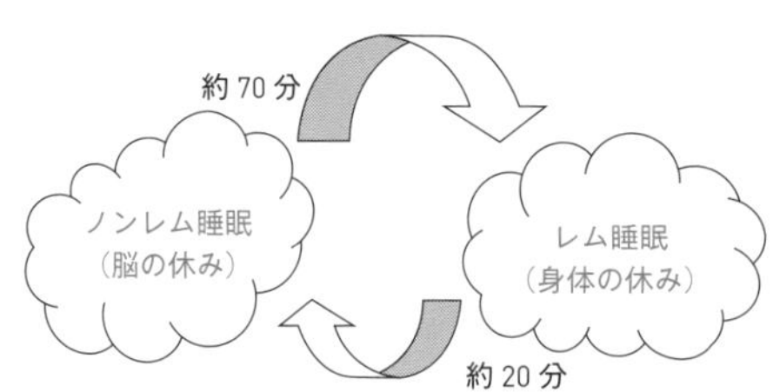

快適な睡眠をとるには、光と音を遮断し、室内と寝具内の温熱状態を整える必要がある(表)。また、インテリアコーディネートとしては、安らぎ感のある色彩計画が望まれる。

■ 表 快適な寝室の環境

対象	対策	内容
光環境	光の遮断	窓廻りの対処として、雨戸や遮光カーテン、ブラインドを設置。隙間からの光漏れにも注意
	明るさの確保	室内全体の照明(全般照明)は10～30lx程度でよい。仰向けの状態で光源が視界に入らないように注意
音環境	外部騒音の遮断	窓廻りの対処として、二重サッシや複層ガラスを使用。カーテンの複数掛けも有効
	室内音の吸収	壁面の仕上げとして、布団張り(織物壁紙に綿などを入れる)や有孔素材(珪藻土や有孔石膏ボード)を使用
温熱環境	寝室の温度と湿度	室温は夏期は25～28℃、冬期は18～22℃、湿度は60%程度。寝室は気密性が高いので通気にも注意
	寝具内の温度と湿度	布団の内部は皮膚温度34～36℃よりやや低い32～34℃、湿度は50～60%程度。睡眠中は汗をたくさんかくので注意

快適に目覚めるタイミング

寝入ってからの3時間以降のレム睡眠とノンレム睡眠の周期に合わせた、4時間半後、6時間後、7時間半後の目覚めが快適とされる。成人の必要睡眠時間は7～8時間程度。

レム睡眠

Rapid Eye Movement sleep の略。睡眠時に瞼下で眼球が動いていることに由来する。レム睡眠時には身体だけ休息し、脳は働いている。

高齢者は夜間にトイレに行く回数が多いので、足元を照らすフットライトや、寝室の近くにトイレがあると、とても助かるよ！

公式ハンドブック[上] P.151～156

ベッド

1. ベッドの構成

ベッドはフレームとマットレスで構成されている。性能面により、ゆか座が板やスノコでつくられた非弾性ボトムのシングルクッションタイプと、ボトムにスプリングを用いた弾性ボトムのダブルクッションタイプに大別される(図2)。

■図2　ベッドの各部名称

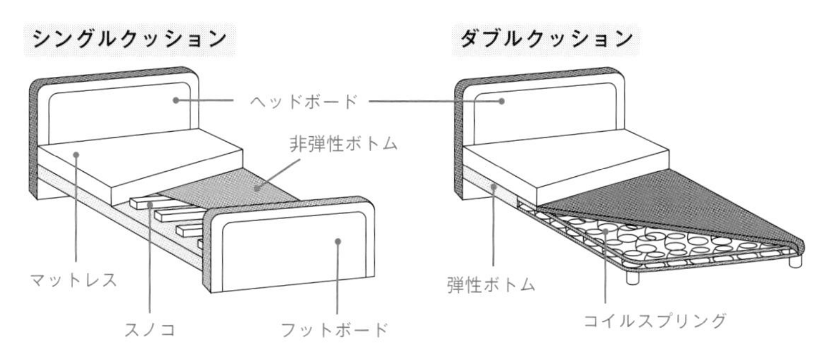

2. ベッドの寸法

ベッドはマットレスの大きさでサイズが分かれる。一般的なベッドは、JIS(ジス)規格による5種類でつくられている(図3)。大人1人〜大人2人+子供に対応するよう想定されている。

敷布団やマットレスの幅は、最低70cm、目安は肩幅の2〜2.5倍程度である。2人用であれば、互いの手がぶつからない間隔15〜20cmを保った状態で左右15cm程度の余裕をみる。長さは1,900〜2,050mmが一般的である。

■図3　サイズによるベッドの分類

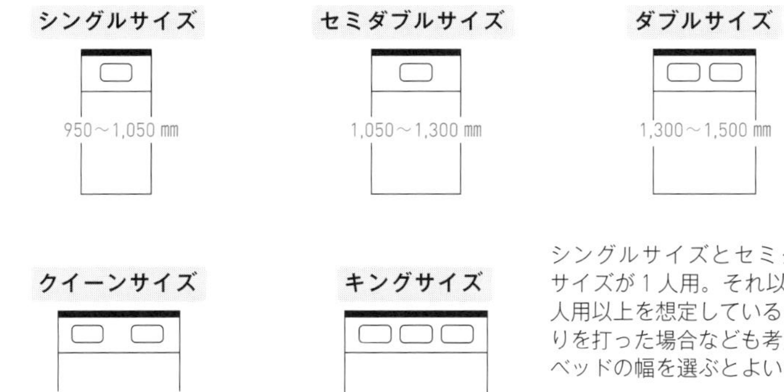

シングルサイズとセミダブルサイズが1人用。それ以外は2人用以上を想定している。寝返りを打った場合なども考慮してベッドの幅を選ぶとよい

マットレス
ベッドのゆか座にのせて用いる敷布団。スプリング(バネ)を内包して弾力性や耐久性をもたせているものが多い。

ヘッドボード
フレームの一部で、枕側にある立上りのこと。装飾と背もたれの役割として設ける。収納棚タイプもある。

フットボード
フレームの一部で、足元側の立上りのこと。マットレスのズレを防止する。ヘッドボードと両方あるものをヨーロッパスタイル、ヘッドボードのみをハリウッドスタイルという。

形態・用途別の種類
左記のような一般的なベッドのほか、2段ベッドやコンバーティブルベッド(ソファベッド)、可動ベッド(角度調整や折畳み式)、ウォーターベッド、介護用ベッドなどもある。

大柄の成人男性などはシングルサイズを窮屈と感じるでしょう。サイズ選びの基準は、あくまでも身体の大きさだよ!

マットレス

1.マットレスの機能

マットレスとは、ベッド用の敷布団で、クッション材やスプリングなどで軟らかさと、耐久力をもたせたものをいう。主に仰向けの寝姿勢の際に、腰部へ負担をかけないように、硬すぎず軟らかすぎないマットレスを選ぶ必要がある(図4)。また、寝床内の保温や放湿も担っている。

■図4 マットレスの硬軟と寝姿勢

ほど良い硬さ

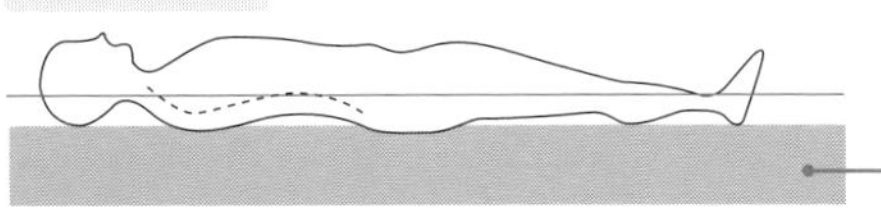

立姿勢と同じように身体の凹凸を支えるマットレスの硬さが良い

マットレス

硬すぎる

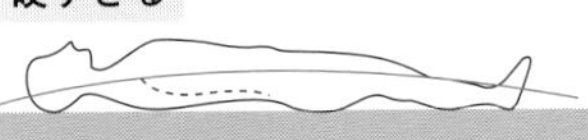

軟らかすぎる

2.マットレスの構造と種類

マットレスは、上から肌に触れる軟らかい層、寝姿勢を保つ緩衝層、衝撃を吸収するスプリング層と、異なる素材の3層構造でつくられている(図5)。スプリングが独立したポケットコイルタイプ、相互に連結したボンネルタイプ、高密度連続タイプなどがある(図6)。なお、マットレスの縁は強度をもたせるためにパイピング(玉縁)が施されている。

また、体圧の分散に優れたウォーターマットレス(ベッド)や、簡易ベッドになるエアーマットレス(ベッド)などもある。

■図5 マットレスの基本構造

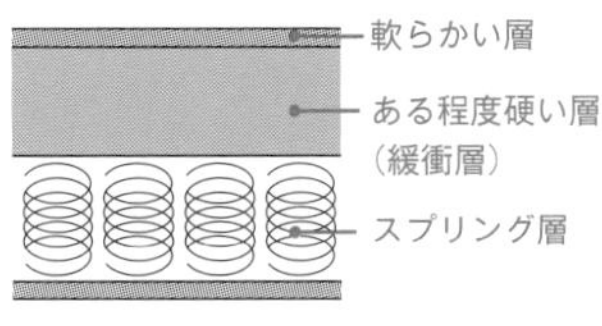

■図6 マットレスのスプリングの種類

ポケットコイル

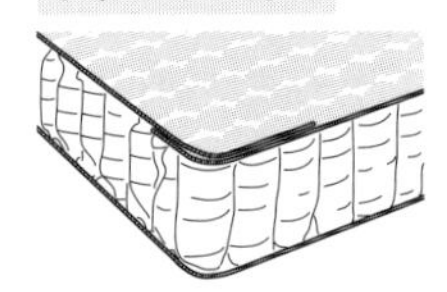

不織布の袋に包んだ独立したバネにより、点で支えるもの

ボンネルスプリング

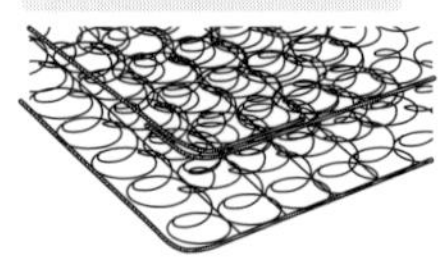

連結したバネのしっかりした弾力面で支える。最も一般的なもの

高密度連続スプリング

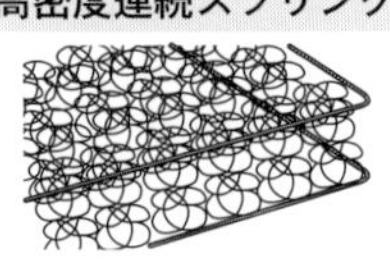

連続する鋼硬線のバネにより、体圧をより分散するもの

仰向けのときは、お尻がいちばん重く、体重の44%もの荷重を受けるよ。不適切なマットレスは腰痛の原因にもなるので注意しましょう!

パイピング(玉縁)

芯を入れた別布で、布の裁ち目を細く縁どったもの。強度をもたせ、型くずれを防止する。

ウォーターマットレス(ベッド)

水の浮力で人体の凸凹を保ったまま支えるしくみのベッド。水温を一定に保つヒーター機能付きもある。

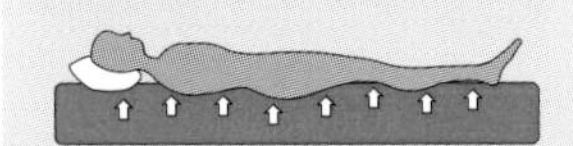

低反発ウレタンやパーム(ヤシの実の繊維)を中材にしたマットレスなどもあるよ!

17-2 重要度 !

スリーピングリネン

Point

- ☑ ベッドリネンとは、ベッドで用いるファブリックス一式のことである
- ☑ 和の寝装とは、敷布団と掛布団の組合せである
- ☑ 枕の高さは頚椎湾曲の深さに合せるとよいが、好みが分かれる

ベッドリネン・布団・枕

ベッドリネンとは、シーツ、ベッドパッド、ベッドスプレッド(カバー)、ピローケースなど、ベッドで用いるファブリックス一式である。主に、ベッドスプレッドの納め方でスタイルが分かれる(図)。

ベッドを用いない和式の寝具・寝装も含めて、スリーピングリネンと総称される。また、ベッドリネンを美しく整えることをベッドメーキングという。

■図 ベッドスプレッドの納め方によるスタイルの分類

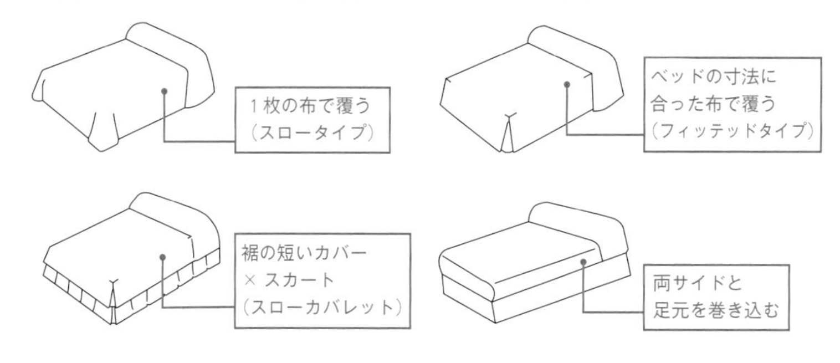

和の寝具には、敷布団と掛布団、枕があり、畳がベッドのマットレスに相当する役割を担っている。敷布団の中綿には綿や合成繊維、羊毛、ウレタンフォームなどを用いる。掛布団の中綿は綿や麻、羽毛が多い。

枕の中素材は種類が多く、使う人の好みが出やすい。綿、ウレタンフォーム、羽根、そば殻、小豆などが用いられる。枕の高さは、頚椎湾曲(けいついわんきょく)の深さに合せると、後頭部で4～8cm程度、頚椎の支えとして3cm程度だが、素材の好みと同様に個人差が大きい。枕の幅は50～60cmが一般的である。

公式ハンドブック[上] P.229～232

ベッドパッド

マットレスの上に敷く洗濯可能な薄い生地。綿がずれないようキルティング加工されている。タオル地や起毛、吸水タイプなどもある。

ベッドスプレッド

ベッドに覆い被せてボトムや脚部を隠すカバー。インテリアの装飾が目的。同じ色柄のピロー(枕)ケースを用いることが多い。

その他のベッドリネン

日本ではなじみが浅いが、筒状のクッションであるボルスターや、ベッド全体を覆う天蓋(てんがい)などもベッドリネンの一種である。

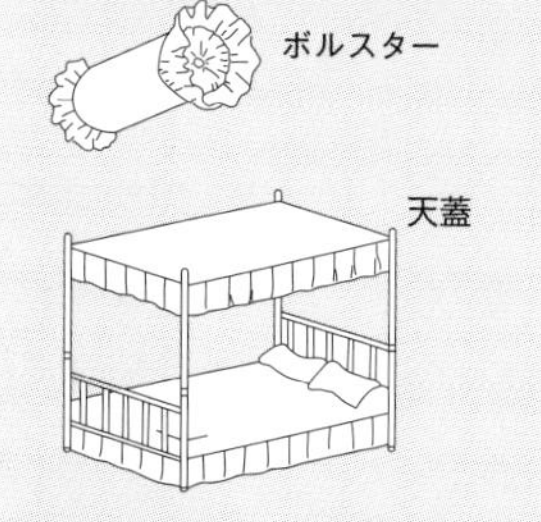

羽毛布団

水鳥の羽毛(ダウン)を50%以上混合している布団。それ以下は羽根(フェザー)布団という。

18-1 インテリアファブリックス

重要度 ! ! !

Point

- ☑ ファブリックスは、繊維（素材）→紡糸・紡績→組織→着色→仕上げ・2次加工という5大要素の工程を経てつくられる
- ☑ 特に2次加工の種類と内容をしっかりと覚える

ファブリックスの基本

ファブリックスとは、平面状で物を覆うものの総称である。特に、カーテンやカーペットなどに使うものをインテリアファブリックスという。織物や編物やフェルトなどの布類、籐、紙を用いたものなど、種類が多い。

繊維（素材）→紡糸・紡績→組織→着色→仕上げ・2次加工の5段階を経て製品となる。これをファブリックスの5大要素という。

1. 繊維

繊維とは、細長い糸状のものをいい、天然繊維と化学繊維に大別される。天然繊維は原料を動植物や鉱物から採取するもの、化学繊維は石油などから人工的につくる繊維である（表1）。

■表1 代表的な繊維の特徴

		名称	特徴
天然繊維	植物	綿（コットン）	種子綿毛が原料。吸水性に優れ、熱に強く、丈夫。染色性、発色性に優れる。縮みやすくシワになりやすい
		麻（リネン）	麻の茎や葉から採集する。通気性、吸湿性が良く、清涼感がある。シワになりやすい
	動物	絹（シルク）	蚕のまゆから採取する。光沢があり、肌触りが良い。保温性、保湿性、発散性に優れる。熱に弱く、縮みやすい
		毛（ウール）	主に羊毛。保温性、伸縮性、弾力性に優れる。湿気を吸収し、縮みやすいがシワになりにくい
化学繊維	再生	レーヨン	木材パルプのセルロースが原料。光沢があり、吸水性、染色性に優れる。縮みやすく、シワになりやすい
		キュプラ	綿花の残繊維（コットンリンター）が原料。絹のような光沢があり滑らか。吸湿性に優れ、丈夫。縮みやすい
化学繊維	半合成	アセテート	木材パルプのセルロースと酢酸が原料。光沢があり滑らか。丈夫で縮みにくい。シンナーなどに溶ける
	合成	ナイロン	成分上は絹に近い。染色性、弾力性に優れ、シワになりにくい。吸湿性が低く、熱に弱い。日光により黄変
		アクリル	弾力性に優れ、軽く、ウールのような肌触り。シワになりにくい。吸湿性が低く、熱に弱い
		ポリエステル	天然繊維との組合せが可能。綿のような風合い。丈夫でシワになりにくい。吸湿性が低い。汚れると落ちにくい
		ポリプロピレン	丈夫で軽量。安価。吸湿性、染色性が低く、熱や日光に弱い
		ポリクラール	吸湿性、保温性に優れ、柔らかな風合い。難燃性、耐光性が高く、カーテンやカーペットなどに適している

公式ハンドブック［上］P.191～194

2. 紡糸・紡績と糸の単位

原料から糸を紡ぐ工程を紡糸という。また、綿や麻、羊毛などの短い繊維（ステープル）を集めて細長く引き伸ばし、撚りをかけて糸（スパン糸）にする工程を紡績という。ただし、絹など細長い繊維（フィラメント）は、紡績をせずに糸（フィラメント糸）とする。

化学繊維は長さをコントロールして生産できるため、ステープルもフィラメントも存在する。

スパン糸の太さは番手、フィラメント糸の太さはデニールという単位で表す。

また、撚りのかかった糸を撚糸という。捻る回数が少なく、柔らかい糸をつくる甘撚り（弱撚）と、捻る回数が多く、コシやシャリ感のある糸をつくる駒撚り（強撚）がある。

3. 組織のしくみと織機

糸や繊維などを平面状のファブリックスにすることを組織という。種類は織物や編物が多く、糸を使わないものなどもある。

特に、経糸と緯糸を交差させて組織する織物が代表的で、平織、綾織（斜文織）、朱子織がある。これらを、織りの三原組織という（図）。その他、経糸か緯糸に糸を加えて柄をつくるブロケード織や、経糸を互いに絡ませたものに緯糸を織り込んで隙間をもたせたからみ織、布の片面か両面に輪（ループ）を織り出したパイル織など、特殊な組織もある。

また、織機にも種類がある。単純な三原組織に適したタペット織機、チェック柄などに適したドビー織機、幅いっぱいに込み入った大きな模様を織ることができるジャカード織機などが代表的である。

■図　織りの三原組織

平織

経糸と緯糸を交互に浮き沈みさせる単純な組織

綾織（斜文織）

経糸か緯糸の浮きが斜め方向に連続する組織

朱子織

経糸か緯糸の4本以上を長く浮かせる組織

番手

スパン糸の太さを表す単位（英国式）。綿糸では1ポンド（453.6g）当たりの長さが840ヤード（768m）のものを1番手とし、単位重さ当たりの長さを計算する。数値が大きいほど細い。

デニール

フィラメント糸の太さを表す単位。9,000mで重さ1gのものを1デニールとし、単位長さ当たりの重さを計算する。数値が大きいほど太い。

各組織の代表的な織物

①平織…オーガンジー、タフタ、ガーゼなど。軽くて丈夫。

②綾織（斜文織）…サージ、ギャバジン、デニムなど。柔らかくシワになりにくい。

③朱子織…サテン、緞子など。柔らかく光沢感がある。

綾織（斜文織）と似た斜子織もあります。違いをチェックしておこう！

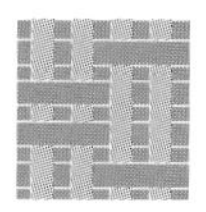

斜子織は平織の変形で、糸が2本以上交差するよ

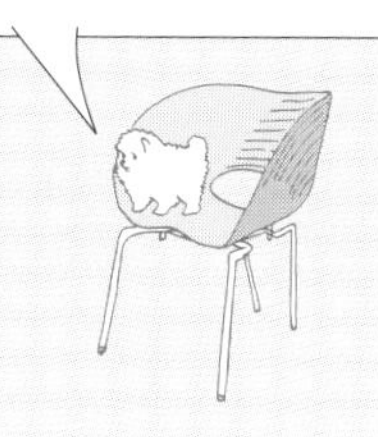

18 ファブリックス

4. その他の組織

織物以外の組織として、甘撚りの糸をループ状にして経か緯方向に連結して構成する編物(ニット)がある。編物は伸縮性の良さが特徴である。インテリア用品としては、トリコットやラッセルなどが用いられる。

また、糸を使わない組織として、不織布や羊毛を固めるフェルト、合成樹脂を平面状にのばすフィルム、合成樹脂を型でプレスする射出成形布(しゃしゅつせいけいふ)などがある。

5. 着色

布地は主に、全体染めか模様染めの加工により着色する。全体染めを染色(せんしょく)、部分的に色柄を付ける模様染めをプリントまたは捺染(なっせん)という。捺染には、捺染板(スクリーン)を用いる多色刷りや転写などの方法がある。いずれも染料(せんりょう)と顔料(がんりょう)を用いて着色する。染料は水に溶けて繊維を染めるものである。顔料は水にも溶剤にも溶けないので、合成樹脂や接着剤に混ぜて繊維の表面に固着させる。

また、繊維や糸の状態で染色する先染(ぞ)めと、布地になった状態で染色する後染(あとぞ)めがある。先染めのほうが深みのある着色表現とされている。

6. 2次加工

ファブリックスの風合いや装飾性を高める光沢や凹凸などを施す加工と(表2)、防炎などの実用的な機能をもたせる加工がある(次頁表3)。主に、仕上げ段階で施すものを2次加工という。

トリコット
細い畝(うね)がある平編。経編機で編む。伸縮性があり、ほつれにくいので、イスの張り地などに用いる。

ラッセル
ラッセル編機で編む経編。レースやチュールなど、目の透いた柄表現に適する。

不織布
繊維を化学的に絡み合せてつくる布地。ニードルパンチ・カーペットなどに用いる。

染色のタイミング

合成繊維原液、紡績前、紡績途中、糸、布地になってからなど、さまざまな製造の過程で染色が行われる。

ろうけつ染めのように、捺染糊で模様をつけたあとに布地を着色する防染や、色柄を取り去る抜染などの方法もあるよ！

2次加工
ファブリックスの仕上げ段階で施す加工のこと。後加工ともいう。装飾性や機能性を高める。

■表2 風合いや装飾性を高める加工

名称	特徴
チンツ加工	ろうや厚糊を用いてツヤをだす加工。洗濯で効果が落ちやすい
DG加工	綿やポリエステル混綿の織物をローラーで平滑に(カレンダー掛け)してツヤをだす加工
モアレ加工	縦畝のある織物を2枚重ねたり、エンボスで杢目や波状模様(モアレ)をだす加工
エンボス加工	凹凸の型で布面に圧力をかけて図柄を付ける加工
リップル加工	薬品で繊維を収縮させて縞状のシボ(サッカー)をだす加工
プリーツ加工	布地をひだ状にする型付け加工。合成繊維、半合成繊維は熱を加えて固定する
オパール加工	複合繊維の織物に薬品を施し、一方の繊維を溶かすことで透かし模様を表す加工
フロック加工	短い繊維(フロック)を植毛する加工。布地全体か部分的に立体的な図柄として施す
ワッシャー加工	布地を機械にかけて自然なシボやシワを付け、柔らかくする加工
シルケット加工	綿やポリエステル綿混に絹のような光沢を与える加工。マーセライズ加工ともいう

実用性を高める加工としては、カーテンやカーペットの材料となる布地への難燃(防炎・防火)加工が代表的である。火が付きにくくしたり、燃え広がりにくくする効果がある。

特に、不特定多数の人が出入りする場所に用いるカーテンは、消防法の防炎規制により、防炎ラベルの付いた防炎物品を用いることが義務付けられている。

また、遮光性を高める金属蒸着加工や、裏地にフィルムなどを貼り合せてさらに高い遮光性をもたせるラミネート加工もカーテン用の布地に対してよく施される。以下に、覚えておくべき主な加工を挙げる(表3)。

なお、カーペットやカーテン、寝具などのインテリアファブリックスは日本産業規格(JIS規格)で性能判定基準値が示されており、各試験において基準に適合と認められた製品にはJISマークが付けられる。

■ 表3　実用的な機能を高める加工

名称	特徴
難燃(防炎・防火)加工	難燃は、難燃剤の混入や塗布により火が付きにくく、燃え広がりにくい布地にする加工。防炎は、燃えやすい繊維を燃えにくく改良する加工
金属蒸着加工	アルミニウムの蒸気を付着させる加工。遮光性や断熱性をもたせる
ラミネート加工	フィルムや金属の粉末を樹脂で塗布する加工。金属蒸着加工より遮光性が高い
樹脂加工	繊維に合成樹脂を混合、付着させる加工。防シワ性や光沢をもたせる
コーティング加工	合成樹脂などを塗布し、皮膜で光沢やぬめり感を出す加工。はっ水性が高まる
キルティング加工	2枚の布の間に綿を挟んでミシン縫いする加工。保温性を高める。寝具などに用いる
ボンディング加工	2枚の布を貼り合わせる加工。裏地にほかの布や不織布、ウレタンフォームなどを接着する
はっ水加工	繊維1本ずつの表面をはっ水剤で覆う加工。水滴を球状に弾く
ソイル・レリーズ(SR)加工	水に馴染みやすくなる合成樹脂を繊維に塗布する加工。付いた汚れを洗濯で落ちやすくする
ソイル・ガード(SG)加工	フッ素樹脂で繊維表面の凸凹を覆い、汚れを付きにくくする加工。静電気が起きやすくなる。主に、衣類に用いられる
ソイル・ハイド(SH)加工	特殊な断面の糸を用い、光の反射効果で汚れを目立たなくする加工。主に、衣類に用いられる
帯電防止加工	静電気を防ぐ加工。水を弾きやすい合成繊維には紡糸原液に帯電防止剤を混入させる
防虫加工	殺虫効果のある毒素を繊維に含ませる加工。特に虫が付きやすい羊毛織物に施す
防菌・防カビ加工	洗濯時にスプレーなどで抗菌剤やカビの発生を抑える加工剤を含ませる加工。紡糸時などに加工する場合もある
サンフォライズ加工	製造過程で緯に伸ばされる織物を、あらかじめ経に圧縮しておくことで縮みなどの変形を抑える加工

難燃材料

難燃剤によって燃えにくくした素材。加熱開始後5分間は燃焼しないもの。建築基準法で定める不燃材、準不燃材よりは下位ランク。

JIS規格による試験

インテリアファブリックスの性能をみるには、洗濯時の収縮率と染色堅牢度(退色性)、縫目強度などの試験、毛玉発生率をみる摩擦試験などがある。

主な品質表示ラベル

防炎

燃えやすい繊維を燃えにくく改良した防炎品であることを示す。

遮光

遮光率99.4%以上の遮光性能があることを示す。1~3級がある。

防汚性
(ソイル・レリーズ)

ほこりや汚れが付きにくく、洗濯で汚れが落ちやすいことを示す。

抗菌防臭加工

制菌加工を施し、抗菌試験に合格したことを示す。

ウォッシャブル

家庭用洗濯機で丸洗いできることを示す。

19-1 カーテン

重要度 ！！！

Point

- カーテンの役割は、室内の装飾、遮視、遮光、断熱、吸音である
- カーテンはトップトリートメント、本体、ボトムで構成される
- 仕上がり寸法、必要寸法、要尺の求め方をしっかりと覚える

カーテンとは

1. カーテンの役割と種類

カーテンやブラインドなど、窓廻りの装飾や、日射調整などの機能をもつエレメントをウィンドウトリートメントと総称する。

なかでもカーテンは、最も種類が豊富で、一般的に用いられている。カーテンの役割は前述のように、窓に装飾性と実用的な機能を付与することである。さまざまな色柄やテクスチュアのファブリックスと部材をアレンジすることで装飾性を高める。基本的には、重厚なドレープカーテンと、薄手のシアーカーテンやレースカーテンの組合せである（表）。

実用的な機能は主に、外からの人目を遮る（遮視）や日射を遮る遮光、断熱、吸音であり、室内の間仕切としても用いられる。

■表 カーテンの種類と特徴

名称	特徴
ドレープカーテン	透過性の低い厚手の織物を用いる。多様な色柄のジャカード織と単調なチェックやストライプ、無地などのドビー織のものが多い。遮視、遮光、遮音、保温などを担う。また、より遮光性を高めたものを遮光カーテンという
シアーカーテン	ドレープと組み合わせる。平織のボイルやオーガンジー、ジョーゼットなど、透過性が高い薄手の織物を用いる。レースよりは透過性が低い
レースカーテン	透過性のあるカーテン。たて編みのラッセルレールが主流。刺しゅうを施したエンブロイダーレースもある
ケースメントカーテン	ドレープとレースの中間的なもの。レースよりも太い糸による目の粗い織物。からみ織やマリモ織がある。ドレープカーテンのようなボリューム感や風合いがあるので、1枚使いも可能

カーテンに用いられるファブリックスの素材や加工、機能については前項と併せて覚えよう！

カーテンの遮光等級

遮光カーテンを閉め切ったときの効果を等級分けしている。なお、同じ等級のカーテンでも濃色のほうが遮光率が高い。

1級	遮光率 99.99%以上
2級	遮光率 99.80%以上
3級	遮光率 99.40%以上

（一般社団法人日本インテリア協会）

公式ハンドブック［上］P.188～192、P.194

2. カーテンの構成

カーテンは、トップトリートメントとカーテン本体、ボトムの部分で構成され、個性を演出する付属品(アクセサリー)もある(図1)。

■ 図1 カーテン各部の名称

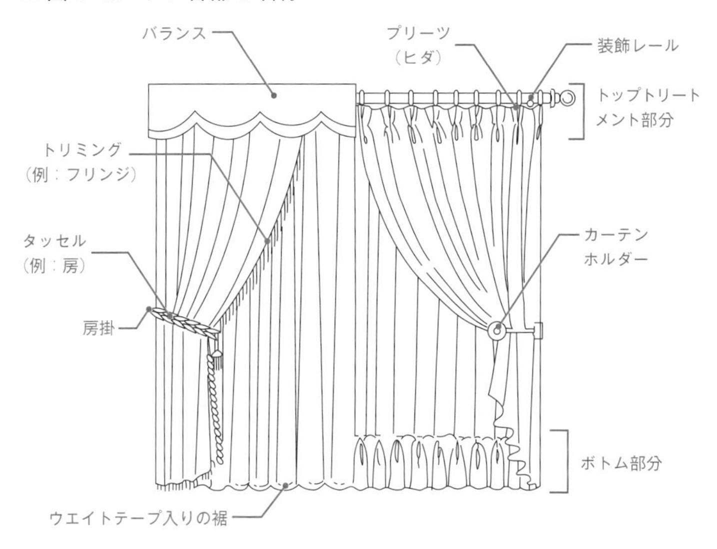

トップトリートメント

1. 吊り元のスタイル

カーテンの吊り元を覆い、装飾する物をバランスという。バランスはカーテン上部からの光漏れを防ぎ、遮光性を高める効果もある。

シンプルな箱型のボックスバランスや(図2)、クラシカルで高級な雰囲気のスワッグ＆テールなどのスタイルがある(図3)。スワッグとは弛(たる)んでいる真ん中の部分、テールとはサイドに垂れている部分を指す。

■ 図2 ボックスバランス

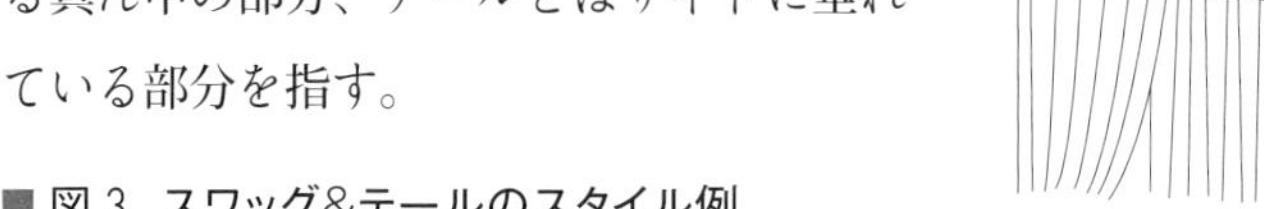

■ 図3 スワッグ&テールのスタイル例

1. スワッグ&テール

2. スカーフスワッグ

3. ビショップスリーブ

4. ギャザーリング

1~3はテールの見せ方によるスタイルの違い。3のビショップとは袖元をバンドで締めた僧服のデザインが由来となっているスタイル

トップトリートメント
カーテンの上部のこと。吊り元やレールを覆うバランスのほか、スワッグ&テールなどの装飾スタイルも含む。

ボトム
カーテンの下部のこと。裾部分のギャザーや、プリーツをきれいに見せるウエイト(おもり)などがある。

カーテンアクセサリーの種類

①**カーテンホルダー**…開いたカーテンを掛けておく金物

②**タッセル**…カーテンを束ねておく紐

③**房掛**…タッセルを掛ける金物

④**トリミング**…フリンジなどのカーテンの縁飾り

バランスレール
カーテンレールの上に設置し、バランスを取り付ける専用のレール。マジックテープでバランスを留める。

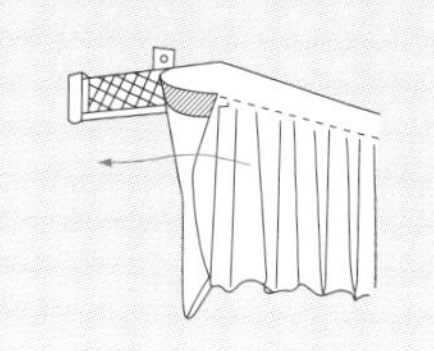

2. 機能レール

機能レールとは、装飾性のない実用的な機能を重視した、一般的なカーテンレールである。壁や天井に取り付けるブラケット部分と、フックを引っ掛けるランナー、ランナーが滑り落ちないようにする端部のキャップで構成されている(図4)。用途によって形状が異なり、レールの断面形状別にC型や角型、I型、ポール型がある(図5)。素材はアルミやステンレス製のものが多い。

■図4 部品の名称と取付け方(ダブルレールの例)

正面付け

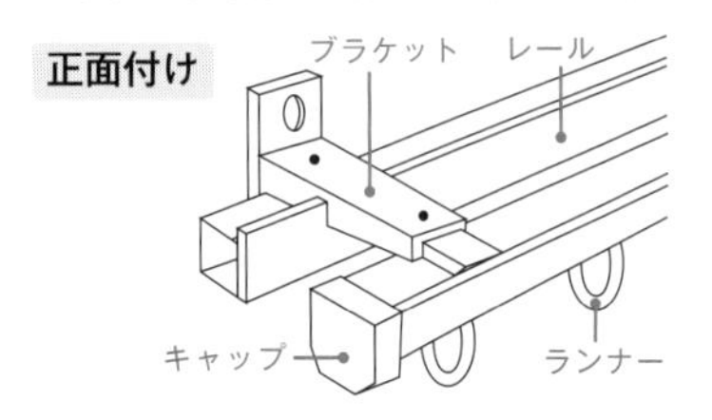

天井付け

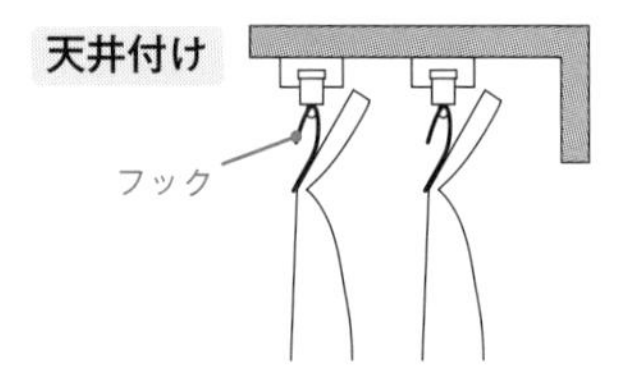

窓枠か壁に設ける正面付けと、天井に設ける天井付けの設置方法がある

■図5 機能レールの用途と形状

フレキシブルレール

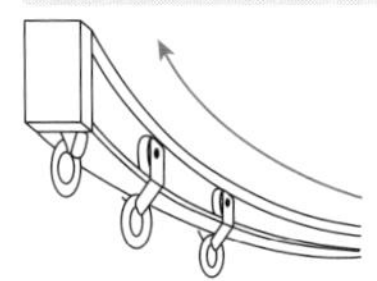

コーナー窓や出窓に形状を合わせて用いる。曲げが容易

間仕切レール

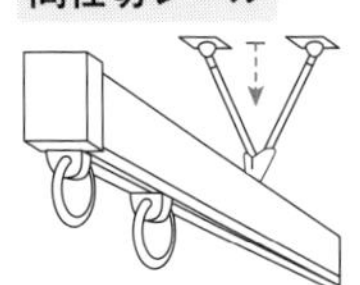

天井に設けてカーテンを吊り、開閉して空間を仕切る

テンションポール

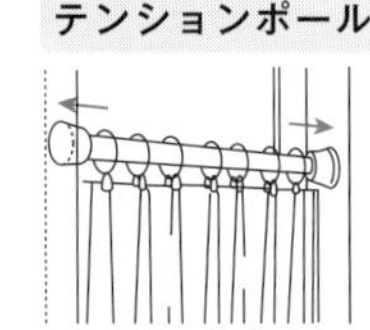

窓枠の両側で突っ張る棒。長さの調節が可能

3. 装飾レール(ポール)

装飾レール(ポール)とは、機能レールのようにカーテンで隠さない、見せるためのカーテンレールである(図6)。そのものの素材感や両サイドの装飾(ギボシ)の美しさが特徴である。ランナーを通す溝がなく、カーテンの上部にリング(タブ)を設けて直接通して吊るすか、クリップなどで留める(図7)。素材は木や真鍮(しんちゅう)、アルミ製のものが多い。

■図6 装飾レール

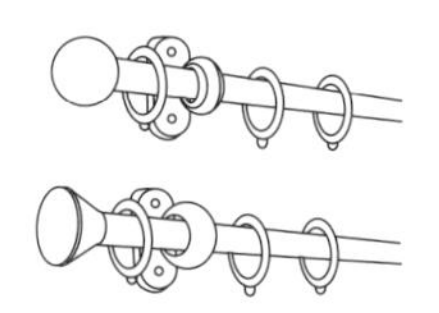

窓の外枠より15~20cmほど長いものを、窓枠より100~150mmほど上に取り付ける

■図7 装飾レールの用い方

はとめスタイル

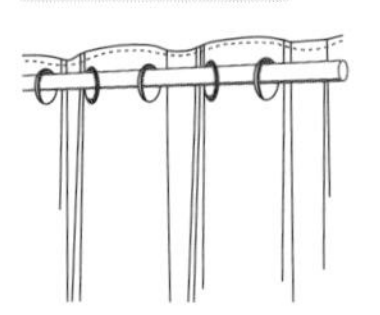

布の上部に丸カンを取り付けてレールに通す

タブスタイル

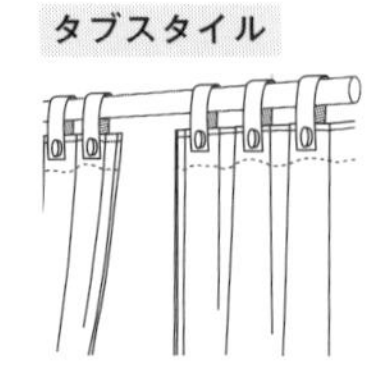

テープ状のタブを暖簾のようにレールに通す

カーテンレール

カーテンを吊り、開閉させるための器具。機能レールと装飾レールがあり、レールが1列のシングルタイプと、2列のダブルタイプがある。ランナーを取り付ける溝がないものはポールと呼ぶ。

フックの形状

フックとは、カーテンに取り付けて、ランナーに引っ掛ける金物。カーテンレールを露出させ、天井付けに適するAタイプと、壁付けに適するBタイプ、高さ調整ができるアジャスタータイプがある。

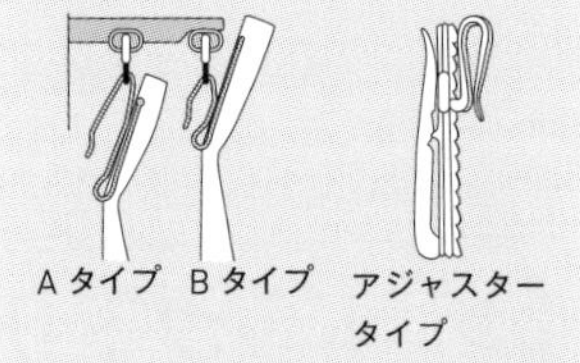

Aタイプ　Bタイプ　アジャスタータイプ

タブをリボン状に結んだり、ポールにハンギングクリップを付けてカーテンを挟み留めるスタイルもあるよ!

4. プリーツ（ヒダ）

カーテンのプリーツとは、布地の上部を寄せてつくるヒダのことをいう。ボリューム感をもたせて布地の柔らかさを見せたり、きれいに閉じやすくする、断熱・保温性を高めるなどの効果を担っている。

また、プリーツの施し方により、カーテンの印象や必要な布地の寸法が変わる（図8）。

■ 図8　カーテンに施すプリーツの種類

つまみヒダ（2ツ山ヒダ）

ヒダを2つ縫い付ける。布地を1.5倍ほど使う

ギャザーヒダ

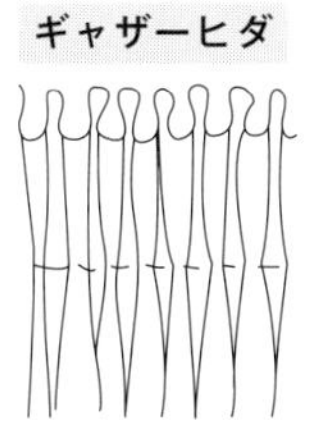

布地を細かく寄せる。専用のテープもある

箱ヒダ

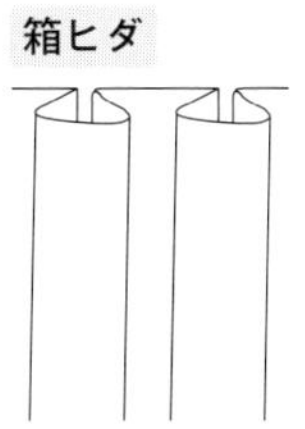

折り込んで縫い付ける。布地を3倍ほど使う

片ヒダ

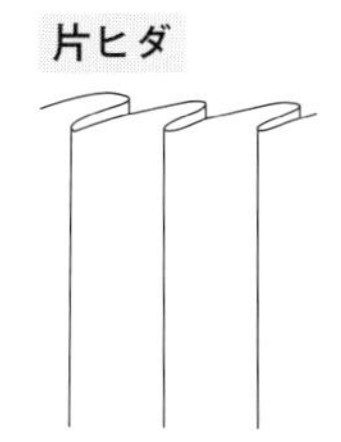

一方向に縫い付ける。あまり一般的でない

スタイルカーテン

インテリアを美しく見せるために、プリーツの寄せ方や、タッセルでのまとめ方、裾のあしらいを工夫したカーテンをスタイルカーテンという（図9）。開いた状態に固定されたカーテンを装飾する意図が主なので、頻繁に開閉する窓にはあまり適していない。

■ 図9　代表的なスタイルカーテンの例

センタークロス

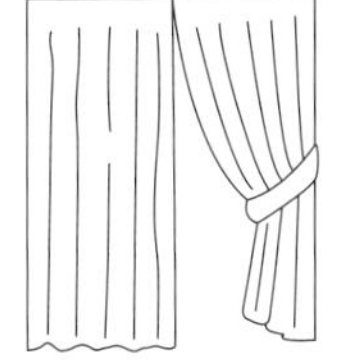

両開きのカーテンを吊り元の中央で固定する

クロスオーバー

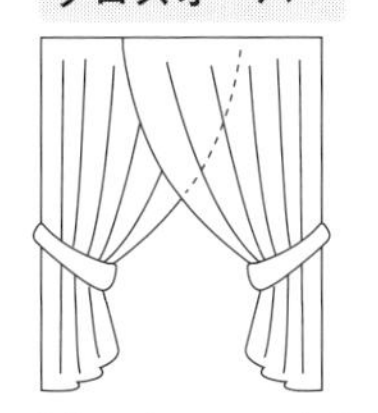

2枚のカーテンを吊り元で交差させて固定する

ハイギャザー

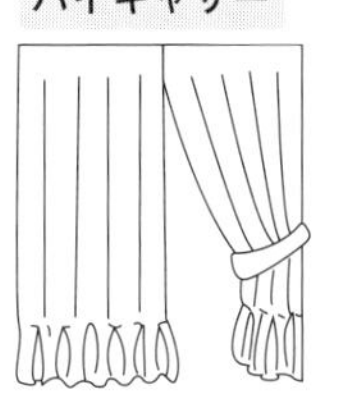

ボトムの裾に長めのギャザーを施す

セパレート

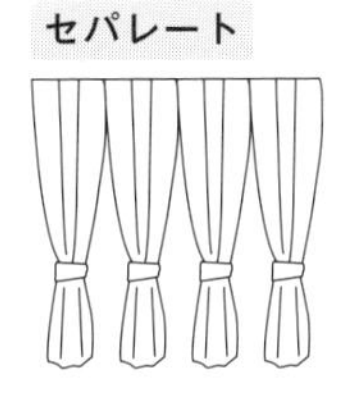

幅の細いカーテンを数本分割してまとめる

スカラップ

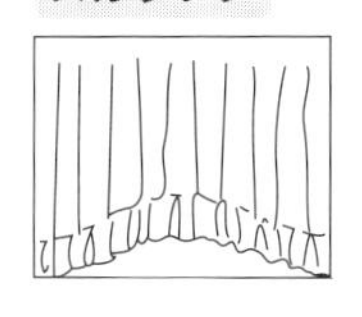

裾部分を短くアーチ状にし、開いた状態にする

カフェ

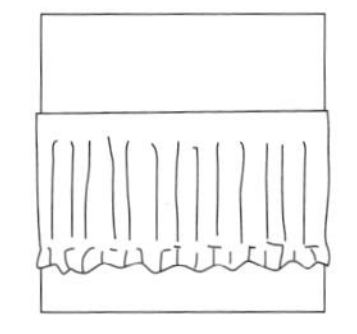

窓枠で突っ張ったポールに短いカーテンを付ける

ヒダのないカーテン

布地のデザインを見せたり、シンプルに仕上げたい場合は、ヒダを設けないで、フラットに見せる方法もある。1.3倍程度の布地をカーテンポールに吊るすことが多い。

ヒダ倍率

各々間口幅に対して
片ヒダ…約2倍
箱ヒダ…約2.5～3倍
2ツ山ヒダ…約1.5～2倍
3ツ山ヒダ…約2.5～3倍
シャーリング…約3～4倍

ボトムのあしらい

カーテンを美しく見せるには裾の処理も重要。通常は10㎝程を3ツ折りにして縫う。ウエイト（おもり）やテープを巻き込むと、広がりを抑えてきれいなウェーブを保つことができる。

カーテンのスタイルは、いろいろな呼び方があるけど、一般社団法人日本インテリア協会で用いている呼称が一般に通っているよ！

カーテンの寸法

1. 仕上がり寸法の求め方

通常、カーテンは布地の両サイドや裾を縫製して仕上げる。また、プリーツを施すと、布地を寄せる分多く使用する(→ P.359)。

カーテンを閉じた際に、窓枠や床との隙間からの光漏れなどを防いだり、見た目のきれいなカーテンとするには、使用する布地の幅と長さ(要尺(ようじゃく))を適切に採寸し、仕上がり寸法を出す必要がある。

まず、カーテンレールを、窓の外枠幅(実寸法)に両サイド5～10cmほどを加えた長さとし、カーテンの仕上がり幅はそれに合わせる。

仕上がり丈(長さ)は、腰高窓の場合、窓枠の外寸(実寸法)に15～20cmを加え、掃出し窓の場合は床から1～2cm上げた程度とする(図10)。ただし、ダブル吊りの場合は、レースをドレープより1～2cmほど短くする。

■図10　仕上がり寸法

腰高窓

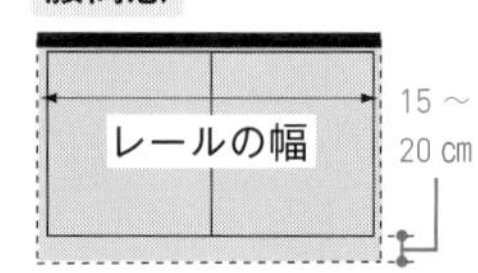

掃出し窓

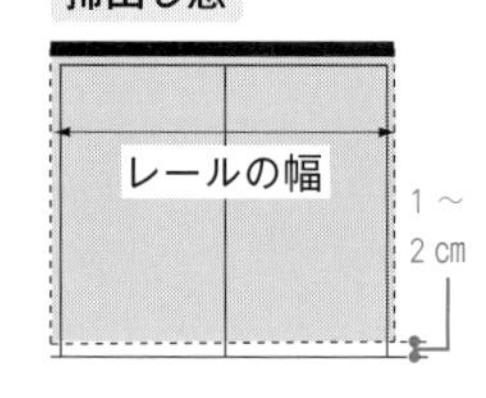

2. 要尺の求め方

仕上がり寸法が決まったら、布地の要尺を求める。幅は前述の通り、プリーツに必要な分と両サイドの折返し分40cmを加え(図11)、丈には上下の折返し分として40cmを加える(図12)。

一般的な布地は90cm～1m50cm幅の帯状で流通しているので、何幅カットの布地を使うかを要尺として算出し、見積りに反映する。

カーテンの見積もり

カーテンの生地は、商品によって幅が異なるため、価格は㎡単位で比較する。

要尺

1つの製品をつくるのに必要となる布地の長さ。

■図11　必要幅数の計算例

窓枠実寸法1,800㎜。両開き、2ツ山ヒダのカーテンの場合

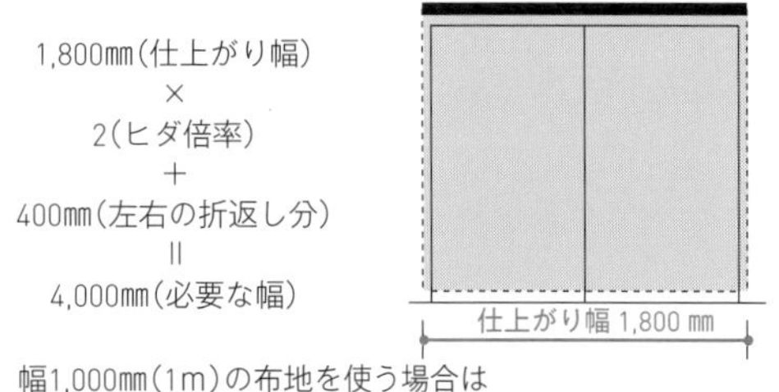

幅1,000㎜(1m)の布地を使う場合は
4,000㎜ ÷1,000㎜=4幅(カット数)の布地が必要となる

■図12　要尺の計算例

窓枠の高さ2,000㎜の場合

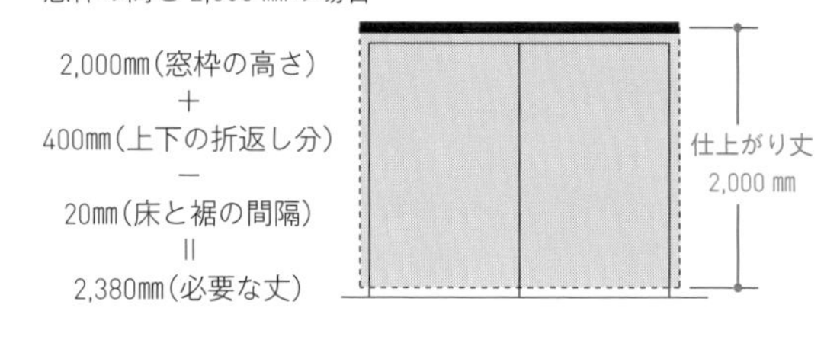

2,380㎜(必要な丈)×4幅(カット数)=9,520㎜(要尺)

m単位に置き換えて少数点以下を切り上げるので、つまり1m幅の布地9.6mが要尺となる

19-2 重要度 ！！！

シェード、スクリーン、ブラインド

Point

- ☑ ローマンシェードはギャザーの入れ方や見せ方で種類が分かれる
- ☑ スクリーンは布地を畳むタイプとフラットなタイプがある
- ☑ ブラインドは開閉方向で分類すると横型と縦型がある

シェード（ローマンシェード）

シェードとは、日よけに用いるエレメントを指す。なかでも、カーテンのように吊った布地に装置（メカ）を取り付け、蛇腹(じゃばら)状に折り畳んで上下に昇降・開閉するウィンドウトリートメントをローマンシェードという。畳む際のギャザーの入り方や、下ろした際の見え方により、スタイルのバリエーションがある（図1）。また、厚手のドレープと薄手で透過性のあるシアーの2枚を重ねて装着できるダブルシェードもある。

昇降方法は、手動のコード式と、巻上げ機能のあるギア式（ドラム式）、電動式などがある。幅や長さのある大きなシェードは重量もあるので、ギア式や電動式が便利である。また、小窓や細長い窓に対しては、横開きのカーテンよりも適している。

ローマンシェード
ファブリックスを装置（メカ）で蛇腹状に折り畳み、上下に昇降・開閉する。畳み上げた際に裾をカーブや波状にしたい場合は軽くて柔らかい布地が適する。

■図1　代表的なローマンシェードのスタイル

プレーン

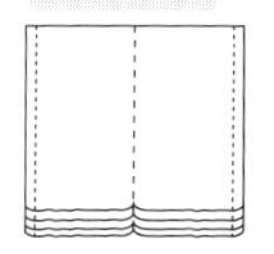

基本形。フラットな布地に吊糸を仕込んだもの

シャープ

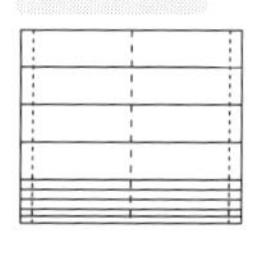

フラットな布地に吊糸とバーを仕込んだもの

ピーコック

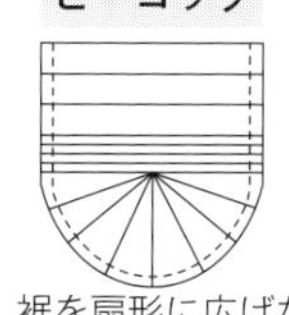

裾を扇形に広げながら畳み上げるもの

バルーン

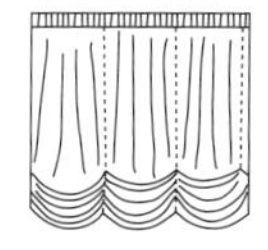

裾を円弧状に畳み上げるもの。柔らかい布地向き

オーストリアン

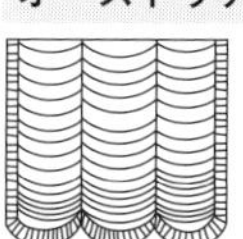

布地全面に細かいタックを入れたもの。豪華な印象

ムース
（センタープルアップ）

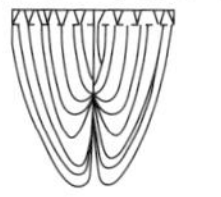

中央を吊紐で引き上げるもの。裾の形状が特徴的

ローマンシェードの布地は、カーテンと同じものを使うので、種類が豊富。インテリアコーディネートのポイントにもなるよ！

公式ハンドブック［上］P.195～200

スクリーン

1. ロールスクリーンとパネルスクリーン

スクリーンとは、平面の幕状のものをいう。ロールスクリーンとは、布地をローラーパイプ装置に巻き、上下させて開閉するウィンドウトリートメントである(図2)。布地をコンパクトに収納でき、かさばらない点が特徴である。室内の間仕切や収納場所の目隠しにも用いられる。

パネルスクリーンとは、張りのあるフラットな布地を吊り下げ、端に付けられたバトンを引いてスライドさせて開閉するウィンドウトリートメントである(図3)。見え方がシンプルなので大面積を占める大きな窓に適し、室内の間仕切りにも用いられる。

■図2 ロールスクリーンの各部名称

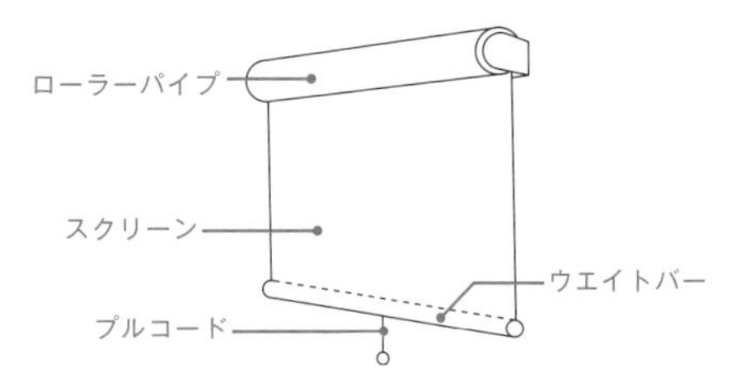

■図3 パネルスクリーン

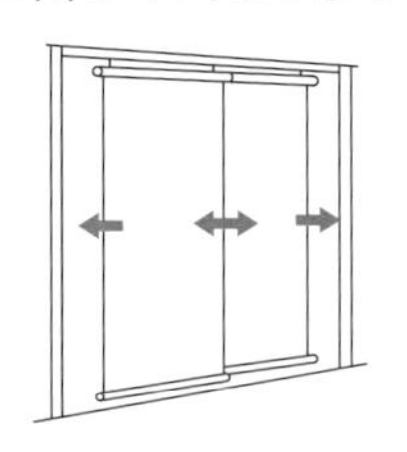

2. プリーツスクリーンとハニカムスクリーン

プリーツスクリーンとは、プリーツ加工を施した不織布に装置を取り付け、蛇腹状に折り畳んで上下に昇降させて開閉するウィンドウトリートメントである(図4)。不織布の透け感が障子や簾と似ているため、モダンな和風の装いにも適している。

ハニカムスクリーンとは、六角形の蜂の巣構造にした不織布に装置を取り付け、折り畳んで上下に昇降させて開閉するウィンドウトリートメントである(図5)。見た目はプリーツスクリーンと同様だが、空気層による高い断熱・保温効果が特徴である。

■図4 プリーツスクリーン

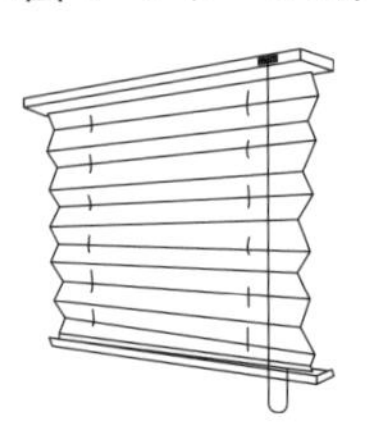

■図5 ハニカムスクリーン

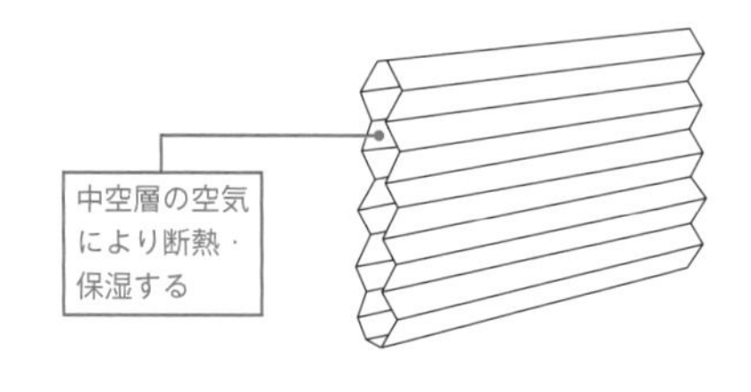

ロールスクリーン
操作はプルコード式、スプリング機能のないコード(チェーン)式、電動式がある。布地はポリエステル製が主流。カーテンより色柄が褪せやすい。

パネルスクリーン
張りのある布地をスライドして開閉する。布地の下部にはウエイトバーを仕込む。

プリーツスクリーン
プリーツはベネシャンブラインドと同様の25mm幅が多い。素材はポリエステル、操作はコード式が主流。

ハニカムスクリーン
蜂の巣構造の不織布を上下に昇降・開閉する。断熱・保温効果が高い。操作はコード式が主流。素材はポリエステルが多く、透ける採光タイプ、内側にアルミを貼った遮光タイプもある。

使い分けできるスクリーン
プリーツやハニカムタイプのスクリーンには、異なる不織布を取り付けるペアタイプがある。上部は透けない素材で目隠しし、下部は透ける採光タイプにするなどの使い分けが可能。

竹や葦を糸で編み連ねた簾もスクリーンの一種だよ。巻上げ式と固定式があるんだ

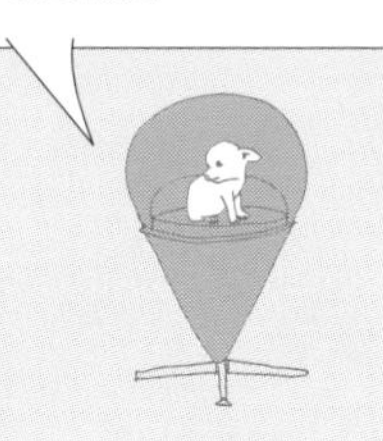

ブラインド

1. ベネシャン(横型)ブラインド

ブラインドとは、羽根(スラットやルーバー)を動かすことで開閉するウィンドウトリートメントである。全体を閉じていても、羽根の回転で角度調節し、採光ができる点が特徴である。

ブラインドの中でも、スラットを水平に昇降するものをベネシャンブラインド、または横型ブラインドという(図6)。

■図6 ベネシャンブラインドの各部名称

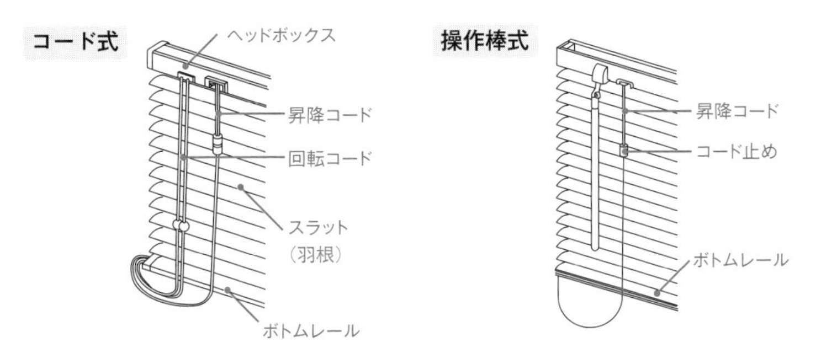

2. バーチカル(縦型)ブラインド

スクリューロッドを内蔵したコントロールユニットに垂直に吊ったルーバー(羽根)を、回転させたり、左右に動かして開閉するものをバーチカルブラインド、または縦型ブラインドという(図7)。

片側に寄せて畳むことができるので、出入りの頻繁な窓に対してはベネシャンブラインドよりも適している。また、高さのある窓に設けると垂直ラインのスッキリとした印象が強調される。

■図7 バーチカルブラインドの各部名称

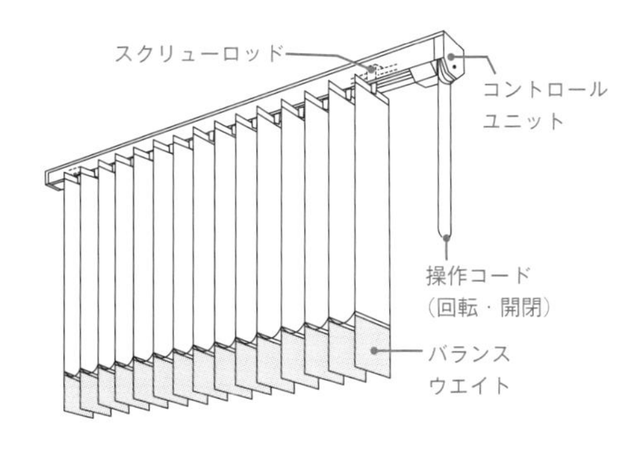

ベネシャンブラインド
スラットを回転・昇降して開閉する一般的なブラインド。カーテンやシェードよりも硬質・直線的でシンプルな印象。操作はコード、ポール、操作棒、ギア(ドラム)、電動などで行う。

スラット(羽根)
薄く細長い板のこと。ブラインドには15・25㎜幅のものを用いる。アルミ製が主流だが、住宅では木製も多く用いられる。埃が溜まりやすいので、ハタキなどで小まめに手入れをする。

バーチカルブラインド
ルーバーを回転・左右に畳んで開閉するブラインド。操作はコード、操作棒、電動などで行う。

ルーバー
スラットと同様に羽根という意味だが、50・75・80・90・100・120㎜と幅が広い。アルミ、ガラス繊維、ファブリック製などがある。着脱が容易で手入れが楽。

ブラインドの仕上がり寸法(幅)
窓枠を覆うように設けるブラインドの仕上がり寸法の幅は、実寸法に合わせる。窓枠の内側に設ける場合は、実寸法から10～20㎜ほど引いたものとする。

20-1 テーブルウエア

重要度 !

Point

- ☑ テーブルクロスやマット、ナプキンなどリネンの用途を覚える
- ☑ 和洋の伝統的な食器のセッティングと用途を知る
- ☑ 陶磁器や漆器など伝統工芸品の名産地をおさえる

洋風のテーブルウエア

1. テーブルリネン

テーブルウエアとは、食卓を彩るテーブルリネン(布類)や食器、カトラリー(食卓用金物)などの総称である。

テーブルを覆うテーブルクロス(図1)や、個人のカトラリーを置くプレイスマット(ランチョンマット)、花瓶などの下に敷くドイリー、食事中に手や口元を拭くテーブルナプキンなどがある。

テーブルクロスは、テーブル上を華やかに見せるだけではなく、食器やカトラリーを使う音を吸収したり、食事の汚れを受ける役割を担う。そのため、吸水性に優れ、洗濯や熱にも強く、手入れがしやすい麻や綿、レーヨン、ポリエステルなどの素材を用いたものが多い。

なお、テーブルクロスの素材は、正式な場における等級が設定されている。低いほうから合成繊維、綿、麻となっており、麻の中でも、白い無地または白いダマスク織のものが最も格式が高いとされる。

■ 図1 テーブルクロスの種類と名称

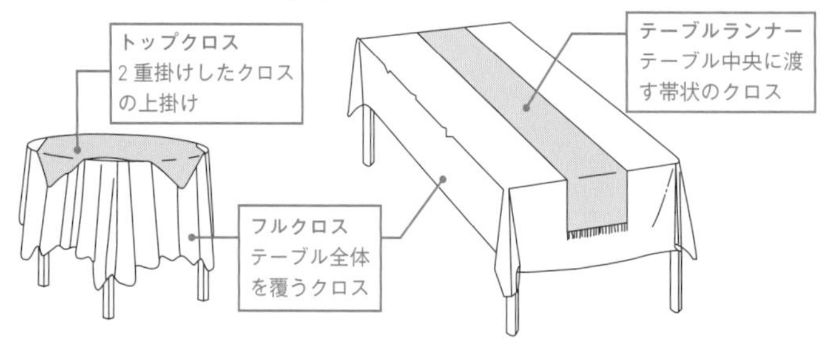

テーブルウエア

食卓で用いる用品の総称。食器は陶磁器やガラス、木、金属製など、和洋いずれもバリエーションが豊富。

テーブルナプキン

食事の際に手や口元などを拭く布や紙。色柄が豊富。寸法は以下の4つが代表的。

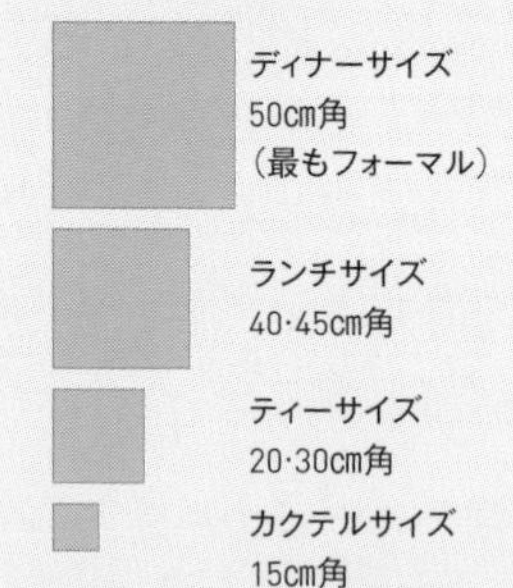

最高級のテーブルクロス

極細の麻の白糸で柄を織るダマスク織が最も格式が高い。特に、アイルランド産のアイリッシュリネンは最高級とされ、公的な晩餐会などで用いられる。

公式ハンドブック［上］P.222～229

2. 洋食器

洋食器とは、洋食用の食器全般を指すが、ここでは正式な晩餐(ディナー)のセッティング(図2)と、グラス類(図3)の種類を挙げる。グラスは種類が多いが､それぞれ用途に適した形状をしている。

カトラリー
フォークやナイフ、スプーンなどの食卓用金物の総称だが、木製やプラスチック製のものもある。

■図2 代表的なテーブルセッティング

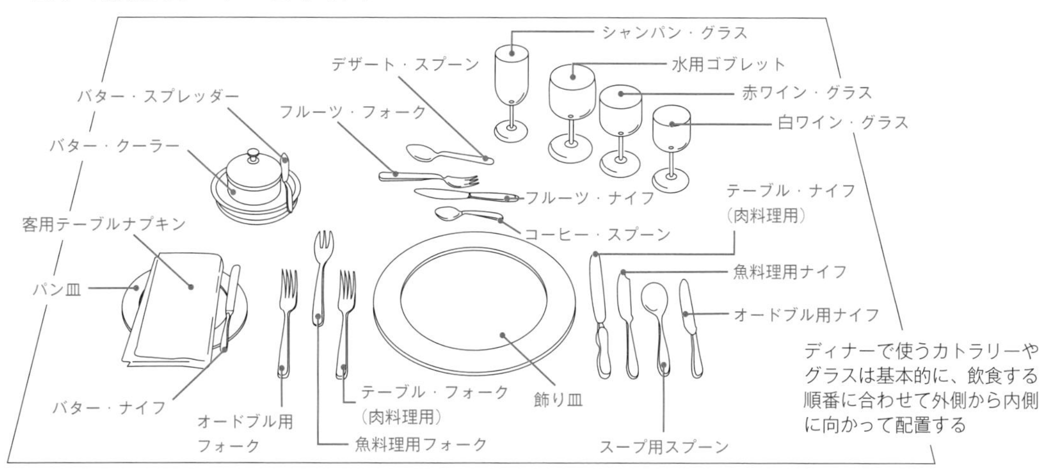

■図3 代表的なグラス類

オールドファッション	タンブラー	ゴブレット	カクテルグラス	ワイングラス	ブランデーグラス	デカンタ
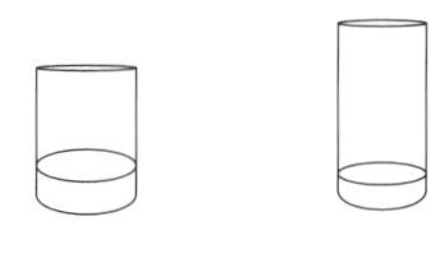						
ウィスキーやラムなどを氷で割って飲む	水やソフトドリンク、ビールなどを飲む。いわゆるコップ	タンブラーに脚が付いたもの。同じような用途で使う	グラスをあまり傾けなくても飲める逆三角形のものが代表的	ワインの香りを楽しむために、縁に向ってすぼまっている	手でブランデーを温め香りを立たせるために丸みを帯びている	テーブルに置いておく大きめの飲み物入れ

3. 調理器具

料理の下ごしらえに用いる器具(キッチンツール)の主なものを挙げる(図4)。軽量で耐久性のあるステンレスやシリコン製が多い。

■図4 代表的なキッチンツール

1. ターナー 2. レードル 3. スキンマー 4. スパチュラ 5. トング 6. ディッシャー

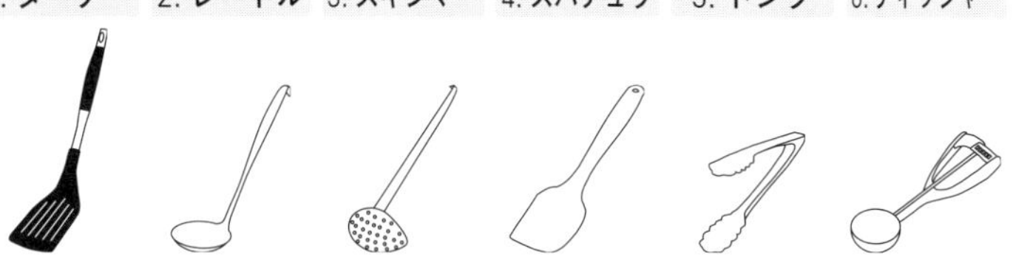

1. フライ返し。ヘラ部分の切れ目で余分な水分や油を切る 2. おたま 3. 注ぎ口付きのおたま。孔あきタイプもある 4. 調理用のヘラ。耐熱シリコン製が多い 5. 盛付けに使うバネ式の挟み。先割れタイプもある 6. 食べ物をすくって半球形に盛り付ける器具

西欧の代表的な陶器メーカー
各国に名陶器のメーカーがある。
・イタリア…リチャード ジノリ
・ドイツ…マイセン
・イギリス…ウェッジウッド
・デンマーク…ロイヤル コペンハーゲン

コンポート

脚付きの盛り皿。ガラス、陶器、銀製などがある。

キャセロール

蓋付きの厚手鍋。調理したまま食卓に並べる。

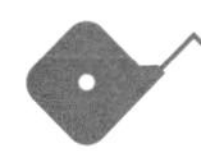

日本のテーブルウエア

1. 和食器と懐石道具

和食器とは、和食用の食器全般を指す。ここでは、茶の湯の懐石に用いられる代表的な器を挙げる。漆器が中心だが、季節や献立に合わせて陶器や磁器、ガラス製の器などをアレンジする。

現在の懐石料理では、四つ椀（飯と汁）に向付（刺身やなます）、煮物、焼物という一汁三菜のスタイルが多い（図5）。一汁三菜で一応の食事が終わるが、その後、酒に添える八寸（取肴ともいう）や強肴（預鉢や進鉢ともいう）が給仕され、湯桶（湯と香の物）で終わる。料理の名前が道具の名称になっている点が特徴である。

> **茶の湯（侘び茶）**
> 室町時代後期に千利休により考案された喫茶様式。4畳半以下の茶室において主人が趣向を凝らして客をもてなす。
>
> **懐石の汁と菜**
> 懐石とは、本来お茶の前に腹ごしらえをする簡素な食事である。一汁一菜、一汁二菜が基本だが、江戸時代になって一汁三菜が定着した。飯がメインなので、四つ椀のなかの飯は、あえて数えない。

■ 図5 懐石道具の種類と名称

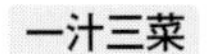

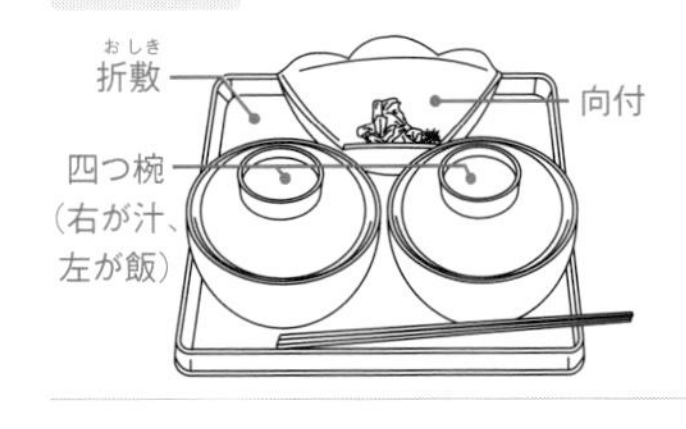

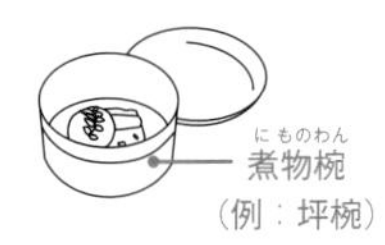

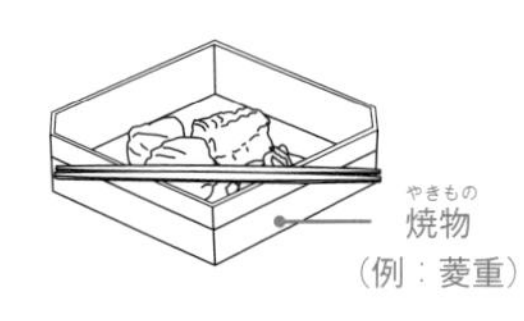

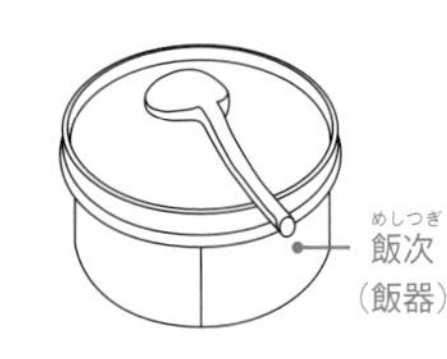

蓋
銚子
盃

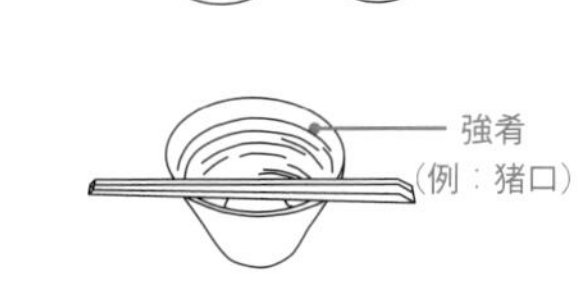

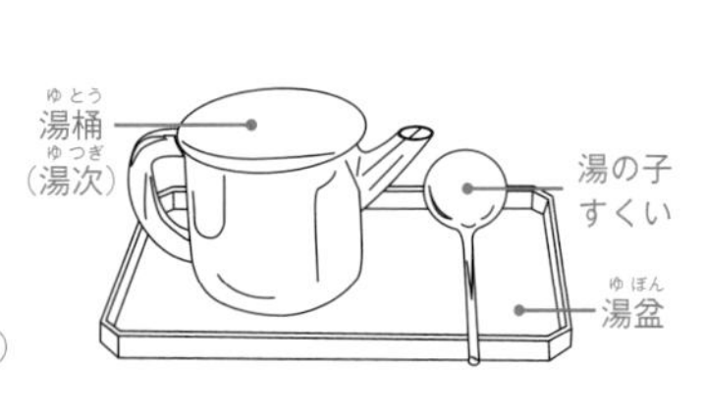

2. 茶道具

茶の湯で用いられる主な道具を挙げる（図6）。なお、侘び茶とは、千利休が考案した茶の湯の一様式である。中国の唐物を重用せず、国産の陶磁器や木・竹製の道具を茶道に用いた。

■ 図6 主な茶道具の名称と用途

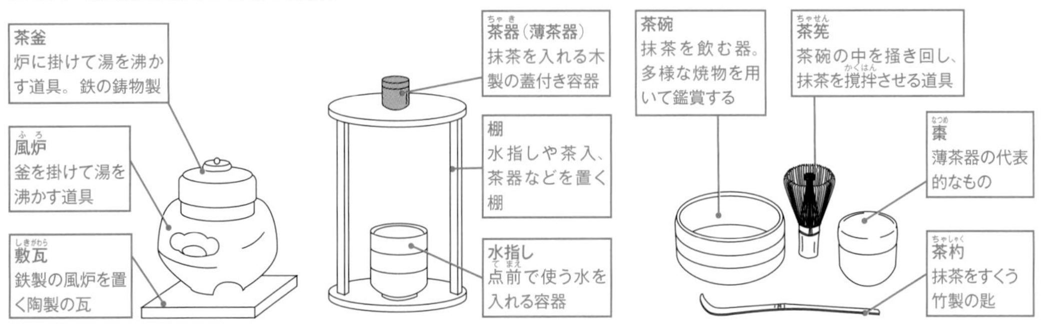

3. 伝統的な陶磁器・漆器

陶磁器とは土などを成形し、窯で焼成した器の総称である。陶器と磁器の違いは原料の種類と焼成温度(硬度)、吸水性の有無である(表)。また、産地ごとに仕上がりの特徴がある。ここでは特に有名な窯元のある地域を挙げる(図7)。

同様に、下地となる木に漆を塗り重ねて仕上げる漆器も、伝統的な産地がある。いずれも産地名が製品名称となっていることが多い。代表的な工芸品は覚えるとよい。

■表 陶器と磁器の違い

	原料	焼成温度	吸水性	特徴
陶器	粘土	1,200～1,300℃	あり	厚手。茶～黄色、白色、黒色
磁器	陶石の粉末	1,300～1,400℃	なし	薄手。白色。叩くと金属音がする

■図7 代表的な陶磁器や漆器などの産地と茶碗の各部名称

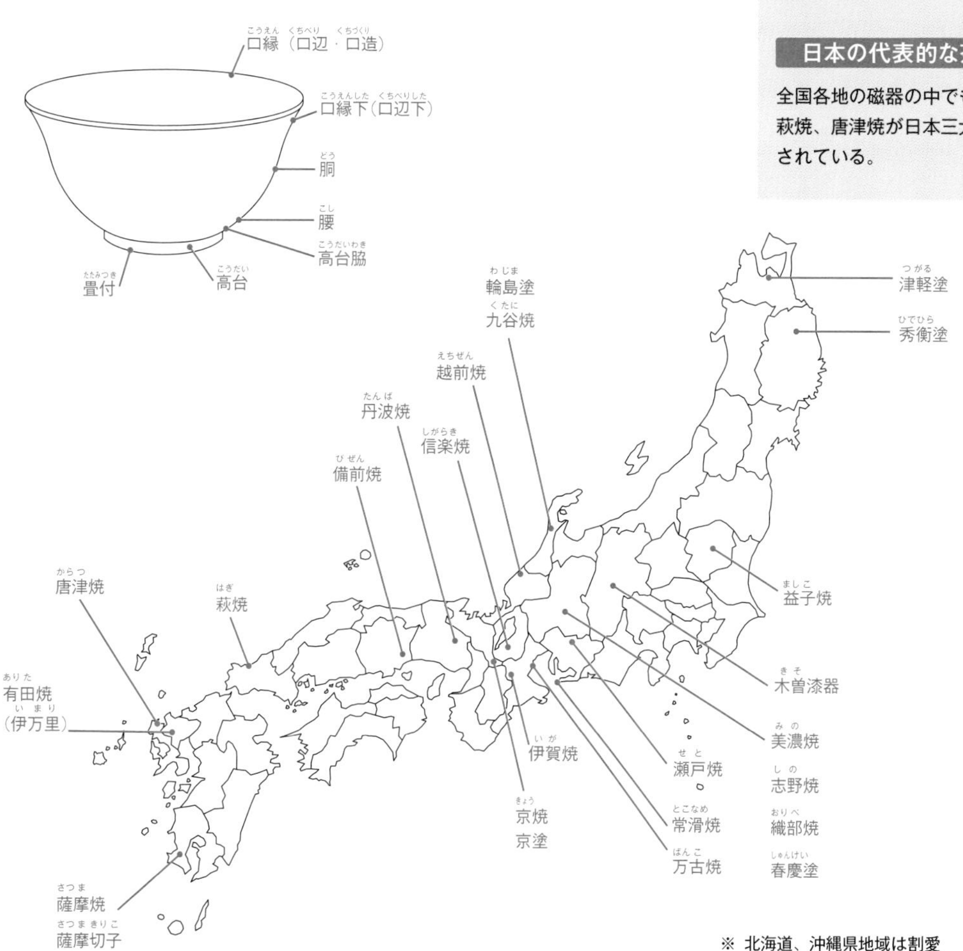

※ 北海道、沖縄県地域は割愛

日本では陶磁器や漆器のほか、木や竹、ガラス、金属など多様な素材の食器が使われ、その豊富さは世界に類を見ないといわれているよ！

中国の代表的な磁器

中国の伝統的な焼物食器としてはボーンチャイナが有名。色が青白く、高い透過性が特徴的。素地にリン酸カルシウム(牛骨灰)などが30%以上含まれているものをいう。

日本の代表的な茶器

全国各地の磁器の中でも、楽焼、萩焼、唐津焼が日本三大茶器とされている。

20-2 インテリアオーナメント

重要度 ! ! !

Point

- ☑ インテリアオーナメントとは、実用性のない装飾品である
- ☑ 掛軸や屏風など日本の伝統美術の装飾様式を知る
- ☑ 版画やポスター、写真など身近なアートの基礎知識を付ける

暮らしを彩る品々

1. インテリアオーナメントの役割

インテリアオーナメントとは、インテリアの装飾品やアートワーク、雑貨などの総称である。実用的な機能は特にないが、住まい手の趣味嗜好が強く反映されるインテリアのアクセントである。

計画性がないと雑多な印象になるので、ある程度のテーマを決めて選んだり、配置をするとよい(図1)。

■図1 オーナメントを用いたインテリアスタイリング例

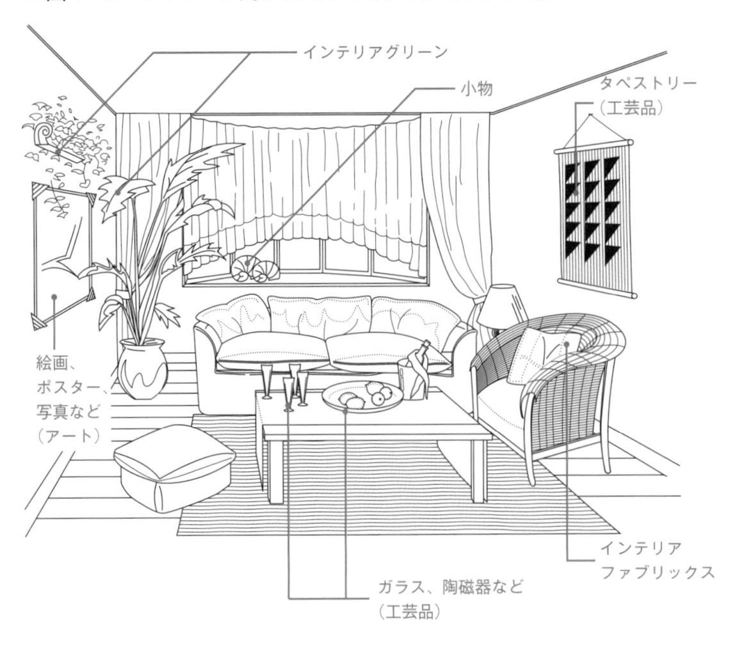

絵画や写真、工芸品、インテリアグリーン(観葉植物)や花類、雑貨、小物などがインテリアオーナメントの代表だよ!

インテリアオーナメント
色や模様、形、配置などに趣向を凝らした、特に演出性の高い室内装飾品のこと。

コーディネートのポイント
オーナメントのコーディネートには、同じテイストの物で統一したり、異なるテイストの物を独自にミックスして空間にテーマをもたせるとよい。

公式ハンドブック[上] P.211 ~ 222

2. 日本画・西洋絵画

日本画とは、古くから国内で発展してきた絵画の総称である。和紙や絹布に、筆や刷毛で書や画を描く。また、中国の唐時代に発祥し、日本に伝わった水墨画は、墨のみで風景などを描くものである。

額に入れる額装や、床の間に掛ける掛軸(掛幅)(図2)、屏風(図3)、襖絵といった障壁画などの装飾形態がある。

■ 図2 掛軸の各部名称

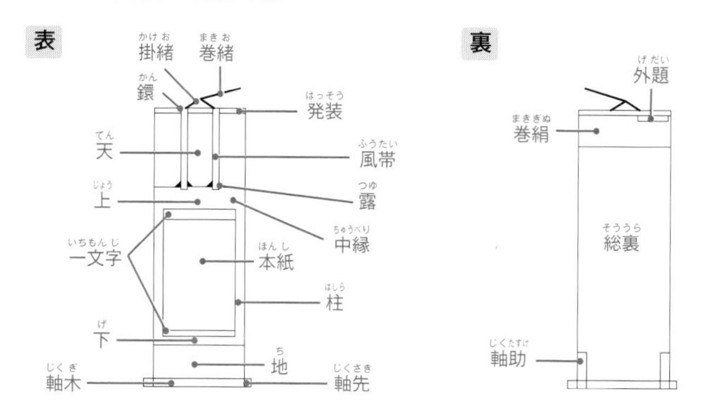

■ 図3 代表的な屏風の形式

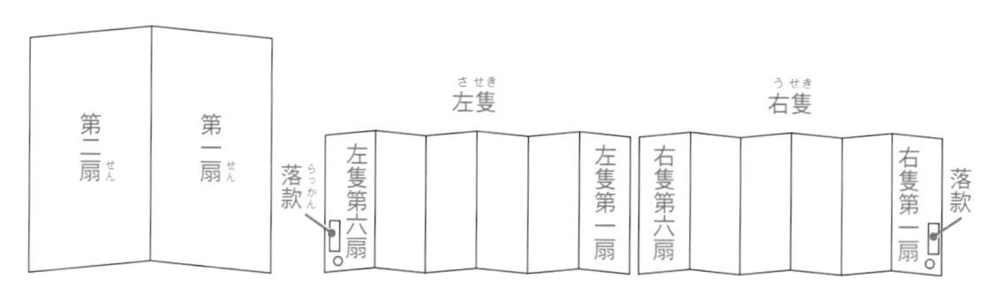

西洋で発展してきた絵画は、油彩絵(油絵)や水彩画を中心にさまざまな種類がある。代表的な技法と併せて覚えるとよい(表)。

■ 表 代表的な西洋画の種類と技法

名称	技法	備考
油彩画(油絵)	顔料を亜麻仁油やテレピン油で練った絵の具でキャンバス(麻布)に描く	日本では明治以降に黒田清輝、梅原龍三郎、安井曽太郎などにより展開
水彩画	アラビアゴムなどで練り合わせた水溶性の絵の具で紙に描く	日本には明治・大正時代に導入。ガッシュやポスターカラーは不透明水彩絵の具。耐光性が低いので注意
フレスコ画	水だけで溶いた顔料で漆喰壁に描く	中世に発展した。油絵の油のような溶剤を用いない技法
テンペラ画	生卵の中身を混ぜ、水で溶いた顔料で描く	ラテン語の temperare(テンペラーレ:混ぜ合わせる)が語源
アクリル画(水性)	顔料をアクリル樹脂エマルションで練った絵具	紙やキャンバスだけでなく、金属やプラスチック、ガラスなどさまざまな物に描ける。AEP塗料と同様の性質
パステル画	粉末顔料と白粘土をゴム溶液で固めた棒状の画材で描く	削って再び粉末状にしスポンジなどで塗ることもある。固着力が弱いので完成後はフィキサチーフ(定着液)などで粉を定着させる
ドローイング(英)	鉛筆や木炭、パステル、コンテ、ペンなどで、対象物の形態を線で描く	仏語でデッサンともいう。線の強弱や太さ、陰影、質感などで対象の視覚的特徴を表現する
コラージュ	絵の具以外の物(新聞、雑誌、布切れなど)を組み合わせて、台紙に貼り付ける	キュビスム時代(20世紀初頭)にパブロ・ピカソらが始めたパピエ・コレに端を発している

日本画

ドウサ(ミョウバンを溶かした薄い膠液)を引いた紙や絹布に墨や貝殻からつくる胡粉(色粉)で描く。筆毛はヒツジやウマ、タヌキ、イタチなどの組合せ。

掛軸(掛幅)

書や画を紙に貼り、床の間などの壁に掛けるもの。掛軸の表装に仕立てることを表具といい、専門の表具師や経師屋が行う。

扇・曲・双・隻とは?

屏風の面を扇と呼ぶ。折り曲がった扇の数により形状は二曲などと数え、左右で一対となった屏風を双、対になってないものを隻と数える。

キャンバスのF・P・Mとは?

以下のサイズが代表的。

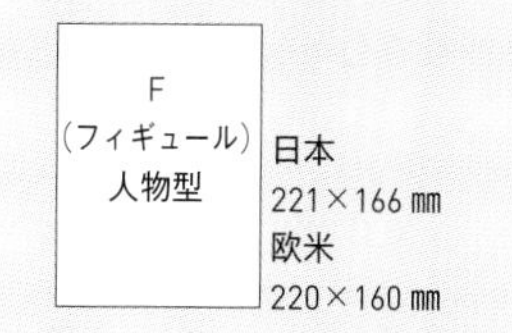

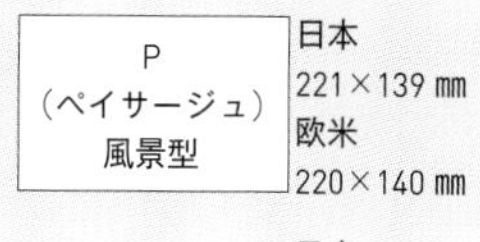

M(マリン)
海景型
日本
221×117㎜
欧米
220×120㎜

20 インテリアアクセサリー

3. 版画・ポスター・写真

版画やポスター、写真は、複製ができるので、比較的手軽に入手することができる人気の芸術品(アート)である。

版画とは、版面に刻んだ図柄を紙に転写するものである。凸版(とっぱん)、凹版(おうはん)、平版(へいはん)、孔版(こうはん)などの技法がある(図4)。作家のサインとエディショナルナンバーを記入するエディション制(限定部数制)が一般的である。

ポスターとは、主に大型紙に印刷された公共・商業宣伝用の印刷物である。印刷には主にオフセット印刷を用いるが、グラビア印刷や原色印刷などもある。サイズはB全判(B1判)728 × 1,030mm、B2判515 × 728mm、A全判(A1判)594 × 841mmなどが用いられる。

写真は1930年代にニューヨーク近代美術館が収集を始めたことから、芸術品として認識されるようになった。今ではデジタルカメラでだれもが簡単に撮影できるが、作家自身がポジフィルムで撮影・現像し、サインを入れた紙焼き(オリジナルプリント)が価値があるとされる。

■図4 代表的な版画の技法

凸版

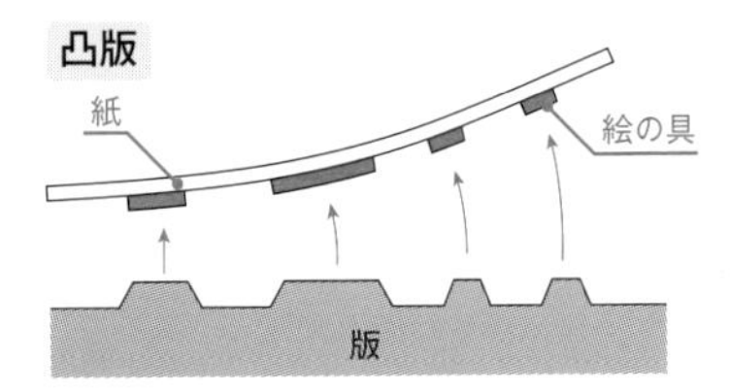

版の凸部に絵の具を付けて紙に写し取る

凹版

版の凹部に絵の具を詰めて紙に写し取る

平版

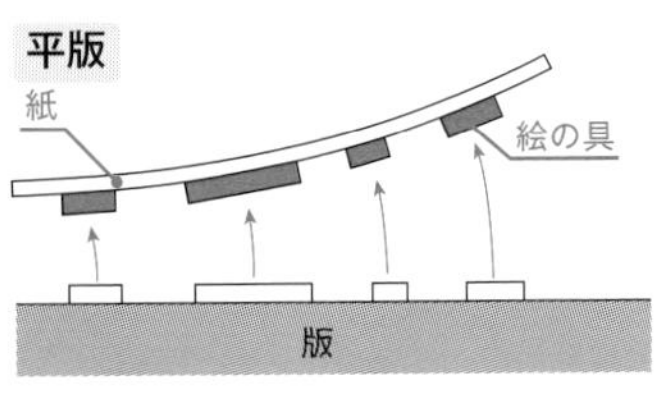

凹凸のない版に絵の具を付けて紙に写し取る

孔版

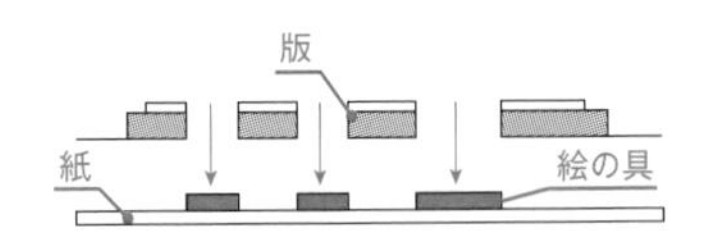

孔を開けた型紙(版)の上から絵の具を塗って紙に写し取る

4. 塑像・彫刻(彫塑)

塑像(そぞう)とは立体作品全般を指し、主に彫刻の原型やその作品をいう。彫刻は石や木など硬い材料を彫るカーヴィングと、粘土や蝋など軟らかい材料で形づくるモデリングに大別される。ブロンズなど金属の鋳物や、プラスチック、コンクリートを素材とする新しい彫刻もある。

また、アレクサンダー・カルダーのモビールと呼ばれる彫刻もある。

オフセット印刷

版に付けたインクを転写体に転写(offset)したあと、紙などに印刷する。多くは平版を用いる。

グラビア印刷

微細なインクの濃淡が表現できる凹版印刷の一種。写真画像の印刷に適している。

注意 写真の取扱い

写真の色素は紫外線で退色しやすい。オリジナルプリントなどの紙焼きは温度24℃、湿度40%以下で保存することが望ましい。ポジフィルムは冷暗所に保管する。

凸版画は日本の浮世絵(木版画)、凹版画は西洋のエッチング(銅版画)が代表的だよ!

モビール

アメリカの彫刻家アレクサンダー・カルダーによる立体作品群。針金やブリキを用い、空気の振れで動く仕掛けのもの。

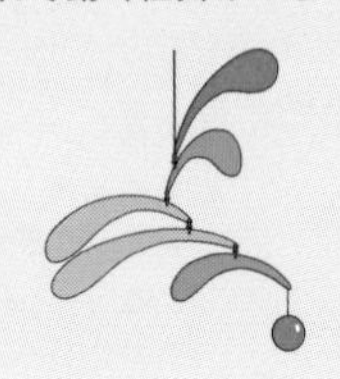

5. 工芸品

工芸品とは、美術品とは異なり、生活用具から生まれた実用性のある美しい造形品をいう。それを生み出した国や地域特有の感性や素材、技術が融合し、芸術品と呼ぶに相応しいものも多い。前項で解説した日本の陶磁器や漆器なども工芸品である。

このほか、タペストリーやステンドグラスなども、西洋における歴史的背景のある工芸品の代表といえる。

6. インテリアグリーン

インテリアグリーンとは、自然を身近に感じるために室内に持ち込む観葉植物の鉢植えなどをいう。適性は、室内で育成できる、背丈や幹の太さが適度、落葉しない、病害虫が付きにくいなどである。以下、代表種を挙げる（図5）。

装飾性を意識しないものが多いので、フラワーアレンジメントや盆栽などは含まない。また、人工栽培の方法もハイドロカルチャーやテラリウム、アクアリウムなどさまざまある。

■ 図5　インテリア・グリーンの代表種

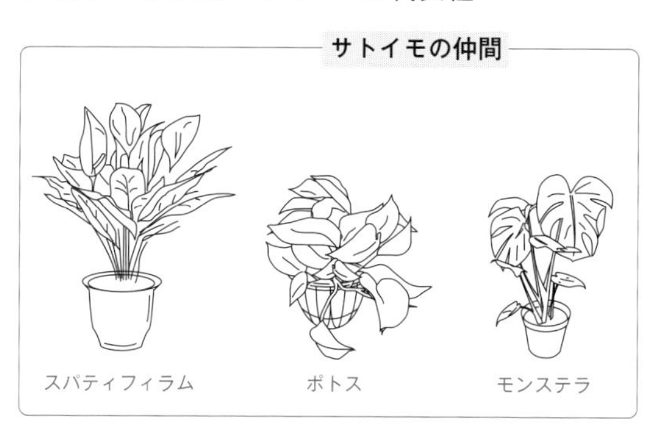

ツタの仲間
アイビー

シダの仲間
アジアンタム

タペストリー

麻や羊毛、絹などで絵や模様を織り出す綴織りとその壁掛け。

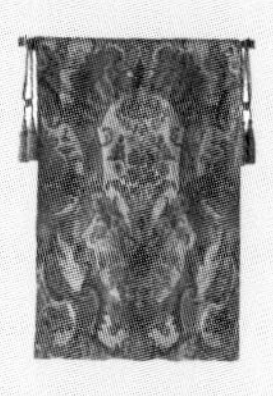

ステンドグラス

色ガラスを鉛の枠で繋いで絵柄を構成。教会などの明り取り窓に使う。

鉢のサイズは3cm単位

鉢の大きさは上縁の直径3cm単位を号で表す。1号はφ3cm、5号はφ15cm、8号はφ24cmくらいを覚えておくと便利。

ハイドロカルチャー

ハイドロとは水を意味する。排水孔のない容器と人工培土で、水を好む観葉植物を育てる。水耕栽培の一種。

テラリウム

ガラス容器の中で観葉植物などを育てること。

アクアリウム

観賞用に熱帯魚や水草などを飼育、栽培する水槽。

Presentation & Flow of work

Part 4

表現技法と仕事の流れ

このPartでは、
まず、インテリアコーディネーターとして
業務を行なう際に必須となる、
プレゼンテーションの手法を学ぶ。
そして、その後の見積り、契約、内装工事から
引渡しまでのワークフローに沿って、
コーディネート業務のポイントを解説する。

Part 1 市場調査・建築とデザインの基礎

1. クライアントインタビュー
2. 環境への取組み
3. インテリア関連の法規
4. インテリアと造形
5. 建築とインテリアの歴史
6. 建築構造の基礎知識
7. リフォーム

Part 2 住宅の基本とコーディネーション

8. 平面計画
9. 室内環境計画
10. 住宅設備
11. 内装材とその他の建材
12. 造作
13. エクステリア

Part 3 インテリア商材の基本とコーディネーション

14. 色彩
15. 照明
16. 家具
17. 寝装・寝具
18. ファブリックス
19. ウィンドウトリートメント
20. インテリアアクセサリー

Part 4

21. 表現技法
22. 業務

21-1 プレゼンテーション

重要度 !

Point

- ☑ プレゼンテーションの内容を理解する
- ☑ スケッチパースは顧客とのコミュニケーション手段としても有効
- ☑ CADやCGは、正確な図面が作成でき、立体的な表現も可能

プレゼンテーションの手法

1. プレゼンテーションとは

完成した室内空間の状態やエレメントなどを、顧客にできるだけわかりやすく伝えるために、資料を揃えて提案することをプレゼンテーションという。プレゼンテーションでは、立体的な空間はパースや模型、間取りなどは平面図を使って説明し、仕上材や照明器具などはサンプルや写真で説明する。また、それらの資料を見やすくまとめたものをプレゼンテーションボードという（次頁図1）。

プレゼンテーションボードの作成に便利なツールとして、CAD（キャド）やCG、3Dといったコンピュータソフトがある。これらを使うことで、正確な図面を描くことができ、立体表現も可能となる。たとえば、顧客に提案したい壁紙のサンプル画像を三次元の図面上の壁に貼り付けたり、朝日の差し込む室内を表現したり、照明を点けて夜の室内を表現したりすることもできる。

また、手描きの図面やパースを描くことが少なくなっているが、手描きのパースは暖かみもあり顧客の心を動かす。その場でスケッチパースを描いて相手に説明できると、顧客とのコミュニケーションも図りやすく効果的である。顧客のイメージを引き出したり、確認したりするうえでも、フリーハンドによって短時間で図を描くことはひとつの技術である。インテリアコーディネーターとしてスケッチパースをマスターすることも、営業活動において役に立つ手段である。

公式ハンドブック［上］P.18～20 ［下］P.235～241

プレゼンテーションは、お客様に自分のデザインを認めてもらい、仕事として成立させる大切なことなんだ！

パース
→ P.388

代表的なCADソフト

- ・Vectorworks（Win,Mac対応）
- ・AutoCAD（Win,Mac対応）
- ・Jw_cad（Win対応）
- ・DRA-CAD（Win対応）
- ・ARCHICAD（Win,Mac対応）

代表的なCGソフト

- ・Shade（Win,Mac対応）
- ・formZ（Win,Mac対応）
- ・マイホームデザイナー（Win対応）
- ・SketchUp（Win,Mac対応）
- ・インテリアデザイナーNeo（Win対応）

■図1 プレゼンテーションボードの例

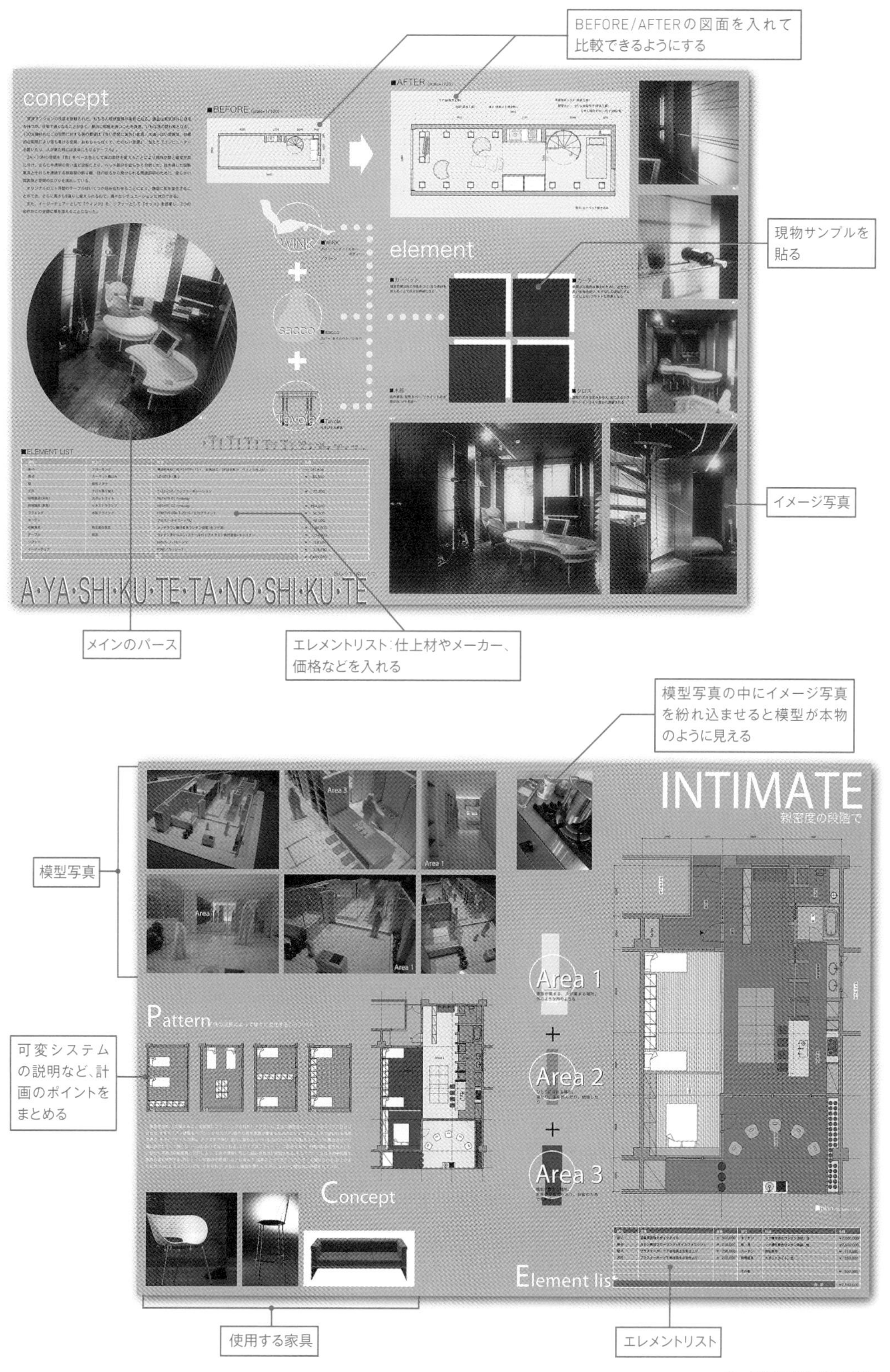

ボード作成：STUDIO KAZ

2. CAD

CAD は Computer Aided Design の略で、コンピュータ上で専用のソフトを利用して作図することをいう。一度作成した図面はデータとして残せるため、再利用が可能なうえ修正にも手間がかからない。そのため、設計に変更が発生した場合にも、図面を修正する時間を短縮することができる。

CAD にはレイヤーと呼ばれる画層があり、手描きの図面におけるトレーシングペーパーのような役割を果たす。たとえば、1 つの画層の上に構造の柱を描き、次に別の画層の上に壁線を描くというように、構成要素別に画層を分けて作図し、最後に必要な画層を重ね合わせて 1 つの図面を完成させる。また、二次元(2D)の図面をもとに、三次元(3D)の立体形状を作成(モデリング)し、それにレンダリングという色づけ、素材、光の設定をすれば 3DCG ができる。

さらに、見積書を自動的に作成するソフトや、照明方法や配光、仕上面の反射率まで設定できる機能(レイトレーシング、ラジオシティ)など、便利な機能がたくさんある。

CAD で作成したデータは、PDF 形式でメール送信すれば、CAD ソフトがなくても、閲覧可能である。紙に出力する手間や保管場所の削減などにもなる。

3. CG

CG は Computer Graphics の略で、コンピュータ上で描き出される画像のことをいう(図 2)。色彩や光、素材感の緻密な表現をディスプレイ上に映し出すことができる。また、動画表現もでき、ウォークスルーやフライバイなどの表現を使って空間の見え方をシミュレーションできる。その他、画像を現実の世界のように見せるバーチャルリアリティ(VR、仮想現実)を表現することもできる。

■図 2 CG で作成したパースの例

壁面の素材感やガラスの透過性、照明光の回り具合なども、実際のものに近い状態に表現できている

設計：STUDIO KAZ　CG 作成：pullpush

CAD ソフトは、設計なら AutoCAD、プレゼンなら VectorWorks がよく使われます。CG も駆使してプレゼンテーションボードを作成するよ

CAD での照明計画

二次元で描いた図面をもとに三次元図面を起こし、実際計画している仕上材で内装仕上げをしてから照明器具を設置。照明を点灯すると、部屋はどのように照明されどこに影ができるかなど、雰囲気も確認することができる。

PDF

Adobe 社が開発したファイル形式で、相手コンピュータの機種や環境に関わらずドキュメントを配布できる。PDF ファイルの表示、印刷には Adobe Acrobat Reader(無料配布)を使用する。

ウォークスルー

ディスプレイ上に表現された立体図面の中に、あたかも自分が存在し、歩きながら周りを見ているような表現方法。

フライバイ

自分がディスプレイの中の設計空間を飛び回りながら見ているかのようにシミュレーションする表現方法。

21-2 製図記号

重要度 ! ! !

Point

- ☑ 製図で使用する線や記号はJIS規格で定められている
- ☑ 製図記号を覚えるとインテリアや建築の図面を読むことができる
- ☑ 表示記号はしっかり覚えよう

製図記号の種類

1. 製図の用紙と線の規格

製図は、設計者が建築主や施工業者に設計意図を伝えるツールである。JIS規格の製図総則（Z8310）や建築製図通則（A0150）など、一定のルールに基づいて描かれている。インテリアコーディネーターも、正確に図面を読み理解する必要がある。

製図では、図面の仕上がり寸法により、JIS規格のA0～A4サイズの用紙を用いる。長手方向を横に置くのが正位になるが、A4に限り長手方向を縦に置いてもよい。

製図に用いる線種は、実線、破線、一点鎖線、二点鎖線、点線があり、表現する内容によって使い分ける。また、太線、中線、細線など線の太さにも意味が決められている（表1）。インテリアの場合は、主に実線、破線、一点鎖線を使って製図する。

■表1　製図における線の種類

継続形式による種類	
実線	――――――
破線	- - - - - - -
一点鎖線	―・―・―・―

太さによる種類	
細線	
中線	
太線	

	実線	破線	一点鎖線	意味
細線	寸法線 寸法補助線 引出し線 ハッチング 特殊な用途に用いる線	かくれ線	中心線 基準線 切断線	そこにないもの
中線	外形線	かくれ線	想定線	そこにあるもの
太線	断面線			切った所

公式ハンドブック［下］P.210～212、P.221

製図総則（Z8310）
日本産業規格（JIS）によって定められた規則。表1のように、線の種類や描き方に意味が定められている。

建築製図通則（A0150）
JIS規格で規定された製図についての決まりごと。建築製図の図面配置や組合せの表現などの一般原則が定められている。また、作図時の表示記号も規定している。

製図には、建築製図、機械製図、電気製図などがあるよ。それぞれに規格が決められているんだ

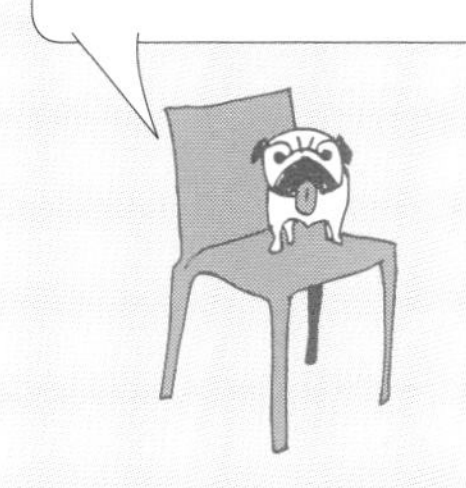

2. 寸法記入方法

製図における寸法は、寸法線、寸法補助線、寸法値で表す(図1)。寸法単位は㎜とし、単位記号は付けない。また、寸法値は寸法線に対して平行に記入する(図2)。その他の寸法の表し方には、円の直径φ(ファイ)、半径や円弧R(アール)、一定間隔で配置する部材の@(ピッチ)などがある(表2)。

■図1 寸法の表し方

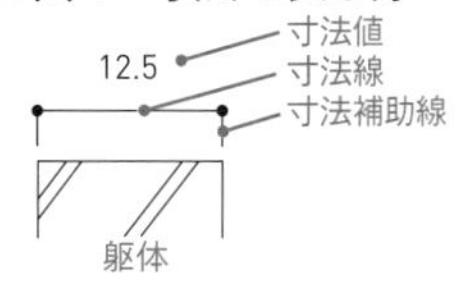

■図2 文字の置き方

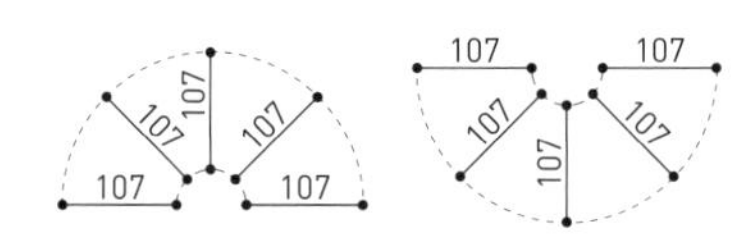

■表2 寸法補助記号と表記の仕方

寸法補助記号	意味	図面上での表記例
φ	直径	直径30㎜→φ30
R(大文字)	半径	半径10㎜→R10
@	ピッチ	450㎜ピッチ→@450
t(小文字)	厚み	厚み5㎜→t5
c(小文字)	面取り	面取り15㎜→c15
□	四角(正方形)	450㎜×450㎜の正方形→□450

3. 平面表示記号

平面表示記号とは、平面図を描くときの約束事の記号である(表3)。表3の記号で注意すべき点は、窓と出入口の表記の違いである。窓は下枠を実線で表現することが多く、出入口は下部に沓摺(くつずり)があっても表記しないことが多い。

■表3 平面表示記号

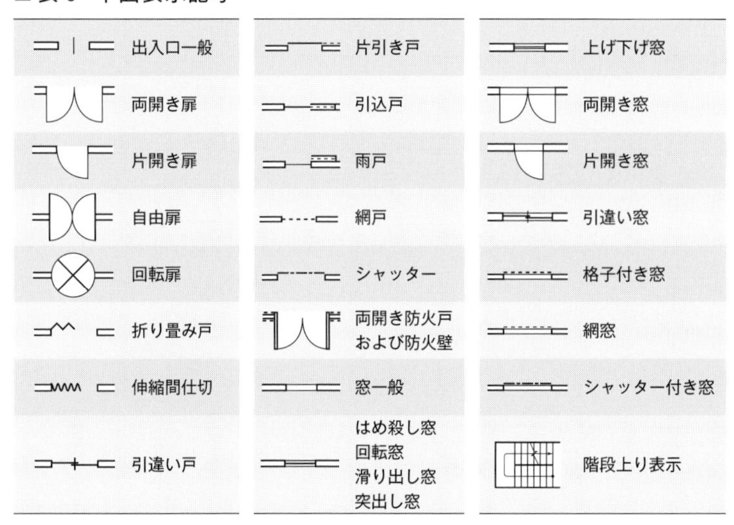

出入口一般	片引き戸	上げ下げ窓
両開き扉	引込戸	両開き窓
片開き扉	雨戸	片開き窓
自由扉	網戸	引違い窓
回転扉	シャッター	格子付き窓
折り畳み戸	両開き防火戸および防火壁	網窓
伸縮間仕切	窓一般	シャッター付き窓
引違い戸	はめ殺し窓 回転窓 滑り出し窓 突出し窓	階段上り表示

φとR

円の直径寸法を記入する場合はφ、円の半径や円弧の寸法を記入する場合はRを用いて表す。

ピッチ@

一定間隔で並んでいる、ものとものとの距離。

製図では、寸法の単位は原則としてミリメートルとし単位記号を付けないよ。ただし、ミリメートル以外の単位の場合は、末尾に単位記号を付けるという決まりがあるよ

沓摺

開口部(開き戸)の下部に付ける仕切りの下枠。気密性を高める役割などがある。→P.163

4. 材料表示記号

材料表示記号は、構造材や仕上材を表す記号である。図面を見たときに材料の区別がつくようにするために使われる（表4）。

■表4　材料表示記号の例

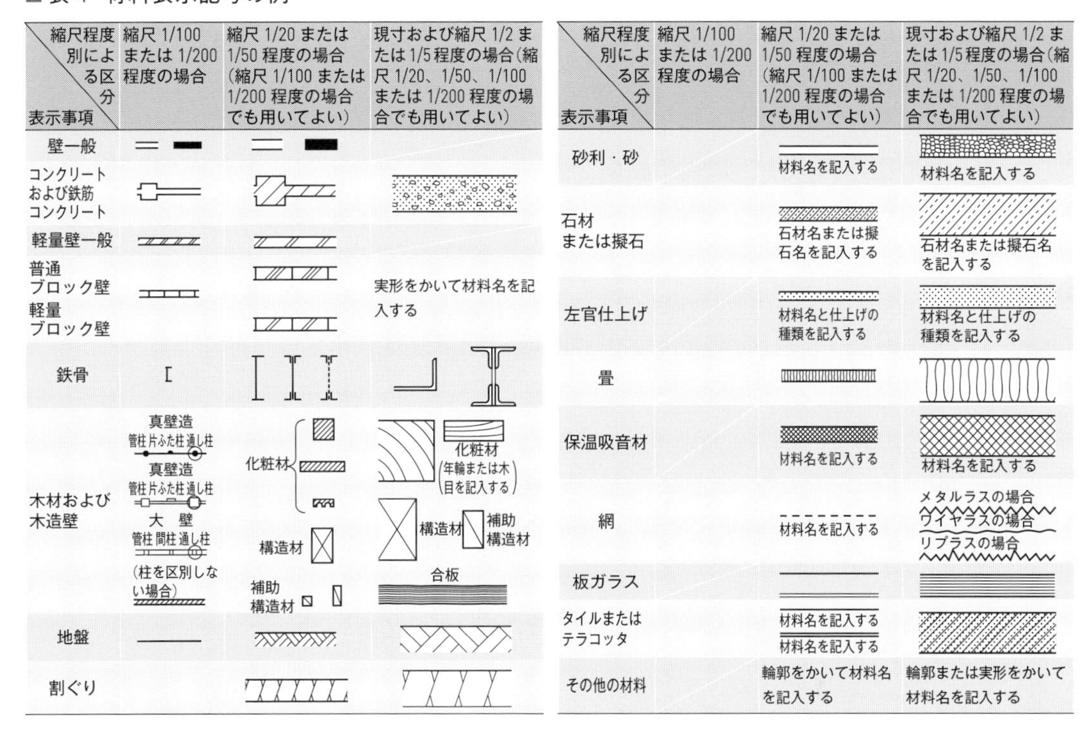

縮尺程度別による区分 ＼ 表示事項	縮尺1/100または1/200程度の場合	縮尺1/20または1/50程度の場合（縮尺1/100または1/200程度の場合でも用いてよい）	現寸および縮尺1/2または1/5程度の場合（縮尺1/20、1/50、1/100または1/200程度の場合でも用いてよい）
壁一般			
コンクリートおよび鉄筋コンクリート			
軽量壁一般			
普通ブロック壁			実形をかいて材料名を記入する
軽量ブロック壁			
鉄骨			
木材および木造壁	真壁造 管柱 片ふた柱 通し柱 真壁造 管柱 片ふた柱 通し柱 大　壁 管柱 間柱 通し柱 （柱を区別しない場合）	化粧材 構造材 補助構造材	化粧材（年輪または木目を記入する） 構造材　補助構造材 合板
地盤			
割ぐり			

縮尺程度別による区分 ＼ 表示事項	縮尺1/100または1/200程度の場合	縮尺1/20または1/50程度の場合（縮尺1/100または1/200程度の場合でも用いてよい）	現寸および縮尺1/2または1/5程度の場合（縮尺1/20、1/50、1/100または1/200程度の場合でも用いてよい）
砂利・砂		材料名を記入する	材料名を記入する
石材または擬石		石材名または擬石名を記入する	石材名または擬石名を記入する
左官仕上げ		材料名と仕上げの種類を記入する	材料名と仕上げの種類を記入する
畳			
保温吸音材		材料名を記入する	材料名を記入する
網		材料名を記入する	メタルラスの場合 ワイヤラスの場合 リブラスの場合
板ガラス			
タイルまたはテラコッタ		材料名を記入する 材料名を記入する	
その他の材料		輪郭をかいて材料名を記入する	輪郭または実形をかいて材料名を記入する

5. 設備図の表示記号

電気の配線や給排水管などの位置を表す設備図は、電気設備記号（表5）や給排水衛生設備記号（表6）を使って、その配置や経路を示す。

電気設備図
→ P.384

■表5　代表的な電気設備記号

記号	名称	記号	名称
	一般の天井灯		換気扇
	コードペンダント		配電盤
	はとめ		分電盤
	蛍光灯		天井隠蔽配線
	コンセント		露出配線
●3	3路スイッチ		受電点

■表6　代表的な給排水設備記号

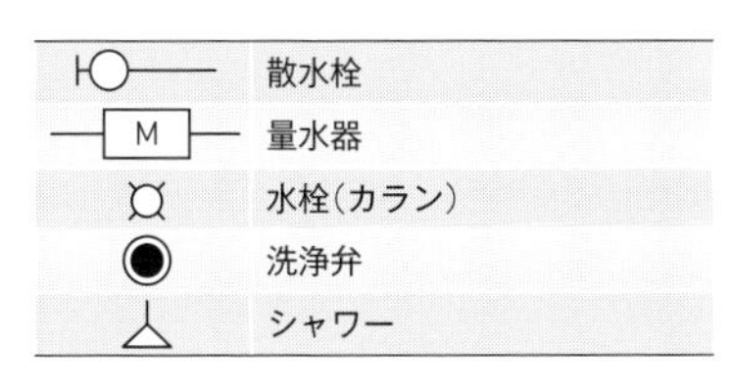

記号	名称	記号	名称
	給水管（上水）		散水栓
	給湯送り管	M	量水器
	排水管		水栓（カラン）
	通気管		洗浄弁
—G——G—	ガス供給管		シャワー

給排水衛生設備図
→ P.385

21-3 インテリアの図面

重要度 ！！！

Point

☑ インテリアの図面には、平面図、展開図、天井伏図、矩計図といった空間を表す図面のほか、建具や家具、電気設備、給排水に関する図面がある

☑ 図面の寸法はすべてミリメートルとし、単位㎜は記載しない

インテリアを表す図面の種類

1. 平面図

平面図は、建築およびインテリアの図面の中でも最も基本とされる図面である。床から1,000㎜ほどの高さの所で建築物を水平に切り取り、真上から見た状態を図面化したものをいう（図1・次頁図2）。図面には、前項「21-2 製図記号」（→ P.377）に示した表示記号を使って柱や壁・建具などのいろいろな情報が記入される。縮尺は、1/100、1/50が一般的だが（次頁図3）、建具の納まりや家具図など詳細な表示が必要な平面詳細図では、1/20、1/30などが使われる。

■図1　戸建木造住宅の平面図の例

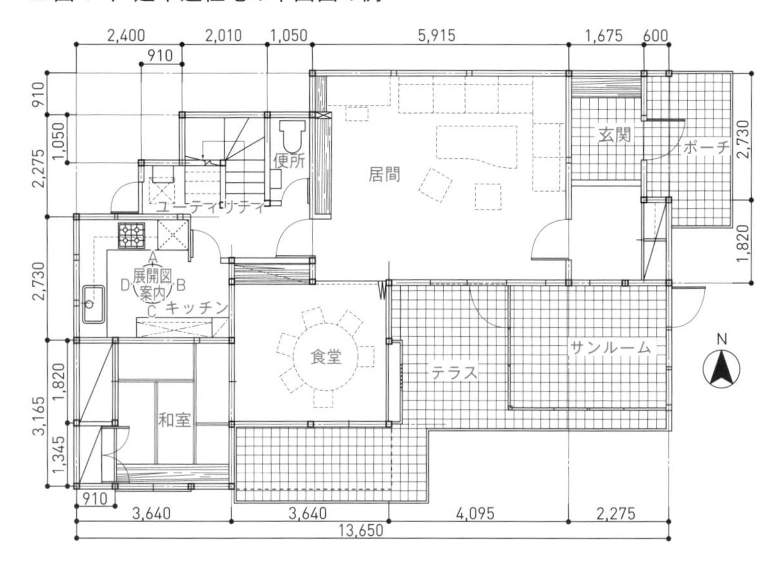

平面図の役割

平面図は、水平面に投影した投影図で、各種ある図面のいちばんのもとになる重要な図面である。設計用は縮尺は1/100または1/50を使う。

平面詳細図

平面図では表現できない細かい部分を表記した図面。縮尺は、1/30または1/20を使う。

キッチンの展開図は次頁の図4で解説しているので参照してね！

公式ハンドブック［下］P.211～226

■ 図 2 RC マンションの平面図の例

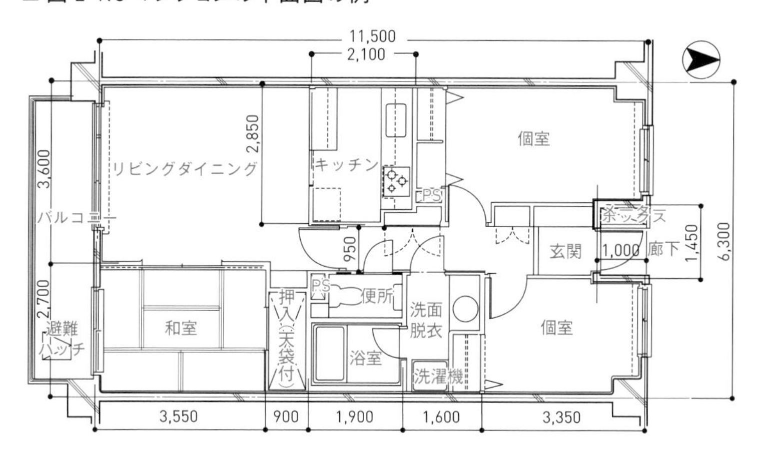

■ 図 3 縮尺別による平面図への記載内容の違い

縮尺 1/50 で作成する場合

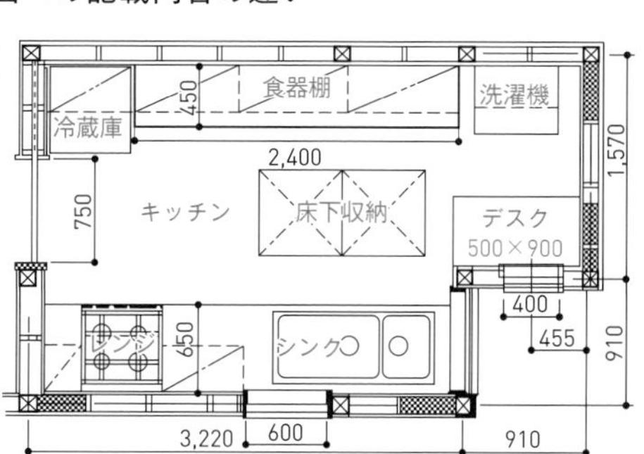

縮尺 1/100 で作成する場合

冷 食器棚 洗濯機 キッチン デスク 1,570 910 3,220 910

線の使い分けや表記に注目してみよう！

図面の縮尺

平面図は一般的に、1/100 や 1/50 という、三角スケールで測りやすい縮尺が用いられる。※ただし図 3 は、ノンスケールで作成したもの。

2. 展開図

展開図とは、室内の中央に立ったとき、四方に見える壁面の形状を描いたものをいう（図 4）。基本的には、北側壁面を基準として時計回りに、東面、南面、西面の順に描いていく。平面図だけでは表しきれない高さ寸法や開口部の形状、コンセントなどの位置、壁の仕上げについても描き込む。

■ 図 4 展開図の考え方と例

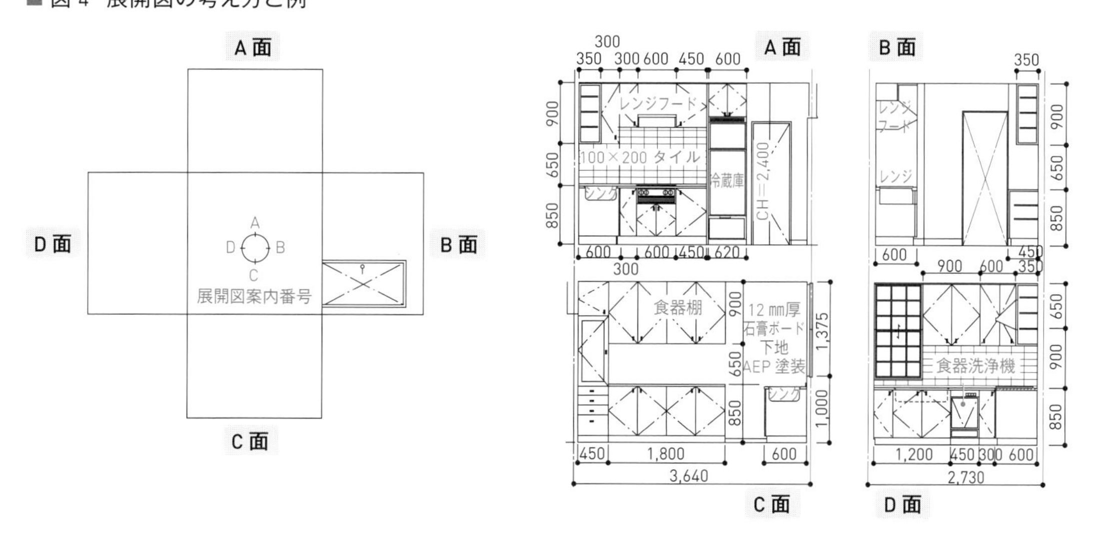

3. 天井伏図

天井伏図(てんじょうふせず)は、天井の仕上面を表した図面で、床に鏡を敷いたときに映し出される天井面を平面図と同じ向きで描いたものをいう。空調や照明の取り付け位置、カーテンボックスや仕上材などが描かれる(図5)。

■ 図5 天井伏図の一例

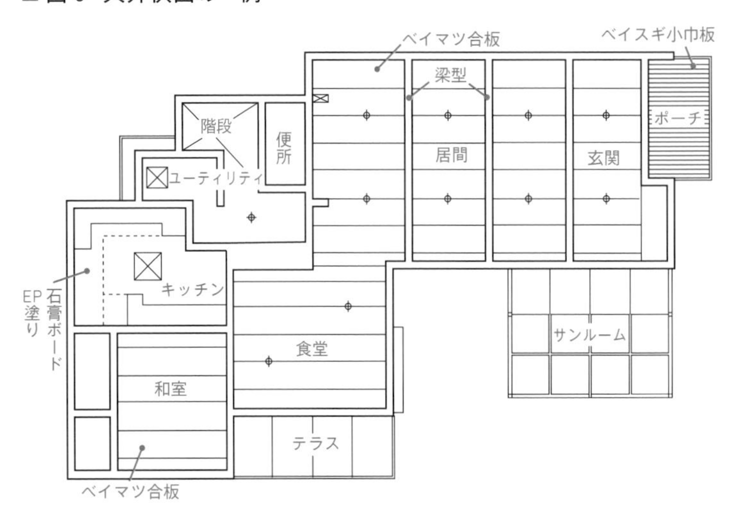

図5は、図1の木造住宅の天井伏図。天井伏図には、空調や照明の取り付け位置、仕上材などが描かれるということをしっかり覚えておこう！

4. 矩計図

矩計図(かなばかりず)とは、建物の断面図の縮尺を大きくし、断面形状、構造体の位置、下地と仕上材の関係、高さ関係の寸法の詳細を表したものをいう(次頁図6)。屋根、外壁、内部、基礎などの下地や仕上げ、材料、工法など、建物の仕様(品質)をつかむうえで、仕様書と同じくらい大切な図面である。建築士は、仕様書と矩計図によって、建物の仕様や性能を確認することができる。縮尺は、通常1/30や1/20などで描かれる。矩計図では、下記のように、建物の高さ方向の寸法が特別な用語で表される。

①床高(ゆかだか)…直下の地盤面から1階の床仕上げ上面までの距離。
②階高(かいだか)…ある階の床仕上げ面からその直上階の床仕上げ面までの高さをいう。最上階には階高は存在しない。
③天井高(てんじょうだか)…床仕上げ面から天井仕上げ面までの高さ。
④軒高(のきだか)…地盤面から軒桁(のきげた)の上端までの寸法。軒先までの高さではないので注意。
⑤内法高(うちのりだか)…敷居の上面から鴨居の下面までの寸法。

矩計図
断面図の縮尺を大きくして、断面の高さ寸法の詳細、下地・仕上材・構成材の位置形状などを表している。

仕様書
材料や製品の品質、性能、施工方法、メーカーなどについての指示を文章や数値で示したもの。共通仕様書と特記仕様書の2つがある。

共通仕様書
対象となるすべての建築工事に共通する仕様を定めたもの。

特記仕様書
個別の建築工事に特有の仕様で特定の材料や施工方法、設備機器、メーカーの指定などを記したもの。

■ 図 6　矩計図の一例

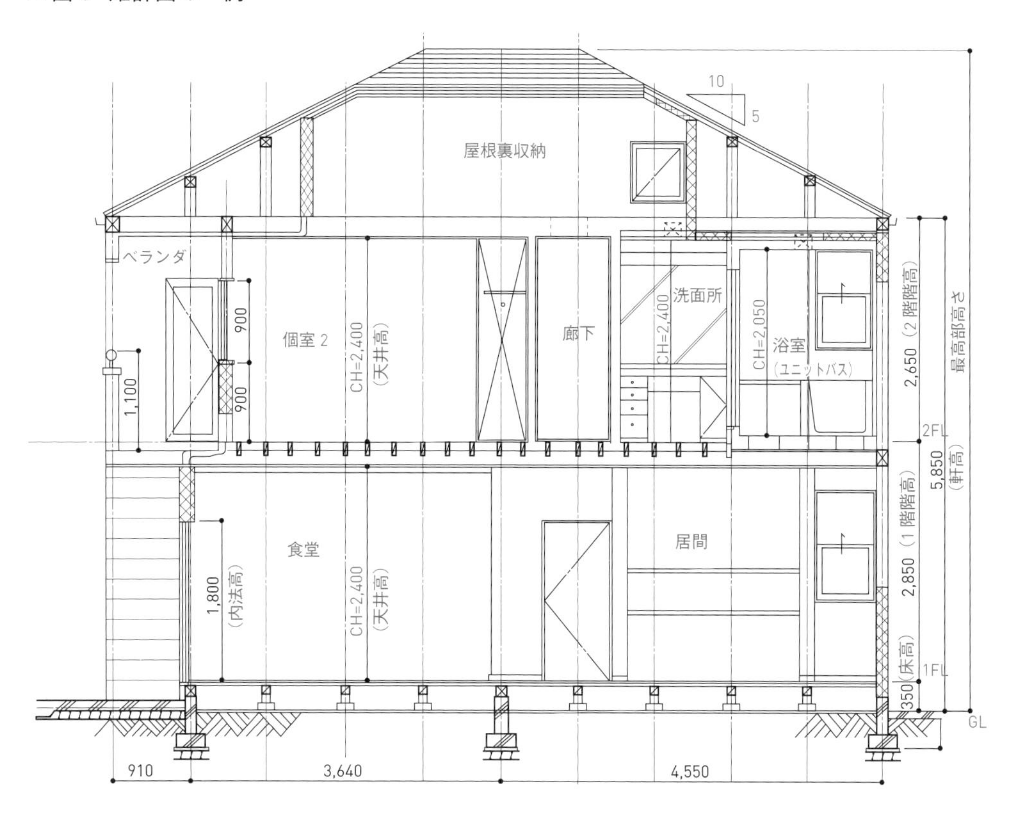

5. 建具表

建具表とは、建具表示記号、建具の姿図、取り付け位置、材料、金物、鍵、仕上げなどを記載したものをいう（表 1）。特に、現場に合わせて造作する場合は、寸法、材料、塗装、金物、ガラスなどの使用を明確にしておくことが大切である。

■ 表 1　建具表の例（部分）

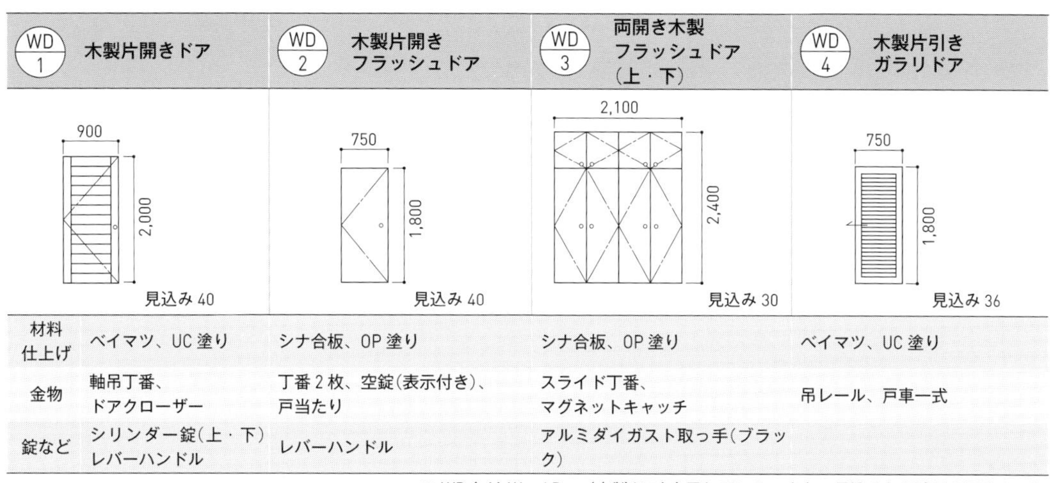

	WD 1　木製片開きドア	WD 2　木製片開きフラッシュドア	WD 3　両開き木製フラッシュドア（上・下）	WD 4　木製片引きガラリドア
	900 × 2,000　見込み 40	750 × 1,800　見込み 40	2,100 × 2,400　見込み 30	750 × 1,800　見込み 36
材料仕上げ	ベイマツ、UC 塗り	シナ合板、OP 塗り	シナ合板、OP 塗り	ベイマツ、UC 塗り
金物	軸吊丁番、ドアクローザー	丁番 2 枚、空錠（表示付き）、戸当たり	スライド丁番、マグネットキャッチ	吊レール、戸車一式
錠など	シリンダー錠（上・下）レバーハンドル	レバーハンドル	アルミダイガスト取っ手（ブラック）	

※ WD とは Wood Door（木製ドア）を示している。また、見込みとは建具の厚みのこと

6. 家具図

家具図は、置き家具用と造付け家具(ビルトイン)用に分けられる。置き家具は、正投影図法の第三角法によって、平面図、正面図、側面図の3つが描かれる(図7・8)。造付け家具やキッチンの設備など建築と一体になっている場合は、平面図と展開図に記入するが、別途、詳細図も描くこともある。

正投影図法の第三角法
図7のように、正面図を基準に上から投影した平面図と左・右から投影した側面図からなる書き方。正面図のある位置が正投影図法の第三象限にあるので第三角法という。

■ 図7 イスの三面図

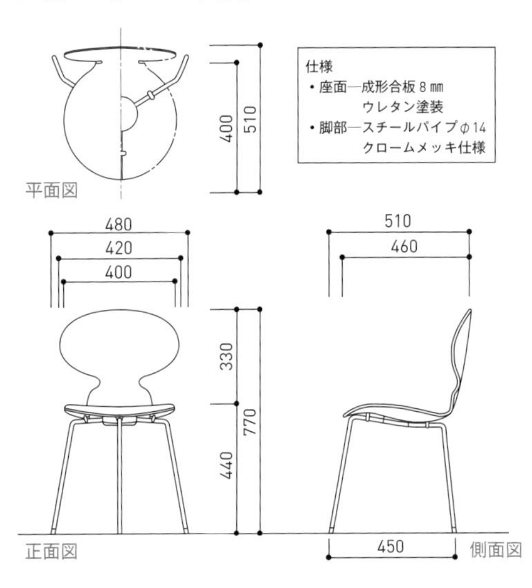

■ 図8 造付け家具の三面図

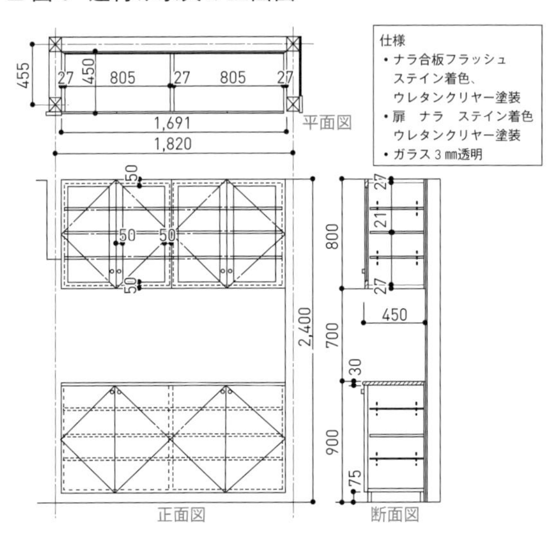

7. 電気設備図

電気設備図とは、照明器具、スイッチ、インターホン、コンセントなどの位置を示した図面をいう(図9)。照明器具とスイッチの繋がりや、点滅できる器具のまとまりはどのようになっているか、使い勝手を想定して配線を表記する。

スイッチの位置
スイッチの位置は生活動線を考えながら計画すると、使い勝手の良い住まいとなる。

■ 図9 電気設備(照明とコンセント)図の例

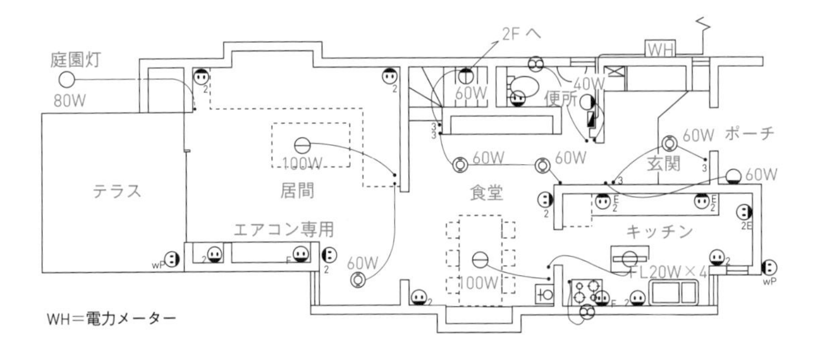

電気設備については、P.201「電気設備」、P.379「設備図の表示記号」も併せて確認しよう!

8. 給排水衛生設備図

給排水衛生設備図は、給水管、排水管、ガス管がどのように配置されているかを表すものである（図 10）。

■ 図 10　給排水衛生設備図の例

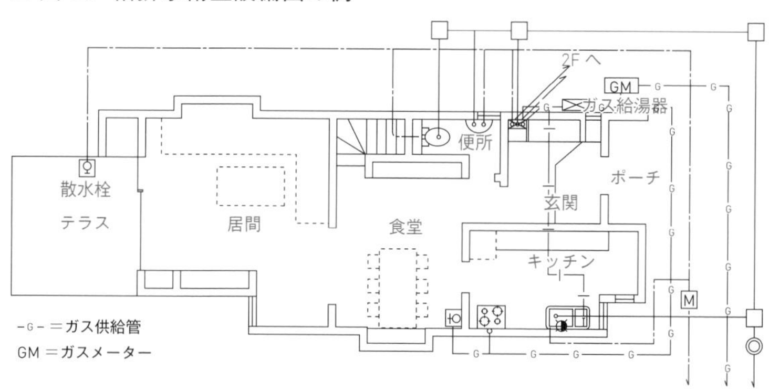

どの線が給水管でどの線が排水管、ガス管か区別できるようになろう！ P.379「設備図の表示記号」も併せて確認してね

9. 仕上げ表

各部屋の床、壁、天井の仕上げ、材料、品名、厚みなどを部屋ごとに示したものを仕上げ表（しあげひょう）という（表 2）。表の形式に決まりはないが、読みやすく簡潔なものが良い。インテリアでは塗装仕上げの部分も少なくないので、略記号（表 3）も覚えておくとよい。

■ 表 2　仕上げ表の例

室名	床（仕上／下地）	幅木	壁（仕上／下地）	天井（仕上／下地）	その他
玄関	磁器質タイル 200 × 200 コンクリート土間	タイル H ＝ 200	AEP 塗り（半ツヤ） 石膏ボード（厚 12.5）	ベイスギ羽目板（厚 12） 木軸	下足入
居間	ナラ複合床合板 厚 15（クリヤー塗装） 耐水合板（厚 12）	ベイマツ H ＝ 75 UC 塗り	珪藻土塗り（厚 2） 石膏ボード（厚 12.5）	同上	飾棚
食堂	同上	同上	同上 石膏ボード（厚 12.5）	同上	食器棚
和室	畳敷（へりなし） 耐水合板（厚 12）		本じゅらく ラスボード	スギ杢合板 目透張り	床地板、ヤニ松合板押入れ中段付き
キッチン	コルクタイル（厚 5） 耐水合板（厚 12） パネルヒーター	ベイマツ H ＝ 75 UC 塗り	陶器質タイル 150 × 150 耐水合板 フレキシブルボード	EP 塗り 石膏ボード（厚 9.5）	システムキッチン A 社 B シリーズ
浴室	大理石 300 × 300（厚 18） コンクリート土間 断熱材（厚 30）		陶器質タイル 150 × 150 ラスモルタル	塩ビリブ 木軸	バスタブ（ホーロー） 化粧棚

■ 表 3　塗装仕上げの略記号

名称	略記号	名称	略記号
油性調合ペイント塗り	OP	合成樹脂調合ペイント塗り	SOP
油ワニス塗り	VC	合成樹脂エマルションペイント塗り	EP
クリヤーラッカー塗り	LC	オイルステイン塗り	OS
ラッカーエナメル塗り	LE	2 液形ポリウレタンエナメル塗り	② -UE
フタル酸樹脂エナメル塗り	FE	ウレタン樹脂ワニス（ウレタンクリヤー）塗り	UC

（日本建築学会『建築工事標準仕様書　同解説 18』より）

AEP と EP

合成樹脂エマルションペイントは、1 種の AEP と 2 種の EP に分かれる。AEP は耐水性・耐摩耗性・保色性に優れており、浴室やキッチンの壁・天井に適する。EP は、AEP より耐水性や耐アルカリ性に劣るので水がかり以外に使用する。

塗料の略記号は、国土交通省や日本建築学会など、団体によって表記が違うので、注意しよう！

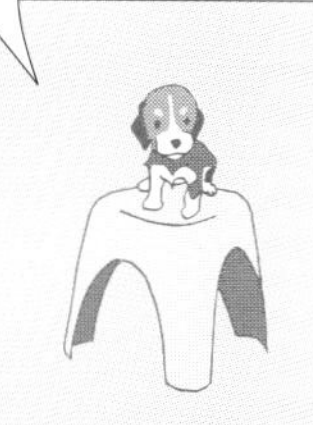

21-4 透視図と投影図

重要度 ! ! !

Point

- ☑ 透視図の原理を知り、透視図による表現方法を学ぶ
- ☑ パースガイドを用いたパースの描き方を知っておく
- ☑ 投影図の原理と、それぞれの図法の呼び名を覚える

透視図

1. 透視図とは

透視図とは人の目で見るのと同じように、近くにあるものは大きく、遠くにあるものは小さく表す図である。パースペクティブ(遠近法)の訳語で、一般的にはパースと呼ばれる。平面図や展開図では表現が難しい空間の奥行感や、立体形状を表現することができ、一般の人にもイメージが伝わりやすくなる。建築やインテリアの表現方法としてよく使用される。インテリアコーディネーターとしては、ぜひ習得しておきたい技術である。

透視図は、観察者と描く対象物の間に透明のスクリーン(PP)を置いたと想定し、そこに映った対象物をそのまま描き込む図法である(図1)。観察者が立つ位置、図を描くスクリーンなど、透視図に使われる用語は、次頁表に挙げた記号を使って表される。

遠近法
絵画や作図の技法のひとつ。近くのものは大きく、遠くのものは小さく描いて遠近感をもたせる。

■図1 透視図法の原理

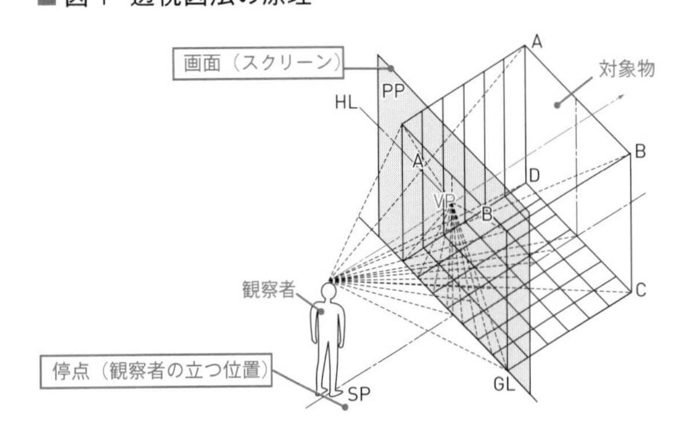

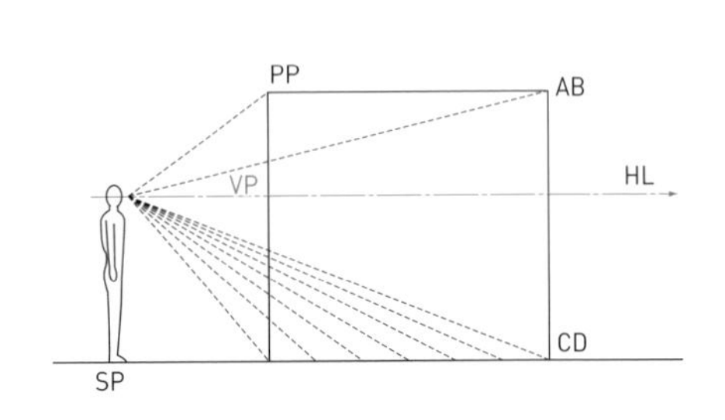

公式ハンドブック[下] P.226 ~ 234

■表 透視図に使われる記号

SP	Standing Point	（観察者が）立つ位置
EP	Eye Point	観察者が床に立っているときの視点
EL	Eye Level	視点の高さ
PP	Picture Plane	透視図が描かれる面
GL	Ground Line	基線。PPの垂直面の下端にある線
HL	Horizontal Line	地平線または水平線。GLに平行な線でELと同じ高さにある
VP	Vanishing Point	消点（消失点）。奥行の線が1点に集まる点
VC	Center of Vision	視心

2. 透視図の種類

透視図には、1消点図法（平行透視図法）、2消点図法（有角透視図法）、3消点図法（斜透視図法）の3種類がある（図2）。

1消点図法は、消点（VP）が1つの透視図である。奥行方向に消点があり、視点と消点を結ぶ線に平行な線は、すべて消点に集まる。室内空間などを描くときに用いられる（図3）。

2消点図法は、図2の中央にある図のように、V1・V2と2つの消点がある。住宅の外観や室内の隅部を描くときに用いられる。

3消点図法は、図2の右図のように縦、横、高さの3方向の線が交わり、V1・V2・V3と3つの消点がある。高層ビルの外観を描くときに用いられる。

■図2 透視図法の分類

※ Vは消点を示す

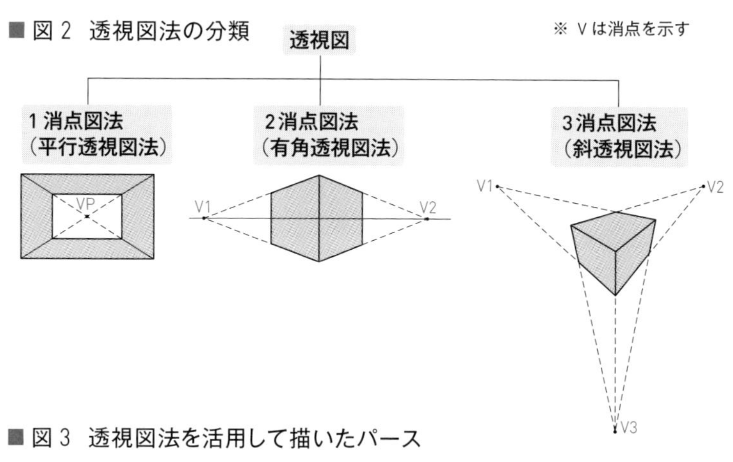

■図3 透視図法を活用して描いたパース

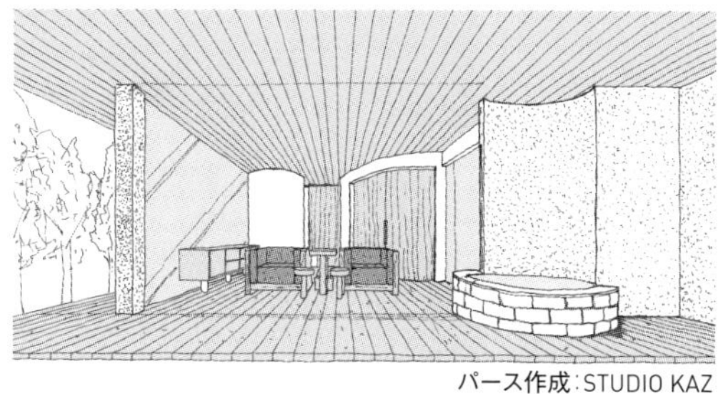

パース作成：STUDIO KAZ

基線

GL（Ground Line、地平線・地面）と画面の接線で画面の下端をいう。

消点

縦、横、高さのパースライン（奥行線）が1か所に集まる点で、1消点図法では、HL上に設定される。

視心

1消点図法のVPのことで、EPからまっすぐ伸ばしたHL上の点。

インテリアのプレゼンテーションでは、主に1消点図法が用いられるよ

パースの有効性

立体空間を表すことで、平面図や展開図では感じとることの難しい部分も表現することができる。空間をイメージしやすいため、顧客へのプレゼンテーションに欠かせない重要なツールといえる。

3. パースガイド

透視図(パース)の図法の基本を理解すると、パースガイドを引くことで、より簡単に作図できるようになる。パースガイドとは、あらかじめ消点が設定され、床、壁、天井にグリッド(格子)を引いた透視図定規のようなシートのことをいう(図4①)。この上に、平面図や展開図に描かれている寸法を直接パースガイドに写し、図を描いていくことで、空間を立体的に表現することができる(図4②〜⑤)。多少、正確さには欠けるが、複雑な図法を用いなくても描くことができ、実用性は高い。

■図4 パースの描き方の例

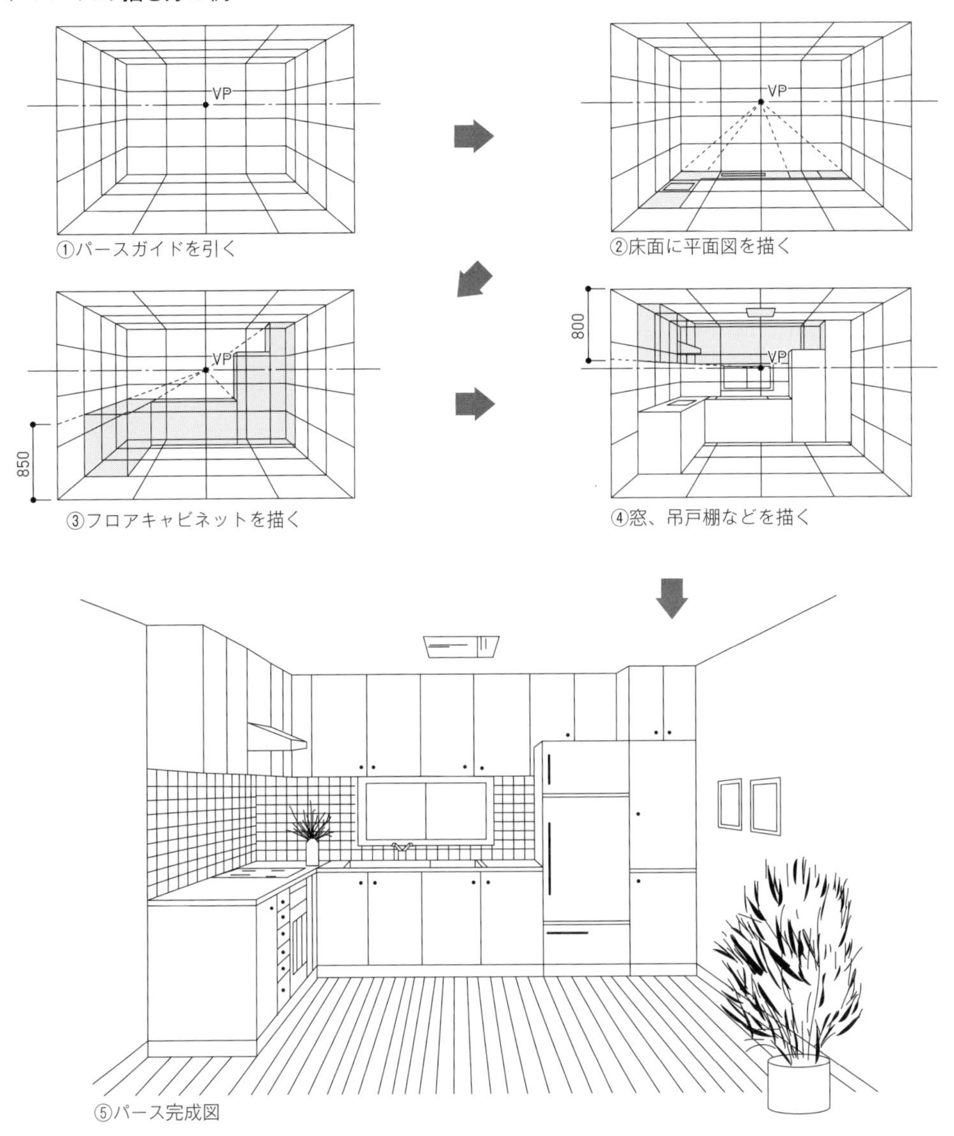

投影図

1. 軸測投影図

軸測投影図（じくそくとうえいず）は、透視図と同様に図面を立体的に表現するときに使われる表現方法である。アイソメ図（アイソメトリック図＝等角投影図）とアクソメ図（アクソノメトリック図＝不等角投影図）とがある。

アイソメ図では、立方体を描くとき、3つの面が120°で交わるように描く（図5）。それぞれの線は同一の比率で描かれるため、空間全体をつかみやすく、見え方も自然である。

アクソメ図は、各面を垂直に持ち上げた状態を描いた図である。縮尺通りに描くと高さが強調され不自然な見え方になる（図6左）。そのため、実際に目で見たときの見え方に近づけるため、高さ方向の縮尺を8割程度に縮めると、見え方が自然になる（図6右）。

アイソメ図もアクソメ図も実寸法で表されるため、透視図に比べて比較的簡単に描ける。遠近感を出すことはできないが、プレゼンテーションにはよく使われる作図法である。

■ 図5 アイソメ図

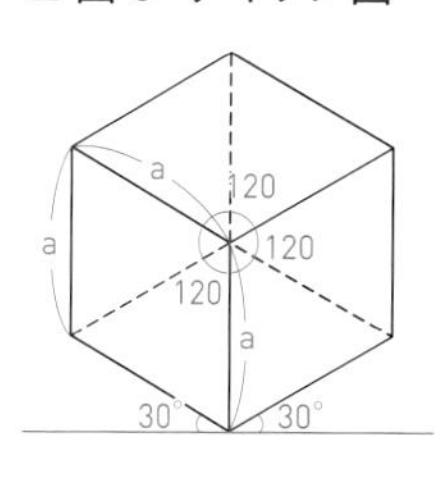

■ 図6 アクソメ図

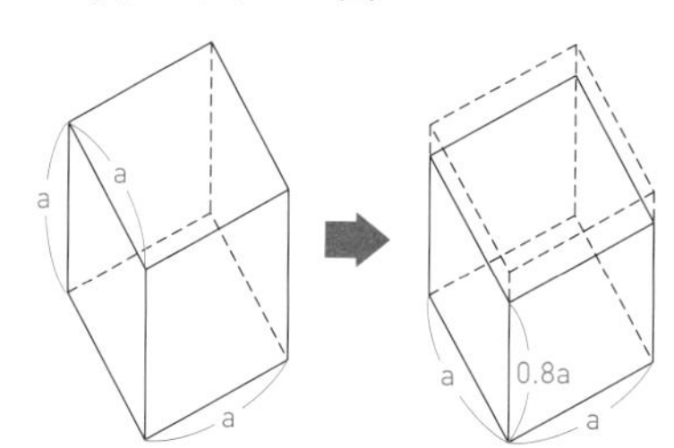

2. 斜投影図

斜投影図（しゃとうえいず）とは、ある一面を真正面から見た通りに描き、奥行を45°の角度で描く表現方法である。幅：高さ：奥行の比率が1：1：0.5となるように描くキャビネット図（図7）と、幅：高さ：奥行の比率が1：1：1となるように描くカバリエ図（図8）の2通りがある。家具図を描いたり、意匠登録出願に使用する。

■ 図7 キャビネット図

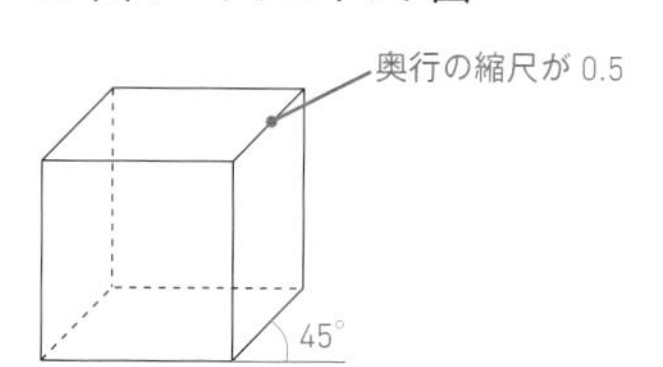

■ 図8 カバリエ図

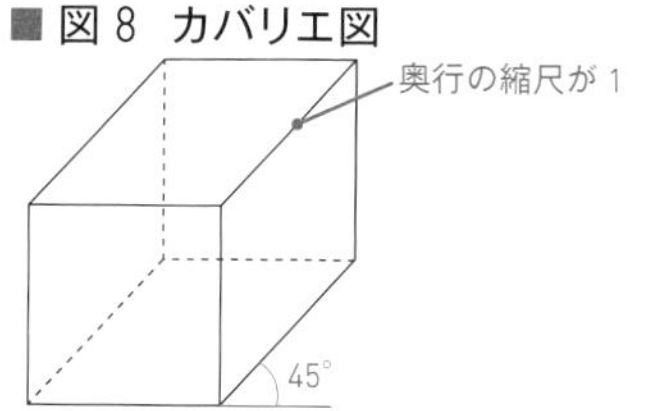

アイソメ図・アクソメ図は、空間の構成や家具などを表現するときに向いているよ

アイソメ図
アイソメ図は同一比率で描かれるため立体表現が比較的簡単にできるので、よく使われる図法。

アクソメ図
アクソメ図は、平面図をそのまま垂直に立ち上げて描くので、アイソメ図より容易に描くことができる。

キャビネット図
立体を描くときの図法。立体の正面を正確に描き表わし、奥行の辺を正面の半分の長さで45°に傾けて描く。

カバリエ図
キャビネットの奥行を正面と同じ長さにし、45°に傾けて描く。

22-1 経理実務と報酬

重要度 ！！

Point

- ☑ 実務で必要となる取り交しの基本を知る
- ☑ インテリアコーディネート業務と報酬には、大まかなくくりがある
- ☑ 契約書の種類と記載すべき内容を把握する

経理業務の流れ

1. 実務で必要な取り交し

住まいづくりでは、建築士やインテリアコーディネーター、工事施工業者など多くの業者が関わる。そのため、誰がどの業務を行ない、まとめ、いつ、どのように進めるかを把握し整理することが重要である。仕事を相談、依頼された時点のヒアリングでは、インテリアコーディネートに関わる要望やライフスタイルなどを把握するのと同様に、業務範囲の聞取りを行なうことが大切である。その際、依頼主と業務やそこに関わる費用に関して、確認・承諾などのやり取りを文書で取り交わす。その代表的な書類には以下のようなものがある。

(1)契約書

業務範囲、費用、期間など提供するサービス内容を明記し、双方に合意して進めるための書類。

(2)見積書

業務に関わる費用を項目ごとに分類し、内訳をリストにした書類。その中には、コーディネート費用、各種エレメントの仕様や購入費、人件費、諸経費(交通費、雑費)などがある。それらを集計(積算)し、総額を提示する。

(3)工事請負契約書

建築工事、リフォーム工事など施工を契約する文書。依頼主が直接施工業者と契約し、施工業者が作成するのが一般的。

打合せでは、議事録を取り、理解に相違がないかを確認することが大切。思い込みや誤解があるまま進むことの予防になるよ

業務範囲の聞取り

役割分担や責任の範疇を明確にするために行なう。発注と支払いを請け負った場合は、納品まで立ち会うことが義務になる。一方、依頼主が発注、支払いをする場合は、基本的には立会いは義務ではなくなる。

契約書の目的

合意内容を明確にし、事後のトラブルを防止するために取り交わす。

公式ハンドブック[上] P.12～25

(4)発注書(注文書)

見積内容や仕様などを決定し、依頼者の合意が得られたのち、各種エレメントを手配し、取引を交わす際に使用する書類。品名、数量、金額、納期、支払い期限などを記載する。

(5)納品書

発注されたエレメントが、取引先や指定先に納入を完了したことを報告するための書類。納品する側が作成する。

(6)請求書

各費用や報酬の請求を書面にしたもの。契約書記載の期日や納品が完了したのちに作成する。

発注書と納品書

納品書には、発注書と同様に品名、数量、金額が明記されている。納品の際は、発注書と納品書を照らし合わせて、各項目を確認するとよい。

コーディネート業務と料金

1. 業務の種類

インテリアコーディネーターの業務は、大きく以下の5項目に分かれている。

(1)基本コーディネート

内装仕上材(床・壁・天井)、建具、設備機器などの機種や色柄を選定する。また、既存の平面計画や照明・収納計画などのコンサルティングを行ない、必要図書を作成する。

(2)個別設計

造付け家具、置き家具などの設計や手配をする。また、照明器具の選定や配置、スイッチの配置などの照明計画も行う。キッチンなどの水廻りの設備の配置計画や機器の選定、仕様決めも行う。

(3)インテリア用品の選定

インテリア用品の選定および配置計画を提案をする。顧客の要望に応じて、ショールームや店舗に同行することもある。

(4)相談

依頼主に対して、コンサルティングや助言を行う。この場合、口頭でのやり取りが中心となり、その場での対応が一般的。

(5)その他

企業から依頼される業務として、プレゼンテーション資料の制作や講演、インテリア商品の企画、マーケティング業務などがある。

必要図書

インテリアコーディネートを実現、施工するために必要な図書(図面や書類)のこと。カラースキーム、家具計画図、照明計画図、造作家具図、仕上げ表、展開図、三面図、パースなど。

インテリア用品

家具・カーテン・美術品などのアート、雑貨を含むインテリアアクセサリー類のこと。フロアスタンド、テーブルスタンドなどの照明も含まれる。

プレゼンテーションボードのつくり方については、P.374「プレゼンテーションの手法」を参照してね

2. 料金のガイドライン

業務ごとの料金のガイドラインを表1に、また、インテリアコーディネートフィーのガイドラインを表2に示す。

■表1 業務内容料金表

対象業務	料金
基本コーディネート	7万円＋α、7万円(打合せ3回含む)は最低料金とする αは8,000～15,000円／室×(部屋数－1)室、 もしくは1,000～1,800円／㎡×(述べ床面積－70)㎡、 もしくは時給×(作業時間－2時間打合せ×3回)
個別設計	3万円＋α、3万円(打合せ1回含む)は最低料金とする αは販売金額の10～20%、 もしくは時給×(作業時間－2時間打合せ×1回)
インテリア用品選定	時給×作業時間
相談	時給×作業時間
プレゼンボード作成	2万円＋α、2万円は最低料金とする αは15,000～35,000円／枚×(枚数－1)枚
講演	3～10万円

■表2 インテリアコーディネーター日当ガイドライン

ランク	IC資格取得後の実務経験	日当（時給）
A	11年以上 (資格更新2回済)	36,000円(6,000円)
B	6～11年(資格更新1回済)	30,000円(5,000円)
C	6年未満 (未更新)	24,000円(4,000円)

作業時間は10：00～17：00の6時間、時間外時給は通常時給の1.2倍とする。交通に要する時間が往復3時間以上の場合は、出張手当として別途5,000円を有する。

※表1・表2ともに、インテリア産業協会関東甲信越IC協議会「インテリアコーディネーターのソフト料率ガイドライン」より(平成17年改訂)

契約書

住まいづくりのなかで交わす契約書は、請負契約書と業務委託契約書の2種類がある。請負契約書とは主に建築工事請負契約書を指す。建物を完成させることを目的とし、完成した仕事に対して報酬対価を受け取るという契約である。一方、業務委託書は、業務の一部または、すべてを委託するもので、委託者と受託者の間で締結するものである(次頁図)。

インテリアコーディネートは、インテリアの専門職としてコンサルティング、助言、それにともなうサービス業務のために業務委託契約を交わし、請負業務と分けて契約する必要がある。

業務委託契約書の内容で必ず記載するものは、委託者(施主名)、受託者、物件名、業務範囲、業務期間、報酬(対価)、支払い方法、秘密保持、契約の解除、定めなき事項などである。

インテリアコーディネートフィー

インテリアコーディネーターへの報酬(対価)のこと。報酬は、経験に基づきランクを設け、日当や時給で算出する場合がある。

ハードとソフト

インテリアでは、建物本体のように実体ある箱を「ハード」といい、その中での暮らし方、ライフスタイルを「ソフト」と分けて考える。

インテリアコーディネートの提案は、ライフスタイルをデザイン・コーディネートすること。アイディアそのものがソフトといえるね！

契約書作成の注意点

契約書を作成する際は、常に最悪の事態を想定しておく。たとえば、何らかの事情により業務の途中で解除の依頼があった場合も、業務を行なった段階までの業務報酬を請求できるようにすることも大切。

■図 業務委託契約書の例（抜粋）

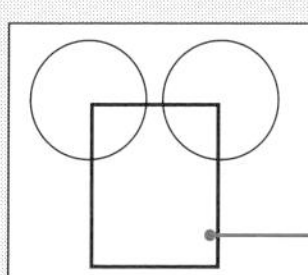

業務委託契約書

施主名（以下「甲」という）と、受託者（以下「乙」という）とは、甲が新築予定の物件名（以下「本物件」という）に関する業務を乙に業務を委託することに関し、次のとおり契約（以下「本契約」という）を締結する。

第1条　（業務委託）
甲は乙に対し、本契約に定めるところに従い、第2条に定める業務を乙に委託し、乙はこれを受託する。

第2条　（本業務の内容）
1.　本契約に基づき甲が乙に委託する業務（以下「本業務」という）の内容は、次の通りとし、その詳細は甲乙別途協議の上定めるものとする。
(1)　本物件内のインテリアに関するカラースキーム選定
(2)　本物件内のインテリアに関する設備選定

第3条　（資料等の提供）
第4条　（作業場所）
第5条　（納入等）
第6条　（権利帰属）
第7条　（対価）
1.　甲が乙に対して支払う個別契約の対価の金額、支払い期限、支払い方法は、別紙規定に基づいて、個別契約毎に定めるものとする。
2.　乙が甲に前項の費用の請求を行う場合には、その内訳を明示して甲に請求するものとする。乙に対し、本業務の対価として、金●●万円（消費税別）を、以下のスケジュールに従い、乙の指定する銀行口座に振り込み支払うものとする。なお、振込手数料は甲の負担とする。
・本契約締結日　金●●万円（消費税別）
・納入物納品日　金●●万円（消費税別）

第8条　（期間）
本契約の有効期間は、●●●●年●●月●●日から●●●●年●●月●●日までとする。本契約を延長又は更新する場合には、甲乙協議の上、書面による合意により決定するものとする。
第 9条　（解除）
第10条　（期限の利益喪失）
第11条　（損害賠償）
第12条　（契約終了後の措置）
第13条　（権利義務譲渡の禁止）
第14条　（秘密保持）
第15条　（定めなき事項）
本契約に定めのない事項、本契約の各条項の解釈につき疑義を生じたときは、甲乙両者は誠意をもって協議のうえ解決する。
第16条　（管轄）
本契約について訴訟の必要が生じた場合には、東京地方裁判所または東京簡易裁判所を専属管轄裁判所とする。

本契約成立の証として本書2通を作成し、甲乙記名捺印のうえ各1通を保有する。

年　月　日

収入印紙と割印。印紙は、委託者、受託者それぞれで購入し、押印する。契約金額により印紙代が違う

業務内容が多くなる場合や内容の詳細は、別紙を作成し「別紙参照」とする

支払い回数を明記。契約時と納品時の2回が一般的。その他、契約金額に含まれない交通費などの実費が発生した場合の定めも記載する

ある事情により業務が契約期間中に終了しない場合の報酬の定めなどを記載する

契約書内に記載のないことが生じたときは、協議と合意をもって進めることを明記する

22-2 見積書

重要度 ! ! !

Point

- ☑ 多岐にわたるインテリア関連工事の内容を把握する
- ☑ 見積書の内訳明細の内容を読み取り、コスト感覚を身に付ける
- ☑ 見積書のチェックポイントを覚え、コーディネートの際の注意点を学ぶ

見積書の見方

1. 見積書・積算とは

見積書とは、依頼主に提示した提案内容を実施するために、費用がどのくらいかかるかを算出するための書類をいう。工事費、材料費、諸経費などを積算し総額を記載する。

しかし、建築工事やリフォーム工事など建物に関わる工事は範囲が広く、内容も多いため、費用を正確に出すには時間がかかる。そのため、大まかに2段階に分けて提示する。まず提示するのが概算見積書である。これは初期段階の打合せで依頼主の予算規模を把握するための目安となる。その後、実施内容に基づいて詳細を詰め、契約書にも記載する見積書を仕上げる。

算出にあたっては、工事施工業者に依頼することが一般的である。ただし、工事に含まれないソファ、ベッド、ダイニングテーブルなどの置き家具(既製家具)やベッドリネン、照明(テーブルスタンドやフロアスタンドなど工事が必要ないもの)などのインテリアアクセサリーなどは、インテリアコーディネーターが別の見積書としてまとめて作成することがある。

工事見積書では、コーディネートしたものが工事種別によって分かれるため、見積書をチェックする際にどの工事に含まれているのかを注意し確認する。次頁表に建設業法で定められた建設業における工事種別を参考にし、インテリア関連の工事種別をまとめた。また、工事種別ごとに記載された内訳明細書を次頁図に示した。

公式ハンドブック［上］P.20～25

諸経費
会社の経費、営業利益など。

積算
工事に関わる、材料、労務、経費など想定される費用を拾い出し積み上げる業務のこと。

概算見積書
予算、工事規模(面積)やグレードにより、使用する資材・機材などを目安に概算を算出した見積書。

契約時の見積書とは
工事や費用の内訳詳細を記載し、グレード、仕様、材料や数量まで積算した見積書。表紙には、工事名、工事場所、工事期間、見積りの有効期限、支払い回数などを記載する。

■表 インテリア関連工事種別例

工事種別	主な内容
仮設工事	足場・養生・清掃・残材処分費など
防水工事	屋内防水費
大工工事	大工工事、型枠工事、造作工事費など
石工事	石材加工、石積み(張り)工事費など
左官工事	左官工事、モルタル工事など(珪藻土などの塗壁は左官工事)。材工共の費用
建具工事	木製建具(室内建具、襖、障子、取り付け工事費)
ガラス工事	ガラスの加工と取り付け工事費
タイル工事	タイルの張付け、取り付け工事費など
塗装工事	塗料、塗材等を工作物に吹き付け、塗るなどの材料費と工賃
内装仕上げ工事 インテリア工事 天井工事	壁貼り内装間仕切工事、床仕上げ工事(ビニル床タイル、カーペット、ウッドカーペットなど)、畳工事(畳を用いて建築物の床仕上げを行う工事)、襖工事(襖を用いて建築物の間仕切などを行う工事)、家具工事、防音工事などの内装工事、床仕上げ工事など。材工共の費用
電気工事	送配電線工事、引込線工事、照明設備工事費およびスイッチ・コンセント取り付費など
衛生・設備工事	浴室、トイレ、キッチン設備本体費、設備費やそれにともなう給排水などの配管工事費、換気・空調・冷房設備工事などの本体費と取り付け費など
カーテン工事	生地代、カーテン縫製費やカーテンレールなどの取り付け費

※工事種別に関しては、建設業は、国土交通省の許認可事業である。取り扱う工事は、建設業法で定められた28区分に分けられ、工事ごとにまとめる場合もある。そのため、工事ごとに請負業者が違い、運搬費などが工事ごとにかかる場合がある

見積書の工事種別

見積書に掲載される工事種別や内訳(分類)方法は、手配する下請け業者の種別になっていることもあり、若干の違いがある。

工事施工業者からの見積書は、製品や材料により工事種別が異なるよ。金額の見方や漏れのないようにチェックリストを作成しておくと便利!

■図 見積書/内訳明細とチェックポイントの例

工事名称 1F内装改修工事　　内 訳 明 細 書　　令和○年×月△日

見積番号 20080514-1727

No.	項目	仕様・摘要	数量	単位	単価	金額	備考
	8. 内装工事						
1	クロス工事		1.00	式		230,580	
2	床張替工事		1.00	式		92,856	
3	襖工事		1.00	式		32,820	
4	荷物移動費		1.00	式		72,000	
5	運搬雑費		1.00	式		36,000	
	小計					464,256	
	8.1. クロス工事						
1	和室2　天井	量産品	10.00	㎡	1,140	11,400	
2	和室2　壁	量産品	23.00	㎡	1,140	26,220	
3	洗面所　天井	量産品	2.00	㎡	1,140	2,280	
4	洗面所　壁	量産品	12.00	㎡	1,140	13,680	
5	トイレ　天井	量産品	1.50	㎡	1,140	1,710	
6	トイレ　壁	量産品	10.00	㎡	1,140	11,400	
7	キッチン　天井	量産品	13.50	㎡	1,140	15,390	
8	キッチン　壁	量産品	25.50	㎡	1,140	29,070	
9	玄関・廊下　天井	量産品	8.50	㎡	1,140	9,690	
10	玄関・廊下　壁	量産品	44.00	㎡	1,140	50,160	
11	洋室　天井	量産品	10.00	㎡	1,140	11,400	

6/13

工事種別を記載し、種別単位の合計を記載する

量産品とは、一般的に1,000円/㎡のもの。この単価は材工共単価

必要数量はロス率を加えて算出している

2. 見積書のチェックポイント

見積書をチェックするうえで、材料、仕様、サイズなどの確認事項やコストアップしやすいポイントを覚えておくとよい。

(1)家具・照明

既製家具は、家具本体の金額に加えて配送運搬費がかかる。また、家具の大きさや量の違いはもちろん、軒先渡しなのか、開梱・設置(残材処分)まで行うのかによって金額が変わる。

照明は、ダウンライトなどのように設置が電気・配線工事に含まれるものと、インテリア用品として扱われるフロアスタンドやテーブルスタンドとに分かれる。前者はスイッチの確認が必要となり、後者はコンセントの確認が必要となる。図面と見積りを照らしながら数量を確認しなければならない。

(2)造作家具

造作家具はオーダーメード品である。そのため、材料のグレードはもちろんのこと、作業工程や材料が増えればその分コストアップにつながる。扉や引出しが増えれば、材料も増え、コストが上がる。複雑な形状や特殊な金物を取り付けることも同様である。また、仕上げに塗装などの加工を加えると費用が高くなる。

(3)建具

建具には、サッシや玄関扉などの金属製建具と、建物内の開口枠や扉、障子などの木製建具がある。いずれも開口部単位で見積る。通常の木製建具の取り付けは、家全体の大工工事と一緒に大工が行うが、金属建具の取り付けや特注の木製建具の取り付けは建具業者か表具業者が行うので、見積書が別途となる。

(4)システムキッチン

システムキッチンは個々のユニットを組み合わせて構成することが一般的になり、選択肢も増えてきた。仕様やグレードによって金額が変わるので、商品の選定がポイントとなる。たとえば、カウンターの材料やベースキャビネットの仕様(引出型か扉型か)、その他、水栓金具や浄水器、食洗機などの仕様と価格をきめ細かく確認する必要がある。

工事内訳では、住宅設備機器工事(または単独で厨房設備工事)として記載され、システムキッチンの部材費用とは別に、設置組立費や配線・配管などの取回し工事費が必要になる。

材料単価と材工共単価

材料単価とは材料のみの価格。一方、材料単価+手間単価+副資材単価を合算した価格を材工共単価という。

手間単価

家具の設置や照明の電気工事など取付け手間、施工手間、工賃(物品の制作や加工に労した手間賃)なども確認が必要。副資材で軽微なものを含む場合がある。

造作家具と造付け家具

造付け家具は、大工工事としてつくる場合と、造作家具店がある程度制作したものを現場で組み立てる場合とがある。造付け家具の方がコストダウンできる場合が多い。

コストの注意点

窓のペアガラスや合わせガラスは高価。扉の取っ手や錠など付属品も価格の幅があるので要注意。必要な性能を吟味して仕様を決める。

開口部とは窓や出入口のこと。開口部単位の見積りとは、たとえば窓ガラスを2枚使う開口部でも1と数えるよ!

(5)内装仕上げ

建物内部の床・壁・天井の仕上げのこと。材料により工事内訳が異なる。壁・天井などのクロス貼り、床の畳やカーペット、クッションフロア仕上げは内装工事にあたる。タイルや左官、塗装仕上げは、それぞれの工事として計上される。フローリングは、内装工事または大工工事になるため、工事として計上されることもある。

必要数量の算出には、施工面積(㎡単位)にロス率を加えて計算する。たとえば、壁クロスで無地の場合は、必要数量＝施工面積＋ロス率(施工面積の5～15%)となる。一方、リピートのある柄物は、一般的にロス率10～25%である。床材のカーペット、クッションフロアなどの長尺物もロス率を加える(P.229参照)。また、左官や塗装は塗り重ねる回数により必要数量が変わる。下地処理が重要で、不陸(ふろく)があるとクレームになりやすいので注意する。

(6)カーテン

カーテンの費用は、生地代や縫製代、カーテンレール、タッセルなどである。必要な生地の大きさ(要尺)は、窓に対しての仕上がり寸法、ヒダ倍率、カーテンのスタイルなどにより変わる。また、生地が無地の場合と柄のリピートがある場合と計算方法が違うことにも注意する。

納品、アフターフォロー

納品は、インテリアコーディネート業務の中で最も重要な業務のひとつである。発注した品物の納品の際は、必ず発注書を用意し、納品書と照らし合わせながら破損や部品の不足などの検品をする。また、置き家具や一部の造作家具は、内装が仕上がってから納品されるため、搬入ルートの養生確認をするなど、周辺を傷付けないよう気を配らなければならない。

すべてのものが納品・設置されてから、依頼主に設備機器の使い方や使用上の注意を説明する(メーカーが説明する場合もある)。一つひとつ確認してもらい、納品書もしくは、工事完了書など引渡し時、書類に終了の署名捺印をもらって業務が完結する。

その後も、不具合や問題が生じていないかを定期的に確認し、アフターフォローをする必要がある。不具合や問題が生じていたら内容をよく聞き、誠意をもって迅速に対応することが大切である。

ガス機器とIH機器の価格

加熱機器の選択ではガス機器よりIH機器が高く、IHをオールメタル対応にすると価格がさらに上がる。

海外の製品は、制作期間に輸送期間が加わるので納期の確認が重要。通常は船便で1～2カ月。海外の休暇期間の発注も要注意！

木工事

大工工事の一種で木材の加工、造作工事などのこと。大工工事を木工事という場合もある。

ロス率

見積りを行う際に、施工数量よりも余分に拾う比率のこと。たとえば、壁紙は施工時に貼合せ部分を切り落とす。これがロスであり、余分に見込んでおく必要部分である。

不陸

凸凹していて、水平でない状態のこと。

カーテン

→P.356～360「カーテン」参照

保証書と説明書

納品する設備機器の保証書や説明書は、1つのファイルにまとめて依頼主に渡すとよい。

養生

工事対象でない範囲を傷付けたり、汚したりしないよう、カバーなどで保護すること。

\\これだけは！// 必ずおさえておきたい内容を厳選

頻出内容徹底分析問題集

2023年度より、インテリアコーディネーター資格試験の一次試験は「CBT（Computer Based Testing）方式」での実施に移行し、出題形式にも大きな変更が予定されています。試験出題範囲や審査基準に変更はありませんが、試験時間は従来の160分から120分に短縮、出題数は従来の50問から36問に減少します。
より厳選された出題内容が予想されますが、ジャンルの垣根を超え、まんべんなく理解しておくことが大切です。ここでは、過去のデータを徹底研究し、必ず理解しておきたい内容を分析、問題集としました。
また、解答・解説欄の［ ］は、公式ハンドブックで関連する章・節です。合わせて確認・学習することをおすすめします。

問　題	解答・解説
第 1 問 □□□ 依頼主とのノンバーバルコミュニケーションとして、重要なことは何か。 1. 言葉遣い　2. 表情から読み取る 3. 最新情報の伝達	第1問 2　［上 第2章 第2節］ 非言語（ノンバーバル）コミュニケーションとは、身振り、手振り、姿勢、表情、視線などの言語以外のメッセージをいう。
第 2 問 □□□ ヒアリングにおいて依頼主のニーズを探る質問方法で、これを繰り返すことで依頼主の考え方が明確になる方法は、択一回答型ともう一つは何か。 1. 自由回答型　2. プロポーザル 3. コンセプトメーキング	第2問 1　［上 第2章 第2節］ 択一回答型の質問とは、イエスかノーか、右か左かなど特定のことに関しての情報を得る時に使い、自由回答型の質問は、自由に答えてもらう際に使う方法。
第 3 問 □□□ おおまかな予算計画において、複数の製品のグレードや性能などを比較検討するための資料はどれか。 1. プレゼンテーションボード 2. 新製品プレスリリース 3. 製品カタログ	第3問 3　［上 第2章 第2節］ プレゼンテーションボードは顧客の依頼内容を提案資料としてまとめたもので、内装仕上げ、照明器具、設備機器、家具などのイメージを確認してもらうために渡す。新製品プレスリリースは新商品の発売開始などの企業情報をニュース素材としてメディアの記者が利用しやすいようにまとめたもの。
第 4 問 □□□ 第二次世界大戦後、戦後の住宅不足を解消する際、提唱された西山夘三の理念は何というか。 1. 標準化　2. 和洋折衷　3. 食寝分離	第4問 3　［上 第1章 第1節］ 住宅の大量供給される過程で、ゆか座からいす座へ生活様式の変化、公室と私室の分離が実現された。

第 5 問 □□□

公営住宅標準プラン 51C 型住宅の供給が始まり、ゆか座からいす座への新しい住様式が広がりをもたらした間取りはどれか。

1. DK 型　2. LD 型　3. LDK 型

第 5 問　1　[上 第 1 章 第 1 節]
公室と私室の分離の理念から、ダイニングキッチンを取入れた DK 間取りが当時の公営住宅標準プランになった。

第 6 問 □□□

イームズ夫妻やジョージ·ネルソンらと交流し、第二次世界大戦後の日本における家具のモダニズムの先駆けになったデザイナーは誰か。

1. 前川國男　2. 剣持勇　3. 柳宗理

第 6 問　2　[上 第 3 章 第 1 節]
剣持勇は日本を代表するインテリアデザイナー。籐で造られた KM チェアは代表作。柳宗理と共に日本のモダニズムの礎を築いた。柳宗理の代表作は成形合板で作られたバタフライスツール。前川國男は建築家で戦後のモダニズム建築の先駆者でル・コルビュジェに弟子入りした初の日本人。

第 7 問 □□□

千利休が作ったとされている待庵は、様々な意匠を凝らした豊かな空間になっているが、大きさはたたみ何畳か。

1. 二畳　2. 三畳台目　3. 四畳半

第 7 問　1　[上 第 3 章 第 1 節]
国宝待庵は二畳ほどの大きさで部屋の隅に炉がある形式「隅炉」が切られている。茶室は四畳半を基本とし三畳、二畳、一畳台目（台目畳は普通の畳の 2/3 の大きさ）などがある。

第 8 問 □□□

寝殿造では、儀式や行事の際に一定の決まりに基づき調度品が配置され、それを「しつらい」「しつらえ」といった。では調度品にはどんなものがあったか。

1. 座敷飾り　2. 出文机　3. 屏障具

第 8 問　3　[上 第 3 章 第 1 節]
屏障具は仕切りをするものの総称。屏風、几帳、壁代、御簾などがある。座敷飾りは床の間の原形といわれ、出文机（だしふづくえ）は付書院の原形といわれている。どちらも書院造の床の間の構成になる。

第 9 問 □□□

数寄屋造の建築物として代表的な建物はどれか。

1. 桂離宮
2. 二条城二の丸御殿
3. 東求堂 同仁斎

第 9 問　1　[上 第 3 章 第 1 節]
桂離宮は江戸時代に建築された親王の山荘で、桂川西岸に約 2 万 1,000 坪の敷地のなかに庭園と建築物が造られている。二条城二の丸御殿は江戸時代に造られた城郭建築になり、国宝であり世界遺産でもある。東求堂同仁斎は、慈照寺にある山荘の一種で、付書院、違い棚があるものとして最古の部屋といわれている。

第 10 問 □□□

明治時代に工部大学校にイギリスから招聘された建築家は誰か。

1. フランク・ロイド・ライト
2. アントニン・レーモンド
3. ジョサイア・コンドル

第 10 問　3　[上 第 3 章 第 1 節]
ジョサイア・コンドルは現在の東京大学工学部建築の教授として招聘され、多くの日本人建築家を育てた。またジョサイア・コンドルは、鹿鳴館、ニコライ堂、三菱一号館、岩崎邸などを設計した。フランク・ロイド・ライトはアメリカより旧帝国ホテル建設のため訪日。大幅な予算オーバーと工期の遅れにより完成を見ることなくアメリカに戻った。日本では自由学園明日館、旧山邑邸、アメリカではカウフマン邸（落水荘）、タリアセンⅢ、ジョンソン・ワックス社など多くの作品を残している。アントニン・レーモンドはチェコの建築家で、フランク・ロイド・ライトの下で学び、アメリカに帰国したロイドの後、旧帝国ホテルの建設に携わった。

第 11 問 □□□ 昭和時代前期に活躍したモダン建築で有名な建築家は誰か。
1. 吉田五十八
2. 土浦亀城
3. 藤井厚二

第11問 2 ［上 第3章 第1節］
土浦亀城の自邸は、1935年に建てられ木造乾式構法が採用されている。直線の構成、白塗り壁の外観はまさにモダニズムの住宅。吉田五十八は独自に近代化した数寄屋の作風で和風住宅建築で名を成した。藤井厚二は京都に建てた聴竹居が近代住宅建築の名作として名高く、木造平屋建て住宅で日本の気候・風土と西洋の空間構成を合わせた手法を用いている。

第 12 問 □□□ イタリアの建築家ジオ・ポンティがデザインした超軽量の椅子として有名な椅子の名前はどれか。
1. スーパーレジェーラ
2. アントチェア
3. チューリップチェア

第12問 1 ［上 第3章 第2節］
スーパーレジェーラは、材質はトリネコで座のみ籐でできている。アントチェアのデザイナーはアルネ・ヤコブセン。材質はクローム仕上げのスチールパイプ製の3本脚と成形合板の座と背。名前の由来は、形状が蟻（アント）に似ていることから。チューリップチェアのデザイナーはエーロ・サーリネン。材質はアルミ鋳物の1本脚と座と背はFRP。

第 13 問 □□□ スチールワイヤーを使ってデザインされたダイヤモンドチェアのデザイナー名はどれか。
1. ハンス・ウェグナー
2. チャームズ・イームズ
3. ハリー・ベルトイア

第13問 3 ［上 第3章 第2節］
ダイヤモンドチェアのデザイナーはハリー・ベルトイア。材質はスチールメッシュで、座と背がシェル構造になっている。チャームズ・イームズの代表作はラウンジチェアとオットマン。材質は成形合板と本革張り。オットマンは脚を乗せる用のソファ。ハンス・ウェグナーの代表作はYチェア。ビーチ材を使い、座の部分はペーパーコード張り。

第 14 問 □□□ ロココ様式の家具の脚は猫脚ともいわれるが、この脚の名称はどれか。
1. ガブリオール　2. コンソール
3. カッサパンカ

第14問 1 ［上 第3章 第2節］
ガブリオールはガブリオール・レッグともいい、家具の脚がS字カーブの曲線で脚先は動物の脚の形状になっている。コンソールは壁付けの台の名称、カッサバンカはルネサンス様式の長椅子の名称。

第 15 問 □□□ 西洋のインテリアの歴史様式で古いものから順に並べた順序として正しいものはどれか。
1. ロココ ⇒ バロック ⇒ 新古典主義
2. バロック ⇒ ロココ ⇒ 新古典主義
3. 新古典主義 ⇒ バロック ⇒ ロココ

第15問 2 ［上 第3章 第2節］

第 16 問 □□□ ゴシック建築では教会建築の発達が特徴だが、構造上の特徴に関係のないものはどれか。
1. 尖塔アーチ
2. フライングバットレス
3. 半円アーチ

第16問 3 ［上 第3章 第2節］
半円アーチはロマネスク様式の特徴。ゴシック建築は尖塔アーチ、リヴ・ヴォールド、フライングバットレスなどの構造技術の発達により、天井を高く、開口を大きくすることが出来たが、教会の身廊に高さがあるため不安定になり、フライングバットレス（飛び梁）で身廊の外壁から支えている。

第 17 問 □ □ □

アーツ＆クラフツ運動は、誰が中心となり起こした運動か。

1. ピート・モンドリアン
2. ウィリアム・モリス
3. ヴァルター・グロピウス

第17問 2 [上 第3章 第2節]
イギリスのウィリアム・モリスが中心となり機械主義や商業主義に反対し手工業の復活を主張した運動。ピート・モンドリアンはオランダで起こったデ・スティルの主要メンバー。ヴァルター・グロピウスはバウハウスの初代校長。

第 18 問 □ □ □

事務机を購入するとき、事務用椅子の座面高に何を加えた高さにするとよいか。

1. 肩峰高　2. 差尺　3. 下腿高

第18問 2 [上 第4章 第1節]
椅子の座面高とテーブルやデスクの甲板の上端との距離を差尺という。適切な差尺の求め方は、筆記作業で座高×1/3、読書で座高×1/3（－2～3cm）が目安。人体寸法の略算値では、肩峰高は身長×0.8、下腿高は身長×0.25になる。

第 19 問 □ □ □

高さ850mmのキッチンカウンターで食事をするスツールの適切な座面高さはどれか。

1. 約450mm　2. 約550mm　3. 約650mm

第19問 2 [上 第4章 第2節]
高さ850mmから差尺分約300mmを引くと適切な高さは、約550mmになる。差尺は300mm前後と覚えると計算しやすい。

第 20 問 □ □ □

室内における照明器具のスイッチの一般的な床からの高さ（車イス利用者を考慮しない場合）はどれか。

1. 約105cm　2. 約120cm　3. 約135cm

第20問 2 [上 第4章 第1節]
室内の床の上端からスイッチプレートの中心までの高さになる。

第 21 問 □ □ □

背もたれのないいすに腰かけたときの座面が受ける力は、全体重の何％とみなすことができるか。

1. 55　2. 70　3. 85

第21問 3 [上 第4章 第1節]
人体各部の質量比から約85％の荷重が背もたれのないいすの座面にかかる。

第 22 問 □ □ □

一つの住戸が2層でつくられている住戸形式は、変化のある室内空間をつくることができ、共用通路に接していない階はプライバシーの点で居住性が高い。その住宅形式は何というか。

1. オープンスペース
2. メゾネット　3. フラット

第22問 2 [上 第4章 第1節]
メゾネットは各世帯とも2層で内部階段がある形式。フラットは各住戸が1層で完結している形式。オープンスペースはマンションに設けられる建築物が建てられていない部分で、歩行者用通路や植栽などを整備した空間を指す。

第 23 問 □ □ □

入居者が組合をつくって、土地の購入や計画・設計の段階から参加して共同で建設する方式はどれか。

1. コーポラティブハウス
2. グループホーム
3. オープンハウス

第23問 1
コーポラティブハウスは組合方式で建てる集合住宅。グループホームは、福祉サービスの一つで生活に困難を抱える高齢者や障害者などを一般の住宅に近い環境で少人数による共同生活をする形態のこと。オープンハウスは住宅の販促方法の一つ。オープンハウス期間中、希望者に内部を公開すること。

第 24 問 □ □ □

分譲マンションなどの区分所有建物の登記簿上の床面積はどれか。

1. 建築基準法上の床面積より小さい
2. 建築基準法上の床面積と等しい
3. 建築基準法上の床面積より大きい

第24問 1
[上 第4章 第3節 及び 下 第9章 第2節]
区分所有建物の登記簿上の床面積は、内法面積になる。

第 25 問 □ □ □

住宅の階段は一般的に昇降しやすいとされる、踏面寸法Ｔ（㎝）と蹴上寸法Ｒ（㎝）の関係式 2R＋Ｔで求められるが、その値はどれか。

1. 36　2. 45　3. 63

第 25 問　3
［上 第 4 章 第 2 節 及び 下 第 1 章 第 3 節］
昇降しやすい階段の勾配は 30 ～ 35 度といわれている。式は 2R ＋ T ＝ 63（㎝）になる。

第 26 問 □ □ □

階段の手すりを壁に取り付ける場合、一般的につかまりやすいとされる壁と手摺の間の空き寸法どれか。

1. 10 ～ 20㎜
2. 25 ～ 35㎜
3. 40 ～ 50㎜

第 26 問　3
［上 第 4 章 第 2 節 及び 下 第 1 章 第 3 節］
室内階段に付ける手すりは、壁面と手すりの間は 40㎜以上あけ、壁面からの手すりの出幅が 100㎜を限度として手すりがないものとされ、建築基準法で定められる階段の有効幅が確保されているとみなされる。手すりの高さには法的な規定はないが 750㎜～ 850㎜が一般的で高さは段板の段鼻から手すりの上端（上面）までを計る。

第 27 問 □ □ □

加齢とともに聞きづらくなる音域があるので、警報音や通知音を点滅ランプと同調させて視覚にも訴える工夫をするが、どの音域が聞きづらくなるか。

1. 低音域　2. 中音域　3. 高音域

第 27 問　3　［上 第 4 章 第 2 節］
加齢と共に老人性難聴や耳鳴りが生じるようになり、小さな音や高音域の音が聞きづらくなるので配慮が必要になる。

第 28 問 □ □ □

トイレでの介助が必要な場合、便器の横には、最低でも幅何㎜以上の介助スペースが必要か。

1. 300　2. 500　3. 700

第 28 問　2　［上 第 4 章 第 2 節］
トイレでの介助は、介護者が前傾姿勢になり腰をうしろに突き出すので、有効幅は 500㎜以上必要。

第 29 問 □ □ □

加齢による水晶体の黄変化などにより青や緑は、どのように見えるか。

1. 黄緑色っぽく
2. 黄色っぽく
3. 黒っぽく

第 29 問　3　［上 第 4 章 第 2 節］
加齢により水晶体が濁って黄みを帯びてくると、青いものが黒っぽく見えるようになる。また視野狭窄や色覚の低下、明るさの感知がしづらくなるなどインテリア計画では配慮が必要になる。

第 30 問 □ □ □

衝突する危険がある開口部にガラスを使う場合は、割れても破片が飛散しないガラスを用いることが望ましいが、どのガラスを使うと良いか。

1. 合わせガラス
2. 強化ガラス
3. ガラスブロック

第 30 問　1
［上 第 4 章 第 1 節 及び 下 第 6 章 第 5 節］
合わせガラスは、板ガラス＋中間膜＋板ガラスの 3 層構造になっており、飛散防止性・耐貫通性に優れている。防犯ガラスも合わせガラスの一種。強化ガラスはテンパライトガラスとも呼ばれ、通常の板ガラスの 3 ～ 5 倍の強度があるガラス。ガラスブロックは、内部が中空になったキューブ形の建築用ガラス。断熱性・遮音性に優れ、床・壁などに使用。やわらかい光を均一に室内に取り入れることが出来る。

第 31 問 □ □ □

ミスや不具合が発生しても安全側に向かうような工夫がある。たとえば、高齢者が転倒した場合を想定し、床の構造を弾力性のある木組み床とするなどがあるが、そのような工夫を何というか。

1. アセスメント　2. バリアフリー
3. フェイルセーフ

第 31 問　3　［下 第 7 章 第 2 節］
フェイルセーフは故障や操作ミスをした場合を想定して被害を最小限にとどめるような工夫をいう。またフールプルーフは、操作がよく分からない人が扱っても安全に扱えるように、例えばドアを閉めないと加熱できない電子レンジのように、正しく使わないと動かないようになっている。

第32問 □□□ バルコニーの手摺の手摺子の間隔は、幼児の頭が入らないように間隔が決まっているが、それは何cmか。

1. 11　2. 13　3. 15

第32問 1
[上 第4章 第2節 及び 下 第6章 第3節]
手摺子の間隔は、手摺の中心から中心までを11cm（110mm）以下にする。またバルコニーや屋上の手摺の高さは、110cm（1,100mm）以上にしなければならない。

第33問 □□□ 分譲マンションの住戸内リフォームでは、建物の管理規約や法で定める諸規定などもよく調べて工事範囲を定めることが大切であるが、何という法律か。

1. 環境基本法
2. 建物の区分所有等に関する法律（区分所有法）
3. 借地借家法

第33問 2　[上 第4章 第3節]
分譲マンションでは、建物の区分所有等に関する法律（区分所有法）に基づき規制され、専有部分、共有部分、専用使用部分にわかれる。環境基本法は地球環境保全の積極的な推進などを基本理念としている法律。借地借家法は賃貸人に比べて立場も弱く経済的にも不利になりやすい借地人を保護するために、土地や建物について定めた賃貸借契約の規定で、民法よりも手厚く保護できるように定められた法律。

第34問 □□□ 分譲マンションの住戸を改装する時に、移設することが可能な部分はどれか。

1. パイプシャフト　2. メーターボックス
3. キッチンカウンター

第34問 3　[上 第4章 第3節]
パイプシャフトやメーターボックスは専有部分ではないため移設はできない。共用部分になる。

第35問 □□□ 住宅のインテリアの色彩計画では、面積の大きい壁と天井を基調色というが、カーテンなどの中程度の面積のものは何色というか。

1. 配合色
2. 中間色
3. 強調色

第35問 1　[上 第4章 第1節]
基調色（ベースカラー）は床・壁・天井など面積の大きい部分、配合色（アソートカラー）はカーテン・家具などの部分、強調色（アクセントカラー）は目立つ変化を加える役割をもつ色になる。中間色は、純色に黒色または白濁色を混ぜた色で、色相環上で主要な原色の中間にある橙・黄緑などを指す。

第36問 □□□ シアン、マゼンダ、イエローの3色により色を作り出す混色方法はどれか。

1. 加法混色
2. 中間混色
3. 減法混色

第36問 3　[上 第4章 第1節]
加法混色は、赤、青、緑を混合すると白になり、混合する成分が増えるほど明るくなる混色。中間混色は、2色以上の色を塗り分けた回転体を回した時に見みられる混色で、混ぜた色の中間の明るさになる。減法混色は、赤紫（マゼンダ）、黄（イエロー）、青緑（シアン）を混合すると黒になり、混ぜる成分が増えるほど暗くなる混色。

第37問 □□□ 日本の慣用色名の利休鼠を代表的なマンセル値で表すと、どれになるか。

1. 2.5G 5/1　2. 4R 3.5/11　3. 7RP 7.5/8

第37問 1　[上 第4章 第1節]
慣用色名は暮しの中で慣れ親しんできた色の名前。利休ねずみは緑みの灰色と表され、マンセル値では2.5G 5/1になる。4R 3.5/11はあかね色、7RP 7.5/8はとき色になる。

第38問 □□□ PCCSのトーンの分類で中明度で高彩度なトーンはどれか。

1. ペール
2. ストロング
3. ダル

第38問 2　[上 第4章 第1節]
PCCSは日本色研配色体系より発表された色彩調和のシステムで、明度と彩度を組み合わせトーン・色の調子により分類し慣用語に近い表し方をする。ペールは薄い、ストロングは強い、ダルは鈍いになる。

第 39 問 □ □ □

表色系の中で彩度の数値が上がるに従って鮮やかさが増し、最高値は色相、明度によって異なる表色系はどれか。

1. マンセル　2. オストワルト　3. PCCS

第39問　1　［上 第4章 第1節］
マンセルの表色系は、色相、明度、彩度で構成され、彩度の数値が上がると鮮やかさが増す。オストワルトの表色系は24色相とし、明度・彩度については、黒色量・白色量・純色量の比率によって色を表す。

第 40 問 □ □ □

正五角形で構成される正多面体はどれか。

1. 正4面体　2. 正8面体
3. 正12面体

第40問　3　［上 第4章 第1節］
正多面体は他に、正三角形で構成される正4面体、正8面体、正20面体、正方形で構成される正6面体がある。

第 41 問 □ □ □

長方形を2等分したものの短辺・長辺の比が、もとの長方形のそれと同じになるルート長方形の比どれか。

1. 1：$\sqrt{2}$　2. 1：$\sqrt{4}$　3. 1：$\sqrt{6}$

第41問　1　［上 第4章 第1節］
ルート長方形は、短辺を1として長辺を$\sqrt{2}$、$\sqrt{3}$、$\sqrt{5}$などの無理数（分数の形で表せないもの）にした長方形。

第 42 問 □ □ □

床のフローリングの貼り方の一つであるヘリンボーンの日本での名称はどれか。

1. 矢筈（やはず）　2. 杉木　3. 松皮びし

第42問　1　［上 第4章 第1節］
矢筈は模様の名称。ヘリンボーンはニシン（herring）の骨（bone）という意味で、開きにした魚の骨の形状に似ているところからきた名称。杉木、松皮びしも模様・文様の名称。

第 43 問 □ □ □

シュレーダーの階段のように、一つの絵や図の見方によって異なったものに見える図形を何というか。

1. 錯視図形　2. 矛盾図形　3. 多義図形

第43問　3　［上 第4章 第1節］
多義図形は反転図形ともいい、マッハの本、ネッカーの立方体、娘と老婆などの図形がある。錯視図形は、目にした対象を実際のものと違ったものとして捉えてしまう図形をいう。矛盾図形は、現実にはそのような立体はあり得ないのに、そうとは気が付かず見てしまう図形。

第 44 問 □ □ □

黄金比の長方形は安定した美しい形とされるが、その数値はいくつになるか。

1. 1：約1.414　2. 1：約1.616
3. 1：約1.618

第44問　3　［上 第4章 第1節］
黄金比は人間が最も美しいと感じる比率とされ、ギリシャのパルテノン神殿は黄金比を用いて建設したと言われている。

第 45 問 □ □ □

細いゴムを糸で巻いてベルト状にした衝撃吸収材はどれか。

1. ウェビングテープ　2. アンダーレイ
3. ヘッシャンクロス

第45問　1　［上 第5章 第2節］
アンダーレイは、グリッパー工法の時に使用する下地材。

第 46 問 □ □ □

波型でSバネとも呼ばれ、椅子の下張り、ベッドやソファの底張りに用いられる衝撃吸収材はどれか。

1. S字トラップ
2. スネークスプリング
3. ヘッシャンクロス

第46問　2　［上 第5章 第2節］
ヘッシャンクロスの素材は麻で出来ていて、張りぐるみ椅子のあおり張りなどに使われる材質。充填物のウレタンフォームの落ち込みや衝撃吸収材のバネのあたりなどを防ぐ。S字トラップは衛生器具や排水系統に設置される器具のこと。

第 47 問 □□□ ベッドで使用されるクッション材で、一つずつ独立したコイルで身体を点で支える構造のものはどれか。

1. ウッドスプリング　2. ボンネルコイル
3. ポケットコイル

第47問　3　［上 第5章 第2節］
ウッドスプリングは、すのこ状の木製バネでベッドのマットレスの土台に使われる。ボンネルコイルは、複数のコイルスプリングを連結させて1つにまとめたセットスプリング。

第 48 問 □□□ 座面の貼り方で、スプリングの上をヘッシャンクロスで覆い、その上にクッション材を被せて上張りで仕上げる方法はどれか。

1. 薄張り　2. 厚張り　3. あおり張り

第48問　3　［上 第5章 第2節］
薄張りは一般にクッションの厚みが20㎜程度のものをいい、皿張りや張り込みなどの張り方がある。厚張りはクッションの厚みが50㎜以上のものをいい、衝撃吸収剤やクッション材を使用し高級な椅子に使われる。

第 49 問 □□□ 扉の裏面と側板の内側に固定し、180°以上開く丁番(右図参照)はどれか。

1. スライド丁番
2. 旗丁番
3. アングル丁番

第49問　3　［上 第5章 第2節］
丁番とは扉を開閉させるための軸となる金物でヒンジともいう。旗丁番は左右の羽根が上下に外れる構造の丁番で、片側の羽根が旗に似ている事から旗丁番と呼ばれている。

第 50 問 □□□ 食器棚の開き扉などに使用し、扉の微調整と脱着が容易な丁番(右図参照)はどれか。

1. 旗丁番
2. スライド丁番
3. 平丁番

第50問　2　［上 第5章 第2節］
スライド丁番はキャビネットの内側に取付け丁番が外側に見えない構造。食器棚などの家具や什器の開き戸に使われ、扉の前後・上下・左右の微調整が出来る。平丁番は最も一般的な丁番で、開き扉や蓋などの開閉に使われる。

第 51 問 □□□ 甲板などの無垢板に用いる見かけの良さと強度を兼ね備えた接合方法(右図参照)はどれか。

1. 相欠はぎ
2. 蟻実はぎ
3. 雇い実はぎ

第51問　1　［上 第5章 第2節］
相欠はぎは、木材同士を半分ずつ欠き取りつなぎ合わせる。雇い実はぎは接ぎ合わせ両方の面の同じ位置に実溝(さねみぞ)を切り、溝にあわせて実(さね)を作って挟み接合する。

第 52 問 □□□ スチール製の家具には、厚く強度のある塗膜をつくり不透明に仕上げる塗装方法があるが、それは何というか。

1. 粉体塗装
2. 電着塗装
3. 加飾塗装

第52問　1　［上 第5章 第2節］
粉体塗装はパウダーコーティングともいい、粉末状の塗料を用いる塗装のこと。細かく粉砕して粉状にした塗料(粉体塗料)を塗装対象物に付着させ焼き付ける。電着塗装は電気を使って塗膜を形成する。水溶性の塗料を張った槽内に塗装対象物を入れて電流を流し、塗膜を形成する。加飾塗装は変わり塗りともいい、メタリック塗装、パール塗装、アンティーク塗装などがあり様々な質感を表現する塗装法。

第 53 問 □□□ 塗膜をつくらない表面仕上げに用いられ、自然の木肌の色と質感に近い仕上がりになる塗装はどれか。

1. オイルフィニッシュ
2. ミラーフィニッシュ
3. ソープフィニッシュ

第53問　3　［上 第5章 第2節］
ソープフィニッシュは木製の家具を石けん水で保護する塗装で北欧家具などに使われる。オイルフィニッシュは乾性油を木材に浸透させ、表面に塗膜がない仕上げ。ミラーフィニッシュはステンレスなどの鏡面仕上げのこと。

第 54 問　照明器具のグローブなどにも使用され、透明で耐熱性に優れ、衝撃にも強い樹脂はどれか。
□□□
1. エポキシ樹脂
2. フェノール樹脂
3. ポリカーボネート樹脂

第54問　3　[上 第5章 第2節]
ポリカーボネート樹脂は、耐衝撃性、透明性、自己消火性(火をつけても燃え広がらない)があり、照明器具、家具の扉の面材、カーポートやアーケードの屋根材などにも使われる。エポキシ樹脂は、防錆・耐水性、耐衝撃性、耐薬品性などがあり、スチール家具などに使われる。フェノール樹脂は、耐熱性、電気絶縁性などに優れ、自動車、電子部品などに使われる。また耐水用合板の接着材としても使用されている。

第 55 問　ブロー成型の家具などに使用され最も多く生産されている樹脂で、比重が軽く水に浮く樹脂はどれか。
□□□
1. 不飽和ポリエステル樹脂
2. ポリエチレン樹脂
3. アクリル樹脂

第55問　2　[上 第5章 第2節]
ポリエチレン樹脂は、最も多く生産されている樹脂で水に浮き、耐衝撃性、耐薬品性に優れ家庭用ポリ袋などに使用される。不飽和ポリエステル樹脂は、樹脂にガラス繊維を混入し強化したFRPと呼ばれ、浴槽、防水パン、椅子の座などに使用される。アクリル樹脂は、メタクリル樹脂とも言われ、耐候性と透明性を持つ素材でガラスの代用として使われている。

第 56 問　熱硬化性樹脂で表面硬度が高く、耐熱性、耐水性、耐薬品性に優れ、テーブルの甲板の表面材など化粧板として使われる樹脂はどれか。
□□□
1. メラミン
2. ABS
3. ナイロン

第56問　1　[上 第5章 第2節 及び 第4節]
メラミン化粧板はキッチントップやテーブルの甲板などの表面材として使用されている。ABS樹脂は、不透明、耐衝撃性、剛性のある樹脂で電気製品の外装部品や家具の部材などに使われている。ナイロンは初めて登場した化学合成繊維で、耐久性、耐水性、耐摩耗性に優れ多くの用途に使われている。

第 57 問　金型の中でポリウレタン樹脂を発泡させて成型するウレタンを何というか。
□□□
1. モールドウレタン
2. スラブウレタン
3. スポンジウレタン

第57問　1　[上 第5章 第2節]
モールドウレタンは金型のなかで成形発泡して作る。スラブウレタンはポリウレタン樹脂を多量発泡して切り出して使う。スポンジウレタンは、内部に細かな孔が無数に空いた多孔質の柔らかいウレタンをいう。

第 58 問　カーテンプリーツのうち、必要幅が最も多いのはどれか。
□□□
1. 片ひだ
2. はこひだ
3. ギャザーひだ

第58問　3　[上 第5章 第4節]
片ひだは、間口幅の約2倍、箱ヒダは約2.5～3倍、ギャザーひだ(シャーリング)は約3～4倍必要になる。

第 59 問 □ □ □

遮光カーテンは、合成繊維のたて糸に黒糸を織り込んだものなど耐候性のある繊維を使用するが、それはどの繊維か。

1. アセテート
2. リネン
3. ポリエステル

第 59 問　3　[上 第 5 章 第 4 節]
遮光カーテンは一般社団法人日本インテリア協会(NIF)の基準により、遮光率が99.4%以上の生地が対象。1 級～ 3 級の等級分けをしている。カーテンの生地にはポリエステルを使い、たて糸に黒糸を織り込む、遮光性のある裏地を縫い付ける、表生地と裏面の間に黒色樹脂を挟み込みなど方法がある。アセテートは木材パルプを原料としたアセチルセルロース(繊維素)に酢酸を加えた半合成繊維。絹のような光沢と感触、丈夫で縮みにくい。リネンは麻のこと。

第 60 問 □ □ □

ローマンシェードのスタイルのうち、ウェーブをタップリとった最もゴージャスなタイプはどれか。

1. オーストリアン
2. プレーリー
3. ピーコック

第 60 問　1　[上 第 5 章 第 4 節]
シェードは、日よけと目隠しとして使われはじめ、その後、多様なスタイルになる。特にローマンシェードは布を上下に開閉するスタイルカーテンの一種。プレーリーは水平線を強調し、タックを交互にとり草原のさざ波を思わせる。ピーコックは裾を半円状にしながら畳上げる。孔雀が羽を広げたような形からピーコックという。

第 61 問 □ □ □

プリーツスクリーンの 2 段階(ツインタイプ)を開閉するとき、上部と下部の切り替えが可能な操作方法はどれか。

1. チェーン式(コード式)　2. ギヤー式
3. 電動式

第 61 問　1　[上 第 5 章 第 4 節]
プリーツスクリーンは、プリーツ加工を施した不織布に装置を付け、上下に昇降させて開閉するウィンドートリートメント。操作方法は、コード式(チェーン式)とドラム式がある。

第 62 問 □ □ □

断面形状が六角形の蜂の巣状になっているスクリーンで、断熱性と保温性のあるものはどれか。

1. パネルスクリーン
2. ロールスクリーン
3. ハニカムスクリーン

第 62 問　3　[上 第 5 章 第 4 節]
ハニカムスクリーンはその構造が空気層になり、断熱、遮音、保温効果が高いのが特徴。パネルスクリーンは生地で仕立てたフラットなパネル状のものをレールに吊し、左右方向にスライドさせて移動させる。

第 63 問 □ □ □

平版の技法で本来は石版石が代表的であるが、今は金属板が一般に使用されている版画はどれか。

1. セリグラフ　2. リトグラフ
3. メゾチント

第 63 問　2　[上 第 5 章 第 6 節]
リトグラフは、石を版に使う石版画。セリグラフ(シルクスクリーン)は微細な穴を通してインクを素材に直接刷り取る方法で反転しない。メゾチントは凹版の技法で、銅販に鋭利な刃物で直接彫ってゆく直刻法のこと。

第 64 問 □ □ □

凹版の技法で、銅板に直接、鋭い刃物で彫っていく技法はどれか。

1. エッチング　2. ステンシル
3. エングレーヴィング

第 64 問　3　[上 第 5 章 第 6 節]
エングレーヴィングは凹版のメゾチントと同じ技法になる。エッチングは、腐食法(間接法)、銅が酸に溶けくぼみを作る技法。ステンシルは合羽版(合羽刷り)といい、孔版の一種で紙を切り抜いて版を作る。

第 65 問 □ □ □
凸版の技法で最も古い歴史をもち、版下絵、彫り、刷りの分業を原則とする技法はどれか。
1. 木版
2. テンペラ
3. 合羽刷り

第65問 1 [上 第5章 第6節]
木版は凸版のひとつで、木製の原版に下絵を描き(版下絵)、彫刻刀で彫り、版木に絵具(インク)をのせ、刷り紙に絵具(インク)を移していく刷り方。テンペラ画は卵を顔料と混ぜ絵具をつくり描く方法。

第 66 問 □ □ □
洋風庭園のエレメントに、ツタ類を這わせて緑の人工造形美を楽しむトレリスがある。そのトレリスで構成された庭園構造物は、総称して何というか。
1. トレリスアーバー　2. トレイヤージュ
3. トレリスゲート

第66問 2 [上 第5章 第7節]
トレリスアーバーは、つる性の植物を育てるのに欠かせない格子状の構造のトレリスがアーチ状になっているもの。トレリスゲートは、トレリスアーバーに門扉が付いているもの。

第 67 問 □ □ □
日本の伝統的な垣根のひとつで、割竹の表を外に向け隙間なく縦に並べ縄で結んで造られた垣根はどれか。
1. 金閣寺垣　2. 桂垣　3. 建仁寺垣

第67問 3 [上 第5章 第7節]
金閣寺垣は竹垣の一種で、背の低い透かし垣で通路と庭の境目などに使用される。原型のものが金閣寺にある。桂垣は生垣の一種で原型のものが桂離宮にある。骨組みを作り、中に竹穂を詰め並べ、割竹と紐で結び押さえる。

第 68 問 □ □ □
ガジュマルは室内の明るい場所に置き、乾燥に弱いので霧吹きで葉水を与える必要がある。ガジュマルは何の仲間に入るか。
1. ゴムノキ　2. ショウガ
3. アンスリウム

第68問 1 [上 第5章 第6節]
ゴムノキはしっかりした幹を持ち、明るい場所を好む。ショウガはショウガ科ショウガ属の多年草で香辛料や生薬として使用される。アンスリウムはサトイモの仲間で、スパティフィラムと同様に温度に注意すれば1年中白い花を付ける。

第 69 問 □ □ □
通常、羽毛布団は中綿のダウン使用率が何%以上と定義されているか。
1. 30　2. 50　3. 90

第69問 2 [上 第5章 第7節]
羽毛布団は中綿のダウン使用率が50%以上、羽根布団は中綿のダウン使用率が50%未満のものいう。

第 70 問 □ □ □
テーブルクロスは、フォーマルなディナーでは白い麻またはコットンを使うが、コットンはどんな織り方のものを使うか。
1. ダマスク　2. ゴブラン　3. 先染

第70問 1 [上 第5章 第7節]
ダマスク織りは綾織りの一種で、経糸と緯糸を複雑に組み合わせ模様を織り出した織物。ゴブラン織りはよこ糸に何色も使用して模様を織りだす平織りの生地。先染めは、糸の段階で染色してから織物や編物の生地にする。また後染めは、生地を1枚に仕立ててから染める。

第 71 問 □ □ □
日本の漆器のうち、木目の美しさを生かした透明感のある褐色の塗りものはどれか。
1. 秀衡塗　2. 春慶塗　3. 津軽塗

第71問 2 [上 第5章 第7節]
春慶塗は岐阜・高山、秀衡塗は岩手・盛岡、津軽塗は青森・弘前が産地になる。

第 72 問 □ □ □
六古窯のひとつで、良質の陶土の特徴を生かし、登り窯や穴窯で焼成されることにより灰かぶりや火色などの素朴な味わいを持つ陶器はどれか。
1. 伊賀焼　2. 信楽焼　3. 織部焼

第72問 2 [上 第5章 第7節]
焼き物の代表的な産地として六古窯があるが、瀬戸、丹波、越前、備前、信楽、常滑の六カ所になる。伊賀焼は三重・伊賀上野が産地で白土を使った土瓶や行平(平鍋)ある。織部焼は岐阜が産地で古田織部によって創られ緑釉で有名。

第 73 問 □□□ 戸建て小規模住宅の階段(右図)の幅を、建築基準法令で定める最小の寸法にする場合、右図の寸法 A は何mmになるか。

1. 690mm
2. 740mm
3. 790mm

第 74 問 □□□ バリアフリー関連法令では、屋内の車椅子用傾斜路(スロープ)の勾配はいくつか。

1. 1/10　2. 1/12　3. 1/15

第 75 問 □□□ まわり階段の踏面の寸法は、踏面の狭い方から何cmの位置で計測するのか。

1. 20cm　2. 30cm　3. 40cm

第 76 問 □□□ 最下階の居室の床が木造で、地面からの湿気を防止する対策を講じない場合、床の高さは、直下の地面からその床の上面までの高さを何cm以上としなければならないか。

1. 30cm　2. 45cm　3. 60cm

第 77 問 □□□ 木造 3 階建て住宅の火気使用室で、内装制限の対象とならないのは何階か。

1. 1 階　2. 2 階　3. 3 階

第 78 問 □□□ 消防法による防炎物品の対象となる物品はどれか。

1. カーテン　2. 壁紙　3. フローリング

第 79 問 □□□ 戸建住宅に地階を設ける場合、容積率の緩和を受けられるが、床面積のいくらを限度として地階の部分は容積率の対象から除かれるか。

1. 1/2　2. 1/3　3. 1/4

第 80 問 □□□ はね出し形状のバルコニーが、建築面積に算入されない図の寸法 A の最大値は何cmか。

1. 90cm
2. 100cm
3. 120cm

第 73 問　1　[下 第 9 章 第 2 節]
建築基準法令での階段の最小幅は 750mmなので、手すりの出幅 60mmを引くと 690mmになる。

第 74 問　2　[下 第 9 章 第 2 節]
バリアフリー関連法規では室内の車いすの傾斜路(スロープ)は、高さ 16cmを超える場合は 1/12 以下、16cm以下の場合は 1/8 以下の勾配とする。

第 75 問　2　[下 第 9 章 第 2 節]

第 76 問　2　[下 第 9 章 第 2 節]
木造では、地面から床仕上げの上面までは 45cm以上と決められている。しかし防湿処理をした土間コンクリートなど制限が免除されることもある。

第 77 問　3　[下 第 9 章 第 2 節]
木造の戸建て住宅の最上階は内装制限から除外される。また、ガスコンロなど炎がでる加熱器ではなく、IH コンロのみを使用する場合は内装制限は適用されない。

第 78 問　1　[下 第 9 章 第 2 節]
消防法で規制されている防炎規制では、防炎対象物品は基準以上の防炎性能を持つ物品でなければならない。防炎物品には防炎ラベルがついている。

第 79 問　2　[下 第 9 章 第 2 節]

第 80 問　2　[下 第 9 章 第 2 節]
軒やはね出しのバルコニーはその出の距離(柱・壁芯からの)が 1m を超える部分は建築面積に算入される。

第 81 問　□ □ □

制電マーク(右図参照)は、一般社団法人日本インテリアファブリックス協会の商標で、帯電性における試験基準に適合した物品に付けられるが、どの物品に付けられるか。

1. ビニル床シート
2. カーペット
3. ビニル壁紙

NIF
制 電

第81問　2　[下 第9章 第3節]
静電気防止機能を施しているカーペットなどに付けられる。

第 82 問　□ □ □

防ダニマーク(右図参照)は、防ダニ加工製品協議会が定めた防ダニ機能の基準(忌避効果、または増殖抑制効果)を満たした製品に付けられるがどの製品に付けられるか。

1. 収納家具
2. カーテンおよびブラインド
3. カーペット

防ダニ加工

第82問　3　[下 第9章 第3節]

第 83 問　□ □ □

洋小屋は陸梁、合掌、束などでトラスを構成した小屋組だが、トラスの上弦材の上に勾配に直角に架ける材はどれか。

1. 方づえ　2. 垂木　3. 母屋

第83問　3　[下 第6章 第1節]
和小屋は梁の上に束を立てて屋根を乗せる組み方をする。

第 84 問　□ □ □

土間コンクリートやコンクリートスラブの上に、大引きや根太を直接のせて固定して仕上げた床はどれか。

1. 転ばし床　2. 束立て床　3. 組床

第84問　1　[下 第6章 第1節]
転ばし床は床束を設けないため床組みの高さを抑えることが出来る。束立て床は、地面に置かれた束石の上に床束をたて、大引きを渡し、大引きに直角に根太をのせる。組床は建物の2階以上の床組で、大梁に小梁を架け、その上に根太を置き床板を貼って造る。

第 85 問　□ □ □

通常、コンクリートの打設には2枚のせき板の間隔を一定にするなどのためにセットする金物があるが、それはどれか。

1. ドレーキップ　2. ハニカム
3. セパレータ

第85問　3　[下 第6章 第1節]
せき板とは、コンクリートを受ける型枠のことで、コンパネ、鋼板などが使われる。ドレーキャップは内開き戸と内倒し窓の機能を持つ外部建具。ハニカムは蜂の巣状の形のこと。

第 86 問　□ □ □

鉄筋コンクリートのラーメン構造の梁せい(梁の高さ)は、スパンのどのくらいが目安といわれているか。

1. 1/5　2. 1/10　3. 1/20

第86問　2　[下 第6章 第1節]
スパン(梁間)の長さが7mならその1/10で、約70cmになる。

第 87 問　□ □ □

鉄骨造における接合方法で、引っ張り耐力が極めて大きく、部材相互の摩擦力を構造計算に算入することができる接合はどれか。

1. 高圧ボルト　2. 普通ボルト
3. 嵌合(かんごう)

第87問　1　[下 第6章 第1節]
普通ボルトはボルトとボルト穴とのクリアランス(隙間)により微少なガタがあると考えられ、使用には制限がある。嵌合は、軸と穴がはまり合っていること。

第 88 問 □□□
一般的なフローリングの板の継ぎ目の接合方法はどれか。
1. 雇い実継ぎ　2. 本実継ぎ　3. 蟻継ぎ

第 89 問 □□□
現在の和風住宅に見られる床の間などの要素は、室町時代から近世初頭にかけて成立した様式だが、その様式はどれか。
1. 寝殿造　2. 書院造　3. 数寄屋造

第 90 問 □□□
和室の真壁と畳との間にある畳寄せは何のために取り付けるものか。
1. 隙間を埋める　2. 換気を促す
3. 掃除をしやすくする

第 91 問 □□□
長押と関係の深いものはどれか。
1. 天井と床　2. 柱と鴨居　3. 壁と幅木

第 92 問 □□□
竿縁天井の竿の面取り(右図参照)の名称はどれか。
1. 几帳面　2. さるぼう面
3. 銀杏面

第 93 問 □□□
天然木材の短所を補うため様々な木質材料があるが、その中で単板を相互に繊維方向に直交させて重ね合わせ接着剤で圧着したものはどれか。
1. 単板積層材(LVL)　2. 合板
3. パーティクルボード

第 94 問 □□□
木材の断面が大きいと、中心部が未乾燥のまま表面が乾燥収縮して割れが生じやすい。それを防ぐため、床柱など割れを防ぐために施されるものはどれか。
1. すいつき桟　2. 背割り　3. 小面取り

第 95 問 □□□
次の図のうち、目透かし張りを図解したものはどれか。
1　2　3

第 96 問 □□□
セメントに水を加えたものを何というか。
1. セメントペースト　2. モルタル
3. コンクリート

第 88 問　2　[下 第 6 章 第 2 節]

第 89 問　2
[下 第 6 章 第 3 節 及び 上 第 2 章]
書院造の名称になっている書院は書斎をさし、広縁に突き出して設けられた出文机が形になり付書院になった。

第 90 問　1　[下 第 6 章 第 3 節]
真壁は、壁が柱より後退しているので畳と壁に隙間が出来る。その隙間を埋める役割をもつのが畳寄せになる。

第 91 問　2　[下 第 6 章 第 3 節]
柱を固定するための重要な部材であったが近年は省略されることがある。

第 92 問　2　[下 第 6 章 第 3 節]
竿縁天井の野縁に直交するように板を抑える角材を竿といい、その竿の面取りの形状が猿の顔(頬)のように見えるのでさるぼう(さるぼお)面という。几帳面、銀杏面は面取り加工の名称。

第 93 問　2　[下 第 6 章 第 1 節]
単板積層材(LVL)は、単板を繊維方向を揃えて積層し接着材で貼り合わせてもの。パーティクルボードは、木材の小片(チップ)を成型熱圧したもの。

第 94 問　2
[下 第 6 章 第 1 節 及び 第 3 節]
すいつき桟は、乾燥による板の変形を防ぐ方法で、反りが出ないよう板の裏側に付ける桟のこと。小面取りは、柱の面取りのひとつで 3 ～ 5㎜幅で面取りをする。

第 95 問　1
[下 第 6 章 第 1 節 及び 第 3 節]
二枚の板の間に隙間をあけ、その裏側に板を張る羽目板張りの張り方を目透かし張りという。2 はドイツ下見張り、3 は下見張り

第 96 問　1　[下 第 6 章 第 1 節]
他に、セメント＋砂(細骨材)＋水＝モルタル、セメント＋砂＋砂利(粗骨材)＋水＝コンクリートになる。

第 97 問 □□□
梁の鉄筋の端部を柱に埋め込み、床スラブの鉄筋を梁に埋め込み、接合部を強固にすることを何というか。
1. 定着　2. 圧接　3. 面取り

第 97 問　1　［下 第 6 章 第 1 節］

第 98 問 □□□
木造住宅の外周部にグラスウールを充填する場合、防湿層はグラスウールのどこに設置しなければならないか。
1. 室内側　2. 両側　3. 室外側

第 98 問　1　［下 第 6 章 第 4 節］
室内からの暖かく湿った空気を外壁の中に侵入させないために、防湿層を室内側に設置する。

第 99 問 □□□
ビニル床タイルのうち、塩化ビニル樹脂の含有率が 30%未満のタイルは、塩化ビニル樹脂の配合率が低く安価であるその床材はどれか。
1. 複層ビニル床タイル
2. コンポジションビニル床タイル
3. リノリウム

第 99 問　2　［下 第 6 章 第 6 節］
複層ビニル床タイルは塩化ビニル樹脂の含有率が 30%以上で、断面が 3 層構造。耐摩耗性、耐薬品性に富み、歩行感もよく、住宅や商業施設など幅広く用いられている。リノリウムは亜麻という植物の種から抽出された油（亜麻仁油）に松ヤニ、コルク粉、顔料などを加え、黄麻の布に塗り固めてシートやタイル状にしたもの。自然素材であり抗菌効果がある。

第 100 問 □□□
断面図（図 1 参照）に示すカーペットの織り方を何というか。
1. ウィルトン
2. ボンデッド
3. ラッセル

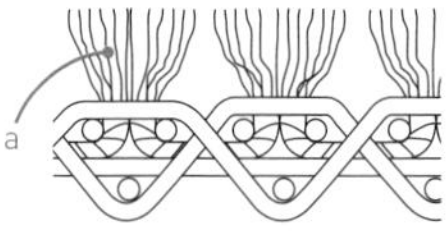

図 1

第 100 問　1　［上 第 5 章 第 5 節］
図の断面は、ウィルトン・カーペットの織り方で三越織りという。3 本の横糸で表面の繊維の束を押さえている。

第 101 問 □□□
カーペットの表面に出ている繊維の束（図 1 の a の部分参照）を何というか。
1. フィラメント　2. パイル
3. フェルト

第 101 問　2　［上 第 5 章 第 5 節］

第 102 問 □□□
断面図（図 2 参照）に示すカーペットの織り方はどれか。
1. タフテッド
2. アキスッミンスター
3. ダブルフェイス

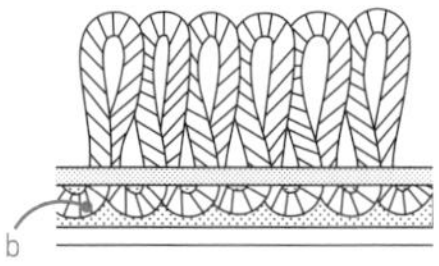

図 2

第 102 問　1　［上 第 5 章 第 5 節］
タフデット・カーペットは、基布に刺繍のようにミシン針でパイルを差し込み、裏面に合成ゴム糊ラテックスを塗り化粧裏地を張って仕上げたもの。

第 103 問 □□□
カーペット繊維の引き抜けを防ぐためのバッキング材（図 2 の b の部分参照）はどれか。
1. 合成ゴムラテックス
2. ポリウレタンゴム　3. シリコーンゴム

第 103 問　1　［上 第 5 章 第 5 節］
パイルの引き抜けを防ぐため裏面に塗り、さらに化粧裏地を張り付ける。

第 104 問 □□□
カーペットを床面の必要なところに固定せずに敷いて、その切り口を処理する方法はどれか。
1. グリッパー工法
2. オーバーロック工法
3. 接着工法

第 104 問　2　［上 第 5 章 第 5 節］
オーバーロック工法は部屋の形状に合わせてカットし、固定しないでおく工法で、切り口をミシンをかける。グリッパー工法は部屋の四隅に設置したグリッパーにカーペットを引っ掛けて固定する工法。接着工法は接着材や両面テープで床下地とカーペットを固定する工法。

第 105 問 □ □ □
日照時間と日の出から日没までの時間を意味する可照時間との比はどれか。
1. 日照率
2. 天空率
3. 昼光率

第 105 問 1 ［下 第 7 章 第 1 節］
日照時間とは天候は快晴、周囲に建物などがなく、直射日光が地表に日が当たる時間だが、現在は日照計により観測される太陽が照った時間数のこと。可照時間とは日の出から日没までの時間。日照率は日照時間を可照時間で割った値×100。

第 106 問 □ □ □
高効率省エネルギー設備と太陽光発電などの創エネルギーを組み合わせて、年間のエネルギー消費量をゼロとすることを目指した住宅を何というか。
1. ZEH
2. ZED
3. ZEB

第 106 問 1 ［下 第 7 章 第 1 節］
ZEH（ゼッチ）とは(ネット・ゼロ・エネルギー・ハウス)の略称。エネルギー収支をゼロ以下にする家という意味。高断熱・高気密など高性能の建物に、家庭で使用するエネルギーを太陽光発電などで創るエネルギーで、その収支を 1 年間で実質的にゼロ以下にする家を指す。ZEB は Net Zero Energy Building（ネット・ゼロ・エネルギー・ビル)の略称。

第 107 問 □ □ □
壁表面と空気間に温度差があるとき、その間の熱の移動を何というか。
1. 伝導　2. 対流　3. 放射

第 107 問 2 ［下 第 7 章 第 1 節］
対流は、温度のことなる空気が混ざり合うことによる熱の移動現象。伝導は、固体内部を熱が伝わる現象。放射は、電磁波による熱の移動現象。

第 108 問 □ □ □
飽和水蒸気圧に対する現在の水蒸気圧の割合はどれか。
1. 相対湿度　2. 絶対湿度　3. 比較湿度

第 108 問 1 ［下 第 7 章 第 1 節］
相対湿度は、天気予報で表記に使われている。絶対湿度は、1kgの乾いた空気と共存している水蒸気の量を表す。温度が高いほど空気は水蒸気を多く含むことができる。

第 109 問 □ □ □
湿り空気が結露する温度はどれか。
1. 沸点
2. 露点
3. 凝固

第 109 問 2 ［下 第 7 章 第 1 節］
露点温度は、湿り空気の温度を下げていくと相対湿度が上昇し、水蒸気量が飽和状態になる温度。沸点は、液体が沸騰する温度。凝固は、物質が液体や気体から固体に変わる現象。

第 110 問 □ □ □
在室者による室内空気の汚染状態を示す指針として用いられる濃度どれか。
1. 二酸化炭素濃度　2. 一酸化炭素濃度
3. 粉じん濃度

第 110 問 1 ［下 第 7 章 第 1 節］
二酸化炭素濃度は、0.10％（1,000ppm）以下、一酸化炭素濃度は 0.001％（10ppm）以下、粉じん濃度は、0.15㎎／㎥以下が許容濃度になる。

第 111 問 □ □ □
建築基準法により、シックハウス対策のために規制対象物質でない物質はどれか。
1. ホルムアルデヒド
2. トルエン
3. クロルピリホス

第 111 問 2, 3 ［下 第 7 章 第 1 節及び 第 9 章 第 2 節］
クロルピリホスは防蟻剤として使われていたが、居室を有する建築物には使用禁止化学物質になっている。ホルムアルデヒドは、建材や家具などの接着材として使われ、建材や家具から室内に有害物質を放出し空気を汚染する。その対策として、ホルムアルデヒドの放出量の少ない建材を使用したり、換気回数 0.5 回／h に相当する機械換気対策を講じるなどがある。

第 112 問 □□□
点音源では、音の強さは音源からの距離に反比例して減少するが、距離の何乗に反比例するか。
1. 平方根　2. 二乗　3. 三乗

第 112 問　2　［下 第 7 章 第 1 節］
距離が 2 倍になれば音の強さは 1/4 になる。

第 113 問 □□□
全天空照度に対する室内の受照点における水平面照度の割合はどれか。
1. 有効採光率
2. 照明率
3. 昼光率

第 113 問　3　［下 第 7 章 第 1 節］
昼光率は、室内の測定点照度／全天空照度× 100 で計算する。採光による室内の明るさの評価として用いる。全天空照度は、全天空からくる天空光による屋外水平面照度で、普通の日の 15,000 ルクスより、乱反射の影響がでる曇りの日（曇天）50,000 ルクスの方が大きい。有効採光率は、採光に必要な居室の床面積に対する開口部（窓）の広さの割合で表す。室内に採り込む光の量の指標。照明率は、光源から放出された光のうち、作業面に入る光の割合のこと。

第 114 問 □□□
光に照らされている面の明るさの度合いを照度というが、単位はどれか。
1. cd（カンデラ）　2. lx（ルクス）
3. lm（ルーメン）

第 114 問　2　［下 第 7 章 第 1 節］
照度の単位は lx（ルクス）。光度の単位は cd（カンデラ）。光束の単位は、lm（ルーメン）。

第 115 問 □□□
厨房、トイレなどに設置する、室内の空気圧が負圧となる機械換気設備をはどれか。
1. 第 1 種換気設備　2. 第 2 種換気設備
3. 第 3 種換気設備

第 115 問　3　［下 第 7 章 第 2 節］
第 3 種換気設備は、排気を送風機で行い、給気は吸気口から行う。第 1 種換気設備は、給気及び排気を機械で行う。第 2 種換気設備は、給気が機械で排気は排気口から行う。

第 116 問 □□□
冷媒が蒸発する際に周囲から熱を奪い、気体から液体に凝縮する際に周囲に熱を放出する性質を利用してた空調機はどれか。
1. ヒートポンプ
2. ミキシングチャンバー
3. ファンコイル

第 116 問　1　［下 第 7 章 第 2 節］
ヒートポンプエアコンは、熱を発するとき暖房になり、熱を奪うとき冷房になる。冷暖房器具の省エネ性能は成績係数（COP）で表される。ミキシングチャンバーは、空調設備に設けられている器具。ファンコイルは、空調方式のひとつでファンコイルユニット方式といい、ファン（送風機）とコイル（熱交換器）をユニット化した空調機。

第 117 問 □□□
飲料用配管とその他の配管系統が直接接続されると、汚染水が混入してしまうため避けなければならない状態を何というか。
1. オーバーフロー
2. クロスコネクション
3. 二重トラップ

第 117 問　2　［下 第 7 章 第 2 節］
クロスコネクションは、飲料用配管とその他の配管系統が直接接続され、汚染水が混入してしまうこと。オーバーフローはあふれると言う意味で、洗面ボールに水があふれてしまうのを防ぐために排水口を付けるが、この排水口のことをオーバーフローという。二重トラップはひとつ排水管に直列で 2 つのトラップを設けること。排水の流れが悪くなる。

第 118 問 □□□
サイホン式トラップは、排水管内部の気圧変動によりトラップの封水が失われることがある。この現象は何と呼ばれているか。
1. 吸出し現象
2. 蒸発
3. 毛管現象

第 118 問　1　［下 第 7 章 第 2 節］
吸い出し現象は、排水管の気圧が大気圧より負圧になると、封水が排水管に吸い込まれること。蒸発は、長時間排水をしないと封水が蒸発してしまうこと。毛管現象は、トラップのあふれ面（ウェア）ついた糸くずなどで、少しずつ封水が排水されてしまうこと。

第 119 問 □□□
家庭用配線として一般化している 100V と 200V を一緒に供給する方式を何というか。
1. 交流単相 2 線式
2. 交流単相 3 線式
3. アンペアブレーカー

第 119 問　2　［下 第 7 章 第 2 節］
交流単相 2 線式は、電圧線と中性線の 2 本の線を利用し 100 ボルトの電圧を供給する。電灯やコンセント回路に使われる。交流単相 3 線式は、3 本の電線があり、真ん中の中性線と 1 本の電圧線で 100 ボルトを、中性線以外の 2 本の電圧線で 200 ボルトの電圧を供給する。エアコンや IH クッキングヒーターは、200V の電圧を使う。アンペアブレーカーは、室内に契約容量以上の電流が流れると電気の供給を遮断する装置。

第 120 問 □□□
サイホンと渦巻作用を併用し、溜水面積が広く、洗浄音が静かな便器は何というか。
1. サイホンボルテックス式
2. サイホンゼット式
3. ブローアウト式

第 120 問　1　［下 第 7 章 第 2 節］
サイホンボルテックス式は、十分な水を張り、渦巻きを作って吸い込む方法で、使用水量が多い。サイホンゼット式は、ゼット孔（噴出穴）から勢いよく洗浄水を流す方法。ブローアウト式は、ゼット孔（噴出穴）から強力な洗浄水を噴射させ汚物を吹き飛ばすように排出する方法で、洗浄音が大きい。

第 121 問 □□□
ワークトップの一部を壁側から突き出して配置したキッチンレイアウトを何というか。
1. アイランド型　　2. ペニンシュラ型
3. ウォール型

第 121 問　2　［下 第 7 章 第 2 節］
アイランド型は、シンクや加熱調理器などを島のように独立して配置するプラン。ウォール型は、ワークトップが壁に沿って配置したプラン。

第 122 問 □□□
再生可能エネルギーの中で、分散型の発電システムのため、震災や停電の際に既存の電力系統に依存することなく自身で電源を得られるのが特徴であるのものはどれか。
1. 地熱発電
2. バイオマス発電
3. 太陽光発電

第 122 問　3　［下 第 7 章 第 2 節］
太陽光発電は、半導体に太陽光を当てると生じる光電効果を利用し電気を発生させる太陽エネルギーを電力に変換するシステム。地熱発電は、地中深くから取り出した蒸気でタービンを回し発電する方法。バイオマス（動植物などから生まれた生物資源の総称）発電は、バイオマスを燃料にして発電を行う方法で、実質的に CO_2 を排出しないものとされている。

第 123 問 □□□
全般照明の器具としてグレアの少ない上方光束 80%、下方光束 20%の照明器具を選んだが、配光別では何型というか。
1. 全般拡散型
2. 半間接型
3. 間接型

第 123 問　2　［下 第 7 章 第 2 節］
照明器具の光源の配光は、光の形や強さがどのように広がるか図表化・データ化したもので配光曲線図という。それぞれの照明器具によりこの配光曲線図は違う。各照明メーカーのカタログに配光曲線図が照明器具毎に載っているので、確認が必要。全般拡散型は、上下左右 360°照らし、間接型は上方のみを照らし、天井や壁に光があたり間接的に部屋を照らす。

第 124 問 □□□
マット敷工法による断熱施工された天井に、全般照明用ダウンライトを取り付ける場合、どの型のダウンライトを選定するか。
1. M
2. SG
3. PAR

第 124 問　2　［下 第 7 章 第 2 節］
断熱材を施工するダウンライトには SG 型と SGI 型がある。マット（グラスウール、ロックウールなどの断熱材）を天井裏の器具の上に覆い被せて施工する。M 型は、断熱材を使う工法には対応していないダウンライト。PAR 型は、前面がレンズで口金側にアルミ塗装の反射鏡がつくダウンライト。

第125問 □□□ CADで作図するときの環境設定、図面枠、レイヤなどをあらかじめ設定してあるファイルを何というか。

1. チュートリアル
2. テンプレート
3. ステレオグラム

第125問　2　［下 第8章 第4節］
テンプレートは、組織的にCADを使用する場合、環境設定、レイヤーの使い方、寸法の入れ方など一定のルールに基づいてデザインを統一して設定しておくと便利である。チュートリアルは、パソコンを初めて使う人向けに、ソフトやハードの基本的な操作方法や知識などを教えるために実装されている機能を指す。ステレオグラムは立体視。

第126問 □□□ 3D形状を面のない稜線のみで表す表現方法はどれか。

1. ラジオシティプ　2. モデリング
3. ワイヤーフレーム

第126問　3　［下 第8章 第4節］
ラジオシティは、3次元(3D)で壁に反射した光がどのように影響するかを計算する画像処理の方法。モデリングは、3D・CGにおいて空間内に立体物の形状を作成する方法。

第127問 □□□ 建築では既に一般化し、インテリアの世界でもその応用が注目されているソフトで、PC上に3Dモデルを作成し、計画から施工、そしてメンテナンスまでの情報を管理するものはどれか。

1. 2D CAD　2. 3D CG　3. BIM

第127問　3　［下 第8章 第4節］
2D CADは2次元の製図を行うCAD。3D CGは質感を伴ったパースを制作するソフトで、立体視(ステレオグラム)を表示することができる。

索引

き

く

け

こ

さ

し

す

せ

そ

た

ち

つ

て

と

な

に

ぬ

ね

の

は

ひ

ふ

へ

ほ

参考書籍

『インテリアコーディネーターハンドブック　総合版　上』 社団法人インテリア産業協会
　産業能率大学出版部
『インテリアコーディネーターハンドブック　総合版　下』 社団法人インテリア産業協会
　産業能率大学出版部
『図解インテリアコーディネーター用語辞典［改訂版］』 尾上孝一・大廣保行・加藤力著
　井上書院
『スーパー図解雑学　たのしくわかる建築のしくみ』 高橋俊介監修　ナツメ社
『絵でみるマーティングのしくみ』 安田貴志著　日本能率協会マネジメントセンター
『コンパクト版　建築史』「建築史」編集委員会編著　彰国社
『いちばんやさしい建築基準法』 基準法を考える設計者の会編著　新星出版社
『エクステリア総論』 社団法人日本建築ブロック・エクステリア工事業協会
『TEXT BOOK テーブルコーディネート』 丸山洋子著　共立速記印刷株式会社
　「優しい食卓」出版部
『インテリアスタイリング事典』 塩谷博子編著　川島インターナショナル
『インテリアスタイルの技法』 産調出版
『インテリアの材料と商品』 プロフェッショナルブック「インテリア」編集委員会　産調出版
『Curtain-ファブリック＆ウインドートリートメント』 社団法人インテリア産業協会編著
　産業能率大学出版部
『カラーコーディネーター入門　色彩』 大井義雄・川崎秀昭著　日本色研事業
『積算資料ポケット版 リフォーム 2011』 建築工事研究会編　財団法人経済調査会
『積算資料ポケット版 インテリア＋ Vol.2』 建築工事研究会編　財団法人経済調査会
ライフスタイルプランナーハンドブック　輸入住宅産業協議会

小社刊の参考書籍

『110 のキーワードで学ぶ　01　世界で一番やさしい木造住宅』（関谷真一）
『110 のキーワードで学ぶ　06　世界で一番やさしい RC・S 造 設計編』（佐藤秀・SH 建築事務所）
『110 のキーワードで学ぶ　07　世界で一番やさしい建築設備』（山田浩幸）
『110 のキーワードで学ぶ　08　世界で一番やさしい建築材料』（area045「建築材料」編纂チーム）
『110 のキーワードで学ぶ　12　世界で一番やさしい建築基準法』（谷村広一）
『6000 のワードで学ぶ　14　世界で一番やさしい建築用語』
『110 のキーワードで学ぶ　15　世界で一番やさしいインテリア』（和田浩一／富樫優子／小川ゆかり）
『110 のキーワードで学ぶ　16　世界で一番やさしい照明』（安齋哲）
『110 のキーワードで学ぶ　30　世界で一番やさしい茶室設計』（桐浴邦夫）
『住宅インテリア究極ガイド』（村上太一／村上春奈／平真知子）
『新・和風デザイン図鑑ハンドブック』
『木材デザイン究極ガイド』
『使える！内外装材［活用］シート』（みんなの建材倶楽部）
『超実践的 [住宅照明] マニュアル』（福多佳子）
『プロとして恥をかかないための 家づくりビジュアル大事典』
『死ぬまでに見たい世界の名建築 1001』（マーク・アーヴィング／ピーター・セントジョン）
『建築物・様式ビジュアルハンドブック』（戸谷英世／竹山清明）

監修者　町田ひろ子(まちだ・ひろこ)

武蔵野美術大学産業デザイン科を卒業後、スイスで5年間家具デザインを研究。1975年にアメリカ・ボストンへ渡り、「ニューイングランド・スクール・オブ・アート・アンド・デザイン(現Suffolk University)」環境デザイン科を卒業。'77年に帰国し、日本で初めて「インテリアコーディネーター」のキャリアを提唱。'78年に「町田ひろ子インテリアコーディネーターアカデミー」を設立。現在、全国6拠点のアカデミー校長として、教育活動に努めている。また、一級建築士事務所・株式会社町田ひろ子アカデミーの代表取締役として、インテリア・プロダクトデザイン・環境デザインと幅広いプロジェクトを「美防災」をテーマに手掛けている。

著者　町田ひろ子アカデミー講師陣

町田瑞穂ドロテア(まちだ・みずほ・どろてあ)

一級建築士。スイス生まれ。武蔵工業大学(現:東京都市大学)工学部建築学科卒業。日本の住宅メーカーをはじめ米国の設計事務所RTKL International ltd.に勤務。2000年帰国後より「町田ひろ子アカデミー」にて教育、商品企画、インテリアデザインなどに関わる。英国KLC School of Design認定講師。

石澤　郁子(いしざわ・いくこ)

インテリアコーディネーター、照明コンサルタント。Studio I主宰。スペースデザイン建築設計室を経て独立。主にマンションおよび戸建住宅の内装デザインを行う。インテリアコーディネーター資格試験対策講座などの講師を務める。

伊集院　俊(いじゅういん・しゅん)

インテリアデザイナー。設計事務所のデザイナーを経て独立。主に住宅、店舗、家具のデザインおよびインテリアエレメントの商品開発などに従事。かたわら、企業内教育講座、IC資格試験対策講座などの講師を担当する。

井上　保彦(いのうえ・やすひこ)

一級建築士。アイエーオフィス一級建築士事務所代表。現代彫刻家アトリエを経て、設計事務所に勤務、海外プロジェクトなどに参加後、独立。各種資格対策講座なども担当。

大庭　明典(おおば・あきのり)

一級建築士、東京都応急危険度判定士。大庭建築設計事務所代表。北海道大学工学部建築工学科卒。難波和彦+界工作舎を経て独立。共著に『使える!内外装材[活用]シート』(小社刊)、『いちばんやさしい建築基準法』(新星出版社)など。

笠原　嘉人(かさはら・よしひと)

インテリアデザイナー、家具デザイナー。笠原嘉人アトリエ主宰。1985年武蔵野美術大学工芸工業デザイン科卒業。漆芸家の工房を経て、デザイン事務所に勤務、'96年に独立。東京テクニカルカレッジインテリア科非常勤講師。

来馬　輝順(くるば・てるのぶ)

一級建築士。一級建築士事務所　㈲建築工房匠屋代表。日本民家再生協会会員、福井大学工学部建築学科卒。共著に『使える!内外装材[活用]シート』(小社刊)、『いちばんやさしい建築基準法』(新星出版社)、『インテリアコーディネーター試験 合格必修用語と過去問題』(彰国社)など。

前田　久美子(まえだ・くみこ)

インテリアコーディネーター、二級建築士。英国KLC School of Design Diplomaを取得。ing design & Atelier-mou.主宰。ICWデザイン事務所を経て独立。500棟以上の住宅や展示場のインテリアデザイン、商品企画、企業や大学などの人材育成に携わる。町田ひろ子アカデミー講師及び主任教務講師。

若生　洋子(わこう・ようこ)

インテリアコーディネーター、カラーコーディネーター、照明コンサルタント。有限会社総合デザイン研究所代表取締役。ホテル・病院・集合住宅・戸建住宅のデザインおよびインテリアコーディネート、企業のコンサルタントやセミナー講師などを行う。

インテリア
コーディネーター
合格テキスト 第3版

2023年 3 月15日　初版第 1 刷発行
2024年 7 月 1 日　　　第 3 刷発行

監修・著者
町田ひろ子インテリアコーディネーター
アカデミー

発行者
三輪 浩之

発行所
株式会社エクスナレッジ
〒106-0032　東京都港区六本木7-2-26
https://www.xknowledge.co.jp

問合せ先
編集　TEL：03-3403-1381　FAX：03-3403-1345
　　　MAIL：info@xknowledge.co.jp
販売　TEL：03-3403-1321　FAX：03-3403-1829